| 2nd Edition |

Laser
Dermatology
Plastic Surgery

레이저
피부 성형

박 승하, 여 운철 지음

군자출판사

레이저 피부 성형

둘째판 1쇄 인쇄 | 2014년 8월 29일
둘째판 1쇄 발행 | 2014년 9월 15일
둘째판 2쇄 발행 | 2020년 9월 21일

지 은 이 박승하, 여운철 외
발 행 인 장주연
출 판 기 획 문승호
편집디자인 군자편집부
표지디자인 군자표지부
일 러 스 트 일러스트부
발 행 처 군자출판사(주)
　　　　　등록 제 4-139호(1991. 6. 24)
　　　　　본사 (10881) **파주출판단지** 경기도 파주시 회동길 338(서패동 474-1)
　　　　　전화 (031) 943-1888　팩스 (031) 955-9545
　　　　　홈페이지 | www.koonja.co.kr

ISBN 978-89-6278-910-2

정가　250,000원

레이저 피부 성형

박승하, 여운철 지음

군자출판사

● 박 승하

고려대학교 성형외과 교수
의학박사, 전문의, MBA
고려대학교 성형외과 주임교수, 과장
대한성형외과학회 학술위원장
레이저성형연구회 회장
대한의학레이저학회 차기 이사장
고려대학교 병원장

● 여 운철

종로에스앤유피부과 원장 www.jongrosnu.com
서울대학교 의과대학 졸업
성균관대학교의과대학 피부과학 조교수
미국 UCSF 대학 피부과 visiting professor
대한피부레이저학회 학술이사
대한의학레이저학회 학술이사, 총무이사
식약처 의료기기 전문가

● 고 우석

JMO 피부과 원장
서울대학교 의과 대학 졸업
Wellman Center for Photomedicine Fellow

● 노 낙경

리더스 피부과 원장
서울대학교 의과 대학 졸업
삼성 서울병원 피부과(전문의)

● 박 재우

박재우성형외과원장
대한성형외과의사회 부회장
지방성형줄기세포연구회 회장

● 윤 춘식

예미원 피부과 원장
서울대학교 의과 대학 졸업
대한피부과의사회 학술이사

1판 머릿말

레이저는 현대 과학의 총아이며, 레이저 치료로 의학 분야에 많은 혜택을 보고 있으나 일부에서는 레이저에 대한 그릇된 선입견 때문에 좋지 않은 인식을 갖고 있기도 합니다. 이는 레이저 치료 초기의 결과에 실망한 것도 있으며, 레이저에 대하여 그저 환상적인 기대를 하거나 레이저에 대한 정확한 지식이 없기 때문으로 생각됩니다.

저자는 레이저에 관심을 가지고 박피레이저 등 여러 가지 레이저를 접하게 되었으며 많은 종류의 레이저 환자를 치료하게 되었습니다. '의사는 환자에게서 배운다'는 말이 있듯이 책에서 배우는 것도 있지만 환자를 치료하면서 얻는 경험도 중요하다는 것을 새삼 알게 되었습니다.

의학잡지에 레이저 주제에 대한 많은 논문이 있으며, 레이저 기종도 많으며 각 레이저 회사마다 수많은 홍보물이 있지만 레이저에 대한 객관적인 정보를 얻고 나름대로 레이저에 대한 판단을 세우기는 쉽지 않습니다. 레이저에 대한 외국 서적도 대부분 백인을 대상으로 하여서 우리와 같은 동양인 피부에는 맞지 않는 면도 있습니다.

레이저가 개발과 동시에 의료용으로 사용되어 왔으며 최근에는 특히 피부의 성형분야에 획기적인 결과를 보이며 새로운 레이저가 많이 개발되었습니다. 레이저는 종류도 많으며 고가장비이기 때문에 모든 레이저를 접하는 것은 불가능하겠습니다.

레이저에 대한 올바른 인식을 갖게 하고 레이저에 관심 있는 분과 레이저를 시작하는 분에게 도움을 드리고자 "레이저 성형" 책을 발간하게 되었습니다.

21세기에는 지식이 '부'가 되고 힘이 되는 시대가 되었습니다. 레이저에 대한 지식 전달과 정보 교환이 무엇보다 중요한 시대에 레이저에 관심 있는 의료인들이 서로 지식과 정보를 공유하는데 이 책이 기여하기를 바랍니다.

아직 레이저 치료에 대한 근본적인 이론적 배경이 완전하게 이루어지지 않았으며 앞으로 새로운 의료용 레이저가 개발된 가능성이 많습니다.

이 책이 나오기까지 수고해주신 공헌저자분과 후원해주신 고려대학교 성형외과 교실원께 감사드리며, 레이저 책을 쓰기로 약속하고 몇 년이나 늦어졌는데도 기다려 주신 군자출판사 장주연사장님께 감사드립니다.

레이저는 계속 개발되고 임상에 적용되기 때문에 더욱 획기적인 내용의 다음 개정판을 기대합니다.

2008년 4월

박 승 하

현대의학은 하루가 다르게 발전하고 있다. 피부레이저의 경우는 이중에서도 발전의 선두를 달리는 분야여서, 수년전 지식에 머물러 있으면 어느듯 신기술에 뒤쳐져버린다. 국내의 사정도 비슷한데, 최근 국내 레이저 제조업체의 비약적 발전으로 한국에서는 하루가 멀다 하고 신제품이 쏟아지고 있다. 이런 신제품과 정보의 홍수 속에서 어떤 레이저를 선택하여 잘 사용할 수 있을지 지침서가 절대적으로 필요한 시점이라고 생각한다.

본 책의 1판은 박승하 교수님이 집필하여 레이저성형이라는 책명으로 출간되었다. 박승하 교수님과는 대한의학레이저학회 임원을 같이 하면서 교수님의 깊은 학식과 탁월한 리더십을 늘 존경하였는데, 박승하 교수님으로 부터 2판 개정판 출간을 함께 하자는 제안을 받고 잠시 고민에 빠졌다. 피부과와 성형외과가 피부레이저를 같이 저술할 필요가 있는가 하는 문제였다. 피부에 사용하는 레이저는 피부레이저라고 할 수 있는데, 피부레이저는 피부과에서만 사용되고 있는 것이 아니라 많은 영역에서 피부레이저가 사용되고 있는 것이 현실이다. 이중 특히 성형외과가 피부레이저를 많이 사용하고 있는 분야이다. 성형외과의 특성상 레이저 단독 사용이 아니라 수술과 병행한 사용 등 피부과와 다른 독특한 사용법이 있다고 생각한다. 그런 이유로 피부과와 성형외과가 공동 집필하는 레이저 책이 피부레이저의 다양한 사용법을 잘 소개할 수 있는 방법이라 생각되어 박승하 교수님의 제의를 흔쾌히 받아들였다. 집필을 구상하고 시작한지 1년, 이제 곧 책으로 되어 "레이저피부성형"으로 출간되니 감회가 새롭다.

단언컨대 세상에 나온 모든 레이저를 다 사용해본 사람은 없을 것이다. 그러므로, 한사람이 여러 레이저를 사용한 치료경험을 아우르는 집필을 할 수가 없다. 집필자가 주로 사용한 레이저를 중심으로 저술할 수 밖에 없는 한계가 있다. 이는 필자도 마찬가지여서 필자가 주로 사용하는 레이저를 중심으로 집필하였다. 이 책에서 소개된 레이저와 동일한 레이저가 아닌 경우, 아쉽지만 책의 내용을 참조하여 자신의 레이저에 맞는 파라미터를 찾아가야하는 수고가 또 필요하다고 본다. 이런 이유로, 필자는 여러 종류의 레이저에 공통되는 치료 원리와 기본 치료파라미터 등을 공유하고자 노력하였다. 아무쪼록 "레이저피부성형"이 피부레이저를 이용하는 모든 독자들께 도움이 될 수 있기를 바라면서…… 종로 에스엔유 피부과에서.

2014년 7월
여 운 철

C·O·N·T·E·N·T·S

C·O·N·T·E·N·T·S

CHAPTER 06 기미의 레이저 치료 · 여 운철

C·O·N·T·E·N·T·S

CHAPTER 11 비박피적 피부재생술 · 여 운철

CHAPTER 12 IPL (intense pulsed light) · 여 운철

C·O·N·T·E·N·T·S

CHAPTER 17 저출력 레이저와 광역동요법
• 윤 춘식

CHAPTER 18 여드름의 레이저치료 • 여 운철

C·O·N·T·E·N·T·S

레이저 피부성형: 개요

CHAPTER

레이저 피부성형: 개요
Laser for Dermatology and Plastic Surgery

박 승하

CHAPTER 01

I. 레이저의 발달과 이용

레이저는 현대 과학의 총아로서 의학뿐만 아니라 모든 과학 분야에 광범위하게 사용되고 있으며 나날이 발전하여 그 적용범위가 넓어지고 또한 과거에 상상하지 못했던 것도 레이저로 가능하게 되었다.

레이저는 인위적으로 유도한 증폭된 빛에너지를 이용하는 것으로 20세기 초에 아인슈타인이 빛 에너지를 인위적으로 유도 방출 할 수 있다는 이론적 근거(stimulated emission of radiation)를 제시하였다.

이후 빛 에너지가 마이크로 파동으로 전파하기에 1958년에 MASER(Microwave Amplification by Stimulated Emission of Radiation)라 명하였다. 1959년 Maiman이 루비레이저를 개발하여 임상으론 처음 사용하였고 LASER(Light Amplification by Stimulated Emission of Radiation)라 명하게 되었다.

1960년대에 헬륨네온 레이저, 엔디야그 레이저, 이산화탄소 레이저, 아르곤 레이저 등이 개발되면서 본격적인 레이저 시대가 열리게 되었다.

레이저는 빛 에너지를 방출하는 것으로 이를 의학을 포함한 과학에 널리 사용되고 있다.

레이저는 일정한 파장을 지닌 빛으로 이를 다방면에 이용할 수 있으며 광학분야에서는 빛을 이용한 측정으로 우주의 연구, 정밀측정, 미세분자 분석, 환경오염 분석 등에 이용된다. 레이저 파장을 이용하여 많은 정보를 송수신 할 수 있어 정보통신 분야에 이용되며 군사 방위산업이나 전기-전자 및 각종 공업 분야에 널리 활용되며 실생활과 예술 분야에도 널리 응용되고 있다.

의료용으로는 1960년 루비레이저가 처음 사용되었고 이어서 아르곤레이저와 이산화탄소레이저가 외과용 레이저로 사용되기 시작하였다. 초기 의료용 레이저는 수술용 메스를 대신하여 단순히 조직 및 종양의 파괴와 응고, 지혈에 사용하였다.

점차 레이저 기종이 개발되었고 레이저와 조직과의 반응을 알게 되면서 치료 목적에 맞는 효과적인 레이저 치료가 가능하게 되었다. 특히 피부에서는 피부 병변의 제거뿐만 아니라 박피로 피부를 젊게 하며, 혈관성 병변이나 색소성 병변도 선택적으로 제거할 수 있게 되었다. 이후 박피의 단점을 피하며 피부 탄력을 증가시키는 비-박피성 레이저들이 개발되었다.

또한 의료용으로는 레이저를 이용한 영상진단

및 약물 측정, 암 진단에 활용되며 광역학 치료를 통한 피부질환 및 암의 치료에도 활용되며 저출력레이저를 이용한 창상치유 촉진과 통증완화에도 사용되고 있다. 이외에도 제모레이저, 레이저를 이용한 지방흡입술과 지방성형술, 하지 정맥류 치료, 안과용 각막 굴절 교정, 레이저를 이용한 치아 병변 제거 등 피부와 피하지방, 혈관, 골 등 인체조직에 레이저가 광범위하게 사용되고 있다.

II. 레이저 개발의 역사 (표 1-1)

오래 전부터 빛(light)은 파장(wave)으로 전파되는 것으로 알고 있었는데, 17세기 Newton이 빛은 입자(particle)로 직선으로 뻗어나간다고 설명하였다. 19세기에 Maxwell이 빛의 파동설을 내세워 빛은 전자기 에너지를 파장형태로 전달하는 것이라 하였다.

이후 빛의 파동설로 설명 안 되는 것이 있어 Hertz는 빛의 입자와 파장의 이중성을 주장하였으며, 또한 금속을 외부로부터 충격을 주면 자기가 방출하는 것을 증명하였다.

Plank(1918년)는 에너지에 양적 개념을 도입하여 가장 작은 단위의 에너지를 양자(quantum)라 명하였다. Lewis는 빛은 광전기 효과를 가진 입자라 하였고 (1987년), 후에 이를 광자(photon)이라고 명하였다(1926년).

Einstein은 방사능 에너지가 외부로부터 자극에 의해 방출된다고 하였고(spontaneous and stimulated emission of radiation, 1916년), 빛은 광자기 효과를 가진 양자(quanta based on photoelectric effect)로 현재 개념인 빛은 입자-

파동의 이중성(wave-particle duality)을 확고히 하였다.

Schawlow와 Townes(1958년)는 빛을 마이크로 파장 형태로 증폭하여 방출한다는 뜻으로 MA-SER (Microwave Amplification by the Stimulated Emission of Radiation)라 명하였다.

LASER는 Light Amplification by Stimulated Emission of Radiation의 앞 글자를 모은 것으로 Gould가 1959년 LASER라는 이름을 붙였지만 실제 레이저의 개발과 사용의 처음은 Maiman이 1960년에 루비 레이저를 사용한 것으로 레이저의 첫 임상 사용 효시가 되며, 증폭된 빛 에너지를 펄스파로 처음 이용한 것이 되겠다.

레이저는 이용하는 매질에 따라 다른 파장과 특성을 지니게 된다. 처음 개발된 루비 레이저는 루비 크리스탈에서 방출되는 694nm파장이며, 이후 고체와 기체를 매질로 사용하는 다양한 레이저가 개발되었다.

가스를 매질로는 처음으로 개발된 레이저로는 헬륨-네온(HeNe, 638nm) 레이저이며(Javan, 1961년), 연속파 레이저로서도 처음이었다.

엔디야그 레이저(Johnson, 1961년)은 neodymium yttrium alumimum garnet를 매질로 하는 1,064nm의 flashlamp pump로 작동되는 레이저가 개발되었다.

아르곤 레이저(Bennet, 1962년)는 아르곤 가스를 매질로 하는 488nm의 푸른색과 514nm의 녹색을 띄는 레이저이다.

다이오드는 반도체를 매질로 하는 레이저로 Hall(1962년)이 개발하였으며, Holonyak가 임상적으로 처음 사용하면서 널리 쓰이기 시작하였다.

이산화탄소 레이저는 1963년 Patel이 개발하였으며, 고출력 레이저로 조직의 파괴와 절개에 사

표 1-1. 레이저 개발 역사

연 도	연구자	내 용
16세기	Huygens	빛의 파동설 (wave theory)
17세기	Newton	빛의 입자설 (particle theory)
1864	Maxwell	빛은 전자기 에너지가 파동으로 전파
1887	Hertz	빛의 입자-파동 이중성(paticle-wave duality)
1918	Plank	양자 (quantum) 명명; 에너지의 최소 단위
1926	Lewis	광자 (photon) 명명; 광자기 효과를 가진 입자
1916	Einstein	spontaneous & stimulated emission of radiation
1921	Einstein	빛의 입자-파동 이중성 입증
1954	Schawlow, Townes	MASER 명명: Microwave Amplification by Stimulated Emission of Radiation
1959	Gould	LASER 명명: Light Amplification by Stimulated Emission of Radiation
1960	Maiman	Ruby laser; 레이저의 최초 임상 사용
1961	Javan	HeNe laser
	Johson	Nd:YAG laser
1962	Bennet	Argon laser
	Holonyak	Diode laser
1964	Patel	CO_2 laser
1969		pulsed dye laser
1970	Brasov	Excimer laser
1983		KTP laser
1980	Dougherty	Photodynamic theory
1983	Anderson, Parrish	SPTL; Selective Photothermolysis theory
2001	Altshuler, Anderson	Extended theory of Selective photothermolysis

용하여 외과적인 레이저 시대를 열게 되었다. 이후 Er:YAG와 Ho:YAG (1969년)도 개발되어 사용하고 있다.

자외선 영역의 파장인 엑시머 레이저는 1970년 Brasov가 Xe2(172nm)를 개발한 이후, ArF(193nm), KrF(248nm), XeCl(308nm)의 엑시머 레이저가 임상적으로 많이 사용되고 있다.

KTP(potassium titanyl phosphate) 레이저는 엔디야그 레이저 1,064nm 파장의 절반인 532nm로 1983년부터 사용하고 있다.

레이저는 증폭된 빛 에너지를 사용하는 것으로 매질인 고체, 기체, 액체 반도체로부터 발생하며 각기 다른 파장을 이용하고, 조직에 레이저를 전달하는 방식에 따라 효과가 달리함으로써 임상적으로 각기 목적에 맞게 널리 사용하고 있다.

III. 레이저의 특성

레이저는 에너지를 가진 빛으로 자연적인 빛과는 전혀 다른 특성을 갖고 있다.

일반적으로 레이저 광선은 인위적으로 만들어진 높은 에너지를 가진 광선을 방출하며, 레이저 광선의 특징으로는 응집성(coherence), 단색성(monochromaticity), 평행성 (collimation)의 조건을 갖고 있어야 한다. 레이저 광선은 레이저 기기에서 조절되어 방출하기 때문에 빛이 분산되지 않고 같은 공간을 같은 시간에 지나는 시간적, 공간적 응집성을 갖고 있다. 레이저는 매질에 따라 결정된 레이저 빛이 발생하기 때문에 일정한 파장을 지니고 있으며 레이저 빛은 멀리 조사하여도 평행성이 있어 일정한 크기를 유지하는 특성이 있다.

또한 레이저 광선은 햇빛보다 높은 광밀도(휘도, luminance)를 만들 수 있으며 고출력으로는 몇 만 Watt의 높은 출력의 레이저도 만들 수 있다.

레이저는 단일 파장을 지녀야 하나 IPL은 단일 파장이 아닌 500nm-1,200nm의 넓은 파장대의 빛을 방출하며, LED는 단일 파장이지만 저출력으로 장시간 방출하여 응집성과 평행성이 결여된 특성을 보이지만 빛 에너지를 치료에 이용한다는 점에서 넓은 의미의 레이저로 포함하고 있다.

레이저는 에너지를 가진 빛이기 때문에 광열반응이 작용 기전의 주를 이루며 광-물리적 반응(photomechanical effect)과 광-화학적 반응(photochemical effect)도 나타난다. 레이저 광선이 조직이 닿으면 열을 흡수하여 조직의 파괴, 응고, 지혈, 기화 등의 작용이 나타나며 이를 이용하여 종양의 제거, 혈관 치료, 박피 등에 레이저가 사용되고 있다.

피부의 색소 질환과 문신은 레이저 에너지에 의하여 물리적 충격으로 파괴되는 효과를 얻으며 일부는 광열반응 효과와 합하여 치료결과를 나타낸다.

광화학적 반응으로는 레이저에 의한 이온화 과정, 단백질 변성, 활성 산소의 생성 등으로 조직 반응을 일으키어 치료효과를 나타낸다. 레이저 각막 굴절 조정에도 이용되며 광감제(photosensitizing agent)를 이용한 레이저 치료를 하여 여드름, 건선 등의 피부 질환 치료나 악성종양의 치료에도 이용되고 있다.

레이저 치료 초기에는 조직을 비선택적으로 파괴하였으나 레이저와 조직 반응에 대한 자세한 연구를 통해 좀 더 선택적인 치료로 치료 효과를 높이고 부작용을 피할 수 있게 되었다.

피부에서 레이저 광선을 흡수하는 주된 발색단은 헤모글로빈, 멜라닌색소, 수분이며 이에 맞는 파장의 레이저를 조사하는 것이 레이저 광선의 흡수를 높일 수 있겠다. 1983년 Anderson과 Parrish가 선택적 광열반응(SPTL: selective photothermolysis) 개념을 도입 하였으며, 이에 따라 헤모글로빈에 잘 흡수되는 파장인 532nm-590nm 레이저로 혈관성 병변을 치료한다. 색소성 병변과 문신의 제거를 위하여 멜라닌색소나 문신 색소에 잘 흡수되는 694nm, 755nm, 1,064nm 레이저를 사용하며, 박피를 위해서는 수분에 친화력이 높은 적외선 영역의 이산화탄소 레이저와 어븀야그 레이저를 사용하고 있다.

레이저에 대한 조직의 반응은 레이저의 파장과 출력, 조사 시간, 레이저 빔의 크기, 표면 냉각장치의 적용 등에 따라 달리 나타난다. 레이저 파장이 중요하지만 레이저의 출력과 조사시간도 큰 영향을 미친다.

조직을 파괴하기 위한 충분한 출력이 필요하며, 또한 주변의 조직을 보호하기 위해서는 조사시간을 필요이상 길게 하여서는 안 되겠다. 그러므로 이상적인 레이저 치료 조건은 목표 조직에 흡수가 잘 되는 레이저 파장을 이용하고 열이완시간(TRT: thermal relaxation time)보다 짧은 시간에 충분한 출력을 조사하여야 원하는 목표 조직만을 파괴할 수 있다. 열이완 시간(TRT)은 열이 주변으로 확산되어 온도가 50% 이하로 되는데 필요한 시간이며, 실제 레이저 효과는 레이저 조사가 주변의 열 손상 없이 원하는 조직을 파괴하는데 필요한 시간인 열손상 시간(TDT: thermal damage time) 이내가 되어야 한다. 이런 이유로 선택적 광열반응의 확대된 이론(extended theory of selective photothermolysis, 2001년)이 나오게 되었다. 제모를 위한 레이저는 모낭의 멜라닌색소에 열을 가하여 이차적으로 열이 확산되어 주변의 모낭줄기세포를 파괴할 수 있어야 하며, 혈관 치료를 위해서는 헤모글로빈이 열을 흡수하고 확산되어 혈관 벽의 내피세포가 파괴되어야 레이저 치료 효과를 나타낼 수 있다. 그러므로 제모 레이저 치료나 모세혈관보다 굵은 혈관의 레이저 치료를 위해서는 열이완 시간보다 긴 열손상 시간이 중요하게 작용한다.

레이저가 세포를 파괴하는 것만 아니라 세포를 구성하는 미세한 세포내 기관(organelle)의 기능에만 작용하는 subcellular SPTL 개념도 도입되어 이는 레이저 토닝으로 기미를 치료하는 이론적 근거를 제시하고 있다.

광역학적 반응(photodynamic theory), 선택적 광열반응, 광화학적 반응 등의 이론으로 레이저와 조직 반응을 설명하지 못하는 것도 있으며, 현재 레이저의 작용 기전이 아직 완전히 밝혀지지 않아 앞으로 레이저와 조직 반응에 대한 규명이 더 이루어진다면 레이저의 발달과 활용에 많은 도움이 되겠다.

IV. 레이저의 효과

1. 고출력 레이저(HLLT)와 저출력 레이저(LLLT) (표 1-2)

레이저를 처음 임상적으로 사용하게 된 것은 레이저로 질환이나 종양을 응고시켜 파괴하며 동시에 지혈을 할 수 있는 장점이 있기 때문이었다. 초기에 개발된 아르곤 레이저, 이산화탄소 레이저, 엔디야그 레이저가 현재까지도 유용하게 사용되고 있으며, 구강이나 자궁경부 질환이나 초기 암

도 레이저로 제거하고 있다. 엔디야그 레이저는 광섬유를 이용하여 유연하게 구부릴 수 있으며 접촉식 방식도 사용하고 있다. 이런 조직 파괴용 레이저는 비-선택적으로 작용하며 주변의 열 손상을 동반하기 때문에 피부에 적용할 경우 탈색이나 반흔 형성의 문제로 피부 질환의 사용에는 한계를 나타내었다.

선택적 광열반응 이론이 도입되면서 발색단에 흡수가 잘 되는 파장을 이용하여 레이저 치료를 하게 되었다. 이는 선택적으로 흡수되는 레이저 파장을 이용하여 짧은 시간에 높은 출력을 지닌 파괴목적으로 사용하는 고출력 레이저가 되겠다.

피부의 혈관성 병변에 아르곤레이저(577nm)를 사용할 경우 피부의 열 손상을 동반하며 또한 파장이 짧아 깊이 투과하지 못하는 한계를 보였다. 엔디야그 레이저는 파장이 1,064nm로 길어 피부 밑 4-5mm까지 깊이 들어가 효과적으로 혈관을 파괴하지만 피부의 손상을 동반하는 문제를 갖고 있었다. 선택적 광열반응 이론이 도입되어 혈관성 병변을 치료하기 위해서는 피부 발색단인 헤모글로빈에 선택적으로 흡수하는 532mm에서 595nm 파장 범위의 펄스파 색소(pulse dye) 레이저가 더욱 효과적인 치료 효과를 보이고 있다.

피부의 색소성 병변은 멜라닌 색소에 선택적 파장을 지닌 532nm, 694nm, 755nm 레이저를 사용하며 깊은 색소성 병변의 치료에는 깊이 투과되는 긴 파장의 1,064nm 레이저를 사용한다. 주변 조직의 열 손상을 피하기 위해서 매우 짧은 펄스파인 Q-스위치 레이저로 색소 병변만을 선택적으로 파괴할 수 있다.

또한 제모 레이저는 모발과 모낭, 멜라닌 색소를 파괴하기 위해서 좀 더 긴 펄스와 깊이 투과되는 알렉산드라이트, 루비, 엔디야그, 다이오드 레이

표 1-2. 고출력 레이저와 저출력 레이저의 비교

	HLLT (high level laser treatment)	LLLT (low level laser treatment)
power	high fluence	low fluence
pulse duration	very short pulse	long pulse
action	high selective photothermal	less selective photothermal
mechanism	destruction of cell/tissue	biostimulation, bioactivation
heat	thermal	athermal
protein	denaturation	modification
effect	destruction of target tissue skin regeneration	promote wound healing, circulation anti-inflammatory
clinical use	pigmentation disorder vascular disorder resurfacing, rejuvenation scar treatment	chronic ulcer pain relief acne treatment, hair PDT; photodynamic treatment
Lasers	Q-switch lasers CO_2, Er:YAG	Infrared lasers LED, HeNe

저를 모발의 제거 목적으로 사용하고 있다.

박피 레이저는 피부의 수분에 잘 흡수되는 이산화탄소 레이저와 어븀야그 레이저를 이용하며 이는 수분이 증발하면서 피부 조직을 겉에서부터 벗겨내기 때문이다. 피부의 기화된 바로 밑의 조직 손상을 피하기 위해 짧은 펄스 파에 고출력 레이저로 박피를 시행하며, 피부 재생원리를 이용하여 피부의 주름과 흉터 개선에 사용하고 있다.

이런 박피 레이저나 피부 색소성 질환이나 혈관성 질환의 치료에 사용하는 레이저는 고출력 레이저(HLLT; high level laser treatment)로 목표 조직의 파괴를 목적으로 쓰고 있다.

조직 파괴 목적의 고출력 레이저와 달리 저출력 레이저(LLLT; low level laser treatment)는 출력이 낮고(0.05-10J/cm^2), 조사시간이 비교적 길다(10^{-3}msec-sec). 또한 저출력 레이저는 열로 인한 조직의 파괴와 단백질 변성이 목적이 아니라 레이저 에너지를 이용한 생체활성화를 목적으로 사용하기에 열 발생이 거의 없다.

저출력 레이저는 혈류를 증가시키고 염증을 완화하며 각종 cytokine을 활성화하여 창상치류를 촉진시키므로 만성 창상, 당뇨, 욕창, 피부 궤양의 치료에 도움을 주며 항염증 작용, 신경 전도차단 등의 역할로 통증을 감소시키는 효과를 나타낸다.

또한 광역학치료(photodynamic therapy; PDT)도 저출력 레이저를 이용한 것으로 광감제(photosensitizer)를 투여하고 이에 흡수되는 저출력 레이저를 이용하면 광감제가 활성화되는 것으로 악성종양의 치료, 여드름 염증 치료, 건선, 습진, 콘딜로마 바이러스, 광선각화증(actinic keratosis) 등 피부암 및 전구 질환의 치료에 이용하고 있다.

저출력 레이저는 치료의 위험성이 적으며 활용 범위가 넓으며 앞으로 광감제와 레이저가 개발되면 점차 치료 영역을 넓혀 나갈 것으로 기대된다.

2. 박피성 레이저와 비박피성 레이저

이산화탄소 레이저는 초기에는 연속파(CW; continuous wave)이어서 박피용으로는 적합하지 않았으나 펄스파로 개발되면서 짧은 시간에 높은 출력을 줄 수 있어 주변 조직의 열손상을 피하고 박피를 할 수 있게 되었다. 이후, 펄스파에서 더 나아가 극초단파(ultrapulse) 이산화탄소레이저가 개발되었으며 조사시간은 1msec 이하로 줄이고 펄스 에너지는 250~500mJ로서 기화에 필요한 에너지밀도가 5J/cm² 이상 되어 열손상은 최소로 하며 기화를 최대로 하여 박피를 효과적으로 할 수 있게 되었다. 연속파와 비교하여 극초단파 이산화탄소 레이저는 전체 가해지는 에너지는 같아도 순간적으로 조사하여 최대 출력을 크게 높일 수 있게 되었다. 레이저 박피가 1980년대 후반에 도입되어 1990년대 중반에 보편화되고 확산되어 현재까지 널리 이용되고 있다.

이산화탄소 레이저는 고출력으로 표재성 피부병변을 한 번에 효과적으로 제거하며 또한 피부를 수축시키고 진피의 콜라겐섬유가 재생되고 피부 탄력을 증가시켜 피부를 젊게 하는 리주버네이션 효과가 뛰어나다. 종전의 기계적 박피보다 출혈이 없고 창상 관리가 편하며 통증과 부기가 적어 환자와 의사가 편하며, 화학적 박피에 비해 깊이 조절이 용이하여 안전하고 효과적으로 박피할 수 있는 장점이 있다. 그러나 이산화탄소 레이저는 홍반이 오래가며 동양인에서는 색소침착(PIH)이 흔하여 환자들이 불편하고 사회생활에 지장을 초래하는 단점이 있다.

이후 개발된 어븀야그 레이저는 이산화탄소 레이저에 비하면 수분에 친화력이 높고 열손상이 적어 창상 치유가 빠르며 홍반과 색소침착이 적게 오는 장점이 있다. 그러나 어븀야그 레이저는 열손상이 적어 지혈이 안 되고 출혈로 인하여 깊게 박피할 수 없는 단점이 있는데 이를 보완하기 위하여 펄스 조사시간을 길게 한 dual mode의 어븀야그 레이저가 기화와 응고를 같이 할 수 있어 이산화탄소 레이저 못지않게 효과적인 박피를 할 수 있게 되었다.

이산화탄소 레이저와 어븀야그 레이저는 박피 레이저로서 박피의 공통적인 침습성(invasive)이 있는데 창상치유기간이 필요하며 안면 색조 때문에 사회생활에 불편을 줄 수 있다.

비-박피성 레이저는 비-침습성으로 불편이 없으며 진피에 선택적으로 열을 가하여 피부의 탄력을 유도한다. 진피까지 이르기 위해서는 비교적 파장이 긴 1,320nm, 1,450nm, 1,540nm 등의 근적외선 영역의 레이저를 사용하며 표피를 보호하기 위한 표면 냉각을 동시에 시행한다. 비-박피성 레이저는 환자들이 불편함이 없으나 효과 면에서 보면 수차례 치료하여도 한 번의 박피 레이저보다 피부 탄력증가와 피부를 젊게 하는 효과가 떨어진다.

IPL(intense pulse light)은 파장이 일정한 보통 레이저와 달리 500nm에서 1,200nm까지 파장이 넓게 나오며 필요한 범위의 파장을 셔터를 이용하여 사용할 수 있다. IPL은 비박피성 레이저로 박피 레이저보다 출력이 낮으며 피부의 색소 질환과 모세혈관 확장에 효과를 보이고 일부 진피의 수축을 유도한다. 노화된 안면 피부는 흑자, 노인성 반점 등으로 색소가 증가하고 또한 모세혈관 확장과 홍조가 많은데 IPL로 치료하면 500nm~700nm 사이 파장이 멜라닌색소와 헤모글로빈에 흡수가 잘 되어 색소와 모세혈관이 감소하는 치료 효과를 보인다. 진피에 대한 수축은 비박피성 근적외선 레이저처럼 박피 레이저에 비해 효과가 미미한 편이다.

프랙셔널(fractional) 레이저는 부분적인 미세한 박피(fractional photothermolysis)로 수분에 친화력이 있고 이산화탄소 레이저나 어븀야그 레이저보다 깊이 투과하는 1,540-1,440nm 파장의 레이저를 사용한다. 프랙셔널 레이저는 피부 표면의 일부만 박피하고 많은 부분을 보존하기 때문에 창상치유가 빠르고 안전하다. 프랙셔널 레이저는 피부에 미세한 구멍을 내어 직경 100μm, 깊이 750μm의 미세 기둥(micro column)을 제거하며, 1-2일 내에 창상 치유가 이루어지고 미세 기둥은 새로운 조직으로 치유된다. 프랙셔널 레이저는 3주-6주 간격으로 3-5회 치료를 요하며 피부의 탄력을 증가시켜 주름이나 흉터의 개선을 보인다. 전반적인 치료효과는 박피 레이저보다는 못하지만 비박피성 레이저보다는 우수한 결과를 보인다.

프랙셔널 레이저도 박피 기능이 없는 비박피성 프랙셔널(NAFL; non-ablative fractional laser)와 부분 박피를 하는 박피성 프랙셔널(AFL; ablative fractional laser)로 나누게 된다.

박피 레이저는 효과는 좋지만 박피 후 안면피부의 홍조와 색소침착으로 사회생활에 지장(social downtime)을 초래하며 감염과 비후성 반흔 발생 위험이 있다. 박피레이저의 단점을 피하기 위해서 표피를 보존하며 진피의 재생을 유도하는 비-박피성 리주버네이션 레이저(NAR; non-ablative rejuvenation)가 표피하 피부재생(subepidermal regeneration) 목적으로 사용된다.

레이저는 아니지만 레이저와 유사한 효과를 보이는 의료기기로 고주파(RF; radiofrequence)와 초음파(HIFU; high intensified focused ultrasound)가 있으며, 이들 기기도 표피하 피부 재생 효과를 목적으로 사용하고 있다.

3. 레이저와 리주버네이션

나이가 들면 노화현상이 나타나고 특히 이는 안면부에서 두드러진다.

노화 현상을 완화하는 것을 노화방지 또는 항노화(anti-aging)라 하며 이는 앞으로 더 노화되는 것을 예방하고 노화 현상을 내과적으로 치료하는 소극적인 방법이라 할 수 있다.

이와 달리 리주버네이션은 다시 젊게 만드는 방법으로 더 적극적인 치료방법이다.

안면 피부의 노화에는 레이저 치료가 상당히 효과적이며, 이는 노화로 인한 노인성 반점의 제거와 주름의 개선을 가능케 하기에 레이저를 리주버네이션 목적으로 많이 사용하고 있다.

노화현상은 피부 노화뿐만 아니라 주름, 깊은 골형성, 쳐짐, 조직 위축 등 다양한 현상으로 나타나며 리주버네이션 방법도 이런 증상을 치료하기 위하여 다양한 방법들이 있다. 리주버네이션은 수술적 방법과 비수술적 방법, 침습성 방법과 비-침습성 방법, 박피 레이저와 비-박피성 레이저, 주사요법, 피부 관리 등 방법이 다양하게 많으며 치료 효과 또한 각각 달리 나타난다(표 1-3).

안면주름성형술 또는 안면거상술(face lifting, rhytidectomy)은 젊게 하는 대표적인 수술적 방법이며 안면주름의 치료와 특히 연부조직의 쳐짐을 올려주는데 효과를 보인다. 노인성 안검성형술(blepharoplasty)은 나이가 들면서 생기는 눈꺼풀 처짐을 수술로 해결하며 중년 이후에 시행하는 성형수술 중 가장 많이 하는 수술이다. 내시경 주름성형술은 작은 절개를 통하여 수술하기 때문에 안면주름 성형술보다 덜 침습적(less invasive)이며 특히 이마와 눈썹의 처짐과 미간과 눈가주름, 이마의 주름에 효과적이다.

레이저 박피는 수술적 방법은 아니지만 노화된 피부를 깨끗하게 하고 피부 탄력을 증가시키기 때문에 안면 피부를 젊게 하는 데에 뚜렷한 효과를 보인다. 레이저 박피로 피부가 수축하고 탄력이 증가하여 안면주름 성형술 못지않은 리프팅 효과도 볼 수 있다.

박피 레이저의 단점을 피하는 비박피성 레이저는 표피의 손상 없이 진피의 수축을 유도하기 때문에 비침습적(non-invasive)인 레이저에 해당한다. 프랙셔널 레이저는 부분적인 미세박피로 박피레이저보다 비침습적이다.

지방흡입술에 사용하는 레이저를 이용하면 안면의 처진 부위의 지방을 제거할 수 있어 레이저 지방성형술을 이용한 리주버네이션을 할 수 있다.

고주파(RF)와 초음파(HIFU)는 레이저 기기는 아니지만 레이저와 비슷한 피부 재생효과를 나타내는 비침습적인 방법이다.

표 1-3. Rejuvenation 방법과 레이저

Surgical operation	
Invasive	Face Lifting,
Less Invasive	Endoscopic Lifting, Blepharoplasty
Lasers	
Ablation, Invasive	CO₂ laser
Ablation, Less Invasive	Er:YAG laser
Partial ablation,	AFL (ablative fractional laser)
non-invasive	NAFL (non-ablative fractional laser)
Non-ablative laser	NAR (non-ablative rejuvenation) laser, IPL, LED
Other rejuvenation methods	
none laser	RF (radiofrequency)
	HIFU (ultrasound)
skin care	peeling agent
injection methods	botulinum toxin
	filler
	fat injection
hair restoration	hair graft

이외에도 젊게 하는 간편한 방법들이 있으며 주사요법은 편하게 효과를 볼 수 있어 최근 사용이 많이 증가하였다.

보툴리눔 독소는 근육의 신경말단부에 작용하여 근육수축을 억제하며 안면의 표정근육의 마비로 주름에 효과를 보인다. 편리하고 효과는 좋지만 신경의 재생으로 6개월 이후 주사효과가 없어져 재차 시술을 요하게 된다.

안면 노화는 조직의 처짐과 함께 지방 등 연부조직의 위축을 특징으로 하기 때문에 지방이나 지방 대용으로 볼륨을 증가시킬 필요가 있다. 안면의 주름진 골과 피하 지방 위축부위에 지방이식 주사요법이 효과적이며 적은 양을 요할 때는 필러 주사도 안전하고 효과적이다.

스킨케어는 표피의 재생을 일으켜 노화된 피부를 깨끗하게 하며 피부가 팽팽하게 된다. 스킨케어는 여러 가지 프로그램이 있으며 대부분 탈피제(exfoliant)와 미백제(bleaching agent)를 포함하고 있어 표피의 재생을 촉진하고 멜라닌 색소를 억제한다.

스킨케어는 안면리프팅 수술이나 레이저 치료의 보조요법으로 좋은 효과를 지니며 박피나 레이저 치료를 한 환자에서 치료 전후 피부 관리가 위하여 필수적으로 필요하게 된다. 스킨케어 사용 중 팽팽해진 피부는 스킨케어 사용을 중지하면 피부 수축효과는 수주 후에는 없어지는데 이는 스킨케어가 표피 재생만 유도하고 진피에는 영향을 미치지 못하기 때문이다.

리주버네이션 방법을 선택할 때는 환자의 나이와 상태, 사회 활동 상황, 치료 시간과 비용, 환자의 요구 사항 등을 고려하여 결정하게 된다.

각 리주버네이션 방법마다 치료 목적이 다르기 때문에 그 효과 또한 달리 나타나는데, 환자가 원하는 것과 치료 방법들을 환자와 충분히 상의하여 결정하여야 한다. 환자들은 리주버네이션 방법들의 목적과 효과를 이해해야 하며, 원하는 리주버네이션 방법들을 복합하여 시술을 받거나 순차적으로 시술을 받을 수 있다.

V. 요약

레이저는 증폭된 빛 에너지를 사용하는 것으로 과학의 발달로 인해 더욱 발전하게 되었으며, 현대 과학의 총아로 사회 전반적으로 널리 이용되고 있다. 특히 의학 분야에서는 레이저의 특성을 이용하여 이전에는 불가능하였던 많은 치료가 가능하게 되었다.

레이저를 사용하여 선택적으로 조직을 파괴하고 재생시키며 또한 생체 내 대사를 촉진하여 광범위하게 의료 목적으로 이용되고 있다.

레이저 박피나 피부의 색소성 질환과 혈관성 질환의 제거는 대표적인 고출력 레이저로 짧은 시간에 높은 출력으로 조직 파괴나 제거를 목적으로 하는 반면 저출력 레이저는 창상치유를 촉진하고 혈류개선을 하며 염증을 완화하여 만성 창상, 궤양, 여드름, 건선, 암 치료 등에 널리 사용되고 있다.

레이저는 빛 에너지를 이용한 광역동(photodynamic) 효과와 광열 반응으로 주된 치료효과를 나타내며, 또한 레이저로 인한 다양한 물리적, 화학적 반응이 나타나는데 아직 레이저의 작용기전이 완전히 밝혀지지는 않았다.

앞으로 레이저와 조직 사이의 반응을 더욱 명확히 밝혀내어 레이저의 이론적 진보와 이를 이용한 레이저 치료를 개발한다면 임상적으로 레이저가 더욱 유용하게 널리 사용될 것으로 예상되며, 현재 생각하지도 못한 혁신적인 의료용 레이저 분야가 전개될 수 있겠다.

◀ 참고문헌

1. Achauer BM, Vander Kam VM, Padilla JF III : Clinical experience with the tunable pulsed-dye laser (585nm) in the treatment of capillary vascular malformations. Plast Reconstr Surg 92: 1233, 1993
2. Adrian RM, Griffin L : Laser tattoo removal. Clin Plast Surg 27:181, 2000
3. Altshuler GB, Anderson RR, Manstein D, Zenzie HH, Smirnov MZ : Extended theory of selective photothermolysis. Lasers Surg Med 29: 416, 2001
4. Anderson RR, Parrish JA : Selective photothermolysis precise microsurgery by selective absorption of pulsed radiation. Science 220: 525, 1883.
5. Ashinoff R, Geromus RG : Flashlamp-pumped pulsed dye laser for port-wine stains in infancy: Early versus laser treatment. J Am Acad Dermatol, 24: 467, 1991
6. Baker TJ, Stuzin JM, Baker TM : Facial Skin Resurfacing. Quality Medical Pub, St. Louis, 1998.
7. Bertolotti M : The history of lasers. Institure of phsics, USA, 1999
8. Calderhead RG : Photociological basics of photosurgery and phototherapy. Hanmi medical pub Co, south Korea, 2011
9. Fitzpatrick R, Geronemus R, Golberg D, Kaminer M, Kilmer S, Rutz-Esparaza J : Multicenter study of noninvasive radiofrequency for periorbital tissue tightening. Laser Surg Med 33: 232, 2003.
10. Fitzpatrick RE : Maximizing benefits and minimizing risk with CO2 laser resurfacing. Dermatol Clin, 20: 77, 2002
11. Fitzpatrick RE, Goldman MP : Advances in carbon dioxide laser surgery. Clin Dermatol 13: 35, 1995.
12. Fitzpatrick RE, Rostan EF, Marchell N : Collagen tightening induced by carbon dioxide laser versus erbium:YAG laser. Laser Surg Med 27:395, 2000
13. Fritsch C, Goerz G, Ruzika T : Photodynamic ther-

apy in dermatology. Arch Dermatol 134: 207, 1998

14. Geronemus RG : Fractional photothermolysis: Current and future applications. Laser Surg Med 38:169, 2006

15. Goldman MP (ed): Photodynamic therapy. Elsevier Saunders, Philadelphia, 2005

16. Goldman MP, Fitzpatrick RE : Cutaneous Laser Surgery. Mosby Co., St. Louis, 1994.

17. Itoh Y, Ninomiya Y, Tajima S, Ishbashi A : Photodynamic therapy for acne vulgaris with topical 5-aminolevulinic acid. Achiv Dermatol 136: 1093, 2000

18. Lanzafame RJ, Naim JO, Rogers DW : Comparison of continuous-wave, and chop-wave, super-pulse laser wounds. Lasers Surg Med 3: 119, 1988.

19. Maiman TH : Stimulated optical radiation ruby. Nature 187; 493-494, 1960

20. Manstein D, Herron S, Sink K, Tanner H, Anderson RR : Fractional Photothermolysis: A new concept for cutaneous remodeling using microscopic patterns of thermal injury. Laser Surg Med 34: 426, 2004

21. Mulliken JB : Diagnosis and natural history of hemangiomas. In Vascular Birthmarks: Hemangiomas and Vascular Malformations. Philadelphia, W.B. Saunders, 1988.

22. Nelson JS : Selective photothermolysis and removal of cutaneous vasculopathies and tattoo by pulsed laser. Plast Reconstr Surg 88:723, 1991.

23. Park SH, Koo SH, Choi EO : Combined laser therapy for difficult dermal pigmentation: resurfacing and selective photothermolysis. Ann Plast Surg 47: 31, 2001

24. Peng Q, Warloe T, Berg K, et al : 5-ALA based photodynamic therapy. Cancer 79, 2282, 1997

25. Raulin C, Greve B, Grema H : IPL technology: a review. Laser Surg Med 32: 78, 2003

26. Ross ER, Ladin Z, Kreindel, M, et al : Theoretical considerations in laser hair removal. Dermatol Clin 17: 333, 1999

27. Ross EV, Sajben FP, Hsia J, Barnette D, Miller CH, McKinly JR : Nonablative skin remodeling: selective dermal heating with a mid-infrared laser and contact cooling combination. Laser Surg Med 26: 186, 2000

28. Sadick NS, Trelles MA : Nonablative wrinkle treatment of the face and neck using a combined diode laser and radiofrequency technology. Dermatol Surg 31: 1695, 2005

29. Walsh JJ, Flotte TJ, Deutsch TF : Er:YAG laser ablation of tissue: effect of pulse duration and tissue type on thermal damage. Lasers Surg Med 9: 314, 1989.

30. West TB, Alster TS : Comparison of the long-pulse dye (590-595nm) lasers in the treatment of facial and leg telangiectasias. Dermatol Surg 24: 221, 1998

31. Zheludev N : The life and times of the LED-a100-year history. Nature Photonics, 1:189-192, 2007

CHAPTER 02

레이저 치료의 기초;
레이저와 조직 반응

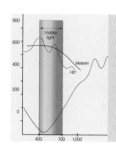

레이저 치료의 기초; 레이저와 조직 반응

Basics and Laser-Tissue Interaction

박 승하

CHAPTER 02

I. 레이저의 특성

1. 레이저의 정의와 유래

레이저는 빛 에너지를 이용하는 것으로 LASER (Light Amplification by Stimulated Emission of Radiation) 용어에서 뜻하는 바와 같이 에너지를 인위적으로 증폭시켜 발생하는 빛을 이용하는 것이다. 레이저는 인간이 개발한 빛 에너지로서 Albert Einstein이 에너지가 자연적으로 발생하는 것 외에 새롭게 유도된 에너지를 만들 수 있다는 원리(stimulated emission of energy; 1917년)를 제시한 이후 다방면으로 급속하게 발전하게 되었다. Maiman은 1960년에 루비 크리스탈을 매체로 한 루비 레이저를 개발하였으며 이때부터 본격적으로 레이저(LASER)라 부르게 되었다.

1964년 아르곤(Argon)과 이산화탄소(CO_2) 레이저가 개발되어 인체에 사용되기 시작하였으며 이후 다양한 매체를 이용한 각종 레이저가 개발되어 알렉산드라이트(Alexandrite) 레이저, 엔디야그(Nd:YAG) 레이저, 어븀레이저(Er:TAG), 엑시머(Eximer) 레이저, 다이오드(Diode) 레이저 등이 의료 분야에 여러 가지 목적으로 사용되고 있다.

레이저는 이용하는 매체에 따라 레이저 파장이 결정되며, 레이저 파장과 출력, 조사 시간, 조사되는 조직에 따라 레이저 효과가 달리 나타난다. 의료용 레이저 사용 초기에는 레이저와 조직 반응의 이해가 부족하고 하나의 레이저로 여러 가지 용도로 사용하여 치료효과가 떨어지고 부작용이 많이 발생하였다.

레이저가 조직에 닿으면 이에 대한 반응으로 광열효과(photothermal effect)가 주된 작용을 하며 레이저 종류에 따라 광화학적 효과(photomechanical effect)와 광물리적 효과(photodynamic effect)를 나타낼 수 있다. 앞으로 레이저와 조직 반응에 대한 연구가 더 활발히 이루어지면 다양한 용도의 효과적인 레이저가 더 많이 개발될 것으로 생각된다.

레이저 광선은 인위적으로 발생한 빛으로 자연적인 태양 빛과 다른 특성을 가지고 있다.

태양 광선과 전자파, X-ray, 레이저는 모두 빛 에너지의 흐름이며 전자, 광자, 이온 등 형태를 달리 하지만 빛 에너지의 흐름이라는 공통점을 갖고 있다. 그러나 태양광선, 전자파, 레이저 등은 각기 파장(wave length)과 에너지 출력을 달리하고 있다. 각 빛의 흐름의 주기(cycle)를 파장이라고 하

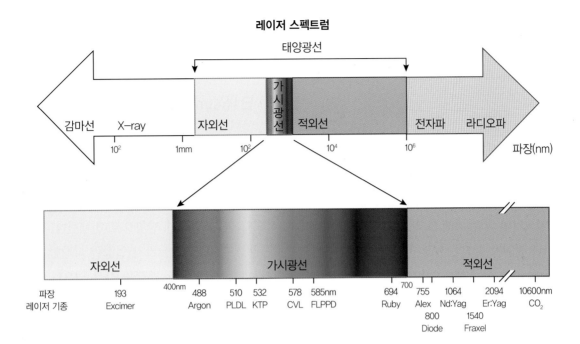

그림 2-1. 광선 스펙트럼과 레이저 파장
레이저 파장은 대부분 가시광선(400-700nm)영역이거나 근적외선(near infrared) 영역이다.

며 파장은 빛 흐름의 정점과 다음 정점 사이의 거리를 측정하여 정하게 된다. 빛의 파장이 각종 빛의 특성에 가장 중요한 역할을 한다(그림 2-1).

라디오나 텔레비전, 각 종 통신 전파는 파장이 수 미터 이상으로 길며, 반면 X-ray나 감마파는 파장이 20nm로 매우 짧다.

태양광선은 가시광선(visible light)과 자외선(ultraviolet), 적외선(infrared)을 포함하며 가시광선의 파장은 400nm-700nm이며 자외선은 180nm-400nm 파장이며 적외선은 700nm-1,000μm의 파장을 나타낸다.

태양광선은 그 속도가 초당 3×10^{-8}meter로 빠르게 진행한다.

빛의 속도는 파장과 주파수(frequency)에 연관되며 빛의 속도는 파장과 주파수의 곱으로 나타나게 된다.

빛의 속도(C) = 주파수(f) × 파장(λ)

그러므로 빛의 속도가 같다면 파장과 주파수는 반비례하여 파장이 길어지면 주파수는 낮아지며 반대로 파장이 짧으면 주파수는 높아지게 된다.

의료용 레이저의 파장은 자외선 영역인 안과용 엑시머 레이저(193nm)를 제외하면 대부분 가시광선 영역(400nm-700nm)이거나 적외선 중 파장이 짧은 근적외선(near infrared) 영역에 속하게 된다.

피부 성형에 사용하는 레이저 중 가시광선 영역의 파장을 가진 레이저는 아르곤 레이저(488nm, 514nm), KTP 레이저(doubled Nd:YAG 532nm), FLPPD 레이저(flashlamped pumped pulse dye, 585nm), 루비 레이저(694nm), Copper vaper 레이저(511, 578nm), Krypton 레이저(568nm) 알렉산드라이트(755nm) 등이 있다. 근적외선 영역으

로는 다이오드 레이저(800nm), 엔디야그 레이저(1,064nm) 어븀야그 레이저(Er:YAG, 2,940nm), CO2레이저(10,600nm) 등이 대표적으로 쓰이는 레이저이다.

X-ray나 감마선은 파장이 매우 짧으며 입자가 조밀하게 응집되고 높은 에너지를 갖고 있어 인체를 투과하며 이런 광선은 이온화(ionized)된 방사선을 방출하며 인체 단백질을 변성시키고 화학반응을 일으키며 암 발생을 유도할 수 있다.

그러나 레이저 광선은 이보다 파장이 길며 비이온화(non-ionized) 광선으로 인체를 투과하지 못하고 발암성 등 인체에 해를 미치지 않는다.

2. 자연광선과의 차이

태양광선은 자연광선으로 각기 다른 파장의 빛이 모인 것으로 모든 방향으로 퍼져나가게 된다. 그러나 레이저 광선은 같은 파장의 빛이 동일한 에너지를 가지고 같은 방향으로만 진행한다(그림 2-2).

가) 단색성(monochromatic)

태양 광선은 여러 파장이 모인 빛으로 프리즘을 통과하면 각 파장에 따라 분산되지만 레이저 광선은 단일 파장으로 프리즘을 통과하여도 분산되지 않고 일정한 방향으로 진행한다. 레이저는 발생 장치에서 한 가지 일정한 파장만 통과시키기 때문에 고유한 파장을 갖고 있으나 예외적으로 IPL(Intense Pulse Light)는 500nm에서 1,200nm까지의 빛을 통과시키기 때문에 여러 파장이 동시에 나오게 된다.

나) 응집성(coherent)

태양 광선은 각기 다른 빛 에너지가 함께 모여 있어 각기 분산되지만 레이저는 동일 성질의 빛 에너

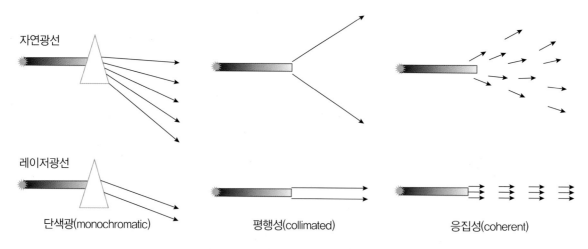

그림 2-2. 레이저 광선과 자연 광선의 차이
monochromatic: 레이저는 단일 파장으로 프리즘을 통과하여도 분산되지 않는다.
collimated: 레이저 빛은 평행하여 멀리까지 흐트러지지 않고 진행한다.
coherent: 레이저 빛은 시간적, 공간적으로 같이 진행하여 응집성을 보인다.

지로 구성되어 있으며 레이저 기기에서 한 방향으로만 조사하기 때문에 동시에 일정한 방향으로 진행하여 시간적으로 또한 공간적으로 일정하게 뭉쳐 나가는 응집성을 갖고 있다.

다) 평행성(collimated)

태양광선이나 전구 빛은 모든 방향으로 흩어지지만 레이저 광선은 기기 안에서 나올 때 일정한 방향의 필터를 통과하기 때문에 분산되지 않고 일정한 방향으로만 진행하여 먼 거리에도 같은 크기를 유지한다. 레이저 기기 중에는 치료효과를 높이기 위하여 초점(focus)에 모일 때 최대 출력을 나타내며 이후 일정한 방향으로 분산되기도 한다.

II. 레이저 광선의 발생

1. 레이저 광선의 유도 방출

모든 물질의 최소 단위인 원소(atom)는 가운데 핵(nucleus)이 위치하며 이 핵 주위를 전자(electron)가 일정한 궤도를 회전하는 형태로 되어있다. 핵은 양성자(proton)와 중성자(neutron)로 구성되어 양극(+)을 띄게 되며 전자는 음극(−)으로 원소는 전체적으로 양극과 음극의 평형상태를 유지하고 있다. 이런 상태를 기저상태(ground state)라하며 레이저의 발생 원리는 외부에서 에너지를 가했을 때 원소내의 에너지 준위가 높아지며 전자가 핵으로부터 회전하는 궤도를 멀리하여 흥분상태(excited state)가 된다. 에너지가 높아진 전자는 광자(photon)를 방출한 후 다시 안정

된 기저상태로 돌아오며 광자는 에너지를 가진 빛으로 방출된다.

원소로부터 에너지를 가지 광자가 방출되면 이 광자가 다시 다른 원소를 흥분상태를 만들어 같은 파장의 광자를 방출하게 되며 점차 2배, 4배로 연속적인 증폭을 이루게 된다. 그러므로 동일한 성분의 광자가 대량 발생하게 된다.

레이저는 매체에 외부 에너지를 가하여 광자 에너지를 유도하고 증폭된 빛이 방출되는데 이런 유도 방출(stimulated emission)의 결과로 레이저가 발생하게 된다. 그러므로 레이저는 유도 방출에 의해 생성되고 증폭된 빛 에너지인 것이다.

2. 레이저 발생 장치

레이저 기계는 a) 외부 에너지원, b) 매질을 담고 있는 튜브, c) 레이저 전달 장치, d) 냉각장치로 구성되어 있다.

레이저 에너지원(energy source)은 외부로부터 전류, 화학적, 기계적, 또는 다른 레이저가 에너지원이 될 수 있다. 외부 에너지원은 높은 출력을 요하며 전류를 가장 많이 사용하고 있다.

레이저 기기에는 매질(medium)을 담고 있는 통 모양의 레이저 튜브(resonator tube)가 있으며, 이 레이저튜브에 외부로부터 높은 에너지원을 가하여 레이저 광선을 발생하게 된다.

매질은 레이저 광선을 만드는 재원으로 이것은 기체, 고체, 액체, 반도체 등 여러 가지 물질이 될 수 있으며 파장은 매질의 종류에 따라 결정되어 각 레이저 광선의 고유한 특성을 나타내게 된다. 또한 각 레이저 매질의 종류에 따라 그 레이저의 이름이 붙여진다.

외부에너지

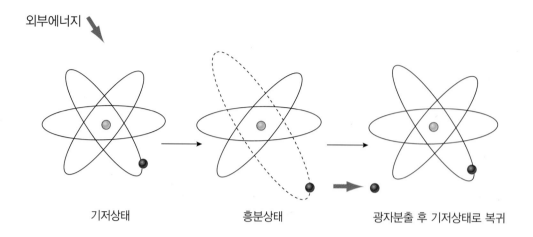

기저상태   흥분상태   광자분출 후 기저상태로 복귀

그림 2-3. 원소(atom)에서 광자(photon)에너지의 방출

원소는 외부에너지에 의해 흥분상태가 되고 에너지를 가진 광자를 방출한 후 다시 기저상태로 복귀함.

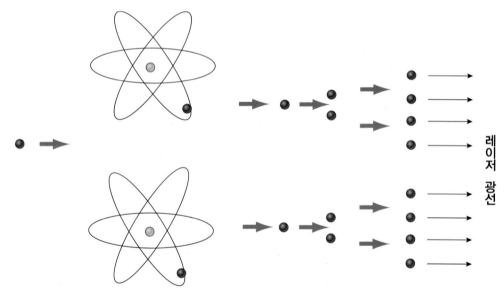

레이저

광선

광자 에너지에 의한 연속적인 증폭 반응으로 동일한 성분의 레이저 광선이 생성됨

그림 2-4. 레이저 광선의 유도 방출(stimulated emission)과 증폭과정(amplification)

매질이 고체인 것으로는 루비, 알렉산드라이트, 엔디야그 레이저 등이 있으며 루비 레이저는 루비 크리스탈을 매질로 사용하여 붉은 빛의 694nm광선을 만들어내며, 알렉산드라이트 레이저는 755nm의 레이저 광선을, 엔디야그 레이저는 1,064nm의 레이저 광선을 만들어 낸다. 액체 매질로는 색소(dye) 레이저가 있으며 577, 585nm의 파장을 만들어 낸다. 기체 매질로는 아르곤(Argon) 레이저가 488nm, 514nm의 레이저 광선을 만들며, 이산화탄소 레이저가 10,600nm의 광선

을 방출한다.

이산화탄소 레이저는 레이저 튜브 안에 이산화탄소가 매질로 들어 있으며 외부 에너지원으로서는 전류를 사용한다. 레이저 튜브에 높은 전류를 가할 때 레이저 튜브 안의 이산화탄소의 각 원소가 높은 에너지 위치로 흥분되기 시작한다. 흥분 상태의 원소는 광자를 방출함으로서 다시 기저 상태로 돌아가며 분출된 광자는 에너지를 갖고 다른 이산화탄소 원소와 충돌하여 또 다른 광자를 분출하여 연쇄반응으로 점차 광자의 급격한 수적 증가를 보이게 된다.

레이저 튜브 안에는 한쪽 끝 면은 전면 반사 거울로, 이루어지고 반대쪽 끝 면은 반투과성 거울로 구성되어 레이저 튜브 안의 흥분된 광자들이 충돌하여 거울에 반사되면서 점차 평행한 위치에 놓이게 된다. 이때 반투과성 거울 쪽에서 평행한 광자만 순간적으로 짧은 시간에 셔터를 노출시키면 높은 에너지의 광자가 평행하게 분출된다.

레이저 셔터는 일정한 파장의 광선만을 걸러서 내보내기 때문에(filtering) 레이저 광선은 고유한 파장의 광선만 나오게 된다.

이렇게 분출된 레이저 광선은 렌즈를 통과하여 집중되며, 레이저 광선의 전달 장치(delivery system)로 유연한 유도 장치인 광섬유(flexible fiber)를 따라 원하는 부위에 조사할 수 있다. 반면 이산화탄소 같은 레이저는 광섬유에 흡수되기 때문에 유도관과 거울을 이용한 굴절방식의 유도 장치(articulated arm)를 사용하여 조사한다. 레이저 빔을 원하는 형태에 균일하게 조사하는 스캐너(scanner) 방식이 있으며 또한 내시경에 부착하여 사용할 수 도 있다. 접촉식 레이저(contact tip laser)를 사용하면 레이저 팁에서 조사하여 메스 형식이나 응고(coagulation) 형태로 사용

할 수 있다.

레이저 기기는 고열을 발생하기 때문에 냉각장치가 필요하며 수냉식이나 공냉식의 냉각장치를 사용한다.

각 레이저 광선은 그 파장에 따라 다른 색을 나타내지만 고출력이라 직접 눈으로 보면 위험하고, 또한 이산화탄소 레이저, 어븀야그 레이저 등과 같이 무색으로 눈에 안 보이기 때문에 치료 시 가이드 빔으로 빨간색을 띄는 저출력의 헬륨:네온(HeNe) 레이저를 유도 빛으로 사용하는 종류도 있다.

III. 레이저 관련 용어

레이저 기기를 알고 레이저를 효과적으로 다루기 위하여 레이저에 대한 기본 지식과 함께 레이저의 용어를 완전하게 이해하고 정확하게 사용하여야 한다. 레이저 치료의 주요한 변수(parameter)로는 에너지(에너지양과 에너지 밀도), 출력, 출력 밀도, 조사시간 및 조사형태, 조사 직경, 반복률 등이 있으며 이런 레이저 변수에 의하여 효과가 달리 나타난다.

1. 에너지양 (Energy)

레이저는 빛 에너지로, 전체 광자가 전달하는 에너지의 총합을 에너지양이라 하며 Joule로 표시한다.

표 2-1. 레이저 용어

용 어	의 미	단 위
에너지양(energy)	물체에 가해지는 총 에너지	J (Joule)
출 력(power)	단위시간 당 가해지는 에너지	W (Watt) = J/sec
조사직경(spot size)	레이저 빔의 크기	mm
출력밀도(power density, irradiance)	단위면적당 가해지는 출력	W/cm^2
에너지밀도(energy density, fluence)	단위면적당 가해지는 총 에너지량	$W/cm^2 \times sec = J/cm^2$
펄스에너지(pulse energy)	펄스파 레이저의 한 펄스당 에너지	mJ

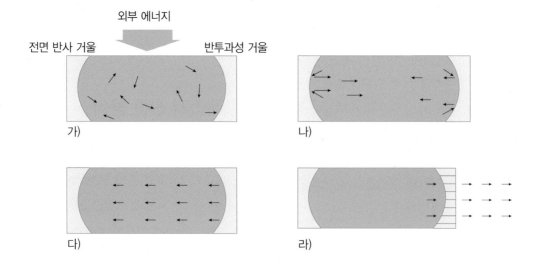

그림 2-5. 레이저 튜브와 레이저 광선의 방출 과정

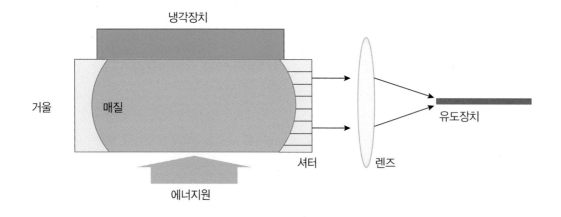

그림 2-6. 레이저 기기의 구성

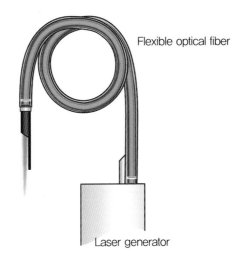

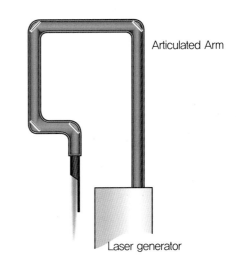

그림 2-7. 레이저의 전달 장치

a. flexible optical fiber; 유연한 광섬유 튜브를 통한 레이저 조사로 호스처럼 쉽게 구부릴 수 있다.
b. articulated arm; 거울을 통한 직각 반사로 여러 개의 관절로 구성되어 있다.

2. 출력(Power)

레이저의 출력은 단위시간에 전달되는 에너지로, 에너지양을 시간(초)으로 나눈 것이며 출력은 Watt로 표시한다.

1 Watt = 1 Joule/sec
(출력 = 에너지양/초)

3. 출력밀도(Power density, Irradiance)

단위면적당 가해지는 출력을 출력밀도라 하며, 출력밀도는 출력을 면적으로 나눈 것으로 W/cm² 로 표시한다.

power density = power / surface area

$$Pd = W / cm^2$$

$$= \frac{W \times 400/3.14}{mm^2}$$

4. 조사 직경(Spot size)

레이저의 출력 밀도는 조사 직경의 크기와 관련된다. 레이저 출력이 일정할 경우 출력밀도는 조사 직경이 감소함에 따라 승수로 증가하게 된다. 예로 레이저 출력이 같은 경우 조사 직경이 2배 증가하면 면적은 4배 커지기 때문에 레이저는 분산되어 표면 즉 단위 면적당 가해지는 출력은 4배로 감소하며 반면 조사 직경이 2배 감소하면 레이저는 집중되어 단위면적당 가해지는 출력은 4배로 증가한다.

5. 에너지 밀도 (Energy density, Fluence)

에너지 밀도는 단위 면적당 가해지는 총 에너지 양으로, 출력 밀도를 조사 시간으로 곱한 것으로 표시한다. 에너지 밀도는 출력 밀도 (W/cm^2)에 조사 시간(sec)을 곱하므로 J/cm^2로 표시한다.

예로 같은 에너지 밀도이라면 출력밀도를 10배 증가시키면 조사시간은 1/10로 줄인 것과 같다. 그러므로 최대 출력밀도를 얻기 위해서는 레이저의 조사시간을 최소로 줄여야 그 효과를 볼 수 있다.

6. 펄스에너지(Pulse energy)

레이저가 연속파가 아니고 펄스파인 경우 전달되는 에너지는 펄스 당 에너지인 mJ로 표시하며, 펄스파인 경우 출력(W)은 펄스 에너지의 전체 합을 의미한다. 펄스파 레이저의 치료효과는 출력보다 펄스에너지에 의하여 결정된다. 펄스파 레이저에서 펄스당 에너지가 같고 출력을 2배 높일 경우는 각 펄스는 같은 에너지를 전달하지만 레이저 분사 속도는 2배 증가하게 된다.

7. 평균 출력(Average power), 최대 출력(Peak power), 주기율(Duty cycle):

연속파에서는 출력이 일정하기 때문에 평균출력과 최대출력이 같지만 펄스파에서는 조사하는 시간(on time)과 조사하지 않고 쉬는 시간(off time)이 있기 때문에 평균출력보다 최대출력이 몇 배 높

은 것을 알 수 있다. 펄스파 레이저에서 평균 출력은 총에너지를 조사시간으로 나눈 것이며, 최대출력은 조사시간 중에 최대의 출력을 의미한다.

연속파와 펄스파에서 총에너지는 같더라도 최대출력에서는 많은 차이가 있으며, 실제로 치료효과를 좌우하는 것은 평균출력이 아니라 최대출력에 의해 결정된다.

주기율(duty cycle)은 조사시간을 전체시간으로 나눈 것으로

duty cycle = on time / total time 으로 표시한다.

예로 주기율이 5%이면 단위 시간 내에 5% 기간 동안만 레이저가 조사된 것을 뜻한다.

평균출력은 최대출력에 주기율의 곱으로 나타난다.

(average power = peak power × duty cycle)

평균 출력이 10W일 경우 최대 출력 200W에 5%의 주기율로 나타날 수 있으며, 또한 최대 출력 50W에 20%의 주기율인 레이저도 같은 평균 출력을 나타낸다. 평균 출력이 같지만 주기율이 작은 레이저가 더 큰 출력으로 조사될 수 있다. 일정한 조직에 더 짧은 기간 동안 최대 출력을 조사하면 원하는 부위만을 파괴시키고 주변의 정상 조직은 보존하여 좀 더 효과적인 레이저 치료를 할 수 있다.

출력밀도가 클수록 레이저 조사부위의 온도가 올라가 조직의 파괴가 빠르고 레이저 조사 주변의 열 손상이 적어진다. 반면 출력밀도가 적으면 조직 파괴가 느리고 주변으로 열전달이 많아진다. 고출력 레이저는 피부의 박피에 이용하여 피부 표면을 기화시키고 주변의 열 손상을 줄이거나 원하는 조직을 파괴하는 반면 저출력의 레이저는 조직의 변성이나 화학적 변화를 유도하거나 열 손상을 이용한 조직의 수축, 탄력증대에 사용한다.

레이저가 조직에 조사되면 일부는 반사나 투과가 되며 일부는 흡수와 확산이 된다. 피부에 레이저가 조사되면 주로 흡수와 확산으로 온도가 올라가게 된다. 에너지 밀도는 레이저를 받는 조직의 반응과 그 조직의 레이저 광선 흡수력으로 결정된다. 그 예로 파장 10,600nm의 이산화탄소 레이저는 주로 수분에 흡수되며, 피부는 수분 함량이 많기 때문에 기화에 필요한 에너지 밀도(vaporization threshold)인 5 J/cm² 이상이 되면 피부가 기화가 된다. 피부에 레이저 조사하여 에너지 밀도가 그 이하일 때는 조직이 기화되지 않고 주변으로 열을 전달하여 주변 조직의 열손상이 많아진다. 조직이 기화되면 열과 함께 증발하기 때문에 주위의 열손상이 적으나 기화되지 않으면 레이저 조사 주변의 온도가 올라가 숯(char)을 형성하며 주위의 열손상도 증가하게 된다.

IV. 레이저의 노출 형태

1. 공간적 분류 (spatial mode)

레이저가 튜브를 통해 조사될 때 단일 모드이며 평행이라고 가정하면 레이저 빔의 파워는 Gaussian 정규 분포를 따라 가운데가 파워가 강하고 가장자리로 갈수록 파워가 약한 형태를 띄게 된다. 이를 Gaussian 모드 또는 TEM00 (transverse electromagnetic mode 00) 이라 한다.

그러나 대부분의 레이저는 복수 모드이며 튜브 내에서 여러 번 굴절하기 때문에 최종 조사될 때는 빔의 가운데 80-90%는 일정한 파워를 가지고 가장자리 일부만 약한 파워를 띄게 된다. 이를 Flat-top 모드라 하며 대부분 레이저가 이런 형태를 가지고 있다.

레이저 회사에서는 레이저 빔의 파워가 될 수 있으면 똑같이 조사되도록 제조하려고 한다. 박피 레이저 조사 시 스캐너를 이용하면 손으로 일일이 조

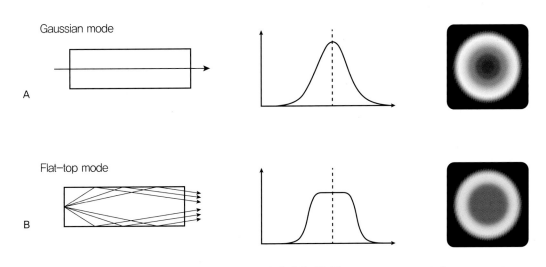

그림 2-8. 레이저의 공간적 배출 형태(spatial beam profile)
A) Gaussian 모드: 가운데가 가장 파워가 강하고 주변으로 갈 수로 약하게 조사됨.
B) Flat-top 모드: 가운데를 포함한 대부분이 일정한 파워를 가지며 가장자리만 일부 약하게 조사됨.

사하는 것보다 자동적으로 피부에 같은 파워를 전달할 수 있기 때문에 스캐너 사용의 이점이 있으며, 레이저 조사 시 레이저 빔의 가장자리의 파워가 약하기 때문에 대부분 30% 정도 겹치게(overlap) 사용한다.

2. 시간적 분류(temporal mode)

레이저를 조사하는 시간 형태에 따라 레이저가 계속 조사되는 연속파 레이저와 일정 시간만 조사되는 차단파, 펄스파, 초단파, 극초단파, Q-스위치 레이저로 나누어진다.

가) 연속파(continuous wave : CW) 레이저

연속파 레이저는 스위치 작동 동안 계속 레이저 광선이 조사되는 것으로 초기의 아르곤, 루비 레이저 등이 연속파이었으며 좀 더 정확한 노출시간을 맞추기 위하여 노출 조절장치를 필요로 하게 되었다.

연속파는 최대 출력을 높일 수가 없으며 주변 조직의 손상이 있기 때문에 조사시간(on time)을 줄이고 휴식시간(off time)을 늘리는 펄스파가 개발되었다. 펄스파는 연속파에 비하여 출력을 높이고 원하는 조직만 효과를 보이고 주변 조직의 손상을 적게 하여 효과적인 레이저 치료를 할 수 있게 되었다.

quasi-CW는 거의 연속파라는 뜻으로 연속파로 보면 된다.

나) 차단파(chopped) 레이저

일정 시간 동안 조사 후 차단하는 것을 차단파(chopped)라고 하며 보통 0.1초~2.0초의 노출시간을 가지며 저 출력의 레이저에 사용하고 있다. 차단파 레이저는 레이저를 연속적으로 조사하는 것이 아니라 잠시 노출시켰다(on time)가 일정기간의 휴식기간(off time)을 갖고 다시 노출시키는 형태의 레이저이다.

다) 펄스파(pulsed) 레이저

펄스파 레이저는 상당히 짧은 기간에 높은 에너지를 방출하는 형태로 최대에너지가 평균에너지보다 높으며 색소레이저(flashlamp excited dye laser) 등이 펄스파 레이저에 해당한다.

라) 초단파(superpulse) 레이저

초단파는 이산화탄소 레이저에서 개발되었는데 펄스파보다 더 짧은 시간에 더 높은 출력을 조사하며 대략 천분의 1초(msec) 이상이며 연속파보다 10배 이상의 출력을 나타낸다. 초단파 레이저는 직경 1mm 이하로 하면 조직을 기화시킬 수 있으며 주변 열손상은 100μm(0.1mm) 정도이다.

마) 극초단파(ultrapulse) 레이저

극초단파는 초단파보다 한 걸음 더 진보한 이산화탄소 레이저의 개념으로 조사시간은 최소로(μsec) 줄이고 출력은 최대로 증가시킨 형태로 초단파보다 출력을 5배 이상 높였다. 초단파에서 치료효과를 얻기 위하여 반복 조사를 요하지만 극초단파에서는 높은 에너지를 전달하기 때문에 휴식

시간(off time)을 늘일 수 있어 반복조사로 인한 열 손상을 피할 수 있다. 극초단파 레이저로 피부에 조사하면 피부에 포함된 85%의 수분이 기화되면서 주변의 조직을 같이 기화시키기 때문에 박피를 효과적으로 할 수 있고 주변 조직의 열 손상을 최소화 할 수 있다.

바) Q-스위치(Q-switch) 레이저

Q-스위치 레이저는 nanosecond(10^{-9} sec)의 극히 짧은 시간에 mega에서 giga Watts의 매우 높은 출력을 순간적으로 방출하는 형태이다. 루비, 알렉산드라이트, YAG 레이저가 Q-스위치를 사용하며 이 레이저 기기는 물체의 열 손상을 이용한 파괴가 아니라 진동이나 물리적 반응으로(photo-disruption, photomechanical destruction) 목표 조직을 파괴하는데 목적이 있다.

그림 2-9와 같이 연속파와 초단파 그리고 극초단파를 비교하면 모두 총 에너지양은 같지만 출력은 초단파가 연속파보다 높으며 극초단파가 최대 출력을 나타낸다. 극초단파는 최대출력도 높고 휴식시간이 길며 반복되는 펄스가 적어 효과적인 레이저 조사가 되는 것을 알 수 있다.

피부를 기화시키기 위하여 에너지 밀도가 5J/cm^2 이상 되어야 하며 그 이하에서는 기화되지 않기 때문에 이 수치를 기화 기준치(vaporization threshold)라 한다.

이산화탄소 레이저에서 3mm 직경으로 조직을 기화시키기 위하여 펄스에너지가 250mJ이상 되어야 극초단파 효과를 나타낸다.

초단파와 극초단파 이산화탄소 레이저를 비교하면 초단파의 펄스 시작과 끝 부위에서는 기화 기준점 이하이지만 극초단파는 펄스의 시작에서 끝까지 기화 기준점 이상이며 펄스 수가 적고 휴식시간이 길며 최대 출력이 높아 더 효과적인 박피를 할 수 있고 주변 열손상을 최소화 할 수 있다.

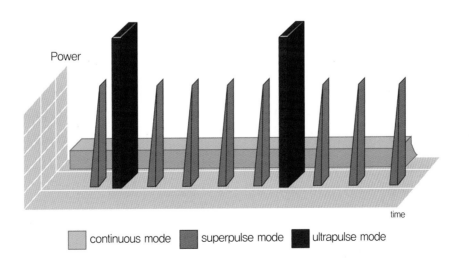

그림 2-9. 연속파(continuous), 초단파(superpulse), 극초단파(ultrapulse)의 비교
레이저 조사의 전체 에너지양은 같아도 조사시간과 주기율이 짧으면 출력은 최대로 증가하게 된다.

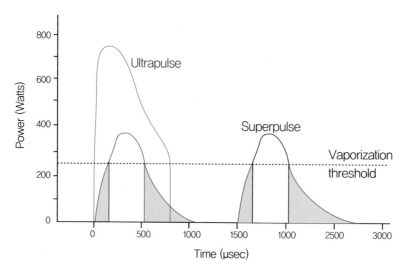

그림 2-10. 초단파(superpulse)와 극초단파(ultrapulse)의 비교

극초단파는 기화분기점(vaporization threshold) 이상의 출력으로 열손상이 적고 기화가 효과적인 반면 초단파는 기화분기점 이하(그림의 색상부위)부위에서 열손상을 입게 됨.

사) 스캐너(Scanner)

스캐너는 일정한 범위 안에서 레이저 빔을 연속으로 균일하게 조사하는 형태이다. 스캐너를 사용함으로써 레이저 빔을 일일이 조사하는 것보다 넓은 부위를 균일하게 조사하여 신속하고 원하는 형태로 적용할 수 있어 편리하고 효과적이다.

레이저 빔은 일반적으로 가운데가 출력 밀도가 높고 가장자리가 낮은 형태이므로 가급적 레이저 빔이 일정하게 겹치도록 (30%-50% overlap) 하여야 균일한 박피를 이룰 수 있다.

박피용 레이저들은 보통 스캐너 형태를 갖고 있으며 Ultrapulse 레이저의 CPG(computerized pattern generator)가 대표적인 박피 스캐너이다. 스캐너를 이용하면 박피부위의 모양과 크기, 밀도를 원하는 데로 정하여 시행할 수 있다. CPG 스캐너는 직경 2.25mm 빔을 250-500mJ의 펄스 에너지로 일정한 부위를 연속으로 조사하여 박피를 균일하고 빠르게 할 수 있다.

어븀야그 레이저도 스캐너를 부착하여 효과적으로 박피할 수 있으며, 초단파 박피 레이저 대부분도 스캐너 형태를 취하고 있다. Silktouch 이산화탄소 레이저의 Flashscan은 진정한 의미의 스캐너는 아니며 직경 0.2mm의 레이저 빔을 원형으로 빠르게 돌려 조사하여 직경 2-5mm 원형을 0.2초 내에 균일하게 조사 하여 초단파 박피 레이저 효과를 얻을 수 있었다.

아르곤 레이저에서는 Hexascan을 부착하여 육각형 모양 내에서 레이저빔이 일정한 형태로 조사되어 조사하지 않는 일부 정상 조직을 보존하기 때문에 아르곤 레이저의 단점인 반흔 형성의 부작용을 줄일 수 있다. 이는 프랙셔널 레이저의 치료원칙과 비슷하다.

V. 조직의 반응

1. 조직의 반응 형태

레이저 빛이 조직에 도달하면 일부는 반사(reflection)되고 일부는 조직을 통과(transmission)하며 대부분은 조사된 부위에 흡수(absorption)되거나 주변으로 분산(scatter) 된다.

레이저에 대한 조직의 반응은 레이저 파장과 목표 조직에 대한 레이저의 친화력 및 흡수력에 의해 결정된다. 레이저 빛의 흡수와 분산은 특히 레이저 파장에 의해 좌우되며 일반적으로 파장이 긴 레이저가 피부 깊이 흡수되며 파장이 짧은 레이저가 얕게 흡수된다.

파장이 긴 알렉산드라이트 레이저(755nm), 엔디야그 레이저(1,064nm)는 피부에 3-4mm까지 깊이 침투하지만 파장이 짧은 색소 레이저(PLPPD:510nm)와 아르곤 레이저(514nm)는 침투 깊이가 0.2mm와 2mm로 침투력이 낮다.

레이저 빛에 친화력이 있어 레이저 빛을 잘 흡수하는 것을 발색단(chromophore)이라 하며 피부의 주된 발색단은 헤모글로빈과 멜라닌색소이다. 이산화탄소 레이저(10,600nm)와 어븀야그 레이저(2,940nm)는 파장은 길지만 수분에 친화력이 강하여 에너지가 피부 표면에서 흡수되어 피부 침투력은 0.1mm와 0.01mm로 매우 낮다.

흡수된 빛이 주위로 분산되는 것은 물질과 레이저 종류의 영향도 있지만 일반적으로 조사된 곳에서 멀리 떨어질수록, 즉 주변이나 깊이가 멀수록 빛 에너지의 분산은 역승수로 감소한다. (Beer의 법칙) 그러므로 박피 레이저로 피부 온도가 상승하는 것은 조사된 곳 주변으로 갈수록 급격하게 감소하게 된다.

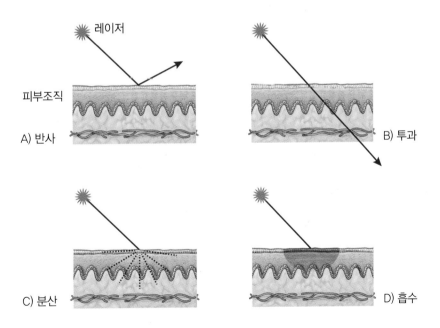

그림 2-11. 피부에서 레이저 빛에 대한 반응 형태
A) 반사(reflection), B) 투과(transmission), C) 분산(scatter), D) 흡수(absorption)

2. 온도와의 관계

레이저 광선이 흡수된 부위는 온도가 상승하게 되며, 조직의 열 손상은 온도와 노출시간에 비례하여 증가한다. 온도가 높을수록, 노출시간이 길수록 조직의 열 손상이 증가한다.

조직이나 피부는 온도에 따라 반응이 달리 나타난다. 피부는 40℃-60℃의 온도에 잠시 노출되면 눈에 보이는 변화는 없지만 온도 상승에 따라 밀착현상(용접; welding)이 나타난다.

60℃-70℃ 온도에서는 표면이 하얗게 되며 조직의 응고가 초래된다. 피부의 주된 콜라겐인 type I 콜라겐은 65℃-70℃에서 변성을 일으키어 아미노산 결합이 붕괴되며 콜라겐의 수축을 일으키게 된다.

70℃-100℃ 온도에서는 조직이 흰색 내지 회색으로 변하며 단백질의 변성으로 불가역적인 열 손상(irreversible thermal damage)을 초래하며 조직이 괴사한다.

온도가 100℃가 넘으면 수분이 증기로 기화를 하며 일부 조직이 까맣게 타서 숯(char)을 만들지만 300℃ 이상 상승하면 조직의 완전한 기화가 이루어지며 조직이 탄 숯도 형성하지 않는다.

노출된 시간도 중요하게 작용하여 온도가 낮은 가역적인 열손상(reversible thermal damage)도 노출시간이 증가하면 불가역적인 단백질 변성과 화상을 초래한다.

화상과 같이 온도와 노출시간이 연계되며 40℃-45℃에서도 노출시간이 20분 이상이면 단백질 변성을 초래한다.

피부 표면에 레이저를 조사하면 온도에 따라 변화가 달리 나타나는데 가장 윗 표면은 100℃ 이상 되어 조직이 기화되며 그 바로 밑 부분은 70-100℃ 온도로 비가역성(irreversible) 열손상으로 조직의 괴사를 초래한다. 더욱 먼 곳은 온도가 70℃ 이하로 감소하여 가역성(reversible) 열손상을 나타내며 조직의 수축을 나타낸다.

출력이 낮은 레이저는 온도가 높지 않아 기화되는 층이 얇고 비가역성 열손상 부위가 두껍게 되는 반면 고출력 레이저는 순식간에 높은 온도를 만들기 때문에 기화되는 층이 두껍고 반면 비가역성 열손상 부위는 얇게 된다.

고출력의 이산화탄소 레이저는 이 원리를 이용하여 피부표면의 기화를 최대로 하며, 반면 주변의 열 손상을 최소로 줄일 수 있어 레이저 박피술에 유용하게 사용한다.

표 2-2. 온도와 열손상의 관계

온 도	시각적 변화	생체 변화
40-60℃	no change	warming, welding
60-70℃	blanching	coagulation
70-100℃	white/gray	protein denaturation, necrosis
100-200℃	plume	vaporization with char formation
300-1,000℃	ablation	pure vaporization without char
1,000℃-	carbonization	excess energy

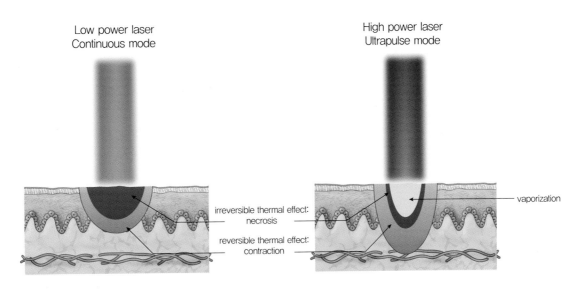

그림 2-12. 저출력 레이저와 고출력 레이저의 반응 비교
저출력 레이저는 피부의 기화는 없으며 조직 괴사가 많으며 피부 수축은 적다. 고출력 레이저는 순간 피부 온도가 상승하여 직접 닿는 부위는 기화되며 열손상이 적어 피부괴사가 적고 주변의 피부 수축이 증가하게 된다.

3. 열이완 시간
(TRT; thermal relaxation time)

조직의 열이완 시간은 레이저 조사로 온도가 올라간 조직이 주변으로 열을 확산시켜 50% 이하로 조사 받은 열을 줄이는데 필요한 시간이다. 이 열이완 시간은 조직의 냉각에 필요한 시간(tissue cooling time)을 의미한다.

열이완 시간은 조직 성분에 따라 다른데 수분은 300 μsec이며, 피부의 열이완 시간은 600 μsec이다. 즉 피부의 열손상을 줄이기 위하여 레이저는 600 μsec 이하로 조사하며 그 이상 오래 조사하면 열손상이 증가하게 된다.

박피용 레이저는 기화를 최대로 하며 주변의 열손상을 줄이는 것이 좋으며 극초단파 이산화탄소 레이저는 이런 원리로 1,000μsec(1m sec) 이하의 짧은 시간 동안만 조사하여야 한다.

멜라닌색소를 파괴하기 위하여 레이저조사는 멜라닌색소의 열이완 시간(0.2 μsec) 보다 짧게 강한 출력을 조사하는 Q-스위치 레이저를 사용하여야 멜라닌 색소를 선택적으로 파괴하고 주변으로 열이 분산되는 부작용을 피할 수 있다.

조직의 열이완 시간은 조직의 크기와 관련되며 직경 20μm의 모세혈관은 열이완 시간이 140μsec 이지만 이 보다 큰 0.1mm의 혈관은 열이완 시간이 3,600μsec로 혈관이 굵을수록 증가하게 된다. 그러므로 혈관의 직경이 클수록 조사시간과 출력이 높아야 레이저 치료 효과를 볼 수 있다.

4. 초점 형태

레이저광선이 초점이 맞추어진 상태에서 출력밀도(power density, Irradiance)가 최대가 되며 초점이 흩어진 상태에서는 출력밀도가 현저히 감소하게 된다. 출력밀도는 단위면적이 적을수록 증가하

29

표 2-3. 목표 조직과 열이완 시간
(TRT: thermal relaxation time)

목표 조직	크 기	조직의 열이완 시간
멜라노좀	1 μm	0.2 μsec (200nsec)
적혈구	5 μm	5 μsec
수분		300 μsec
피부		600 μsec
모세혈관	20 μm	140 μsec
혈관	100 μm	3600 μsec (3.6msec)
표피		10 msec
모낭		30 msec

기 때문에 초점 상태에서 출력밀도가 최대가 되고, 조사면적이 증가할수록 출력밀도가 현저하게 감소한다. 출력밀도는 직경의 역승수로 감소한다. 이산화탄소 레이저는 초점상태(focusing)에서 출력밀도가 높아 조직의 절개나 기화에 사용하며 초점이 흩어지면(defocusing) 출력밀도가 낮아 조직의 응고나 지혈 목적으로 사용한다.

VI. 레이저 치료의 작용기전

조직에 레이저를 조사하면 치료효과는 대부분 레이저 열에 의한 광열반응으로 나타나지만 일부 레이저는 광화학적 반응이나 광물리적 반응으로 치료효과를 볼 수 있으며, 또한 상호 복합적인 반응으로 치료효과를 나타낼 수 있다.

1. 광열 반응(photothermal effect)

레이저로 조직에 가해진 열을 이용해 조직의 온

도를 상승시켜 조직의 파괴, 기화, 응고, 변성을 일으키게 된다. 대부분의 레이저는 열을 이용한 광열반응 레이저에 속한다. 광열반응 레이저의 치료효과는 레이저 파장 및 기종, 출력, 조사시간, 조직의 열이완시간, 초점, 에너지 밀도 등에 의하여 결정되며, 목표조직에 적합한 조건을 맞추어야 열반응 효과를 극대화하고 주변의 열손상을 줄여 부작용을 피하고 효과적인 레이저 치료를 할 수 있다.

조직이 열을 받아 비가역적인 손상을 입으면 단백질이 변성되고 세포가 파괴되는데, 조직이 받은 열이 가역적인 반응이면 원 상태로 회복하거나 세포와 간질이 변화하게 된다.

콜라겐 섬유소가 가역적인 반응으로 레이저 열을 받으면 콜라겐 섬유소를 연결하는 H2 결합은 분해되고 재배열되었다가 다시 H2 결합이 생기며 새로운 콜라겐 섬유소를 형성하게 된다. 이런 기전으로 레이저를 이용해 조직 용접(tissue welding)효과를 볼 수 있다.

2. 광화학적 반응 (photochemical effect)

레이저의 광자 에너지를 받은 분자물질은 그 고유한 화학적 결합상태에 변화를 일으키거나 이온화 되어, 목표 조직의 변성 및 파괴를 초래하게 된다. 이를 이용한 것이 광화학 반응 레이저이며, 광화학 반응 레이저는 상당히 낮은 출력에서 이루어진다.

분자 내의 에너지가 높아지면 유리 산소 입자가 발생하고, 이 산소 입자가 세포막을 파괴하게 된다. 목표조직을 파괴하기 위하여 화학적 광민감 물

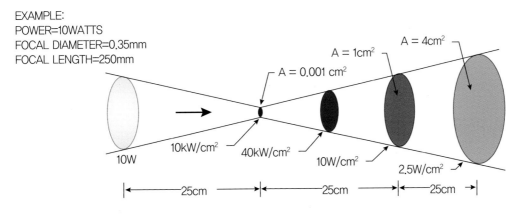

EXAMPLE:
POWER=10WATTS
FOCAL DIAMETER=0.35mm
FOCAL LENGTH=250mm

A = 4cm²
A = 1cm²
A = 0.001 cm²

10W
10kW/cm²
40kW/cm²
10W/cm²
2.5W/cm²

25cm
25cm
25cm

그림 2-13. 초점에 따른 출력밀도의 변화
직경이 작을수록 출력밀도는 제곱으로 증가한다.

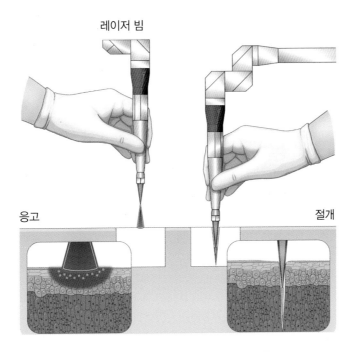

레이저 빔

응고
절개

그림 2-14. 초점 상태에 따른 절개와 응고
초점상태(focusing)에서는 출력밀도(Irradiance)가 최대로 증가하여 조직의 절개나 기화에 사용하며, 비초점상태(defo-cusing)에서는 출력밀도가 낮아 조직의 응고나 지혈에 사용할 수 있다.

질(photosensitizer)로 전-처치를 하고, 광민감 물질에 선택적으로 작용하는 레이저를 조사함으로써 효과를 얻게 된다.

가변 색소(tunable dye) 레이저나 금 증기(gold vapor) 레이저는 광화학반응을 이용하여 악성종양세포를 파괴한다. 광민감 물질을 이용한 예로써, 악성종양에 친화력이 있는 HPD (hemato-porphyrine derivative)를 미리 주사한 후 선택적으로 흡수가 잘 되는 레이저를 조사하여 악성종양 세포만을 파괴시킬 수 있다.

3. 광물리적 반응
(photomechanical disruption)

광 에너지에 의한 물리적 효과로 목표 조직을 파괴할 수 있다. 이런 광물리적 반응 레이저는 레이저 조사시간이 극히 짧고 출력이 높아야만 주변 조직의 손상 없이 목표 조직만을 파괴할 수 있다.

예로 루비 레이저, 알렉산드라이트 레이저, 엔디야그 레이저 등은 Q-스위치를 이용하여 20-40 nanosec(10^{-9}sec)의 극히 짧은 시간에 수만 Watt의 높은 순간 출력을 조사하여 멜라닌이나 문신 색소만을 선택적으로 파괴할 수 있다. 문신에서 레이저 치료효과는 광물리적 반응이 가장 중요한 역할을 한다. 잉크 등 색소가 세포 사이나 세포내에 미세한 크기로 존재할 때 Q-스위치 레이저로 짧은 순간에 높은 출력의 레이저를 조사하면 색소만 레이저를 흡수하여 물리적인 진동으로 수십 분의 일 크기로 분해되고 점차 흡수되어 없어지게 된다.

Q-스위치 레이저나 어븀야그 레이저 치료시에 폭발하는 소리(pumping sound)가 발생하며 이는 음압 효과도 작용하여 조직을 파괴하기 때문이다.

레이저로 조직 내 삼투압이 변하여 반응을 나타내기도 한다. (photo-osmolar effect)

4. 레이저 광선의 조직 파괴(photo-destruction)와 생체 활성화 (photo-activation)

레이저 에너지가 조직에 조사될 때 에너지가 낮고 열 손상이 없는 자극이면 레이저로 인한 조직의 활성화(photo-activation)가 이루어진다. 에너지가 점차 증가하여 열 손상이 발생하면 조직의 파괴(photo-destruction) 현상이 나타난다.

레이저 광선에 의한 조직 파괴는 고출력레이저(HLLT)로 색소질환, 혈관질환, 박피 레이저에 이용하며, 조직의 활성화는 저출력 레이저(LLLT)로 조직의 재생, 창상치유, 통증 치료 등에 이용된다.

VII. 선택적 광열분해 (STPL: Selective Photothermolysis)

선택적 광열분해 (SPTL)는 Anderson과 Parrish가 1983년 처음 도입한 레이저 치료 개념으로서 목표조직에 흡수력이 강한 파장의 레이저를 짧은 시간에 조사하면 목표조직의 온도가 올라가고 주변의 열 확산이 적어 주변 조직의 열손상 없이 목표 조직만을 선택적으로 파괴할 수 있다는 이론이다. 이전에는 조직에 레이저 열에너지를 가함으로서 목표 조직뿐 만 아니라 주변 조직도 열 손상을 입어 치료 목적이외에 부작용이 빈번하였다.

선택적 광열분해를 이루기 위한 조건으로서 1) 레이저 파장, 2) 레이저 조사시간, 3) 레이저 출력이 중요하다. 레이저 파장은 목표조직에 잘 흡수되는 파장이어야 하며 목표 조직의 깊이까지 이르는 파장을 사용해야 한다. 레이저 조사 시간은 목

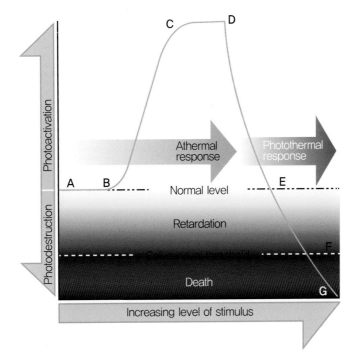

그림 2-15. 레이저 광선 자극에 의한 photo-destruction과 photo-activation (Ohshiro-Calderhead Arndt-Schults curve)
에너지 증가가 약하면 반응이 없다가(A-B), 점차 피크를 이루어 생체 활성화를 이루며(C-D), 에너지가 더욱 증가하면 광열 반응과 조직 파괴가 이루어진다(E-F).

표 조직의 열이완 시간(TRT)과 비슷하거나 적어야 주변 조직으로의 열확산이 적게 된다. 마지막으로, 레이저 출력 즉 에너지 밀도(Fluence)가 목표 조직을 파괴할 만큼 충분히 커야 한다.

1. SPTL의 조건

가) 레이저 파장(wave length)

레이저 파장이 레이저 기기 선택에 가장 중요하며 목표 조직에 잘 흡수되는 파장을 선택하여야 한다. 조직이 레이저 광선을 흡수하는 것을 발색단(chromophore)이라고 하며 피부에서는 멜라닌세포, 헤모글로빈, 수분이 주요 발색단이다. 그러므로 레이저 파장은 치료 목표로 하는 발색단에 맞는 파장을 선택하여야 한다. 또한 레이저 파장은 목표 조직의 깊이까지 전달되는 파장이어야 한다.

멜라닌색소는 레이저 파장이 400nm-600nm일 때 잘 흡수되며 파장이 길어지면 점차 감소하여 600 nm 이상 되면 레이저 광선 흡수가 현저하게 적어진다.

색소성 병변을 선택적으로 치료하기 위하여 멜라닌색소에 선택적 흡수 파장인 400-600nm의 레이저를 사용해야 하며 색소가 표재성인 경우는 투과력이 얇은 짧은 파장을 사용하며, 색소가 깊게 위치하는 병변에서는 투과력이 깊은 비교적 긴 파장을 사용하여야 한다.

표재성 색소 병변의 치료는 침투가 얇은 비교적 짧은 파장의 KTP 레이저(532 nm, FD Nd:YAG 레이저), Copper Vapor 레이저(511 nm), 아르곤 pumped dye 레이저(577 nm), PLDL(pigmented lesion dye laser), FEDL(flashlamp excited dye laser) 등을 사용한다.

색소 병변이 진피 하부까지 깊게 위치하는 색소성 병변의 경우 파장이 긴 레이저를 사용하며 루비(694nm) 레이저, 알렉산드라이트(755nm) 레이저, 다이오드(800nm) 레이저, 엔디야그(1,064 nm) 레이저를 사용하면 피부 3-4mm 깊이까지 투과하여 깊은 색소성 병변을 치료할 수 있다.

레이저 파장에 따라 흡수하는 색이 다르며 붉은 색인 경우 짧은 파장인 532nm(KTP 레이저)가 흡수가 잘되며, 갈색인 경우 694nm(루비 레이저), 청색 및 검은색인 경우 755nm(알렉산드라이트 레이저), 800nm(Diode 레이저), 1,064nm(엔디야그 레이저)가 흡수가 잘 된다. 그러므로 붉은 색의 혈관성 병변이나 붉은 색 문신은 532nm, 585nm 등 짧은 파장의 레이저를 사용하여야 치료 효과가 좋다. 기미 등 표재성 색소병변 같이 갈색의 치료에는 루비레이저(694nm)등 500nm-700nm 파장이 효과적이다. 색소가 진피에 깊이 있는 경우 짙은 갈색이나 푸른색을 띄게 된다. 푸른색의 오타 모반 같은 진피성 색소 병변이나 파란색-검정색 등 문신의 치료, 또한 레이저를 이용한 제모에는 알렉산드라이트레이저(755 nm)나 다이오드 레이저(800 nm), 엔디야그 레이저(1,064 nm) 등 비교적 긴 파장의 레이저가 효과적이다.

헤모글로빈(oxyhemoglobin)은 레이저 흡수가 400nm와 577nm에서 정점을 나타낸다. 멜라닌과 헤모글로빈이 레이저를 경쟁적으로 흡수하기 때문에 혈관 병변만을 선택적으로 치료하기 위해 서는 400nm 파장보다 577nm 파장의 레이저를 사용하는 것이 좋다.

일반적으로 파장이 길수록 투과력이 좋다. 투과력이 1mm인 577nm 파장보다 585nm파장이 투과력이 1.2mm로 좋기 때문에 혈관치료용 색소 레이저(FLPPD: Flashlamp Pumped Pulsed Dye Laser)는 585nm의 파장을 사용한다.

박피용 레이저는 멜라닌이나 혈색소와 관계없으며 수분에 잘 흡수되는 이산화탄소 레이저(10,600nm)나 어븀야그 레이저(2,940nm)를 사용한다. 피부에는 수분이 약 85%를 차지하고 있기 때문에 수분에 친화력이 있는 레이저를 사용하면 레이저 조사 부위에 수분이 에너지를 흡수하고 열이 상승하여 조직의 기화와 응고를 일으켜 박피 효과를 보게 된다. 일반적으로 파장이 긴 레이저는 피부 깊이 침투할 수 있지만 이산화탄소 레이저나 어븀야그 레이저는 수분에 친화력이 높아 피부 표면에서 레이저 에너지를 흡수하기 때문에 깊이 침투할 수 없다. 이산화탄소 레이저는 침투 깊이가 0.1mm, 어븀야그 레이저는 0.01mm로 매우 얇은 침투깊이를 보인다. 박피용 레이저는 수분이 기화되며 피부조직을 같이 제거하게 되며 주변의 열손상 깊이를 합하여 박피 깊이를 나타내게 된다. 어븀야그 레이저가 이산화탄소레이저보다 수분의 친화력이 10배 이상 높은 반면 주변의 열손상이 적어 조직의 응고가 잘 안 된다. 이산화탄소레이저는 기화와 응고가 동시에 되지만 어븀야그는 응고가 안 되어 박피 할 때 출혈과 체액삼출이 있으며 이것이 어븀야그 레이저 에너지를 흡수하기 때문에 깊은 박피를 할 수 없다.

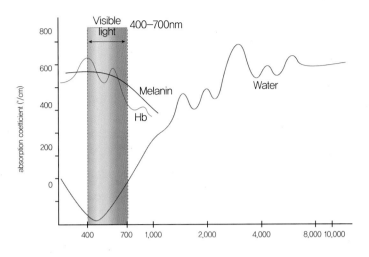

그림 2-16. 피부의 발색단(chromophore)과 선택적 흡수 레이저 파장

혈관성 병변은 헤모글로빈에 잘 흡수되는 477nm와 585nm를 사용할 수 있는데 585nm, 590m 레이저가 477nm보다 좀 더 깊이 흡수되어 혈관성 병변에 사용함.

멜라닌 색소성 병변은 표재성인 경우 532nm-585nm를 사용하며, 깊은 색소성병변은 694nm, 755nm, 1,064nm를 사용함. 박피를 위해서는 수분에 친화력이 있는 이산화탄소 레이저(10,600nm)나 어븀야그 레이저(2,940nm)를 사용함.

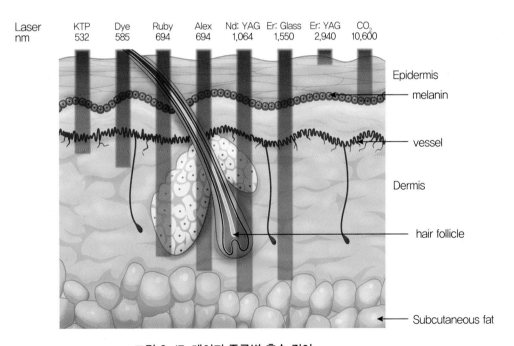

그림 2-17. 레이저 종류별 흡수 깊이

일반적으로 파장이 길어지면 피부 깊이 투과되지만 어븀야그 레이저와 이산화탄소 레이저는 수분에 친화력이 있어 깊이 투과가 되지 못함. KTP(532nm) Pulse dye(585nm)는 1-1.2mm 투과되며 루비(694nm), 알렉산드라이트(755nm), 다이오드(800nm), 엔디야그(1,064nm)는 3-4mm 깊이 투과되며, 피부색이 짙은 경우 멜라닌에 흡수가 높아 투과 깊이가 감소함.

나) 조사시간(pulse duration)

레이저 조사 시에 목표 조직을 파괴하고 주위에 열 손상을 피하기 위하여 목표 조직의 열이완 시간 (TRT: Thermal Relaxation Time)이하의 시간동안 조사를 해야 한다. 레이저를 긴 시간 동안 조사하면 목표 조직의 파괴 뿐 아니라 주변의 열 손상을 초래하므로 조사 시간이 필요 이상 길어서는 안 된다.

멜라닌 색소의 열이완 시간은 $0.2\mu sec$로 레이저 광선이 색소 병변까지 투과하여야 치료 효과가 나타나나, 대부분의 레이저는 이보다 조사 시간이 길어 충분하다.

조직의 열이완 시간은 조직의 크기에 제곱으로 비례한다. 직경 $1\mu m$ 크기의 멜라닌색소(melanosome)는 열이완 시간이 $0.2\mu sec$이며 직경 $5\mu m$ 크기인 적혈구는 열이완 시간이 $5\mu sec$이다. 직경 $20\mu m$크기인 모세혈관의 열이완 시간은 $140\mu sec$이나 직경 $100\mu m$인 혈관(arteriole, venule)의 열이완 시간은 $3,600\mu sec$이기 때문에 모세혈관보다 큰 혈관에서는 조사 시간이 더욱 길어야 치료 효과를 나타낼 수 있다.

박피용 레이저인 어븀야그 레이저는 이산화탄소 레이저보다 얕은 박피가 되기 때문에 이산화탄소와 같은 깊은 박피를 위해서는 레이저 조사 시간을 길게 해야 한다.

다) 레이저의 출력
(Energy density, Fluence)

목표 조직을 파괴하기 위하여 레이저의 출력과 에너지 밀도가 충분해야 한다. 피부를 박피하기 위해서는 에너지 밀도가 $5J/cm^2$(vaporization

threshold) 이상 되어야 기화가 이루어져 주변 조직의 열 손상 없이 효과적인 박피를 할 수 있다.

혈관 병변을 치료하기 위해서는 혈관을 응고시키거나 혈관 내피세포(endothelial cell)를 파괴시킬 만큼 레이저의 출력이 충분히 커야한다. 혈관성 병변을 레이저 치료할 때 레이저 출력 밀도(power density, Irradiance)가 같더라도 직경(spot size)이 큰 경우 직경이 작을 때보다 조직에 가해지는 에너지가 높기 때문에 혈관 치료에 더 효과적이다. 그러므로 혈관성 병변 치료 시 색소 레이저(FLP-PD)를 3mm보다는 5mm 직경을 사용하는 것이 더 효과적이다.

그러나 레이저 출력이 높은 경우 피부의 혈관 뿐만 아니라 멜라닌세포도 파괴 되며, 피부 탈색을 초래한다. 피부에 출력이 높은 경우 또한 반흔 형성의 심각한 부작용을 초래하게 된다. 피부 깊이 필요한 레이저 에너지를 전달하면서 표피를 냉각시켜 보존하면 표피에 많은 멜라닌이 보존되면서 또한 표피가 남아 있어 창상 치유가 빠르기 때문에 높은 출력으로 인한 부작용을 피할 수 있다.

표피의 냉각은 수냉식으로 접촉성 레이저 팁을 사용하기도 하며, 또한 공랭식으로는 냉매를 스프레이식으로 분사하여 표피를 보존시킬 수 있다.

혈관성 병변으로 피부의 혈관종이나 표재성 모세혈관 기형(portwine stain)치료 할 경우나 제모 레이저같이 모낭 깊이 높은 출력을 조사할 경우 치료 효과를 높이고 부작용을 피하기 위해서는 표피를 냉각시켜 보존하여야 한다.

혈관성 병변을 치료 시에 피부를 눌러 압축시키면 혈관 내에 혈색소가 빠져나가 치료효과가 떨어지기 때문에 피부를 눌러 압축시키면 안된다. 반면 색소성 병변을 치료할 때는 피부를 압축시켜 혈색소를 빠져나가게 하고 레이저를 조사하면 레이저 파장에 경쟁적 흡수를 하는 혈색소를 피하고 멜라닌색소 위주로 치료를 할 수 있다.

2. 확장된 선택적 광열분해 (extended SPTL)

선택적 광열분해(SPTL) 개념은 목표 조직의 파괴를 위해 목표조직의 열이완 시간(TRT) 보다 짧은 시간에 고출력 레이저를 조사하여 목표조직만

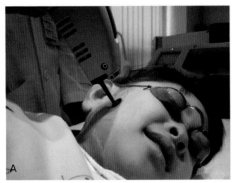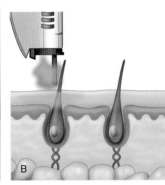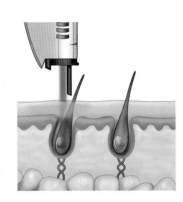

그림 2-18. 표재성 모세혈관 기형(portwine stain)의 레이저 치료 시 표피를 보호하기 위해 냉매(cryogen)을 분사하며 레이저 치료하는 장면.(A) Apogee 레이저) 냉매 분사로 표피를 냉각시켜 보호하며 레이저를 조사하여 표피 아래의 깊은 혈관이나 모낭을 선택적으로 치료함. (B) Vbeam 레이저, DCD: dynamic cooling device)

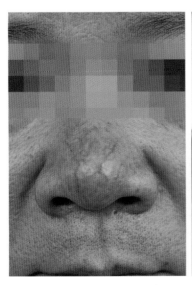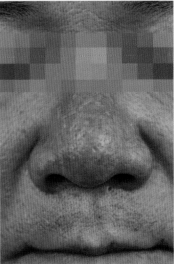

그림 2-19. 코의 모세혈관 확장증(telangiectasia)을 레이저 치료 시 접촉식 냉각 장치를 대어 표피를 냉각 보존하며 혈관을 선택적으로 레이저 치료하는 모습. 레이저가 혈관에 선택적으로 흡수되어 혈관의 붉은 색이 즉시 없어지고 회색으로 변하게 됨.

파괴하고 주변 조직으로 열확산을 방지하는 것이다. 그러나 레이저 조사 시간을 열이완 시간보다 짧게 할 때, 오히려 열이완 시간을 늘림으로써 더 나은 치료효과를 보이기도 한다.

제모 치료를 위해 레이저 조사시간을 nanosec(10^{-9})나 micosec(10^{-6})에서 millisec(10^{-3})으로 늘리면 치료효과가 증가하는데 이는 레이저를 흡수하는 모발 뿐 아니라 모낭과 주변 조직에 열 확산으로 모발 억제 효과를 보이기 때문이다. 모발의 멜라닌 색소뿐만 아니라 모낭과 모발 주변 조직이 열손상을 받게 되어 제모 치료효과를 보이게 된다. 이런 근거로 2001년 Altschulder와 Anderson이 extended SPTL 개념을 발표하게 되었다.

혈관성 병변의 치료는 헤모글로빈에 선택적으로 흡수하는 파장의 레이저(585-595nm)를 혈관의 열이완 시간을 넘지 않게 레이저 조사를 하여 혈관 내피세포를 괴사시키고 혈관을 유착시켜 혈류를 막는데 목적이 있다. 그러나 혈관의 열이완 시간보다 더 길게, 또는 더 큰 출력으로 혈관 주변 조직에 열 확산이 되면 더 좋은 치료 결과를 보이기도 한다. 혈관성 병변의 치료시 레이저 빔의 크기가 작은 것보다 큰 것이 더 좋은 치료효과를 보이게 된다.

문신의 레이저 치료는 Q-스위치 레이저로 문신 입자를 폭발시키는데 주변 조직으로 열 확산이 되면 문신 입자 주위에 섬유성 막을 형성하고 주변으로 번지는 것을 막게 된다. 이어서 대식세포가 이물질을 포식하여 분해하여 문신 색소가 없어지게 된다.

확장된 선택적 광열분해는 목표 조직뿐만 아니라 주변 조직으로 열확산이 되어 치료효과를 보이는 기전을 설명하고 있다.

3. 세포 내 선택적 광열분해 (subcelluar SPTL)

기미의 치료는 선택적 광열분해 개념으로 멜라닌 세포를 파괴하기 위한 파라미터를 사용하였다. 그러나 기미 색소가 다시 나타나 재발되는 경향을 보여 치료의 한계를 보여 왔다.

멜라닌 세포를 파괴하는 것이 아닌 멜라닌 세포 내의 멜라노좀 활동을 억제하면 멜라닌 색소 분비를 감소시키게 된다. 김일환 교수는 Q-스위치 엔디야그 레이저를 저출력으로 치료하여 멜라노좀 내의 멜라닌 색소가 제거되는 것을 zebra fish 실험으로 증명하였으며, 이를 세포내 선택적 광열분해 개념으로 인정받게 되었다.(2010년)

멜라닌 세포가 아닌 세포내 멜라노좀을 억제하려면 저출력레이저로 여러 번 반복 치료하여야 한다. 이는 동양인에서 흔한 기미의 치료에 레이저 토닝이 효과가 있다는 이론적 근거가 되고 있다.

VIII. 레이저의 기종별 특성

1. 루비(Ruby) 레이저

루비 크리스탈에서부터 방출된 레이저로 최초로 개발된 레이저이다. 694nm의 파장을 가지며 조사 시간은 Q-스위치 레이저인 경우 25-40nsec(10^{-9})의 매우 짧은 펄스파로 고출력을 방출한다(106W/㎠). 멜라닌에 흡수력이 좋으며 색소성 병변이나 문신의 치료에는 Q-스위치 레이저를 사용한다. 눈썹 문신에도 사용하며 이때 눈썹 털이 제거되었다가 다시 자라나게 된다. 제모 레

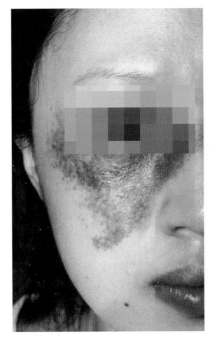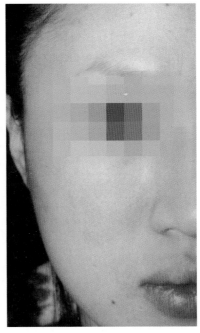

그림 2-20. 루비 레이저(694nm)를 이용한 오타 모반의 치료(최응옥 원장 제공)

이저에는 좀 더 조사시간이 긴 펄스(4-100msec)를 사용한다.

피부에 투과성이 좋으며 동양인이나 흑인은 표피에 멜라닌이 많아 진피로 침투가 적어지지만 백인에서는 멜라닌 색소가 적기 때문에 루비 레이저가 3-4mm 정도로 좀 더 깊이까지 침투한다. 루비 레이저는 표재성 색소 병변뿐만 아니라 좀 더 깊은 진피의 색소성 병변에도 우수한 치료효과를 나타낸다.

문신의 치료는 갈색, 녹색에 효과적이며 청색과 검은색은 효과가 약간 떨어지며 적색 문신이나 혈관에는 효과가 없다.

2. 아르곤(Argon) 레이저

아르곤 레이저는 457nm부터 514nm까지 여러 가지 파장의 빛을 내지만 그 중 주된 것은 488nm와 514nm 파장의 빛으로 각각 녹색과 청색을 띤다. 아르곤 레이저의 발색단은 멜라닌과 혈색소이며 색소성 병변과 혈관성 병변에 사용 할 수 있다. 아르곤 레이저가 멜라닌과 혈색소에 경쟁적으로 흡수하기 때문에 피부가 검은 사람은 표피의 멜라닌 색소에 주로 흡수되며 그 밑의 혈관에는 흡수가 떨어지는 반면 피부가 흰 사람은 멜라닌 색소에 흡수가 적고 진피 이하의 혈관에 흡수가 잘 된다.

아르곤 레이저는 초기에 개발된 레이저로 선택적 광열분해 개념의 레이저가 나오기 전에는 색소성 피부병변과 혈관성 피부병변에 사용하였으나 반흔 형성과 영구한 탈색 등 부작용이 문제가 되었다.

아르곤 레이저는 피부를 비선택적으로 파괴하기 때문에 아르곤 레이저에 Hexascan을 부착하여 사용하면 육각형 내에 일부 정상조직을 보존하고 레이저를 조사하기 때문에 부작용을 줄일 수 있었다. 정상 조직을 보존하는 면에서 프랙셔널 레이저와 비슷한 개념이지만 빔의 크기가 프랙셔널보다 훨씬 크다는 차이점이 있다.

아르곤 레이저는 조직의 파괴 및 응고 목적으로 사용되며 현재는 피부의 색소성 병변에 흡수력이 높아 치료효과는 좋은 편이나 레이저의 유지관리가 쉽지 않다는 단점이 있다.

3. 이산화탄소(CO_2) 레이저

이산화탄소 레이저는 이산화탄소를 매질로 레이저 튜브에 높은 전류를 흐르게 하여 발생하는 10,600nm의 적외선 영역의 레이저이다. 이산화탄소 기체를 매질로 하기 때문에 매질의 교환이 필요 없고 유지비로는 전기 사용료만 요구되며 기기가 반영구적이다.

이산화탄소 레이저는 수분에 흡수력이 높고 멜라닌이나 혈색소에는 비선택적 흡수를 보인다. 조직의 침투 깊이는 0.1mm 이하로 침투력은 낮다. 초기에 이산화탄소 레이저는 출혈 없이 조직과 병변을 파괴시키고 절개를 할 수 있어 외과 수술에 유용하고 편리하게 이용되었으나 피부에는 반흔과 탈색을 초래하기 때문에 피부 병변에는 이산화탄소 레이저가 적합하지 않았다.

과거의 연속파(CW)에서 펄스파로 개발되었고, 출력밀도를 높여 조직의 기화를 최대로 증가시켜 주변 열 손상을 최소로 줄이게 됨으로서 피부 병변을 흉터 없이 제거할 수 있게 되었고 박피용으로 널리 사용하게 되었다. 이산화탄소 레이저가 단지 피부를 벗길 뿐만 아니라 진피내의 콜라겐을 수축

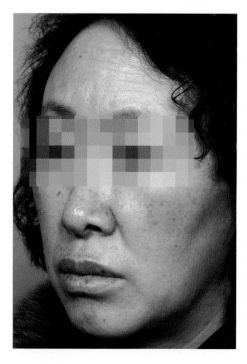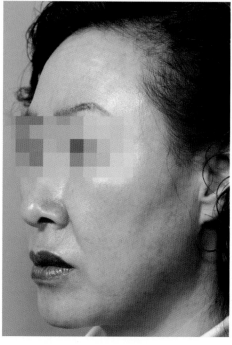

그림 2-21. 이산화탄소 레이저는 안면 피부의 병변 제거와 탄력 증가에 매우 효과적이다.

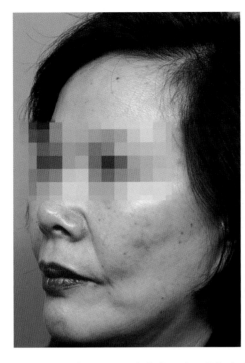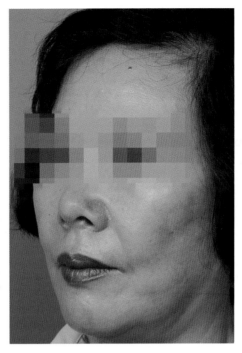

그림 2-22. 이산화탄소 레이저는 대표적인 박피 레이저로 안면의 리주버네이션 효과가 뛰어나다.

시키고 새로운 콜라겐 형성을 유도하기 때문에 여드름 반흔, 천연두 반흔, 외상성 반흔 등 각종 흉터에도 치료 효과를 보인다.

특히 노화된 안면 피부에 사용하면 주름이 펴지며 피부에 탄력이 생기고 또한 검버섯(senile keratosis) 등의 각화증이나 모반증이 벗겨져 깨끗해지는 효과가 있다. 이산화탄소 레이저는 피부를 젊게 하는 재생(rejevenation) 효과가 뛰어나기 때문에 레이저 박피술이 선풍적인 인기를 얻고 급속히 확산되었다.

이산화탄소 레이저는 처음에 연속파에서 펄스파(chopped, pulsed)로 개발되고 점차 조사시간이 짧은 초단파(superpulse)에서 극초단파(ultrapulse) 레이저로 발전하였다.

초단파 이산화탄소 레이저로는 Truepulse, Novapulse, Clearpulse 등이 있으며 국산 이산화탄소 레이저도 개발되어 많이 사용되고 있다.

현재 가장 많이 사용하는 Ultrapulse 레이저는 조사시간이 1msec 이하(950μsec)로 피부의 열 이완 시간과 비슷하며 펄스 당 에너지는 250-500mJ을 나타낸다(이산화탄소 레이저는 레이저 박피에서 더 상세히 기술함).

4. 색소 레이저 (PDL; pulsed dye laser)

색소(dye) 레이저는 액체 성분의 매질을 사용하며, 현재 혈관성 병변 치료에 주된 기종으로 사용되는 레이저이다. FLPPD(Flashlamp pumped pulsed dye) 레이저는 파장이 585nm이며 침투력은 1.2mm를 나타내며 조사시간은 450μsec이다. 피부 모세혈관의 열이완 시간은 190μsec이며 확장된 혈관의 열이완 시간은 5msec이기 때문에 FLPPD 레이저는 피부 1mm 이내의 모세혈관에는 좋은 효과를 나타낸다. 그러나 1mm 이상 깊이의 혈관에는 치료의 한계가 있으며, 소동맥 또는 소정맥(arteriole, venule), 다리의 혈관성 병변에는 효과가 없다. FLPPD 치료 후 반흔이나 탈색의 부작용은 극히 드물며(1% 이하), 통증이 적은 편이어서 소아에서도 국소마취연고 도포 후 적용할 수 있다. FLPPD 레이저 치료 직후에는 피부 혈관이 레이저를 흡수하여 모세혈관 파열로 인해 검붉은 색을 띄고 레이저 조사 후 5-7일에 창상 치유가 이루어진다. 이후에는 치료부위가 붉은 색에서 옅은 색으로 빠지게 된다. 표재성 혈관병변에서 레이저치료가 잘 되어도 밑의 혈관과 연결(perforating ves-sel)이 있으면 다시 혈관이 나타나 재발하게 된다.

FLPPD 레이저 치료는 3mm-5mm 레이저빔을 사용하며 레이저 빔을 겹치지 않게 사용하여야 탈색 등 부작용을 피할 수 있다.

FLPPD 색소 레이저는 침투 깊이의 한계가 있고 치료효과를 높이기 위해서 출력을 높이고 펄스 조사시간을 늘린 롱 펄스 색소(long pulse dye) 레이저가 피부 혈관성 병변 치료에 효과적으로 사용되고 있다. 레이저 파장도 585nm에서 590nm, 595nm를 사용하여 침투도 더 깊이 할 수 있게 되었다.

롱펄스 색소 레이저인 Vbeam 레이저는 595nm의 파장이며 피부 혈관을 치료하기 위하여 10-40J/cm2의 높은 출력을 사용한다. 레이저 빔의 직경은 3-10mm까지 사용하며 표피를 냉각시켜

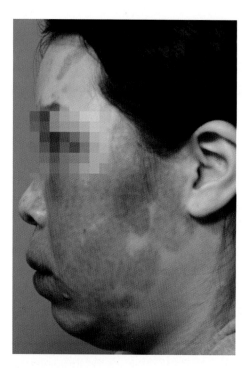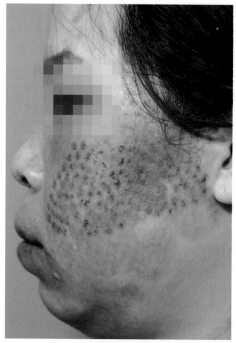

그림 2-23. FLPPD(Flashlamp Pumped Pulsed Dye) 색소레이저를 이용한 표재성 혈관기형(portwine stain)의 치료
레이저 치료 직후 모세혈관의 열손상과 파열로 레이저 조사부위가 검게 변하게 되며, 레이저 흡수 깊이가 낮아 치료의 한계를 나타낸다.

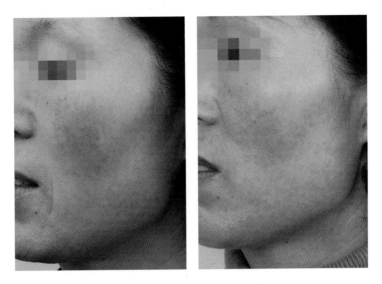

그림 2-24. 안면의 모세혈관 확장증(telangiectasia)으로 롱 펄스 색소 레이저(long pulse dye)로 치료함.

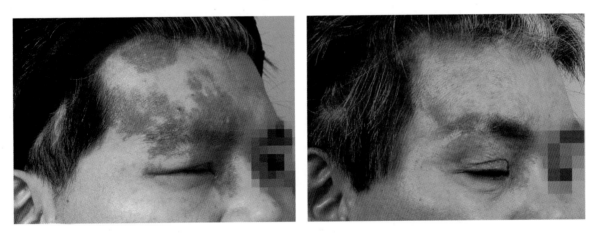

그림 2-25. 표재성 혈관기형(Sturge Weber syndrome)의 혈관용 레이저 치료

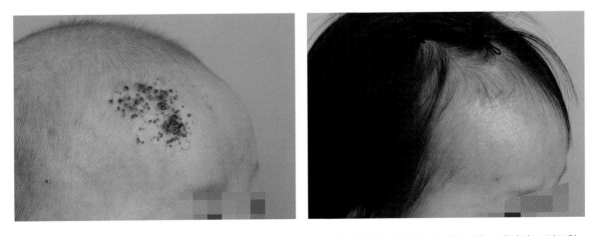

그림 2-26. 혈관 기형의 레이저 치료 시 나이가 어릴수록 높은 완치율을 나타낸다. 롱 펄스 색소 레이저로 치료함.

보호하기 위하여 냉매(cryogen)를 분사하며 레이저를 조사하게 된다. 조사시간은 40msec까지 길게 할 수 있으므로 FLPPD레이저보다 혈관성 병변에 우수한 효과를 보인다.

파장 504nm의 색소 레이저는 300nsec의 조사시간을 갖으며 표재성 색소 병변 치료에 효과를 나타내나 진피이하의 심부 색소성 병변에는 효과가 떨어진다.

Argon-pumped dye 레이저는 577nm의 파장을 내며 출력이 낮아 연속파로 방출되어 치료효과는 아르곤 레이저와 비슷하며 100μm 크기의 혈관 확장증에 효과를 보인다.

PLDL(pigmental lesion dye Laser)는 파장이 510nm이며 조사기간은 400μsec로 저출력(2-4J/㎠)으로 표재성 색소 병변 치료에 사용된다.

5. KTP 레이저, FD Nd:YAG 레이저

엔디야그 레이저의 레이저 튜브 안에 KTP (Potassium-Titanyl-Phosphate)를 첨가하여 엔디야그의 1,064 nm의 절반인 532 nm의 파장을 갖고 있는 레이저이다.

엔디야그 레이저의 파장인 1,064 nm의 절반이기 때문에 FD(frequency doubled) Nd:YAG 레이저라고 한다. 532 nm 파장은 녹색 빛을 띄게 된다.

KTP 레이저는 조직의 파괴에도 사용하지만 붉은 색과 혈색소에 흡수력이 높아 피부의 혈관종, 혈관기형, 모세혈관확장증 및 붉은 색의 문신에 치료 효과가 좋으며 표재성 색소 병변에도 사용한다. 레이저 파장이 짧은 편이라 피부의 투과 깊이가 낮은 편이다.

피부의 혈관성 병변에 치료효과를 높이기 위하여 레이저 조사시간과 출력을 높여야 하는데 표피를 보호하기 위하여 냉각장치가 필요하다.

6. 엔디야그(Nd:YAG) 레이저

엔디야그 레이저는 Yttrium-Aluminum-Garnet 결정체와 Neodymium 이온의 고체를 매질로 하여 발생된 1,064nm 파장의 근적외선 영역(near infrared)의 레이저이다. 광섬유(optic fiber)로 전달되어 유연하게 구부릴 수 있으며 조사시간에 따라 연속파, 펄스파, Q-스위치 형태가 있다. 엔디야그 레이저는 피부의 멜라닌, 혈색소, 수분에 흡수력이 적어 조직으로 이산화탄소 레이저나 아르곤 레이저보다 깊게 4-6mm까지 침투한다. 조직의 지혈과 응고가 다른 레이저 보다 뛰어나서 초기에 피부의 혈관종과 혈관기형, 구강 내 종양 등에 많이 사용하였으며 출력을 높이면 피부에 반흔을 형성하는 단점이 있다.

Q-스위치 엔디야그 레이저는 깊은 진피성 색소 질환이나 어두운 색의 문신에 효과적 사용된다. 이때 조사시간은 10-20 nsec이며 출력은 10 J/cm² 까지 사용한다.

엔디야그 레이저의 조사시간을 길게 하여 제모 레이저로 이용할 수 있다. 제모 레이저용 앤디야그 레이저는 조사시간이 20-300msec로 길게 하며 출력은 10-400 J/cm²까지 높이는데 표피를 보호하기 위해서 냉각장치를 병행하여야 한다.

532nm와 1,064nm 파장을 조사할 수 있는 엔디야그 레이저도 있으며 Q-스위치와 펄스 파로 조사 시간을 조정할 수 있는 엔디야그 레이저도 있다.

532 nm의 Q-스위치 엔디야그 레이저는 표재성

색소 병변에 사용하며, 치료 직후 하얀 얇은 꺼풀이 생기는데 반해 1,064nm의 Q-스위치 레이저는 깊은 진피성 색소 병변 치료에 사용하며 레이저 치료 직후 작은 점상 출혈이 나타난다.

1,320nm 파장은 펄스파(milli sec)로 진피 탄력 증가 목적의 비박피성 리주버네이션(NAR; non-ablative rejuvenation) 목적으로 사용되며, 1,440nm 파장의 연속파(CW) 레이저는 지방 용해를 할 수 있어 지방흡입, 지방성형에 효과적이다.

7. 알렉산드라이트(Alexandrite) 레이저

알렉산드라이트 레이저는 Chromium-doped chrysoberyl의 고체를 매질로 하여 발생하며 파장은 720-800nm 사이로 755nm 파장이 주가 된다. Q-스위치로 조사시간이 짧으며(30-250nsec) 출력은 8W까지 사용한다. 피부의 색소성 병변에 사용하며 치료효과는 루비 레이저와 비슷하며 깊은 진피성 색소 병변인 오타 모반 등에도 치료 효과가 좋다. 특히 흑색, 청색 색소에 흡수력이 좋아 문신에 대한 효과가 뛰어나 Tattoo 레이저라고도 부르며, 반면 멜라닌에 대한 흡수는 루비 레이저보다 낮아 모반에 대한 효과는 다소 떨어진다.

알렉산드라이트는 깊은 멜라닌색소에 흡수력이 좋아 제모 레이저로 효과적이며 이런 경우 조사시간은 20-300msec로 길며 출력은 10-100J/cm^{2}까지 사용한다.

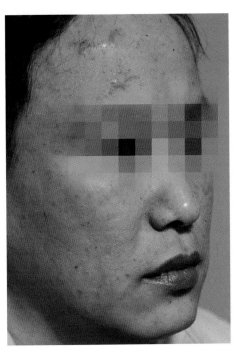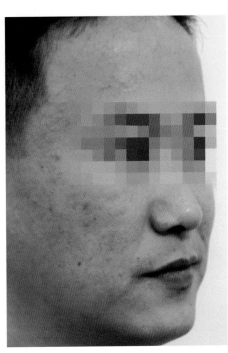

그림 2-27. 알렉산드라이트(Alexandrite) 레이저를 이용한 문신(tatoo)의 치료
외상성 문신과 반흔을 Q-스위치 알렉산드라이트(755nm)레이저와 박피레이저로 치료함.

45

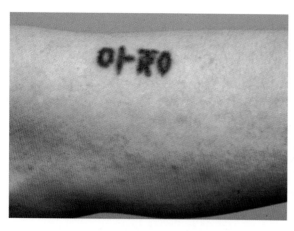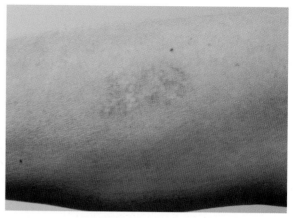

그림 2-28. 일반인에 의한 문신(amateur tattoo)의 레이저 치료(알렉산드라이트 레이저 사용)

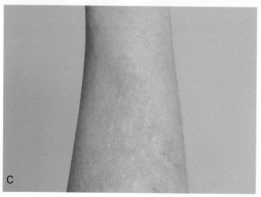

그림 2-29. 전문가에 의한 문신(professional tattoo)의 치료 전(A), 중(B), 후(C) 모습(알렉산드라이트 레이저 이용)

8. 어븀야그(Er:YAG) 레이저

Erbium:YAG를 매질로 하여 발생하는 2,940nm 파장의 적외선 영역의 레이저이다. 수분에 대한 흡수력이 가장 강하며 이산화탄소 레이저보다 흡수력이 10배 이상 강하다. 침투는 $10\mu m(0.01mm)$로 매우 낮으며, 이산화탄소레이저보다 매우 얕은 박피에 이용한다. 이산화탄소 레이저와 비교할 때 박피 깊이와 열 손상 깊이가 매우 얕다. 이산화탄소 레이저는 박피 깊이가 20-100μm이며 열손상이 100-150 μm인데 비하여 어븀야그 레이저는 박피 깊이가 5-20μm이고 열손상이 30-50μm로 얕은 박피가 되며 이산화탄소 레이저박피의 깊이를 얻기 위해서는 2-3배 더 조사를 하여야 한다. 어븀야그 레이저는 열 손상이 적어 창상치유가 일찍 이루어지고 안전하며 홍반이 오래가지 않으며 레이저 박피 후 색소침착이 적은 장점이 있다. 어븀야그 레이저는 열손상이 적어 지혈이 안 되기 때문에 레이저 박피 시 출혈된 혈액과 삼출액이 레이저를 흡수하여 깊게 박피를 할 수 없다. 어븀야그 레이저는 진피에 대한 영향이 적어 피부 수축과 탄력 증가, 주름에 대한 효과는 이산화탄소 레이저보다 적다. 이산화탄소 레이저와 같은 깊은 박피를 위해서는 조사시간이 긴 어븀야그 레이저를 사용한다.

어븀야그 레이저는 조사 시간을 짧게 하면 기화모드(ablation mode)로 사용할 수 있고 조사시간을 늘리면 수축모드(coagulation mode)로 사용할 수 있다. 박피 시 기화모드로 표피를 제거하고 수축모드로 진피의 탄력을 증가시키면 좋은 박피 결과를 얻을 수 있다.

어븀야그 레이저박피는 이산화탄소 레이저 박피보다 안전하며, 홍반과 색소 침착이 적어 점차 사용이 증가하고 있다.

9. 다이오드(Diode) 레이저, LED

다이오드 레이저는 반도체를 매질로 발생하는

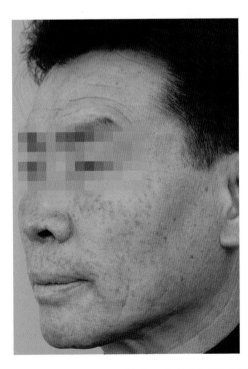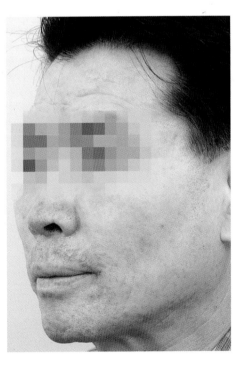

그림 2-30. 어븀야그 레이저로 천연두 반흔의 안면 전체를 레이저 박피 시행함.
어븀야그 레이저박피는 이산화탄소 레이저박피보다 박피 깊이가 얕지만 펄스를 길게 한 수축모드(coagulation mode)를 기화모드(ablation mode)와 병행하면 좋은 결과를 얻을 수 있다.

레이저로 파장이 800nm, 810nm, 940nm인 근적외선(near infrared)영역 레이저이다. 루비 레이저(694nm)나 알렉산드라이트 레이저(755nm)보다 다이오드 레이저 파장이 길므로 피부에 더 깊이 투과할 수 있으며 멜라닌색소에 친화력을 보여 제모 레이저로 사용한다. 제모 레이저로 사용 시 조사시간은 5-400msec이며 출력은 10-60J/cm^{2}로 하고 접촉식 냉각장치를 사용한다.

다이오드 레이저는 진피까지 침투하므로 진피의 수축과 탄력증대를 위한 비박피성 피부재생(NAR)에 사용하지만 박피성 레이저보다 효과가 떨어진다.

LED는 light emitting diode의 약자로 저출력, 연속파로 사용하며 사용시간은 수 분 이상 쬐게 한다. LED는 빛 에너지의 응집성이 없어 레이저의 특성은 없지만 빛 에너지를 이용하는 면에서 넓게 레이저에 포함시킨다. LED는 하나의 등보다는 여러 개의 등을 평행하게 배열하여 피부에 고르게 분산시킨다.

LED는 저출력 레이저(LLLT)로 창상치유에 효과적이며, 광선치료(PDT; photodynamic therapy)에 사용된다.

10. IPL(Intense Pulsed Light)

IPL은 레이저의 특성인 단일 파장이 아니라 500nm에서 1,200nm파장을 가지며, 필요한 파장영역만 셔터로 걸러 조사하게 한다.

IPL 파장 중 짧은 것은 혈관성 치료에 효과를 보이고 중간 것은 멜라닌색소에 효과를 보이며 긴 파장은 진피깊이 침투하는 효과를 기대한다.

IPL은 파장의 특성상 색소성질환과 표재성 혈관질환에 효과를 보인다. 노화된 안면피부는 색소가 증가하고 모세혈관확장이 있기 때문에 IPL이 노화된 피부를 깨끗하게 하는 효과를 보인다. IPL이

그림 2-31. LED 기기
저출력 레이저 치료(LLLT)로 창상치류 촉진 등에 사용한다. LED 등이 평행하게 배열하여 피부에 고르게 쪼이게 된다. (루트로닉 제공)

그림 2-32. LED를 이용한 발모 촉진 레이저(원텍 제공)

표피를 재생시키고 진피의 수축을 유도하지만 비박피성 리주비네이션이기 때문에 그 효과는 미미하며 안면의 스킨케어 용도로 많이 사용된다.

IPL은 조사시간이 2-25msec를 사용하고 출력은 3-30J/cm²으로 사용하며, 레이저 팁이 크기 때문에 안면 전체를 치료하기 편리하다. 이에 대한 자세한 내용은 IPL 챕터에 상세히 기술하였다.

11. 프랙셔널(fractional) 레이저

프랙셔널 레이저(FraxelR)는 피부 전체 면적이 아닌 부분 면적만 레이저 치료하는 개념이다. 표피 제거 시 불편함이 많아 표피는 1-2일내에 재생되고 진피에 레이저 열 치료를 하여 효과를 보게 된다.

프랙셔널 레이저도 박피의 유무에 따라 비박피성 프랙셔널(NAFL; non-ablatie fraciotnal laser)과 박피성 프랙셔널(AFL; ablative fractional laser)로 나누어진다.

비박피성 프랙셔널은 1,550nm Er:Glass레이저

를 사용하며 레이저 조사 후 피부는 미세한 열기둥인 MTZ (Microscopic Treatment Zone)을 만들며 표피는 상피화로 24시간 내에 창상 치유가 이루어진다.

박피성 프랙셔널은 박피 레이저인 이산화탄소 레이저와 어븀야그 레이저를 사용한 프랙셔널 기능을 가진 레이저로 치료한다. 치료 후 미세한 박피 기둥인 MAC(micro ablative column)을 만들며 창상 치유는 1-2일 내에 이루어진다.

프랙셔널 레이저는 창상치유가 빠르고 안전하며, 치료 후 사회생활의 지장을 최소로 할 수 있으나 효과가 약하여 수주 간격으로 반복 치료를 요하게 된다. 이에 대한 자세한 내용은 프랙셔널 챕터에 상세히 기술하였다.

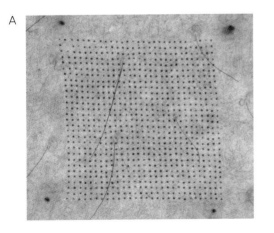
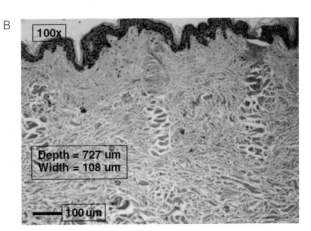

그림 2-33. 프랙셔널 레이저 치료의 피부 표면(A)과 피부 단면(B)

A) 피부 1cm²에 수 백 개의 미세한 빔이 조사되며, 대부분의 피부 표면은 보존됨. B) 미세한 열기둥(MTZ)은 빠른 치유를 보임. (Reliant Co 제공)

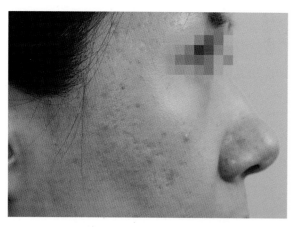
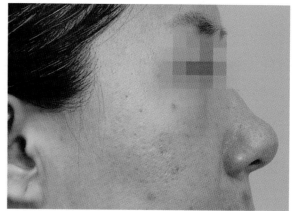

그림 2-34. 비박피성 프랙셔널 레이저를 이용한 여드름 반흔의 치료(3회 치료 후 모습)

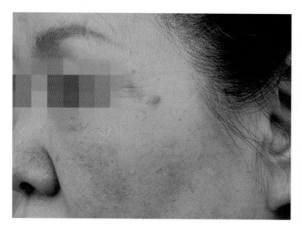
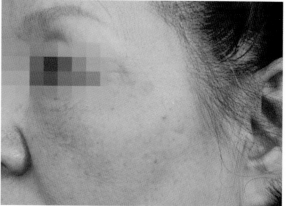

그림 2-35. 비박피성 프랙셔널 레이저 이용한 노화된 안면 피부의 치료(4회 치료 후 모습)
리주버네이션 효과가 박피레이저보다는 약하기 때문에 반복 치료를 요함.

12. 기타 레이저(표 2-3)

가) 엑시머(Eximer) 레이저

엑시머 레이저는 파장이 157nm-335nm로 자외선 범위에 속하며, 침투력은 상당히 얕다.

열로 인한 조직의 파괴가 아닌 단백질의 분자결합 완화를 통해 효과를 나타낸다. 임상적으로는 주로 안과에서 193nm의 ArF 엑시머 레이저를 각막 성형(LASIK)에 사용한다. 엑시머 레이저는 피부성형에 거의 사용하지 않으며 248nm KrF는 건선치료에, 308nm XeCl은 angioplasty에 사용할 수 있다고 한다.

나) Copper vapor 레이저

구리금속을 매질로 황색의 578nm와 녹색의 511nm로 방출한다. 10-40nsec의 펄스파를 빠른 빈도로 방출하여 마치 연속성 레이저 파처럼 작용한다. 578nm 파장은 혈관성 병변의, 511nm 파장

표 2-3. 레이저의 특성 비교와 임상적 이용

레이저 기종	파장	노출형태	조사시간	투과 깊이	임상적 이용
Ruby	694nm	Qs, pulse	20ns–100ms	3–4mm	색소질환, 문신
Alexansdrite	755nm	Qs, pulse	30ns–100ms	3–4mm	색소질환, 문신, 제모
Nd:YAG	1064nm	Qs, pulse	10ns–100ms	4–6mm	색소질환, 문신, 제모
		CW	continuous		심부 혈관성 병변
	1,320nm	pulse	ms		NAR ,진피재생
	1,444nm	CW	continuous		지방흡입, 지방성형
CO$_2$	10,600nm	CW, pulse	1ms–	0.1mm	박피, 조직 및 종양제거, 지혈
					프랙셔널
Er:YAG	2,940nm	pulse	ms	0.01mm	박피, 프랙셔널
		CW	continuous		치과 치료, 하지정맥
Er:Glass	1,550nm	pulse	ms	2–3mm	프랙셔널 레이저 (NAFL)
Ho:YAG	2,100nm	pulse	μs		조직 응고/기화, 전립선비대증
					(TURP)
Tm:YAG	1,750nm–2,220nm	CW			조직 응고,제거, 피부과 1,927nm 사용
HeNe	632nm	CW	continuous		가이드 빔, 저출력레이저, PDT
Argon	488nm, 514nm	CW, pulse	continuous	1–2mm	표재성 색소질환 및 혈관 질환
					안과, 내시경
PLDL	510nm	pulse	400μs	0.2mm	표재성 색소질환 및 혈관 질환
PDL	577–585nm	pulse	450μs	0.8–1mm	피부 혈관질환
long pulse dye	580–595nm	pulse	0.5–40ms	1–1.2mm	피부 혈관질환
KPT, FD Nd:YAG	532nm	pulse	μs–ms		표재성 색소질환 및 혈관 질환
Copper vapor	511,578nm	CW			혈관 지혈, 표재성 색소질환
	627nm	CW			PDT
Diode, LED	800,810,940nm	CW, pulse		3–4mm	PDT, NAR
					색소 질환, 제모
IPL	500nm–1,200nm	pulse		1–4mm	표재성 색소질환 및 혈관 질환
					NAR
Krypton	647nm	CW	continuous		안과용 치료
Excimer	ArF, 193nm	pulse			안과 LASIK
	KrF, 248nm	pulse			건선 치료
	XeCl, 308nm	pulse			angioplasty

*Qs; Q–switch, CW; continuous wave

NAR; non–ablative rejuvenation, PDT; photodynamic therapy

PDL; pulsed dye laser, PLDL; pigmented lesion dye laser, FD; frequency duobled

NAFL; non–ablative fractional laser

은 색소성 병변의 치료에 사용되지만 선택적 치료 효과는 떨어진다.

다) Er:Glass 레이저

1,550 nm의 펄스파 레이저는 비박피성 프랙셔널 레이저(NAFL; non-ablative fractional laser)로 개발되어 유용하게 널리 사용되고 있다.

라) Tm:YAG 레이저

Thulium:YAG 레이저는 1,750-2,200nm의 적외선 연속파로 조직응고, 제거에 사용하며 전립선 치료에 사용한다. 피부에서는 1,927 nm 파장을 사용하며 수분에 친화력이 있어 얇은 박피나 프랙셔널 기능으로 사용한다.

마) Ho:YAG 레이저

Holmium:YAG 레이저는 2,100nm 파장으로 펄스파로 사용하며 조직의 응고와 기화, 요로결석, 전립선비대증에 사용한다.

IX. 저출력 레이저 치료와 PDT

1. 저출력 레이저 치료(LLLT)

저출력 레이저 치료 또는 광선 치료(phototherapy)는 빛이 가진 에너지를 흡수하여 활성화하는 것으로 PAT (photon absoption therapy)라고도 한다. 고출력 레이저(HLLT; high level la-

ser therapy)는 조직을 파괴하는 목적으로 사용하는 것에 반하여 저출력 레이저(LLLT; low level laser therapy)는 조직을 활성화하는데 그 목적이 있다. 저출력 레이저는 열을 발생하지 않으며 비-파괴적이며 세포에서 레이저 에너지를 흡수하여 대사를 촉진시키고 활성화시킨다.

광선 치료는 1960년대 Mester가 처음으로 사용하였으며, 하지의 만성 궤양에 HeNe 저출력 레이저를 조사하여 창상치유가 촉진되었다는 것을 증명하였다. 1980년대에 저출력 레이저 사용이 활성화되었고 Ohshino와 Calderhead 등을 중심으로 저출력레이저 치료(LLLT) 연구가 활발히 이루어지게 되었다.

Arndt와 Schultz는 레이저 에너지 레벨에 따라 반응이 달리 나타난다고 하였으며 에너지가 낮을 때는 세포를 활성화시키며, 중간 에너지에서는 세포를 억제하고 높은 에너지에서는 세포를 괴사시킨다고 하였다.

저출력 레이저는 창상치유에 도움이 되며, 혈류를 증가시키고 부종을 감소시키며 세포에서 분비하는 cytokine에 작용하며 미토콘드리아의 ATP 싸이클을 활성화 시킨다. 저출력 레이저는 창상치유의 3단계인 염증시기, 증식시기, 성숙시기 모두에 관여하여 창상치유를 촉진한다. 저출력 레이저가 창상치유에 도움이 되기 위해서는 레이저의 출력 즉 에너지 레벨과 레이저의 파장이 중요하며 현재로는 830nm와 633nm의 LED가 많이 사용되고 있다.

2. PDT (photodynamic therapy; 광감작 치료)

PDT는 광선을 민감하게 흡수하는 화학물질인 광감작제(photosensitizer)를 인체 내에 투여하고 레이저를 조사하여 원하는 조직을 선택적으로 파괴하는 방법이다. 광감작제는 경구나 혈관주사 또는 피부 도포로 체내 위치하며 이에 민감한 레이저를 조사하면 특수 기능을 가진 물질이나 유리 산소를 생성하여 이것이 조직을 파괴하는 방식이다.

예로 암 조직을 파괴하기 위해서 광감각제로 hematoporphyrin을 투여하고 HeNe 레이저를 조사하여 종양세포를 선택적으로 파괴하게 된다. 광감각제로는 5-ALA(aminolevulinic acid), porphyrin 계통이 많이 사용된다.

또한 급성 염증성 여드름에 porphyrin(cpIII, ppIX)를 투여하면 여드름 균인 P acnes에 흡수가 잘되어 415nm나 633nm의 LED를 조사하면 여드름 균이 파괴되어 여드름 염증이 완화되게 한다.

X. 레이저 치료의 마취

저출력 레이저는 통증이 없어 마취가 필요 없으나 출력이 높아질수록 또한 조사시간이 길수록 통증이 증가하기 때문에 이에 대한 마취가 필요하다.

소아에서는 통증이 적어도 불안하기 때문에 협조가 잘 안되고 레이저 치료에 응하지 않을 수 있다. 이런 경우 불안감을 없애기 위한 보호자의 설득이 필요하고 필요시 진정제로 경구용 Midazolam을 투여하면 협조가 용이할 수 있다.

표면 냉각장치가 있어 냉매를 분사하거나 접촉식 냉각 팁이 있는 경우 피부를 차갑게 하여 통증 감소 효과가 있으며, 레이저 치료 시에 차가운 바람을 쐬어주면 통증을 적게 느낀다.

레이저 치료는 열에너지를 전달하기 때문에 통증이 발생하며, 각 치료에 따른 적절한 마취가 필요하다.

1. 국소마취제 연고 도포

리도카인 국소마취제 연고를 레이저 치료 30분에서 1시간 전에 레이저 치료할 피부에 바르면 통증을 완화할 수 있다. 마취연고는 두껍게 바르고 비닐 랩이나 Tegaderm 같은 것으로 덮는다. 리도카인 연고는 5%-10%를 많이 사용하며, EMLA는 5% Eutetic Mixture of Lidocaine & Prilocaine이다. 보통 EMLA 1g으로 약 10㎠을 도포할 수 있다.

저출력 레이저 치료시나 Q-스위치 레이저로 색소나 문신, 표재성 혈관 치료에 사용하며 또한 제모 레이저나 IPL, 프랙셔널 레이저 치료 시에도 사용한다.

2. 국소 마취제의 주사

피부는 통증에 민감한 부위이기 때문에 마취를 필요로 하며, 손바닥 크기 정도 이내의 피부 면적은 국소마취제를 피부에 직접 주사하여 마취를 할 수 있다. 국소마취제에 에피네프린을 희석하여 혼합하면 국소마취제의 흡수를 억제하여 국소마취제의 사용량을 줄일 수 있으며 또한 마취 시간을 길게 할 수 있다. 국소마취제로는 리도카인, Bupivacaine 등을 사용하며 흔히 사용하는 치과용 국소

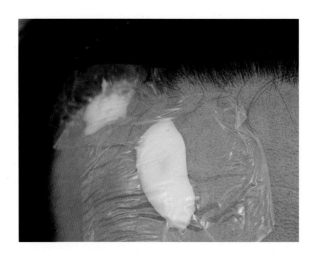

그림 2-36. 레이저 치료 전 리도카인 국소마취연고(EMLA)의 도포

레이저 치료 전 30분에서 1시간 정도 두껍게 여러 번 바르거나 도포하여 두면 통증을 경감시킬 수 있다.

마취제는 2% 리도카인으로 1:100,000 희석한 에피네프린을 포함하고 있으며 1앰플은 1.8cc이다. 리도카인의 최대 허용량은 40mg으로 치과용 리도카인은 10개 이내로 사용하여야 안전하다.

국소마취제 주사는 가는 바늘(26-30G)로 천천히 주사하여야 통증이 적으며 또한 sodium bicarbonate를 첨가하여 pH를 높여 주사하면 통증을 줄일 수 있다.

3. 신경 차단(Regional nerve block)

안면의 감각신경인 삼차신경(Trigeminal nerve)을 선택적으로 차단하는 마취방법으로 소량의 마취제로 비교적 넓은 부위를 마취할 수 있으며 치료 후까지 통증을 줄일 수 있다.

안면 상부는 supraorbital과 supratrochlear 신경(V1)이 지배하며 안와부 상연의 신경이 나오는 함몰부위를 촉지하여 국소마취제 주사로 통증을 차단하면 이마와 전두부의 마취가 잘 된다.

안면중앙부는 infraorbital 신경(V2)가 지배하며, 눈동자(동공)의 아래 연장선으로 안와부 하연의 1cm 밑에서 신경차단을 하면 뺨과 윗입술이 마취가 잘 된다.

안면 하부는 mental foramen에서 나오는 mental 신경(V3)이 지배하며 신경 차단은 눈동자 아래 연장선에서 턱을 촉지하여 가장 함몰된 부위에 주사하여 마취한다.

안면의 신경차단은 이마와 중앙부는 잘 되는 편이나 코와 안면의 측면 부위는 신경차단이 잘 되지 않아 별도로 국소마취제를 주사하는 경우가 많다.

4. 수면 마취(IV sedation)

국소 마취제의 주사 시 통증이 심하기 때문에 수면유도 진정제로 Midazolam을 3-5mg 천천히 정맥주사하고 수 분 경과 후 국소마취제를 주사한다. Midazolam은 통증에 대한 직접적인 효과 보다는 진정효과와 기억소실(amnestic) 효과가 크

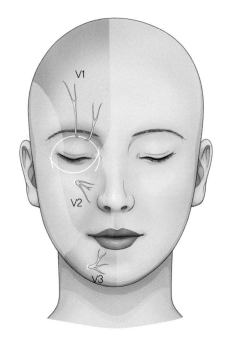

그림 2-37. 안면 레이저 치료시의 신경 차단(regional nerve block)
supra-orbital (V1), infra-orbital (V2), mental (V3) nerve를 차단함.

다. Valium보다는 안전하지만 호흡이 약해질 수 있기 때문에 반드시 pulse oxymeter를 사용하여 산소포화도(oxygen saturation)를 90% 이상 유지시킨다. 노인이나 비만 환자에서 수면 마취로 잠이 깊이 들어 산소포화도가 떨어지는 경우가 있으며 이때에는 자극을 주고 숨을 쉬게 하여 산소포화도를 유지시킨다. 소아에서나 성인의 넓은 부위를 시술할 경우에는 전신마취로 안전하게 시행하는 것이 좋다.

5. 진정 마취(Sedation analgesia)

진정마취는 환자의 의식을 최소한도로 억제시켜, 호흡이 스스로 가능하며 신체적 자극에 반응할 수 있는 상태를 말한다. 정맥 마취제를 소량씩 투여하여 환자의 호흡, 혈압, 맥박수 등 반응을 관찰해 가면서 조심스럽게 마취한다. 환자는 기본적으로 심전도, 산소포화도 등을 모니터하고 산소는 반드시 구비되어 있어야 하며 심폐소생술에 필요한 약제 및 기구를 담은 구급 세트는 언제든지 사용할 수 있도록 준비되어야 한다.

현재 많이 사용하는 약제는 Fentanyl, Ketamine, Propoful, Benzodiazepine계 약물 등이다. 개인마다 약제에 대한 반응이 상당히 차이가 있으며, Propoful, Ketamine 등은 통증에 대한 효과는 좋지만 호흡억제가 있을 수 있으므로 항상 환자의 상태를 잘 관찰하면서 투여한다. 환자 상태를 항상 모니터해야하며, 마취의사의 도움을 받아 시행하는 것이 안전하다.

6. 전신 마취(Endotracheal general anesthesia)

소아에서 레이저 치료를 하거나 안면 전체 박피를 시행할 때 전신마취를 함으로써 환자와 의사가 모두 편하고 안전하게 레이저 치료를 할 수 있다. 안면의 1/2 이상 넓은 부위를 박피할 경우도 무리하게 국소마취나 신경차단을 하는 것보다 전신마취를 하는 것이 바람직하다.

레이저 광선은 고출력으로 화재 위험성이 있으므로 특별한 주위를 요하며 마취제는 휘발성이 없는 것을 사용하여야 하며 기관지 삽관 튜브는 레이저로 천공이 되지 않도록 은박지로 감싸주어야 한다.

XI. 레이저 치료와 안전

ANSI(American national Standards Institute) 등 국제기관에서는 인체에 미치는 영향과 안전을 분류하여 레이저 등급을 I에서 IV까지 정하였다.

레이저 등급은 피복방출 한계치(Accessible Emission Limit)와 최대허용 노광량(Maximum Permissible Exposure)에 따라 분류하였고 의료용 레이저는 고출력으로 대부분 Class III와 Class IV에 해당한다. 이는 고출력 레이저로 직접 또는 간접으로 조사될 때 인체에 유해할 수 있으며 레이저로 인한 화재 및 폭발의 위험성이 있다.

레이저는 인체에 직접 조사될 경우 주로 눈과 피부에 영향을 미치게 된다.

눈에 조사될 경우 각막과 망막에 치명적이며 각막에는 각막염증, 백내장, 각막화상을 초래하고, 각막을 통과하여 망막에 이르면 빛이 집중되어 100,000배까지 증폭되므로 망막화상으로 실명을 초래하게 된다. 피부에는 출력이 낮은 경우 홍반이나 색소침착을 일으키며 출력이 높은 경우 열로 인한 화상을 입게 된다.

레이저 치료 시 피부가 기화되어 가스가 발생하며 이런 기화 가스는 각종 유해 물질이 포함되어 있다. 발암 물질을 포함하고 있으며, 또한 가스 흡입으로 호흡기 질환이 발생하고 감염이 전파될 수 있다.

레이저는 고출력이고 높은 전압을 필요로 하기 때문에 레이저 치료실은 항상 화재의 위험성이 있다.

레이저 치료로 인하여 환자나 치료하는 의료인이 위험에 노출되지 않도록 안전에 유의하여야 하며 안전사항을 숙지하고 주의하여야 한다(표 2-4).

표 2-4. 레이저의 등급과 특성

등급	특성	출력 (mW)
I	인체에 레이저 빛을 조사하여도 위험하지 않다	–
II	레이저 빛 조사시 0.25초의 눈 깜빡임으로 눈이 보호될 수 있다	1 이하
IIIR	눈에 레이저 빛이 직접 조사되면 위험하다	1–5
IIIB	인체에 레이저 빛이 직접 조사되면 위험하다	5–500
IV	인체에 레이저 빛이 직접 또는 반사되어 조사되면 위험하다	500 이상

*M (IIM, IIIM) 광학기계로 레이저광을 보거나 조사하면 위험하다

1. 눈의 보호

레이저 광선은 평행성(collimation) 이어서 멀리 떨어져 있어도 분산되지 않기 때문에 거리와 상관이 없이 우연히 레이저 빛을 쐬어도 눈에 손상을 줄 수 있다.

레이저 광선이 각막에 이르면 각막에 화상을 입고 각막의 천공, 백내장, 각막염을 초래할 수 있다. 적외선 영역의 박피 레이저인 이산화탄소 레이저와 어븀야그 레이저는 각막에 더욱 손상을 준다.

각막을 통과하는 가시광선 영역(400nm에서 700nm)의 레이저는 각막을 통과하여 망막에 집중되기 때문에 망막에 치명적인 손상을 준다. Q-스위치인 10억분의 1초(ns)의 짧은 순간에 노출되어도 약 10만 배까지 증폭하기 때문에 망막 손상으로 실명하게 된다. Q-스위치 루비 레이저(694nm), 알렉산드라이트 레이저(755nm), 엔디야그 레이저(532nm, 1,064nm) 등은 수 십 미터 밖에서 우연히 눈에 노출되어도 실명할 수 있다. 그러므로 치명적인 눈의 손상을 피하기 위하여 눈의 보호를 철저히 해야 한다.

레이저 치료실 문에 레이저 위험표시판과 '레이저 치료중'이라는 표시판을 붙여 우연히 문을 열고 들어오는 일이 없도록 하며, 또한 레이저 치료실에서 밖으로 광선이 나가지 않도록 차단해야 한다. 레이저 시술자는 레이저 기종에 맞는 보호안경(goggle)을 착용해야 한다. 가시광선과 근적외선 영역의 레이저는 레이저 파장을 선택적으로 차단(filtering)하는 보호안경을 써야한다. 박피용 레이저인 이산화탄소 레이저와 어븀야그 레이저는 플라스틱이나 유리에 흡수되기 때문에 레이저 시술자가 투명한 안경을 쓰면 보호될 수 있다. 레이저 치료를 받는 환자는 눈 주위가 아니면 빛이 투과되지 않는 보호대를 눈꺼풀 밖에 대어 가려주며, 박피용 레이저의 경우에는 젖은 거즈로 눈을 가려준다. 안검이나 안와부를 레이저 치료할 경우는 눈꺼풀 안쪽에 안구보호구(eye shield)를 삽입해야 한다. 삽입 전에 각막과 결막의 통증을 피하기 위하여 미리 몇 분 전에 국소마취안약(Pontocaine drop 등)을 점적한다. 안구보호구는 플라스틱보다는 스테인리스 금속판이 좋으며 금속판도 표면이 매끄럽지 않고 미세하게 꺼칠꺼칠한 것이 레이저가 불규칙적으로 반사되어 환자나 시술자가 우연한 노출로 인한 사고를 피할 수 있다.

레이저 클리닉은 레이저 안전 관리자(LSO; laser safety officer)를 임명하여 레이저 시술에 대한 안전을 책임지고 관리할 필요가 있다.

2. 피부에 미치는 영향

레이저는 고출력으로 피부에 닿으면 화상을 초래할 수 있다. 저출력레이저도 조사 시간이 길면 피부에 화상을 초래할 수 있으며 출력이 낮은 경우는 피부의 홍반을 초래한다. 자외선 영역도 오래 노출되면 피부염, 과민반응, 피부노화 촉진, 피부암 유발을 일으킬 수 있다.

가시광선 영역의 레이저 치료나 박피 레이저 후에 피부의 멜라닌세포가 자극되어 멜라닌색소가 증가하여 색소침착(PIH; Post Inflammatory Hyperpigmentation)을 일으킬 수 있다. 특히 기미나 얼굴색이 검은 경우는 레이저 전-처치로 미백제를 사용해야 하며, 레이저 치료 후 색소침착은 레이저 후-처치로 스킨케어를 요하게 된다.

레이저 치료 외의 피부는 노출되지 않도록 하며 레이저 박피나 고출력 레이저 치료 시에는 치료 주

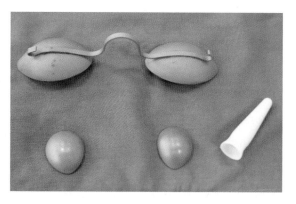

그림 2-39. 환자의 눈을 보호하기 위한 안구 보호구 (eye shield)
(상) 눈꺼풀위로 보호하는 것 (하) 눈꺼풀 안에 삽입하여 각막을 보호함

그림 2-38. 레이저 치료 시 시술자 및 보조자는 레이저 기종에 맞는 보호안경(goggle)을 착용하여야 한다.
(상) 박피용 레이저(이산화탄소, 어븀야그)는 적외선 영역으로 유리나 플라스틱 안경을 착용한다.
(중, 하) 혈관성병변 치료 및 색소성병변 치료 등 가시광선영역(400nm–700nm)이나 근적외선 영역(700nm – 2,000nm)의 레이저는 레이저 파장에 맞는 고글을 착용하여야 한다.

변 부위는 젖은 소독 타월로 덮어주어 화상을 입지 않도록 한다.

3. 화재 위험성

레이저는 고출력과 높은 전압을 갖기 때문에 레이저 기기나 레이저 치료부위 주변이 항상 화재의 위험이 있다. 환자나 레이저 시술자는 화재의 위험성에 노출되어 있으며 특히 박피 레이저를 사용할 경우 화상과 화재에 대비하여 치료부위가 아닌 곳은 젖은 타월로 덮어주어 보호해야 한다. 레이저 치료실은 소화기나 물을 옆에 두어 유사시 쉽게 화재를 진화할 수 있어야 한다.

레이저 치료 시에는 레이저 경고 표시를 문 앞에

표 2-5. 레이저 광선과 인체에 미치는 영향

파장영역(wave length)	눈에 미치는 영향	피부에 미치는 영향
자외선 C (180–280nm)	각막염	오존층 흡수, 피부암
자외선 B (280–315nm)		일광화상, 피부암 유발
자외선 A (320–400nm)	백내장	색소침착, 광노화
가시광선 (400–700nm)	망막손상	색소침착, 광민감성반응, 피부화상
적외선 A (700–1,400nm)	백내장, 망막화상	
적외선 B (1,400–3,000nm)	백내장, 망막화상, 방수손상	
적외선 C (3,000nm– 1mm)	각막화상, 백내장	

그림 2-41. 모반의 이산화탄소 레이저 박피 과정으로 박피 레이저는 눈에 보이지 않으므로 HeNe 레이저가 가이드 빔 역할을 한다. 박피 시에 발생하는 가스를 흡입하기 위하여 가스 흡입기를 가급적 가까이 대어 준다.

그림 2-40. 레이저 치료실은 레이저 등급 위험 표시판을 설치하고, 치료 중에는 다른 사람이 불시에 들어오지 않도록 "레이저 치료중"이라는 표시판을 건다.

부착하여 우연히 방문을 여는 일이 없어야 하며, 레이저 기계에 열이 많이 발생하므로 냉각장치를 수시로 확인하여야 한다.

4. 가스 흡입 방지

레이저 치료 시에는 많은 가스가 발생하며 특히 박피를 할 경우 조직이 기화되면서 생기는 가스 중에 각종 유해 물질이 포함되어 있다. 바이러스 입자, 수 십 종의 발암 물질, 화학 유해 물질이 포함되어 있으므로 레이저 치료 시 발생하는 가스를 시술자나 환자가 흡입하지 않도록 주의를 해야 한다.

레이저 시술자는 마스크를 착용하며, 마스크는 작은 입자도 거를 수 있는 의료용 마스크를 사용한다. 레이저 치료부위에 흡입기(suction filter)를 가까이 대어 빨아 들이도록 하며, 가스 흡입기는 가까이 댈수록 흡입역이 좋기 때문에 가까이 대어

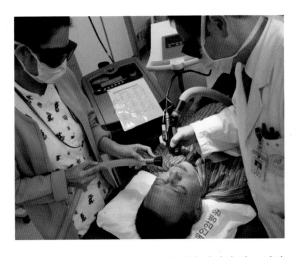

그림 2-42. 안면안면의 색소성 병변의 레이저 치료 장면
환자의 눈을 보호하고 시술자와 보조자는 레이저 기종에 맞는 고글을 착용하며 미세 먼지도 차단할 수 있는 마스크를 사용하고 가스흡입기를 가까이 대어 준다.

준다 가스 흡입기를 약 1cm 거리에 두면 배출된 가스의 90%를 흡입시킬 수 있다. 레이저 치료실은 환기가 잘 되어야 하며 항상 공기 청정기를 사용하여 깨끗한 상태를 유지한다.

참고문헌

1. 식품의약품안정청: 의료용 레이저 안전지침서, 행정간 행물등록 11-147000-000897-01, 2005.
2. 위성윤, 구상환, 박승하, 안덕선: 극초단파 이산화탄소 레이저를 이용한 레이저 박피의 피부 조직학적 변화에 대한 실험적 연구. 대한성형외과학회지 24: 1464, 1997.
3. 이정구, 정필상, 정상용, 김한균: 안전한 레이저사용을 위한 의료기관의 역할. 대한의학레이저학회지, 5:43, 2001.
4. 임형우, 신승한, 구상환, 박승하: CO2레이저박피의 합병증과 대책. 대한의학레이저학회지, 9:33, 2005.
5. Calderhead RG : Photociological basics of photo-surgery and phototherapy. Hanmi medical pub Co, south Korea, 2011
6. Kim JH, Kim H, Park HC, Kim IH; Subcellular selective photothermolysis of melanosomes in adult zebrafish skin following 1064-nm Q-switched Nd:YAG laser irradiation. J Invest Dermatol 130; 2333-2335, 2010
7. Park SH, Kim DW, Jeong TW: Skin tightening effect of fractional lasers; comparison of non-ablative and ablative fractional lasers in animal models. J Plast Reconstr Aesth Surg 2012; 65 1305-1311
8. A new concept for cutaneous remodeling using microscopic patterns of thermal injury. Laser Surg Med 34:426-438, 2004.
9. Achaner, BM, Kam VM Vander, Bems MW: Lasers in Plastic Surgery and Dermatology, Thieme Medical Pub, New York, 1992.
10. Achauer BM, Nelson S, Kam VM Vander, et al: Treatment of traumatic tattoos by Q-switched ruby laser. Plast Reconstr Surg 93:318-323, 1994.
11. Achauer BM, Vanderkam VM. Capillary hemangioma (strawberry mark) of infancy: comparison of argon and Nd: YAG laser treatment. Plast Reconstr Surg 1989; 84(1): 60-69.
12. Adrian RM, Griffin L. Laser tattoo removal: Clin Plast Surg, 27:181, 2000.
13. Alam M, Hsu T, Dover JS, et al: Nonablative laser and light treatment: histology and tissue effects-a review. Laser Surg Med, 33:30, 2003.
14. Alster TS, Apfelberg DB: Cosmetic Laser Surgery, Willey-Liss, 1996.
15. Alster TS, Garg S : Treatment of facial rhytides with a high-energy, pulsed carbon dioxide laser. Plast Reconstr Surg 98:791, 1996.
16. Alster TS, Lupton JR: Prevention and treatment of side effects and complications of cutaneous laser resurfacing. Plast Reconstr Surg, 109:308, 2002.
17. Alster TS, Williams CM. Treatment of nevus of Ota by the Q-switched alexandrite laser. Dermatol Surg 21:592-596, 1995.
18. Alster TS: Cutaneous resurfacing with CO2 and Erbium:YAG lasers: Preoperative, intraoperative, and postoperative considerations. Plast Reconstr Surg, 103:619, 1999.
19. Alster TS: Q-switched alexandrite(755nm) laser treatment of professional and amateur tattoos. J Am Acad Dermatol 33:69-73, 1995.
20. Altshuler GB, Anderson RR, Manstein D, Zenzie HH, Smirnov MZ. Extednded theory of selective photothermolysis. Lasers Surg Med, 29:416-432, 2001.
21. "American National Standard for Safe USE of Lasers in Health Care Facilities" ANSI Z136.3 2005.
22. Anderson RR, Parrish JA: Selective photothermolysis precise microsurgery by selective absorption of pulsed radiation, Science 220:525, 1883.
23. Apfelberg DB, Master MR, Lash H, White DN, Lane B, Marks MP: Benefits of contact and noncontact YAG laser for periorbital hemangiomas. Ann Plast Surg 24:397-408, 1990.
24. Apfelberg DB, Master MR, Lash H. Expanded role of the argon laser in plastic surgery. J Dermatol Surg Oncol 9:145-149, 1983.
25. Apfelberg DB,R Maser M, Lash H: Review and usage of argon and carbon dioxide lasers for pediatric hemangiomas. Ann Plast Surg 12:353, 1987.
26. Apfelberg DB: Ultrapulse carbon dioxide laser with CPG scanner for full face resurfacing for rhytides, photoaging, and acne scars. Plast Reconstr Surg 99: 1817, 1996.
27. Arndt KA, Dover JS, Olbricht SM: Lasers in cutaneous and aesthetic surgery, Lippincott-Raven, Philadelphia, 1997.
28. Ashinoff R, Geronemus RG: Flashlamp pumped pulsed dye laser for portwine stains in infancy : Earlier versus later treatment, J Am Acad Dermatol 24:467, 1991.
29. Baker TJ, Stuzin JM, Baker TM: Facial Skin Resurfacing. Quality Medical Pub, St.Louis, 1998.

30. Berbstein EF. Laser treatment of tattoos. Clin Dermatol, 24: 43-55, 2006.

31. Calderhead RG, Kubota J, Trelles MA, Ohshiro T; One mechanism behind LED phototherapy; key role of the mast cell. Laser Therapy 17; 141-148, 2008

32. Collawn SS: Fraxel skin resurfacing. Ann Plast Surg 58: 237?240, 2007.

33. Cutaneous Laser Surgery Symposium" Broucher, PSEF, Dallas, 1996.

34. DiBernardo BE, Perez J, Usal H, et al: Laser hair removal: where are we now?.

35. Fitzpatrick RE, Goldman MP : Advances in carbon dioxide laser surgery, Clin Dermatol 13:35, 1995.

36. Fitzpatrick RE, Rostan EF, Marchell N: Collagen tightening induced by carbon dioxide laser versus erbium:YAG laser. Laser Surg Med, 27:395, 2000.

37. Fitzpatrick RE, Smith SR, Sriprachya-anunt S; Depth of vaporization and effect of pulse stacking with a high-energy, pulsed carbon dioxide laser. J Am Acad Dermatol, 40: 615, 1999.

38. Fitzpatrick RE: Maximizing benefits and minimizing risk with CO2 laser resurfacing. Dermatol Clin, 20:77, 2002.

39. Fulton JE: Complications of laser resurfacing. Dermatol Surg, 23:91, 1997.

40. Geronemus RG: Fractional photothermolysis: Current and future applications. Laser Surg Med, 38:169, 2006.

41. Goldberg DJ (ed) : Laser and lights. Elsevier Saunders, Philadelphia, 2005.

42. Goldberg DJ, Nychay SG: Q-switched laser treatment of nevus of Ota. J Dermatol Surg Oncol 18:817, 1992.

43. Goldberg DJ: Benign pigmented lesions of the skin : treatment with the Q-switched ruby laser. J Dermatol Surg Oncol 19:376-379, 1993.

44. Hobbs ER, Bailin PL, Wheeland RG, Ratz JL: Superpulsed laser minimizing thermal damage with short duration, high irradiance pulses. J Dermatol Surg Oncol 13:955-964, 1987.

45. Khartri KA, Ross V, Grevelink JM, Magro CM, Anderson RR: Comparison of Erbium and carbon dioxide lasers in resurfacing of facial rhytides. Arch Dermatol, 135: 391, 1999.

46. Lacz NL, Vafaie J, Kihiczak NI, Schwarz RA. Postinflammatory hyperpigmentation: a common but troubling condition. Int J Dermatol, 43:362-365, 2004.

47. Landthaler M, Haina D, Brunner R, et al: Neodymium : YAG laser for vascular lesions. J Am Acad Dermatol 14:107-117, 1986.

48. Lanzafame RJ, Naim JO, Rogers DW: Comparison of continuous-wave, and chop-wave, super-pulse laser wounds. Lasers Surg Med 3: 119, 1988.

49. Lask G, Keller G, Lowe N, Gormley D: Laser skin resurfacing with the Silk Touch Flashscanner for facial rhytides. Dermatol Surg 21:1021-1024, 1995.

50. Laubach HJ, Tannous Z, Anderson RR, Manstein D: Skin responses to fractional photothermolysis. Laser Surg Med, 38:142-149, 2006.

51. Levy JL, Trelles M, Lagarde JM, Borrel MT, Mordon S: Treatment of wrinkles with nonablative 1,320-nm Nd:YAG laser. Ann Plast Surg47:482, 2001

52. Liew SH, Laser hair removal: guideline for management, Am J Clin Dermatol, 3(2): 107, 2002.

53. Lupton JR, Alster TS: Laser scar revision. Dermatol Clin, 20:55, 2002.

54. Manstein D, Herron S, Sink K, Tanner H, Anderson RR: Fractional Photothermolysis:

55. Mulliken JB, Glowacki J. Hemangiomas and vascular malformations in infants and children: A classification based on endothelial characteristics. Plast. Reconstr. Surg. 1982; 69(3): 412-422.

56. Nelson JS: Selective photothermolysis and removal of cutaneous vasculopathies and tattoo by pulsed laser, Plast Reconstr Surg 88:723, 1991.

57. Ohshiro T: A new effect-based classification of laser applications in surgery and medicine. Laser Therapy 8: 233-240, 1996

58. Papadavid E, Katsambas A: Lasers for facial rejuvenation: a review. Dermatol Surg, 42:480, 2003.

59. Park SH, Koo SH, Choi EO: Combined laser therapy for difficult dermal pigmentation: resurfacing and selective photothermolysis. Ann Plast Surg, 47:31, 2001.

60. Plast Reconstr Surg, 104:247-57, 1999 .

61. Raulin C, Greve B, Grema H: IPL technology: a review. Laser Surg Med 32:78, 2003.

62. Ross ER, Ladin Z, Kreindel, M, et al: Theoretical considerations in laser hair removal. Dermatol

Clin, 17: 333, 1999.

63. Ross EV, Sajben FP, Hsia J, Barnette D, Miller CH, McKinly JR: Nonablative skin remodeling: selective dermal heating with a mid-infrared laser and contact cooling combination. Laser Surg Med, 26:186, 2000

64. Ross EV: laser versus intense pulsed light: Competing technologies in dermatology. Lasers Surg Med 38: 261, 2006.

65. Roy D; Ablative facial resurfacing, Dermatol Clin, 23: 549, 2005.

66. Ruiz-Esparza J, Lupton JR: Laser resurfacing of darkly pigmented patient. Dermatol Clin, 20:113, 2002.

67. Scheibner A, Wheeland RG: Use of the argon-pumped tunable dye laser for port-wine stains in children, J Dermatol Surg Oncol 17:735, 1991.

68. Schwartz RH, Burns AJ, Rohrich RJ, Barton FE Jr, Byrd HS: Long-term assessment of CO2 facial laser resurfacing: aesthetic results and complications. Plast Reconst Surg, 103:592, 1999.

69. Sherwood KA, Murray S, Kurban AK et al : Effect of wave length of cutaneous pigment using pulsed irradiation, J Invest Dermatol 92:717, 1989.

70. Stuzin JM, Baker TJ, Baker TM, Kligman AM: Histologic effects of the high-energy pulsed CO2 laser on photoaged facial skin. Plast Reconstr Surg 99: 2036, 1997.

71. Tan OT, Stafford TJ: Treatment of portwine stains at 577nm : Clinical results, Med Instrum 21:218,

1987.

72. TB Fitzpatrick; The validity and practicality of sun-reactive skin type I through VI. Arch Dermatol, 124, 869, 1988.

73. Walsh JJ, Flotte TJ, Deutsch TF: Er:YAG laser ablation of tissue: effect of pulse duration and tissue type on thermal damage. Lasers Surg Med 9:314-326, 1989.

74. Walsh JT, Deutsch TF : Pulsed CO2 laser tissue ablation : measurements of the ablation rate, Lasers Surg Med 8:264, 1988.

75. Weinstein C, Roberts III TL: Aesthetic skin resurfacing with the high-energy ultrapulsed CO2 laser. Clin Plast Surg 24: 379, 1997.

76. Weinstein C: Erbium laser resurfacing: current concepts. Plast Reconstr Surg 103: 602, 1999.

77. Wheeland RG. Laser assisted hair removal. Dermatol Clin, 15:469, 1997.

78. Yamashita T, Negishi K, Hariya T et al. Intensive pulsed light therapy for superficial pigmented lesions evaluated by reflectance-mode confocal microscopy and optical coherence tomography. J Invest Dermatol, 126:2281-2286, 2006.

79. Yoshimura K, Sato K, Kojima EA et al. Repeated treatment protocols for melasma and acquired dermal melanosis. Dermatol Surg, 32:365-371, 2006.

80. Zheludev N : The life and times of the LED-a100-year history. Nature Photonics, 1:189-192, 2007

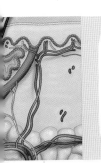

CHAPTER **03**

피부의 구조와
레이저피부반응

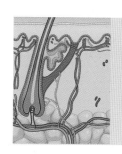

피부의 구조와 레이저피부반응
Structure of Skin and laser skin interaction

CHAPTER 03

여 운철

Ⅰ. 피부의 구성과 기능

피부는 우리 몸에서 가장 큰 기관으로 체중 75kg의 남성에서 면적은 약 1.8m², 무게는 약 2kg 정도이다. 피부는 다층 구조로서 표피(epidermis), 진피(dermis), 피하지방층(subcutaneous fat)의

3층과 표피 부속기(epidermal appendage, adnexa)로 구성된다. 피하지방층을 제외한 피부의 두께는 부위에 따라 상당히 차이가 있는 데 가장 두꺼운 등의 피부는 약 4mm 정도이며, 대퇴부>복부>이마(2.5-2mm), 팔목>두피>손바닥(1.5mm) 순으로 얇아진다. 두피는 피하지방층을, 손

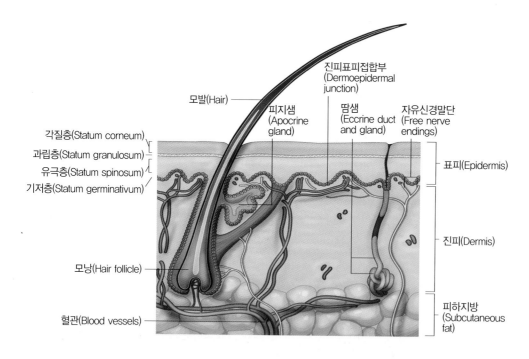

그림 3-1. 피부의 구조

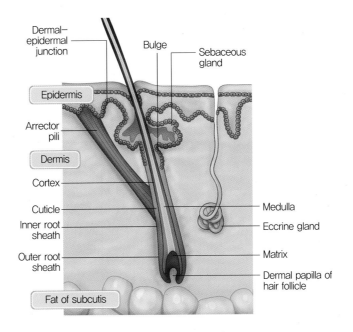

그림 3-2. 피부의 구조

바닥은 두꺼운 각질층을 포함시켜서 두꺼운 피부라고 생각하는 경향이 있지만, 진피층만의 두께는 가장 얇은 쪽에 속한다(그림3-1, 3-2).

피부는 수분균형 유지, 자외선 차단, 이물질 침투방지, 면역감시(immune surveillance), 체온조절 등 생리적으로 중요한 기능을 수행한다.

LSI (Laser Skin Interaction)

레이저를 피부에 발사하면 피부표면에서 일부 피부표면에서 반사되지만, 나머지는 피부 속으로 진행하게 된다. 레이저는 각 레이저마다 고유한 빛의 파장을 가진다. 이런 파장을 잘 흡수하는 피부 속 물질을 발색단이라고 한다. 피부 속으로 진행한 레이저 빛은 그 파장을 잘 흡수하는 발색단에 흡수되거나, 흡수되지 않은 빛은 더 깊은 곳으로 진행하거나, 흩어지게 된다. 이때 발색단에 흡수된 레이저빛은 열에너지로 전환되어 피부에 치료

효과를 나타낸다. 레이저로 피부를 치료할 때 이렇게 흡수된 빛만 효과를 나타내므로, 발색단과 레이저파장의 관계가 아주 중요하다. 레이저 파장별로 어떤 발색단에 잘 흡수되는지 보려면 각 발색단의 absorption coefficient를 아는 것이 중요하다(그림 3-3). 피부에는 대표적으로 수분, 멜라닌, 헤모글로빈의 발색단이 있다. 자외선으로부터 가시광선, 적외선에 해당하는 여러 파장의 빛이 이런 발색단에 흡수된다. 멜라닌은 자외선으로부터 적외선까지 넓은 파장 영역의 빛을 흡수한다. 멜라닌에 대한 흡수도는 파장이 길어지면 감소하게 된다. 헤모글로빈에 대한 흡수도는 가시광선영역의 몇몇 파장에서 피크를 보인 후, 감소하였다가 1,000nm 근처에서 작은 피크를 보인다. 이런 낮은 흡수도는 별로 필요 없어 보이나, 가시광선영역의 빛이 피부 속으로 깊이 투과하기 어려워서 1,000nm 근처의 헤모글로빈에 대한 작은 피크도 유용하게 이용

될 수 있다. 수분에 대한 흡수도는 가시광선영역에서는 미미하다가 적외선영역에서 증가하게 된다.

피부에 적용하는 여러 레이저를 보면 이런 발색단에 대한 높은 흡수도를 잘 이용하고 있음을 볼 수 있다(그림 3-4). 헤모글로빈에 잘 흡수되는 580-600nm 파장을 이용한 PDL(pulsed dye

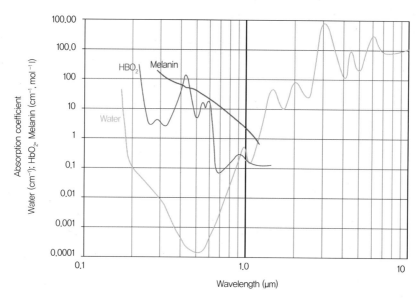

그림 3-3. 피부 속 발색단의 absorption coefficient

어떤 파장의 빛이 발색단에 흡수도가 높아서 많이 흡수되면 피부 속으로 깊이 들어가기는 어려워진다. 멜라닌과 헤모글로빈은 빛을 잘 흡수하기 위하여 서로 경쟁하게 된다.

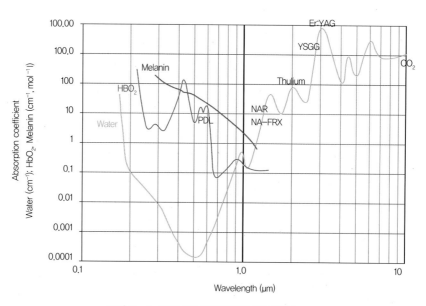

그림 3-4. 여러 피부레이저의 파장분포

PDL: pulsed dye laser, NAR: non-ablative rejuvenation, NA-FRX : non-ablative fractional laser

laser)가 있다. 이런 혈관치료 레이저도 멜라닌에 대한 흡수도가 높은 것을 알 수 있다. 그러므로, 혈관치료 레이저시 멜라닌에 의한 흡수에 의한 표피의 반응 및 부작용 발생 등을 고려하여야 한다. NAR(non-ablative rejuvenation)은 1,400-1,600nm 정도의 파장을 많이 이용한다. 이런 파장은 수분에 대한 높은 흡수도를 보이는데 진피의 수분을 이용한 진피의 온도 상승과 이에 따른 변화를 유도할 수 있다. 그런데 표피의 수분에도 이런 파장이 흡수되므로 일반적으로 NAR에서는 표피는 냉각으로 보호하게 된다. 이런 NAR에 이용되는 파장을 냉각을 하지 않고, 프랙셔널 방식으로 조사하게 된 것이 바로 프락셀을 시초로 한 비박피성 프랙셔널 레이저이다. 이보다 수분에 대한 흡수도가 높은 탄산가스 레이저(CO₂ 레이저)는 조직의 파괴에 많이 이용된다. 이보다 더 수분에 흡수도가 높은 어븀야그 레이저는 좀 더 목표한 조직만 선택적으로 파괴하고 주변피부조직을 보존한다. 어븀야그 레이저와 CO₂ 레이저의 수분에 대한 흡수도의 중간정도에 해당하는 것이 YSGG 레이저여서 중간정도의 성격을 띤다. CO₂ 레이저와 프락셀의 중산정도 수분 흡수도를 보이는 것이 Thulium 레이저이다. 프락셀은 비박피성이고 CO₂ 레이저는 박피성 레이저인데 Thulium 레이저는 두 가지의 중간정도의 성격을 가지므로 사용방식에 따라 박피성이 되기고 하고, 비박피성이 되기도 한다.

피부병변의 선택적 광열용해를 위해서 목표로 하는 조직에 잘 흡수되는 파장을 선택한 후, 목표로 하는 타겟의 TRT(thermal relaxation time)과 같거나 짧은 pulse duration을 이용하여야 하므로, 타겟의 TRT를 아는 것이 중요하다(표 3-1). 일반적으로 타겟의 크기가 커지면 TRT도 길어진다. 이렇게 조건을 맞추어도 목표로 하는 타겟이

표 3-1. TRT of chromophores

PULSE WIDTHS AND TARGETS OF SELECTIVE PHOTOTHERMOLYSIS			
Chromophore	Diameter	TRT	Typical laser pulse width
Tattoo ink particle	0.1 μm	10 ns	10 ns
Melanosome	0.5 μm	250 ns	10 ns
PWS vessels	30-100 μm	1-10 ms	0.4-20 ms
Terminal hair follicle	300 μm	100 ms	3-100 ms
Leg vein	1 mm	1 s	0.1 s

피부 속 깊이 있다면 레이저빛이 피부 속 깊이까지 침투하여야 반응이 가능하다. 그림 3-5, 3-6에서 각 파장의 피부 속 침투깊이를 볼 수 있다. 일반적으로 1064nm 부근이 피부 속으로 가장 깊이 침투하는 파장으로 알려져 있다.

II. 피부의 미세 구조(Histologic structure of the skin)

1. 표피(epidermis) (그림 3-7)

표피는 다층구조를 이루는 피부에서 가장 얇은 층으로 전반적으로 75-150μm(0.075-0.15mm)의 두께이나 부위에 따라 차이가 있어 가장 얇은 눈꺼풀은 0.04mm, 가장 두꺼운 손발바닥에서는 1.5mm 정도가 된다. 바깥쪽으로부터 각질층(horny layer), 과립층(granular layer), 유극층(squamous or spinous layer), 기저층(basal layer)의 4층으로 나뉜다. 표피층은 외부환경으로부터 인체를 보호하기 위한 반투과성 보호층을 형성하는 기능뿐만 아니라 면역학적으로도 중요

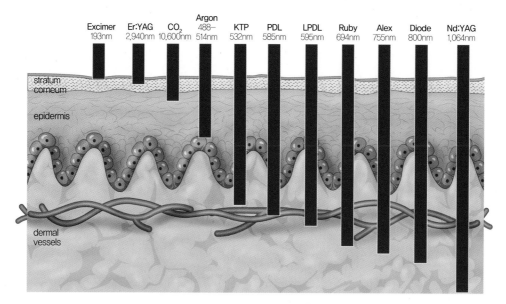

그림 3-5. Penetration depth of light

Sites of skin damage produced by the available lasers differ because of differing wavelengths, depth of penetration, and degree of scatter. Excimer laser light penetration is extremely shallow(<100μm). Carbon dioxide laser light is superficially absorbed by tissue water, with little scatter, limiting penetration into skin to 0.1 mm. Argon laser light, which is absorbed by melanin and hemoglobin, penetrates well into skin with relatively little scatter. Nd:YAG laser light is poorly absorbed and scattered minimally, which accounts for its deep penetration.

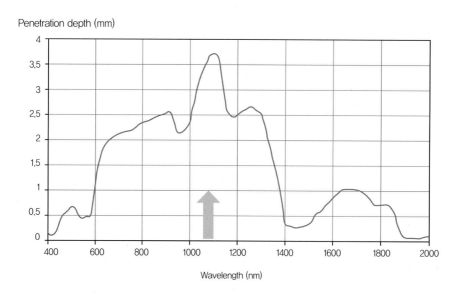

그림 3-6. Light penetration depth

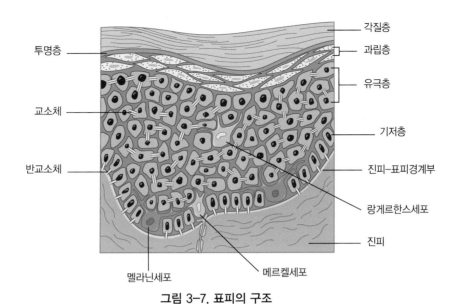

투명층

교소체

반교소체

각질층

과립층

유극층

기저층

진피-표피경계부

랑게르한스세포

진피

멜라닌세포　　　메르켈세포

그림 3-7. 표피의 구조

한 기능(항원인지 및 염증반응)을 능동적으로 수행한다.

LSI (Laser Skin Interaction)

표피에 있는 주요 발색단은 수분과 멜라닌이다. 헤모글로빈은 진피에 도달하여야 만나게 된다. 수분에 대한 흡수도를 이용하여 진피를 가열하고자 하는 레이저는 표피의 수분에 의하여 발열이 가능하다. 예를 들어 프락셀의 경우 진피뿐 아니라 표피에도 열변성구간이 발생한다. 표피는 진피보다 수분함량이 적어서 적외선 구간에서 빛에 대한 흡수도가 떨어진다(그림 3-8). 멜라닌은 보통 표피에 분포하고 가시광선영역의 레이저를 이용할 때 표피에 흡수되는 부분이 많아서, 표피화상, 물집, 딱지, 색소침착 등과 연관이 있다. 표피의 멜라닌은 멜라닌세포에서 생산되나 이동하여 각질형성세포에 분포하므로 양적으로는 각질형성세포에 분포하는 멜라닌이 훨씬 많다.

가) 각질형성세포(keratinocyte)

표피는 80-90% 이상 각질형성세포로 구성되어 있고 그 외 Langerhans세포, melanocyte, Merkel 세포와 같은 수지상 세포(dendritic cell) 들이 섞여 있다. 인체부위에 따라 다양한 변화가 있으며 눈꺼풀에서는 많은 vellus hair follicle들이 있으며, 액와부에서는 apocrine 땀샘들이 많으며, 팔꿈치나 무릎 부위에서는 보다 두꺼운 각질층이 있고, 콧등 피부에서는 밀집된 피지선이 있으며, 두피에서는 피하지방층까지 깊이 내려가는 생장기 모낭이 발달해 있다. 점막부에는 각질층과 과립층이 소실되어 있다.

각질형성세포가 생산하는 염증매개 물질들에는 interleukin(1 alpha & beta, 6, 8), colony stimulating factors(IL-3, GM-CSF, G-CSF, M-CSF), Interferon(alpha & beta), tumor necrosis factor-alpha, transforming growth factor(alpha & beta), growth factors(platelet-

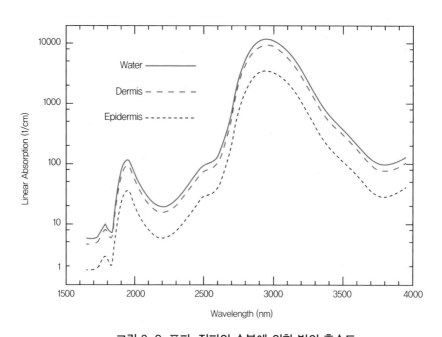

그림 3-8. 표피, 진피의 수분에 의한 빛의 흡수도
표피는 진피보다 수분양이 적어서 빛에 대한 흡수도는 진피보다 떨어진다.

derived, fibroblast) 등이 대표적이다. 기저층의 세포들은 다른 층의 세포보다 이러한 물질들의 활발히 생산한다. 기저세포는 표피 최하부에 한 층을 이루며 유일하게 세포분열을 할 수 있는 세포들이다. stem cell도 이곳에 존재한다. 기제세포층 세포의 30-40% 정도가 활발히 감수분열하며 평균 19일에 한번 분열한다. 기저세포가 분열한 후 각질층까지 도달하는 데 통상 26-42일 정도 걸린다 (transit time). 여기에서 각질세포가 탈락하기까지에는 다시 14일 정도가 필요하므로 피부의 전 층이 교체되기까지에는 약 2개월(45-75일) 정도가 소요된다.

나) 멜라닌세포(melanocyte)

H-E 염색에서 기저층에 세포질은 수축되고 핵이 진하게 염색되는 모습으로 관찰되며 기저세포

와 10:1의 비율로 존재한다. 피부의 색소를 생산하고 이를 수지상 돌기를 통하여 각질형성세포에 전달한다.

통상 멜라닌세포 보다 기저세포가 많은 양의 멜라닌을 가지고 있게 된다. 또한 표피능의 끝부분에 있는 기저세포에 보다 많은 멜라닌의 양이 있는 경우가 종종 관찰된다. 한 개의 멜라닌세포는 평균 36개의 각질형성세포와 접촉하고 있는 데 이를 표피-멜라닌 단위(epidermal melanin unit)라 한다.

출생 시 멜라닌 세포 수는 평균 1,200/cm² 정도이지만 10년 마다 6-8% 씩 감소하여 80세가 넘어가면 평균 600/cm²가 된다. 인종과 상관없이 멜라닌세포의 비율은 일정하나 각질형성세포가 가지고 있는 멜라닌의 양에 의하여 피부색이 결정되어 흑인의 경우 각질층의 포함하여 표피 전 층과 일부에서는 상부 진피층에 탐식세포까지 멜라

닌을 가지고 있다. 멜라닌 세포의 밀도는 부위에 따라 차이가 있는 데 안면부는 2,000/mm²로 가장 밀도가 높고, 체간에는 800/mm² 정도이다. 일광에 지속적으로 노출되는 부위에서는 멜라닌 세포 밀도의 변화가 발생하여 비노출부의 두 배 정도가 될 수 있다.

LSI (Laser Skin Interaction)

멜라닌색소에는 두 종류가 있다. Eumelanin은 색상이 더 진하고 어두우며 황인종이나 흑인의 피부에 많으며, pheomelanin은 더 연하고 백인의 피부에 많다. 한국인의 피부는 Eumelanin가 차지하고, 백인의 피부는 Eumelanin과 pheomelanin이 섞여있다. pheomelanin과 Eumelanin의 빛에 대한 흡수도는 가식광선영역에서는 비슷하다가 적외선영역에서 많은 차이가 난다. Eumelanin이 넓은 적외선영역에서 흡수도를 보이는 반면에 pheomelanin과 은 파장이 800nm보다 길어지면 흡수도가 급격히 감소한다(그림 3-9). 멜라노

좀의 크기를 고려하면 Q-switch 레이저의 경우 pulse duration이 10nsec 미만이어서 멜라노좀이 잘 피괴되나, IPL처럼 pulse duration이 msec인 기기들은 멜라노좀의 TRT보다 훨씬 긴 pulse duration을 이용하므로 멜라노좀을 직접 파괴할 수는 없다. 그러나 IPL의 파장들이 멜라닌에 잘 흡수되는 파장이므로 멜라노좀을 직접 파괴할 정도의 짧은 pulse duration은 아니라 멜라노좀에 흡수된 빛이 열이 발생하여 주변 표피조직 전체가 뜨거워지게 된다. 이런 이유로 IPL 치료시에도 충분한 fluence가 가해지면 표피전체의 괴사가 일어난다. 이때도 전자현미경으로 검사해보면 멜라노좀의 직접적인 파괴는 관찰되지 않는다.

다) 랑게르한스세포 (Langerhans cells)

외배엽 기원의 각질형성세포와 달리 골수에서 기원한 특수세포로서 면역학적으로 항원-제시기능(antigen-presenting)을 수행한다. 기저

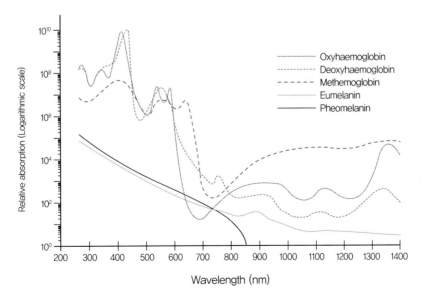

그림 3-9. eumelanin과 pheomelanin의 흡수도 비교

층 상부에 투명세포형태로 관찰된다. 표피세포의 2-4%를 차지하며, 표피에서 멜라닌 세포와 비슷한 밀도, 즉 460-1,000/mm² 수준으로 존재한다. 이 세포는 피부뿐만 아니라 점막(구강 및 질), 임파절, 흉선 등에도 존재한다. 손-발바닥, 입안, 성기부위에서는 다른 부위에 비해 수가 감소되어 있으며, 사지의 피부에 더 많이 존재한다. 멜라닌 세포와 달리 반복적인 자외선 조사에 의하여 수가 늘지 않고 오히려 감소한다.

라) 메르켈 세포(Merkel cells)

기저세포층, 구강점막, 모낭의 bulge 부위에 불규칙하게 소수 존재하는 접촉 수용기이다. 전자현미경 관찰에서 구별하기가 더 용이하며 광학현미경으로 관찰 시 이 세포각질의 주요성분인 cytokeratin 20이 표지자로 이용된다. 이 세포들은 모발의 밀도가 높은 곳, 수지말단, 입술, 외측 모근초 등에 높은 밀도로 존재한다.

2. 진피-표피 경계부(dermo-epidermal junction, basement membrane zone)

기저층 상부 각질형성세포는 desmosone(교소체)를 통하여 서로 연결되지만 기저세포는 상하좌우의 세포와는 교소체, 하부의 기저막대와는 반교소체를 통하여 연결되어 있다. 기저막대는 하부의 진피와 다양한 섬유성분(IV, VI, VII, XVII형 교원섬유)으로 연결되어 표피의 부착, 지지, 투과성 조절, 분화, 창상치유의 기능을 하고 있다.

광학현미경으로 관찰 시 0.5-1μm 두께의 PAS 양성 기저막대는 전자현미경으로 구분되는 기저판(lamina densa) 보다 약 20배 두껍고 진피표피경계부의 투과성은 분자크기 보다 분자전하(molecular charge)에 의하여 조절되는 것으로 알려져 있다.

3. 진피(dermis)

진피는 신경, 림프관, 혈관, 근육, 모낭, 피지샘, 땀샘을 보호하고 있는 기질(ground substance matrix) 속에 묻혀 있는 교원섬유와 탄력섬유의 망(network)이다. 진피 두께는 표피의 15-40배이다. 진피표피 경계부 바로 아래 부분은 가는 섬유로 성글게 구성된 유두부 진피(papillary dermis)가 있으며, 이것과 혈관 및 신경 주변의 표피부속기 주위 진피(periadnexal dermis)를 합친 것을 바깥막진피(adventitial dermis)라 한다. 유두진피에서 피하지방층 경계부까지의 부위를 망상진피, 또는 그물진피(reticular dermis)라 하며 진피의 75%를 차지한다.

LSI (Laser Skin Interaction)

진피의 레이저빛 흡수는 주로 수분에 의해서 이루어진다. 물론 많은 혈관으로 구성된 혈관성질환의 경우 헤모글로빈에 대한 흡수가 중요하나, 일반적으로는 수분에 대한흡수도가 가장 중요한 요소가 된다(그림 3-10). 적외선 영역이 레이저들은 수분에 대한 흡수도의 차이에 의해서 그 성격이 결정된다. 1400-1500nm의 파장은 보통 비박피성으로 작용하고, 10,600nm의 CO_2 레이저나, 2,940nm의 어븀야그 레이저는 수분에 대한 흡수도가 높아서 박피성 레이저로 작용한다. 수분에 대한 흡수도가 낮으면 같은 fluence에서 수분에 흡

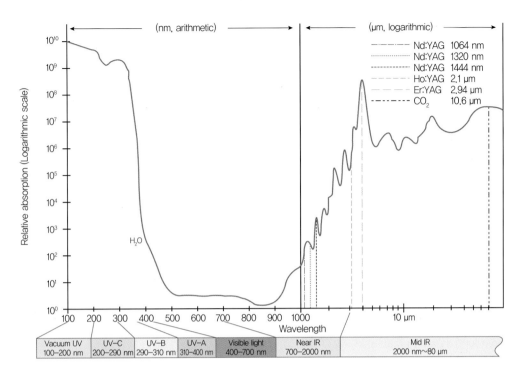

그림 3-10. Absorption spectrum of water

수되는 빛이 적고 열이 적게 발생하여 100℃ 이하
이면 수분이 vaporization되지 않고 비박피적이
된다. CO_2 레이저나 어븀야그 레이저의 경우 수
분에 대한 흡수도가 높아서 진피 수분에 잘 흡수
되고, 발열이 많아서 100℃ 이상이 되면 수분이
vaporization되고 조직이 기화되면서 박피성이 된
다. 그림 3-5, 3-6에서 도면 CO_2 레이저나 어븀
야그 레이저는 수분에 대한 흡수도가 높아서 피부
침투깊이 아주 얇은 것으로 표시되어 있다. 그러
나, 실제 이런 레이저를 이용하면 조직이 기화되면
서 레이저 점점 깊이 파고들게 된다. 이런 이유로
실제치료에서 박피성 레이저나 박피성 프랙셔널
레이저로 진피 깊은 곳까지 도달할 수 있게 된다.

수분에 대한 흡수도와 침투깊이는 반비례하게
된다. 흔히 NAR로 이용되는 1,320nm, 1,540nm,
1,450nm를 비교해보면 여기에도 약간의 수분에

대한 흡수도에 대한 차이가 있는데, 이로 인해서
피부 속 침투깊이가 많이 차이남을 알 수 있다(그
림 3-11, 표 3-2). 수분에 대한 흡수도가 가장 높
은 1,450nm 파장이 피부 속 침투깊이가 가장 얕
다. 이런 침투깊이의 차이로 리수버네이션의 깊
이 차이가 발생하고, 흉터치료, 여드름 치료 등
에서 어떤 깊이를 선택하여야 할지 결정할 필요
가 발생한다.

1,200nm에서 1,600nm사이에서 물에 대한 흡
수가 증가함을 본다. 물에 대한 흡수는 3000nm근
처에서 훨씬 잘됨을 알 수 있다. 그런데 너무 흡수
가 잘되면 바로 피부표면에 접하자마자 표피의 물
을 태우고 조직이 파괴된다. 이런 레이저가 있다면
검버섯이나 피부표면의 혹은 잘 치료가 된다. 그것
이 바로 어븀야그 레이저이다. 즉, 어븀야그 레이
저는 그 빛이 물에 대한 흡수도가 너무 높아서(탄

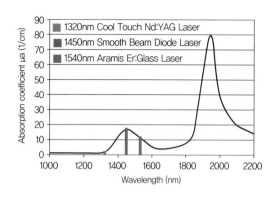
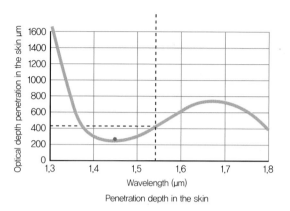

Penetration depth in the skin

그림 3-11. Optical properties of human skin in the near infrared wavelength range of 1000 to 2200nm

그래프에서 보면 스무드빔이 물에 흡수가 가장 많이 되고 다음이 아라미스이며 물에 가장 적게 흡수되는 것이 쿨터치입니다. 물에 흡수가 많이 되면 피부깊이 레이저가 들어가기 전에 물에 에너지가 흡수되어버립니다. 물에 흡수되는 것이 적은 레이저빔은 좀더 깊이 들어갑니다. (Journal of Biomedical Optics, 2001, 6, 2: 167–176)

표 3-2. Light penetration depth of Aramis, Smooth beam, Cool touch inside human skin
(Journal of Biomedical Optics, 2001, 6, 2: 167–176)

Wavelength (μm)	Absorption coefficient μa(cm−1)	Reduced scattering coefficient μs'(cm−1)	Penetration depth δ(mm)
1.00	1	16	1.40 mm
1.32	1	14	1.49 mm
1.45	16	12	0.27 mm
1.54	10	11	0.40 mm

산가스보다 16배) 피부 깊이 들어가기 전에 이미 반응이 일어난다.

가) 교원섬유, 또는 콜라겐섬유(collagen fiber)

바깥막진피는 태아기에 형성되며 가느다란 III형 교원섬유로 이루어져 있다. 태아피부에서는 III형 교원섬유가 50% 이상을 차지하나 출생 이후 형성되는 교원 섬유는 모두 I형 교원 섬유이다. I형 교원섬유는 그물진피의 주성분으로 굵은 다발형태로 피부표면에 평행하게 주행한다. 아교질(collagen)은 섬유모세포로 부터 전구 아교질(procollagen) 형태로 분비된 후 세포 바깥에서 분자 측면끼리 교차결합(cross-link)을 통하여 형성된다. 콜라겐은 진피 건조중량의 75%, 진피 부피의 18-30%를 각각 차지하며 피부에 장력(tensile strength)을 띄게 된다. 1mm 굵기의 교원섬유 한 다발은 20kg까지의 하중을 견딜 수 있다. 교원섬유는 68nm의 주기성을 보이며 동물에서 조성과 항원성이 다른 20여 종이 알려져 있으나 사람의 피부는 80%를 차지하는 I형과, 15%를 차지하는 III형이 주성분이다.

나) 탄력섬유(elastic fiber)

탄력섬유는 진피건조 중량의 3%를 차지하며 신장성이 좋아 피부의 탄성을 담당하며 약 90%는 탄력소(elastin)로 이루어져 있다. 탄력섬유의 약 10-15%는 복원력을 담당하는 미세섬유질(microfibril)로 구성되어 있다.

탄력섬유의 생합성은 섬유모세포에서 먼저 미

세섬유단백질이 만들어진 후 여기에 tropoelastin 폴리펩타이드가 침착되어 만들어 진다. Oxytalan 섬유는 유두 진피부에서 진피표피경계부를 향하여 수직방향으로 배열되어 있는 가장 가느다란 탄력섬유이며 Elaunin 섬유는 유두진피에서 진피표피경계부에 평행하게 주행하고 있다. 이 두 가지 탄력섬유는 주로 미세섬유로 이루어져 있고 탄력소의 비율이 낮다.

탄력소가 풍부한 성숙 탄력섬유는 주로 그물진피에 존재한다. 탄력섬유는 10세까지는 충분히 성숙되지 못하여 주로 미세섬유로 구성되어 있으며 이 미세섬유는 나이가 들어감에 따라 생리적인 노화가 진피 상부부터 점진적으로 진행되어 30-50세가 되면 확연히 감소하고 결국 사라진다. 또한 만성적 광선노출에 의해서 탄력섬유에 광노화 소견인 탄력섬유증 또는 탄력섬유양 변성(elastosis or elastotic degeneration)이 초래된다.

다) 진피기질(dermal matrix)

진피기질은 진피 속 세포나 섬유성분 사이의 공간을 채우고 있는 무정형(amorphous)의 물질이다. 진피기질은 물, 전해질, 혈장단백질, 산성 점다당류로 구성되어 있으며 hyaluronic acid, dermatan sulfate 같은 glycosaminoglycans(GAGs)와 fibronectin과 같은 proteoglycans(PGs)을 포함하고 있다. Glycosaminoglycans는 빈 공간을 채우고 있는 불활성 물질이 아니고 진피 내 세포의 증식, 분화, 재생, 형태형성 등의 생리적 기능에 관여되고 있다.

정상 피부에서는 생장기 모발의 모유두 주변과 에크린 땀샘 주변부 이외에서는 glycosaminoglycans의 양이 매우 적어서 특수 염색을 하여도

관찰하기 어려우나 병리적 상태에서는 증가된다. Glycosaminoglycans는 진피 건조중량의 0.2%에 지나지 않으나 수분을 자신의 부피보다 1,000배 함유할 수 있다.

섬유모세포의 성장이 활발한 진피의 기질 성분은 hyaluronic acid와 같은 황산화가 일어나지 않은(nonsulfated) 산성 점다당류가 주성분이나 회복기의 창상에서는 chondroitin sulfate와 같이 황산화가 일어난 산성 점다당류도 포함된다. Fibronectin은 교원섬유와 탄력섬유를 감싸고 있으며 각질형성세포를 기저막대에 부착시키는 기능을 한다. 진피 기질은 진피의 염분과 수분균형에 기여하고 높은 점도를 이용하여 다른 조직성분을 지지하며 결체조직의 대사에 관여하는 것으로 알려지고 있다.

라) 혈관(blood vessel)

진피의 혈관은 유두진피와 망상진피의 경계부에 위치하고 피부표면과 평행하게 주행하는 표재성 혈관총(superficial plexus, subpapillary plexus) 및 망상진피의 하부에 존재하는 심부 혈관총(deep plexus)과 이들을 연결하면서 수직으로 주행하는 연락혈관(communicating vessel)로 구성된다. 표재성 혈관총에서 나오는 모세혈관의 loop는 진피 유두부까지 와 있으며 문합이 잘 되어 있는데 특히, 모발, 피지선, 한선 주위에 잘 발달되어 있다(그림 3-12).

피부 말단부인 조갑상(nail), 손발가락, 귀, 코 등에는 특수한 동정맥 문합인 사구체(glomus body)가 풍부하게 발달되어 있어 경우에 따라 모세혈관을 거치지 않고 세동맥(arteriole)에서 세정맥(venule)으로 직접 연결되어 말단부의 혈류를 증

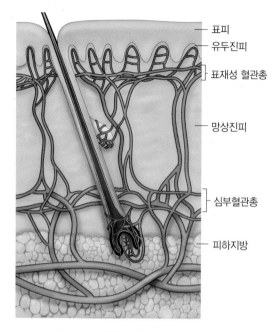

그림 3-12. 피부의 혈액구조

표피
유두진피
표재성 혈관총
망상진피
심부혈관총
피하지방

가시킬 수 있다. glomus 세포는 변형된 평활근 세포로서 교감신경의 지배를 받는다. 안면부에서 동맥혈관은 거의 대부분 외측 경동맥으로부터 분지된 혈관들이다. 이들은 경동맥에서 갈라진 후 바로 이하선으로 들어가고 그곳에서 다시 분지한다.

LSI (Laser Skin Interaction)

진피의 혈관병변을 치료하기 위한레이저는 헤모글로빈에 잘 흡수되는 파장을 이용한다. 일반적으로 헤모글로빈의 흡수곡선으로 이용되고 있는 것(그림 3-13)은 oxyhemoglobin이다. 실제 동맥혈은 oxyhemoglobin이 99%이지만, 정맥혈은 oxyhemoglobin이 60-70%이고 나머지는 deoxyhemoglobin이므로, 정맥혈을 치료할 때는 그림 3-3이 아니고, 좀 더 정확한 그림 3-13이 필요하다. 그림 3-13에서 보면 1064nm보다 800nm에서 930nm 정도가 oxyhemoglobin과 deoxy-

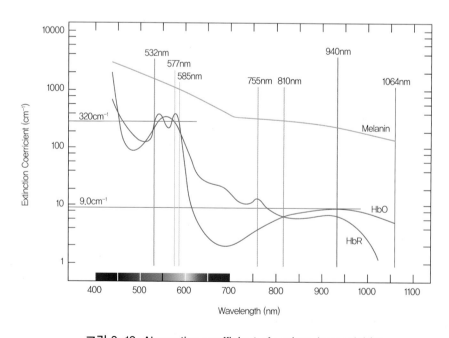

그림 3-13. Absorption coefficient of various hemoglobins
HbO: oxyhemoglobin, HbR: reduced hemoglobin = deoxyhemoglobin (Ophthalmology 1986;93:952-8)

hemoglobin에 모두 흡수도가 높은 것을 알 수 있다. 즉, 흔히 알고 있는 1064nm의 엔디야그 레이저는 정맥혈의 치료에 이용한다는 것은 틀린 내용이다. 정맥혈에 흡수도가 높은 파장은 800nm에서 930nm이다. 그런데 정맥이 깊이 분포한다면 1064nm가 가장 깊이 침투할 수 있으므로 유리하다.

585nm와 595nm도 미세한 차이가 많다. 595nm 파장에서는 oxyhemoglobin에 대한 흡수가 떨어지나 여전히 전체 헤모글로빈에 대한 흡수는 유지가 된다(그림 3-14). 이런 이유로 595 파장을 이용하면 정맥혈이 많이 있는 화염상모반에는 치료 효과가 유지되고, 동맥혈이 많이 있는 정상혈관은 파괴가 잘 되지 않는다. 이런 치료의 장점은 정상혈관의 파괴로 나타나는 멍이 잘 들지 않고 치료가 가능하다는 점이다.

헤모글로빈은 빛을 흡수하여 온도가 상승하면 단백질구조가 변경되어 methemoglobin이 형성된다. 이렇게 만들어진 methemoglobin은 oxyhemoglobin과 흡수도가 달라진다(그림3-15). 헤모글로빈이 첫 번째 레이저샷에 의해 열이 발생하여 구조가 변경되어 methemoglobin이 되면 1064nm에 대한 흡수도가 현저히 증가하게 된다. 이런 원리를 이용하여 sequential하게 595nm 파장을 발사 후 1064nm 파장을 발사하는 방식이 이용되고 있다. 이렇게 하면 1064nm를 초기에 발사하는 경우보다 methemoglobin으로 변화된 타겟이 1064nm 파장과 쉽게 반응하므로 치료 fluence를 낮출 수 있고, 이는 혈관치료의 선택성이 높아지는 것이므로 부작용의 감소와 연관이 있다. 585nm와 595nm도 methemoglobin에 대한 흡수도의 차이를 보이는데(그림 3-16),

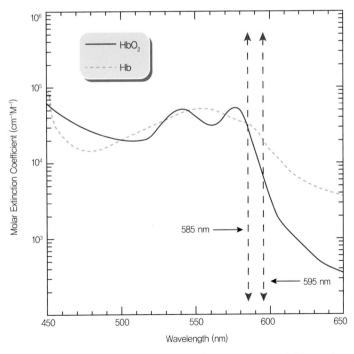

그림 3-14. absorption coefficient of 585nm and 595nm to hemoglobin and oxyhemoglobin
PWS vessels consist of ectatic venules. 595 bypasses normal dermal vessels of 20–60μm. (Lasers Surg Med. 2002;30(2):160–9.)

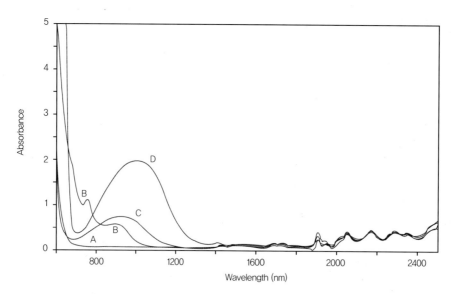

그림 3-15. absorption spectrum of various hemoglobin species

A) carboxyhemoglobin, B) deoxyhemoglobin (Hb), C) oxyhemoglobin(Hb-O2), D) methemoglobin(met-Hb) (Lasers Surg Med. 2003;32(2):160-70.)

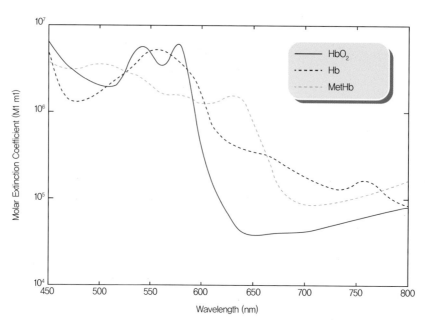

그림 3-16. Met-Hb absorption compared to Oxy-Hb absorption

2.5 times lower at 585nm, 1.8 times greater at 595nm

595nm가 methemoglobin에 대한 흡수도가 높으므로 multiple pulse를 생각하는 경우 585nm보다 595nm가 좋은 선택이 될 수 있다.

헤모글로빈에 잘 흡수되는 파장을 선택하였다면 혈관의 TRT에 맞춘 레이저 pulse duration의 설정이 필요하다. 혈관이 굵어지면 TRT도 증가하므

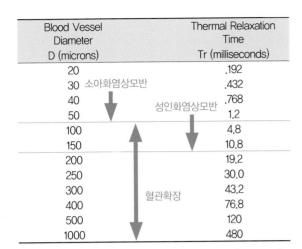

Blood Vessel Diameter D (microns)		Thermal Relaxation Time Tr (milliseconds)
20		.192
30	소아화염상모반	.432
40		.768
50	성인화염상모반	1.2
100		4.8
150		10.8
200		19.2
250		30.0
300	혈관확장	43.2
400		76.8
500		120
1000		480

그림 3-17. TRT of blood vessels according to di-ameter

소아화염상모반은 50마이크로미터 이내의 직경이고, 성인화염상모반은 보통 150마이크로미터 이내의 직경으로 구성되어 있다. 안면의 혈관확장병변은 보통 100마이크로미터에서 1밀리미터의 직경이다. 이런 혈관의 직경에 따라서 TRT가 달라지고 이에 따라 pulse duration을 조절하게 된다.

로 레이저의 pulse duration도 길게 해주면 된다 (그림 3-17).

한 가지 복잡한 사실은 흡수도가 높은 파장을 선택하는 것이 언제나 좋은 것은 아니라는 사실이다. 흡수도가 높으면 혈액으로 차있는 혈관내부를 레이저빛이 투과하다가 금방 헤모글로빈에 흡수되어버려서, 깊이까지 침투하지 못하게 된다(그림 3-18). 즉, 혈관 내에 있는 혈액도 고르게 뜨겁게 하지 못하는 사태가 발생한다. 표 3-3에서보면 585nm는 혈액 내에서 50μm를 통과하면 에너지의 50%가 흡수되고, 595nm는 150μm를 통과하면 에너지의 50%가 흡수되는 것을 알 수 있다. 595nm 로는 혈관직경이 150μm인 성인 화염상모반의 혈관바닥까지 온도상승을 시킬 수 있지만, 585nm로는 불가능하다는 것을 알 수 있다. 이렇게 전체혈관의 윗부분만 괴사가 된 경우 남아있는 깊은 부분에

표 3-3. The light penetration depth of light in blood at various wavelengths

Wavelength (nanometers)	Laser	50% Absorption Depth (microns)
488	Ar:Ion	66
514.5	Ar:Ion	66
532	Doubled Nd:YAG	50
577	Dye	29
585	Dye	50
595	Dye	150
605	Dye	330
610	Dye	660
695	Ruby	20000
1064	Nd:YAG	1400

의해서 병변이 재발을 쉽게 하는 것으로 알려져 있다. 다시 설명하여, 585nm는 hemoglobin에 대한 흡수가 높아서(oxyhemoglobin에 대한 absorp-tion coefficient가 19/mm) 레이저빔이 혈관에 도달하게 되면 0.05mm를 통과하는 동안 원래 강도의 37%로 약화된다. 즉, 585파장을 사용하면 굵은 혈관의 바닥부분이나 깊은 혈관의 치료에 제한점으로 작용하게 된다. 이의 개선을 위해서 595nm의 파장을 이용한 레이저가 개발되었는데, 헤모글로빈에 대한 absorption이 떨어져서 혈관의 상층부에서 에너지가 다 흡수되는 단점 없이 굵은 혈관 전체에 에너지전달이 가능해졌다. 그러나, 에너지 흡수율이 낮으므로 high fluence가 필요하다. 즉, 굵은 혈관을 치료하려고한다면 헤모글로빈에 대한 흡수도를 고려하여 혈관바닥까지 한꺼번에 치료가 가능한 파장을 선택하여야 한다.

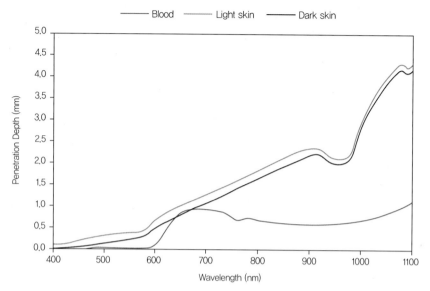

그림 3-18. Light Penetration into Tissue

붉은색은 혈액으로 가득찬 혈관을 통과할 수 있는 깊이이다. 585nm, 595nm 등은 혈액 속으로 0.1밀리미터도 진행하기 어려움을 알 수 있다.

마) 림프관(lymphatics)(그림 3-19)

림프관은 정맥혈관과 평행하게 주행하나 보다 변이가 크고 수가 더 많다. 림프관은 매 2-3mm 마다 밸브를 가지고 있다. 림프배액은 표층에서 심층으로 안쪽에서 바깥과 아래쪽으로 이루어진다. 두경부의 림프관은 절단이 되어도 신속히 회복되며 건강한 성인의 20-50%에서는 목 부위에서 림프절이 촉지 된다.

림프관의 위치는 매우 변이가 크지만 림프절의 경우 상대적으로 변이가 적고 예측 가능한 위치에 존재한다. 안면부에서 림프관은 대각선 방향으로 얼굴 후하방으로 주행한다. 두피에서는 후이개부(postauricular)와 occipital node로 배액이 이루어지며 바깥쪽과 위쪽 얼굴, 이마, 눈꺼풀 바깥쪽은 parotid node로, 안쪽과 아래쪽 얼굴, 내측 눈꺼풀과 입술의 바깥쪽은 submandibular node로

배액된다. 아래 입술의 가운데 2/3와 턱은 sub-mental node로 배액된다.

바) 신경(nerve)(그림 3-20, 3-21)

피부에는 감각신경과 자율운동신경(autonomic motor nerve)이 분포되어 있다. 감각신경은 통각, 소양감, 온도감, 가벼운 촉각, 압각, 진동감각을 담당하고 자율신경은 혈관운동, 모발운동, 땀 분비를 조절한다. 피부에 있는 감각신경의 대부분은 특별한 구조(수용체)를 가지지 않으나 점막 피부 말단기(mucocutaneous end organ), Meissner corpuscle, Vater Pacini corpuscle(소체)와 같은 특수 수용체가 있다.

모낭에는 유수신경이 풍부하게 분포하며 피지선관이 연결되는 부위 직하부에 신경말단이 존재한다. 진피 유두부에는 많은 무수지각신경이 분포하

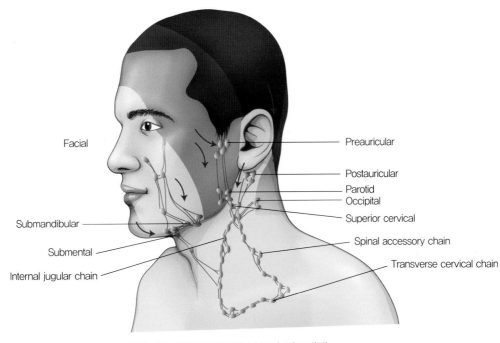

그림 3-19. 두경부 림프절 분포와 림프배액

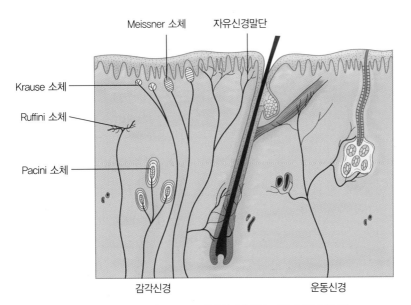

그림 3-20. 피부의 신경분포와 신경수용체

고 있다. 점막피부 말단기는 섬세한 촉각을 전달하며 귀두, 포피, 음핵, 소음순, 입술 경계부에 분포한다.

Meissner 소체는 손발바닥, 특히 손가락 끝부분의 진피유두부에 분포하며 촉각을 담당한다. Vater Pacini 소체는 손발바닥 피하층에 존재하며 압각을 담당한다.

무수 교감신경(unmyelinated sympathetic

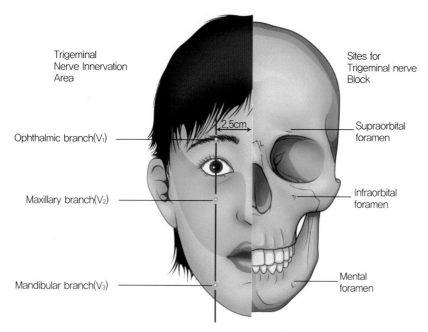

Trigeminal
Nerve Innervation
Area

Sites for
Trigeminal nerve
Block

2.5cm

Ophthalmic branch(V₁)

Supraorbital
foramen

Maxillary branch(V₂)

Infraorbital
foramen

Mandibular branch(V₃)

Mental
foramen

그림 3-21. 삼차신경의 분포와 신경출구의 위치

nerve)은 기모근, 에크린 및 아포크린 한선, 혈관에 분포한다. 기모근은 아드레날린성 신경의 지배를 받으며 아포크린 한선과 에크린한선은 각각 아드레날린성 및 콜린성 신경의 지배를 받는다. 체온상승으로 인한 전반적 에크린 땀분비는 콜린성 자극에 의하지만, 손바닥, 발바닥, 겨드랑이에 국한된 에크린 땀분비는 아드레날린성 자극에 의한다. 또한 아드레날린성 신경자극은 혈관 평활근에 영향을 미쳐 혈관 수축을 일으킨다.

안면부 피부에서 감각신경은 삼차신경(trigeminal nerve), 표정근의 운동은 안면신경(facial nerve)이 담당하고 있다. 삼차신경의 3분지는 각각 이마(ophthalmic branch), 뺨(maxillary branch), 턱(mandibular branch)에 분포하고 있다. 따라서 각 부위에 선택적인 마취가 필요한 경우 각각 supraorbital, infraorbital, mental foramen 부위에서 신경차단을 시행하면 효과적이

다. 이 세 가지 신경의 출구는 안면 정중앙에서 2.5cm 떨어진 위치를 지나는 동공중앙선(midpupillary line) 상에 존재한다. 안면신경은 stylomastoid foramen을 통하여 밖으로 나온 후 유양돌기에 의하여 덮혀 있다. 그러나 사춘기 이전에는 유양돌기의 발달이 불완전하여 안면신경의 trunk가 피하에 위치하게 되므로 손상을 받을 위험성이 있다. 안면신경의 줄기는 바로 이하선 속에 들어간 후 나오면서 5가지로 분지되며 SMAS로 덮여있다. 외측 눈구석(canthus)를 수직으로 지나는 선 앞쪽에서 안면신경이 절단되는 경우 완전하게 또는 부분적으로 신경 회복이 일어날 수 있지만 그 뒤쪽에서 손상을 받는 경우 거의 회복되지 않는다는 점에 유의하여야 한다.

4. 표피부속기(skin appendage)

가) 땀샘

a) 에크린땀샘단위(Eccrine sweat unit)

입술 경계부, 조갑상(nail bed), 소음순, 귀두, 포피 내측에는 존재하지 않으며 손발바닥, 겨드랑이, 이마에 가장 많이 존재한다. 사람 피부에서 에크린 땀샘의 분포 밀도는 100-600/cm2 정도이다. 분비샘은 진피 및 피하지방층 경계부 또는 진피 하부 1/3에 존재하며 표피층으로 직접 연결된다. 땀의 분비는 콜린성 신경의 지배를 받는다.

b) 아포크린땀샘단위(Apocrine sweat unit)

에크린 한선과 달리 열 조절기능 보다는 체취형성에 관여한다. 아포크린 한선은 겨드랑이, 외이도, 눈꺼풀, 유방 등의 부위에 한정되어 존재하며 분비부는 피하지방층에 있고 피지선 관보다 위쪽에서 모누두부(infundibulum)와 연결된다.

이 땀샘은 사춘기 이전에는 기능하지 않으며 국소 또는 전신적 아드레날린성 물질의 작용에 의해 분비가 일어난다. 간헐적(episodic) 분비방식을 보이며 분비 후에는 장시간의 휴지기가 있다. 분비물은 분비 당시에는 냄새가 없으나 피부표면 세균에 의하여 분해되면서 특징적인 냄새를 유발한다.

나) 모발

손발바닥, 점막경계부, 귀두를 제외한 전신 피부에 존재하며 성인은 솜털(vellus hair)과 성모(terminal hair) 두 가지 모발을 가지고 있다. 얼굴, 몸, 겨드랑이, 음부의 모발은 성호르몬의 영향을 받지만, 눈썹과 속눈썹은 영향을 받지 않는다. 머리카락은 태양광선으로부터 두피를 보호하며 눈썹과 속눈썹은 햇볕과 땀으로부터 눈을 보호하고, 코털은 외부자극물질을 걸러내며 굴곡부의 털은 마찰을 감소시킨다.

얼굴, 몸, 액와부, 음부의 털은 성호르몬의 영

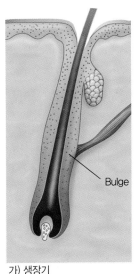
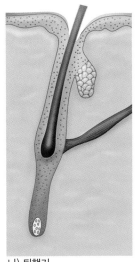
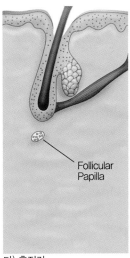
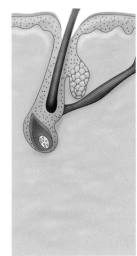

가) 생장기   나) 퇴행기   다) 휴지기   라) 조기 생장기

그림 3-22. 모발의 생리적 주기

향을 받는다. 인간의 모발은 다른 동물과 다르게 일시에 탈락되지 않으며 생리적으로 3년간의 생장기(anagen), 3주간의 퇴행기(catagen), 3개월간의 휴지기(telogen)를 주기적으로 반복한다(그림 3-22). 어느 시기에나 모발의 84%는 생장기, 2%는 퇴행기, 14%는 휴지기에 있으며 하루에 0.4mm씩 자란다. 각각의 모낭은 일생동안 10-20회의 주기를 반복한다. 모발주기는 부위에 따라 차이가 있어서 눈썹과 같이 짧은 모발에서는 생장기가 짧으며, 영양결핍, 스트레스(수술, 감염, 외상), 호르몬(갑상선 질환, 임신) 등에 의하여 생장을 멈추고 일찍 휴지기로 들어갈 수 있다.

모낭의 하부는 주기에 따라 많은 변화가 일어나나 협부(isthmus) 상부의 모낭은 영구적으로 변화가 없다. 모구(hair bulb)는 모기질 세포와 멜라닌세포로 구성되어 있으며 그 아래쪽에 돌출된 모유두는 모간(hair shaft)을 만든다. 모구에서 각질형성세포사이에 존재하고 있는 멜라닌세포의 활동에 따라 털색갈이 결정된다. 기모근이 부착되는 돌출부(hair bulgi)에는 모낭상피 줄기세포(stem cell)가 존재하고 있다.

LSI (Laser Skin Interaction)

초기의 제모레이저는 hair shaft를 파괴하는 방법을 이용하였으나, 이는 일시적으로 모발이 제거되나, hair follicle 구조가 건재하여 다시 모발이 재생되는 경향을 보였다. 이에 기존 레이저의 pulse duration보다 더 길게 pulse duration을 조절하여, hair shaft에 흡수된 빛에 의한 발열이 hair shaft에 국한되지 않고, hair shaft를 둘러싸고 있는 hair follicle에 전달되도록 하였더니 제모가 가능해졌다. hair shaft를 둘러싸고 있는 hair follicle은 멜라닌이 존재하지 않아서 직접 레이저

로 가열할 수가 없으나, hair shaft에 존재하는 멜라닌을 heater로 이용하여 치료하고자 하는 target인 hair follicle을 치료하는 방식을 extended theory of SPTL이라고 한다(그림 3-23).

다) 피지샘(Sebaceus gland)

손발바닥을 제외한 전신 피부, 특히 두피와 안면 피부에 가장 많이 존재한다. 피지선은 모낭과 연관되어 발생하고 대부분의 피지선은 모낭에 연결되어 있다. 구강점막, 입술의 경계부, 유륜부, 포피 내측부, 눈꺼풀의 피지선은 모낭과 연결되어 있지 않다. 피지선은 출생 시에는 잘 발달되어 있으나 곧 쇠퇴하고 다시 8-10세경부터 androgen의 영향을 받아 성장한다.

LSI (Laser Skin Interaction)

피지선을 파괴하기 위해서는 피지선의 깊이와 크기가 중요한 요소가 되는데, 이에 대한 연구가 많지 않다. 이는 과거에는 약물치료를 주로 하였으므로 이런 정보가 중요하지 않았다. 지금은 레이저로 이런 치료를 하기 위해서는 새롭게 연구가 필요하다. 정상적인 안면피부에서 피지선의 깊이는 0.5mm, 크기는 0.3mm 정도로 연구되었다(표 3-4). 이를 파괴하기 위해서는 TRT 범위이내인 0.1초 이내의 pulse duration이 필요하다. 여드름과 같은 염증성 병변에서 피지선의 크기가 커지고, 깊이가 깊어질 수 있는 변수도 고려하여야 하겠다.

라) 손-발톱(Nail)(그림 3-24)

표피에서 유래하는 0.5-0.75mm 두께의 조갑판으로 덮여있다. 조반월(lunular)은 조기질(nail

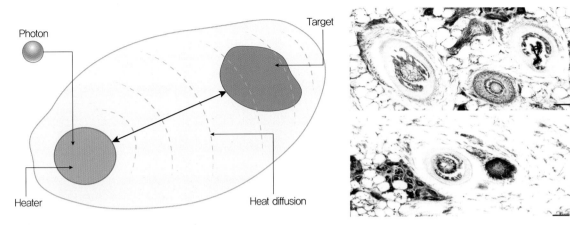

그림 3-23. Extended theory of selective photothermolysis

General structure of biological target with space separation between target and absorber (heater). Heater → Target. Melanin in hair shaft → hair follicle (Lasers Surg Med. 2001;29(5):416–32.)

표 3-4. Estimated exposure parameters for selective photothermolysis to target sebaceous glands
(Lasers Surg Med. 2012 Feb;44(2):175–83.)

	Subcutaneous fat	Sebaceous glands
Size (mm)	>5 (typically)	0.26±0.11[a]
Thermal relaxation time (τ)(seconds)	>20 (typically)	~0.06–0.100[a]
Depth of location (mm)	~2.0 (typically)	0.5±0.2
ρc (J cm^{-3} ℃$^{-1}$)	~2.1 [27]	~3.57
Temperature raise (ΔT) (℃)	20	50
~1,210 nm band		
μ$_a$ (cm^{-1})	1.52 [15]	2.2[a]
Transmittance to targent (T)	~15.6%[c]	~33.1%[c]
Estimated fluence (J/cm^2)	~120 [15]–177[b]	~245
~1,720 nm band		
μ$_a$ (cm^{-1})	10.32 [15]	8.1[a]
Transmittance to targent (T)	11%[c]	32.8%[c]
Estimated fluence (J/cm^2)	~37[b]	~67[b]

μ$_a$, absorption coefficient.
[a]Data from this study.
[b]Estimated incident fluence (F$_o$), F$_o$ ≈ ΔTρc/ μ$_a$ T where ΔT is the temperature raise, ρc is the heat capacity, μ$_a$ is the coefficient of absorption, T is the transmittance through the skin.
[c]Estimated using Monte Carlo and IAD models.

matrix) 발아상피(germinative epithelium)는 원위부 경계까지의 백색으로 보이는 중증편평상피층으로 손발가락 뼈의 골막 바로 윗쪽 결체조직 위에 위치하고 있다. 이곳의 각질형성세포들은 keratohyalin과립 형성 없이 조갑판(nail plate)을 만든다. 근위조갑주름이나 조갑상은 조갑판 형성에 관여하지 않는다.

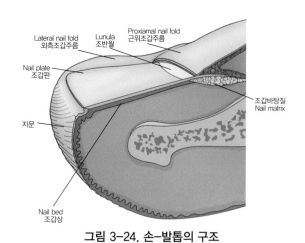

그림 3-24. 손-발톱의 구조

5. 피하지방(subcutanenous fat)

지방조직은 중배엽에서 기원하며 충분히 발달된 피하지방은 지질을 함유하여 팽창된 지방세포의 소엽으로 구성되어 있다. 소엽들은 혈관이 지나가고 있는 얇은 섬유성 격막으로 나누어져 있다. 이 격막은 피하지방 소엽들을 감싸주고, 피하지방 상부의 망상진피층 하단과 피하지방층 하부의 근막을 서로 연결하여 구조적 안정성을 준다.

성장기 모낭의 하부나 에크린 또는 아포크린땀샘의 분비부가 이 층에 위치한다. 눈꺼풀과 음낭에는 이 층이 거의 없다. 피하지방층은 열손실을 막고 충격을 흡수하며 영양저장소로서의 기능을 한다.

LSI (Laser Skin Interaction)

피하지방의 파괴를 목적으로 하는 경우 지방에 잘 흡수되는 파장이 중요하다. 그림 3-25의 그래프가 많이 인용되고 있는데, 지방에 잘 흡수되는 파장을 이용한 여러 레이저가 개발되어 이용되고 있다. 각 레이저들은 파장의 차이로 인한 장점을 선전하면서 자사 레이저가 더 좋다고 홍보를 하고 있다. 실제로 파장의 차이에 의한 지방분해에 차이가 있으나 외부에서 레이저를 발사하는 경우 지방과 수분에 대한 흡수도의 차이가 아주 중요하나, 피부 속으로 레이저를 삽입하여 발사하는 in-

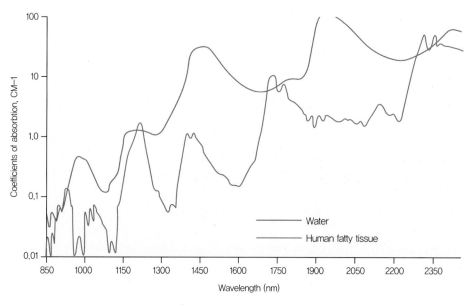

그림 3-25. Selective photothermolysis of lipid-rich tissues
920nm, 1200nm, 1750nm에서 수분보다 지방이 더 높은 흡수도를 보인다. (Lasers Surg Med. 2006 Dec;38(10):913-9.)

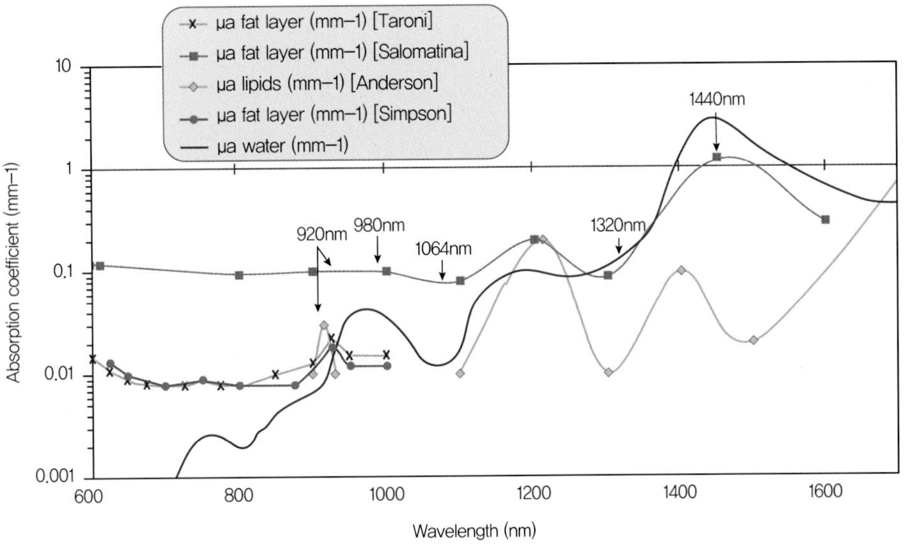

그림 3-26. comparative study of wavelength for laser lipolysis

지방조직(지방과 수분 포함)과 지방에 대한 흡수도에 대한 여러연구를 비교하고있다.(Photomed Laser Surg. 2010 Apr;28(2):185 -8.)

terstitial laser의 경우 지방과 수분에 대한 흡수도의 합에 의해서 지방조직(지방조직에는 지방과 수분이 포함됨)이 파괴되므로 지방과 수분에 대한 흡수도의 차이보다 전체적인 흡수도가 중요해질 수 있다.

흔히 있는 실수 중에 그림 3-25에서 보이는 지방에 대한 흡수도를 지방조직에 대한 흡수도로 오해하는 경우이다. 그래프에서도 지방조직이라 표시하고 있으나, 이는 잘못된 것이며 실제 저자들이 한 실험에서는 지방조직을 구한 후 여기서 분리한 지방에 대해서 실험한 것이므로 지방조직의 흡수도가 아니라 지방자체의 흡수도라고 정확히 이해하여야 한다. 지방조직에 대한흡수도를 연구한 Wassmer의 연구(그림 3-26)에서 Anderson등의 연구(그림 3-25)는 지방에 대한 흡수도라고 인용하고 있고, 다른 연구에서 지방조직(지방과 수분 포함)의 흡수도를 보면 현재 시중에서 이용되는 여러 지방분해레이저의 파장에서 지방

조직에 대한 흡수도가 큰 차이가 없음을 보여주고 있다. 이런 중에도 1440nm는 다른 파장과는 차이 나게 지방조직에 대한 흡수도가 높은 것을 알 수 있다. 최근에는 이보다 더 지방조직에 대한 흡수도가 높은 1927nm 파장을 이용한 지방분해레이저(XLander-Y, 원텍)도 개발되고 있다(그림 3-27).

III. 피부의 연조직 구조(Soft tissue anatomy of the skin)(그림 3-28)

1. 미용 단위(aesthetic unit)와 긴장선 (skin tension line)

얼굴 피부의 윤곽선은 개별 해부학적 단위들의 경계에 의하여 만들어 지며 이 경계로 둘러싸인 개

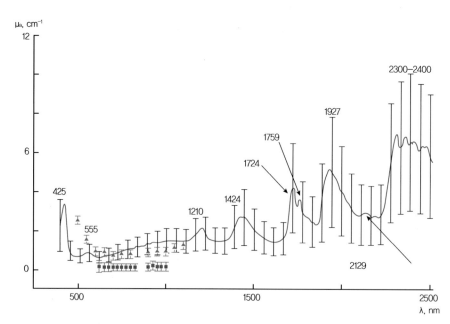

그림 3-27. Optical properties of the subcutaneous adipose tissue

400nm에서 2000nm에 이르는 다양한 파장에서 지방조직(지방과 수분 포함)의 흡수도를 보여주고있다. 현재 사용중인 900nm에서 1500nm파장이외에 지방조직에 더 흡수도가 높은 파장들이 지방분해에 이용될 수 있음을 보여준다.

별 부위는 미용적 단위(aesthetic unit)가 된다. 얼굴 윤곽을 구성하는 해부학적 단위에는 입술 윤곽, 눈꺼풀 가장자리, 코 윤곽, 뺨과 코의 경계, 비구순 주름, 귀 윤곽 등이 있다. 레이저 시술 시 이 윤곽선이 변형되지 않도록 최대한 주의해야 한다. 윤곽선은 흉터자국을 감추는 데에 효과적이다.

코와 턱 부위는 좀 더 세분화된 미용적 단위로 나눌 수 있다. 즉, 코는 양측면, 콧등, 코기둥(columella), 콧방울(alar)로 나뉘고, 턱은 턱 본체와 구순하부로 나누어진다.

피부 긴장선(skin tension line)은 해당 부위 피부 아래에 위치한 근육의 수축방향에 직각으로 발생되는 선으로 종국에는 피부 주름선이 된다. 이 선에 직접 또는 평행하게 맞추어 시술하는 경우 흉터가 눈에 덜 띄게 된다. 이 선을 확인하기 위해서는 엄지와 집게손가락으로 해당부위 피부를 집었을 때 잔주름이 생기는 방향을 찾거나, 환자 스스로 얼굴에 미소를 짓거나 찡그리게 해 보면 된다. 피부의 긴장선은 개인차가 크므로 도식화된 그림에 의존하지 않는 것이 좋다.

2. 부위별 해부학적 특징과 차이

얼굴과 목의 피부에는 불과 몇 센티미터 차이에 의하여 큰 차이가 생기는 해부학적 구조의 변이가 있다.

가) 두피(scalp)

두피는 눈썹부위에서 시작하여 뒤통수 상부선(superior occipital line)에 연결되며 SCALP라는 약자로 표현되는 다섯 층으로 나뉜다. 즉 Skin, Subcutaneous tissue, Aponeurosis(galea),

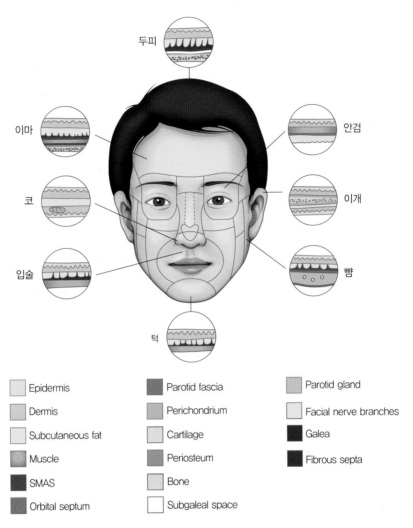

Epidermis Parotid fascia Parotid gland

Dermis Perichondrium Facial nerve branches

Subcutaneous fat Cartilage Galea

Muscle Periosteum Fibrous septa

SMAS Bone

Orbital septum Subgaleal space

그림 3-28. 얼굴 피부의 미용적 단위(aesthetic unit)와 부위별 피부 구조

Loose connective tissue space beneath the galea, Pericranium이다. 두피 피부는 한선, 피지선, 혈관, 림프관, 모낭이 풍부하며 상처회복이 잘 된다. 두피에서 혈관과 신경은 피하지방층에 존재하며 머리덮개힘줄밑(subgaleal) 공간에는 일부 도출혈관(emissary vessels)이 지나가는 경우 이외에는 혈관이 거의 없다. 머리덮개힘줄(galea)은 이마근과 뒤통수근을 연결하는 건막으로 장력을 많이 받고 있어 잘 당겨지지 않는다. 그 아래쪽의 성긴 결체 조직부를 박리하면 두피를 움직이기

쉽지만 이 부위에 감염이 발생하면 두개강 안으로 파급될 위험성이 있다. 모든 혈관과 신경은 이마 아래부위로부터 올라온다. 두피에는 운동신경이 없다. 진피와 건막을 연결하는 섬유띠(fibrous band)는 두피에서 중요한 피부 구조이다. 이는 다른 부위에도 있지만 두피에서 특별히 발달되어 있어 외측 방향으로 피부가 움직이는 것을 막고 있다. 이 부위 피부에는 혈관이 풍부하여 잠식술 시행 시 많은 출혈이 발생한다.

나) 눈꺼풀(eyelids)

눈꺼풀은 인체피부 중 가장 얇은 부위로 혈관은 풍부하지만 피하지방층 없이 바로 근육 위를 덮고 있다. 따라서 이 부위 레이저 시술시 각별한 주의를 요한다. 속눈썹은 매우 중요하다. 눈꺼풀판(tarsal plate)은 눈꺼풀의 형태를 제공하며 윗 눈꺼풀은 9-11mm, 아래 눈꺼풀은 4-5mm 정도이다.

다) 코(nose)

코 윗부분의 피부는 유동적이나 아래쪽 피부는 고정되어 있으며 피지선이 발달해 있다.

구순연결(labial commissure) 바로 바깥쪽은 축(modiolus)이라 불리며 이 부위에 부착되는 근육에 의해서 융기되어 있다.

라) 입술, 턱 및 뺨(lips, chin and cheeks)

입술과 턱의 피부는 독특하게도 수의근이 바로 피부에 연결된다. 특히 턱에 연결되는 근육들은 크고 두껍다. 반면 뺨의 측면에는 바로 연결되는 근육이 없다. 유양돌기부 앞쪽은 지방층이 얇은 경우가 종종 있다.

마) 귀(ear)

귀를 덮고 있는 앞쪽 피부는 연골에 단단히 부착되어 있으며, 뒤쪽 피부는 느슨하게 부착되어있다. 귀의 연골은 단일판이며 귀의 형태와 종양의 확산을 막는 저지대 역할을 한다. 연골 아래쪽으로는 귓불이 있다.

바) 얼굴널힘줄계통(the superficial musculoaponeurotic system, SMAS)

SMAS는 얼굴의 표재성 근막을 구성하는 근막과 근육 시스템으로 이마의 근막과 두피의 머리덮개(galea)가 포함되며 목의 표재성 근막으로 이행된다. SMAS는 얼굴의 피하지방층에 존재하면서 이를 서로 특성이 다른 두층으로 나눈다. 표재성 지방층은 진피하부와 SMAS를 연결하는 섬유띠로 연결되어 있으나 심재성 지방층은 연결되어 있지 않다. SMAS는 얼굴 뒤쪽에서는 두껍고 용이하게 구별되나 앞쪽에서는 얇고 뚜렷하지 않으며 비구순 주름에서 끝난다. SMAS는 갈라지면서 얼굴의 표정근을 감싼다. 그 결과 SMAS는 그 상부에 있는 근육들을 연결하는 섬유띠와 함께 표정근의 작용을 통합, 증진시켜 보다 다양한 얼굴표정을 가능하게 한다. SMAS는 광대활(zygomatic arch)에 부착되므로 이마와 그 하부의 근육들에 기능적인 구분이 일어난다.

참고문헌

1. 이민걸, 조광현, 김명남. 피부의 구조와 기능. In: 대한피부과학회 교과서 편찬위원회 저. 피부과학. 제5판. 서울. 여문각 2008:11.

2. Altshuler GB, Anderson RR, Manstein D, Zenzie HH, Smirnov MZ. Extended theory of selective photothermolysis. Lasers Surg Med. 2001;29(5):416-32.

3. Anderson RR, Farinelli W, Laubach H, Manstein D, Yaroslavsky AN, Gubeli J 3rd, Jordan K, Neil GR, Shinn M, Chandler W, Williams GP, Benson SV, Douglas DR, Dylla HF. Selective photothermolysis of lipid-rich tissues: a free electron laser study. Lasers Surg Med. 2006 Dec;38(10):913-9.

4. Baumann L. Basic science of the dermis. In: Bau-

mann L, Weisberg E. Cosmetic dermatology. Principles and practice. 1st ed. New York: The McGraw-Hill companies, 2002:9-12.

5. Baumann L. Basic science of the epidermis. In: Baumann L, Weisberg E. Cosmetic dermatology. Principles and practice. 1st ed. New York: The McGraw-Hill companies, 2002:3-8.5

6. Birkby CS, Bernstein G. Surgical anatomy. In: Wheeland RG. ed. Cutaneous surgery. 1st ed. Philadelphia: W.B. Saunders company, 1994:48.

7. Ebling FJG, Eady RAJ, Leigh IM. Anatomy and organization of human skin. In: Champion RH, Burton JL, Ebling FJG. eds. Textbook of Dermatology. Volume 1. 5th ed. London: Blackwell scientific publications, 1992:50.

8. Ebling FJG, Eady RAJ, Leigh IM. Anatomy and organization of human skin. In: Champion RH, Burton JL, Ebling FJG. eds. Textbook of Dermatology. Volume 1. 5th ed. London: Blackwell scientific publications, 1992:87.

9. Kimel S, Svaasand LO, Cao D, Hammer-Wilson MJ, Nelson JS. Vascular response to laser photothermolysis as a function of pulse duration, vessel type, and diameter: implications for port wine stain laser therapy. Lasers Surg Med. 2002;30(2):160-9.

10. Leal-Khouri S, Lodha R, Nouri K. Cutaneous anatomy of the head and neck. In: Nouri K, Leal-Khouri S. Techniques in Dermatologic surgery. 1st ed. Edinburgh: Mosby, 2003:3-12

11. Mordon S, Brisot D, Fournier N. Using a "non uniform pulse sequence" can improve selective coagulation with a Nd:YAG laser (1.06 microm) thanks to Met-hemoglobin absorption: a clinical study on blue leg veins. Lasers Surg Med. 2003;32(2):160-70.

12. Murphy GF. Histology of the skin. In: Elder DE, Elenitsas R, Johnson BL Jr., et al. eds. Lever's Histopathology of the skin. 9th ed. Philadelphia: Lippincott Williams & Wilkins, 2005:15.

13. Odland GF. Structure of the skin. In: Goldsmith LA. Physiology, biochemistry, and molecular biology of the skin. Volume 1. 2nd ed. New York: Oxford university press, 1991:5.

14. Robinson JK, Anderson ER Jr. Skin structure and surgical anatomy. In: Robinson JK, Hanke CW, Sengelmann RD, et al eds. Surgery of the skin. 1st ed. Philadelphia: Elsevier Mosby, 2005:3-23

15. Robinson JK. Basic Cutaneous Surgery Concepts. In: Robinson JK, Arndt KA, Leboit PE, et al. eds. Atlas of cutaneous surgery. 1st ed. Philadephia: W.B. Saunders company, 1996:1-19.

16. Sakamoto FH, Doukas AG, Farinelli WA, Tannous Z, Shinn M, Benson S, Williams GP, Gubeli JF 3rd, Dylla HF, Anderson RR. Selective photothermolysis to target sebaceous glands: theoretical estimation of parameters and preliminary results using a free electron laser. Lasers Surg Med. 2012 Feb;44(2):175-83.

17. Sams WM Jr. Structure and function of the skin. In: Sams WM Jr., Lynch PJ. Principles and practice of dermatology. 1st ed. New York:9.

18. Troy TL, Thennadil SN. Optical properties of human skin in the near infrared wavelength range of 1000 to 2200 nm. J Biomed Opt. 2001 Apr;6(2):167-76.

19. Wassmer B, Zemmouri J, Rochon P, Mordon S. Comparative study of wavelengths for laser lipolysis. Photomed Laser Surg. 2010 Apr;28(2):185-8.

20. White CR Jr., Bigby M, Sangueza OP. What is normal skin? In: Arndt KA, Robinson JK, Leboit PE, et al. eds. Cutaneous medicine and surgery. Volume 1. 1st ed. Philadelphia: W.B. Saunders company, 1996:21.

CHAPTER 04 레이저 치료와 의학적 피부 관리

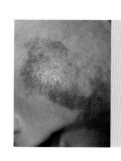

레이저 치료와 의학적 피부 관리
Laser Treatment and Medical Skin Care

CHAPTER 04

여 운철

I. 레이저 시술 전후의 의학적 피부관리

의학적 피부 관리(medical skin care)란 피부에 가해지는 각종 자극을 제거하고 정상적인 생리기능을 유지하는 데 도움을 주는 여러 가지 방법으로, 특히 피부레이저 치료 및 레이저 박피술 후에는 피부의 정상적인 보호막이 파괴되고 예민해지며 색소침착의 가능성이 높아지므로, 이를 복원하기 위한 피부관리로 세정, 보습, 보호, 자외선 차단, 미백의 중요성이 더욱 강조된다.

일반적으로 레이저 박피술에서는 전-처치(pre-laser skin care)의 중요성이 화학 박피술에서 만큼 강조되지 않는다고 알려져 있다. 하지만 레이저 박피술의 효과를 증대 시키고 시술 후 발생하는 색소침착과 같은 부작용을 막기 위해서 레이저박피 전후에 피부 관리가 점차 강조되고 있으며, 실제로 레이저 시술 전-처치와 후-처치(post-laser skin care)를 시행한 환자에서 시술 후 색소침착 등의 부작용을 줄일 수 있다.

레이저 박피술이 아닌 다른 레이저 시술에서도 서양인과 달리 동양인에서는 레이저 시술 후에 많은 환자에서 색소침착(Hyperpigmentation)이 초래되며 한국인에서도 피부색깔에 따라 정도차이는 있지만 약 70-80% 이상에서 나타나는 것으로 알려져 있다(그림 4-1). 레이저 시술 전후의 잘 계획된 전-처치와 후-처치는 이러한 색소침착의 발생을 줄여주고 레이저 치료의 효과를 증가시키는 데 도움을 준다.

레이저 시술과 관련된 전-처치와 후-처치의 기간과 방법은 시술자에 따라 차이가 있지만 대략 시술 2-4주 전부터 전-처치를 시행하며 한국인에서도 피부색이 검은 사람이나 기미가 있는 사람은 전-처치 기간을 좀 더 길게 할 필요가 있다. 그리고 전-처치와 후-처치에 사용되는 것으로는 기본적으로 레티노이드와 미백제, 보습제를 비롯한 여러 가지 약제와 화장품이 사용되고 있다. 이 장에서는 레이저 시술 후 창상 치료 방법과 피부 관리에 대하여 기술하였다.

미용목적으로 레이저 치료를 하는 경우 레이저 치료는 치료의 끝이 아니라 새로운 시작이다. 레이저 치료 후의 피부관리의 목표는 레이저에 의해 손상된 피부를 효과적으로 진정시키고, 빠르게 재생시켜 정상 상태의 피부로 되돌리고 레이저 치료 후에 생길 수 있는 부작용을 최소화하는데 있다. 편의상 레이저 시술 후 시간에 따라 중요하게 관

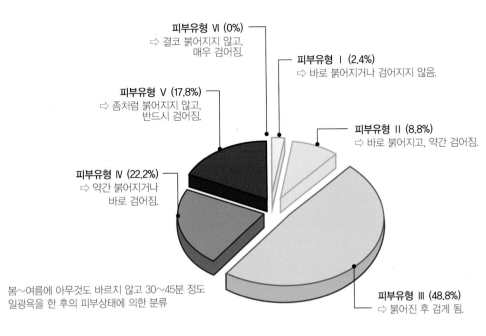

피부유형 VI (0%)
⇨ 결코 붉어지지 않고, 매우 검어짐.

피부유형 I (2.4%)
⇨ 바로 붉어지거나 검어지지 않음.

피부유형 V (17.8%)
⇨ 좀처럼 붉어지지 않고, 반드시 검어짐.

피부유형 II (8.8%)
⇨ 바로 붉어지고, 약간 검어짐.

피부유형 IV (22.2%)
⇨ 약간 붉어지거나 바로 검어짐.

봄~여름에 아무것도 바르지 않고 30~45분 정도
일광욕을 한 후의 피부상태에 의한 분류

피부유형 III (48.8%)
⇨ 붉어진 후 검게 됨.

그림 4-1. 한국인의 Fitzpatrick 피부 유형 분류

광피부형은 햇빛에 노출되었을 때 붉어지는 것과 검게 타는 정도에 따라 I형부터 VI형까지 나눈다. 한국인은 III형과 IV형이 대부분임. 한국인도 백인종처럼 피부가 잘 타지 않는 I과 II형이 있다. VI는 흑인의 피부형이다.(인용: 식품의약품안전청 행정간행물, 자외선차단화장품 어떻게 사용하나요?)

리해야할 것을 나누어 보면 치료 후 1주 이내에는 시술 부위의 창상 드레싱 방법에 관심을 두어야 하고 치료 1-2주 후에는 세안과 보습, 자외선 차단과 같은 보조 치료에 관심을 두어야 한다. 치료 후 2-4주 후에는 색소침착과 홍반의 지속과 같은 부작용에 대한 적극적인 관심과 치료가 필요하다.

1. 전-처치의 장점

레이저 치료 전-처치(pre-laser skin care)는 피부의 상태를 정돈하고 치료 효과를 높이며, 시술 후의 부작용을 예방하는 효과가 있다. 보통 전-처치는 레이저 시술 시작 2-3주 전에 시작하는데 피부가 검은 사람이나 기미가 심한 사람은 더 일찍 시작하는 것이 시술 후 색소침착 등의 부작용을 줄

일 수 있다.

전-처치는 우선 레이저 시술 2주 전부터 효과적인 자외선 차단제를 사용하여 멜라닌 세포의 활동을 억제하고 멜라닌 생성을 유발하는 지나친 자극을 주지 않도록 한다. 그리고 탈피제인 알파하이드록시산이나 트레티노인을 사용하여 피부의 천연 장벽인 각질층의 두께를 균일하게 하여 레이저 시술의 깊이를 일정하게 하고 적은 레이저 에너지를 사용하여 효과를 높이는데 도움이 된다. 특히 피부의 일부에 과각화증이 있는 경우에는 이러한 과각화증을 전-처치로 제거함으로서 고른 시술을 하는데 도움이 된다. 또한 피부색이 짙은 동양인들에게서 트레티노인은 멜라닌을 분산 시키고 표피에 머무는 멜라닌의 전체 수량을 감소시켜 박피술 후의 색소침착 위험을 줄여준다.

2. 감염의 예방

레이저 박피술 전에는 감염을 예방해야 하는데, 헤르페스, 박테리아성 감염, 진균성 감염 등을 피할 수 있게 해서, 부적절한 결과가 나올 위험을 줄여야 한다. 박테리아 감염이나 진균 감염은 시술 전에 미리 치료를 시작할 필요는 없지만 단순 포진 바이러스(herpes simplex virus)는 미리 예방을 하는 것이 좋다. 예방은 이전에 한 번이라도 헤르페스 감염의 경험이 있는 환자나 전체 안면박피술(full face laser resurfacing)과 같이 박피 면적이 넓은 경우에는 시술 전과 시술 후에 Acyclovir(Zovirax®)를 경구로 하루에 2 Tablet (1T; 100mg)로 창상 치유시까지 투여하여 예방하며, 감염이 된 경우는 5 Tablet을 사용하고 심한 경우 정맥주사할 수 있다. 최근에는 Famciclovir제제를 시술 전 1-2일전에 시작하여 총 10일 정도까지, 단순포진 병력이 있는 환자에서는 250mg을 하루에 두 번 복약, 병력이 없는 경우 125mg을 하루에 두 번 복약하는 방법을 이용한다. 박피술 이외에도 입주위 눈주위에 프랙셔널 레이저나 색소치료레이저로 치료한 경우에도 헤르페스 발진이 발생할 수 있으므로 예방적 항바이러스제 사용이 필요하다. 드물게 레이저 치료 후에 2차 세균 감염이 발생하기도 하는데 감염 후에는 감염 부위에는 반흔이 발생하기 쉽기 때문에 특히 조심하여야 한다.

3. 일광으로부터의 보호

레이저 시술 후에는 피부 각질층 두께가 얇아지게 되고 피부에 침투하는 자외선의 양이 증가하게 된다. 따라서 멜라닌세포는 더 많이 자극되고 색소침착의 가능성이 더 많아진다. 레이저 치료 후의 붉은 빛이 남는 기간은 특히 충분한 햇볕 차단을 할 필요가 있다. 박피술 후에 사용하는 자외선 차단제는 SPF 30-50 사이가 적당하며, 적어도 6-12주 동안 사용하여야 한다. 색소병변의 레이저 치료 후 색소침착은 시술 후 2주에서 4주 사이에 많이 일어나므로 적어도 1달 이상 자외선 차단이 필요하다.

태양광은 태양에서 생성되어 지구로 도달하게 된다. 지구상에 도달하는 빛은 대부분 가시광선과 적외선이며 자외선은 5-6%정도이다. 이 중에서 자외선은 피부노화의 주범으로 알려져 있다. 이런 자외선은 피부에 화상을 일으키거나, 주근깨 잡티 기미를 악화시키고, 검버섯, 흑자 등을 만들며, 장기적으로 보면 피부주름이 깊어지는 등 피부노화를 일으킨다. 이런 자외선이 비타민 D의 생성을 촉진한다고 하여 자외선의 유용성을 주장하기도 하나, 실제로 소량의 자외선으로도 비타민 D가 생성되므로, 레이저 시술 전후에는 자외선을 꼭 피하여야 한다.

자외선은 A, B, C로 분류한다(표 4-1, 그림 4-2). 자외선 C는 공기 중의 오존층에 의해 차단되어서 지표에는 도달하지 않는다. 자외선 B와 자외선 A가 지구표면에 도달한다. 자외선 B는 피부에 화상을 일으키고, 장기적으로 노출되면 축적되어서 피부노화를 일으킨다. 자외선 A는 자외선 B보다 화상을 일으키는 힘이 약하지만, 자외선 B보다 피부에 더 깊이 침투되어 피부노화를 일으키며, 색소 침착의 기능도 있다.

1년 중 태양광의 강도가 여름에 가장 강한 것은 익히 알려져 있다. 하루 중에는 오전 11시에서 오후 2시경 사이가 자외선이 가장 강하다. 오후 3시

자외선 A (320~400nm)　　자외선 B (290~320nm)　　자외선 C (200~290nm)

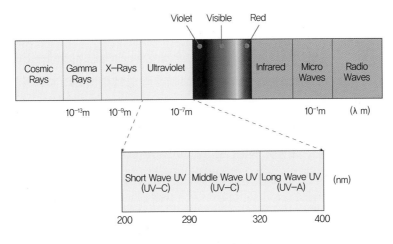

그림 4-2. 자외선의 종류

표4-1. 자외선의 파장별 인체에 미치는 영향

구분	UV A (320~400nm)	UV B (290~320nm)	UV C (200~290nm)
홍반 발생력	약	강	강
홍반 발현시기	4~6 시간	2~6 시간	0.5~1.5 시간
즉시 색소침착	강	약	약
색소생성	중간	강	약
선번	미약	강	강
피부에 미치는영향	· 직접적 피부 그을림 · 광노화 · 진피하부에 침투	· 간접적 피부 그을림 · 일광화상** · 피부암유발 표저기저층 또는 진피 상층부까지 침투	· 지상에 도달하기 전에 오존층에서 흡수되므로 피부에 큰 영향이 없음.

이후가 되면 해가 기울면서 지표와의 각도가 점차 작아진다. 이 상태에서는 파장이 짧은 자외선 B보다 파장이 긴 자외선 A가 상대적으로 양이 많아진다. 다시 말해서 오후가 되더라도 자외선 A를 피해야하는 분들은 해가 약해졌다고 안심할 수 없다는 말이다. 오후 4시경에는 정오보다 자외선이 약 4분의 1 정도가 된다. 자외선 총량 중 80%는 오전 9시에서 오후 3시 사이에 지구표면에 도달한다. 정오경의 자외선의 양은 자외선 A가 자외선 B의 100배 정도 된다. 그러나, 화상을 일으키는 힘은 자외선 B가 1,000배 정도 강하다. 결론적으로 정오에 화상을 일으키는 자외선은 자외선 B가 90%, 자외선 A가 10% 관여한다. 일광화상을 피해야하는 분은 자외선 B가 문제이지만, 피부노화나 색소침착을 예방해야 하는 경우는 자외선 A까지 철저히 피해야 한다. 자외선은 멜라닌세포를 자극해서 색소침착을 유발하게 된다.

가) 자외선차단제의 사용

자외선차단제는 화학적 자외선차단제와 물리적 자외선차단제로 나눈다. 화학적 자외선차단제는 PABA 에스테르, cinnamate, benzophenones, 살리실산염, anthranilate 등의 성분으로 빛을 흡수하는 역할을 하고 물리적 자외선차단제 산화티타늄, 마그네슘 산화물, 마그네슘 규산물, 아연 산화물, 산화철, 카올린 등의 성분으로 빛을 반사하는 역할을 한다. 빛의 광자를 흡수함으로써 작용하는데 아로마틱 화합물인 벤젠링이 자외선을 무해한 빛으로 바꾼다.

자외선 차단 지수 SPF

SPF(Sun Protection Factor)는 제품이 자외선 B를 차단하는 정도를 나타내는 수치로 제품을 바른 피부와 바르지 않은 피부의 최소 홍반량(MED)의 비로 표시된다. 최소홍반량은 자외선 B를 사람의 피부에 조사한 24시간후 조사한 부분의 거의 전체에서 홍반을 나타낼 수 있는 최소한의 자외선량을 말한다.

SPF = 제품을 바른 피부의 최소홍반량/제품을 바르지 않은 피부의 최소홍반량

자외선 차단 등급 **PA(Protection grade of UVA)**는 제품이 자외선 A를 차단하는 정도를 나타내는 수치로 제품을 바른 피부와 바르지 않은 피부의 최소지속성색소침착량(MPPD)의 비로 표시된다. 최소지속성색소침착량(MPPD)은 자외선 A를 사람의 피부에 조사한 후 2–4시간에 조사영역이 전 영역에 희미하게 색소가 인식되는 최소자외선 조사량을 말한다.

PA = 제품을 바른 피부의 최소지속성색소침착량(MPPD)/제품을 바르지 않은 피부의 최소지속성색소침착량(MPPD)

SPF 30 정도의 제품은 자외선의 95%를 차단하고 SPF 30 이상부터는 차단 효과가 크게 증가하지 않는다. 오히려 사용감이 나빠지고 자극성이 증가하므로 꼭 SPF가 높은 제품을 선택하여야 하는 것은 아니다. 실내 생활이면 SPF 5-10, 운동이나 쇼핑 등의 가벼운 외출에는 SPF 20 전후, 테니스나 골프 등에서는 SPF 35 이상을 사용하고 해양 스포츠 시에는 내수성을 중요시하여, 샤워 후에는 다시 바를 필요가 있다. 또한 겨울에도 SPF 20 정도의 것을 사용하고 여름철에는 내수성의 것을 사용하도록 권장하고 있다.

자외선 차단제는 바르는 것만큼이나 씻는 것도 중요하다. 특히 자외선 차단하는 성분 중 무기 자외선 차단성분으로 많이 쓰이는 산화아연(Zinc oxide), 이산화티탄(Titanium dioxide) 같은 성분은 피부에 바르면 흰색을 띄는 성분으로 땀, 물에도 강해 여러 번 씻어야 한다. 비누 세안만으로는 안 되고 모공 속에 잔여물이 남아있지 않도록 클렌저를 이용하여 깨끗이 씻어내는 것이 좋다.

나) 적절한 자외선 차단제의 사용

레이저 치료 전후에 자외선 차단은 아주 중요하고, 자외선차단제를 사용하고 있냐고 질문하면 누구든지 잘 사용하고 있다고 한다. 그렇다면 다음 3가지를 꼭 확인해 보아야 한다.

"자외선 A도 차단되는 것 바르시나요?"

"글쎄요"하면 탈락이다. 본인이 사용하는 것이 자외선A가 차단되는 것인지 아닌지 잘 모르면 대게 자외선 A는 차단되지 않는 것을 사용하고 있을 가능성이 크다. 자외선 A가 차단되는 것은 더 비싸다. 그래서 제품구매 시 설명을 듣게 되고, 용기 표면에 PA 수치가 적혀있다. 자외선B는 화상반응에 중요하지만 색소침착에서는 자외선A도 중요하므로 자외선 A가 차단되는 제품을 사용해야 한다.

"실내에서도 바르세요?"

"실내에서 왜 발라요?" 하면 탈락이다. 실내에서도 자외선 A는 유리창을 통해서 다 들어온다. 커튼을 사용해도 좋고, 창가에서는 자외선차단제를 사용해야한다. 필자 같이 전혀 빛이 들지 않는 방에서 근무하는 불쌍한 사람은 필요 없다. 형광등에는 자외선이 거의 없어서 햇볕이 들지 않는 실내에서는 자외선차단제는 불필요하다.

"덧바르세요?"

대게는 알고 있는데 귀찮아서 못한다고 한다. 또는 화장을 했는데 어떻게 하냐고 한다. 화장 위에는 스프레이 식이나, 파우더 형태로 덧바르는 방법이 있다. 메이크업 자체는 자외선 차단효과가 크지 않다. 자외선 차단제는 투명해도 자외선 차단이 메이커업보다 훨씬 많이 된다. 그래서 가장 좋은 방법은 메이크업은 하지 않고 자외선차단제만 사용하면서 덧바르는 방법이다.

다) 자외선 차단에 대한 잘못된 상식

- **자외선차단제의 자외선 차단지수가 높을수록 좋다?**

차단지수가 높을수록 피부에 대한 자극이 커지기 쉽다. 따라서 일상생활에서 차단지수가 30정도가 무난하다. 그러나 특별히 자외선이 강렬한 해변이나 해외 휴양지라면 40에서 50 정도까지 사용하는 것이 좋다. 자외선 차단지수와 자외선 차단시간이 비례한다고 흔히 생각하는데 이것이 큰 잘못이다. 자외선 차단지수라는 것은 최적의 조건에서 얼마나 많이 빛이 차단되느냐를 측정한 결과이지 얼마나 오래 차단되느냐를 측정한 것이 아니다. 실제로 자외선 차단지수가 30이라면 자외선차단제를 바른 후 최적의 상태에서 자외선을 쬐면 자

외선이 30분의 1만이 피부표면에 도달한다. 그렇다고 그것이 바로 자외선차단제를 바르면 평소보다 30배 더 긴 시간 동안 햇볕에 노출되어도 된다는 뜻은 아니다. 실제로 30시간 노출되어도 1시간 노출된 정도로만 자외선을 받게 되려면, 바로 이 최적의 상태가 끝까지 유지되어야 한다. 이러기 위해서는 계속 덧발라주어야 하며, 이런 자외선차단지수 측정을 위한 자외선차단제의 실험조건은 자외선차단제를 굉장히 두껍게 발랐을 때의 실험임을 명심해야 한다. 다시 말해 실제상황에서 차단지수가 30인 자외선차단제를 바르면서 일과에 30시간 노출하는 것이 차단제 없이 일광에 1시간 노출하는 것에 해당하는 것이 절대 아니다. 자외선 차단제를 바른 후 시간이 지나면서 차단지수가 큰 제품이나 작은 제품이나 다 효과가 없어진다. 차단지수가 크다고 과신하여 자외선에 장시간 노출되면 화상을 입을 가능성이 크다. 그래서 자외선차단제는 자주 덧발라야 한다.

특히 땀이나 물에 의해 자외선 차단능력이 급격히 떨어지므로 수영을 하는 경우는 더 자주 덧발라야 한다. 수영을 하지 않는 경우라도 2시간마다 덧바르는 것이 좋은데 화장을 한 상태에서는 화장이 지워지지 않는 분무하는 제품이나 파우더나 트윈케익에 자외선 차단제가 포함된 제품을 사용하면 된다.

- **자외선 차단제는 모든 파장의 자외선을 막을 수 있다?**

자외선 차단제에는 물리적으로 차단하는 제제와 화학적 제제가 있다. 물리적 제제는 두껍게 발라야 효과를 낼 수 있으므로 바르고 다니기가 외관상 좋지 않다. 따라서 화학적 제제들이 주로 사용되고 있으며 이들은 자외선 중 자외선 B, 즉 일광

화상을 일으키는 파장을 주로 차단하고 자외선 A
는 효과적으로 막지 못하는 것이 많다.

최근에는 자외선 A를 차단하는 제품이 많이 시
판되며 이런 제품은 자외선 A 차단이 명기되어 있
다. 특히 화상방지 만이 문제가 아니라 색소침착
을 염려하는 분들은 자외선 A가 차단되는 제품을
사용하여야 한다.

• 실내에선 안전하다?

유리를 통하여 들어오는 태양광에서 자외선 B는
대부분 차단되지만 자외선 A는 대부분 통과하므
로 차안이나 실내도 안전하지 않다. 실내에서 자
외선 B는 잘 차단되므로 화상은 잘 입지 않으나 자
외선 A에 의한 색소침착 등의 문제는 여전히 남는
다. 태양이 강렬한 경우 커튼 등으로 실내차광에
도 신경 써야 한다. 형광등은 자외선 양이 미미하
여 크게 염려하지 않아도 된다.

실내조명도 문제가 될 수 있다. 할로겐 램프와
백열등은 텅스텐 필라멘트를 이용하여 제작하는
데 특히 할로겐램프(그림 4-3e)에서는 백열등(그
림 4-3c)보다 강한 자외선이 방출된다. 할로겐 램
프가 아니라도 강한 조도의 등은 자외선을 일부
포함할 수 있어서 강한 조명에 가까운 거리에서
장시간 노출되는 경우 (예: 금속세공사, 백화점
보석매장 점원, 방송인 등)는 문제가 될 수 있다.
튜브형 형광등(그림 4-3f)은 유리내부에 도포된
phosphor에 의해 수은에 의해 발생한 자외선이
완전히 차단되지만, 절전형형광등 (CFL, com-
pact fluorescent lightbulbs)에서 자외선이 완
전히 차단되지 않고 유출된다. 특히 double en-
velope(그림 4-3b) 보다 single envelope(그림
4-3a)에서 심하다.

가시광선은 자외선에 비해 색소침착의 가능성

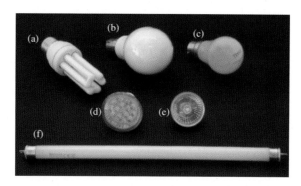

그림 4-3. The risk to normal and photosensitive in-
dividuals from exposure to light from compact flu-
orescent lamps (Harry Moseley & James Ferguson,
Photodermatology, Photoimmunology & Photomedicine
2011, 27, 131-137)

A selection of commonly available types of electrical
lamps: (a) compact fluorescent lamp (single envelope);
(b) compact fluorescent lamp (double envelope); (c) in-
candescent (tungsten filament) light bulb; (d) light-emitting
diode; (e) quartz halogen (tungsten filament) light bulb;
and (f) fluorenscent strip light.

이 현저히 낮으나 짧은 파장의 강한 빛을 방출하
는 LED(그림 4-3d)등의 경우는 열에너지에 의한
proinflmmatory cytokine에 의한 간접자극으로
색소침착의 가능성이 알려져 있다. 자외선차단제
는 가시광선에 대한 차단력이 약하므로 이 경우는
자외선차단제의 효율이 떨어진다.

• 그늘에선 안전하다?

구름 낀 날씨에도 자외선은 맑은 날의 약 50% 정
도가 된다. 구름에 의해 적외선(열선)이 많이 차단
되는데 이로 인해 덥지 않게 느끼게 된다. 덥지 않
으므로 햇볕이 약하다고 느끼게 되나 자외선은 상
당한 양이 있으므로 화상을 입을 수 있다. 그러므
로 구름 낀 날도 안전하지 않다. 나무 그늘 같은 곳
도 직사광선은 약하나, 산란광이 있으므로 완전히
안전한 것은 아니다. 특히 모래나, 콘크리트, 금속
표면, 수면에서 자외선이 잘 반사된다.

• 인공선탠은 안전하다?

요사이 자외선 A 치료기로 인공선탠을 하는 곳이 있는데, 화상을 입지 않으면서 검게 된다고 선전을 한다. 그러나 금방 눈에 띄는 자외선 B에 의한 화상만 문제가 아니라 자외선 A에 의한 피부손상도 장기적으로 문제가 된다.

그리고 인공선탠에 의한 태닝은 자외선 차단의 효과가 없다. 그래서 인공 선탠을 금하고 있는데, 차라리 검게만 하고 싶다면 발라서 착색이 되게 하는 셀프태닝 제품을 권하고 싶다.

• 물속에선 안전하다?

물속에 들어가면 시원해서 햇볕이 약한 줄 착각하나, 자외선이 양은 별로 줄지 않는다. 물속에서도 여전히 자외선 화상을 입으므로 주의해야 한다.

• 적절한 자외선 차단은?

미국피부과학회지 2001년 5월호에 의하면, 여자보다 남자들이 자외선 차단에 소홀하고 그 결과 일광화상을 입는 경우가 많으며, 수영을 하는 사람이 하지 않은 사람보다 화상을 잘 입으며, 부위는 어깨와 등인 경우가 가장 많다고 한다. 이러한 자외선에 의한 피해를 막고자 자외선 차단제의 적절히 사용하여야한다. 그러나 아직도 자외선차단에 대해 잘못 알고 있는 상식이 많아서 이를 짚어본다. 실제 자외선 차단제는 계속 덧발라야 효과가 크다. 그런데 실제로 약 2시간마다 발라주라고 하는데, 미국피부과학회지에 재미있는 보고가 있어서 소개한다. 연구에 의하면 실제 상황에서 2시간 후에 덧바르세요 하면 2시간 후에는 잊어버리는 경우가 많아서 잘 바르지 않는다는 것이다. 그래서 현실적인 대안으로 자외선에 노출되기 전에 바르고 나서 햇볕에 나간 다음 약 15분 후에 다시

한번 발라주는 것이 효과적이라는 연구가 있었다. 현실적인 대안이라고 할 수도 있겠다.

한국 사람들은 한여름(7-8월) 맑은 날 한 낮에 자외선에 무방비로 노출되는 경우 약 1시간 이상이면 대부분의 사람이 화상을 입게 된다. 따라서 자외선 차단을 적절히 하기 위해서 자외선 B와 자외선 A가 동시에 차단되는 자외선 차단제를 사용하고, 선글라스, 모자, 양산 및 긴 옷 등을 함께 사용하고 태양 광선이 강한 오전 11시에서 오후 3시 사이는 되도록 햇볕을 피하는 것이 좋다. 자외선 차단제는 야외에 나가기 30분 전에 발라주고, 2시간 정도마다 다시 발라주며, 물에 들어갔다 나오면 다시 발라주는 것이 좋다.

부득이 과다노출로 화상을 입은 경우엔 냉수와 찬 우유를 섞어서 피부를 찜질해주면 효과가 있다. 소염진통제와 스테로이드연고가 도움이 되며 물집이 생기는 등 심한 화상을 입은 경우 병원치료가 필요하다.

4. 색소침착의 예방

레이저 치료 후에는 색소 침착 혹은 색소의 소실이 부작용으로 발생하게 되는데 동양인에게서는 표층 박피의 경우 주로 색소 침착이 나타나고 깊은 박피술을 시행한 경우에는 색소의 소실이 발생하게 되므로 적정한 박피의 깊이를 유지하는 것이 중요하다.

레이저 시술 후에는 자외선이나 레이저 시술에 의한 염증에 의한 자극이 주위 세포로부터의 사이토카인이나 화학전달 물질의 생성 및 방출을 촉진하고, 멜라닌 세포에서의 멜라닌 생성을 자극하여 염증 후 색소침착을 일으킨다. 자외선 차단이나 항

염증 치료로 색소침착을 줄일 수 있지만, 반대로 자극이 있는 전후처치 외용제의 사용에 의해서 오히려 색소침착을 일으키는 경우도 있다. 레이저 시술 후 염증에 의한 색소침착을 막기 위해 단기간에 강력한 스테로이드 외용제를 사용하기도 한다.

색소침착의 예방은 레이저 박피술을 하기 3-4주 전-처치를 시작하면서 시작되어야 하는데 몇 가지 티로시나아제 억제제, 항산화제, 그리고 레틴A를 함유하고 있는 제품을 사용하거나, 하이드로퀴논(2-4%)+코직산(2~3%) 또는 하이드로퀴논(2-4%)+글리콜산(8-10%)을 병합하여 사용하는 것도 효과적이다. 레이저 치료 후에 사용되는 개별 성분에 대해서는 뒤에서 기술하겠다.

표 4-2 레이저 시술 후의 색소침착의 위험인자

자외선 노출
피부자극
잦은 화장
건조 피부
알레르기성 피부염의 과거력
염증성 피부염의 과거력

레이저 시술 후 회복과정에서 자외선에 노출되거나, 화장을 하고 지우는 과정에서 자극이 되거나, 회복기간에 피부가 외상을 입거나, 회복과정 중 소양증이 발생하여 긁거나, 건조한 피부를 방치하거나 하면 색소침착의 우려가 커진다. 레이저 시술 후에는 자극이 없는 세안제를 사용하고 보습제를 사용하는 것을 기본으로 한다. 더 이상의 화장품은 사용하지 않는 것이 피부회복에는 가장 좋다. 소양증을 방치하면 좋지 않으므로 항히스타민제 등을 사용하여 소양증을 억제한다. 원래 피부염이 있는 피부에서 활동성의 피부염이 있는 상태에서 레이저시술을 하면 색소침착 등 부작용의 가능성이 커진다. 피부염이 있는 상태에서는 피부염

을 치료한 후 레이저치료를 하는 것이 좋으나, 경우에 따라서는 피부재생관리를 하면서 레이저치료를 하면 부작용을 최소화 할 수 있다. 레이저시술 전-처치가 색소침착의 예방에 도움이 된다는 보고가 있지만, 이와 상반되게 시술 전 전-처치가 색소침착의 예방에 도움이 되지 않는다는 보고도 있다. West 등은 100명의 레이저박피 시술환자를 연구하여, 레이저 박피 전에 전-처치를 한 군과 전-처치하지 않은 군에서 시술 후 색소침착의 발생률이 차이가 없었다고 보고하였다.

5. 홍반과 예민한 피부의 관리

레이저 시술, 특히 박피술 등의 깊은 시술을 시행한 경우에는 일시적으로 수개월 간 홍반이 지속되게 된다. 표피성 색소병변의 치료 후나 프랙셔널 레이저 후에도 수개월간 홍반이 지속될 수 있다. 또한 하이드로퀴논이나 레티노인산과 같은 후-처치 약제의 사용이 홍반을 더욱 심화시키기도 한다. 홍반을 감소시키기 위해서는 자극적인 시술 후 관리는 피하는 것이 좋으며 피부 재생을 위해 저출력레이저를 이용하기도하고, 팩이나 마스크를 통하여 수분 공급을 시킨다. 대개의 경우는 시간이 지나면서 홍반은 점점 감소하게 되나 레이저 치료 후에 사용되는 트레티노인 혹은 하이드로퀴논으로 인하여 홍반이 지속되는 경우도 있다.

레이저 시술 후 상처회복과정에서 피부재생을 위해 혈관이 늘어나고 홍반이 있는 것은 정상적인 과정이나, 이것이 너무 오래 지속되면 장기적인 염증을 유발하여 색소침착 등 2차적인 문제를 유발한다. 홍반이 오랫동안 사라지지 않으면 혈관치료 레이저를 이용하여 과도하게 확장된 혈관을 제거

하는 치료를 하는 것이 도움이 된다는 주장이 있다. 혈관치료레이저를 언제부터 시행하면 좋은지에 대한 연구 혹은 일치된 의견은 없으나 필자는 시술 후 1개월 후부터 고려한다.

6. 피부의 보습

박피술 후의 피부는 표피를 통산 수분의 손실이 많기 때문에 수분을 유지하는 것이 매우 중요하다. 특히 박피술 후에 트레티노인을 사용하는 경우는 보습제가 필수적이다. 그렇지 못할 경우 피부가 거칠어지며 인설이 발생하여 지저분한 느낌을 갖게 되고, 여성의 경우 화장이 잘 되지 않거나 외부 자극에 쉽게 민감해지게 된다. 그러므로 부드럽고 매끄러운 피부를 유지하기 위하여 피부의 수분이 필수적인 요소가 된다.

보습제는 건조 피부의 일차적인 치료제로서 물과 잘 섞이면서 피부에 도포 시 각질층 수분함유량을 유지시키며, 각질세포에 주로 존재하는 자연보습인자의 습윤 기능과 피부에 소수성의 밀폐막을 형성하여 수분의 증발을 억제하여 각질층의 수분을 유지시키는 피지와 유사한 밀폐의 기능을 이용한 제품이다.

피부의 보습을 도와주는 것에는 밀폐제(occlusive agent)와 습윤제(humectant)의 2가지 종류가 있는데 밀폐제는 정상 피부의 피지막과 유사한 기능으로 피부 표면에 불투과성 기름막을 형성하여 수분이 증발되는 것을 막아주는 역할을 한다. 밀폐제를 피부에 도포한 경우 뛰어난 밀폐 효과를 줌으로서 피부의 보습효과를 높이고 피부를 부드럽고 매끄럽게 만들어주며 피부가 벗겨지는 것을 방지하고 각질층에서 수분의 증발을 막아주는 효과를 보인다. 그러나 밀폐제는 일부에서 끈적거리고 기름져서 사용하기 불편한 경우가 있다.

다른 한 가지인 습윤제는 수분에 강한 친화성을 가진 물질로서 주위의 수분을 끌어당겨 수분을 유지하는 기능을 한다. 주로 수분에 의해 소실되기 쉬운 자연보습인자를 대치하는 역할을 한다. 하지만 저온 건조한 환경에서 피부 습윤제가 피부로부터 수분을 흡수하여 피부의 건조를 더욱 악화시킬 수 있고 수분의 소실을 방지하는 효과가 피부 밀폐제보다 떨어지는 단점이 있다. 따라서 피부 습윤제는 습윤한 환경에서 더 효과적이다. 피부 습윤제에는 글리세린(glycerine), 프로필렌글리콜(propylen glycol) 등이 대표적이다.

시중에는 여러 종류의 보습제가 나와 있다. 이들 제품은 피부 습윤제와 피부 밀폐제의 조합으로 만들어져 있고 로션이나 연고, 크림의 형태로 판매되고 있다. 보습제는 세수 후나 목욕 후 피부에 수분이 충분한 상태에서 즉시 보습제를 바르는 것이 최대의 효과를 얻을 수 있다. 레이저 시술 후에 피부를 보호하면서 시술의 효과를 증대시키기 위하여 항상 피부의 수분을 유지시키는 노력이 있어야 한다.

7. 멍의 관리

시술 후 멍이 드는 경우 일반적으로 별 회복 방안이 없다. 시간이 지나면서 저절로 멍은 사라지게 된다. 비타민 K, 아르니카, 아피제닌 등이 멍을 제거하는데 도움이 되므로 이런 성분이 포함된 제품을 사용하기도 한다. 멍이 너무 불편을 초래하면 멍의 성분인 헤모글로빈에 흡수되는 파장을 이용한 레이저 치료를 시도하기도 한다. 다시 말해 멍에 대해서 다시 혈관치료레이저나 IPL로 치료하여 멍을 빨리 제거하기 위해 노력하기도 한다.

II. 레이저 시술 전후에 사용되는 약제 및 화장품

1. 미백제 개괄

가) 멜라닌색소에 대하여

피부는 우선 가장 바깥쪽의 표피와 그 아래의 진피 그리고 진피 아래에는 지방층이 있다. 얼굴의 피부두께는 표피와 진피 합해서 약 2mm 정도이다. 표피는 두께가 약 0.1mm 정도이다. 간혹 피부

표 4-3. 미백제의 종류와 작용기전

하이드로퀴논	tyrosinase의 활성 억제 멜라닌세포의 파괴, 멜라노좀의 분해
알부틴	tyrosinase의 활성 억제 자외선에 의한 멜라닌세포의 수상돌기 형성 생산 억제 슈퍼옥시드 음이온 및 하이드록시 레디칼 생산 억제
레티노인 산 (비타민 A)	tyrosinase의 활성 억제 각질형성세포의 턴오버 항진
Kojic 산	tyrosinase의 활성 억제 DHI와 중간대사물을 형성하여 멜라닌 폴리며 생성 저해
비타민 C 유도체	tyrosinase의 활성 억제 Dopaquinone을 Dopa로 환원 산화형 멜라닌을 환원
비타민 E	tyroynase의 활성 억제 DHICA 폴리머라제의 활성 억제
α 하이드록시산 (AHA)	tyrosynase의 활성 억제 색소과립의 확산 항진 각질형성세포의 턴오버 항진

가 벗겨져서 하얗게 보이다가 잠시 있으면 점상 출혈을 보이는 경우가 있다. 이 정도의 두께가 바로 표피가 살짝 벗겨져서 진피의 최상부에 있는 혈관에서 피가 나는 상태이다. 이런 얇은 표피는 아래쪽은 약 10층의 살아있는 세포로 구성되어 있고, 그 상부에는 죽은 세포층인 각질층으로 덮여있다. 표피의 구성세포는 각질형성세포와 멜라닌세포가 있다. 멜라닌세포는 표피 중에서 가장 깊은 곳에 위치한다. 표피의 바닥에 즉, 기저층이라고 하는 곳에 멜라닌세포가 있다.

• 멜라닌세포에서 하는 일은 바로 멜라닌을 만들어내는 것이다.

애초에 멜라닌을 만드는 이유는 멜라닌이 바로 유해한 자외선으로부터 피부를 보호해주기 때문이다. 흑인은 멜라닌색소를 많이 만들고, 백인은 적게 만들고, 황인종은 중간이다. 이렇게 만들어진 멜라닌색소는 멜라닌세포에만 있는 것이 아니라 주위의 각질형성세포로 이동하게 된다. 특히 색소질환이 있는 경우는 주변 각질형성세포의 멜라닌의 양이 증가한다. 각질형성세포는 바로 기저층(표피의 가장 깊은 곳)에서 만들어져서 점점 위로 밀려 올라간다. 계속해서 기저층에서 새로운 세포가 만들어지므로, 기존의 각질형성세포는 점점 밀려서 위로 올라간다. 각질형성세포에는 멜라닌색소도 포함되어 있는데 멜라닌색소도 결국 각질형성세포가 피부에서 떨어져 나가면 같이 떨어져 나가게 된다. 각질형성세포가 기저층에서 만들어져서 위로 올라가서 각질층이 되고, 다시 떨어져나가는 것을 반복한다. 사람의 피부는 매일 때를 벗는 것이다. 뱀의 경우는 가끔씩 허물을 벗지만, 사람은 매일 허물을 벗는 것이다. 이런 세포주기는 약 한 달이 소요된다. 그런데 나이가 들면서 이런

세포주기가 점차 느려지게 되며, 결국 세포주기가 약 2달로 늘어나게 된다.

• 나이 들면 색소질환이 생기기 쉽다.

각질형성세포의 주기가 늘어나면 각질형성세포가 만들어진 후에 느리게 위로 올라가게 된다. 멜라닌세포는 표피의 기저층에 고정되어있다. 이런 멜라닌세포는 주변의 각질형성세포에 멜라닌을 공급한다. 이런 현상은 표피의 깊은 곳에서 일어나고 각질형성세포가 위로 올라가면 멜라닌세포의 영향에서 벗어나게 된다. 나이든 피부에서는 각질형성세포의 이동이 느려서 멜라닌세포와 접촉하고 있는 시간이 길어지게 된다. 이런 이유로 멜라닌색소를 많이 전달받아서 여러 가지 색소질환의 가능성이 높아지게 된다. 이런 이유로 박피를 하면 피부재생속도를 높임으로서 각질형성세포가 멜라닌세포와 접촉하는 시간이 줄어들고 멜라닌세포에서 각질형성세포로의 멜라닌색소의 이동이 줄어들어서 색소질환이 호전된다. 기미의 치료에서 사용하는 박피도 이런 효과가 있다. 즉, 박피에 의해서 세포의 turn over를 증가시키면 각질형성세포 내의 멜라닌색소가 줄어든다고 설명한다.

• 멜라닌세포는 햇볕을 보면 멜라닌색소를 만든다.

멜라닌세포가 자극이 되면 멜라닌색소를 더 많이 만들어낸다. 그런데 이런 자극에는 피부염증, 여러 호르몬(알파 MSH 등), 여러 싸이토카인(IL-1, TNF-알파, GM-CSF 등)이 있지만 가장 중요하고 예방 가능한 것이 바로 자외선이다. 자외선 A와 B는 멜라닌세포를 자극하여 멜라닌색소 생산을 자극한다. 기미나 주근깨가 있는 경우 여름에 수영장이나 휴가를 다녀온 후에 색소가 진해지거나 번지는 경우를 흔히 보게된다. 자외선의 차단은 그래서 아주 중요하다.

• 멜라닌색소에는 두 종류가 있다(그림 4-4).

멜라닌색소에는 두 종류가 있다. Eumelanin은 색상이 더 진하고 어두우며 황인종이나 흑인의 피부에 많으며, pheomelanin은 더 연하고 백인의 피부에 많다. 멜라닌은 표피의 기저층에 존재하는 멜라닌 세포에서 tyrosine이 효소 및 비효소적 산화반응을 거쳐 생성된다. 멜라닌은 tyrosine이 3,4-dihydroxyphenylalanine(dopa)로 hydroxylation되는 과정을 시작으로 dopaquinone, dopachrome의 과정을 거쳐 멜라닌으로 합성되는데 dopachrome은 자연히 decarboxylation되어 DHI(dihydroxyindole)가 되며 빠르게 산화되어 indole-5, 6-quinone이 된다. 그러나 특정한 금속이온과 효소가 있는 경우 carboxylated intermediate인 DHICA(dihyduoxyinkole carboxylic acid)가 만들어지며 DHICA-oxidase의 작용을 받아 indole-5, 6-quinone-2-carboxylic acid가 되며 이후 eumelanin이 형성된다. 그러나 dopaquinone이 cysteine이나 glutathione과 같은 SH 화합물을 만나게 되며 cysteinyldopa가 만들어지고 결국에는 pheomelanin이 만들어진다. 멜라닌의 합성과정은 산화반응이므로 과거에는 tyrosinse의 한 가지 효소만 있으며 멜라닌 색소가 형성된다고 생각하였다. 그러나 분자생물학이 발전하면서 tyrosinase와 유사한 유전자가 몇 가지 발견되었는데 이들은 tyrosinase related protein(타이로시테이스와 유사한 단백질)이라고 불리게 되었으며 tyrosinase related protein-1(TRP-1) 및 tyrosinase related protein-2(TRP-2, Dopachrome tautomerase)등이 알려

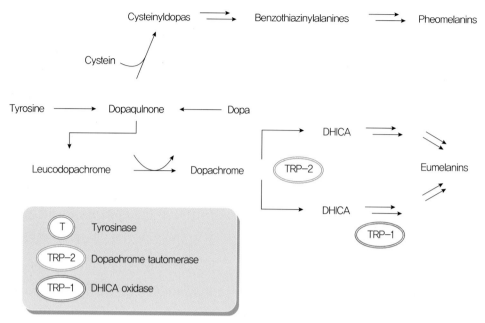

그림 4-4. 멜라닌색소의 형성과정

져 있다. TRP-1과 TRP-2의 두 효소는 비교적 최근에 밝혀져 많은 연구가 진행되고 있는데 TRP-1은 DHICA를 산화시키므로 DHICA oxidase라고 불리며 TRP-2는 dopachrome tautomerase라고 불린다.

• 멜라닌합성에는 여러 효소가 관여한다

(그림 4-4)

멜라닌형성에는 tyrosinase를 포함하여 TRP-1(DHICA oxidse)와 TRP-2(dopachrome tau-tomerase)와 같은 효소들이 관여한다고 알려져 있다. 이 세 가지 단백질은 유전자 구조가 유사하여 tyrosinase gene family라고 불리며 tyros-inase에 대한 항체를 사용하여 클로닝 되었으므로 유사한 epitope를 갖고 있을 것으로 추정할 수 있다. 이 외에도 생쥐의 silver locus에 해당하는 pmel17 유전자 등도 알려져 있다. 이런 멜라닌 합성에 관여하는 효소들은 바로 미백제의 개발에 있어서 중요한 역할을 한다. 다음과 같은 다양한 멜라닌생산효소들이 미백제의 치료목표로 설정되어 있다. 즉, 많은 미백제들이 다음의 효소들을 억제하거나 방해하여 멜라닌생산을 억제하는 것이다.

a) Tyrosinase

Tyrosinase는 두 가지 기능을 하고 있으며 분자량은 66.7 kDa정도로 알려져 있는데 유전자는 염색체 11q14-21에 위치하고 있고 5개의 exon으로 구성되어 있다. 색소형성에 관여하는 가장 첫 단계의 효소이므로 이상이 있는 경우 소위 타이로시네이스 음성 백색증이 발생된다.

b) Dopachrome tautomerase

TRP-2의 산물로서 TRP-2 locus는 생쥐의 slaty locus에 해당된다. Dopachrome을 decar-boxylated intermediate인 DHI보다는 carbox-ylated derivative인 DHICA로 전환시키는 기능

을 갖고 있다. 크기도 tyrosinase와 유사하다.

c) DHICA oxidase

TRP-1의 산물로서 TRP-1 유전자는 생쥐의 brown(b) locus에 해당된다. DHI보다는 DHICA를 주로 산화시킨다.

d) Lysosome-associated membrane protein(Lamp)과 Lamp gene family

멜라노좀과 lysosme은 매우 유사하며 멜라닌세포에 자외선이 조사되면 tyrosinase와 Lamp gene family의 발현이 동반되어 증가한다. Lamp-1은 멜라노좀의 안쪽 면에 존재하여 멜라닌형성과정 중에 발생하는 유리산소를 제거하는 역할을 하리라 추정되고 있다. 또한 Lamp-2, Lamp-3 등도 melanosomal protein과 연관성이 있는 것으로 알려지고 있다

나) 미백제의 작용기전

하얀 피부가 미의 상징인 우리나라에서 과색소성 실환을 치료하기 위한 미백제의 개발은 상업적으로 매우 큰 가치가 있다. 미백이라 하면 검은 색소의 색조를 옅게 하거나, 색소의 생산을 억제하는 기능을 말한다. 미백효과는 여러 가지 기전에 의하여 나타날 수 있는데 (1) 멜라닌색소의 환원, (2) 멜라닌세포 내에서의 멜라닌의 생산 억제, (3) 주위 세포로부터의 전달물질(싸이토카인)에 의한 멜라닌세포(melanocyte)의 활성 억제, (4) 멜라닌세포에서 생성된 멜라닌의 각질형성세포(keratinocyte)로의 이행 저해, (5) 표피 재생 순환(turn over)의 촉진 등이 있다. 미백제는 피부의 멜라닌 생성을 억제하고 배설을 촉진시키는 것을 목적으로 한다.

a) 멜라닌의 환원

멜라닌을 환원시킬 수 있는 항산화제에는 토코페롤, 비타민 C 유도체 등이 있다. 그러나 토코페롤, 비타민 C 등의 항산화제는 흡수가 미미하여 효과를 크지 않은 것으로 알려져 있다.

b) 멜라닌 색소생성을 억제

현재까지 미백제의 개발은 tyrosinase를 억제하는데 치중되어 왔다. Tyrosinase는 색소 형성의 첫 단계에 작용하는 효소로서 구리이온이 효소의 작용에 필수적인 것으로 알려져 있다. Tyrosinase는 두 개의 구리이온 binding domain을 가지고 있으며 백색증의 경우 많은 유전자 이상이 이 부위에 집중적으로 발견되고 있어 tyrosinase 작용에 매우 중요한 부위임을 알려주고 있다. Tyrosinase의 작용기전으로 볼 때 여러 가지 방법에 의하여 타이로시네이스의 작용을 억제할 것으로 추측된다. 폴리페놀 유도체, 트로폴론(Tropolones) 유도체 등의 구리이온의 킬레이드 작용에 의하여 효소의 억제효과가 있으리라 기대되며 가장 성공적인 예는 코직산(Kojic acid)을 예로 들 수 있다. 반면에 linoleic acid 등은 tyrosinase 효소를 비활성화시키나 구리이온의 킬레이트 효과는 없는 것으로 알려져 있다. Linoleic acid은 불포화지방산으로 자외선에 의하여 peroxidation되므로 tyrosinase의 재활성화를 방지하기 때문이 아닌가 생각된다. 또한 항산화제인 비타민 E도 tyrosinase를 억제하여 미백효과가 있을 것으로 기대되나 비타민 E의 분자의 크기가 커 실제효과를 기대하기는 어려울 것으로 생각된다. 플라보노이드계 물질 역시 항산화 기능을 가지고 있으며 tyrosinase의 작

용에 중요한 구리이온과 킬레이트 작용을 할 것으로 기대된다. 이와 같이 최근까지 개발된 미백제는 주로 tyrosinase 효소의 억제효과를 주 효능으로 연구하여 왔으나 현재까지의 결과는 기대하였던 것에 비하여 효과가 크지 못하였다.

c) 싸이토카인의 발현 조절

최근에는 멜라닌의 합성경로보다는 멜라닌세포의 생물학적 조절에 대한 연구가 많이 진행되어 감에 따라 멜라닌세포와 멜라닌세포의 주위환경의 조절에 의하여 멜라닌 생산을 조절하고자 하는 노력이 시작되고 있다. 근래 연구자들이 각질형성세포에 스테로이드를 처리한 결과 자외선이 조사되는 경우 각질형성세포로부터 생산되는 ET-1, GM-CSF 등의 생산이 억제되는 소견을 얻은 것은 성장인자 혹은 싸이토카인의 조절을 통하여 멜라닌의 생산을 조절할 수 있는 대표적인 방법을 제시한 것이라 생각된다. 또한 타이로시네이스 외에 다른 효소를 억제하거나 멜라노좀의 형성을 저해하는 방법 등도 개발되고 있다.

d) 표피 재생순환의 촉진

표피의 턴오버를 증가시키기 위한 성분은 gly-colic acid, retinoic acid 등이 있다. 표피의 턴오버가 증가하면 각질형성세포가 멜라닌세포와 접촉하는 시간이 짧아져서 멜라닌세포에서 각질형성세포로의 멜라닌색소이동이 감소하고, 표피의 멜라닌색소량이 감소하게 된다.

2. 트레티노인(Retinoic acid, Retin A)

1971년 세계 최대 제약회사 중하나인 Jhonson and Jhonson과 저명한 피부과 의사인 미국 펜실바니아대학의 Kligman은 여드름 치료제로 tret-inoin 성분을 개발하였다. 이를 레틴 A라고 명명하였다. Tretinoin은 retinoic acid라고도 불리며 비타민 A의 유도체이다. 이 여드름 치료제를 사용하던 중에 피부가 부드러워지고, 주름이 펴지는 현상을 발견하게 되었다. 이 후 Cordero가 1983년, Kligman이 1984년 레틴 A의 광노화 피부에서의 치료효과에 대해 발표하였다. Jhonson and Johnson은 FDA에서 레틴 A의 주름살 제거효과를 인정받고자 했으나 오랫동안 지연되다가 1996년에 FDA 공인을 받게 된다. 개발비 10억 불 이상을 들이고, 개발된 지 20여년 만에 의사 처방에 의해 약국에서 구입하는 피부노화치료 약품으로 인정된 것이다. 그 사이 다른 여러 기관에서의 연구도 레틴 A가 주름살을 개선하고, 피부의 거침을

트레티노인이란?

1세대 레티노이드 중 하나로서 비타민 A가 산화되어 발생하는 비타민 A 유도체이다. 1970년대부터 여드름을 치료하는 데 사용되어 왔으나 사용한 환자들에게서 여드름이 좋아지는 것 이외에도 환자들에서 피부 감촉과 톤이 점차적으로 향상되는 것이 발견되면서 주름제거, 기미, 여드름 치료용으로 사용되기 시작하였고 최근에는 레이저 치료 전후에 가장 많이 사용되고 있는 약제 중에 하나이다. 특히 레이저 박피술 전 피부 관리에서 트레티노인을 사용하는 이유는 각질층의 두께를 균일하게 해주면서 전반적인 두께를 줄여주는 주어 레이저 박피술의 효과를 높여 주면서 다른 약물의 피부 침투성을 증가 시켜 효과를 높여주기 때문이다. 트레티노인은 각질형성세포의 증식을 자극하기 때문에, 필링 시술시 지나치게 지연될 수도 있는 피부 재생 단계를 용이하게 한다.
트레티노인은 제제의 안정성이 떨어지기 때문에 빛이 들지 않는 저온에서 보존을 철저히 하고, 조제 후에 1개월 이내에 사용하는 것은 원칙으로 한다.

완화하고, 흑자를 밝게 하고, 광선각화증을 개선한다는 등의 수많은 임상연구결과를 발표하였다. 레틴 A는 피부표피에서는 지나친 각질을 제거하고, 표피의 두께를 두껍게 하고 튼튼하게 하는 효과가 있고, 진피에서는 노화피부에서 감소하는 콜라겐의 생성을 유도하는 효과가 인정되고 있다. 콜라겐은 피부가 노화함에 따라 진피에서 감소하게 되는데 레틴 A는 콜라겐을 생산하는 섬유세포에 작용하여 섬유세포가 콜라겐을 많이 만들도록 유도하게 된다. 콜라겐이 많아지면 피부가 탄력을 되찾게 되고 주름이 펴지게 된다. 그래서 레틴 A는 피부노화의 제 현상을 개선하고 주름이 펴지게 한다. 레틴 A의 사용시에 피부가 자극되는 현상을 경험하는 경우가 많이 있는데 이는 대부분 약물을 과도하게 많이 사용한 경우이다. 실제로 레틴 A는 다양한 농도로 출시되고 있는데, 처음 사용시에는 저 농도에서 시작하여 점차 강한 농도로 사용하고, 바르는 양을 조절하여 피부에 심하게 자극이 되지 않고 미세하게 각질이 일어나는 정도로 사용하면 적당하다. 어쨌든 레틴 A의 자극증세는 레틴 A가 주름개선의 확실한 효과가 있음에도 불구하고, 대체 약물 혹은 기능성 화장품을 찾게 하는 이유가 되었다. 이 후 레틴 A의 피부 자극증세를 완화하고자 부드러운 기제를 사용하여 자극증세를 줄인 Renova라는 레틴A 성분이 개발되었다. 이 제품은 레틴 A를 미세한 캡슐에 싸서 만들었는데, 이 캡슐에 작은 구멍이 있어서 서서히 레틴 A가 분비되면서 피부자극이 줄어들게 되었다.

이렇게 FDA가 확고하게 주름개선의 효과를 인정되고 있는 레틴 A에 대해서도 그 효과가 단지 피부가 자극되어서 피부가 부어서 주름이 펴진 것이지 진정한 효과는 아닐 것이라는 의문이 제기되기도 했다. 이러한 의문은 여러 가지 이유로 반박

되었다. 레틴 A의 사용시 자극이 되지 않는 정도로도 주름이 완화된다는 사실, 레틴 A를 끊고 수개월이 지나서 자극이 전혀 없는 상태에서도 주름개선의 효과가 남아있다는 사실, 레틴 A로 주름이 좋아진 부위에서 조직학적으로 피부자극의 증거가 없다는 사실 등이다. 수많은 연구와 레틴 A의 효능에 대한 반박을 다시 반박하면서 레틴 A의 피부노화 개선 효과는 널리 인정되고 있다.

가) 작용기전과 조직학적 변화

트레티노인은 표피 기저층에서의 세포분열을 촉진시켜 손상 받은 세포의 탈락을 촉진하고 새로운 표피 세포로 바꾸어 준다. 이러한 표피 재생 순환의 항진의 결과로서 모피지선 단위에서 피지 배출이 용이해지고 기저층의 멜라닌세포로부터 각질형성세포로 이행하는 멜라닌의 배설이 촉진됨과 동시에 멜라닌 색소의 형성을 감소시키고 균일하게 분포시켜 피부에 색소 침착이 있는 부위가 더 옅어지거나 사라지는 경향을 띠게 된다. 따라서 치료를 시작하고 몇 개월이 지나면 표피의 멜라닌 함량이 계속적으로 줄어들고 피부색이 밝아지게 되어 얼굴의 기미, 잡티, 주근깨 등 색소성 질환 치료와 과색소 침착에 사용된다.

또한 트레티노인은 진피층에서 섬유아세포의 콜라겐 생산과 진피의 세포외간질의 모든 구성 요소들의 생산을 자극하여 광노화로 손상된 콜라겐 층은 없어지고 대신 새로운 두꺼운 콜라겐층이 형성되어 콜라겐 섬유를 일정한 방향으로 배열시킨다. 트레티노인은 표피를 전반적으로 두껍게 해주면서도 각질층(stratum corneum)은 상대적으로 얇게 만든다. 따라서 트레티노인을 필링 전의 전관리에 사용하면 산의 침투력을 강화할 뿐만 아니

라 기저층에서 각질형성세포가 재생되는 과정에도 자극을 주게 된다. 직장 근무 등으로 인하여 레이저 시술이 어려운 환자들에게서 트레티노인 연고만을 외용으로 사용하여 어느 정도 효과를 거둘 수 있는 것으로 생각한다.

나) 부작용

트레티노인을 사용하면 홍반, 가피탈락, 작열감 등의 부작용이 있어 이에 주의하여야 한다. 사용 후 처음 2-3주 동안은 보습, 보호 기능을 수행하는 각질층을 감소시켜 각질이 생기고 피부가 건조해지는 것을 경험한다. 그러나 이와 같은 부작용은 자연스러운 현상으로 2-3개월 정도 장기간 사용하면 사라지게 되므로 자극 반응이 심하지 않다면 치료를 계속한다. 그러나 자극 반응이 심하다면 며칠 간 사용을 중지하거나 저 농도의 제품의 사용한다. 만약 피부가 여전히 민감하다면, 처음에는 이틀에 한 번, 또는 사흘에 한 번만 사용하게 하다가 2-3개월 동안 점차적으로 하루에 한번 도포로 증가시킨다.

일부 환자에서는 트레티노인의 이용이 오히려 피부 염증 자극을 일으켜 과색소 침착을 일으키는 경우가 있다. 이때 염증 반응을 줄이기 위해서 외용 스테로이드연고를 트레티노인과 같이 사용하기도 한다. 트레티노인은 햇빛에 대한 광과민성을 증가시키므로 밤에만 사용하고 아침에는 씻어내야 한다.

다) 기형발생과 트레티노인(teratogenicity of tretinoin)

현재 트레티노인이 어떤 기형발생을 갖고 있다고 공식적으로 밝혀지지 않은 상태이지만 레티노익산인 트레티노인이 세포핵으로 침투되어 유전자들의 발현을 변경하는 것은 확실하다. 따라서 임신부에게서 복용 비타민 A 제제는 피하는 것이 좋다. 다른 비타민 A 유도체와 마찬가지로 기형 발생이 문제가 될 수 있으나 국소적인 외용에서는 문제가 없다고 생각되어지고 있다.

3. 레티놀

현재 주름제거 내지 예방 화장품에 광범위하게 이용되는 '레티놀'이라는 성분이 있다. 대부분의 소비자들은 레틴A와 레티놀이 다른 성분임을 모르고 있다. 레티놀이 레틴A 대체 품목으로 등장하게 된 배경에는 화장품회사의 남다른 노력이 있었다고 본다. 손쉽게 구입하는 화장품에 노화방지 내지 치료제가 있다하니 소비자 입장에선 반가운 일이다. 이런 레티놀 제품은 병원에서 처방받지 않고 바로 화장품가게에서 구입할 수 있고, 레틴A에서 보이는 피부자극도 없이 주름이 펴진다고 하고 반가운 일이다. 그러나 진실은 그렇게 쉽지 않다.

레티놀은 retinyl palmitate, retinal 그리고 retinoic acid와 함께 비타민 A의 한 종류이다. 이 중에서 피부세포에서 작용하는 것은 retinoic acid(Retin A)가 유일하다. 다른 성분들은 피부를 통과하면서 피부세포에 의해 retinoic acid로 변화해야 효과가 있다. 레티놀의 경우 어떤 정도 비율로 retinoic acid로 바뀌는 지 정확하지 않지만, 아주 소량이 retinoic acid로 바뀌는 것으로 알려져 있다. 이 경우 레티놀이 피부자극을 유발하지 않는 장점을 보이는 정도의 농도로는 retinoic acid로 바뀌는 양이 적어서 피부노화를 치료하는 효과가 미미하고, 충분한 농도로 만들어서 피부에 바르는 경우는 retinoic acid로 바뀌는 양이 많아져서 효과가 있지만 이 경우는 레티놀도 매우 고농도여서 retinoic acid와 마찬가지로 피부에 자극을 주게 된다. 결론적으로 지금처럼 피부에 자극이 없이 피부노화가 개선된다는 개념으로 제작된 레티놀 제품으로는 피부노화의 개선을 기대하기가 쉽지 않다. 이보다 먼저 FDA에서 공인된 피부노화 개선의 유일한 약품인 레틴 A를 마다하고, 효과가 불확실한 레티놀이 많이 사용되는 것은 놀라운 일이다. 이는 레티놀이 레틴 A보다 구입이 쉽기 때문이기도 하지만, 레티놀을 판매하는 화장품회사의 마케팅의 승리라고 할만하다. 피부과 의사의 입장에서는 수많은 연구에 의해 효과가 입증된 레틴 A를 제쳐두고 불확실한 근거로 레티놀을 피부노화의 개선을 위해 권장할 수는 없는 입장이다. 레티놀이 레틴 A에 버금가는 노화방지효과가 있음은 증명된 바가 없는 것이다. 화장품은 인체에 대한 작용이 경미한 것으로 정의된다. 효과가 확실한 것은 약으로 분류가 되는 것이다. 처음부터 약(레틴 A)이 아닌 화장품(레티놀)으로 대단한 것을 기대한다면 그렇게 기대하는 사람의 양식이 문제이다. 그리고, 가시적인 효과를 요구하고 있는 소비자에 부응하여 메이커가 지나친 광고와 홍보를 한다면 오히려 신뢰를 상실하고 외면당할 것이다. 레티놀에 의해 단점으로 지적받은 레틴 A의 피부자극은 주로 잘못된 사용에 의한 것이다. 레틴 A의 올바른 사용법은 피부가 빨갛게 되는 정도의 심한 자극이 일어나지 않게 레틴 A를 사용하는 것이다. 레틴 A를 사용하면서 조금씩 피부가 각질이 생기는 정도의 적당한 농도와 적당한 양을 사용하여야한다. 이를 위해 레틴 A는 여러 농도로 만들어져 약국에 있다. 처음에는 저 농도로 사용하여

피부자극이 줄어들면 점점 고농도로 사용하게 된다. 레틴 A의 효과는 약 3개월 사용 후부터 주름이 줄어드는 것을 느끼게 된다. 최고의 효과는 사용후 8-12개월 후에 나타난다. 이후에는 일주일에 두세 번 바르면서 효과를 유지하게 된다.

4. 알파하이드록시산(alpha hydroxy acid, AHA)

피부노화의 예방으로 AHA 제품 역시 화장품시장에서 선풍적인 인기를 얻고 있고, 고가에 판매되고 있다. 알파하이드록시산(AHA)은 아주 오래 전부터 피부 미용에 이용되어 왔다. 역사적으로 클레오파트라가 젖산을 함유한 우유로 목욕을 했다는 기록이 있고, 프랑스 왕실의 여성들은 상한 포도주로 얼굴을 씻었다는 이야기가 있다. AHA에는 5종류가 있는데, glycolic acid, lactic acid, malic acid, tartaric acid, citric acid가 그것이다. 알파하이드록시산 중에서 가장 널리 사용되는 것은 글리콜산이지만 젖산, 구연산 등도 많이 사용되고 있다.

알파하이드록시산은 농도에 따라 저 농도(10%까지), 중간 농도(50% 까지), 고 농도(50-70% 까지)의 3가지로 구분되며 저 농도의 알파하이드록시산은 화장품의 형태로 사용되고, 중간 농도와 고농도의 알파하이드록시산은 화학 박피술에 많이 사용된다. 저 농도의 알파하이드록시산은 미처 탈락하지 못한 각질세포의 결합을 약하게 하여 탈락이 쉽게 일어나게 한다. 각질세포가 탈락함에 따라 피부는 더 부드럽고 젊어진다. 또한 글리콜린산은 물을 흡수하는 습윤제로 작용하여 피부의 수분을 증가시킨다. 각질층의 수분의 함량이 증가하

면 피부가 팽창되어 잔주름이 없어지고 거친 피부가 부드러워진다. 그 외 알파하이드록시산은 항산화제의 효과를 가지고 있고, 색소성 질환에도 장기간 사용하면 침착된 색소를 감소시킨다. 알파하이드록시산은 레틴산과 같이 사용하여 피부 노화 치료에 대한 효과를 증가 시킬 수 있다. 낮에는 알파하이드록시산을 바르고 밤에는 레틴산을 바른다.

AHA는 피부각질세포의 결합을 느슨하게 해서 각질층에서 피부각질세포가 잘 벗겨지게 하는 성분은 피부를 매끈하고, 부드럽게 하며, 피부의 칙칙한 색조를 밝게 하는 것이 사실이다. 그러나, 이런 효과는 죽은 각질층이 잘 벗겨지지 않는 피부에서, 과도하게 형성된 각질을 제거하고, 그 아래에 있는 비교적 싱싱한 피부세포가 피부 가장 바깥층으로 나오게끔 유도함으로써 피부개선효과가 있는 것이지, 더 젊은 피부세포가 AHA에 의해 만들어지고 있다는 증거가 되지는 못한다. 즉 말해서 피부노화의 치료 효과가 있다고, 아직 FDA에서 인정받지 못하고 있다. 보통 가정에서 사용하는 화장품에 포함된 glycolic acid의 농도는 약 10% 정도이하이다. 이런 농도는 피부노화 개선은 분명하지 않지만, 피부의 모습을 개선하는 것은 분명하다.

5. 비타민 C

비타민 C는 아스코빅산으로 알려진 항산화제이다. 비타민 C의 미백효과가 레이저치료 전후에 많이 이용되고 있다. 경국 복용, 국소제제, 이온화된 비타민 C를 이용한 전기이온영동법이 흔히 사용된다. 비타민 C는 제제에 따라 산성을 띠고, 이온영동시 전기를 사용하게 되므로 이런 것들이 피부

에 특히 레이저 치료 후 손상된 피부에 자극을 줄수 있음을 고려하여 사용하여야 한다.

가) 비타민 C의 3가지 작용

a) 항산화작용

피부는 항상 외부 환경에 노출되어 있다. 자외선은 피부에 가장 영향을 미치는데 자외선에 의해 피부는 늘 손상을 받고 있다. 자외선에 의해 피부에는 활성화산소가 발생한다. 활성산소는 피부노화의 주범으로 알려져 있다. 비타민 C는 항산화제로 이런 활성산소의 작용을 억제한다. 그래서 비타민 C가 노화방지 효과가 있다. 비타민 E도 같은 작용을 하지만, 비타민 C와 같은 피부에 미치는 다른 좋은 효과(미백효과, 콜라겐 합성)가 없어서 피부의 경우는 비타민 C를 많이 사용한다.

b) 콜라겐 합성

이외에도 비타민 C는 진피의 주성분인 콜라겐합성에 보조역할을 한다. 이런 효과로 인해 주름 개선과 예방 효과가 나타나게 된다. 괴혈병이라는 것이 있다. 배를 타고 먼 바다로 몇 달씩 항해하던 선원들이 입에서 피를 토하고 죽어가던 제국주의 시절이 있었다. 결국 신선한 채소를 섭취하지 못하여 이런 병이 생긴 것이고 이때 필요한 것이 비타민 C라는 것이 나중에 알려졌다. 비타민 C는 사람과 영장류에서는 체내합성이 되지 않고 음식으로 섭취할 수밖에 없다. 비타민 C가 부족한 경우 피부모세혈관주변의 콜라겐벽이 약해지고 혈관이 약해져서 출혈이 된 것이다.

c) 미백작용

또 다른 비타민 C의 효과는 미백작용이다. 표피

의 멜라닌세포의 멜라닌 생성을 억제하고, 산화된 멜라닌을 환원하여 색을 밝게 한다. 이런 효능으로 색소침착 예방이나 기미치료에 사용된다.

나) 여러 가지 비타민 C 제제

비타민 C를 구입하고자 하면 여러 화장품회사에서 비타민 C가 생산되고 있으며, 서로 자기 제품이 우수하다고 주장하는 것을 보게 된다. 비타민 C의 효과를 금방 가시적으로 보고 비교할 수 없기 때문에 선택에 곤란을 느낀다. 우선 비타민 C는 여러 제제가 있다. L-ascorbic acid 가 가장 처음 상용화된 비타민 C이다. 비타민 C는 이형태로만 효과가 있다. 다른 형태의 비타민 C도 있는데, 효과가 없는 것이 아니라 피부에서 L-ascorbic acid로 전환되어서 효과를 나타내는 것이다. 이런 다른 형태(즉, 유도체)에는 ascorbyl palmitate, magnesium ascorbyl phosphate, ascorbate 등이 있다.

다) L-ascorbic acid와 L-ascorbic acid 유도체의 서로 다른 주장

L-ascorbic acid를 이용한 비타민 C를 생산하는 회사는 다음과 같은 주장을 한다. "비타민 C는 L-ascorbic acid의 형태라야 한다. 고농도라야 효과가 있다. 산성 산도(pH)여야 한다. 안정화되어 있어야한다". 이런 주장의 근거는 L-ascorbic acid가 분말상태에서는 안정하지만, 수용액에 녹이면 굉장히 빨리 파괴된다는 사실이다. 그래서 수용액에서 안정되게 유지하는 기술이 중요하고, 더불어 수용액이 산성이어야 안정하기가 쉽다. 또 "유도체는 효과가 없고, 피부에 잘 침투되지 않는다"는 주장을 한다. 그러나, 유도체가 피부에 흡수

가 되고 L-ascorbic acid로 전환되어 효과를 나타낸다는 연구가 이미 많이 있다. 반면 유도체가 피부흡수가 원활하지 않고, L-ascorbic acid로 바뀌는 양도 많지 않다는 연구 또한 발표되고 있어서 아직 논란이 되고 있다. 20%이상의 고농도가 20% 정도보다 더 효과적인지에 대해서는 정확히 증명되지 않았다.

유도체의 장점은 수용액에서 안정화가 쉽다는 점이며, 그런 이유로 산성이 강하지 않아도 안정하다는 장점이 있다. 산도가 강하면 피부에 자극을 유발한다. 특히 레이저치료 후에 피부의 색소침착을 예방하기 위해서 사용하는 경우에는 산도가 강하면 피부에 지나친 자극을 줄 우려가 있다. 유도체를 생산하는 업체에서는 이런 주장을 한다. "유도체는 안정화되어있고, 피부를 투과하며, L-ascorbic acid로 전환되어서 효과를 나타낸다. 그리고 꼭 산도가 강하지 않아도 되는 것도 장점 중에 하나이다"라고 말한다.

라) 비타민 C의 흡수경로

먹는 것보다 피부에 바르는 것이 피부에 훨씬 많이 도달한다. 바르는 것보다 전기영동치료를 하면 4-5배 많이 피부에 흡수된다. 전기영동치료로 비타민 C의 효과를 보지 못한 경우, 바르거나 먹는 것은 별로 할 필요가 없다. 먹는 경우 적어도 하루에 1,000mg, 즉 1gm 이상 복용하여야 한다.

마) 여러 제제의 산도(pH)

회사마다 차이가 있어서, 산도 2.2에서 5.0 정도가 있다. 산도의 숫자가 작을수록 강한 작용을 한다. 산도 5.0 정도이면 피부의 산도와 비슷하여서

피부자극이 적다. 비타민 C는 낮은 산도에서 안정화가 쉬운데, 5.0의 높은 산도에서 비타민 C를 여하히 안정화시키는가 하는 것이 관건이다. 일반적으로 산도가 3.5 이하일 때 잘 흡수된다고 하나, 제품에 따라 다를 수 있다.

6. 하이드로퀴논(Hydroquinone)

하이드로퀴논은 대표적인 미백 물질로서 기미나 염증 후 과색소침착의 치료에 많이 이용되고 있다. 하이드로퀴논은 티로시나제를 억제할 뿐 아니라 DNA 및 RNA 합성 억제, 메라노솜의 분해, 멜라닌세포의 파괴 등의 멜라닌세포에 독성으로 미백효과를 나타낸다.

하이드로퀴논은 환원제이고, 공업적으로 대량으로 합성이 가능하다. 그러나 환원제이기 때문에 산화하기 쉽고 안정성이 부족한 것이 단점이라고 할 수 있다. 하이드로퀴논은 대개 안정성의 향상을 목적으로 산화방지제의 첨가나 유기산 등에 의한 산도 조정을 시행하고 있다.

미국에서는 Kligman's formula(5% 하이드로퀴논, 0.1% 레티노인산, 0.1% 덱사메타손)가 사용된 1975년 이래로 미백 치료의 gold standard로서 사용되어져 왔다. 그러나 강력한 미백작용에 비하여 자극 증상이 부작용으로 나타나는 경우가 많고, 그 때문에 오히려 색소침착을 유발할 염려가 있는 점, 고농도 및 장기간의 사용에 의해서 색소침착인 ochronosis를 초래할 염려가 있는 점, 멜라닌세포 자체에 대한 독성이 있고 난치성의 백반증 발생이나 발암성이 지적되고 있는 점을 잊어서는 안 된다.

하이드로퀴논에 의한 홍반 등의 피부염 증상은 대부분의 증례에 있어서 알레르기성이 아니고 환자의 투여량이 많아서 인 경우가 많으므로 환자에게 올바른 사용량이나 사용 방법, 사용 횟수 등을 교육하는 것에 의해서 해결해야 한다. 하이드로퀴논에 개인적인 부작용이나 알레르기가 있어 사용할 수 없는 경우에는 레이저 시술 후에 염색 후 색소침착이 발생해도 하이드로퀴논의 사용이 곤란하므로 레이저 시술 전에 환자에게 확인하는 것이 중요하다.

7. 알부틴

알부틴은 천연 하이드로퀴논이라고 알려져 있다. 알부틴은 천연상태에서 하이드로퀴논에 포도당분자가 결합되어있는데, 피부층으로 흡수되면서 포도당분자는 떨어져나가고 하이드로퀴논만 기저층에 도달하여 멜라닌의 합성을 억제한다. 천연상태의 알부틴을 베타알부틴이라 하는데 효과가 미약하여 알파알부틴이 새로 개발되었는데, 이 새로운 성분은 피부에 흡수되는 과정에서 글루코스의 분해가 완벽하게 이루어져 순수 하이드로퀴논으로의 전환이 매우 효율적으로 진행되기 때문에 멜라닌세포에 작용하는 영향력이 매우 강력하다.

보다 강력한 효능의 천연 하이드로퀴논인 알파알부틴은 인공 하이드로퀴논과는 달리 자극이 거의 없다. 이 자극이 적다는 것이 레이저 전 후 처치로서 알파알부틴의 사용의 매우 큰 장점이다.

8. 안탈지신

안탈지신(Antalgicine®)은 상처의 피부재생 전

단계에 작용하며 기존의 상처치유 크림들이 커버하지 못하는 시술 직후 통증에서부터 피부재생 과정에 나타나는 가려움증까지도 완화하는 효능이 있다. 안탈지신(Antalgicine®)의 주요 성분은 ACETYL DIPEPTIDE-1 CETYL ESTER로 합성 지질펩타이드(synthetic lipopeptide)이며, 이 펩타이드는 우리 몸에 존재하는 펩타이드인 'Kyotorphine'의 아세틸 형태이다. Kyotorphine은 뇌에서 통증 조절 역할을 하는 신경 자극성 펩타이드의 한 종류이다. ACETYL DIPEPTIDE-1 CETYL ESTER가 피부에 적용 되었을 때, 즉각적으로 내인성 모르핀양물질로 작용을 지니는 Met-enkephalin과 β-endorphin을 활성화 시킨다. 또한 신경 섬유를 둔감하게 하여 통증과 관련된 정보를 인식하지 못하게 하여 더 이상 통증을 느끼지 못하도록 도와준다.

9. 아르니카와 아피제닌

아르니카 몬타나(Arnica montana)는 유럽 지역에 서식하며 노란 꽃이 특징인 국화 계열의 식물이다. 항염증 효능 및 골관절염 완화에도 뛰어난 것으로 잘 알려져 있어 예로부터 약초로 많이 사용되었다. 또한, 부종 및 반상 출혈 개선에도 많은 도움을 주어 레이저 치료 전, 후 사용되는 성분으로 소개되어 있다.

아피제닌 (Apigenin)은 각종 과일과 채소류에 함유되어 있는 플라보노이드 성분의 일종이다. 일반적으로 염증과 산화 스트레스를 억제하고 암세포를 억제하는 것으로 잘 알려져 있지만, 특히 HIF-1α 단백질의 분해를 통해 내피 세포에서 VEGF 발현을 억제 하는데도 효과가 있으며 동시에 콜라겐

분해 효소인 MMP 생산을 억제하여 피부의 멍과 붓기 개선에 도움을 준다.

멍과 붓기가 예상되는 시술 전, 후 아르니카와 아피제닌의 사용으로 회복 기간을 최대 5일까지 단축할 수 있다. 피부의 손상 및 부기가 예상되는 시술 7일 전(최소 2일 전)부터 시술 후까지 시술 부위를 포함한 넓은 부위에 하루 2번, 완전히 흡수될 때까지 도포한다. 시술 후 나타나는 피부 손상 및 붓기를 최소화 한다. 또한, 시술 후에도 지속적인 사용으로 피부 손상 및 멍, 붓기를 빠르게 개선할 수 있다.

10. 비타민 K

비타민 K는 간에서 프로트롬빈의 생성을 도와 혈액응고를 일으키는 지용성 비타민이다. 비타민 K는 세 가지 형태가 있는데 식물에 함유된 K1(phytonadion), 창자 박테리아에 의해 생성되는 K2(menaquinones), 그리고 인공 합성된 K3(menadion)가 있다. 국소 외용연고제로는 K1 타입이 주로 사용되고 피부에서의 외상(Bruise), 거미양정맥류(Spider Vein), 일광자반증(Actinic Purpura), 만성적 붉음증(Erythrosis), 그리고 주사(Rosacea) 등의 치료제로 많은 임상이 발표되어 있다.

비타민 K는 수술이나 치료 시 유출된 혈액을 신속히 응고시키고, 조직으로의 재흡수작용을 도와주어, 조직 내에 유출된 혈액이 제거되면서 멍든 부위가 신속히 사라지게 한다(Bruise Relief). 그리고 모세혈관 확장과 붉음증, 하지 정맥류에도 많이 사용되는데, 비타민 K가 진피내의 혈관 그물망 보호해주는 보호세포들이 사라지는 것을 멈추

게 하여 혈관의 회복을 도와주고, 모세혈관의 출혈을 중지시키고, 또한 파괴된 혈관의 치유작용도 가속화시키기 때문이다(Redness & Telangiectasis Relief).

눈밑 다크서클(Dark Circle)의 개선을 위해서도 비타민 K가 사용되는데, 눈가의 모세혈관이 약해지고 손상되면서 유출된 혈액이 피부 밑에 쌓이면서 안색이 착색되어 보일 수 있고 비타민 K가 모세혈관을 강화시켜 이 증상을 완화시켜준다. 다크서클을 위해서는 비타민 K 단독 사용 외에 레티놀과 병합해서 사용하기도 한다.

최근에는 미용치료와 연관하여 레이저, 필러 그리고 성형수술 후에 더 많이 사용되는데, 피부 조직 내에서 혈관이 터져 혈액이 유출되어 생기는 멍(bruise), 수개월 동안 지속되는 자반증(purpura), 그리고 과색소(PIH) 등에 유의한 효과를 주기 때문이다. 비타민 K는 혈관손상을 미리 예방하기 위해 수술 전에 사용하기도 하는데, 레이저 수술 전과 후에 비타민 K를 국소 사용하여 그 효과를 비교한 실험에서는 수술 전에 사용한 경우에는 유의한 효과가 없었고 수술 후에 사용한 경우에는 심한 외상(bruising)을 감소하는 효과가 매우 뚜렷했다.

비타민 K와 더불어 레이저로 인해 발생한 멍(laser induced bruise)에 아르니카(Arnica)가 탁월한 효과가 있는데, 비타민 K(5%), 비타민 K(1%)와 레티놀(0.3%), 그리고 아르니카(20%)를 비교한 실험에서 아르니카를 고농도(20%)로 사용할 경우에는 저 농도의 비타민 K(1%)와 레티놀(0.3%)을 혼합하여 사용할 때 보다 효과가 더욱 좋았다. 그렇지만 비타민 K를 고농도(5%)로 사용했을 때 보다는 효과가 적어서 레이저 후 외상(bruise)을 감소시키는 데에는 고농도의 비타민 K

가 가장 효과가 높았다.

Ⅲ. 레이저 박피술 후 창상처치

이전에는 침습성 박피레이저를 이용한 레이저 박피술이 주로 시행되었다면 최근 비 침습적인 레이저들의 발달과 함께 레이저 시술의 적응증이 넓어져 단순한 주름 개선 이외에도 피부의 탄력증대, 흉터의 치료, 기미의 치료 등으로 확대되고 있다. 레이저 치료 후의 창상 처치의 원칙은 첫째, 외부의 세균이나 외상 등으로부터 치료 부위를 보호하여야 하며, 둘째, 통증을 감소시키고 셋째, 상처의 회복을 촉진시키며, 넷째, 삼출물을 흡수할 수 있어야 하고 동시에 치료부위의 손상 없이 쉽게 처치 재료를 교환할 수 있어야 하겠다.

각각의 질환과 사용하는 레이저에 따라 레이저 시술 후 치료 방법은 달라질 것으로 생각이 되지만 레이저 조사부위의 기본적인 치료는 1도에서 2도 화상에 준하여 처치를 시행하는 것을 원칙으로 한다.

레이저 시술 부위는 감염 예방을 위하여 연고를 도포하고 치료 부위의 건조 방지를 목적으로 반투과성 드레싱 제재로 도포성(occlusive) 치료를 시행하거나 또는 개방성(open) 치료를 시행한다. 도포성 치료를 시행한 경우에는 4-5일간은 드레싱 제재를 붙인 채로 두고 세안이나 입욕을 하며 재상피화(re-epithelization)가 끝나는 6-7일 후에는 드레싱을 벗기고 입욕과 세안 시에는 환부를 포함하여 평소대로 물로 씻는다. 개방성 치료를 하는 경우에는 조사 부위의 화장을 피하고, 감염을 일으키지 않도록 청결하게 유지하도록 한다. 외용 항생제 연고는 재상피화 기간 동안 감염이 발생하지 않도록 수일간 사용하며 이 기간 동안 색소침착(PIH)이 나타나지 않도록 항생제 연고와 같이 외용 하이드로코르티손를 사용하기도 한다. 그 후 7-10일 정도는 가피(crust)를 벗겨지지 않도록 주의 하도록 하며 약 2주가 지나 가피가 벗겨진 후에는 색소침착이 나타나지 않도록 하이드로퀴논(4%) 연고를 사용하기 시작한다.

1. 개방성 치료(open dressing)와 도포성 치료(occlusive dressing)

레이저 시술 직후에는 시술 부위의 열감과 자극을 줄이기 위해 시술 부위를 항생제 연고로 얇게 바른 후에 하루에 수회 생리식염수를 거즈에 적셔 덮어둔다. 생리식염수를 거즈에 적셔서 창상에 덮어두면 배출된 삼출액을 흡수하고 상처는 깨끗하게 유지하며 환자의 작열감, 소양증, 건조감을 완화시켜 시원한 느낌이 들도록 한다. 생리식염수 거즈는 말라서 환부에 달라붙지 않도록 자주 갈아주도록 한다.

레이저 시술 후 개방성 치료는 세안을 할 수 있고 창상을 자주 볼 수 있는 장점이 있는 반면에 도포성 치료에 비하여 환자가 통증을 더 느끼는 불편함이 있다. 도포성 치료는 레이저 시술 부위를 도포성 드레싱으로 덮어 두어 창상 치유가 이루어 질 때까지 계속 유지시킨다. 과거에는 레이저 치료 후 치료부위에 항생제 연고를 국소도포한 후에 거즈로 덮어 2~3일에 한 번씩 교환하는 방법이 많이 사용되고 있는데 거즈가 치료 부위에 단단히 달라붙어 교환하기가 어렵고 레이저 치료 부위 피부의 상피화 과정에 손상을 초래할 수 있었다. 최근에는 여러 도포성 처치 재료가 개발되어 레이저 치료 후

의 창상 처치가 매우 간편해지고 있다.

도포성 치료에 사용되는 처치 재료는 시술부의 창상 치유가 촉진 되도록 일정한 습기를 유지하기 위해 콜로이드 드레싱 재제나 반투과성(semipermeable) 드레싱 제를 사용하며 자체에 흡수성 스펀지 층이 있는 것을 사용하면 편리하다. 도포성 치료는 통증이 적고 하루에 여러 번 드레싱을 할 필요가 없어 환자가 편하게 느끼며 색소침착이 적게 오는 장점이 있다. 레이저 치료 후에 도포성 치료를 하는 경우 표피의 재생시간의 30~40% 빨라지게 되는데 이는 치료 부위에서 나오는 여러 성장 인자가 빠른 회복을 유도하는 것으로 추측하고 있다. 저자의 경우에는 레이저 박피술을 시행한 경우에 삼출물이 많은 초기 3-4일 같은 반투과성 스펀지 제제를 사용하여 도포성 치료를 시행하고 삼출물의 양이 줄어든 후에는 듀오덤 등의 콜로이드 제제를 사용하여 드레싱을 한다. 재상피화가 완성되는 약 일주일 후부터는 개방성 치료를 시행한다.

• 도포성 치료(occlusive dressing)에 사용되는 드레싱 제재들

a) 접착형 필름 드레싱

Tegaderm®, Duoderm Extrathin®, Op-site® 등이 이에 속한다. 얇고 투명하며 접착력을 가지고 있다. 수분은 통과하지 못하고 공기만 투과 시키는 특성이 있으며 삼출물을 흡수하지 못하고 막 내에 고여 있게 된다. 삼출물이 적은 치료 부위에 사용하는 것이 좋으며 접착력이 있어 제거할 때 손상을 줄 수 있으므로 조심하는 것이 좋다.

b) 폼드레싱

Allervyn®, Lasersite®, Mediform®등이 있으며 삼출물을 흡수하면서 공기는 통과 시키는 재료

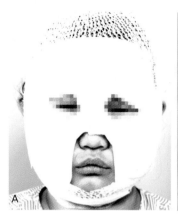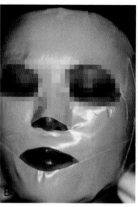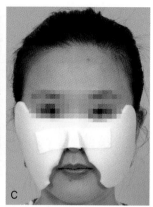

그림 4-5. A. B) 전 얼굴 레이저 박피술 직후 폼 드레싱 제개를 이용하여 도포성 치료를 한 모습. C) 뺨에 레이저 박피 후 도포성 드레싱을 이용하여 드레싱을 시행한 모습 ; 삼출물의 양에 따라서 처음 일주일간은 폼 드레싱 제재를 사용하고 점차 접착형 필름 드레싱 제재로 바꾸어 간다.

이다. 삼출물이 많은 상처에 사용하며 자체에 접착력이 있는 것과 접착력이 없는 것이 있어 상처의 상태에 따라 다르게 이용한다. 분비물을 자체 흡수하여 드레싱을 바꿀 필요가 없어 편리한 점은 있으나 분비물이 두껍고 딱딱해 질 수 있으며 자국이 남을 수 있고 드레싱이 떨어질 때 상피화가 이루어져 피부표면이 같이 떨어질 수 있으므로 주의를 요한다. 수일 후부터 드레싱을 겉에서 살짝 눌러주어 이러한 부작용을 피할 수 있다.

c) 친수성 겔 드레싱

Hydrogel® 등이 있으며 젤라틴 층이 치료면과 닿게 되고 플라스틱 막이 수분의 증발을 막고 공기는 투과시킨다. 접착력이 없으므로 테이프로 가장자리를 붙여야 한다.

d) 콜로이드 드레싱

Duoderm®이 있으며 수분과 공기를 모두 통과시키지 않는다. 육아조직의 형성을 촉진시키는 효과가 있으며 수분을 흡수하는 성질이 우수하고 제거 시 치료 부위에 손상을 주지는 않지만 삼출물이

많을 경우 흡수 효과가 없으므로 밖으로 흘러내리는 단점이 있다. 처음 분비물이 많을 때는 자주 바꾸어 주지만 며칠 경과하여 분비물이 없으면 2-3일에 한번 바꿔주어도 된다.

2. 세안(cleansing)

레이저 치료 후에도 세안 및 클린징은 피부의 청결을 유지하는 데 중요하며 도포성 치료를 한 경우를 제외하고는 세안에 관한 제한은 없다. 레이저 치료 후에는 각질층이 없어져 피부가 쉽게 자극되기 때문에 기계적인 자극은 최소한으로 억제하고, 단시간에 충분한 세안 능력을 가지면서도 자극성이 없는 세안제를 사용하도록 한다. 세안제는 지금까지 사용하던 것 중에서 트러블이 없었던 것을 사용 하며 세정제 중에서 스크럽이 들어간 것, 자극이 있는 것은 사용을 피한다. 세안에는 32~34℃ 정도의 미지근한 물로 세안 하는 것이 피부에 자극을 줄일 수 있고 세안 시 레이저 시술 부위를 무리하게 문지르거나 과도한 세안으로 피지를 과잉으

로 없애지 않도록 한다. 개인적으로 저자는 레이저 시술 후에 세안을 할 때는 샤워기를 사용하도록 하고 손을 사용한 세안은 재상피화가 이루어 질 때까지 자제하도록 환자에게 권하고 있다.

개방성 치료를 하는 경우 대게 레이저 조사 후 1-2일 후에는 레이저 조사 부위에서 가피 형성이 보여 지는데, 이것을 무리하게 벗겨내지 않도록 주의한다. 만약 무의식적으로 만져서 가피를 제거할 것 같다면 반창고를 붙이거나 도포성 치료를 시행하여 가피를 제거 할 수 없도록 한다. 단, 반창고를 계속 붙이고 있으면 수주가 되더라도 가피가 부착되고 있는 경우도 있으므로 대개는 레이저 조사 후 2주일 정도에서 재상피화가 일어난 후에는 가피를 벗겨도 된다.

박피술 후에 세안에는 자극을 피하기 위해 비누보다는 세안 화장품을 사용하는 것이 좋다. 세안 화장품은 피부 표면의 피지나 노폐물, 오염물질을 제거하는 역할을 하는데 클렌징 폼이나, 클렌징 젤 등의 제품은 보습제를 함유하여 피부가 당기는 느낌이 적고, 피부 감촉을 촉촉하게 유지 시켜 준다.

3. 화장

레이저 시술 후에 삼출물이 나는 동안에는 화장품의 사용을 피한다. 그러나 재상피화가 끝나는 10-14일 이후에는 현재 사용하고 있는 기초 화장품을 포함하여 간단한 화장을 시작하는데 피부가 민감해져 있으므로 저자극성의 액상 제품으로부터 시작하는 것이 바람직하다.

순서로는 세안과, 기호에 따라 화장수, 다음에 트레티노인, 하이드로퀴논을 사용하고 마지막에 필요에 따라 일광차단제, 유액 등을 사용한다. 그

위에 화장품을 사용하는 것도 제한하지 않는다. 단 눈주위와 입주위에 대하여서는 이들의 반응이 특히 강하여 각질 장벽 기능을 보충하기 위한 보습을 철저히 하도록 한다. 또한 벗겨짐이나 발적이 있어 곤란한 상황이 있을 경우에는 수일 전부터 치료를 일시 중지한다.

치료 중에는 세안 후에 우선 수분 공급을 주된 목적으로 화장수를 사용한다. 화장수는 세안 후에 피부에 남아있는 비누나 세안제의 알칼리 성분을 중화시켜서 피부의 산성도를 정상으로 회복시키고, 피부의 충분한 수분을 공급하기 위해 사용된다. 화장수는 피부에 보습 성분을 공급하는 기능 외에도 유연, 수렴 및 세정 등의 기능을 하는데 기능에 따라서 성분의 배합도 달라진다. 화장수에는 일반적으로 70-80%의 물과 에탄올과 글리세린 등의 보습제가 첨가되는데 레이저 시술 후에는 피부가 과민해져 있으므로 에탄올을 함유된 화장수는 강한 자극을 유발하므로 피하는 것이 좋다. 또한 레이저 시술 후에 사용하는 화장수는 화장수의 사용 후에 약물을 사용이 필요하기 때문에 오일 및 글리세린 성분은 포함하지 않는 것을 사용하는 것이 바람직하다.

약물의 도포 후에는 화장을 하는데 기초크림 혹은 자외선 차단 크림을 바른 후에 파운데이션이나 콘실러(concealer) 등의 커버링 크림파운데이션의 사용을 한다. 건조한 경우에는 약물 도포 후 1시간 이상이 지난 후에 크림과 오일 등을 사용한다. 화장품을 사용하는 경우라도 알코올은 자극이 강하므로 주의가 필요하며 피부가 민감한 시기에는 피하는 것이 좋다. 그 중에서도 애프터 쉐이브 로션이나 향수류는 에탄올을 고농도로 함유하고 있으므로 주의가 필요하다.

4. Camouflage make-up 또는 Concealer

레이저 시술 후에 일시적인 홍반 등을 감추기 위해 사용된다. Camouglage make-up은 주로 색조 파운데이션 크림과 관계가 있으며 컨실러 보다는 적은 양의 색소를 포함한다. 파운데이션 크림을 사용할 때 고려해야 할 점은 용기에 담겨있을 때가 피부에 바를 때보다 색소가 농축되어 있기 때문에 더 어둡게 보인다. 그러므로 최적의 색의 조화를 찾기 위해서는 피부의 색감을 면밀히 분석하여야 한다.

Ⅳ. 색소병변 레이저 시술 후 상처 관리

1. 표피의 색소질환(그림 4-6, 4-7)

표피의 색소질환을 치료하면 보통 딱지가 발생하거나 표피의 손상이 심한 경우 표피와 진피가 분리되는 물집이 발생한다. 표피의 색소병변 후 발생하는 딱지는 건드려져서 떨어지면 경과가 좋지 않다. 그러므로 딱지가 손상되지 않고 잘 붙어 있다가 저절로 떨어질 수 있게 조심스럽게 보호하여야 한다. 보호드레싱을 하는 경우 딱지와 접착하여 딱지와 같이 떨어지는 일이 없도록 접착력이 없는 드레싱을 하는 것이 좋다. 드레싱을 교체할 시에는 딱지와 같이 떨어지지 않는지 조심스럽게 관찰하면서 드레싱을 교체하여야 하며, 혹시 딱지와 드레싱물질이 같이 떨어진다면 중단한 후 습포찜

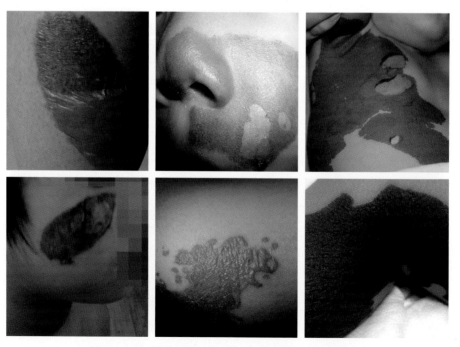

그림 4-6. 표피색소병변 치료 후 발생한 물집의 다양한 모습

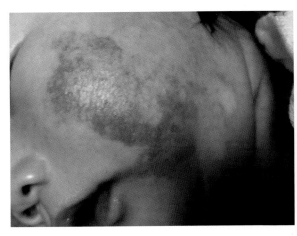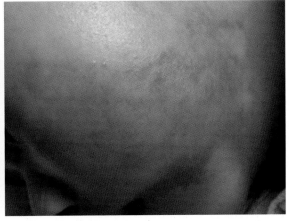

그림 4-7. 표피색소병변 치료 후 발생한 접촉피부염의 치료 전후

표피색소병변 치료 후 거즈로 드레싱하거나, 밴드를 붙이거나, 도포제를 사용하게 되는데 이런 물질에 알러지 반응을 보이는 경우가 있다. 이런 경우 적절한 치료를 하여 피부를 빨리 회복 시키는 것이 중요하다.

질을 하여 드레싱물질과 딱지를 잘 분리한 다음 드레싱을 교체하면 된다.

표피 색소병변은 Q-스위치 레이저로 치료한 후 딱지가 발생하고 약 7-10일 후에 떨어지게 된다. 얼굴에서 멀어질수록 딱지가 유지되는 기간이 점점 길어진다.

가) 시술 후 처방받는 약이 있나?

표피 색소병변이 치료 후 보통은 먹는 약은 처방하지 않는다. 그러나, 드물게 처방을 하는 경우가 있다.

첫째는 넓은 부위를 시술받아서 시술 후 통증이 있는 경우이다. 불편할 정도이면 진통제 처방을 받거나, 처방전 없이 귀가한 경우는 약국에서 처방전 없이 구입할 수 있는 진통제를 복용하면 된다.

또 한 가지는 상처가 아물면서 치료 후 수일 후에 병변이 가려운 경우가 있다. 이때의 가려움증은 치료경과에 나쁜 영향을 미치는 것은 아니고, 다음 치료에 꼭 다시 가려운 것도 아니다. 문제는

가려워서 긁게 되면 상처회복에 좋지 않다는 것인데, 거즈같은 것으로 가려서 보호해주거나 항히스타민제를 처방받거나 약국에서 구입할 수 있는 항히스타민제를 복용하는 것이 좋다.

나) 시술 후 거즈나 밴드로 보호하는 것이 좋은가?

일반적으로 가리는 게 치료 부위를 보호하므로 도움이 된다. 약국에서 접착력 없는 메디폼이나 거즈를 구입해 치료부위에 붙여준다(단! 접착력이 있는 듀오덤은 피해준다. 왜냐하면 접착력 있는 것을 붙이게 되면 드레싱을 교체할 때 딱지가 같이 떨어지게 돼서 좋지 않다). 드레싱을 교체할 때는 천천히 떼고 딱지가 안 떨어지게 해야 하고, 딱지가 드레싱과 같이 떨어지려고 하면 중지한 후 습포 찜질을 한 후 뗀다. 드레싱을 하면 오히려 만지고 손이 가는 아이는 잘 때만 보호해 줄 수도 있다.

다) 치료 후 발생한 수포의 처리원칙

물집이 생기면 확실히 표피가 파괴된 증거이니 보통 정상적인 치료의 과정이므로 염려하지 말고 관리만 잘하면 된다. 물집이 생기면 집에 있는 바늘을 불에 달구어서 찬물로 식힌다. 그런 다음 바늘로 물집은 터트리고 약국에서 파는 소독된 거즈로 닦는다. 그 후 거즈를 붙여준다. 물집이 다시 생길 수 있는데 전과 동일한 방법으로 물집이 더 이상 발생하지 않을 때까지 처치한다. 물집이 생기면 바늘을 찔러서 물을 빼는 외에 습포 찜질을 하면 좋다.

라) 습포찜질은 어떻게 하는 것인가?

— 약국에서 식염수를 구입한 후 냉장 보관을 하고 소독된 거즈를 식염수에 적셔서 치료 부위에 올려둔다.
— 푹 적셔서 놓아두고 마르면 제거하고, 새 거즈를 또 적셔서 찜질을 해준다.
— 하루에 2~3번, 한번 할 때 15분~20분 정도 해주면 물집은 가라앉는다. 또한 가려움도 좋아지고 염증도 완화된다.
— 습포치료가 필요한 경우는? : 물집이 발생 했거나, 거즈를 붙였는데 잘 안 떨어질 때

마) 치료 후 자외선 차단은 언제까지 하나?

치료 후 딱지가 떨어지고 나면 열심히 자외선 차단제를 바른다. 치료 후 한 달까지가 가장 중요하고 이후에 다시 한 달이 중요하나, 표피색소병변의 치료 환자는 자외선차단을 평소에 계속하는 것이 가장 좋다.

2. 진피의 색소질환

진피의 병변은 레이저 시술 후 표피색소병변의 시술 후와 마찬가지로 딱지가 앉고 떨어진다. 보호하는 방법은 표피병변의 방법과 같다. 1064nm의 경우는 딱지보다는 피딱지가 잘 생기는데, 표피병변 치료 때와 달리 표피 전체가 파괴된 형태는 아니어서 보호하기 위하여 듀오덤드레싱(표피 치료 때는 금기)을 약 1주 정도 해주면 좋다(그림 4-8). 인공피부드레싱을 하지 않고 거즈로 드레싱하기도 한다. 그냥 노출하기도 한다. 노출된 경우 항생제 연고를 발라주고 가볍게 세안한다.

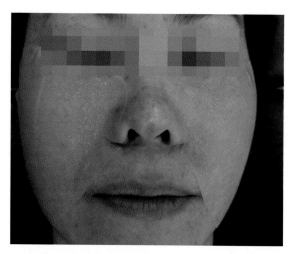

그림 4-8. 진피 색소병변 치료후 멍과 표피손상을 보호하기 위하여 넓게 듀오덤 드레싱을 한 상태.

V. 레이저 치료와 병행한 의학적 피부 관리의 실제 사례

1. 레이저 박피술이나 화학 박피술 후의 의학적 피부 관리(그림 4-9)

레이저 박피술 이후 창상처치를 위하여 일반적으로 밀봉요법을 시행한다. 이후 피부가 재생되어 밀봉요법을 중단한 상태를 보면 이제 막 재생된 피부는 아직 약하고 피부보호장벽이 완벽하지 않으며, 홍반을 보이고 예민한 상태이다. 이런 상태에서 평소 사용하던 화장품은 자극을 유발할 가능성이 많아서, 이런 시기에는 특별히 자극이 없고, 피부를 재생시키면서 자외선을 차단하여 색소침착을 예방할 수 있는 스킨케어가 필요하다. 레이저 박피술 후의 회복기 이외에 화학박피후의 스킨케어에도 같은 방법이 이용될 수있다. 이런 상태의 피부에 실제로 이용하는 스킨케어 프로그램의 예

그림 4-9. 레이저박피술이나 화학박피술 후의 의학적 피부관리
쎄라덤의 Post Peel Cleanser 포스트필 크린저, Post Peel Soothing Toner 포스트필 수싱 토너, Post Peel Bio Repair Serum 포스트필 바이오 리페어 세럼, Kta-min Repair Cream 케이타민 리페어 크림, BB White SPF50+ PA+++ 비비 화이트 선크림를 이용하여 스킨케어를 한다.

를 쎄라덤 제품으로 구성해보았다.

가) 포스트필 크린저 Post Peel Cleanser

— 무알코올, 저자극 세안제. 예민피부, 알러지 피부, 붉음증 및 문제성 피부에 안전
— 보습인자가 함유되어 피부를 건조시키지 않으면서 피부 불순물을 깨끗이 제거한다.
— 아침, 저녁 미지근한 물로 세안함.

• Descriptions
Specially formulated Cleansing Gel containing moisturizing factors for Sensitive & Irritated skin. Mild foaming agents can clean all residues and impurities from the skin and help the dead cells get off softly without any irritation.

• Directions
Use regularly in the morning and evening everyday or as directed by your doctor or esthetician. Rinse throughly with luckward water.

• Ingredients
Multi Cleansing Complex, Calendula, Allantoin, Aloe Leaf Extract

나) 포스트필 수싱 토너 Post Peel Soothing Toner

— 무알코올, 저자극 복합 농축제. 예민피부, 알러지 피부, 붉음증 및 문제성 피부에 안전

— 알로에 주성분. 다양한 허벌 추출액이 함유됨.

— 아침, 저녁 혹은 낮에 피부가 화끈거리거나 당길 때 수시로 스프레이 해준다.

• Descriptions

Non-irritating, alcohol free, fragrance free, mild soothing toner. Revitalizes and restores skin's natural pH. Purifies and disinfects the skin and heals it cleans. Rich in Sodium PCA and herbal complex.

• Directions

Mist freely several times a day to hydrate and sooths the irritated or dry skin as needed. The cotton pads saturated with Aloe Soothing Complex can be used on clean skin with upward movements.

• Ingredients

Aloe Barbadensis Leaf Extract, Hamamelis Virginiana Leaf Extract, Sodium PCA, PPG, Salix Nigra Extract

다) 포스트필 바이오 리페어 세럼
Post Peel Bio Repair Serum

— 각질형성세포의 지질막을 보충해주는 불포화 지방산(오메가 3-5)가 함유되어 있어 새로 생성된 피부층의 보호작용을 높여 준다.

— 식물성 에스트로겐과 스테롤 성분들이 피부를 촉촉하게 보호해주면서 새로운 세포와 콜라겐 생성을 도와준다.

— 자극이 없어 모든 피부에 적합. 특히 예민, 건성, 악건성, 붉음증 알러지 피부 등에 적합.

• Description

Deep Moisturizing Serum formulated specially for the purpose of relieving instantly and dramatically the dryness and redness. The natural plant oils rich in Omega Linoleic Acid and alpha Linolenic Acid protect and repair the epidermal cell layers and Plant Peptides and Soya sterols help the new cells grow healthier and whiter.

• Directions

For the immediate relief of Dryness and Redness, this Active C Serum can be applied several times during day & night.

• Ingredients

Prunus Armeniaca Kernel Oil, Glyceryl Stearate, Argania Spinosa Kernel Oil, Dimethicone, Prunus Amygdalus Dulcis Extract(Hydrolized Sweet Almond Peptides), Linoleic Acid(Omega-3), Alpha Linolenic Acid(Omega-5), Phytoestrogens, Sterols, Glycine Soja Extract, Diamond Powder, Maltodextrin,

라) 케이타민 리페어 크림
Ktamin Repair Cream

— 포스트 레이저 전용 크림으로 비타민 K를 주성분으로 하고 촉촉한 보습력을 높여 피부를 당기지 않으면서 붉음증을 감소시키는 작용을 한다.

— 아데노신이 함유되어 있어 KFDA 기능성 화

장품 인증.

— 천연 비타민K(Phytonadion)가 높은 함량으로 함유된 Turnip이 함유되어 있어 붉음증을 감소시킨다.

— 코엔자임 Q10과 토코페롤 등의 지용성 비타민이 피부의 지질막을 보호하여 레이저 수술 후 피부의 재생과정을 안전하게 도와준다.

— 미백과 항산화 작용이 있는 Pterowhite와 Niacinamide가 함유되어 있음.

• Description

Ktamin Repair Cream was developed specially for the intensive care post Laser and Peeling. It relieves dryness and redness rapidly and helps and stimulates the repair process of the ablated skin after medical treatment such as Laser, Peeling, MTS, Injectable Fillers and Meso-Injection.

– Anti-Redness : Turnip highly rich in Vitamin K relieves redness rapidly by the blood cutting and the repair of vessels. Green Tea rich in polyphenolic compound relieves the redness by supporting the circulatory system.

– Anti-Dryness : Co-Enzyme Q10 and tocopherol protect the lipid mantle of the skin surface and work as super antioxidants contributing to the process of wound healing.

– Whitening(Anti-PIH) & Anti-Oxidants : Pterowhite and Niacinamide give the whitening effect by inhibiting the enzyme of tyrosinase and the transfer of melanosome to the neighboring keratinocytes.

• Directions

Apply twice a day, in the morning and evening on the treated area.

• Ingredients

Adenosine, Turnip (Vitamin K-368 μg), Pterostilbene, Niacinamide, Rosa Canina Fruit Oil, Ubiquinone, Tocopheryl Acetate, Camellia Sinensis Extract, Portulaca Oleracea Extract

마) 비비 화이트 썬크림
BB White SPF50+ PA+++

— KFDA의 2중 기능성 인증을 받았고 5단계 보호작용을 한다.

(1) 최고의 자외선 차단 인증 : SPF50+, PA+++

(2) 미백 기능성 인증 : Niacinamide, Arbutin, Pterostilbene에 의한 강력한 미백작용

(3) 항산화 작용 : Pterostilbene, Green Tea, Tomato Extract에 의한 항산화 작용

(4) 재생작용 : Phytochemical 인자들이 풍부한 허벌 복합체

(5) Make Up 효과 : 동양인 피부뿐 만 아니라 중동이나 백인 피부에도 자연스럽게 매치되고, 번들거림이 없이 매트하고 커버력이 하루 종일 지속됨.

— 예민 트러블 피부나 레이저 치료 직후에 자극받은 피부를 보호하고 재생을 촉진시키는데, 저자극으로 트러블이 없어 여드름, 모세혈관 확장, 알러지가 잘 일어나는 예민피부, 기미 등 여러 문제성 피부에 안심하고 사용할 수 있다.

- Description
- Perfect Cover Cream of 5 steps
  : Sunblocking, Whitening, Anti-Oxidants, Repairing and Color Make Up
- Highst Sunblock vs Least Irritation : SPF50+ for UVB and PA+++ for UVA
  : KFDA approval with vivo and vitro test
- Longlasting Color Make up even on the oily prone skin, No greasy, Non-comedogenic

- Directions

Apply at day time as moisturizing cream, sunscreen and cover make-up.

During Peeling Process, this B.B. Cream can be used at day time for

the perfect cover from the UV Light and Dryness.

- Ingredients

Micronized TiO2, Micronized ZnO, Other UVA&B Filters, Niacinamide, Pterostilbene, Arbutin, Green Tea(Camellia Sinensis Leaf Extract), Tomato Extract(Solanum Lycoper-sicum Fruit/Leaf/Stem Extract)

2. 프랙셔널 레이저나 색소병변 레이저 치료 후의 의학적 피부 관리

(그림 4-10)

박피성 프랙셔널 레이저 이후에는 피부에 작은 구멍이 발생하고 이를 재생시키는 과정에서 작은 딱지가 발생한다. 박피성 프랙셔널 레이저 시술 후에는 레이저박피후의 창상처치와 동일하게 밀

그림 4-10. 프랙셔널 레이저나 색소병변 레이저 치료 후의 의학적 피부관리
바이오더마의 Sensibio H2O 센시비오 H2O, Cicabio Cream 시카비오 크림, Cicabio Arnica+ 시카비오 아르니카+, 포토덤 레이저 SPF 50+(UVA 38)를 이용하여 스킨케어를 한다.

봉요법으로 치료할 수도 있고, 개방성으로 처치하면서 재생을 도와주는 스킨케어를 하는 정도로 마무리하는 경우가 있다. 밀봉요법을 시행하면 3일에서 6일 정도 드레싱을 부착한 동안 미관상 좋지 않은 면은 있으나 전체적인 상처회복은 더 잘된다. 밀봉요법을 하지 않는다면 비박피성 프랙셔널 레이저 시술 후 스킨케어와 같은 과정을 밟게 된다.

표피성 색소성병변을 치료 후 바로 딱지가 발생하고 가벼운 세안을 하면서 재생을 유도하는 화장품등을 도포하게 된다. 진피성 색소병변치료 후에는 치료강도에 따라서 피부의 일부가 탈피되고 표피손상이 유발될 수 있는데 이때는 밀봉요법을 3-6일 정도 사용하면 도움이 많이 된다. 가볍게 치료된 경우 표피성 색소병변과 동일하게 관리할 수 있다.

이상 밀봉요법을 하지 않는 프랙셔널 레이저나 색소병변레이저 치료 후 스킨케어프로그램을 바이오더마 제품으로 구성한 예이다.

가) 센시비오 H2O(Sensibio H2O)

— 무알코올, 무색소, 무향, 저자극 클렌징 워터, 예민, 붉음증 및 문제성 피부
— 미셀 분자가 피부 불순물을 깨끗이 제거함과 동시에 수지질막을 보호하여 피부 밸런스를 유지한다. 진정 성분이 함유되어 피부를 진정 시키고, 눈과 피부에 안전하게 사용 가능하다.
— 화장솜에 제품을 충분히 적신 뒤 얼굴 전체를 가볍게 닦아낸다. 따로 물 세안이 필요 없는 남녀공용 클렌징 워터이지만 차가운 물로 가볍게 마무리해도 좋다.

• Descriptions

A BIODERMA innovation, Sensibio H2O gently cleanses and removes make-up from face and eyes. The micelles contained in its formula effectively micro-emulsify impurities while maintaining the cutaneous balance. Soothing active ingredients prevent the skin feeling irritated. Excellent cutaneous and ocular tolerance.

• Directions

Soak a cotton pad. Cleanse/ removes make-up and dry gently.

• Ingredients

Water, Peg-6 Caprylic/capric glycerides, Cucumber fruit extract, soothing complex

나) 시카비오 크림(Cicabio Cream)

— 무알코올, 무색소, 무향, 저자극, 손상된 피부의 효과적 재생, 통증 및 가려움증방지 크림
— 상처의 피부재생 전 단계에 작용하며, 안탈지신(Antalgicine®)이라는 국제특허로 시술 직후 통증에서부터 피부재생 과정에 나타나는 가려움증까지도 완화한다. 황산구리, 아연 복합체로 항염증 효과 및 히알루론산 성분이 통기성 필름막을 형성하여 상처 드레싱 효과를 준다.
— 손상된 피부를 깨끗이 한 후 상처가 아물 때까지 적당량을 발라준다.

• Descriptions

Cicabio Cream acts every stage of epidermal reconstruction to promote perfect repair. The anti-bacterial action of the Copper Zinc complex helps prevent spread of bacteria. The dressing effect texture forms an insulating breathable film for optimum skin protection. Hyaluronic acid, known for its repairing capacity and a major skin component, ensures optimum skin hydration. A BIODERMA innovation, the active ingredients Antalgicine®quickly relives feelings of discomport and reduces the urge to scratch.

• Directions

Apply to the irritated area, after cleansing and drying. Use twice a day until the skin is completely healed.

• Ingredients

Copper and Zinc Sulfate, Grape vine extract, Asiaticoside, Madecassic acid, acetyl dipeptide-1 cetyl ester.

다) 시카비오 아르니카+(Cicabio Arnica+)

— 무알코올, 무향, 무색소, 저자극 , 멍과 붓기가 예상되는 시술 전, 후 사용으로 회복 기간을 최대 5일까지 단축할 수 있는 제품

— 3A [아르니카 몬타나(Arnica Montana) 성분 7% 함유, 아피게닌(Apigenin)자몽 껍질 추출물과 안탈지신(Antalgicine®)국제특허 성분] 작용으로 시술 후 나타나는 피부 손상 및 붓기를 최소화 한다. 또한, Zinc 성분이 항염증 효과를 주며, 글리세린 성분이 피부에 보습을 유지해준다.

— 피부의 손상 및 부기가 예상되는 시술 7일 전 (최소 2일 전) 부터 시술 후까지 시술 부위를 포함한 넓은 부위에 하루 2번, 제품이 완전히 흡수될 때까지 도포한다.

• Descriptions

Cicabio Arnica+ quickly relieves the feeling of discomport and swelling via biological action of Antalgicine®. Arina extract and Apigenin, which promote the rapid and targeted elimination of the pigments responsible for the colour of the bruise. Zinc prevents bacterial proliferation. Glycerin keeps the skin moisturized.

• Directions

Apply as soon as possible by gently massaging onto the weakened area. Repeat once to twice a day until the skin is completely repaired.

• Ingredients

Arnica Montana flower extract, Apigenin, zinc sulfate, Glycerin

라) 포토덤 레이저 SPF 50+(UVA 38)

— 무색소, 무향, 저자극, 피부과 시술 전후 약해진 피부의 반점, 얼룩을 최소화 하는 썬크림

— UVA/UVB를 동시에 차단하는 자외선 차단 필터와 바이오더마의 '셀룰러 바이오프로텍션(Cellular Bioprotection)®' 국제 특허 성분이 피부 내 세포 DNA와 면역체계를 보호한다. 글라브리딘(glabridin)성분이 피부 자체 멜라닌 합성을 억제한다.

— 자외선이 노출 되는 부위에 골고루 펴 발라 준다. 효과적인 자외선 차단을 위해 필요 시 자주 덧발라 준다.

• Descriptions

With an exclusive association of anti- UVA/anti-UVB dermatological filters, Photoderm Alser offers optimum protection against UV rays combined with an internal biological protection. Cellular Bioprotection®patent activates the natural defences, protects cells and prevents premature skin aging. Its specific active ingredients minimize the risks of pigmentation and soothes weakened skin.

• Directions

Apply evenly and generously before exposure. Reapply frequently before and after outdoor activities.

• Ingredients

Tinosorb S and M, Octocrylene, Ectoin, Glabra root extract

◀ 참고문헌

1. 식품의약품안전청: 자외선차단화장품 어떻게 사용하나요? 행정간행물등록번호 11-1470000-001461-01
2. Abergel RP, Dahlman CM: The CO2 laser approachto the treatment of acne scarring. Cosmet Dermatol 8 : 33-36, 1995.
3. Achaner BM, Vander Kam VM, Bems MW: Lasers in Plastic Surgery and Dermatology, Thieme Medical Pub. 1992.
4. Alster TA: Mannual of cutaneous laser techniques, Lippincott-Ravan, philadephia, 1997.
5. Alster TS, Apfelberg DB: Cosmetic Laser Surgery, Willey-Liss, 1996.
5. Alster TS, Garg S: Treatment of facial rhytises with a high-energy, pulsed carbon dioxide laser, Plast Reconstr Surg 98 : 791, 1996.
6. Alster TS, Kauvar ANB, Geronemus RG: Histology of high-enery, pulsed CO2 laser resurfacing, Semin Cutan Med Surg 15 : 189, 1996.
7. Arridt KA, Dover JS, Olbricht SM: Lasersin cutaneous and aesthetic surgery, Lippincott-Raven, 1997.
8. Baker TJ, Stuzin JM, Baker TM: Facial Skin Resurfacing Quality Medical Pub. 1998.
9. Brace L.. The pharmacology and therapeutics of vitamin K. Am J Med Technol. 1983 Jun;49(6):457-63.
10. Brash DE, Rudolph JA, Simon JA et al. A role for sunlight skin cancer: UV-induced p53 mutations in squamous cell carcinoma. Proc Natl Acad Sci USA 1991;88:10124-10128.
11. Cloven RM, Pinnell SR. Topical Vitamin C in aging Clin Dermatol 1996;14:227-234.
12. CO2 laser resurfacing. Dermatol Surg. 1999 Jan;25(1):15-7.
13. Cohen JL, Bhatia AC. The role of topical vitamin K oxide gel in the resolution of postprocedural
14. David LM, Lask GP, Glassberg E: Laser ablasion of cosmetic and medical treatment of facial actinic damage, Cubis 43 : 583, 1989.
15. Davis EC, Callender VD. Postinflammatory hyperpigmentation: a review of the epidemiology, clinical features, and treatment options in skin of color. J Clin Aesthetic Dermatol. 2010;3(7):20-31
16. Fazio JF, Zitelli JA, Goslen JB. Wound Healing. In: Cole-man WP, Hanke CW, Alt TH, Asken S, eds. Cosmetic surgery of the skin: principles and techniques. 2nd ed. St Louis: Mosby Inc. 1997:18-38.
17. Fitzpatrick RE, Goldman MP, Satur N, Tope WD: Pulsed CO2 resurfacing of photodamaged facial skin, Arch Dermatol 132 : 395, 1996.
18. Fitzpatrick RE, Goldman MP: Advances in carbon dioxide laser surgery, Clin Dermatol 13 : 35, 1995.
19. Fitzpatrick RE, Tope WD, Goldman MP, Satur NM: Pulsed carbon dioxide laser, trichloroacetic acid, Baker-Gordon phenol, and dermabrasion: a comparative clinical and histologic study of cutaneous resurfacing in a porcine model. Arch Dermatol 132 : 469-471, 1996.
20. Goldman MP, Fitzpatrick RE: Cutaneous Laser Surgery, Mosby Co, 1994.
21. Grimes PE. Management of hyperpigmentation in darker racial ethnic groups. Semin Cutan Med Surg. 2009 Jun;28(2):77-85.
22. Ho SG, Chan NP, Yeung CK, Shek SY, Kono T, Chan HH. A retrospective analysis of the management of freckles and lentigines using four different pigment lasers on Asian skin. J Cosmet Laser Ther. 2012 Apr;14(2):74-80.
23. Hung VC, Lee JY, Zitelli JA, et al. Topical tretinoin and epithelial wound healing. Arch Dermatol 1989;125:65-69.
24. Ives CL, Reed AM, Szycher M. Spyroflex: a tryptosorbent wound dressing and wound closure. J Bio-

mat Appl 1992;6:341.

25. Ke MS, Soriano T, Lask GP. Optimal treatments for hyperpigmentation. J Cosmet Laser Ther. 2006 Apr;8(1):7-13.

26. Kligman AM, Grove GL, Hirose R, et al. Topical tretinoin for photoaged skin J. Am Acad Dermatol 1986;15:836-859.

27. Leu S, Havey J, White LE, Martin N, Yoo SS, Rademaker AW, Alam M. Accelerated resolution of laser-induced bruising with topical 20% arnica: a rater-blinded randomized controlled trial. Br J Dermatol. 2010 Sep;163(3):557-63.

28. Minwalla L, Zhao Y, Le Poole IC, Wickett RR, Boissy RE. Keratinocytes play a role in regulating distribution patterns of recipient melanosomes in vitro. J Invest Dermatol. 2001 Aug;117(2):341-7.

29. Mitsuishi T, Shimoda T, Mitsui Y, Kuriyama Y, Kawana S. The effects of topical application of phytonadione, retinol and vitamins C and E on infraorbital dark circles and wrinkles of the lower eyelids. J Cosmet Dermatol. 2004 Apr;3(2):73-5.

30. Negishi K, Akita H, Tanaka S, Yokoyama Y, Wakamatsu S, Matsunaga K. Comparative study of treatment efficacy and the incidence of post-inflammatory hyperpigmentation with different degrees of irradiation using two different quality-switched lasers for removing solar lentigines on Asian skin. J Eur Acad Dermatol Venereol. 2011 Dec 20.

31. Ortonne JP, Bissett DL. Latest insights into skin hyperpigmentation. J Investig Dermatol Symp Proc. 2008 Apr;13(1):10-4.

32. Pinski JB. Dressings for dermabrasion:new aspects. J Dermatol Surg Oncol 1987;13:673.

33. purpura. J Drugs Dermatol. 2009 Nov;8(11):1020-4.

34. Salasche SJ, Winton GB. Clinical evaluation of a nonadhering wound dressing. J Dermatol Surg Oncol 1986;12(11):1220-1222.

35. Shah NS, Lazarus MC, Bugdodel R, Hsia SL, He J, Duncan R, Baumann L.. The effects of topical vitamin K on bruising after laser treatment. J Am Acad Dermatol. 2002 Aug;47(2):241-4.

36. Stuzin JM, Baker TJ, Baker TM, Kligman AM: Histologic effects of the high-energy pulsed C02 laser on photoage facial skin, Plast Reconstr Surg 99 : 2036, 1997.

37. Uaboonkul T, Nakakes A, Ayuthaya PK. A randomized control study of the prevention of hyperpigmentation post Q-switched Nd:YAG laser treatment of Hori nevus using topical fucidic acid plus betamethasone valerate cream versus fucidic acid cream. J Cosmet Laser Ther. 2012 Jun;14(3):145-9.

38. Waldorf HA, Kauvar AN, Geronemus RG. Skin resurfacing of fine to deep rhytides using a char-free carbon dioxide laser in 47 patients. Derm Surg 1995;21(11):940-946.

39. Weinstein C: Ultrapulse carbon dioxide laser removal of periocular wrinkles in association with laser blepharoplasty. J Clin Laser Med Surg 12 : 205, 1994.

40. Weiss J, Ellis CN, Headington JT, et al. Topical tretinoin improves photoaged skin: a double-blind vehicle controlled study. JAMA 1988;259:527.

41. Weiss JS, Ellis CN, Goldfarb MT, et al. Tretinoin treatment of photodamaged skin: cosmesis through medical therapy. Dermatol Clin 1991;9:123-129.

42. West TB, Alster TS. Effect of pretreatment on the incidence of hyperpigmentation following cutaneous

CHAPTER **05**

색소성 질환의 레이저 치료

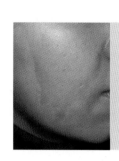

색소성 질환의 레이저 치료
Laser Treatment of Pigmented Lesions

CHAPTER 05

여 운철

I. 멜라닌 색소의 생리

정상적인 멜라닌 세포(melanocyte)는 표피의 가장 아래 부분인 기저층(basal cell layer)에 존재하며 멜라닌 색소는 멜라닌 세포 내에서 생성되어 소기관인 멜라닌소체(melanosome)에 과립 형태로 존재한다. 멜라닌은 멜라닌세포의 가지돌기(dendrite)를 통하여 주변의 각질형성세포(keratinocyte)로 운반되며 각질형성세포가 상부 각질층으로 이동함에 따라 분산된다. 한 개의 멜라닌 세포와 36개의 각질형성세포가 하나의 그룹을 형성하여 피부색을 나타낸다고 알려져 있는데 이것을 표피-멜라닌 단위(epidermal melanin unit)라고 부른다(그림 5-1). 그러나 실제로 멜라닌세포와 각질형성세포와의 비율이 항상 일정한 것은 아니어서 출생 시와 성인에서 다르고 병변에서는 정상부위와 차이를 보인다.

피부색의 표현형은 멜라닌세포의 유전형질에 의

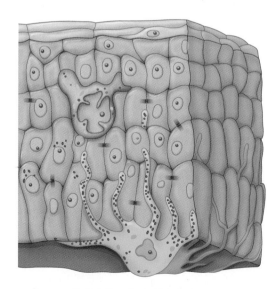

그림 5-1. 멜라닌세포와 각질형성세포와의 관계
멜라닌세포는 표피 기저층에 분포하며 수상돌기를 통하여 멜라노좀을 각질형성세포로 이동시킨다.

해 결정되어서 Fitzpatrick 스킨 타입 V형의 멜라닌세포와 Fitzpatrick 스킨 타입 II형의 각질형성세포로 표피조직을 만들 경우 스킨 타입V형의 표현형을 나타낸다. 그러나 각질형성세포의 유전형질도 피부색에 영향을 주는데, 각질형성세포는 멜라닌생성에 관여하는 여러 가지 시토카인을 생산하고 표피 내 멜라닌소체의 분포 형태를 결정한다.

멜라닌세포의 수는 신체의 부위에 따라 다른데 얼굴과 성기 부위가 몸통보다 밀도가 높다. 멜라닌세포의 분포는 성별과 인종에 따라서는 차이를 보이지 않고 있다. 인종에 따른 피부색의 차이는 멜라닌소체의 크기, 수, 분포, 성분, 분해 정도의 차이에 의한 것이다. 비노출부위에 있는 멜라닌세포는 나이가 듦에 따라 점차 줄어들어 10년에 10%씩 멜라닌 세포 밀도가 감소한다.

멜라닌소체는 골지체(Golgi apparatus)에서 떨어져 나와 단계적인 성숙과정을 거쳐 성숙된 멜라닌소체가 되고 이것은 가지돌기(dendrite)로 이동하여 인근의 각질형성세포로 전해진다(그림 5-2).

골지(Golgi)에서 떨어져 나온 초기의 멜라닌소체는 검은색을 띠지 않으나 성숙함에 따라 멜라닌이 축적되어 검은색을 띠게 된다. 멜라닌소체의 성숙과정에는 pH의 변화가 중요한 역할을 하는 것으로 알려져 있는데 초기단계의 멜라닌소체의 pH는 5.0이지만 멜라닌소체가 성숙한 후기단계에는 tyrosinase의 활성에 적합한 pH 6.8이 된다.

멜라닌은 노란색을 띠는 pheomelanin과 검은색을 띠는 eumelanin이 있는데 이 두 가지 멜라닌의 비율은 피부색 결정의 한 요소로 작용한다. 멜라닌의 형성과정에 관여하는 효소에는 phenylalanine

표 5-1. 멜라닌소체의 성숙단계

Stage	Morphologic features
Stage I	Oval shape, contain internal vesicles
Stage II	Elongated, contain lamellated melanofilament matrix
Stage III	Melanin being deposited on melanofilament matrix
Stage IV	Melanin completely filled the organelle

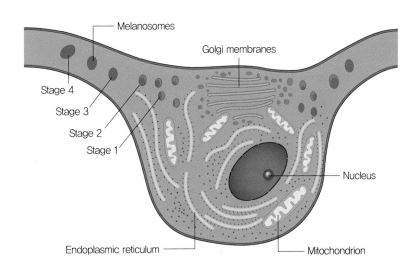

그림 5-2. 멜라닌세포의 구조 및 멜라노좀의 성숙과정
멜라노좀은 Stage 1으로 생성되어 멜라닌이 내부에 축적됨에 따라 Stage 4까지 성숙하게된다.

hydroxylase, tyrosine hydroxylse I, tyrosinase 등이 있으며, 이 중 tyrosinase가 멜라닌 생성속도를 좌우하는 효소이다. Tyroinase의 작용에 의해서 생성된 dopaquinone은 시스테인 같은 thiol 화합물이 존재하는 상황에서는 pheomelanin 생성과정을 거치고 그렇지 않은 상황에서는 eumelanin 생성과정을 거친다.

멜라닌으로 가득 찬 멜라닌소체는 근처의 각질형성세포로 자리 옮김을 하게 되고 그곳에서 멜라닌은 각질형성세포의 핵을 덮는 양산 역할을 한다. 멜라닌이 멜라닌세포에서 각질형성세포로 어떤 과정을 거쳐 이동하는지는 아직 정확히 밝혀지지 않았으나 아마도 멜라닌세포의 가지돌기에서 멜라닌을 세포 외 유출시키면 이것을 인접한 각질형성세포에서 포식하는 것으로 여겨진다.

각질형성세포로 이동된 멜라닌은 피부색에 따라 분포 형태가 다른데 흑인에서는 세포 내에 산재해 있는 형태로 존재하고 백인의 경우는 멜라닌소체가 군집된 형태로 존재하며 동양인은 흑인과 백인의 중간 형태를 보인다. 멜라닌은 각질형성세포가 성숙함에 따라 점차 분해되어 사라지므로 상부 표피로 갈수록 분포 밀도가 낮아진다.

II. 색소성 병변의 분류

색소성 병변의 대부분은 멜라닌 세포로부터 기원하며 멜라닌 색소의 깊이에 따라 나눌 수 있다. 표피의 색소병변으로는 흑자(letigine), 주근깨(freckle, ephelides), 밀크커피색 반점(cafe-au-lait macule), Becker 모반 등이 있다. 진피의 색소 병변으로는 오타모반, 이토모반, 청색모반이

있다. 기타 기미(melasma), 염증 후 과색소 침착(PIH: post inflammatory hyperpigmentation)이 표피와 진피에 넓게 존재한다.

• 갈색반(melanotic macule)

피부는 바깥쪽의 표피와 속에 있는 진피로 구성된다. 진피의 주성분은 콜라겐, 탄력섬유, 점다당질 등으로 피부를 지탱하고 있다. 표피에는 표피세포와 멜라닌세포, 면역세포 등이 있다.

이중에서 멜라닌세포는 멜라닌 색소를 생산하여 자외선으로부터 피부를 보호하는 역할을 한다. 멜라닌세포는 인종에 따라 그 활성이 다른데 알다시피 백인보다 황인종, 흑인에서 멜라닌색소를 많이 생산한다. 인종에 따른 차이는 있으나 정상적인 멜라닌 색소량을 보인다.

갈색반은 피부에 선명하게 발생한 크고, 작은 갈색의 반점을 말하는데 주변의 정상피부보다 색

표 5-2. 색소성 병변의 분류

Melanocytic lesion
Epidermal melanocyte
  Ephelis
  Lentigine
  Nevus Spilus
  Cafe-au-lait macule
  Becker's nevus

Dermal melanocyte
  Blue nevus
  Ota nevus
  Ito nevus
  Acquired dermal melanosis

Nevomelanocytic lesion
Congenital melanocytic nevus
Acquired melanocytic nevus
Spitz nevus

Disturbances of pigmentation
Melasma
Postinflammatory Hyperpigmentation

Epidermal nevus
Linear verrucous epidermal nevus
Linear epidermal nevus
Nevus Comedonicus

표 5-3. 색소성 질환의 조직학적 특성

	Epidermis		Dermis	
	Increased melanocyte	Increased melanin	Presence of melanocyte	Presence of melanophage
Freckle	–	+	–	–
Lentigene	+	+	–	–
Cafe au lait spot	–	+	–	–
Melasma	+/–	+	–	+
Ota Nevus	–	–	+ Diffuse	+
Blue nevus	–	–	+ Deep, periadnexal	+
ABNOM	–	–	+ Upper, perivascular	+
Mongolian spot	–	–	+ Reticular dermis	–

소량이 증가되어있다. 이는 주로 표피에 멜라닌이 증가한 것으로 진피에 멜라닌이 증가한 청색반과는 감별된다. 밀크커피색 반점, 반문상 모반, 군집성 흑자증, 베커씨 모반을 총칭하여 갈색반으로 부를 수 있다.

갈색반은 조직검사에서는 표피에 비정상적인 멜라닌세포가 있어서 멜라닌 생산이 증가된 것이 대표적인 소견이다. 그런데 쉽게 치료 될 것 같은 갈색반이 색소치료 레이저 등의 치료에 쉽게 치료되지 않는 경향이 있어서 표피 이외에 그 아래의 진피에도 모종의 이상이 있을 것으로 추정하나 그 병리현상의 정체는 잘 모르고 있다. 어떤 연구자는 갈색반부위의 표피와 진피를 아울러 "비정상적인 멜라닌세포의 정원"이라고 표현하기도 한다.

• 청색반

정상적으로 진피에는 멜라닌세포가 없다. 그런데 청색반은 바로 피부의 진피에 멜라닌세포가 존재하고 이 세포들이 멜라닌색소를 생산한 상태이다. 멜라닌색소는 보통 갈색으로 보이나 진피에 존재하는 경우 피부 속 깊이 묻혀 있어서 푸르스름하게 보인다. 청색반은 색소가 피부 깊이 있어서 경계가 불분명하고, 색상이 청색, 청회색, 회색, 연한 갈색 톤을 띠어서 표피에 발생하며 경계가 선명하고 갈색을 띠는 갈색반과 구분된다. 오타모반, 이토모반, 몽고반점, 이소성 몽고반점, 청색모반 등을 청색반이라 할 수 있다.

청색반은 조직검사에서는 진피에 정상적으로는 존재하지 않는 멜라닌세포가 보이고, 멜라닌세포가 멜라닌색소를 생산하고 있는 양상을 보인다.

III. 색소질환 치료에 사용하는 레이저

레이저 기술의 발전으로 멜라닌세포성 병변이나 문신의 치료 효과가 점점 좋아지고 있다. 색소성 질환치료의 레이저 치료는 기본적으로 Anderson

과 Parrish가 도입한 선택적 광열분해(SPTL: se-lective photothermolysis) 개념에 기초하고 있으며, 이외에도 extended theory of phototermolysis 개념에 따라 millisecond 단위의 긴 펄스 시간을 가진 레이저가 제모레이저나, 진피의 멜라닌세포 nest의 치료에 이용되고 있다.

멜라닌의 흡수파장은 가시광선 영역에서 파장이 길수록 멜라닌에 대한 흡수력은 점차 떨어지지만 또한 혈색소의 흡수력이 감소하여 상대적으로 멜라닌에 대한 선택적 흡수가 잘되며 레이저의 조직 투과력이 증가하여 깊은 곳에 있는 색소까지 도달할 수 있게 된다.

표피의 색소 병변에 대한 레이저 치료를 위해서 표피 두께가 100-200㎛로 얇기 때문에 굳이 깊이 투과하는 레이저를 사용해야할 이유는 없으며 비교적 파장이 짧은 FD-엔디야그 레이저(532nm)로도 치료효과를 볼 수 있다.

표피의 색소성 병변에는 박피용 레이저를 사용할 수 있는데 멜라닌은 표피나 표피와 진피 경계부에 대부분 위치하기 때문에 200㎛ 정도의 얕은 박피술로 표피의 색소성 병변이 제거될 수 있다.

1. Q-스위치 레이저

멜라닌을 포함하고 있는 멜라닌소체는 크기가 0.5㎛로 열이완시간은 250nsec이다. 그러므로 색소 이외의 주변 조직에 열손상을 주지 않고 멜라닌소체만 선택적으로 파괴하기 위하여 펄스시간이 250nsec 이하이어야 한다. 이에 따라 펄스시간이 nanosecond($10-9$ sec) 단위인 Q-스위치 레이저가 개발되었으며 색소성 질환 치료에 널리 쓰이고 있다. 표피성 병변에 쓰이는 것들에는 532nm FD(frequency doubled) 엔디야그, 694nm 루비, 755nm 알렉산드라이트 레이저 등이 있으며 멜라닌에 강하게 흡수되고 펄스 시간이 짧기 때문에 멜라닌이 미세하게 퍼져있는 병변에 효과적이다. Q-스위치 루비, 알렉산드라이트, 1,064nm 엔디야그 레이저는 오타모반이나 문신 등 깊은 병변을 치료하는데 효과적이고 특히 1,064nm 레이저는 표피의 간섭을 적게 받기 때문에 검은 피부를 가진 환자를 치료하는데 적합하다.

Q-스위치 532nm, 694nm, 755nm 레이저가 치료에 알맞은 정도의 에너지로 조사되면 피부가 서리가 낀 것처럼 하얗게 변하는 현상(frost)을 관찰할 수 있는데, 이러한 현상은 조직 내에 미세한 기포가 생성되고 이것이 빛을 산란시켜 발생하는 것으로 알려져 있으며 몇 분 후에는 사라진다. 표피성 병변의 경우 레이저를 조사받은 곳이 치료 직후 하얗게 변한 다음 시간이 지나면 frosting이 사라지고, 경우에 따라서 부풀어 올랐다가 수 시간 후 소실되면서, 딱지가 되어 더 짙은 색을 띠다가 7일 전후로 파괴된 멜라닌소체 및 각질형성세포들이 표피에서 탈락되면서 병변이 사라진다(그림 5-3). 진피성 병변의 경우 멜라닌소체가 파괴되면서 발생하는 충격파(shock wave)에 의해 멜라닌세포 및 멜라닌탐식세포(melanophage)가 파괴되고 이어서 멜라닌이 세포외부로 흘러나온다. 이후 3개월 이상의 긴 시간을 걸쳐 대식세포가 세포파편과 멜라닌을 탐식하여 제거하는 과정이 일어난다.

가) Q-스위치 레이저의 비교

Q-스위치 레이저는 색소병변의 치료에 광범위하게 이용되고, 현재 가장 많이 사용되는 레이저

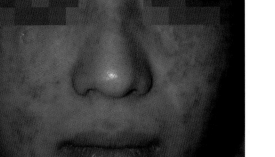

그림 5-3. 표피의 색소병변인 주근깨를 치료한 경우

시술 후 1시간 경과한 상태로 치료부위에 부종과 홍반이 현저히 보인다. 수시간에서 1일이 지나면 부종은 소실되고, 가피가 발생한다.

이다. 이중에서도 장비의가격 효능, 그리고, 사용의 편의성 등의 이유로 엔디야그 레이저가 가장 흔하게 이용된다. 국내에서 훌륭한 성능의 엔디야그 레이저가 많이 개발되어 보급되었고, 해외에서도 한국의 엔디야그 레이저는 명성을 얻고 있는데, 비슷비슷해 보이는 엔디야그 레이저를 어떻게 비교하고 평가할 수 있을까? 필자는 다음과 같은 면을 고려한다.

a) 표시된 Fluence를 믿을 수 있는가?

① shot to shot variation

한 번씩 강한 플루언스로 발사되면 위험성이 있다. 스크린에 표시된 플루언스와 달리 실제로 여러 샷 중에 한 번씩 강한 샷이 발사되는 경우가 있는데, 이런 경우 강한 플루언스의 샷으로 인해 피부에 심한 손상이 오고 재생이 지연되거나 흉터발생의 위험이 있다.

② 첫 번째 shot과 10번째 shot과의 차이

첫 shot은 처음 레이저가 발사될 때 capacitor가 충분히 충전된 상태에서 시작하므로 출력이 높을 수 있다. 곧 저하되어 10번째 shot이 약해지는

경우라면, 첫 shot을 기준으로 파라미터를 정하면 실제 전체 병변은 약하게 치료된다. 그러므로, 첫 번째 샷과 10번째 샷이 동일한 fluence를 가지면 치료에 장점이 된다. 많은 레이저들이 그렇지 않아서 치료에 애로사항이 된다. 이른 보정하기위하여 어떤 레이저는 10번째 샷까지 기계 내에서 발사되고 11번째 샷부터 피부로 발사가 되도록 설계하였다. 이런 레이저를 이용한다면 치료 파라미터를 정하기가 쉬워진다.

③ 시술 시작하여 1분 후의 shot과 10분 후의 shot과의 차이

10분이 지나면 출력이 저하된다면, 큰 병변의 경우 조금 오래 치료하게 되면 계속 파라미터를 변경하여야 한다. 당연히 내구성이 있어서 장시간 연속 사용하여도 fluence가 유지되는 레이저가 좋은 레이저이다.

④ 사용 시작하여 1개월 후와 3개월 후의 shot의 차이

정기적으로 출력을 보정하더라도 정확히 플루언스를 맞추기가 어렵게 된다. 그래서, 그 시스템이 캘리버레이션이 되는가도 중요하다.

b) Beam profile(그림 5-4)

빔프로파일이 top-hat mode인 경우가 일반적으로 사용하기에 좋다. 필자도 top-hat mode를 선호한다. 실제 판매되는 모든 레이저가 top-hat mode라고 표방하나 이에도 차이가 있다.

c) Alignment

얼라인먼트가 잘 맞아서 guide beam과 레이저 빔이 잘 일치하고, beam profile이 잘 유지되면 좋다.

d) 파장의 변환이 안정적인가?

1064nm 파장이 532nm 파장이 되기 위해서는 KTP크리스탈을 통과하는데 통과한 이후에도 일부 변환되지 않은 1064nm 파장이 섞여 나오게 된다. 열에 예민한 KTP크리스탈은 과열되면 성능이 저하된다. KTP크리스탈의 냉각이 잘되는 장비가 안정적으로 1064에서 532로 파장을 변환시킨다.

e) Spot size 변경의 편의성

스팟 사이즈가 달라질 때 플루언스 셋팅이 그대로 연결되고, "ready" 상태도 그대로 지속되는가? 스팟 사이즈가 바뀌어도 같은 플루언스로 표시된 경우 같은 정도의 조직반응이 오는가? 이런 셋팅이 맞지 않으면 스팟 사이즈마다 실제 표시된 fluence의 의미가 달라지는데 스팟 사이즈가 변경되어도 정확히 fluence가 유지되는 것이 중요하다.

f) 20Hz, Fractional mode, PTP가 구현되는가?

보통 10hz의 엔디야그인데 20hz가 필요한가? 필자의 경우 넓은 범위의 치료를 할때 20Hz가 유용하다고 생각하므로, 20Hz가 필요하다. 또 1064nmsk 532nm의 프랙셔널 팁이 필요한가? 최근에는 이런 프랙셔널 팁을 이용한 치료법들이 개발되고 있으므로 이 또한 필요한 기능이다. PTP(photoacoustic therapy pulse)가 필요한가?

이 또한 최근에 개발되어 그 유용성이 점차 밝혀지고 있는 만큼 필요한 기능이라 할 수 있다.

마지막으로 국내에서 생산되는 대표적인 Q-스위치 엔디야그 레이저들의 비교를 표 5-4에 실었다.

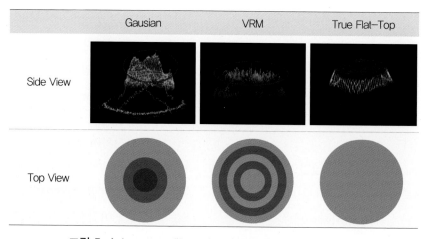

그림 5-4. beam profile of Gausian, VRM, Flat-top modes

나) 진피병변치료시 Q-스위치 레이저들의 차이점

a) Q-스위치 엔디야그 레이저
매질: 엔디야그(구체적으로 yttrium aluminum garnate(YAG) with neodymium)
(Nd는 neodymium의 원소기호)
파장: 1064nm, 이를 KTP크리스탈로 주파수변조를 하여 532nm를 만들어낸다.

b) Q-스위치 알렉산드라이트 레이저
매질: 알렉산드라이트(구체적으로 chrysoberyl crystal(Cr3+:BeAl2O4) with Chromium)
파장: 755nm

c) Q-스위치 루비 레이저
매질: 루비(구체적으로는 sapphire crystal (Al2O3) with chromium)
파장: 694nm

Q-스위치 레이저의 세 종류는 공진기에 들어가는 매질의 종류에 따라 붙여진 이름이다. 매질의 차이에 의해서 각 레이저는 파장에서 조금 차이가 난다. 기본적으로는 비슷한 기능을 한다.

오타모반, 몽고반점 등 진피성 색소병변인 청색반의 치료에 이용되는 색소치료용 레이저는 루비, 알렉산드라이트, 엔디야그 레이저 등의 Q-스위치 레이저가 있는데, 각각의 레이저의 파장이 다르다. 즉, 엔디야그가 1064nm의 파장을 내서 가장 길고 그 다음이 알렉산드라이트(755nm) 그리

표 5-4. 국내에서 생산되는 대표적인 Q-스위치 엔디야그 레이저들

		Jeisys Medical (TRI-BEAM K)	Lutronic (Spectra XT)	Wontech (Pastelle)	Laseroptek (Hellios II)
Wave Length		1064/532nm	1064/532nm	1064/532nm	1064/532nm
Beam Profile		Top Hat Mode	Top Hat Mode	Top Hat Mode	Top Hat Mode
Pulse Duration		5~10ns	5~10ns	5~10ns	~10ns
Pulse Energy	1064nm Top Hat	1.2 J	1.2 J	1.2 J	1.2 J
	1064nm PTP	1.6 J	1.7 J	1.6 J	none
	1064nm Gaussian	1.5 J	none	none	none
	1064nm Genesis	3.5 J	4.5 J	3.5 J	2.0 J
	532nm	450mJ	400mJ	500mJ	500mJ
Repetition Rates		Single, 1~20Hz	1, 2, 5, 10 Hz	1~10 Hz	1~10 Hz
Spot Size	Zoom HP	2~10mm	none	2~10mm	1~7mm
	Collimation HP	7mm	2~10mm	none	8mm
	Fractional HP(1064)	5×5mm	6×6mm	5×5mm~9×9mm	5×5mm
	Fractional HP(532)	5×5mm	4×4mm	none	5×5mm
Energy Calibration		Auto	Auto	Auto	none
Aiming Beam		Diode 655nm	Diode 655nm	Diode 655nm	Diode 655nm

고 루비(695nm)의 순서로 짧아진다.

레이저 빛의 파장이 길면 피부 속으로 깊이 들어가고 파장이 짧으면 깊이 들어가지 못합니다. 따라서 엔디야그가 가장 깊이 그리고 루비가 가장 얇게 들어갑니다. 하지만 멜라닌 색소에 잘 흡수되는 것은 루비>알렉산드라이트>엔디야그의 순이다. 즉, 멜라닌색소를 잘 파괴하는 순서는 루비>알렉산드라이트>엔디야그의 순이다. 이 두 가지 요소를 생각하면 각각 장단점이 있다는 것을 알 수 있다. 즉, 엔디야그 레이저는 깊은 병변의 치료에 효과가 좋다. 일반적으로 레이저 치료 후 잘 반응하지 않고 남은 병변은 깊은 병변이므로 끝까지 치료하고자 할 때 엔디야그 레이저가 좋은 선택일 수 있다.

그런데 여기에 다른 변수가 더 있다. 우리 피부는 표피 진피 그리고 지방층으로 되어 있는데 표

피가 가장 얇은 부위이다. 우리가 치료하려고 하는 비정상적인 멜라닌 세포는 오타반점의 경우에 진피에 있다. 그런데 정상적으로 표피의 기저층에 멜라닌 세포가 있어서 우리 피부의 색깔을 나타낸다. 우리가 바라는 것은 이 표피에 있는 멜라닌 세포에는 영향을 주지 않으면서 피부 깊이, 진피에 있는 멜라닌 세포를 파괴하는 것이다. 그런데 루비 레이저는 워낙 멜라닌 색소에 흡수가 잘 되기 때문에 표피에 있는 멜라닌에도 많이 흡수가 되면서 표피의 멜라닌 색소와 반응이 심하게 일어난다. 즉, 진피에 있는 멜라닌 세포만 파괴되는 것이 아니라 표피의 멜라닌 세포도 파괴된다는 것이다. 따라서 레이저 치료 후에 그 부위가 하얗게 되는 탈색되는 현상이 생길 수 있습니다. 탈색소 현상은 루비>알렉산드라이트>엔디야그 순서로 많이 일어난다.

실제로 이 세 가지 레이저를 가지고 임상 연구를

표 5-5. 색소성 병변에서 레이저의 선택

Pathology	Lesion type	Preferred laser
Epidermal	Lentigo/Ephelide	FD QS Nd:YAG (532nm) QS Ruby (694nm) QS/LP Alexanrite (755nm) IPL
	Cafe-au-lait macule	QS Ruby (694nm) QS/LP Alexandrite (755nm) FD QS Nd:YAG (532nm)
	Seborrheic keratosis	CO2 (10600nm) Er:YAG (2940nm) QS Ruby (694nm) QS/LP Alexanrite (755nm) FD QS Nd:YAG(532nm)
Dermal	Acquired/Congenital melanocytic nevus	CO2 (10600nm) Er:YAG (2940nm) QS Ruby (694nm) FD QS Nd:YAG (532nm) QS Nd:YAG (1064nm) QS/LP Alexandrite (755nm) IPL
	Nevus of Ota/Ito nevus	QS Ruby (694nm) QS Alexandrite (755nm) QS Nd:YAG (1064nm)

해본 논문들이 많이 있는데 앞서 말한 여러 가지 레이저의 특성에도 불구하고 치료 효과의 차이는 그다지 많지 않다. 오히려 어떤 레이저를 가지고 치료하느냐 보다는 레이저 에너지를 얼마로 할 것인지 그리고 어느 정도 간격으로 치료할 것인지, 치료할 때 피부에 직각이 되게 레이저 빛을 잘 조사하는지, 치료 후 관리를 어떻게 하는지 등에 따라 치료 효과가 달라진다고 생각한다.

부작용이나 치료 효과를 고려할 때 동양인에서는 좀 더 파장이 긴 알렉산드라이트나 엔디야그 레이저가 더 좋은 것으로 인정받고 있다. 즉, Q-스위치 레이저가 개발된 초기에는 백인들을 대상으로 한 치료 결과만 있었기 때문에 루비 레이저의 유효성이 인정받았지만 동양인을 포함한 유색인종에게 치료 범위를 넓혀가는 과정에서 탈색소 현상의 부작용이 많이 보고되었고 따라서 동양에서는 점차 루비보다는 알렉산드라이트나 엔디야그가 더 많이 보급되고 있다.

2. 긴 펄스(long pulse) 레이저

제모를 위해 개발된 레이저들은 milisecond(10^{-3} sec) 단위의 펄스시간을 가지는데 이러한 레이저들에는 루비(694nm), 알렉스(755nm), 다이오드(810nm), 엔디야그(1,064nm) 등이 있다. Q-스위치 레이저의 펄스시간이 나노초 단위여서 멜라노좀을 선택적으로 파괴할 수 있으나, 제모의 경우에는 hair shaft에 있는 멜라노좀을 선택적으로 파괴해도 제모를 위해 필요한 모낭구조가 파괴되지 않는 현상이 나타난다. 멜라닌을 함유하지 않는 모낭구조를 파괴하기 위해서는 오히려 타겟(멜라노좀)의 TRT(열이완시간)보다 긴 펄스시간의 레이저를 조사하면 타겟보다 넓은 범위로 열이 발생한다. 이런 원리인 extended theory of SPTL로 제모를 시행하고 있다. 제모레이저는 이런 이유로 나노초가 아닌 밀리초 단위의 펄스시간을 가진다.

선천성색소모반의 치료시 밀리초 단위의 펄스시간은 군집된 멜라닌세포의 열이완 시간과 가깝게 되어 멜라닌세포가 조밀하게 모여 있는 모반의 치료에도 사용할 수 있는데 이러한 경우 주변 조직으로 열이 파급되어 흉터를 남길 가능성이 있기 때문에 주의하여야 한다.

표피색소병변의 치료에도 ms 단위의 펄스시간을 이용할 수 있다. 메라노좀의 TRT 보다 긴 펄스듀레이션을 표피색소병변을 치료하는 방법은 표피기저층의 TRT(1.6-2.8ms)나 표피전체의 TRT(10-20ms)에 맞춘 펄스시간을 이용한다. 이렇게 하면, 나노초 단위의 펄스시간의 에너지로 멜라노좀이 급격하게 파괴되면서 나타나는 photoacoustic damage로 인한 염증반응이 줄어들어 gentle한 치료가 되고 색소침착 등의 부작용이 줄어들 수 있다는 보고가 있다.

Gemini, Elite-MPX, G-max, Excel-V, Clarity 등이 긴 펄스를 사용하는 색소치료용 레이저이다. 이런 긴 펄스듀레이션을 가지는 레이저들은 파장의 차이는 있으나 기본적으로 밀리초 단위의 펄스를 이용하는 IPL과 비슷한 치료원리를 가진다.

3. IPL : Intense Pulsed Light

Intense pulsed light(IPL)는 515-1,200nm 범위의 여러 파장의 빛(noncoherent light)을 펄스파 형태로 방출하는 기기로 응집성 광선(coherent ray)을 사용하는 레이저와는 구분된다. IPL을 주근깨나 일광흑자 등 표피성 색소병변에 사용할 경우 효과를 볼 수 있는데 Q-스위치 레이저가 멜라닌소체 또는 멜라닌 세포를 파괴하는데 반해, IPL은 멜라닌 색소를 함유하고 있는 각질형성세포(keratinocyte)의 변성(denaturation)을 유도하여 표피성 색소 병변에 효과를 나타내는 것으로 보고되고 있다.

표피성 병변에서 Q-스위치 레이저와 비교했을 때 염증성 과색소 침착(PIH)의 발생 빈도는 낮으나 한 번의 치료로 병변이 제거되기는 힘들고 재발이 많기 때문에 여러 번의 시술을 필요로 한다.

• Q-스위치레이저 vs IPL

주근깨, 잡티, 칙칙함, 색소침착 등 흔한 색소질환의 치료에 언제는 IPL을 사용하고 언제는 색소치료용 레이저인 Q-스위치 레이저를 사용할까? 출발점은 바로 스팟의 크기이다. 레이저는 스팟의 크기가 수밀리미터 이내가 보통이다. 작게는 2mm 정도에서 크면 1센티미터 정도이다. 반면 IPL은 적어도 수 센티미터의 크기이다.

1cm × 3cm 이런 크기가 보통이다.

가) Q-스위치 레이저는 작은 병변을 하나씩 치료하기에 좋다

Q-스위치 레이저는 스팟의 크기가 수 밀리미터이다. 잘 떨어지지 않는 병변을 강하게 치료해서 빨리 없앨 수 있는 기회가 있다. 이렇게 강하게 치료하고 나면 딱지가 생기고 떨어지면, 피부가 재생되어 빨갛게 보인다. 그러므로, IPL처럼 표시나지 않게 치료가 불가능하고 시술 후 딱지가 보이고 표시가 난다. 딱지 떨어진 후의 붉은 피부는 한두

달 지속되는데 그렇더라도 크기가 작아서 별로 불편하지 않다. IPL처럼 자국이 크게 생기는 것이 아니라서 그렇습니다. Q-스위치 레이저는 치료 후 확실하게 병변이 떨어지는 면이 있으나 IPL에 비해서 재발이 많은 편이다(그림 5-5). 재발은 보통 치료 후 2주에서 4주 사이에 진행된다.

나) IPL은 얼굴전체를 치료하기에 적당하다

전체적으로 칙칙한 피부에 치료하면 전체 피부가 옅어진다. 그런데 잘 빠지지 않는 병변을 꼭 빼기 위해 IPL을 강하게 하면 네모난 모양으로 표시가 난다. 이 딱지는 결국 탈락하고, 붉은 피부를 남기게 된다. 붉은 피부는 시간이 지나면 옅어지는 정상적인 회복과정을 밟게 되지만, 이렇게 큰 모양이 한동안 눈에 띄게 되면 스트레스를 받게 된다. 즉, IPL은 약하게 치료하고 얼굴전체의 전반적인 색소의 치료에 좋지만 강하게 한 개 한 개를 치료하기는 좋지 않다. IPL은 일상생활에 불편 없

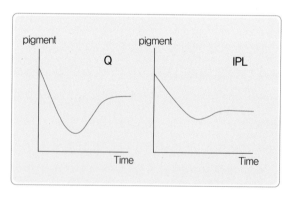

그림 5-5. 표피성 색소병변 치료 후의 IPL과 Q-스위치 레이저의 비교

색소병변의 Q-스위치 레이저 치료 후 가피가 탈락하면 병변이 호전되어 보이는데 이후 색소침착이 치료시점을 기준으로 2주에서 4주 사이에 진행될 수 있다. 반면, IPL은 한 번의 치료로 많은 호전은 어려우나 재발이 적다.

이 가볍게 치료할 수 있으나 색소가 연한 경우 잘 치료되지 않는 단점이 있다. IPL 치료 후에는 레이저 치료보다 재발이 적다.

*QS: Q switched, LP: long pulsed, FD: frequency doubled

4. 색소성 피부질환의 레이저 치료의 원리

색소성 피부질환에 사용되는 레이저를 지적한다면 두 부류의 레이저를 말할 수 있다. 물을 타겟으로 하는 즉, 물을 크로모포어로 이용하는 레이저와 멜라닌을 크로모포어로 이용하는 레이저가 색소병변의 치료에 이용되고 있다.

물을 타겟으로 하는 레이저는 직접적으로 멜라닌을 가열하지는 않으나, 피부의 모든 조직은 수분함량이 높으므로 물을 포함하는 피부가 가열이 되면 멜라닌도 간접적으로 뜨거워지고, 멜라닌과 주변피부가 뜨거워져서 색소성 병변이 파괴되도록 하는 치료이다. 이런 원리를 이용하는 레이저는 탄산가스 레이저, 어븀야그 레이저가 대표적이다. 이런 ablative 레이저를 이용한 흑자, 검버섯, 주근깨, 기미 등의 색소성 피부질환의 치료는 오랜 경험이 있다. 물론 멜라닌을 선택적으로 파괴할 수 있는 소위 색소치료 레이저로 불리는 레이저들이 개발된 이후는 사용이 많이 줄었지만, 지금도 유용하게 이용될 수 있다. 최근에는 프랙셔널 레이저라는 개념의 레이저가 많이 개발되었다. 이런 레이저의 공통점은 피부표면 전체를 치료하지 않고 작은 스팟을 이용하여 치료하고자 하는 피부표면의 일부만 치료하고 반복치료를 통해서 전체적인 변화를 가져오고자 한다는 점이다. 이런 레이

저의 효시는 프락셀인데 1550nm의 파장을 이용한다. 프락셀 뿐 아니라 이런 midinfrared 파장을 이용하는 많은 레이저가 개발되었고, 이런 파장대는 피부에 ablation을 유발하지 않는 형태로 치료를 시도한다. 이런 midinfrared 영역의 파장의 프랙셔널 레이저로 오타모반을 성공적으로 치료하였다는 보고도 있다. 이뿐 아니라 ablative fractional laser도 색소병변의 치료에 당연히 이용될 수 있겠다. 대표적으로 탄산가스 레이저, 어븀야그 레이저를 이용한 프랙셔널 치료가 이에 해당되겠다. 여러 종류의 레이저로 치료되지 않는 문신이 ablative fractional laser로 치료 가능할 수 있다. Ablative laser를 이용하여 문신이 포함된 조직을 치료하면 기화되어 공기중으로 날아가는 조직 내에 문신조각이 포함될 것이므로 색소의 특성에 관계없이 치료가 가능한 측면이 있다. 특히 기미의 치료에 있어서 기존의 물을 타겟으로 하는 레이저나 멜라닌을 타겟으로 하는 레이저의 한계점을 극복하고자 이런 프랙셔널 레이저가 전세계적으로 많이 시도되었으나, 한국인의 기미 치료에 있어서는 좋은 결과를 보고하지 못하고 있다.

1990년을 기점으로 멜라닌색소에 선택적으로 잘 흡수되는 파장을 이용한 소위 색소치료용 레이저가 개발되어 사용되고 있다. 최초의 이런 파장을 이용한 레이저는 PLDL(pigment lesion dye laser)였는데 마이크로초 단위의 펄스듀레이션을 가진다. 이 레이저의 등장 이후 곧바로 Q-switched laser가 나노초 단위의 펄스듀레이션을 가지고 개발되었고, 이에는 Q-switched Nd:YAG laser, Q-switched Ruby laser, Q-switched Alexandrite laser가 있다. 나노초 단위의 펄스듀레이션을 이용하게 된 이유는 멜라노좀이 250ns 정도의 TRT(Thermal relaxation time)을 가지기 때문이

다. 250ns보다 짧은 시간에 레이저빔이 멜라노좀에 가해지면, 멜라노좀을 뜨겁게 가열시킬 수 있는 반면 이 보다 훨씬 긴 시간에 걸쳐서 레이저빔이 가해지면 멜라노좀은 이미 식어 있어서 멜라노좀을 효율적으로 뜨겁게 할 수가 없게 되고, 멜라노좀은 파괴되지 않는다. 이러한 나노초 단위의 펄스듀레이션을 가지고, 멜라닌에 잘 흡수되는 파장을 가진 레이저는 바로 Q-switched Nd:YAG laser, Q-switched Ruby laser, Q-switched Alexandrite laser이다. 이런 레이저를 이용한 색소성 병변의 치료는 SPTL(selective photothermolysis : 선택적 광열용해) 과정을 거친다고 기술되어있다. 색소성 피부질환의 치료에서 이런 색소치료 레이저를 이용하면 멜라노좀이 가열되고 급격한 온도 상승으로 인하여 photoacoustic wave가 발생하여 멜라노좀이 파괴되며, 멜라노좀의 파괴시 멜라닌세포까지 괴사가 된다. 전달된 에너지가 높다면 멜라노좀과 멜라닌세포 뿐 아니라 좀 더 주변 조직까지 파괴가 될 것이다.

이런 색소치료용 레이저는 멜라노좀의 TRT 보다 짧은 펄스듀레이션을 가져야한다고 하는 생각이 금과옥조로 지켜져 오다가 1990년대 말이 되면 이런 신념에 금이 가기 시작한다. 제모레이저의 개발초기를 보면 바로 이런 나노초 단위의 펄스듀레이션의 레이저로 시작했는데, 이것이 hair shaft의 멜라노좀을 파괴하나 너무나 선택적으로 멜라노좀 구조물만 파괴하므로, hair shaft를 싸고 있는 hair follicle의 구조가 보존되어서 제모가 되지 않는 현상을 발견하고, 오히려 멜라노좀의 TRT 보다 더 긴 시간 동안에 레이저빔을 조사하면 열발생이 멜라노좀에 국한되지 않고 좀 더 넓은 범위로 퍼지게 되고, 모낭구조가 가열되어 파괴될 수 있음이 알려져서 제모레이저는 밀리초 단위의 펄스듀

레이션을 이용하게 된다. 이런 원리는 연구자들 사이에서는 널리 알려져 있었는데 이후 2001년에 가서야 extended theory of SPTL이라고 논문에 최초로 적히게 되었다. 비슷한 시기에 IPL(intense pulsed light)가 색소성 피부질환에 많이 이용되기 시작하였다. IPL은 기존 색소치료용 레이저와 달리 펄스듀레이션이 밀리초 단위였다. 이 또한 SPTL의 개념에 맞지 않는 치료가 실제 임상에서 광범위하게 이용되기 시작하게된 것이다. 이렇게 나노초 단위가 아닌 밀리초가 광범위하게 색소병변의 치료에 사용되기 시작하더니, 마이크로초 단위는 장점이 없을지 다시 관심을 받게 되고, 나노초보다 짧은 순간에 에너지를 전달하는 피코초, 펨토초 단위의 레이저가 연구되어서 개발되고 있다.

각론에서는 이런 멜라닌에 잘 흡수되는 파장을 가진 여러 레이저 또는 IPL이 어떤 원리로 색소병변을 치료하게 되는지 그 원리를 알아보고자 한다.

가) SPTL

Selective photothermolysis의 3가지 조건이 있다. 색소병변을 치료하는 경우 멜라닌에 잘 흡수될 수 있는 파장을 선택하는 것이 그 첫째이고, 레이저빔의 펄스듀레이션이 멜라노좀의 TRT보다 같거나 짧아서 빛의 흡수로 발생한 열이 멜라노좀에 선택적으로 국한될 수 있어야한다는 것이 그 두 번째 조건이며, 임상적 치료 효과를 나타낼 수 있게 전달된 에너지의 fluence가 충분하여야 한다는 것이 세 번째 조건이다. 색소치료 레이저에서 최초로 기술된 치료 양상을 조직학적으로 관찰하면 그림 5-6과 같이 레이저 직후 멜라노좀과 멜라닌이 파괴되고, 핵이 괴사하고 멜라닌을 함유한 멜라닌세포나 각질형성세포 내에도 공포가 형성되는 등,

멜라노좀의 파괴와 세포의 파괴가 같이 진행된 양상이 잘 알려져 있다. 그런데 실제로 최근의 연구에서 보면 소위 "레이저 토닝"이라 하여 멜라노좀의 TRT보다 짧게 나노초단위의 펄스듀레이션을 가지면서, fluence를 낮춘 경우 멜라노좀만 선택적으로 파괴되고 멜라닌세포는 괴사하지 않는 치료법이 있다. 이런 치료를 SPTL이라고 혹시 먼저 명명했었다면, 통상적으로 생각하는 멜라노좀 파괴와 멜라닌세포가 파괴되는 치료는 Extended theory of SPTL이라고 했을지도 모르는 일이다.

어쨌든 색소치료용 레이저가 처음 개발되어 사용되던 시점인 1990년경으로 가보면 Q-switched laser가 발사되어 레이저 빔이 나노초 범위의 펄스듀레이션을 가지고 멜라노좀에 흡수되면 멜라노좀이 급격히 온도가 상승하여 주변과 온도차이가 많이 생기고 이 때문에 photoacoustic shock wave가 발생하여 멜라닌세포 내에서 폭발이 일어난다고 하였다. 이런 결과로 표 5-6에서 언급된 것처럼, 멜라닌을 함유한 멜라닌세포나 각질형성세포에서 멜라닌색소가 세포의 주변부로 튕겨져 나가고, 세포핵이 pyknosis나 peripheral condensation이나 vacuole을 보이고, 표피전체의 괴

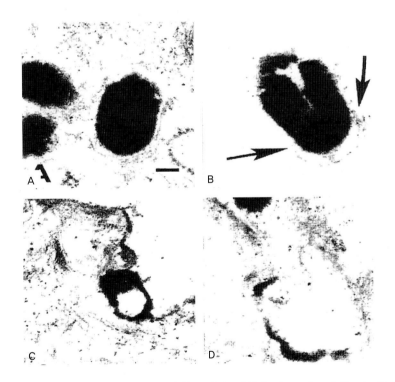

그림 5-6. Melanosomes are primary target of Q-switched Ruby laser irradiation in Guinea Pig skin

A) Relatively intact melanosomes (0.5J/cm2)

B) Melanosome exhibiting zone of internal electron lucency and apparent disruption of external membrane (arrow, 0.5J/cm^2)

C) Melanosome showing larger zone of internal electron lucency and absence of external membrane (0.8J/cm2)

D) Melanosome characterized by enlargement, irregularity of contour, and complete disruption of internal contents (0.8J/cm^2) (J Invest Dermatol. 1987 Sep;89(3):281-6.)

Effect of SPTL by Q switched laser on epidermis

- Immediate and temporary whitening : 5-20min
- Ring cell ; dispersion of pigment to the periphery of cell (pigmented keratinocyte, melanocyte, nevus cell)
- Nuclei : pyknosis, peripheral condensation of chromatin, central vacuole
- Epidermal death caused by release of melanin from melanosome

→ **Destruction of melanosome**
  Death of Melanocyte

표 5-6. Effect of SPTL by Q switched laser on epidermis

사가 나타난다. 이런 현상을 SPTL이라고 정의하였으니 색소성 피부병변의 치료에서 SPTL은 멜라닌색소의 파괴와 멜라닌세포의 파괴가 동반되는 것이다. SPTL이 가장 먼저 기술되고 널리 인용된 이유로 다른 치료 원리들은 이에 위배되지 않게 기술되어야 하게 되었다.

나) Extended theory of SPTL

이 치료원리는 2001년에 최초로 기술되었는데 실제 이 개념은 1990년대 말 제모 레이저를 개발하면서 발생한 개념이다. 1990년대 중반의 제모는 Q-스위치 레이저를 이용하여 개발되고 있었는데 일시적인 탈모가 되나, 털이 다시 자라나서 효과가 없음이 알려지고, 이후 펄스듀레이션을 길게 하여 열이 hair shaft에만 국한되지 않고 주변의 모낭구조 전체에 열이 전달되도록 계획하면 제모가 효과적으로 가능함이 알려져서, 실제 1990년대 후반에 발매되기 시작한 제모 레이저들이 바로 펄스듀레이션을 길게 한 long pulsed laser들이다. 이때의 치료원리를 훗날 정리하여 기술하면서 Extended theory of SPTL이라고 명명하였다. 앞서 색소병변의 치료에 있어서 SPTL은 멜라노

좀과 멜라노좀을 함유한 세포의 괴사라고 설명하였는데, 제모레이저 치료에 있어서는 멜라노좀이 있는 hair shaft와 멜라노좀이 없는 hair follicle이 같이 파괴되는 것이 기존 SPTL과는 다르다고 할 수 있고, 그래서 extended theory of SPTL이라고 기술되었다.

그림 5-7에서 보면 extended theory of SPTL에서는 파괴하고자하는 타겟이 레이저빔과 반응하는 크로모포어가 없어서 인접한 크로모포어를 히터로 이용하여 열을 발생시키고 이 열이 타겟에도 잘 전달되게 히터와 타겟을 포함한 전체 구조물의 TRT에 맞추어 레이저의 펄스듀레이션을 조절하는 치료를 설명하고 있다. 이런 원리를 이용하는 대표적인 경우가 hair shaft를 이용하여 hair follicle을 파괴하는 제모치료의 경우와 적혈구를 이용하여 혈관벽을 파괴하는 경우를 설명하고 있다.

다) Subcellular SPTL

최근에 한국에서 시작하게 된 소위 "레이저 토닝"이라는 치료는 Q switched Nd:YAG 레이저를 통상적으로 색소병변에 이용하던 fluence 보다 훨씬 약하게 병변에 시술하는 방법이 다. 기존

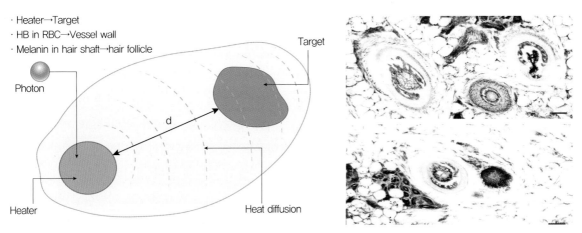

· Heater→Target
· HB in RBC→Vessel wall
· Melanin in hair shaft→hair follicle

Photon

Target

d

Heater

Heat diffusion

그림 5-7. Extended theory of selective photothermolysis
(R Anderson, Lasers Surg Med, 2001)

의 색소병변의 SPTL 치료의 3가지 개념에서 보면 SPTL이 발생할 만한 충분한 fluence가 되지 않아서 적절한 photothermolysis가 되지 않고 있는 상태라 할 수 있다. 즉, 레이저 토닝을 SPTL로 보기에는 멜라닌세포를 함유한 세포 내지는 표피의 괴사가 일어나지 않는다. 그런데 자세히 전자현미경으로 들여다보면 이런 치료에서 멜라노좀은 파괴가 되고 있으나 멜라노좀이 포함된 세포 자체는 괴사가 되지 않고 있음이 잘 알려졌다. 이를 확인하기 위한 김 등의 Zebra fish를 이용한 연구에서도 세포괴사가 일어나지 않으면서 멜라노좀이 파괴되는 fluence level이 존재함을 확인하였다. 이런 현상은 기존에 명명된 색소병변 치료시 SPTL과는 분명히 차이점이 존재한다. 이런 현상이 세포범위가 아니고, 세포내 organelle 단위(subcellular)인 멜라노좀에 국한된 선택적인 파괴가 일어난다고 하여 subcellular SPTL로 명명하였고, 이것이 Journal of Investigative Dermatology에 게재됨으로서 세계적으로 이런 시술방법의 원리를 subcellular SPTL로 인정받은 것이다.

기미치료에 이용되는 subcellular SPTL을 이용

한 치료에서는 여러 연구에 의해서 멜라닌세포나 각질형성세포의 직접적인 괴사는 없으나, 멜라노좀의 파괴 뿐 아니라 세포의 여러 변화들이 일어남이 보고되었다. 레이저 토닝을 반복하면, 멜라닌세포의 덴드라이트가 짧아져서 멜라노좀 transfer가 어려워지고, 멜라노좀 transfer에 필요한 PAR-2도 감소하고, 멜라닌합성에 필요한 tyrosinase, TRP-1, TRP-2 등의 효소도 denaturation되는 등의 변화가 알려져 있다.

라) Theory for IPL, long pulsed lasers

기본적으로 밀리초 단위의 펄스듀레이션을 가지는 IPL이나 long pulsed laser들은 멜라닌에 잘 흡수되는 파장을 이용하고 펄스듀레이션이 길다는 공통점이 있고, 비슷한 원리로 색소병변의 치료에 이용된다고 본다. IPL은 broad band의 파장을 이용하고 long pulsed laser는 532, 694, 755, 1064nm의 파장을 주로 이용한다. 앞서 색소 치료용 레이저의 치료원리도 같은 파장의 레이저라도 사용하는 방법에 따라 다른 원리를 이용함을 알 수

있었다. IPL이나 long pulsed laser도 사용하기에 따라 다양한 치료원리를 이용한다고 본다. 다음의 3가지 원리가 있다.

a) (멜라노좀을 통한) biomodulation

IPL이든 long pulsed laser이든 멜라노좀의 TRT보다 훨씬 긴 밀리초 단위의 펄스듀레이션으로 조사하게 되면 멜라노좀은 파괴되지 않고 멜라노좀을 통해서 주변으로 열이 전달되게 된다. 이럴 때 강한 에너지가 아니고 약한 에너지가 전달된다면 멜라노좀을 통해 레이저빔이 흡수되고 열이 발생하고 주변 조직(예를 들어 표피 색소성 병변을 치료하는 경우라면 표피기저층 혹은 표피전체)으로 열이 전달되나 조직이 괴사될 정도는 아닐 것 이다. 결과적으로 표피기저층 혹은 표피전층에 전반적으로 열자극이 전해지나, thermolysis는 일어나지 않는 상태를 가정해 볼 수 있다. 이런 경우 thermolysis 정도의 열은 아니나 thermo-modulation은 가능하여 표피의 변화를 유도할 수가 있다.

기미의 치료에 있어서 IPL이나 long pulsed laser를 이용하여 밀리초 단위의 빔을 발사하여 소위 "듀얼토닝"을 한다고 할 때, 기대하는 것은 표피조직의 괴사가 아니고, 열자극에 의해 표피의 turn over가 증가하고 이로 인해 표피의 멜라닌색소 농도가 감소하는 것이다. 표피의 turn over가 증가하면 각질형성세포가 기저층의 멜라닌세포와 접촉하는 시간이 짧아지고, 멜라노좀 transfer의 양이 줄어서 표피 내 멜라닌색소 농도가 감소할 것 이다.

b) (멜라노좀을 포함하는 조직을 그에 맞는 TRT로 공격하는) SPTL

IPL의 사용이 처음 시도되는 시점에서 보면 당시 Q-스위치 레이저의 나노초 단위의 펄스듀레이션에 익숙하였던 의사들에게 밀리초 단위의 펄스듀레이션을 가지는 IPL의 등장은 상당히 엉뚱했다. 처음 IPL 사용자들은 "기존 이론에 맞지 않지만 임상적으로 효과가 있다"라고 기술하였다. 이후도 IPL의 치료원리에 대해서 정확히 기술하지는 않고 있는데 굳이 명시한 논문에서는 IPL도 SPTL의 원리로 치료한다고 기술하고 있다. 이후 IPL과 더불어 long pulsed laser(예를 들면 long pulsed Alexandrite)를 이용한 색소병변의 치료가 보편화 되면서 이런 치료들이 멜라노좀을 통해서 빛이 흡수되어 열이 발생하는데, 표피의 기저층이나 표피전층을 적절히 선택적으로 가열한다고 설명하고 있다. 표피기저층이나 표피전층을 치료 타겟으로 하고 그의 TRT(표피기저층의 TRT는 1.6-2.8ms, 표피전체의 TRT는 10-20ms)에 맞게 치료하는 개념이면 밀리초가 적당하다고 하였다. 즉, IPL이나 long pulsed laser의 밀리초 단위의 펄스듀레이션은 표피기저층이나 표피전층의 TRT에 맞추어서 펄스듀레이션을 정한 표피전층 혹은 표피기저층을 타겟으로 하는 SPTL이라고 이해할 수 있고, 나노초 펄스듀레이션의 Q-스위치 레이저들은 멜라닌세포의 SPTL을 목표로 한다고 할 수 있다. 즉, 두 치료들은 타겟의 크기가 차이가 있어서 펄스듀레이션이 다를 뿐 각각 목표로 하는 타겟의 TRT에 맞게 SPTL 개념으로 치료하는 것은 동일하다고 할 수 있다.

그림 5-8은 Kawada 등이 흑자를 통상적인 IPL로 치료한 경우인데, 시술 직후 표피세포와 멜라닌세포의 공포화를 보이고, 표피전층의 괴사를 보이면서, 약 1주 후에 회복되는 양상을 조직검사에서 보여주고 있다. IPL을 이용하여 주근깨나 흑자 등이 치료되는 경우 치료 직후 표피전층이 파괴되고

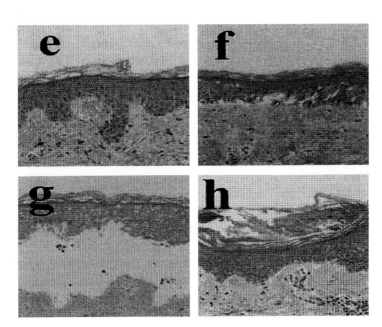

그림 5-8. Videomicroscopic and histopathological investigation of IPL for lentigines
e) before, f) 30min, g) 24hr, h) 7days (Kawada et al, Dermatol Science 2002)

재생되면서 딱지로 떨어지고 병변이 좋아지는 경우 이런 치료원리를 따른 것이라 볼 수 있다. 이 경우 멜라노좀을 히터로 하고 표피전층을 타겟으로 보는 extended theory of SPTL로 보지 않는 이유는 다음과 같다. Extended theory of SPTL의 설명에서 보면 치료하고자 하는 타겟에는 크로모포어가 없어서 크로모포어가 있는 히터를 이용한다고 하는데, IPL을 이용하여 표피기저층의 TRT에 맞추어 치료하는 경우 타겟에도 다 멜라노좀이라는 크로모포어가 존재하므로 이는 extended theory of SPTL의 상황과는 다르다고 할 수 있다. 이런 IPL 치료가 물론 멜라노좀을 통한 열전달이 멜라노좀의 범위를 벗어나는 점에서는 extended theory of SPTL과 같다고 할 수 있으나, extended theory of SPTL과는 달리 멜라노좀이 포함되지 않는 조직을 파괴하지는 않는다.

c) (멜라노좀을 포함하지 않는 주변 조직을 치료하기 위하여 펄스듀레이션을 길게 한) Extended theory of SPTL

CMN (Congenital melanocytic nevus)의 치료에 있어서 치료에 저항하고 재발을 하는 경우 멜라노좀을 함유한 멜라닌세포 이외에 멜라노좀을 함유하지 않은 멜라닌세포(amelanotic melanocytes)가 재발의 근원이 되는 경우가 있다. 이런 경우 IPL이나 long pulsed laser를 이용하여 멜라노좀을 함유한 멜라닌세포를 히터로 이용하여, 주변의 amelanotic melanocytes의 군집(cell nest)을 타겟으로 하고, 전체적인 TRT를 고려하여 펄스듀레이션을 정한다면, 이런 치료는 바로 heater(melanotic melanocytes)를 이용해 target(amelanocytic melanocytes)를 치료하는 extended theory of SPTL이라 할 수 있겠다.

이상에서 보듯 IPL이나 long pulsed laser의 치료원리를 한 가지로 정의하기 어려운 면이 있으나 각각의 경우에 어떻게 변화가 일어나는지 원리를 이해한다면 임상적으로 도움이 될것 이다. 이상으로 색소병변의 치료에 사용되는 탄산가스, 어븀야그 레이저 등과, 멜라닌에 잘 흡수되는 파장을 가진 소위 색소치료 레이저라 불리는 엔디야그 레이저, 루비 레이저, 알렉산드레이트 레이저r, IPL 등의 치료원리에 대해서 알아보았다. 이외에 색소치료에 사용되는 레이저들이 또 있을 텐데, 예를 들어 기미치료에 He:Ne 레이저 등을 이용하여 LLLT를 하였다면 이도 색소치료방법이고 그 원리는 biostimulation 혹은 biomodulation이라 할 수 있는데 이런 원리에 대한 기술이 본 챕터에 없는 이유는 일단 이런 레이저들을 멜라닌에 선택적으로 흡수되어 효과를 나타내는 소위 "색소치료 레이저"로 분류하지 않았기 때문이다. 이런 치료원리에 대한 이해는 당면한 과제에서 레이저 치료가 잘 되지 않을 때 어떻게 파라미터를 바꾸어 가야할지 연구할 때 큰 도움이 된다. 사용하는 레이저의 기초 원리를 이해하고 치료하고자 하는 병변의 병리를 이해하여야 좋은 치료를 도출할 수가 있다.

Summary of various principles (I)

- SPTLysis
  Destruction of melanosome
  Death of cells that contain melanosomes

- Extended theory of SPTLysis
  Intact melanosome
  Death of cells that do not contain the melanosomes

- Subcellular SPTLysis
  Destruction of melanosome
  Survival of cells that contain melanosomesSPTLysis
  Destruction of melanosome
  Death of cells that contain melanosomes

Summary of various principles (II)

- Pulse duration<TRT of melanosome
  SPTL
  Subcellular SPTL
  Destruction of melanosome

- Pulse duration<TRT of melanosome
  Extended theory of SPTL
  IPL and long pulsed laser
  Intact melanosome

표 5-7. Summary of various principles

IV. 표피성 색소병변

표피를 완전히 파괴할 수 있으면 표피성 색소병변도 완벽히 제거될 수 있으며 파괴되는 깊이가 상부 진피에 국한될 경우 피부 반흔 없이 치유될 수 있다. 화학적 박피나 액체질소도 표피성 색소병변 치료에 도움을 줄 수 있으나 이러한 치료들은 정확한 치료 깊이 조절이 힘들어 계획한 정도보다 깊이 침투할 경우 흉터 또는 영구 탈색을 일으키게 된다.

표피성 색소병변의 치료에는 짧은 파장의 레이저를 사용할 수 있는데 이러한 레이저들은 멜라닌 색소에 흡수가 잘되지만 조직 깊이 침투하지 못한다. 아르곤 레이저(488nm, 514nm)와 FD-Nd:YAG 레이저(532nm)는 흑자(lentigines)를 치료하는데 쓰이며 특히 색소가 진하지 않아 레이저를 흡수하는 발색단이 적은 경우에 유용하다. 또한 CO_2 레이저나 어븀야그 레이저로 얇은 박피를 시행하여도 좋은 결과를 볼 수 있다.

1. 단순 흑자(lentigo simplex), 일광 흑자(solar lentigo)

흑자는 불규칙한 모양을 가지나 주변 피부와는 명확히 구별되는 반점상(macular) 표피성 병변으로서 일광 노출에 의해 발생한다. 조직소견으로는 상피돌기(rete ridge)가 아래로 자라 깊어지고 표피 내 멜라닌세포 및 멜라닌색소 양이 증가한 양상을 보인다. 나이에 따라 증가하는 경향을 보이고 일반적으로 일광노출량과 관계가 있다.

크기는 1-2mm에서 2-3cm까지 다양하게 나타날 수 있으며 병변의 깊이가 얇기 때문에 CO_2 레이저 또는 어븀야그 레이저로 박피하여 치료할 수 있다. Q-스위치 레이저(532nm, 694nm, 755nm) 및 기타 펄스 레이저 등으로 치료 가능하고 IPL로도 효과를 볼 수 있다. 이런 병변들은 종종 한 번의 치료로 완전 제거 가능하나, 재발이나 과색소 침착을 흔히 동반한다. 이런 이유로 특히 일광흑자는 주근깨보다 훨씬 치료가 어렵다. 레이저 치료 후 자외선 차단제와 hydroquinone 등의 미백제를 철저히 사용하여야 새로운 병변이나 과색소 침착이 발생하는 것을 줄일 수 있다. Q-스위치 레이저가 표피성 색소 병변 치료에 효과적이기는 하지만 동양인에서는 염증성 과색소 침착(PIH)이 나타나는 비율이 높아 치료 전후 hydroquinone 등을 사용하는 것이 좋다. Wang 등의 보고에 의하면 Q-스위치 알렉산드라이트 레이저로 치료 후 47%에서 PIH가 발생하였고, IPL의 경우 더 많은 치료 회수가 필요하지만 PIH가 일어나는 빈도가 적다는 장점이 있다고 한다.

2. 주근깨(ephelides, freckles)

주근깨는 경계가 분명한 갈색 또는 밤색의 병변으로 주로 일광노출 부위에 발생하고 햇빛에 노출되면 더 진해진다. 소아-청소년기부터 발생하고 여름철에 수가 증가한다. 유병률은 나이가 들수록 감소하는 경향이 있다. 조직학적 소견으로는 정상 표피에 멜라닌 색소만 증가한 양상을 보인다. 주근깨는 Q-스위치 레이저에 반응이 좋지만 치료 후 일광에 노출될 경우 주근깨가 다시 생기는 경우가 많아 자외선 차단제 사용이 필수적이다. 옅은 색보다는 짙은 색을 띄는 주근깨가 발색단을 많이 포함하기 때문에 치료에 반응을 더 잘하며 532nm,

694nm, 755nm 레이저가 효과적이다. 흑자를 치료할 때 보다 PIH 발생 빈도는 낮으나 동양인의 경우 주근깨, 흑자, 기미 등이 섞여 있는 경우가 많으므로 치료 전후 hydroquinone 및 자외선 차단제의 사용이 필요하다. IPL을 사용한 경우 적은 합병증으로 효과를 볼 수 있다(그림 5-9).

워져있어 레이저의 투과가 제한적이다. 표피의 두께가 비교적 얇은 경우 Q-스위치 레이저를 사용할 수 있고 표피의 두께가 두꺼운 경우 CO_2나 어븀야그 등의 박피레이저를 사용하여 제거하는 것이 효과적이다(그림 5-10). 완전히 제거된 경우 재발은 드물지만 과색소 침착이 발생할 수 있으므로 주의해야 한다.

3. 지루성 각화증
(seborrheic keratosis)

흔히 검버섯이라고 불리는 병변으로 표피에 멜라닌 색소 양이 증가하여 있으나 표피의 두께가 매우 두꺼

4. 밀크커피색 반점
(Cafe-au-lait macule)

정상피부색보다 진한 갈색의 반점이 피부에 발생한다. 아주 조금 주변보다 진한 경우에서부터 아

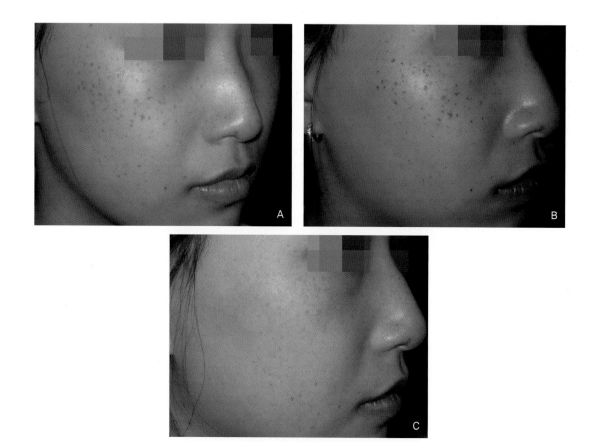

그림 5-9. 주근깨의 IPL 치료
A) 치료 전, B) 치료 2일 후, C) 치료 10일 후

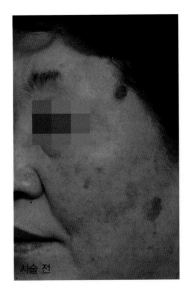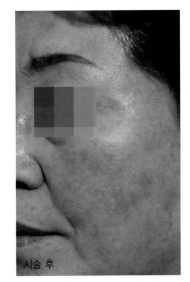

시술 전   시술 후

그림 5-10. 지루성 각화증(seborrheic keratosis)으로 이산화탄소 레이저 박피 후 모습

주 진한 경우까지 색상은 다양하다. 크기는 신생아에서는 0.2-4cm이고, 성장하면서 피부가 커지는 정도에 비례해 커진다. 어른에서는 평균 직경 2-5cm로, 작게는 0.2cm에서 크게는 20cm 이상이나 더 큰 경우도 있어서 한쪽 팔이 거의 전체 발생한 경우도 있다.

병변의 경계는 분명한 경우도 있으나 불명확한 경우도 있다. 한쪽은 경계가 분명한데 다른 쪽은 불분명한 경우도 있다. 병변의 모양은 원형, 각진 형태, 삐쭉삐쭉한 형태 등 다양하다. 한 덩어리로 보이는 경우도 있고, 여러 개의 조각으로 나뉘어서 한 부위에서 발견되기도 한다. 병변 내부의 색은 균일한 밀크커피색이 흔하나, 색이 균일하지 않거나 진한 갈색을 보이기도 한다(그림 5-11).

조직학적으로 밀크커피색 반점은 멜라닌세포의 증식 없이, 표피의 멜라닌 색소가 증가된 소견을 보인다. 표피의 기저세포 및 멜라닌세포 내 멜라닌 색소가 증가한 소견을 보이며 신경섬유종증과 동반된 병변에서는 거대 멜라닌소체(giant mela-nosome)가 나타난다.

밀크커피색 반점은 갈색의 반점으로 우연히 발견되기도 하고 신경섬유종증(neurofibromatosis) 또는 다른 증후군성 질환과 연관되어 나타나기도 한다. 백인의 경우 3개 이상, 동양인의 경우 5개 이상의 밀크커피색 반점이 발견되는 경우 다른 연관된 질환이 있는지 의심해 보아야 한다.

• 발생시기

밀크커피색 반점의 발생시기는 출생시나 출생 직후가 많다고 논문에 많이 설명되나, 실제 출생시에 발견되는 경우는 드물고 많은 경우 신생아

표 5-8. 밀크커피색(Cafe-au-lait) 반점과 관련된 증후군

Neurofibromatosis type 1 (von Recklinghausen)
Neurofibromatosis type 2
McCune–Albright syndrome
LEOPARD syndrome
NAME syndrome
LAMB syndrome
Peutz–Jeghers syndrome
Bannayan–Riley–Ruvalcaba syndrome

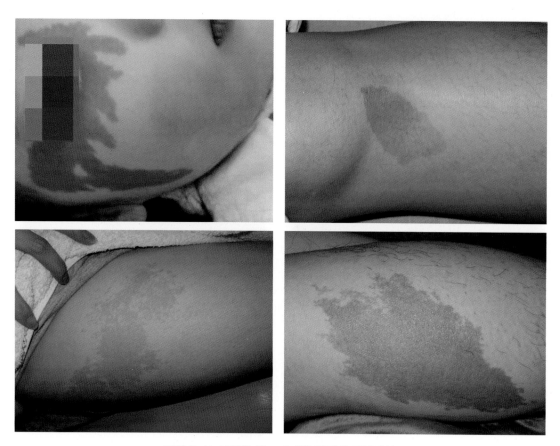

그림 5-11. 다양한 밀크커피색 반점의 임상양상

시기에 발견된다. 이후에 발견되는 경우도 있다. 신생아 시기에 외출을 하지 않아서 자외선에 노출되지 않고 아직 피부가 붉어서 밀크커피색 반점이 연한 경우는 출생 후 수개월까지 모르고 있는 경우도 흔하다.

처음 발견된 이후로 개수가 많아지고 색깔이 진해진다. 신경섬유종증이 최종 확진된 경우의 밀크커피색 반점은 출생시에 발견되는 경우가 43%이고 1세 이전에 발견되는 경우가 63%라는 보고가 있다.

• **자연경과**

처음 발견 후 이후로 점차 숫자가 증가하는 경우가 있다. 아동기에도 숫자가 증가할 수 있으나 청소년기에 숫자가 많아진 경우가 흔하다. 숫자가 증가하지 않더라도 아이가 커가는 만큼은 당연히 따라서 커진다. 자세히 관찰하는 경우 분명히 팔꿈치 아래에만 있었는데 팔꿈치 위로도 보이는 경우는, 아이가 커진 만큼 병변이 커진 게 아니라 그 이상 커졌다고 보아야 한다. 성인이 되면서 희미해지기도 하나 보통은 더 진해 지는 경우가 많다.

• **발생빈도**

유색인종의 신생아 12%에서 백인의 신생아 0.8%에서 발견된다는 보고도 있다. 밀크커피색 반점은 정상 성인의 10-20%에서 보고되고 있다. 나도 있고, 우리 둘째 아이도 있다. 즉, 매우 흔하다. 밀크커피색 반점이 있는 정상인(신경섬유종증이 아닌) 98%가 3개 이하의 병변이 있으나, 드물게 4개 이상의 병변이 있는 경우가 있다.

가) 레이저냐 수술이냐?

레이저 치료로도 쉽지 않은 것이 갈색반의 치료이다. 처음 색소치료용 레이저가 만들어져 상용화된 1991년경에 갈색반도 기대를 가지고 많이 시술되었다. 그러나 결과는 참담했다. 거의 모든 갈색반이 색소치료 레이저 후 재발한다는 것이다. 이후 새로운 색소치료용 레이저가 개발될 때마다 갈색반도 열심히 치료했으나 결과는 마찬가지였다.

이후 새로운 색소치료용 레이저의 개발이 뜸해지고, 1995년 이후에는 연구자들이 갈색반을 여러 번 반복 치료해 보게 되었다. 이런 연구의 결과로 갈색반이 여러 번 치료하면 효과가 있다는 것을 알게 된 것이다.

그런데 지금도 갈색반의 치료는 쉽지 않아서 차라리 수술을 하면 어떨지 문의 하는 경우가 있다. 수술의 경우는 절제술, 국소피판술, 조직 확장술, 피부이식 등 여러 방법이 있으나, 갈색반이 큰 경우 아직까지 어떤 훌륭한 의사가 한 수술도 만족할 만한 상태를 본 적이 없다. 그래서 수술은 아주 제한적으로 이용될 수 있다.

나) 밀크커피색 반점의 치료에 이용되는 레이저

밀크커피색 반점의 치료에는 색소치료 레이저가 많이 이용된다. 색소치료 레이저라 함은 보통 Q-스위치 레이저를 말한다. Q-스위치 레이저는 엔디야그, 알렉산드라이트, 루비 레이저가 있다. 이

번 원고에서는 Q-스위치 레이저를 이용한 치료를 표준적인 치료법이라고 칭하였다. Q-스위치 레이저(532nm, 694nm, 755nm)로 치료하는 것이 가장 보편적인 방법이다. 긴 펄스 레이저로 치료하는 것이 재발을 줄일 수 있다는 보고도 있다. Chan과 Kono 등의 보고에 의하면 Q-스위치 루비 레이저를 사용하는 것 보다 정상 모드의 루비 레이저를 사용하는 것이 재발이 적었다고 하며 그 이유에 대해서는 긴 파장의 레이저가 모낭 주위의 멜라닌세포를 치료할 수 있기 때문이라고 하였다. 어븀야그 레이저를 사용하여 박피를 시행한 경우도 일시적으로 호전된 양상을 보이지만 재발되는 경우가 많다.

밀크커피색 반점의 치료성적은 3가지 Q-스위치 레이저가 비슷하므로(Grossman 등, 1995), 레이저로 치료를 결정하지 말고, 일단 치료받을 주치의를 정한 후에는 주치의가 늘 사용하는 레이저로 치료받는 것이 좋다. 다시 말해 레이저를 보고 선택하는 것보다 의사를 보고 선택한 후 레이저의 선택은 의사에게 맡기는 것이 좋다.

갈색반의 치료는 굉장히 예민해서 적정한 치료가 있다고 본다. 이를 위해 미세한 조절이 필요한데 이는 자기가 수년간 매일 사용하는 레이저로 가능하다. 필자의 경우 엔디야그 레이저가 병원에 3대 있지만, 이 3대의 미세조절법이 모두 다르다. 그러므로, 이중 하나만 밀크커피색 반점의 치료에 이용하고 있다. 늘 사용하는 레이저로 오랜 시간 치료경과를 관찰하면서 적절한 치료파라미터를 찾는 것이 중요하다.

다) 표준적인 치료방법(그림 5-12)

갈색반의 치료는 일반적으로 색소치료용 레이저

로 하게 된다. 적절한 치료를 하지 못하면 여러 번 치료해도 효과가 없다고 본다. 적절한 치료란,

첫째는, 레이저 치료 후 딱지가 떨어진 후에 일시적으로 병변이 소실되어야 한다. 일시적으로나마 병변이 완전히 없어지지 않는 치료는 여러 번 치료해도 효과가 없다. 이렇게 치료 후 딱지가 떨어지면서 병변이 소실되기 위해서는 치료직후에 적절한 whitening이 발생하여야한다. 이 whitening의 강도는 경험에 의해서 적절한 정도를 선택하여야한다. 너무 강한 fluence는 hypopigmentation이나 PIH의 가능성이 높아지고, 너무

약한 fluence의 치료는 딱지가 가볍게 발생한 후 떨어져도 병변의 일시적인 소실이 보이지 않고 갈색이 남게 된다.

둘째는, 치료간격이 중요하다. 갈색반 치료 후 잘 치료했다면 병변이 일시적으로 소실되는 것을 볼 수 있는데 대게 2달 이내에 다시 갈색이 올라오게 된다. 이렇게 다시 올라오면 바로 치료를 해야 한다. 시간이 오래 지나서 치료를 하면 효과가 떨어진다. 치료효과만 생각한다면 치료간격을 2달 보다 더 짧게 하면 좋을 듯하나, 꼭 그렇지 않고, 또 흉터발생의 우려가 높아진다. 자기 피부가

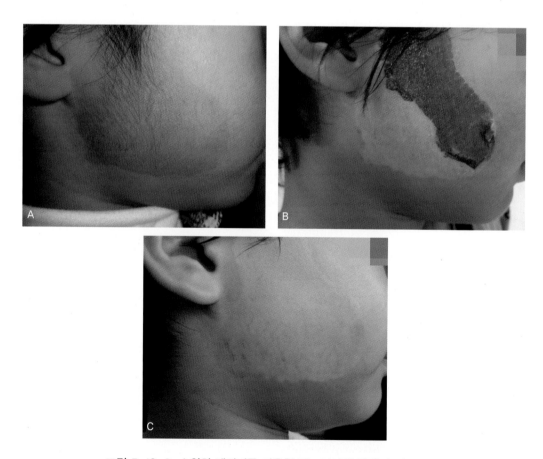

그림 5-12. Q-스위치 레이저를 이용한 밀크커피색 반점의 치료과정
A) 시술 전. B) 시술 7일 후 딱지가 일부 떨어지고 있는 상태. 딱지가 탈락된 부위를 보면 갈색은 사라지고, 홍반이 보인다. C)시술 한 달 후 홍반도 사라지고 아직 갈색이 재발하지 않아서 밀크커피색 반점의 갈색이 나타나지 않고 있으며 오히려 주변 정상피부보다 치료한 병변 부위가 더 하얀 상태

회복되면서 갈색반을 치료하기위해서는 2달 정도의 간격으로 3-4회 까지 치료해본다. 이런 치료 간격은 많은 이견이 있을 수 있고, 각자의 세팅에서 각자의 경험이 중요하다고 할 수 있다. Levy 등도 필자와 같은 2개월 치료간격을 주장한 바 있다. 연속치료가 특별히 장점을 보이지 않는 경우는 연속치료를 계속 고집할 필요는 없다. 때로는 가끔 치료해주는 것이 더 좋은 경과를 보일 수도 있다.

라) 밀크커피 반점의 조기치료(그림 5-13, 5-20)

밀크커피 반점은 출생 후 몇 달 지나지 않아서 발견되는 것이 대부분이다. 그리고 평생 없어지지 않으므로 치료를 빨리 해주는 것이 좋다. 그런데 밀크커피 반점을 조기에 치료하려면 장애물이 많이 있다.

첫째, 시술시 아파한다. 물론 어른도 아파하지만, 애들은 조금만 아파도 또는 별로 아프지 않은데 분위기가 무서워서, 또는 나를 꼼짝 못하게 하고(레이저를 해야 하므로) 내 마음대로 움직이지 못하게 해서 화가 나서 등등의 이유로 울고 움직이는 경우가 많다.

둘째, 시술 후 드레싱을 붙여주고 상처관리를 잘 하여야 하는데 어른들은 지시에 잘 따르지만, 애기들은 시술 후 상처관리에 협조를 하지 않는 경우가 많다.

셋째, 병변이 작은 경우는 울더라도 붙들고 레이저를 하고 금방 끝내면 되는데 병변이 크면 불가능하다. 이때는 어쩔 수 없이 수면마취를 하고 치료를 하게 된다. 보통 1세 이상이면 수면마취를 고려하고, 그 이하에서는 바르는 마취약을 바른 후 붙들고 치료하게 된다.

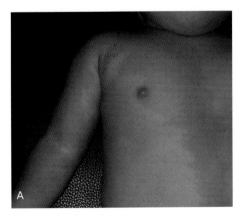
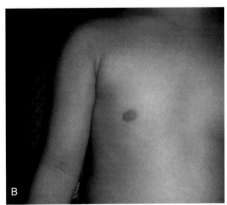

그림 5-13. 조기치료의 중요성

A) 치료 전 기저귀를 찬 모습의 환아. 목에서부터 가슴 배로 분포하는 병변과 오른쪽 팔에 상완과 하완에 걸쳐있는 밀크커피색 반점이 관찰된다. 환아는 1세 이전에 세 번에 나누어서 병변을 한 차례 치료한 후 1세가 된 후 전체 병변을 수면마취 후 한번에 치료하였다. 전체적으로 2회 치료를 하였으며

B) 2번째 치료 후 1년이 지나서 방문한 상태. 환아의 복장이 기저귀가 아니라 청바지로 바뀌었다. 밀크커피색 반점의 완치 판정은 1년이 지나도 병변이 재발하지 않을 때 이루어진다. 이 경우는 1년 후에도 병변의 재발이 없어서 완치 판정한 경우이다.

• 그러면 이런 장애물이 있는데 조기치료를 해야 할까?

첫째, 아이가 사회적 적응의 어려움을 겪기 전에, 즉, 마음의 상처를 받기 전에 없애주고 싶은 마음이 제일 크다고 할 수 있다. 대부분 이 이유 때문에 조기치료를 선택한다고 할 수 있다.

둘째, 중요한 사실이 하나 남아 있다. 조기치료할수록 효과가 좋다는 것이다.

Levy 등도 조기치료의 장점을 언급한 바 있으나, 필자의 조기치료 강조는 주로 경험적인 것이다. 나이가 들수록 이후 설명할 여러 가지 치료의 부작용이 발생할 가능성이 높아진다. 심지어 1세 이전의 신생아와 1세 이후의 소아의 경우도 치료에 대한 밀크커피색 반점의 반응이 많이 다르다. 신생아의 경우 몸에 발생한 큰 밀크커피색 반점도 적극적으로 치료할 수 있는 반면, 성인들은 얼굴이 아닌 부분을 치료하면 부작용 발생의 가능성이 아주 크다고 할 수 있다.

필자는 가능하면 생후 2개월부터 치료를 시작하도록 권한다. 신생아 시기의 치료와 한 살짜리 아이의 치료는 차이가 있다. 물론 일찍 치료할수록 효과가 좋다는 뜻이다.

마) 밀크커피색 반점 치료 시 테스트는 안하나?(그림 5-14, 5-15)

일반적으로 색소질환 치료 시 테스트를 하는 경우는 다음 같은 몇 가지 이유가 있다. 또 이런 테스트를 하지 않는 이유도 각각 있다. 테스트를 할지는 치료하는 의사의 개인적인 철학이라고 생각한다.

첫째, 치료가 될지 안 될지 모르므로 테스트 치료를 해보고 결과를 봐서 치료하자. 아시다시피 테스트를 한번 해서 없어지기가 어렵다. 다시 그

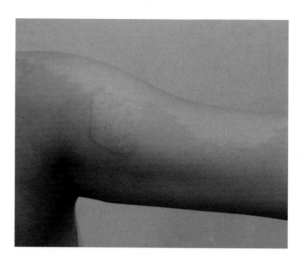

그림 5-14. 일부 테스트한 경우

큰 밀크커피색 반점의 치료에 앞서서 부분적 테스트를 한 경우이다. 치료받은 부위가 비교적 고르게 갈색이 빠진 모습을 보이나, 치료받은 경계부에 검어진 테두리가 발견된다. 이 테두리는 치료받은 부위로 멜라닌세포를 공급하기 위하여 주변이 활성화된 현상으로 보인다. 이렇게 모든 테두리가 아닌 일부 테두리가 검어지는 경우도 흔하다. 환자들이 흔히 테두리가 발생하면 실수로 치료하지 않고 남겨 놓은 부위라고 생각하는 경향이 있다. 이 사진을 보면 검은 테두리가 꼭 치료하지 않고 남겨 놓아서 발생하는 것만이 아님을 알 수 있다.

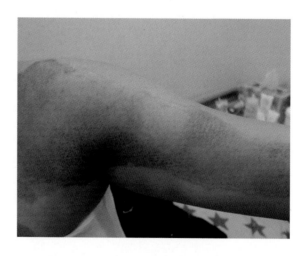

그림 5-15. 테스트로 전체 결과를 예측할 수 없다.

이 환자(그림 5-16)는 테스트 결과에 만족하고 전체적인 치료를 하였으나 예측하지 못한 결과가 나타났다. 이렇게 부분 치료와 전체치료는 다른 결과를 보이는 경우가 흔하다.

자리에 재발하는 것이 보통이므로 테스트를 한다고 해도 같은 자리에 여러 번 해보는 것을 테스트라고 생각하는 것이 좋다. 또, 테스트를 작은 부위에 2달 간격으로 여러 번 하고 있으면 시간이 많이 경과한다. 그러므로, 특별히 문제가 발생하지 않을 것으로 예상되면 바로 전체를 치료하는 것이 좋을 수도 있다.

둘째, 어떤 강도로 치료하면 좋은지 어떤 레이저로 치료하면 좋은지 부분적으로 테스트 후 결과를 봐서 다음 치료에 반영하고자 하는 경우가 있다. 필자의 경우는 첫 시술 때 부분적으로 몇 방 테스트 스팟을 해보고 좋은 결과를 줄 것 같은 강도로 나머지 전체를 치료하게 된다.

치료경험이 많아지면 레이저 치료 후 딱지가 떨어질 때나 혹은 2달 정도 경과가 지난 후에 어느 파라미터가 좋다고 선택하는 것이 아니라, 치료하는 순간 반응을 보고 치료 파라미터를 결정하는 일이 더 많아진다.

셋째, 환자가 설명만 들어서는 얼마나 치료가 아픈지, 불편한지, 잘 관리할 수 있을지 모르겠다고 하는 경우가 있다. 이런 경우 치료후 변하는 과정을 사진으로 설명하고 되도록 한꺼번에 치료하기를 권하나, 절대 전체를 치료하기 싫어하는 경우는 부분을 테스트를 하게된다. 테스트를 하게 된다면 최대한 안전성을 고려하여 병변이 있는 부위 중에서 가장 노출이 잘되지 않는 부위에 테스트를 하는 것이 좋다고 생각한다. 의외로 환자들은 가장 노출이 쉬운 부위를 먼저 테스트 해보고 싶어 한다.

그런데 필자가 테스트 치료를 싫어하는 이유가 있다.

첫째, 부분적으로 치료하면 치료하지 않은 부위와 서로 다른 색상을 남기고 이후 여러 차례 치료해도 이런 차이가 없어지지 않는 경우가 있다.

둘째, 부분적으로 치료하여 주변의 비정상적인 멜라닌세포 즉, 모반의 멜라닌세포가 치료부위의 재생에 참여한다면 갈색반이 재발할 가능성이 높다. 전체로 치료하고 모낭구조나 주변피부로부터 멜라닌세포가 이동해 오는 경우에도 다시 비정상적인 멜라닌세포가 되어서 밀크커피색 반점을 형성하는데, 처음부터 비정상적인 모반세포가 재생에 참여한다면 치료효과가 좋을 것을 기대하기 어렵다.

셋째, 테스트에 잘되는 경우도 전체를 하면 치료가 되지 않는 경우도 있다. 또 반대의 경우도 있다. 즉, 테스트가 전체치료의 경과를 반영하지 못하는 경우가 많다.

바) 밀크커피색 반점의 치료 예후는?

다양한 밀크커피색 반점이 있으나 전체적으로 보면 치료환자의 약 50%에서는 많이 옅어지는 것을 기대하고, 약 50%에서는 조금 옅어지는 것을 기대하면서 치료하고 있다. 완전히 없어지는 경우도 많이 있고, 한번의 치료로 완치되는 경우도 있으나 이는 드문 경우이다.

밀크커피색 반점 중에서 어떤 경우가 더 잘 치료될 것인가? Levy 등이 1999년에 보고한 바에 의하면 원래 피부색이 연한 경우, 경계선이 삐쭉 삐쭉한 경우, 여러 조각으로 나뉘어 있는 경우, 크기가 작은 경우, 주변피부와의 색상차이가 큰 경우, 어릴수록 치료효과가 좋다고 하였다. Levy 등의 보고는 22명의 환자를 치료한 보고이다. 그러므로, 필자는 Levy 등의 보고 보다는 필자의 경험을 더 중요시한다. Levy 등이 보고한 여러 예후인자보다는 경험상 아래의 요소가 중요한 예후인자로 생각된다.

필자의 경험으로는, 첫째, 가장 중요한 것은 개

159

인차이이다. 즉, 아무리 좋은 조건이라 해도 잘 안 되는 사람이 있고, 어려운 경우로 생각됐는데 잘 되는 경우도 있다. 그런데 밀크커피색 반점의 치료는 이렇게 개인차가 심한 치료인데, 치료 전에 미리 예후를 예측하기가 어렵다. Levy 등은 첫 치료 3개월 후의 결과는 최종적인 결과에 대한 힌트가 된다고 하였다. 한번 치료 후 경과가 좋아서 3개월 후에 좋은 양상을 보이면 이렇게 볼 수 있으나 2개월 후에 재발하여 재치료하는 경우(Shimbashi 등은 되도록 빨리 재치료를 하라고 하였다) 이중에서 누가 좀 더 예후가 좋을지는 적어도 3회 정도 치료를 해보아야 최종결과에 대한 어느 정도 예측이 가능하다.

둘째, 치료 시작하는 나이가 가장 중요한다. 어릴 때 치료할수록 쉽게 치료되고 부작용의 가능성이 적다.

셋째는 치료부위가 얼굴이 가장 유리하고 얼굴에서 멀어질수록 치료가 어려워진다는 것이다. 팔다리에서도 몸통에 가까운 부분보다 먼 부분이 더 어렵다.

넷째, 시술부위가 많이 움직이는 부위이면 경과가 좋지 않다. 관절주변이나, 많이 자극되는 팔꿈치, 무릎, 입주위, 눈주위 등이다. 관절을 포함한 부위를 치료 후 관절부위만 결과가 좋지 않은 경우 심각하게 치료한다면 부목을 하여 관절을 움직이지 못하게 할 것을 고려한다.

즉, 어린아이가 얼굴에 있으면 쉬운 치료이고, 어른이 팔다리에 있으면 가장 어려운 치료이다.

사) 밀크커피색 반점의 완치 판정

(그림 5-13, 5-16)

Shimbashi 등은 Aesthetic Plastic Surgery에 발표한 1997년 논문에서 치료 종결 후 6개월까지 재발하지 않으면 완치로 판정하였고, Levy 등은 Journal of Cutaneous Laser Therapy에 발표한 1999년 논문에서 치료 종결 후 12개월 후까지 이상이 없으면 완치라고 판정하였다.

필자의 경우 치료 후 11개월 후에 완치된 모습을 보였으나 한 달 후 재발하여 찾아온 환자가 있어서 치료 종결 후 12개월이 완치를 판단하는 시점이라고 생각하고 있다. 혹자는 치료 후 18개월을 완치 판정 시점으로 보기도 한다.

아) 밀크커피색 반점의 레이저 치료 후 부작용

Q-스위치 레이저로 밀크커피색 반점을 치료한 후 나타날 수 있는 부작용은 다양하다. 실제로 다양한 부작용이 흔히 나타나며, 이런 부작용의 발생 가능성을 치료 전에 항상 잘 설명하고 치료를 시작하여야 한다. 그리고 많은 부작용이 한번 발생하면 전혀 돌이킬 수 없는 것이 아니고 어느 정도 회복 가능한 경우가 많다. 이런 부작용이 발생할 때 주의를 하지 않고 계속 치료하게 되면 점점 부작용이 심해지고 회복 불가능이 될 수 있다.

a) 치료로 더 진해지는 경우

Grossman 등이 1995년 Archives of Dermatology에 보고한 바에 따르면 밀크커피색 반점을 한번 레이저 치료 후 병변이 없어지거나, 옅어지거나, 원래 색으로 돌아오거나, 오히려 진해 지는 경우가 있다고 하였다. 치료 후 일시적으로 병변이 진해진 경우 원상으로 회복된다고 하였다. 즉, 치료 후 더 진해지는 것은 일시적이며 회복이 된다고 하였다.

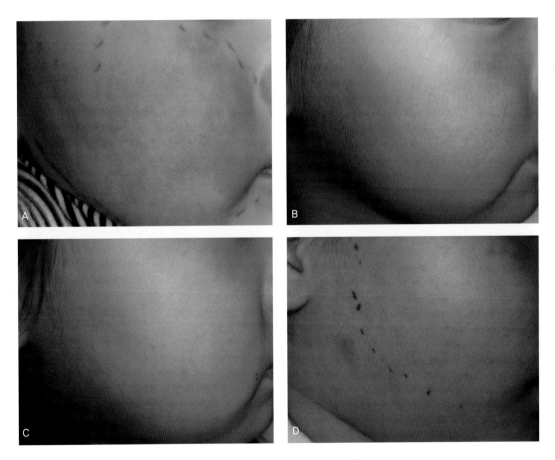

필자의 경험으로는 치료 후 관리가 잘못된 경우(딱지가 장난치다가 걸려서 떨어졌다. 물집이 잘못돼서 벗겨졌다. 치료 후 여행을 다녀서 자외선에 많이 노출됐다) 치료 전보다 더 진해진 경우가 있다. 이런 경우 미백치료 등을 열심히 하면 대부분 2-6개월 사이에 원래 카레오레반점의 갈색 정도로 회복되는 것을 본다.

그런데, 다른 병원에서 오래전에 부분적으로 테스트한 밀크커피색 반점을 필자에게 진찰받는 경우에 테스트했던 부분이 치료하지 않은 밀크커피색 반점보다 더 진한 경우도 종종 볼 수 있었다. 즉, 밀크커피색 반점 레이저 치료 후 일시적으로 더 진해질 수도 있지만, 진해진 상태가 반영구적으로 지속될 수도 있다고 생각한다.

이런 이유로 특히 연한 색의 밀크커피색 반점을 치료할 시에는 많은 주의를 기울여야 하겠다.

그림 5-16. 완치판정은 1년 후에 한다

이 환아는 1차 치료 후 2개월 이내에 병변이 재발하여 2차 치료를 받았다.

A) 1차 치료 전. B) 2차 치료 후 3개월 후 인데 좋은 상태를 유지하고 있다.

C) 2차 치료 후 8개월 후인데 아직도 좋은 상태를 유지하고 있어서 부모님들이 흥분했다. "이제 다 치료된 것이지요?" "아뇨, 1년까지는 관찰해 보아야 합니다."

D) 1년이 되어서 내원하였는데 치료전보다 많이 호전되었으나 연하게 밀크커피색 반점이 재발했음을 알 수 있다.

b) 경계부가 검어지는 경우(그림 5-14, 5-17, 5-18, 5-20)

갈색반 치료 후에 가끔 경계부가 검어지는 경우가 있다. 이렇게 색소침착이 오면 보통 3-6개월 후에 소실된다.

이런 현상이 발생하면 흔히 갈색반의 경계부분을 치료하지 않고 빠뜨려서 그렇게 된 것이라고 생각하게 된다. 그런데 경계부위가 아주 희미해서 실제로 치료하지 않은 경우도 있겠지만, 대부분은 치료는 다 했는데 딱지 떨어지고 회복하는 과정에서 경계부가 유난히 색소가 많이 생산되는 경우이다.

레이저 치료로 병변부의 멜라닌세포가 죽게 되면, 갈색반질환은 이를 다시 복구하려고 한다. 한가지 방법은 모공으로부터 색소가 다시 올라오는 것인데 치료부위에 까만 점같이 모공주위에 생긴 후 시간이 지나면 여기서부터 색소가 올라와서 전체 치료받은 부위가 색소가 다시 올라오게 된다.

또 한 가지 갈색반이 치료부위를 복원시키는 방법은 갈색반의 경계부로부터 다시 멜라닌세포가 이동해 와서 치료부위가 다시 검어지는 경우인데, 이때 일부 환자에서는 경계부의 재생되는 멜라닌세포가 이동하기 전부터 색소를 많이 만들어내는 일부터 시작하면 경계부가 검어지게 된다.

경계부 색소침착은 논문에 적힌 바와 달리 2년 이상이 지나도 없어지지 않는 경우가 있다. 경계부 색소침착을 다시 Q-스위치 레이저를 하면 보통은 다시 경계부 색소침착이 발생한다. IPL로 치료하면 경계부 색소침착이 연해지는 경우가 많이 있다.

c) 경계부가 하얗게 되는 경우(그림 5-19)

치료 후 경계부가 색소침착이 아니라 탈색이 되는 경우이다. 테두리가 색소침착이 된 경우보다는 더 쉽게 자연 회복되는 양상을 보인다.

d) 얼룩덜룩해지는 경우(그림 5-20)

갈색반 치료가 조심스러운 경우는 성인의 팔, 다리, 몸통 등 얼굴이 아닌 부위를 치료할 때이다. 이때는 사진과 같이 치료를 해서 오히려 더 얼룩덜룩해 질수가 있다.

얼룩덜룩이라 하면 일부 병변은 옅어지고, 일부에서는 검어지고 해서 색상이 일정하지 않게 되는 경우이다. 이런 상태에서 계속 더 치료를 해서 모든 부분을 더 옅어지게 해서 만족할 수도 있지만, 이런 치료의 결과로 전체적으로 하얗게 된 것이 마음에 들지 않을 수 있고, 보통은 치료과정에 스트레스를 많이 받아서 계속 치료하기가 부담이 많은 치료가 된다.

이런 얼룩덜룩은 한번 치료 후에 전체가 얼룩덜룩해지는 것이 아니라, 처음 치료 후 조금 이상 징후가 보일 때 무시하고 치료를 계속하면 이렇게 된다. 이상 징후라 함은 일부에서 탈색소반이나 원래 갈색반의 색조보다 더 진한 부분이 나타나는 경우이다. 이럴 때 무시하고 계속 치료하면 얼룩덜룩이 진행하게 된다. 그러나, 한번 치료 후 약간의 이상 징후가 보이면 치료를 중단하고 기다리면 대게 6개월에서 1년 사이에 얼룩덜룩한 모습은 호전된다.

e) 모공중심으로 착색되는 경우(그림 5-19)

흔히 얼굴에서 먼 부위를 치료할 때 신생아가 아닌 소아나 성인에서 치료 후 재발시 모공을 중심으로 색소가 올라오는 경우가 있다. 이렇게 되면 완전 재발된 모습이 전체적으로 같은 색조를 보일 수도 있으나, 최종적으로 모공중심으로 더 진하고, 다른 부분은 상대적으로 연한 색조를 보이는 경우가 많다.

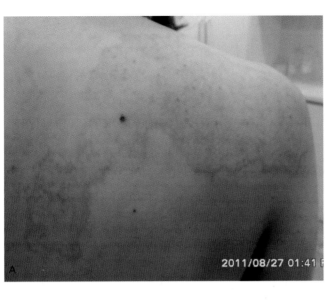
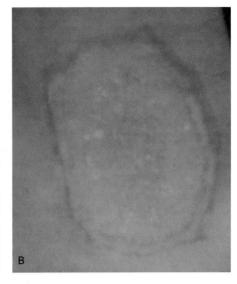

그림 5-17. 검은 테두리의 발생

A) 원래의 밀크커피색 반점은 많이 호전되었으나 병변의 테두리로 검은 착색이 발생

B) 자세히 보면 테두리가 두 겹임을 알 수 있다. 환자가 너무나 강력히 테두리에 대해서 치료가 덜된 것이라고 레이저 치료를 원해서 치료한 후 그 바깥으로 테두리가 하나 더 발생한 경우

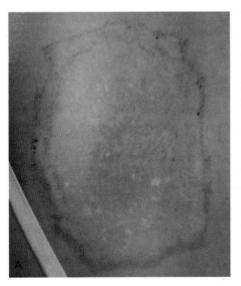

그림 5-18. 검은 테두리의 치료

테두리가 발생하면 기존 논문들에 저절로 사라진다고 기술되어있으나 꼭 그렇지 않다고 생각한다. 이 경우는 테두리를 적극적으로 치료한 경우

A) IPL로 테두리를 치료하여 딱지가 보이고 있다

B) 테두리도 치료되고, 시간이 지나서 탈색소반도 많이 회복되어 전반적으로 호전된 경우

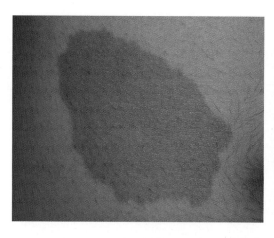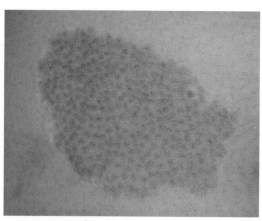

그림 5-19. 모공 중심의 착색, 테두리 탈색(치료 전후)

병변의 치료 후 hair follicle를 중심으로 재발하는 경우가 있다. 이런 경우 전반적으로 색조는 연해지는데 병변이 모공 중심으로 재편될 수가 있다. 이런 현상을 보여도 병변이 진한 경우라면 연해질 수 있으므로 도움이 된다. 테두리의 일부가 탈색반응을 보이고 있다.

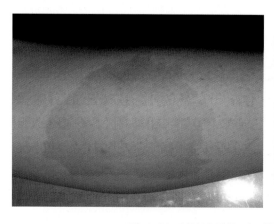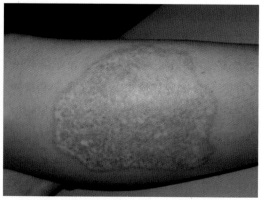

그림 5-20. 성인의 팔을 치료한 후 얼룩덜룩한 상태(치료전후)

성인의 얼굴이 아닌 부위를 치료하는 경우 병변이 얼룩덜룩 해질 우려가 있다. 병변은 치료 후 hypopigmented spot, 원래 치료 전보다 더 진한 스팟, 원래 병변과 같은 정도의 갈색, 검은 테두리까지 다양한 색조변화가 나타나고 있다. 그림 5-15에서 신생아의 팔을 치료한 경우와 비교해 보면 결과가 좋지 않다.

f) 부분적으로 호전되는 경우(그림 5-21, 5-22)

치료 후 재발시 전체적으로 재발하지 않고 일부분은 연해지거나, 오히려 탈색반의 모습을 보이는 경우가 있다. 이런 경우 치료를 계속하여 불규칙하지만 전반적으로 색소는 많이 제거할 수가 있다. 그러나, 최종적으로 완전히 제거할 수 있을지 알수가 없고, 얼룩덜룩해지면 색이 많이 옅어지더라도 싫어하는 경우가 많다. 원래 밀크커피색 반점의 색이 진한 경우라면 전체적인 색조가 줄어들면, 얼룩덜룩해지더라도 만족하는 경우도 있다.

g) 병변이 커지는 경우(그림 5-23)

레이저로 갈색반을 치료할 때 경계선을 정확하게 구분하여 갈색반만 치료하고 주변정상피부는

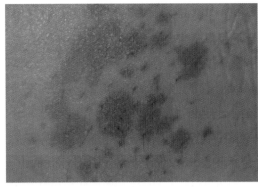

그림 5-21. 부분적으로 호전되는 경우(치료 전후)

치료 전에 비해서 병변이 사라지는 부분이 있으나 전체적으로 옅어지는 것이 아니고, 갈색이 소실되는 부위와 치료되지 않은 부위가 혼재한다.

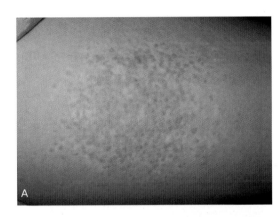
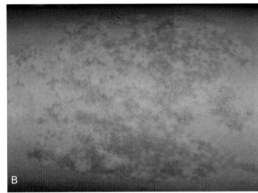

그림 5-22. 부분적 치료효과와 탈색반응

A) 1차 치료 후 약간의 탈색반응과 부분적 치료반응이 나타난 경우
B) 이 경우 계속 더 치료하면 1차 치료의 반응이 점점 더 확대된다. 탈색이 더 뚜렷해지고, 부분적 치료효과가 더 분명히 보인다. 이런 경우 계속 치료해서 결국 갈색을 다 없앨 수 있을지는 장담할 수가 없다.

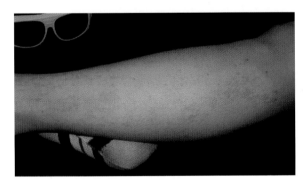
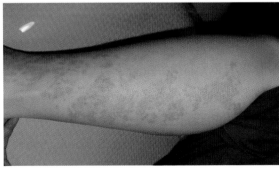

그림 5-23. 병변이 치료로 인해서 더 커지는 경우(치료 전후)

특히 모양이 복잡한 밀크커피색 반점이나, 작은 조각으로 나뉘어 있는 경우 경우, 치료를 할수록 더 병변이 커질 수가 있다. 치료 후 재발시 원래 병변에 국한되어 재발하지 않고, 레이저를 조사한 크기 만큼 재발하게 되면 점점 더 병변이 커질 수 있다.

치료하지 않는 것이 어려운 일이다. 레이저 스팟이 flat top 이라 하여도 실제피부에 나타나는 반응을 보면 가운데가 강하고 주변부가 약해서 실제 치료 시는 병변크기보다 약간 크게 치료해야 확실히 병변을 빠지지 않고 치료하게 된다. 이런 경우 재발 시에 원래 병변의 크기가 아니라 레이저로 조사한 크기에서 재발하는 경우가 있다. 특히 한 개의 병변이 아니라 여러 개의 작은 병변으로 나누어진 경우 테두리확장의 효과가 커져서 치료 할수록 병변이 확대되는 경향을 보일 수가 있다.

h) 전체가 하얗게 되는 경우는?(그림 5-24)
치료가 잘 된 경우, 치료 후 딱지가 떨어지고 나면 갈색이 없어져 있지만, 홍반이 보이게 된다. 홍반이 사라지고 보면 치료부위 전체가 주변 정상피부색보다 더 하얀 경우를 많이 본다. 이것이 정상적인 반응의 일부이다. 이렇게 하얀 상태는 오래 유지되지 못하고 약 2달 이내에 다시 갈색이 올라오면 재치료하게 된다. 그러므로, 치료 후 하얀색은 기대에 부응하는 좋은 징조이다.

그런데 이런 하얀 상태가 수개월 더 지속되면 많은 환자들이 불안해 한다. 이 부분이 정상피부색이 되지 않고 평생 하얗게 남게 될까봐 걱정을 한다. 그러나, 전체적인 탈색반은 시간이 지나면 회복이 되므로 한번의 치료로 완치가 가능한 운이 좋은 경우라고 볼 수 있다. 이런 저색소 상태는 천천

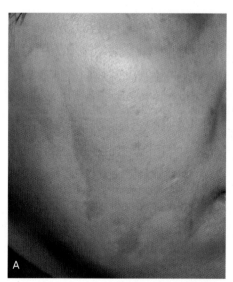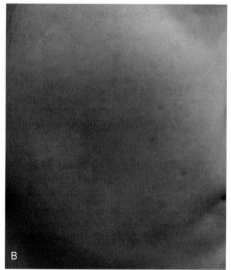

그림 5-24. 전체적인 탈색반은 행복한 고민
테두리가 희게 되는 경우나 병변의 가운데 불규칙한 작은 탈색반이 생기는 경우가 아닌 병변 전체가 하얗게 되는 경우이다. 이런 반응을 보이는 경우는 대게 첫 번째 치료 후에 바로 이런 현상이 생긴다. 원래 일반적인 경우 치료의 경과를 보면 일시적인 탈색이 있다가 다시 재발하게 된다. 그러니, 이런 반응은 당연히 좋은 것인데 문제는 이런 탈색반이 오래 지속되면 환자들이 불안하게 된다. 그러나, 이렇게 수개월이 지나도 여전히 하얀 탈색반은 오히려 행운이다. 대부분 시간이 지나면 자연적으로 호전된다. 결국 한번의 치료로 완치가 된다.
A) 1회 치료 후 바로 탈색반이 발생하여 1년후 경과. 오른쪽 뺨 아래쪽에 아직도 연하게 탈색반이 보인다. 치료 수개월 후에는 선명한 탈색반이었으나, 1년이 지난 후 많이 연해진 상태
B) 같은 환자의 치료 2년 후 경과. 많이 호전되어 탈색반이 두드러지지 않다.

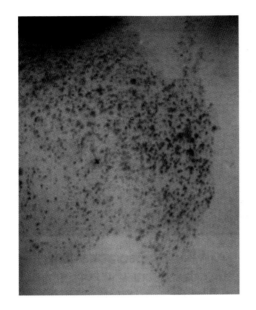

그림 5-25. 반문상 모반
Background brown macule and darker small dots

히 주변피부색으로 돌아오게 되는데, 보통 수개월에서 수년이 소요된다. 길게는 8년 후 아직 80%까지만 회복된 경우도 있었다. 필자의 환자 중 비활동성 백반증이 있는 상태에서 치료 후 이런 현상이 발생하여 걱정을 하였는데 정상피부색으로 돌아온 경우도 있었다.

5. 반문상 모반(Nevus spilus)

반문상 모반은 Nevus spilus, Speckled lentiginous nevus 등으로 불리며, 밀크커피색 반점 같은 보이는 바탕 위에 이중으로 점 같은 것이 더 발생하게 된다. 점이 거의 없거나 아직 생기기 전에는 밀크커피색 반점으로 생각했다가 나중에 점이 발생하면 반문상 모반으로 진단되는 경우도 있다 (그림 5-25).

반문상모반이 출생시 발견되는 경우는 드물고

보통 유아기 말기나 아동기에 발견되는 경우가 흔합니다. 백그라운드의 희미한 갈색과 가운데 진한 점이 같이 발견되는 경우가 흔하나, 백그라운드의 갈색반이 먼저 발견되고 이후에 진한 점이 발생하는 경우도 있다. 처음 발견시보다 가운데 진한 점이 점점 더 많아지는 경우가 많다. 진한 점들은 39세까지 계속 더 증가한 경우도 보고된 바 있다.

• 반문상 모반의 레이저 치료

반문상 모반은 다른 갈색반과 마찬가지로 레이저로 치료한다. 보통 가운데 있는 점이 더 잘 치료되고, 바탕의 갈색반은 다른 갈색반과 비슷한 경과를 보인다. 바탕의 갈색이 연한경우는 필자는 치료를 되도록 권하지 않고, 바탕의 갈색이 진한 경우는 밀크커피색 반점에 준해서 치료하게 된다.

• 반문상 모반의 진한 점만 치료하는 경우 (그림 5-26, 5-27)

반문상 모반의 바탕에 보이는 연한 갈색반보다 그 위에 덧 발생한 진한 점들이 더 잘 치료되는 것이 보통이다. 바탕갈색이 연하면 사진과 같이 진한 점만 주로 치료한다.

(1) 진한 점들은 잘 치료가 되는 경우가 있다.

(2) 치료해도 재발하고 치료가 잘되지 않을 수도 있다.

(3) 어떤 경우는 진한점이 제거된 후 치료된 병변 주변으로 색소침착이 발생하는 수가 있다.

(4) 어떤 경우는 점이 재발하면서 점점 크기가 커지는 수가 있다.

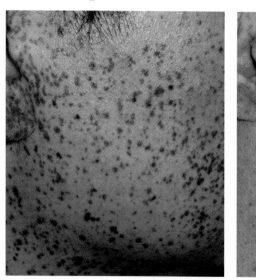
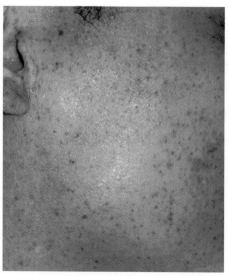

그림 5-26. 반문상 모반에서 진한 점만 치료한 경우
이 환자에서는 아주 좋은 경과를 보였다. 2회 치료 후 병변이 많이 소실된 모습

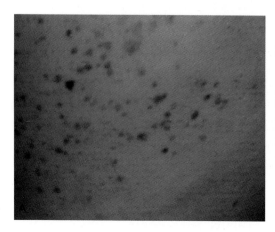
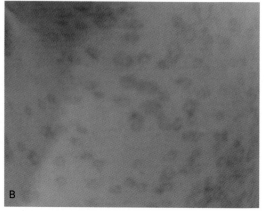

그림 5-27. 반문상 모반의 진한 점을 치료한 후 테두리발생
이 환자에서도 전체적인 치료를 하지 않고, 진한 점만 치료하였다. 딱지가 떨어진 후를 보면 병변 자체는 사라지고, 그 테두리로 색소침착이 발생하였다. 이 테두리 색소침착은 레이저 토닝으로 치료하였다.
A) 연한 갈색바탕에 발생한 진한 점
B) 도넛 모양의 색소침착. 정상피부색으로 보이는 도넛 모양의 내부 크기는 원래 병변의 크기와 같다.

6. Becker씨 모반

베커씨 모반은 베커씨가 1949년에 처음 명명하였으며, 갈색반에 털이 많이 나는 현상을 동반하는 갈색반의 한 종류이다. 베커씨 모반은 주로 청소년

기에 발견되며, 즉, 주로 10대 발견된다. 그러나, 출생시나 유아기에 발견되는 경우도 있다.

갈색반은 처음에는 연해보이나 점차 진해지는 경우가 많다. 이렇게 처음 발병한 후 1-2년간은 진해지는 경우가 많고, 이후 중년이 되면 조금 엷

어지는 경우도 있다. 크기는 대략 10-20센티미터까지가 보통이다. 갈색반의 경계는 분명하나 경계선이 불규칙한 경우가 많다. 처음부터 털이 두드러진 경우보다 점차 털이 나고 굵어지는 경우가 많다.

발생부위는 피부의 어느 곳이나 가능하나, 가슴과 어깨에 45%가 발생하였다는 보고도 있다. 남자 200명에 1명이 발병할 정도로 남자에 흔한 질환이다.

조직학적으로 과각화증(hyperkeratosis), 극세포증(acanthosis), 표피 내 멜라닌세포 및 멜라닌색소 증가를 보이고 진피층이 두꺼워져 있으며 평활근의 비후가 보인다.

a) 베커씨 모반의 울퉁불퉁한 표면

베커씨 모반은 갈색색소가 증가하는 이외에 모낭주변의 염증으로 약간 울퉁불퉁하고 모낭입구가 막히면 여드름이 생기기도하고, 진피의 평활근이 두꺼워지면서 시간이 지나면서 울퉁불퉁해지는 경우가 많다.

다른 갈색반과 달리 눈을 감고 만져도 표시가 나는 것이 베커씨 모반이다. 흔히 발병초기에 레이저 치료를 시작한 후 시간이 지나면서 울퉁불퉁해지면 레이저의 부작용이라고 생각하는 경우가 있는데 베커씨 모반은 원래 치료하지 않아도 시간이 지나면서 울퉁불퉁해진다.

심한 경우 평활근과 오종과의 감별이 필요하기도 하다.

b) 베커씨 모반과 털

처음부터 털이 두드러진 경우보다 점차 털이 나고 굵어지는 경우가 많다. 베커씨 모반에서 결국 털이 나지 않는 경우도 있다. 사진의 오른쪽 여자의 팔에서는 털이 없고, 왼쪽 남자의 팔에서는 털이 많이 보인다. 남자의 경우는 대게 털이 많이 난다. 털이 없다고 베커씨 모반이 아니라고 할 수는 없다. 또 다른 보고에 의하면 베커씨 모반에서 털이 있는 경우는 결국 전체 케이스의 50% 정도이다.

필자의 경우 예외적으로 어릴 때 발생한 베커씨 모반(처음에는 밀크커피색 반점으로 진단함)을 치료하다가 치료 중에 털이 자라기 시작한 경우를 본적이 있다. 보호자 입장에서는 다분히 레이저 치료의 부작용으로 털이 자란다고 생각할 수도 있는 상황이었다. 그 증례는 밀크커피색 반점으로 진단하고 치료하다가 털이 난 이후에 베커씨 모반으로 진단을 바꾼 경우이다. 하필 그 경우는 얼굴에 발생한 베커씨 모반이었으니 털이 나기 전에는 발생시기나 병변부위를 봐서 베커씨 모반으로 진단하기 어려웠던 경우였다. 이렇게 예외적인 경우가 늘 있다.

c) 동반 질환

베커씨 모반이 있으면서 병변부위에 여드름이 있거나, 같은 쪽 유방이 작은 경우, 같은 쪽 근육과 뼈에 이상이 있는 경우가 드물게 보고되었다.

d) 발생 시기

베커씨 모반은 주로 청소견기에 발견되며, 즉, 주로 10대 발견된다. 그러나, 출생시나 유아기에에 발견되는 경우도 있다. 그러나, 아래의 논문 보고와 같이 늘 예외는 있다. 보고에 따르면 베커씨 모반이 출생시나 유아기에도 발생할 수 있다는 것이다.

e) 레이저 치료

일반적으로 Q-스위치 레이저를 많이 이용한다.

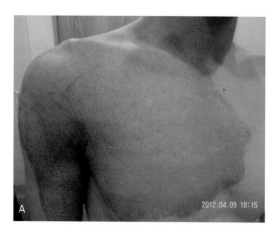
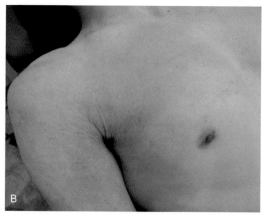

그림 5-28a. 베커씨 모반
A) Q-스위치 엔디야그 레이저 1회 치료 후, B) Q-스위치 엔디야그 레이저 2회 치료 후

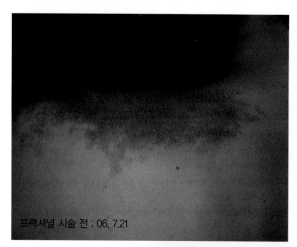
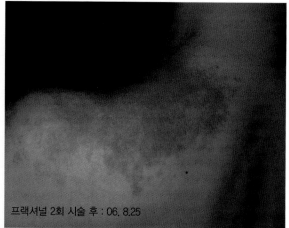

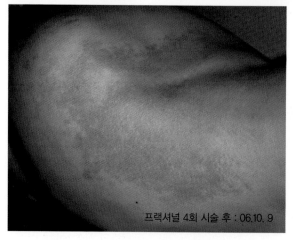

그림 5-28b. 베커씨 모반의 프랙셔널 치료

긴 펄스 시간의 제모 레이저를 이용하여 베커씨 병변부의 털을 제모하거나 베커씨 모반의 갈색반을 치료하기도 한다. 어븀야그 레이저로 박피하여 좋은 결과를 보는 경우도 있다. 필자의 경험으로는 베커씨 모반의 Q-스위치레이저 치료시 밀크커피색 반점보다 초반에 치료의 예후가 결정되는 경우가 많다. 즉, 밀크커피색 반점과 달리 치료가 잘 될 베커시 모반은 한두 번의 치료에 반응하여 빨리 효과를 보인다(그림 5-28a). 베커씨 모반을 프랙셔널 레이저로 치료하여 효과를 보는 경우도 있다(그림 5-28b).

7. 군집성 흑자증

군집성 흑자증의 병명은 agminated lentigines (lentiginosis), partial unilateral lentiginosis (PUL), unilateral lentigines 등으로 불린다.

군집성 흑자증은 하나하나를 보면 흑자로 보이는 병변이 가까이 군집하여(몰려서) 발생한다. 흑자의 크기는 대략 2-10mm 정도이다(그림 5-29). 아무 곳이나 발생할 수 있으며 오타모반이 잘 발생하는 곳에 생기면 오타모반으로 오인되기도 한다.

군집성 흑자증은 출생시나 유아기에 주로 발견되며 출생시부터 약 15세경까지 발견되는 것으로

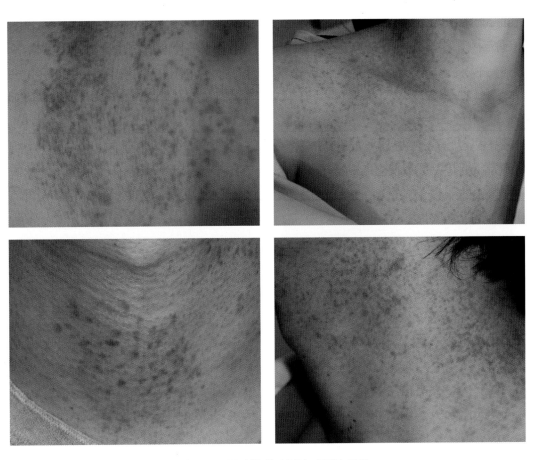

그림 5-29. 군집성 흑자증의 다양한 사례

171

보고된 바 있다. 주로 경계가 명확하게 나타나고 몸의 중앙선을 넘지 않는 분포를 보이는 경우가 많다.

분포양상은 segmental(한 부분에 국한하여), dermatomal(감각신경분포를 따라서), curvilinear(커브 돌듯이 직선이듯이), swirled(소용돌이 모양) 등이다.

• 군집성 흑자증과 반문상 모반, 오타모반의 감별진단

항상 전형적인 모습은 진단이 쉽다. 그러나, 두 가지 질환이 조금씩 예외적인 면에서 만나면 두 질환이 혼동되는 경우가 있다.

바탕에 밀크커피색 반점같은 색이 보이면서 더 진한 흑자 혹은 점 같은 것이 있으면 반문상 모반 이라 할 수 있다. 이런 바탕의 갈색반 없이 작은 흑 자만 몰려있는 것이 군집성 흑자증이다. 가끔은 바 탕에 갈색반이 있는지 없는지 애매한 경우도 있다.

흑자증도 눈주변에 생기고 또 안구증세도 동반 하는 경우가 있는데 이런 경우 연한 오타모반과 쉽게 혼동된다. 중요한 문제는 흑자증은 표피의 질 환이고 오타모반은 진피의 질환이어서 진단이 잘 못되면 치료법이 따라서 잘못 선택되고 치료가 되 지 않는다는 점이다. 눈주변의 흑자증과 오타모반 은 각별한 주의를 요한다. 그림 5-30은 눈 주변에 발생한 흑자증이며, 안구 증세를 동반하고 있어서 더욱 오타모반과 혼동되고 있다. 실제로 얼굴의 군 집성 흑자증을 오타모반으로 오진하고 치료하여 효과가 없었던 경우를 많이 보게 된다.

• 레이저 치료

군집성 흑자증의 레이저 치료도 밀크커피색 반 점과 유사하다(그림 5-31). 다만 전체적으로 갈색 이 아니라 정상피부가 병변내부에 섞여있으므로, 군집성 흑자증의 경우는 작은 흑자를 하나하나 따 로 치료하는 경우가 많다. 그래서, 실제로 비슷한

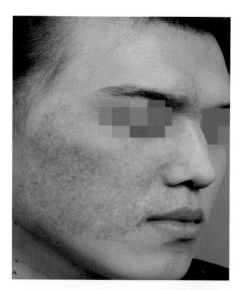
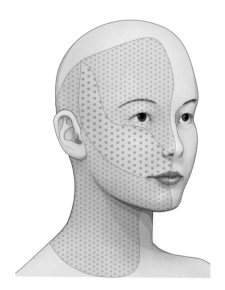

그림 5-30. 오타모반과 혼동된 군집성 흑자증(Kim EH, Kang HY. Eur J Dermatol. 2006)
환자의 병변의 분포양상이 오타모반의 분포범위(우측)와 정확히 일치하지는 않는다. 결정적으로 환자의 병변 색깔은 갈색이어서 오타모반의 청색병변과 다르다. 환자는 안구병변을 동반하여 오타모반으로 오인되었다.

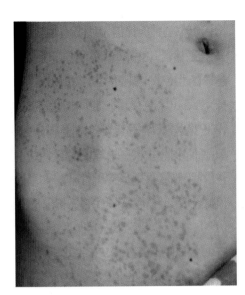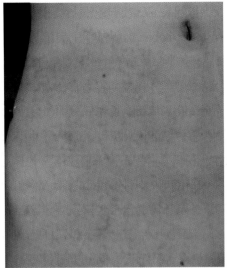

그림 5-31. 군집성 흑자증을 Rich-PTP Q-스위치 엔드야그 레이저 치료 후 호전된 모습

크기의 밀크커피색 반점보다 치료시간이 더 많이 걸리는 경우가 있다.

8. 피부이식 부위 과색소 침착(hyperpigmentation after skin graft)

피부이식 후에 발생하는 과색소 침착은 부분층 식피술 후에 더 많이 발생하고 피부색이 어두운 사람들에게 호발 하는 경향이 있다. 피부이식 공여부 선택을 세심하게 하여 수술 후 피부색이 조화를 잘 이룰 수 있도록 노력하고 있지만 결과가 항상 만족스럽지만은 않으며 이식부위의 면적이 클 경우 이상적인 공여부에서 채취하지 못하는 경우도 많다. 조직학적으로 보면 각질형성세포 속에 멜라닌소체가 증가해 있으며 크기도 커져있다. 이런 현상이 발생하는 원인은 피부이식 생착과정 중 신경재분포(re-innervation)가 일어나면서 멜라닌세포 통제에 변화가 생기기 때문으로 추측하고

있다. 색소 제거에 사용되는 레이저로는 Q-스위치 532nm 레이저와 755nm 레이저가 효과적이다. 피부이식 주변으로 흉터가 튀어나오거나 요철이 심한 경우 경계부위에 이산화탄소 레이저로 먼저 박피를 시행한 후 Q-스위치 레이저를 사용하면 더 만족스런 결과를 얻을 수 있다(그림 5-32).

9. 표피성 모반(Epidermal nevus)

표피모반은 과도한 각질형성세포의 생성으로 발생하는 질환으로 선천성이거나 소아기에 발생하며 목, 체부 및 사지에 호발한다. 악성화 가능성은 거의 없기 때문에 제거하는 것은 다분히 미용 목적이다. 대부분 크기가 크기 때문에 외과적 절제는 힘들고 이산화탄소 레이저 또는 어븀야그 레이저를 사용하여 제거하는 것이 효과적이다. 너무 얕게 박피할 경우 재발하는 경향이 있고 또 너무 깊으면 흉터를 남기므로 알맞은 깊이로 박피하는 것

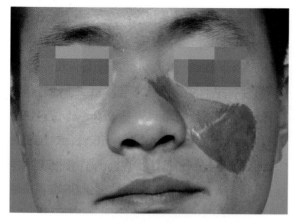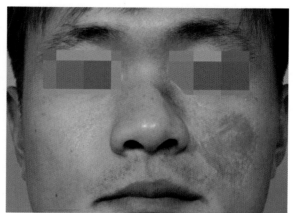

그림 5-32. 피부이식 부위 과색소 침착을 Q-스위치 755nm 레이저와 스킨케어로 치료한 모습(박승하 시술)

이 중요한데 최소한 표피가 유두진피로 함입된 부위(rete ridge)보다 깊이 박피해야 재발을 막을 수 있다. 깊지 않은 정도로 박피를 하고, 남은 부위에 Q-스위치 색소 병변 레이저를 사용하면 흉터 발생의 위험을 낮출 수 있다.

V. 진피성 색소병변

진피성 색소병변은 진피 깊이 위치하기 때문에 긴 파장의 레이저가 투과에 유리하며 Q-스위치 레이저를 사용하여야 주위조직의 손상 없이 색소만 선택적으로 파괴할 수 있다.

1. 후천성 멜라닌세포성 모반 (common acquired nevus)

일반적으로 점이라고 불리는 것으로 대개 생후 6개월-12개월 사이에 발생하기 시작하는데, 점차 수가 증가하여 20-25세에 최고로 증가하였다가 노년기에 다시 수가 줄어드는 양상을 보인다. 성인의 약 50%에서, 직경 2mm 이상의 점이 10-45개 정도로 존재한다. 크기도 아이가 자람에 따라 커지나, 대부분은 직경 5mm 미만이다. 유럽보다 호주인에서 많고, 유색인 보다는 백인에서 많으며, 얼굴, 목 등 노출부에 많은 것으로 보아 태양 광선에 발생이 영향을 주리라 생각된다.

후천성 멜라닌 세포성 모반은 시간이 지나면서 조직학적으로 변화를 보인다. 먼저 피부의 구조를 대략적으로 설명하면, 맨바깥층의 표피와 그 아래 진피로 나눌 수 있는데, 점의 발생 초기에는 진피-표피 경계부에 모반세포가 증식하여 모반을 이루다가(경계모반), 점차 모반세포가 진피내로도 이행되고(복합모반), 결국 진피 내에만 모반세포 집단이 존재하게 된다(진피내 모반). 각 단계의 모반을 보다 자세히 설명하면(그림 5-33),

가) 경계모반(Juntional nevus)

직경 1-5mm 정도의 담갈색~흑색의 편평한 반

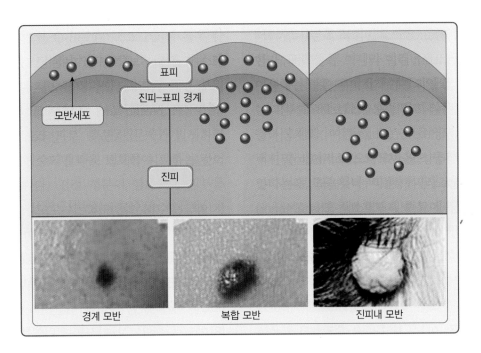

그림 5-33. 후천성 멜라닌세포성 모반
A) 경계모반. B) 복합모반. C) 진피내 모반

점으로 표면이 매끈하고 털이 없다. 어느 부위에나 생길 수 있고, 특히 손/발바닥, 음낭 등에 위치한 점은 대개 경계모반이다. 경계모반은 점차 복합모반을 거쳐 진피 내 모반으로 이행한다.

나) 복합모반(Compound nevus)

중심부가 융기된 구진으로 보이는데, 갈색 혹은 흑색으로 표면은 매끈하거나 사마귀 모양을 보이기도 합니다. 내부에 털이 동반되기도 한다.

다) 진피내모반(Intradermal nevus)

성인에서 관찰되며 대개 융기된 반구모양으로, 피부색에서 흑색까지 다양한 색을 보인다. 종종 거친 털이 보이기도 한다.

특히, 악성화(악성 흑색종)가 의심되는 경우 수술적인 검사나 절제가 필요한데, 점에서 악성변화는 매우 드물지만 다음과 같은 변화를 보이는 경우에는 검사가 필요하다. 크기가 6mm 이상이거나 비대칭으로 증가하거나, 색조가 불규칙하게 변하거나, 진물, 궤양, 출혈 등의 변화가 있을 때, 소양증, 통증 등의 증상이 동반되는 경우 등에는 피부과 진료를 보는 것이 좋다.

• 레이저 치료

후천성 멜라닌 세포성 모반은 대부분 미용적인 목적으로 치료하게 된다(그림 5-34). 흔히 말하는 '점을 빼기' 위해서는 보통 이산화탄소 레이저나 어븀야그 레이저 등을 이용하며, 수술적으로 절제하기도 한다. 작은 병변은 이산화탄소 레이저로 제거할 수 있고 모반의 깊이가 깊고 큰 경우에

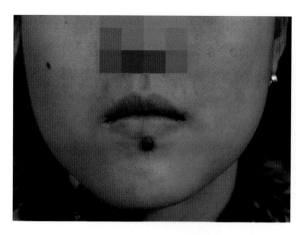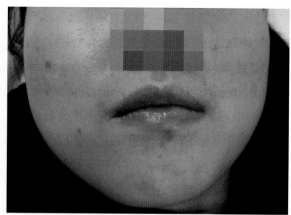

그림 5-34. 후천성 색소성 모반의 레이저 치료
빰과 코옆의 후천성 색소성 모반과 아랫입술의 선천성 색소성 모반의 치료 전후(박승하 시술)

는 이산화탄소 레이저로 표층을 제거하고 남은 부분에 Q-스위치 레이저를 사용하여 치료할 수 있다. 긴 펄스의 레이저를 사용하면 Q-스위치 레이저를 사용한 것 보다 치료 효과가 더 뛰어날 수 있지만 주변 정상 피부에 열손상을 줄 수 있으므로 주의해야 한다.

2. 선천성 멜라닌세포성 모반

얼굴에 발생한 작은 크기의 선천성 모반으로서 진한 갈색이나 검은색을 띠고 있다(그림 5-35). 수술할 경우 안면부에 추형 발생이 예상되는 경우 레이저 치료를 고려할 수 있다. 거대 모반은 손가락을 제외한 손바닥 크기나 8cm 이상을 거대 모반이라 하며 선천성 거대 모반에서 악성 변화는 평생 동안 약 2-4%에서 발생한다고 보고되고 있다. 크기가 체표면적의 5%에 이르는 거대 선천성 모반일 경우는 악성흑색종의 발생률이 보통사람의 17배로서 6%에 달하므로 수술로 제거하는 것이 바람직하다. 레이저 치료로 선천성 거대 모반을 보이지

않게 만들 수 있지만 악성화에 미치는 영향에 대해서는 정확히 알려진 바가 없다.

선천성 멜라닌세포성 모반은 '배냇점'이라고 흔히 말한다. 태어날 때부터 검은 점이 보인다. 표피와 진피 그리고, 피부부속기관을 따라 깊은 곳까지 점세포가 있다. 크기는 작은 것부터 아주 큰 것까지 다양하다. 처음부터 색이 진하게 검은 경우는 다른 질환과 혼동되지 않는데, 처음에는 연한 갈색이었다가 점차 짙어지는 경우는 갈색반이나 청색반과 혼동이 된다(그림 5-36, 그림 5-37).

• 수술적 제거

크기가 작은 경우 수술이 용이하다. 국소절제술이나 국소피판술이 좋은 방안이 된다. 크기가 어느 정도 커지면 1차 봉합이 불가능하거나 흉이 많이 남으므로, 단계적절제술이 더 좋은 방안이 될 수 있다(그림 5-38). 이 경우 1차 수술 후 6-9개월 후에 2차 수술을 하게 된다. 이보다 더 큰 병변의 경우 피부이식이나 조직확장술을 시행하여야하나, 어느 것이나 결과가 만족스럽지 못하다.

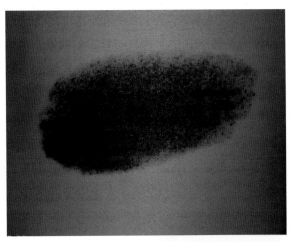

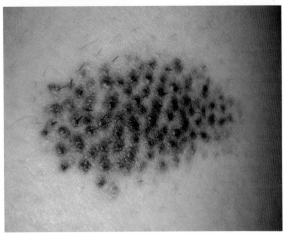

그림 5-35. 선천성 멜라닌세포성 모반

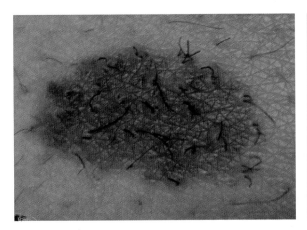
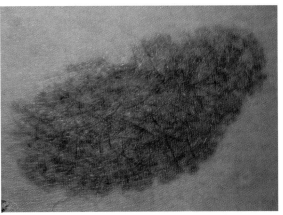

그림 5-36. 연한 색조의 선천성 멜라닌세포성 모반

밀크커피색 반점과 혼동될 수 있다. 밀크커피색 반점과 달리 병변 내 색조가 일정하지 않다. 이렇게 연하게 발견되는 경우 점차 진행하여 검어진다.

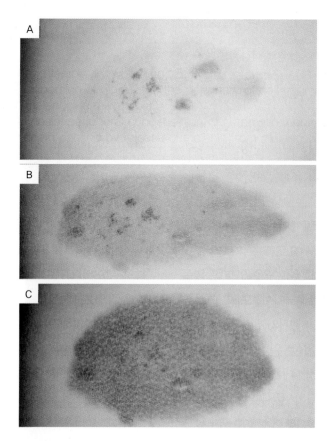

그림 5-37. 갈색반으로 진단되었으나 결국 선천성 색소성 모반으로 진단된 예 (Schaffer JV, Orlow SJ, Lazova R, Bolognia JL. Arch Dermatol. 2001)

A) 출생시 조직검사시행 반문상 모반으로 진단함, B) 1년 후, C) 2년 후 조직검사 시행 후 선천성 색소성 모반으로 진단 변경

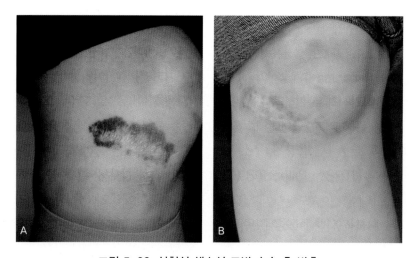

그림 5-38. 선천성 색소성 모반 수술 후 반흔

A) 어려서 1회 수술후 반흔이 발생하여 치료를 중단한 후 성인이 되어 방문한 상태

B) 레이저로 치료 후 남은 선천성 색소성 모반이 호전되었으나 반흔은 여전히 관찰되고 있다.

• 레이저 치료

레이저 치료는 병변의 크기에 관계없이 시행할 수 있다. 작은 병변은 수술이 가능하나 역시 흉이 발생하므로 레이저로 치료하여 완전히 제거하지 못하여도 많이 연해지는 경우 수술흉터보다 보기 좋은 경우가 많다. 크기가 커서 수술이 불가능한 경우도 레이저 치료로 도움을 받을 수 있다. 병변이 위치에 따라서는 주요 구조물 근처여서 도저히 수술이 불가능한 경우가 있다. 이 경우에도 레이저 시술은 가능하다.

레이저 시술은 수술에 비해 흉 발생이 훨씬 적다는 장점이 있으나, 병변이 완전 치료되지 않을 가능성으로 인해 흑색종 발생의 가능성이 있다는 점이 지적되고 있다. 그러나, 레이저 치료로 모반세포가 파괴되면 흑색종발생의 확률을 줄일 수 있다는 주장도 있다. 치료 방법으로는 후천성 모반과 마찬가지로 이산화탄소 레이저, 어븀야그 레이저, Q-스위치 또는 긴 펄스의 694nm, 755nm, 1064nm 레이저, IPL 등을 이용하여 반복적으로 치료한다(그림 5-39).

3. 오타 모반(Ota nevus)

오타모반은 일측성으로 불규칙하게 발생하는 눈-피부-멜라닌세포증(oculodermal melano-cytosis)으로서 삼차신경의 제1, 2 분지의 지배영역에 분포하는 청색내지 갈색 반점이다. 쉽게 표현하여 한쪽 눈가가 퍼렇게 멍든 것처럼 보이는 질환입니다. 출생시나 어릴 때 주로 발생하고, 얼굴의 한쪽 편(왼쪽이나 오른쪽)으로 생기며 하나의 커다란 반점 형태이거나, 커다란 반점과 함께 작은 점 같은 것이 몰려있는 형태를 보인다.

눈을 중심으로 다양한 분포를 보이고, 색상도 연한 갈색에서 진한갈색, 청색, 청회색, 보랏빛을 띠는 청색 등 다양하다. 또 눈에도 병변을 보이는 경우가 많다. 선천성 오타모반이 양측성으로 발생하는 경우도 있다. 오타반점은 저절로 소실되지는 않는다. 조직소견은 수지상돌기(dendritic process)를 가진 멜라닌세포가 진피에 골고루 산재해 있는 형태를 보이고 있다.

• 발생시기

외국의 보고에 의하면 선천성 오타모반의 약 반 정도가 출생시 또는 생후 2년 이내에 발견된다고 하였다. 중국에서의 보고에 의하면 출생시 발견되는 경우가 반이고 이후에 발견되는 경우가 반이라 하였다.

국내의 보고에 따르면 약 반 정도가 10세 이전에 발생하였고, 이후 20세까지도 계속 발생하는데 20세 이전 발생이 95%이고, 이후에도 5% 정도가 발생한다고 한다. 아주 늦게 40대에도 발견된 보고가 있으나 대부분 25세 이전에 발병한다. 즉, 국내의 보고는 외국에 비해서 선천성 오타모반의 발생시기가 늦다.

• 발생부위

선천성 오타모반은 얼굴에 아무 부위에나 생기는 것이 아니라 정해진 법칙이 있다. 그림에서는 삼차신경의 신경분포를 보여주는데, 삼차신경의 분포는 V_1, V_2, V_3가 있다. 선천성 오타모반은 삼차신경의 분지를 따라 분포하는 전형적인 모습을 보이는데, 삼차신경의 1분지(V1)에 분포하거나, 삼차신경의 2분지(V2)에 분포하거나, 삼차신경의 1,2분지 모두에 분포하는 경우(V1과 V2)가 흔하며 이 3가지 분포가 전체 선천성오타모반의 약 75%를 차지한다(그림 5-40).

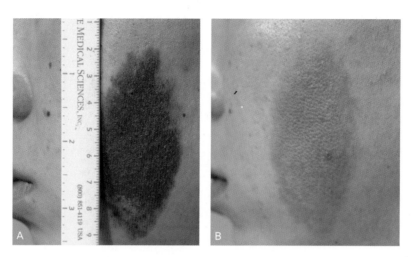

그림 5-39a. 선천성 색소성 모반의 치료 전후

얼굴에 발생한 선천성 모반을 CO_2 레이저 박피와 Q-스위치 알렉산드라이트(755nm) 레이저로 치료 중인 모습
(그림 5-41a, b, c 박승하 시술)

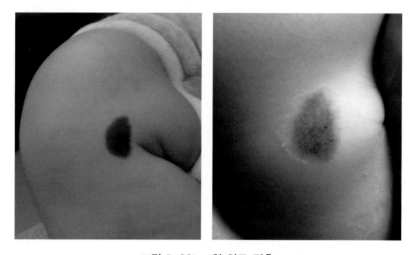

그림 5-39b. 1회 치료 전후

Q-스위치 레이저를 이용하여 532nm 파장을 이용하였으며, 수 차례 패스하여 박피와 유사한 정도로 1회 치료한 후 경과사진

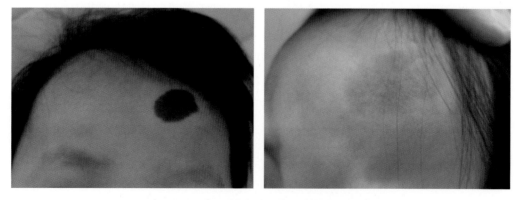

그림 5-39c. Q-스위치 레이저로 수차례 치료 전후

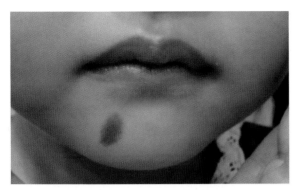 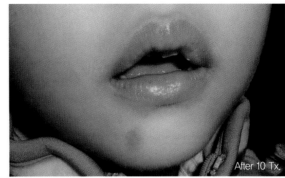

그림 5-39d. Q-스위치 레이저로 수차례 치료 전후

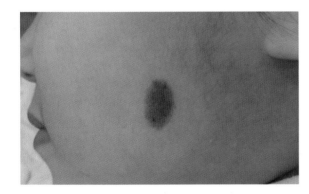 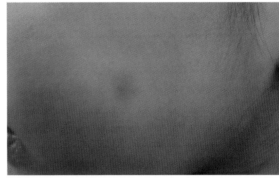

그림 5-39e. Q-스위치 레이저로 수차례 치료 전후

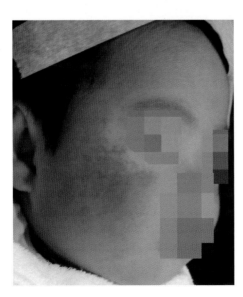 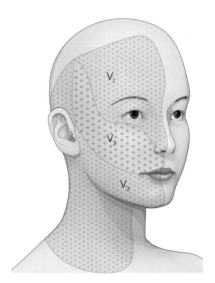

그림 5-40. 선천성오타모반

삼차신경의 V_1과 V_2에 분포한 경우

이외에는 삼차신경의 1분지와 머리 안을 침범하는 경우가 있고, V3를 침범하거나 양측성으로 오는 경우도 있다. 선천성 오타모반이 양측(얼굴의 왼쪽과 오른쪽에 대칭으로)으로 오는 경우가 8% 가까이 보고되고 있다.

선천성 오타모반의 분포 양상을 처음 기술한 분이 Tanino이다. Tanono의 설명도 삼차신경의 분포와 밀접한 관계가 있다. 실제로 필자가 보는 오타모반의 대부분은 Tanino의 기술대로 발병하나, 이와 조금 다른 분포를 보이는 경우도 있다. 흔히 Tanino의 기술에는 없지만 귀에 발생한 경우도 자주 보며, 얼굴에서 목까지 내려가거나 귀 뒤까지 가는 경우도 있다.

• 발생빈도

동양인에서 전인구의 0.1-0.2% 정도에서 발생한다고 본다. 서양인에서는 0.01% 정도로 보고되고 있다. 3대에 걸친 선천성 오타모반의 발생도 보고된 바 있으나, 선천성 오타모반의 발생은 대부분 가족력은 없다. 남자보다 여자에서 훨씬 많이 발생한다.

• 자연경과

신생아나 유아기의 오타모반과 성인기의 오타모반의 조직검사를 비교 연구한 것을 보면 성인이 되면 오타모반의 모반세포가 피부 속으로 더 깊이 분포하고, 멜라닌색소의 양도 많아진다. 한사람을 일생동안 추적 관찰한 것은 아니나, 오타모반이 시간이 지나면서 진해지고, 더 깊어진다는 것을 시사한다.

그림 5-41에서도 동일 인물은 아니나 비슷한 분포를 보이는 아동과 성인을 옆에 두고 비교해 보면 성인이 되면 오타모반이 더 진행하는 것을 알 수 있다.

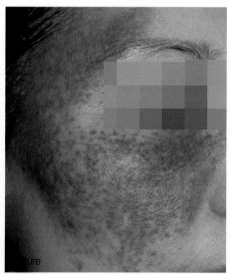

그림 5-41. 오타모반의 자연경과
치료하지 않은 경우 소아와 성인을 비교하면 성인이 되면서 색소양이 많아져서 색이 진해지고, 표면이 울퉁불퉁해진 것을 볼 수 있다.

이렇게 오타모반이 시간이 지나면서 색소량이 많아지고, 깊어지므로 성인기에는 레이저 치료가 더 어려워진다. 즉, 파괴해야하는 색소의 양이 많아지고, 레이저가 도달하기 어려운 깊은 피부로 모반세포가 도망가기 때문이다.

오타모반의 임상적 관찰에 따르면 시간이 흐르면서 서서히 진해지는 경우가 많다. 특히 신생아기에 발견된 후 1세가 되기까지는 점점 더 진해지는 경우가 많다. 그러나, 반대로 조금 엷어지는 경우도 드물게 있는데 주로 아동기 동안에 엷어지게 된다.

가) 레이저로 조기치료

오타모반의 멜라닌 세포는 진피 내에서 군집하지 않고 널리 퍼져있기 때문에 펄스시간이 매우 짧은 Q-스위치 레이저가 효과적이며, 주로 쓰이는 레이저로는 Q-스위치 루비레이저(694nm), Q-스위치 알렉산드라이트 레이저(755nm), Q-스위치 엔디야그 레이저(1064nm) 등이다. 엔디야그 레이저의 경우 멜라닌에 의한 흡수가 다른 레이저에 비해 적지만 깊이 침투하기 때문에 깊은 곳에 위치한 멜라닌 세포 파괴에 효과적이다. 오타모반은 Q-스위치레이저로 반복치료하면 좋은 결과를 볼 수 있다. 성인의 경우 신생아나 소아보다 더 강한 fluence로 치료하는 것이 보통이다. 색소량이 많아져서 색소를 많이 파괴해야하는 이유도 있고, 성인은 소아에 비해서 강한치료에도 재생이 잘 돼서 흉이 잘 발생하지 않기 때문이기도 하다 (그림 5-42). 모반의 색상을 바탕으로 병변의 깊이 및 치료효과를 예측할 수 있는데 갈색 빛을 보이는 경우는 병변이 얇게 위치하고 있으며 3번 정도의 Q-스위치 레이저로 좋은 효과를 볼 수 있는

반면, 병변이 깊이 위치한 경우 틴달 효과(Tyndall effect)에 의해 푸른빛을 보이게 되고 5~6회 이상의 치료가 필요하다. Q-스위치 레이저를 사용하기 전에 CO_2 레이저를 사용하여 박피를 시행하면 Q-스위치 레이저의 투과를 증가시켜 시술 횟수를 줄일 수 있는데, 1차 치료 시 이산화탄소 레이저를 이용해 박피를 시행하고 나서 바로 Q-스위치 레이저 조사를 시행하고 이후 4주 내지 6주 간격으로 Q-스위치 레이저 치료를 함으로써 Q-스위치 레이저 단독으로 사용할 경우보다 치료 회수와 치료 기간을 단축시킬 수 있다.

최근 오타모반의 치료에서 조기치료의 장점이 강조되고 있는데, 조기치료시에 유리한 점은 다음과 같다.

(1) 병변이 아직 깊지 않아서 치료가 빨리 된다. 성인이 되면서 병변이 깊어지는 경향이 있다.

(2) 아직 색소량이 많지 않아서 치료가 빨리된다. 성인이 되면서 색소가 더 생산되고 진해지는 경향이 있는데 그전에 치료하면 빨리 치료된다.

(3) 성인에 비해서 치료부작용이 적다. 주로 성인에 비해서 치료횟수가 적게 필요하므로 부작용이 적을 것으로 보인다.

오타모반은 조기치료가 좋다(그림 5-43). 유아기나 소아기의 치료시 성인과 달리 약한 fluence에서도 치료가 잘 되는 경향이 있다. 실제 환아의 부모입장에서는 조기치료가 효과가 좋아서 하는 것보다는 아이가 커서 콤플렉스를 느끼기 전에 치료해주기 위하여 조기치료를 선택한다.

나) 레이저 치료간격

레이저 치료 후에 진피 멜라닌세포 내에 있던 멜

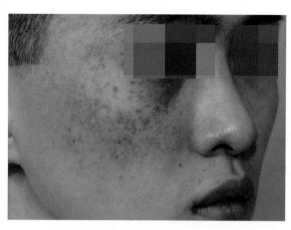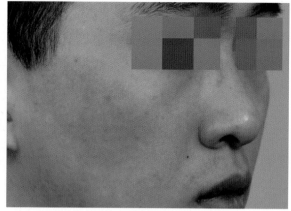

그림 5-42a. 오타모반을 이산화탄소 레이저 박피 후 Q-스위치 755nm 레이저 치료한 모습(42a, b 박승하 시술)

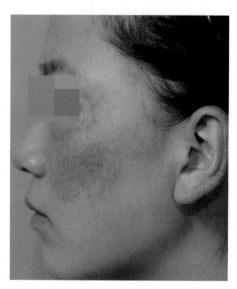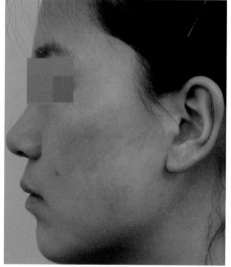

그림 5-42b. 오타모반을 Q-스위치 755nm 레이저로 치료한 모습

라닌이 멜라닌세포가 파괴된 후 진피로 흘러나오고 이를 탐식세포가 포식하여 림프관을 통하여 배출시킴을 알 수 있다. 즉, 오타모반의 레이저 치료 후에는 멜라닌 자체가 파괴되는 효과도 있지만, 세포 내에서 세포 외로 배출된 멜라닌색소를 제거하는 면역작용이 작동하여 부서지고 남은 색소를 청소하는 효과가 있다. 이런 기능은 개인차가 또 있어서 심지어 치료 후 1년이 지나서야 확연히 좋아

진 결과를 보여주는 경우도 있다. 보통 치료간격을 2-3달 정도로 하는 이유는 그 만큼 청소하는데 시간이 걸리기 때문이다. 치료직후 별로 색이 옅어져 보이지 않아도 기다리면 점점 옅어지는 이유가 바로 이런 이유이다.

a) 시술간격을 아주 길게 하면?
가끔은 6개월을 기다리면 더 옅어지는 경우가 있

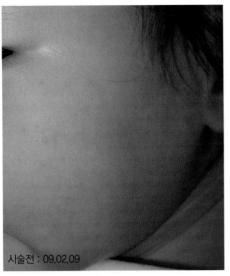 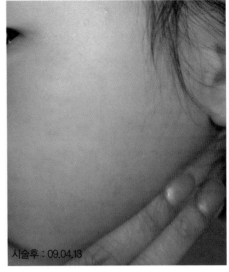

그림 5-43a. 오타모반의 조기치료
뺨에서 발견 즉시 1회 치료하여 많이 호전된 모습

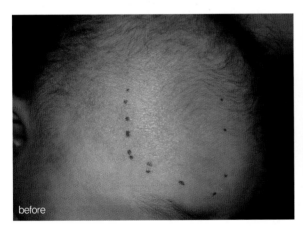 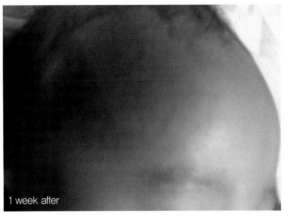

그림 5-43b. 신생아시기에 치료한 선천성오타모반
신생아 시기에는 아직 오타모반이 진해지지 않은 시기이므로 이때 치료를 시작하면 색소량이 적어서 쉽게 치료가 된다. 시술 전 전두부에 마킹 후 1주 후 측면을 치료하러 내원시 촬영한 사진을 보면 1주전에 치료한 전두부는 1회의 치료로 상처 없이 잘 치료된 모습이 관찰된다.

는데, 이런 이유로 치료간격을 6개월로 한다면 전체치료기간이 너무 오래 걸리므로 보통 2-3달 정도 간격으로 하게 된다.

b) 시술간격을 아주 짧게 하면?
전체 치료시간이 짧아질 수 있으나, 각 치료횟수

당 호전정도는 줄어들 수 있다. 또, 잦은 치료로 피부가 완전히 회복하지 못하고 다음 치료를 받게 되서 반복치료 한다면 색소침착, 흉 발생 등 여러 부작용의 염려가 있다.

다) 치료 레이저의 비교

피부를 표면에서 부터 보면 가장 바깥쪽이 표피이고 더 깊은 곳에 진피가 잇다. 정상적으로는 멜라닌세포는 표피에 존재하고 진피에는 존재하지 않는다. 오타모반은 진피 깊은 곳에 멜라닌세포가 존재하고 그 멜라닌 세포 내에 멜라닌색소가 존재하는 질환이다.

이를 치료하는 소위 Q-스위치 레이저라는 것에는 몇 가지가 있다. 루비(파장은 694nm) 알렉산드라이트(파장은 755nm) 엔디야그(파장은 1064nm) 레이저가 흔히 이용된다. 가끔 어떤 레이저가 가장 좋다고 선전하는데 과연 어떤 한 기종이 다른 기종보다 확실히 좋은 것이 있을까? 각 레이저의 특성을 살펴보면

a) 멜라닌색소에 대한 반응도

루비>알렉산드라이트>엔디야그의 순서이다. 루비레이저가 멜라닌색소를 가장 강력히 파괴한다. 그래서, 가장 좋은 것일까?

b) 레이저의 침투깊이

레이저의 침투깊이는 멜라닌색소에 대한 반응도와 반대이다. 엔디야그>알렉산드라이트>루비 레이저의 순으로 엔디야그가 가장 깊이 들어간다. 이는 깊은 부분에 있는 병변을 치료하는데 유리하다.

c) 부작용의 발생빈도

멜라닌색소에 너무 강렬히 반응하면 탈색소반 등의 부작용의 빈도가 올라간다. 루비>알렉산드라이트>엔디야그의 순으로 루비가 탈색소 부작용의 발생이 가장 많다

d) 처음에 치료되는 속도

처음 치료시기에는 멜라닌과 반응이 잘되는 레이저가 치료효과가 빠르다. 얕은 곳의 색소들이 빨리 파괴되면서 효과가 빨리 보인다. 루비>알렉산드라이트>엔디야그의 순서로 초기에 빨리 호전을 보인다.

e) 마지막 남은 것까지 확실하게 치료하기

우선 얕은 부분이 치료가 잘 되고 나면, 깊은 부분의 남은 색소가 치료가 어렵다. 이때의 치료는 깊이 들어가는 레이저가 유리하다. 순서는 엔디야그>알렉산드라이트>루비레이저이다.

이렇게 장단점이 있는 것이지 어느 하나가 절대적으로 유리한 것은 아니다. 또 레이저종류를 혼합하여 치료하였을 때 탈색반의 부작용이 가장 많았다는 보고도 있다.

라) 레이저 토닝

레이저 토닝은 약하게 색소치료 레이저를 발사해서 멜라닌세포 자체는 사멸하지 않고 멜라닌색소만 파괴하는 정도의 치료이다. 이런 치료를 기미의 새로운 치료로 각광받고 있다. 그런데 레이저 토닝이 진피의 색소성 질환인 오타모반의 치료에도 효과가 있을까? 레이저 토닝의 치료기전을 알아보자.

a) 표피의 색소성 질환인 기미의 경우

원래 표피에서는 멜라닌세포가 멜라닌을 생산하면 주변에 잇는 표피세포로 멜라닌이 이동하게 된다. 그래서, 기미에서 레이저 토닝을 한 후 전자현미경으로 연구한 바에 의하면 멜라닌세포는 죽지 않았고, 멜라닌만 파괴된 양상을 보인다. 이후에

어떻게 될 것인지 아직 다 연구를 마치지 못했지만, 이런 파괴된 멜라닌이 주변세포로 배출되면서 색소가 옅어질 것이라 기대된다.

b) 진피의 색소성 질환의 경우

오타모반의 경우 진피에 멜라닌세포가 있다. 주변에는 아무 세포도 없다. 멜라닌을 받아가는 표피세포가 없는 상태이다. 기존의 색소레이저로 치료하는 경우 멜라닌세포 자체가 파괴되고 멜라닌이 진피로 나오게 된다. 이렇게 멜라닌세포가 죽어서 진피로 배출된 멜라닌은 마치 문신과 같은 경과를 통하여 없어지는데, 멜라닌색소를 탐식세포가 포식하게 되고, 탐식세포가 림프관을 통하여 멜라닌을 제거하게 된다. 즉, 오타모반의 경우 치료를 위해서 멜라닌세포의 죽음이 필요하다.

그런데 레이저 토닝은 멜라닌 세포자체의 죽음은 없는 치료이므로 기존의 개념으로 보아서는 레이저 토닝으로 오타모반을 치료하기는 어렵거나 아주 많은 치료횟수가 필요해 보인다.

마) 완치 후 재발 가능성

선천성 오타모반을 되도록 일찍 치료하도록 권하고 있다. 이유는 '되도록 일찍 치료하는 것이 치료가 잘되고, 환아가 의식하기 전에 없애주는 것이 정신건강에 좋기 때문이다'라고 요약할 수 있다. 그런데 가끔 완치된 후 재발가능성에 대해 염려하는 경우가 있다. 오타모반의 치료 후 재발은 약 1-3% 정도로 보고되거나, "아주 드물게 있다"라고 보고되고 있다.

왜 재발하는 것일까? 원래 정상적인 피부의 진피에는 멜라닌세포가 없다. 그림 5-44에서 보면 오타모반의 원인이 되는 진피 속 멜라닌세포가 멜라닌을 함유하는 경우가 있고, 멜라닌을 아직 만들지 않는 멜라닌세포가 있다. 그런데 레이저 치료를 하면 레이저 빛이 멜라닌색소(세포가 아님)에 흡수되고 멜라닌색소가 파괴되고, 멜라닌색소를 포함하고 있던 진피 멜라닌세포가 같이 파괴가 된다. 멜라닌을 함유하지 않은 멜라닌세포는 레이저에 반응하지 않아서 파괴가 되지 않는다. 그림 5-46의 A와 B같은 경우 멜라닌을 함유하지 않은

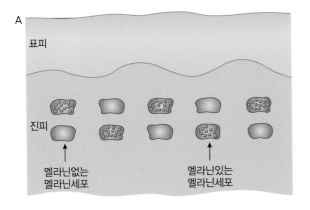
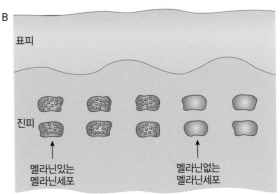

그림 5-44. Dormant state의 멜라닌세포

이런 멜라닌세포는 멜라닌을 함유하지 않고 있어서 레이저 치료로 파괴되지 않고 생존한다. A 형태와 B 형태를 가정해 볼 수 있으며 완치 후 수년 후에도 재발할 수 있는 이유가 된다.

멜라닌세포는 살아남게 된다. 그러나 색소가 없으므로 겉으로 보기에는 완치된 것으로 보인다. 그런데 세월이 지나서 이런 세포들이 성호르몬의 영향 등으로 뒤 늦게 멜라닌을 만들어낼 수 있다. 이렇게 되면 바로 재발이 가능한 것이다. A 같은 경우는 전반적으로 연하게 다시 보이고, B같은 경우는 치료된 부위의 주변부에 띠를 두른 것처럼 새로운 병변이 나타나게 된다.

그런데 이런 재발이 있다면 맨 처음 치료한 상태보다 훨씬 가벼운 상태이므로 조금 추가로 치료해 주면 된다. 그러므로, 재발이 두려워서 조기치료를 포기하지는 않는다.

4. 이토모반(Ito nevus)

이토모반은 오타모반과 유사한 진피의 멜라닌세포성 병변이며, 청색이나 회색 병변이 어깨 부위에 주로 발생한다. 크기는 어깨를 덮을 정도로 크게 발생한다. 쇄골 위, 견갑부, 어깨에 편측성으로 분포하고 갈색부터 짙은 푸른색까지 다양한 색을 나타낸다. 이토모반도 오타모반과 마찬가지로 진피에 멜라닌세포가 증식한 상태이다.

이토모반은 보통 태어날 때 발견될 수 있으나 주로 출생 후 유아기까지 발견될 수 있다. 그리고, 오타모반과 마찬가지로 시간이 지나도 사라지지 않는다(그림 5-45). 이토모반은 오타모반이나 화염상모반과 같이 발생하는 경우가 있다. 오타모반과 달리 악성종양의 발생보고는 없다.

레이저 치료는 오타모반과 동일하고 효과도 비슷한 것으로 알려져 있다.

5. 이소성 몽고반점

몽고반점은 한국인의 신생아에서는 90% 이상

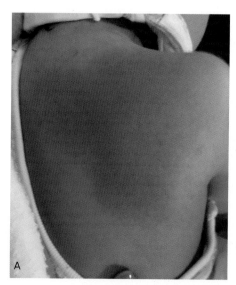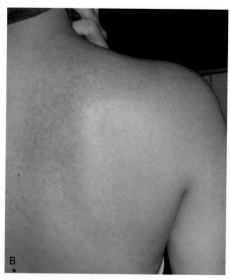

그림 5-45. 이토모반과 이소성 몽고반점의 구분
A) Ectopic Mongolian spot: Birth mark, Even pigmentation, Fading away
B) Ito nevus: Mottling, Onset usually in childhood, Progression of pigmentation

거의 모든 신생아에서 발견된다. 발생하는 장소는 허리(또는 등의 아래쪽)이며 가끔 엉덩이 쪽도 포함된다. 색깔은 푸르스름하거나 회색 톤을 띤다. 모양은 불규칙하거나 정해지지 않은 모양이 많고, 경계는 불명확하다. 크기는 보통 수 센티미터 이상이다. 색깔은 1세경에 가장 진하고 점차 옅어지며, 크기는 2세경에 가장 크다. 조직학적으로는 비정상적으로 피부진피에 멜라닌세포와 멜라닌색소가 존재한다. 성인에서 발견되는 빈도가 2-3% 가량 되므로 성인이 되어도 없어지지 않는 몽고반점도 있다. 보통은 생후 2년에서 10세까지 없어진다. 일본의 보고(Kagami S 2008, Dermatologic Surgery)에 따르면 11세 이후의 인구 중 0.44%에서 몽고반점이 발견되며, 11세 이후에는 더 이상 몽고반점이 없어질 가능성이 없다고 한다.

이소성 몽고반점은 흔히 발견되는 엉덩이 쪽이 아니고, 얼굴, 발, 손 이런 곳에 발생한다. 이런 경우 이소성(엉뚱한 곳에 발생한) 몽고반점이라고 하며, 이런 이소성 몽고반점은 성인이 되어도 잘 없어

지지 않는다. 이런 이소성 몽고반점이 평편한 형태의 청색모반이냐, 진피성 멜라닌세포성 과오종이냐 하는 명칭상의 논란은 있지만, 의학적으로 이런 류의 질환이 존재함을 잘 알려져 있다(그림 5-46).

• 호발부위

표 5-9에는 몽고반점이 발생하는 부위가 설명되어 있는데 이중에서 엉덩이와 허리아래부위를 제외한 부위에 발생한 것을 이소성 몽고반점이라 한다. 이소성 몽고반점이 잘 생기는 부위는 빈도가 높은 순서부터 어깨, 손등, 허벅지, 팔, 다리, 발등, 허리춤, 이마, 손가락의 순서이다.

• 자연경과

엉덩이나 허리아래쪽에 발생한 몽고반점도 성인까지 없어지지 않는 수가 있는데, 이소성 몽고반점은 없어지지 않는 경우가 더 흔하며, 특히 엉덩이에서 멀리 떨어진 이소성 몽고반점일수록 없어지지 않을 확률이 높다. 6세경에 남아있던 이소성

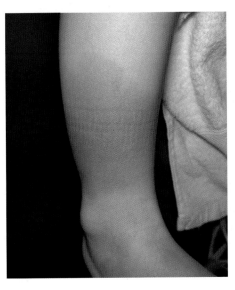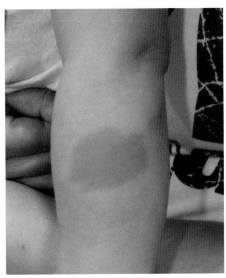

그림 5-46. 이소성 몽고반점

표 5-9. 몽고반점의 호발부위

(Cordova A. Clin Pediatr (Phila). 1981)

Location	%
Sacro-gluteal	80.63
Shoulders	23.44
Lumbar	14.06
Coccyx	10.31
Dorsum of hands	5.94
Thighs	5.63
Forearms	5.63
Arms	4.38
Legs	4.06
Dorsum of feet	1.56
Iliac	0.63
Forehead	0.63
Fingers	0.31

몽고반점이 11세까지 약 3분의 2에서 사라졌다는 보고가 있다. 그림 5-47에서 보면 이소성 몽고반점은 성인이 되어도 없어지지 않았다.

• 레이저로 조기 치료

이소성 몽고반점이 저절로 없어질 수도 있으나 소실될 때까지 수년이 걸리고, 아이가 3세가 지나면 모반에 대한 의식을 하게 되므로, 이소성 몽고반점이 쉽게 치료되는 것을 고려한다면 가족 내의 스트레스를 해소하기 위해서, 조기에 특히 신생아 시기에 치료해주는 것이 좋다고 본다. 이소성 몽고반점의 치료는 어릴수록 잘된다. 신생아시기에 가장 쉽게 치료되고 나이가 들수록 치료가 어려워진다. 이소성 몽고반점은 몽고반점보다 일반적으로 치료가 더 잘된다(그림 5-48).

Kagami 등이 몽고반점과 이소성 몽고반점 26 례를 치료한 후 보고하였다(표 5-10). 이소성 몽고반점을 어릴 때 치료한 경우(치료나이가 0세에서 2세)는 성인까지 사라지지 않은 몽고반점을 성인 때 치료한 것 보다 월등하게 효과가 좋은 것을 알 수 있다.

이 보고에 의하면 성인이 되어서도 없어지지 않

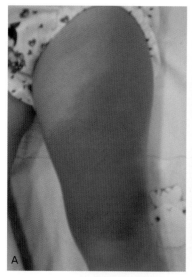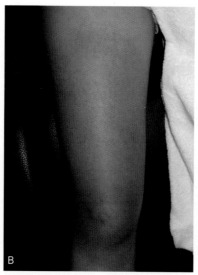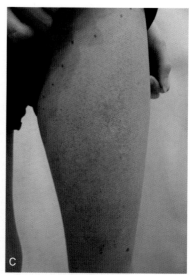

그림 5-47. 이소성 몽고반점의 자연경과
A) 유아기, B) 소아기, C) 성인기

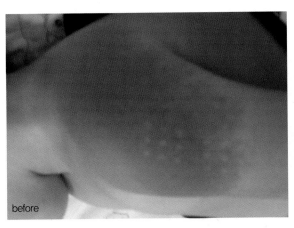
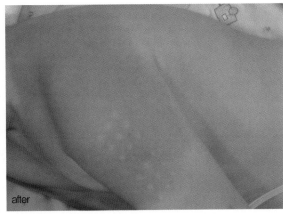

그림 5-48. 이소성몽고반점의 치료 전후

Q-스위치 엔디야그 레이저로 2회 치료 후 호전된 모습

표 5-10. 이소성몽고반점의 치료결과 (Kagami S et al, Dermatol Surg. 2008)

소아에서 치료한 경우 성인에서 치료한 것보다 효과가 좋다

Patient Number	Sex	Age	Location	Size*	Lesions	Treatments, n	Postinflammatory Hyperpignmentation	Result
1	Female	27	Sacral	Large	Single	3		Excellent
2	Female	35	Sacral	Large	Single	6		Excellent
3	Female	14	Sacral	Large	Single	9		Good
4	Female	19	Back, Sacral	Large	Single	5		Good
5	Female	20	Sacral	Large	Single	2		Fair
6	Female	26	Sacral	Large	Single	4	Severe	Fair
7	Female	27	Sacral	Small	Single	3	Moderate	Fair
8	Female	34	Sacral	Small	Single	3	Moderate	Poor
9	Female	35	Sacral	Large	Single	2		Poor
10	Female	0	Face	Small	Single	4		Excellent
11	Female	2	Arm	Large	Single	5		Excellent
12	Male	0	Hand	Small	Single	2		Good
13	Female	0	Whole body	Large	Multiple	2		Good
14	Female	0	Leg	Large	Single	4		Good
15	Female	0	Face, arm	Small	Multiple	5		Good
16	Female	1	Hand	Small	Single	3		Good
17	Male	1	Back	Large	Single	4		Good
18	Male	1	Arm	Large	Single	7		Good
19	Male	2	Shoulder	Small	Multiple	5		Good
20	Female	2	Back	Small	Multiple	8		Good
21	Female	3	Arm	Small	Single	3		Good
22	Female	3	Back, hand	Large	Multiple	7		Good
23	Female	4	Leg	Large	Single	8		Good
24	Female	18	Face	Small	Single	1		Fair
25	Female	18	Whole body	Large	Multiple	2		Fair
26	Male	1	Whole body	Small	Multiple	1		Drop out

*Large = >25cm^2; small = <25cm^2

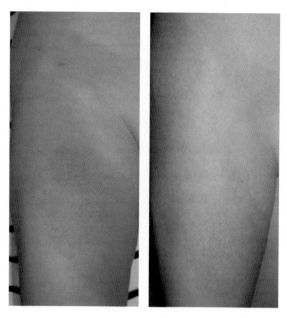

그림 5-49a. treatment of aberrant Mongolian spots with the Q-switched ruby laser.

(Left) A 1-year-old girl with AMS on the right thigh and groin before treatment. (Right) At 6 months after four laser treatment sessions, she shows a 'good' result. (Shirakawa M et al., Journal of Cosmetic and Laser Therapy, 2010)

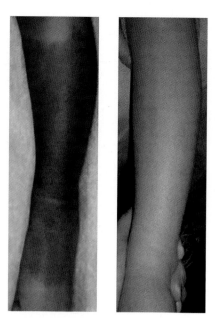

그림 5-49b. treatment of aberrant Mongolian spots with the Q-switched ruby laser.

(Left) A 1-year-old girl with AMS on the left leg before treatment. (Right) At 6 months after four laser treatment sessions, there is an 'excellent' cosmetic result. (Shirakawa M et al., Journal of Cosmetic and Laser Therapy, 2010)

그림 5-49c. Treatment of adult Mongolinan spot with Q-switched alexandrite laser

The back of patient Number 4, presenting at 45 months after a single laser treatment on the upper half of the spot. (Kagami S et al, Dermatol Surg, 2008)

은 몽고반점을 치료하는 경우에도, 20세 이전에 치료하는 것이 20세 이후에 레이저를 하는 것보다 훨씬 치료가 잘된다고 보고하였다. Kagami 등은 이소성 몽고반점을 조기치료하여 좋은 결과를 보았다고 보고하였다(그림 5-49a, 5-49b). 또, 성인이 되어서도 남아있는 몽고반점을 반쪽만 한번 치료한 후, 치료하지 않은 부위와 비교하였을 때 큰 차이가 있음을 보고하였다. 한번의 치료로도 몽고반점이 많이 호전됨을 알 수 있다(그림 5-49c).

6. 청색모반

청색모반은 양성의 후천성 혹은 가끔 선천성의 점이다. 진피에 멜라닌세포(점세포)가 있고, 일반적인 점과 달리 표피에는 점세포가 없다. 특징적으로 점의 색깔이 푸른색이서 청색모반이라 한다. 멜라닌색소가 표피가 아닌 진피에 많이 있어서 푸르게 보인다.

병변의 모양은 푸른색이고, 피부표면으로부터 약간 융기되어 있고, 크기는 보통 1cm 이내이다. 남자보다 여자에 흔하다. 피부의 어디에나 발생할 수 있는데, 손등, 발, 엉덩이, 두피, 얼굴 같은 부위에 잘 생긴다.

• 레이저 치료

청색모반의 조직소견에서 진피에 멜라닌색소로 가득 찬 멜라닌세포가 군집을 이루어 밀도가 높게 분포되어 있다. 이런 상태에서 레이저 치료시 멜라노좀과 레이저 빛이 강하게 반응하여 상처가 커지고 흉을 남기는 경우가 발생할 수가 있다. 청색모반은 다른 청색반과 달리 fluence를 낮게 하여 안전하게 치료를 시작하여야한다.

7. 후천성 양측성 오타양 모반 (ABNOM: acquired bilateral nevus of Ota)

동양 여성에게 주로 발생하며 기미로 혼돈되기 쉽지만 기미와 달리 작은 콩알 크기의 반점이 광대뼈 부위, 관자노리, 안검, 콧등에 나타나는데 대부분 양측성으로 발생한다. 갈색에서부터 청회색까지 다양한 색을 띨 수 있는데 일반적으로 처음 발생했을 때는 갈색을 띠다가 시간이 지남에 따라 청회색을 띠게 된다. 처음 발생할 당시에 2달 정도에 걸쳐서 갑자기 번졌고, 양쪽으로 대칭적이며, 그 후로 그다지 더 번지지 않으며, 햇볕을 봐도 별 차이가 없으면 후천성 오타반점으로 진단한다(그림 5-50).

• 발생시기

후천성 오타모반은 주로 20대에 많이 발생한다. 10대에 많이 발생한다고 기술된 교과서도 있는데 실제 환자를 보면 분명 20대가 가장 흔히 발생하는 시기이다. 즉, 대학생 때가 많다. 많은 분들이 기미로 오해하나 실제로 기미는 보통 30세 이후 발

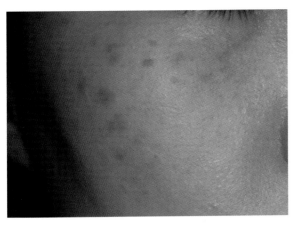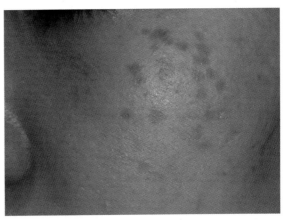

그림 5-50a. 전형적인 후천성 양측성 오타모반

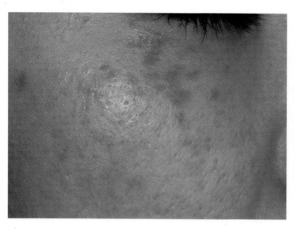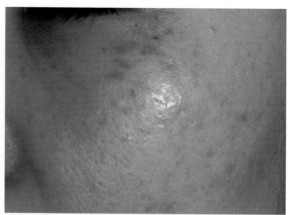

그림 5-50b. 전형적인 후천성 양측성 오타모반

표 5-11. 후천성 양측성 오타모반의 발생시기
(Polnikorn N et al, Dermatol Surg 2000)

Age of onset	Number of patients
<15	4
16-20	9
21-25	12
26-30	20
31-35	15
36-40	3
41-45	2
46-50	1
>51	1
Not known	0
Total	66

생이 많으니 나이만으로도 감별되는 경우가 많다. 20대 다음으로는 10대 후반이나 30대 초반이다. 그 다음은 10대 초반이나 30대 후반, 드물게 중년에도 발생한다. 이상의 필자의 경험은 표 5-11과 일치한다.

• 호발부위

그림에서 보면 후천성 오타모반이 잘 생기는 부위가 표시되어있다. 광대뼈부위, 관자놀이, 코뿌리 부분, 윗눈꺼풀 바깥쪽, 그리고 콧망울이다. 이 중에서 광대뼈부위에 발생한 것을 가장 흔히 관찰한다. 콧망울 부위에 생기면 연탄 묻었냐고 놀림을 받기도 하는데 다른 색소질환이 이 부위에 생기는 일은 거의 없으므로 이 부위에 있으면 후천성 오타반점의 가능성이 크다(그림 5-51).

• 감별진단

후천성 오타반점을 많은 분들이 기미라고 찾아온다. 기미는 병변이 뭉쳐서 한 덩어리로 보이는데, 후천성 오타모반은 작은 병변이 밀집하여 분포하나 뭉쳐서 하나가 된 형태는 아니다. 기미처럼 크게 뭉치지 않고 마치 콩알 뿌려 놓은 것처럼, 또는 더 작게는 성냥머리 뿌려놓은 것처럼 여러 개가 흩어져 있다. 색조도 기미와 다르며, 발생한 시기도 20대가 많다. 기미와 섞여있는 경우 기미를 제거한 다음에야 발견되는 수가 있다.

후천성 오타모반은, 편측성으로 발생하는 오타모반과 다르게, 양측성으로 발생하며, 20대 이후 여성에 발생하며 점막과 결막은 침범하지 않는다고 알려져 있으나, 실제로 안구병변이 있는 경우가 있다. 선천성 오타반점의 색이 푸르스름한 것에 비

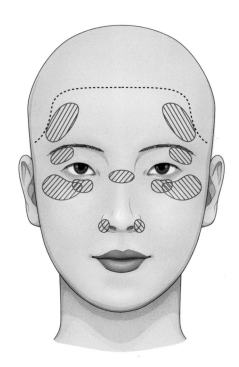

그림 5-51. 후천성 양측성 오타모반의 분포양상

1. Lateral sites of the forehead, 2. Upper eyelids, 3. Malar area, 4. Root of the nose, 5. Alae of the nose, 6. Infraorbital

해서 후천성 오타모반은 색소의 양이 적어서 그다지 진하지 않습니다. 옅은 갈색이 있거나, 약간 푸르스름하면서 갈색이거나, 청회색을 띠기도 하고, 간혹 진한 갈색을 띠기도 한다.

조직소견을 보면 오타반점은 선천성이든 후천성이든 피부 깊은 곳에 멜라닌색소가 있다. 그러나 분포양상이 다른데, 오타모반에서는 멜라닌세포가 진피 전체에 고루 퍼져있으나, 후천성오타모반은 멜라닌세포가 유두진피와 진피 중간부분에 국한되어 퍼져있는 것을 볼 수 있다.

가) 스킨케어 vs 레이저 치료

후천성 오타반점을 가끔 병원에서 레이저 치료를 하지 않고 바이탈이온트 등 스킨케어를 꾸준히 하고 있는 경우를 본다. 과연 스킨케어만으로

좋아질 수가 있을까? 아니면 꼭 레이저를 꼭 해야 하나?

후천성 오타반점은 오타반점과 마찬가지로 피부 진피에 멜라닌세포가 존재한다. 정상적으로는 멜라닌세포는 표피에 존재한다. 멜라닌세포가 진피에 존재하는 것은 특별한 질환이 있을 때이다. 그런데 이런 이상 멜라닌세포도 멜라닌세포의 성질을 띠므로 미백스킨케어를 하면서 치료 중일 때는 색소량이 감소하고 어느 정도 효과를 보인다. 그러나, 완전히 옅어지는 일은 없고, 미백스킨케어를 중단하면 원래 색으로 돌아간다. 그러므로 완전히 치료를 원하면 괴롭더라도 레이저 치료로 멜라닌세포 자체를 파괴하여야한다.

진피의 멜라닌세포를 파괴하기 위한 레이저 치료를 하면 어느 정도 멍들고 딱지가 생기는 것을 피해갈수가 없다. 한 가지 좋은 점은 기미와 달리

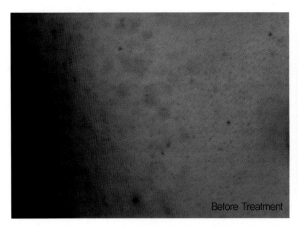
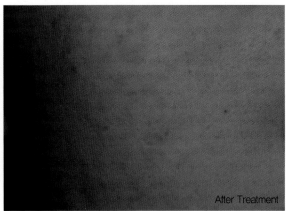

Before Treatment

After Treatment

그림 5-52. Q-스위치 엔디야그 레이저로 치료 중인 후천성 오타모반

어느 정도 치료가 된 후천성 오타반점은 개인 사정상 더 이상 치료를 하지 않는 경우 부분적으로 좋아진 상태도 유지가 잘 된다는 점이다. 즉, 사정이 허락할 때 언제든지 레이저 치료를 하다 보면 깨끗해진 것을 알 수가 있다.

후천성 오타모반은 선천성 오타모반보다 레이저 치료에 대한 반응이 조금 떨어지고, 색소침착 등의 부작용도 더 쉽게 생기지만, 여전히 레이저 치료로 원하는 만큼 치료가 가능하고 예후가 좋은 병변이다. 물론 한 번의 치료가 아니고 여러 번의 치료가 필요하다.

치료는 오타모반과 마찬가지로 Q-스위치 694nm, 755nm, 1064nm 레이저를 사용할 수 있으며 여러 번의 치료를 필요로 한다(그림 5-52). 후천성 오타반점의 치료로 스킨케어는 일시적이고, 근본적인 치료는 레이저를 필요로 한다.

나) 레이저 치료의 부작용

a) 레이저 치료 후 색소침착

Polnikorn 등의 보고에 따르면 표 5-12에서와 같이 후천성 오타모반의 레이저 치료 후에 약하게

혹은 강하게 색소침착이 오는 경우가 있는데, 전체 치료 환자 중 70% 이상에 달하고 있다. 이는 일반적인 레이저 치료 후의 색소침착 확률보다 엄청나게 높은 것이다.

왜 이렇게 후천성 오타모반 치료 후에 색소침착이 잘 올까? 후천성 오타모반의 치료 후 발생하는 색소침착은 진피에 있는 오타모반에 발생하는 것이 아니라 오타모반이 있는 부위의 표면의 표피에서 발생하는 것인데, 이 오타모반 부위의 표피가 기미의 성질을 띠고 있어서 치료 후 색소침착이 쉽게 온다는 설명이 있다. 최근의 조직연구에 의하면 후천성 오타모반의 멜라닌세포는 진피혈관 주

표 5-12. Postinflammatory hyperpigmentation after Q-switched Nd:YAG laser treatment in ABNOM
(Polnikorn N et al, Dermatol Surg 2000)

Degree of PIH	Number of cases
0	18 (27.3%)
1+	22 (33.3%)
2+	26 (39.4%)
Total	66 (100%)

0 = no PIH
1+ = mild PIH, resolved within 3 months.
2+ = severe PIH, resolved >3 months.

번에 분포를 많이 하고 오타모반의 치료 중에 진피혈관이 손상되고 이를 통한 염증반응으로 색소침착이 진행할 것이라는 설명이 있다.

어쨌든 후천성 오타모반의 치료 후 색소침착이 자주 발생하나 일시적인 과정이고 회복이 되므로 너무 두려워하지 말아야한다.

b) 레이저 치료 후 크기가 커지는 경우

후천성 오타모반의 치료 후 어떤 환자들은 각각의 작은 반점의 크기가 커졌다고 하는 경우가 있다. 실제로 가능하다고 보이는데,

첫째 이유는 진피에 흩어져있는 모반세포를 레이저로 파괴하면 파편(세포내에 있던 멜라닌)이 사방으로 튀면서 갈색이 더 번지는 경우를 생각해 볼 수 있다.

둘째는 원래 후천성 오타모반의 점세포 중에는 처음 치료 전에 아직 멜라닌을 만들지 않은 세포도 있는데, 레이저 치료로 이런 세포들이 자극받으면 이때부터 멜라닌을 생산하고 눈에 띄고 점이 커져 보일 수가 있다.

어쨌든 이런 현상은 임상적으로 처음 치료나 2번째 치료까지 종종 관찰되고 이후에는 잘 발견되지 않는다. 결국 더 치료하면 옅어져서 없어지므로 너무 걱정하지 않아도 된다.

다) 레이저 토닝

레이저 토닝은 표피의 기미치료에 각광받고 있는 방법이다. 그런데 표피와 달리 진피의 멜라닌세포가 멜라닌을 주변세포나 세포간 기질로 이동한다는 말을 들어본 바가 없으니, 레이저 토닝으로 멜라닌만 손상시켜서 오타반점 등에 효과가 있을지 의문이다. 설사 파괴된 멜라닌을 세포 밖으로 몰아낸다하더라도 세포가 살아있으면 다시 멜라닌색소를 만들 수 있게 된다. 적어도 진피의 멜라닌세포는 표피의 멜라닌세포와 상황이 다르고 한번 멜라닌세포가 파괴되면 표피의 멜라닌세포처럼 다시 재생되는 것도 아니므로 오타모반의 치료는 멜라닌세포의 파괴가 목표가 되어야한다고 본다. 이는 IPL이나 레이저 토닝을 이용한 오타모반의 치료가 어려울 것으로 예상하는 이유이기도 하다. 물론 반복되는 레이저 토닝으로 진피멜라닌세포의 사멸과 멜라닌색소의 파괴 및 제거가 불가능하다고 단정할 수는 없다.

잘 알려진 대로 후천성 오타모반 병변부위의 표피는 기미의 성질을 띤다고 하므로, 레이저 토닝으로 이런 표피의 색소가 감소하면, 후천성 오타모반이 일부 호전되는 것으로 관찰될 가능성은 충분히 예상되나, 완전히 좋아지기는 어렵다고 본다. Laser tissue interaction은 여러 가지 종류가 있다. 오타모반에서 통상적인 SPTL를 이용한 치료를 한번 한 후 멜라닌세포가 파괴되고 거기서 흘러나온 멜라닌을 먹은 탐식세포가 있다면, 이 상태에서 레이저 토닝을 시작하면 멜라닌을 탐식한 세포가 레이저 토닝으로 인해 biostimulation되어서 좀 더 활동성이 강해져 멜라닌을 림프관으로 잘 배출할 수 있는 가능성은 없을까? 이런 분야의 연구는 아주 부족하나, 이제 연구자들이 레이저의 치료는 thermal reaction만 있는 것이 아니라는 것에 눈뜬 상태이므로 앞으로 연구 대상이 될 것으로 보인다.

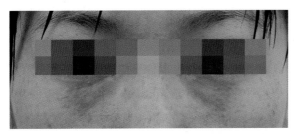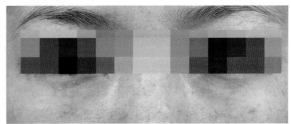

그림 5-53. 하안검에 발생한 색소침착(다크서클)을 Q-스위치 755nm와 1064nm 레이저로 치료한 모습

8. 하안와부 색소침착 (dark circles under the eyes)

일반인들이 다크서클이라고 부르는 눈 아래 피부가 어둡게 보이는 현상은 눈 주위 부종, 피부 처짐으로 인한 그늘, 혈관 확장 등 여러 가지 원인에 의해 나타날 수 있으며, 많은 경우 진피 내 멜라닌 색소침착이 발견된다. 진피 내 멜라닌 색소침착으로 발생하여도 환자의 그날그날의 상태에 따른 변화를 볼 수 있는데 이러한 일중 변화의 원인은 하안와부 피부의 부종에 의한 피부 두께 변화로 색이 변해 보이는 것으로 생각된다(Tyndall phenomenon). 다른 진피 내 색소병변과 마찬가지로 Q-스위치 레이저로 치료할 수 있다(그림 5-53). 색소침착 이외의 다른 원인에 의한 것은 필러주사, 눈밑지방제거 등의 치료가 필요하다.

VI. 기미와 색소침착

1. 기미(melasma)

기미는 갈색 또는 회갈색의 불규칙한 모양의 반점으로 주로 여성에서 발생하며 양측에 대칭적으로 발생한다. 주로 여름철에 시작되고 겨울이 되면 완화되다가 다시 여름이 되면 악화되는 모습을 보인다. 기미는 여성호르몬과 밀접하게 연관되어 있어서 임신이나 피임약, 또는 기타 호르몬 연관 질환에 의해 발생하거나 악화될 수 있다. 인종적으로는 Fitzpatrick 타입 IV, V, VI형에서 많아 라틴아메리카, 아프리카, 아시아인에서 호발한다.

기미는 임상적으로 3가지 특징적인 형태로 나타나는데 얼굴중심성(centrofacial) 기미, 광대부위(malar) 기미, 하악부위(mandibular) 기미가 그것이다.

조직학적 소견으로 표피 기저층에 멜라닌세포가 증가해 있으며, 과도한 멜라닌 생성으로 표피 전층에 걸쳐 멜라닌이 증가한 소견을 보인다. 진피층에서는 멜라닌탐식세포(melanophage)를 볼 수 있고 이 세포의 존재를 토대로 표피성, 진피성, 복합성 기미로 세분한 바 있으나 동양인의 경우 보통 사람의 진피에서도 melanophage가 자주 보이기 때문에 이러한 분류의 근간이 흔들리고 있다. 그 밖에 특이한 조직소견으로 혈관주위 림프구 침윤, 혈관 밀도의 및 크기의 증가를 보인다.

기미의 생성기전에 대하여는 분명히 밝혀진 것이 없다. 여러 가지 요인이 관여한다고 알려져 있으나 그 중 가장 중요한 것은 여성호르몬과 자외선이다. 유전적 경향도 있으나 명확한 유전형식을 나타내지는 않는다.

자외선 조사는 세포막 지질의 과산화(peroxidation)를 일으켜 자유 래디컬(free radical)을 형성하고 이것들이 멜라닌세포를 자극하여 과도한 멜라닌 생성을 유도한다. 자외선은 또한 각질형성세포를 자극하여 interleukin 1 (IL1), endothelin 1, α–melanocyte stimulating hormone (α–MSH), adrenocorticotrophic hormone (ACTH)을 형성하도록 하는데 이러한 것들이 멜라닌세포의 증식과 활성을 증진시킨다고 알려져 있다.

멜라닌세포는 세포질과 핵에 에스트로겐 수용체를 가지고 있으며 이런 수용체가 자극되면 멜라닌 형성에 관여하는 효소인 tyrosinase와 dopachrome tautomerase의 생성이 증가하게 된

표 5-13. 기미의 발생과 관계된 인자들

Genetic predisposition
Pregnancy
Oral contraceptives
Endocrine dysfunction
Hormone treatment
UV exposure
Drugs(eg, antiseizure medications)
Stress

표 5-14. 기미에서 효과를 보이는 치료들

Treatment	Mechanism of action
Hydroquinone	Tyrosinase inhibitor
Retinoic acid	Tyrosinase inhibitor Accelerate epidermal turnover
Azelaic acid	Tyrosinase inhibitor Anti-inflammatory
Kojic acid	Tyrosinase inhibitor
Sun cream	Block UVA and UVB
Corticosteroid	Nonselective suppression of melanogenesis
Chemical peels	Removal of melanine and melacocyte
CO2, Er:YAG laser	Removal of melanine and melacocyte
Q-switch laser	Selective destruction of melanosome

다. 따라서 멜라닌세포가 과도하게 에스트로겐 농도에 반응하는 것이 기미 발생의 주요한 요인으로 생각되어지고 있다.

기미 치료의 중심은 국소도포제로서 최소 한두 달 정도는 사용하여야 효과를 볼 수 있다. Hydroquinone 크림, 비타민A 크림, 일광차단제를 같이 사용하면 효과가 있는데 일광차단제는 UVA와 UVB를 모두 차단할 수 있는 제품을 사용해야 효과적이다.

Retinoic acid (Vitamin A)는 0.1%, 0.05%, 0.025% 등의 농도가 주로 사용되는데 빛에 의해 불활성화 되고 광과민성을 나타낼 수 있으므로 주로 밤에 사용한다. 경한 홍반 및 각질 벗겨짐 증상이 나타나는 것이 정상 반응이지만 너무 높은 농도의 Retinoic acid를 사용하면 피부자극증상이 심해지고 합병증이 발생할 수 있으므로 주의해야 한다. 0.5% 이하 농도의 Retinoic acid는 얼굴 전체에 발라도 무난하지만, 0.1% 이상의 농도를 사용할 경우에는 면봉에 묻혀서 병변 부위에만 바르는 것이 합병증을 줄이고 최대한의 효과를 볼 수 있게 하는 방법이다.

Hydroquinone은 멜라닌 합성속도를 좌우하는 tyrosinase를 억제하는 작용을 한다. 저녁때 한 번 바르거나 아침저녁으로 두 번 바르기도 한다. AHA (alpha hydroxy acid) 또는 비타민 C 제품과 같이 사용하면 더 좋은 효과를 보인다.

기미에 Q-스위치 레이저나 박피 레이저를 사용할 경우 과색소 침착이 심하게 나타날 수 있으므로 약물치료에 반응하지 않는 경우에만 신중하게 시도하여야 한다. 레이저 치료 전 충분한 기간 동안 미백제 및 일광차단제을 사용하고 약물 치료에 반응하지 않는 부위에는 Q-스위치 755nm 또는 694nm 레이저를 사용해왔으나 재발가능성이 높고 악화가능성도 많아서 최근에는 거의사용하지

않는다한다. 최근에는 IPL이나 레이저 토닝을 통한 가벼운 치료를 반복하여 기미병변의 완화를 목표로 하는 치료를 많이 이용한다. 레이저 치료 후에도 같은 방법으로 약물치료를 계속하여 PIH 발생을 예방해야 한다.

2. 염증 후 과색소 침착(PIH, postinflammatory hyperpigmentation)

짙은색 피부를 가진 사람에 잘 생기며 기미와 달리 남녀 모두에서 같은 비율로 발생한다. 멜라닌세포 활성이 증가하여 표피에 멜라닌이 증가하는 경우가 있고, 멜라닌세포 또는 표피세포가 파괴되면서 흘러나온 멜라닌이 상부 진피에 있는 대식세포에 의해 탐식되어 멜라닌탐식세포 형태로 진피에 잔존하여 발생하는 경우가 있다. 전자의 경우 표피성으로 발생하고 갈색을 띄고 치료하지 않을 경우 사라지는데 6~12개월 정도 걸리며, 후자의 경우는 진피성이며 짙은 회색을 띄고 없어지는데 더 많은 시간이 걸린다.

PIH의 치료는 결과를 예측하기 어려우며 불만족스런 결과를 만들기 쉽다. 가장 중요한 치료는 원인이 되는 염증 반응을 제거하는 것이다. 레이저 치료를 할 경우 더욱 심해지는 경우가 많으므로 적은 면적에 먼저 실험적으로 조사하여 반응을 확인하고 치료해 볼 수도 있다. Hydroquinone 크림, 비타민A 크림, 일광차단제를 같이 사용하는 것이 도움이 된다.

VII. 문신의 레이저 치료

문신 제거를 위해 사용한 초기의 연속파 레이저는 표재성 문신은 치료되었으나 대부분의 깊은 문신은 반흔을 남기지 않고는 치료가 불가능하였다. 그러나 Q-스위치 형태의 루비 레이저, 알렉산드라이트 레이저, 엔디야그 레이저가 개발되어 반흔을 남기지 않고 치료가 가능하게 되었다.

1. 문신의 조직 소견

문신은 외상 후 생기기도 하며(traumatic tattoo), 인위적으로 전문가가 만든 것(professional tattoo)과 일반인들이 한 문신(amateur tattoo)으로 나눌 수 있다. 보편적으로 일반인들이 한 문신이 전문가가 만든 문신보다 치료 결과가 좋은 편이다. 일반인들은 숯이나 먹물 등으로 문신하여 레이저에 잘 치료되나, 전문가가 한 문신은 일정한 깊이로 색소를 넣지만 색소가 조밀하게 많은 편이며 여러 가지 잉크를 사용하여 레이저로 잘 제거되지 않고 5-6회 이상 반복치료를 요하는 경우가 많다.

진피 내에 투입된 문신색소들이 시간이 지남에 따라 조직학적으로 어떻게 변하는지에 대해서는 잘 알려지지 않았다. 문신색소가 피부내로 주입된 초반에는 각질형성세포(keratinocyte), 섬유모세포(fibroblast), 대식세포(macrophage) 및 비만세포(mast cell) 등에서 발견되지만 표피 및 진피표피 경계부에 주입된 색소들은 시간이 지남에 따라 각질형성세포와 더불어 표층으로 제거되어 2~3개월 후에는 색소 입자들이 진피 내 섬유모세포 내에서만 발견된다. 먹물(india ink)에 들어있는 탄소입자의 크기는 10~100nm(평균 40nm)이며 광학현미경으로 관찰해 보면 1~5μm 크기의 과립형태로 섬유모세포 세포질 내에 존재한다.

문신은 시간이 지남에 따라 흐려지고 푸르스름해 지는 경향을 보이는데 이런 현상은 문신 색소가 점점 진피 깊은 곳으로 이동하기 때문으로 해석된다. 실제로 문신된 피부를 조직 검사한 경우 오래된 문신은 진피 깊은 곳에, 새로 만든 문신의 경우 좀 더 얕은 곳에 색소가 분포한다.

2. 레이저의 작용기전

Q-스위치 레이저가 문신을 없애는 기전이 명확하게 밝혀지지는 않았으나, 문신색소를 함유하고 있는 세포를 파괴하는 작용과 문신색소 자체를 분해하는 작용이 같이 일어난다고 알려져 있다.

문신 부위에 Q-스위치 레이저를 조사하면 문신색소를 함유하고 있는 세포(주로 섬유모세포)가 선택적으로 파괴되어 문신 색소들이 세포외로 누출되고 이것들은 임파선이나 혈관을 통해 배출되거나 대식세포에게 탐식되거나 혹은 다시 섬유모세포내로 들어가게 되면서 진피 내 문신색소의 양이 줄어들게 된다.

세포 외 누출 기전 이외에도 레이저광이 직접 문신색소를 파괴할 수도 있다. 탄소입자로 만들어진 문신에 Q-스위치 엔디야그 레이저를 조사한 직후 전자현미경 조직소견을 보면 검은색으로 보이던 입자들의 일부(약 30%)가 층 판을 가진 투명한 입자로 바뀌는 것을 확인할 수 있다. 이러한 변화는 레이저의 광음향 효과(photoacoustic effect)와 증기-탄소 반응(stem-carbon reaction)에 의한 것으로 추정된다. 광음향 효과는 색소가 극히 짧은 펄스시간의 레이저광을 흡수하면서 순간적

인 열팽창이 일어나고 이것이 충격파의 형태로 바뀌어 작은 조각으로 깨지는 것이다. 증기-탄소 반응은 레이저 광화학반응의 일종으로서, 문신색소가 레이저 에너지를 흡수하면서 온도가 올라가고 인근의 수분을 끓여 수증기를 만들게 되면 색소의 탄소성분이 수증기와 결합하여 일산화탄소와 수소가 된다는 것이다.

Q-스위치 레이저로 문신입자의 온도가 상승하고 이것을 함유한 세포와 주위 조직에 영향을 주지만 문신입자 내부가 레이저에 의해 상승할 수 있는 최고 온도는 1,000℃ 전후로 이는 문신색소를 녹이는 용해점보다 낮기 때문에 광열반응(photothermal effect)을 문신제거 기전에 포함시키기는 힘들다.

3. 문신치료를 위한 레이저

Anderson과 Parrish가 선택적광열분해(selective photothermolysis) 이론을 제시한 이후 문신치료에 혁명적 발전을 가져왔다. 선택적광열분해란 사용하는 레이저 파장이 파괴하려는 목표에 잘 흡수되고 펄스의 지속시간이 목표조직의 열이완시간(thermal relaxation time)보다 짧을 경우, 주변 조직에 열손상을 주지 않고 특정 목표만 선택적으로 파괴 가능하다는 이론이다. 문신색소 입자의 크기가 0.1~1μm 정도로 작기 때문에 목표 입자의 열이완 시간은 nanosecond(10-9 초)단위로 짧아 주위 조직의 손상 없이 문신을 치료하기 위해서는 매우 짧은 펄스시간을 가진 Q-스위치 레이저가 필요하다. 펄스 시간이 1μs인 가변파장 색소 레이저(tunable dye laser)를 문신 치료에 사용한 경우 열손상에 의해서 진피의 괴사 및 섬유화 등의 합병증이 호발하는 것으로 보고되었다. Q-스위치

레이저 중에서도 펄스시간을 얼마나 짧게 하느냐에 따라 문신제거 효과가 달라지는데 nanosecond($10-9$초) 단위의 레이저와 picosecond($10-12$초) 단위의 레이저의 문신제거 효과를 비교해 보면 picosecond 단위의 펄스시간을 가진 레이저가 같은 에너지 밀도와 같은 파장에서 더 뛰어나다. 문신입자의 크기를 40nm로 가정할 경우 이론적인 최적의 펄스시간은 10-100 picosecond이다.

문신색소를 선택적으로 파괴하기 위해서는 색소에 선택적으로 흡수되어 주변조직의 파괴를 피할 수 있는 파장을 선택해야 한다. 일반인이 만든 문신의 경우 대부분 검은 색소의 비율이 많지만 전문가가 만든 문신의 경우는 청색, 녹색, 적색, 황색 등 다양한 색소가 섞여 있기 때문에 치료가 쉽지 않고 각각의 색소에 맞는 레이저를 선별하기도 까다롭다. 검은 색소의 경우는 가시광선 영역의 모든 파장의 빛을 잘 흡수하기 때문에 레이저 선택의 폭이 넓으며 대체로 조직 투과성이 좋은 1,064nm 파장이나 755nm 파장의 레이저를 사용한다. 청색 계통의 색소는 755nm 또는 694nm 파장을 잘 흡수하고 적색의 색소는 단파장인 532nm 레이저를 잘 흡수하지만 파장이 짧을수록 조직투과성이 좋지 않아 적색의 문신은 치료 효과가 좋지 않다 (표 5-15).

4. Q-스위치 레이저를 이용한 문신치료

가) 치료간격

레이저 치료와 치료 사이의 시간 간격을 얼마로 하느냐가 치료에 중요한 요인이만 아직 일치된 견해는 없는 실정이다. 치료 간격을 너무 짧게 둘 경우 조직 손상을 복원할 시간적 여유가 없어져 합병증의 발생 위험이 증가할 수 있기 때문에 6-8주 간격을 두고 치료할 것을 권고하고 있다. 그러나 7-10일 간격으로 3회를 치료하고 3개월간 관찰한 경우, 2개월 간격으로 3회 치료한 경우, 1개월 간격으로 3회 치료한 경우의 결과를 비교한 결과 치료 효과의 차이는 없었다고 한다(그림 5-54, 5-55, 5-56).

표 5-15. 색상에 대한 펄스파형 레이저의 치료 효과

Color \ Laser	Alexandrite (755nm)	Ruby (694nm)	Nd:YAG (1,064nm)	FD-Nd:YAG (532nm)	PLDL (510nm)
Black	++	++	++	−	−
Blue	++	++	+	−	−
Brown	++	++	+	−	−
Green	++	++	−	−	−
Red	−	−	−	++	++
Orange	+	+	+	+	+
Yellow	+	+	+	+	+
Purple	+	+	+	+	+

++ 매우 효과적, + 효과적, − 효과 없음

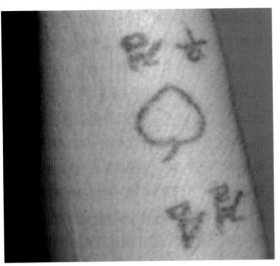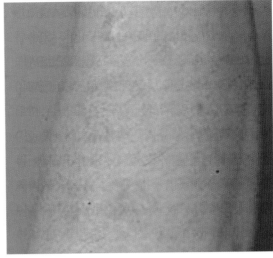

그림 5-54. 일반인에 의한 문신(amateur tattoo)
Q-스위치 755nm 레이저 치료 모습(그림 5-56, 57, 58 박승하 시술)

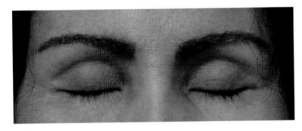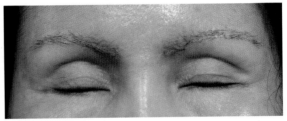

그림 5-55. 눈썹 문신 제거를 위해 Q-스위치 755nm 레이저 1회 수행 후 모습

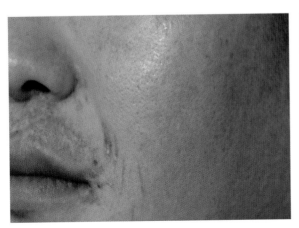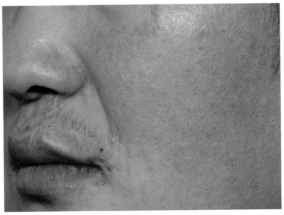

그림 5-56. 외상성 문신(traumatic tattoo)을 Q-스위치 1064nm 레이저 2회 치료 후 모습

나) 레이저 치료 변수

레이저 치료 시 설정해야할 변수들은 펄스시간(pulse duration), 파장(wavelength), 에너지밀도(fluence), 조사 직경(spot size) 등이 있다. 대부분의 Q-스위치 레이저는 펄스시간이 nano-second 단위이며 레이저 기기 마다 정해진 값을 가지고 있다. 레이저의 파장은 치료할 문신의 색에 따라 선택되는데 붉은 색소에는 녹색 파장의 레이저(532nm)를 녹색 색소에는 붉은 파장 레이저(694nm 또는 755nm)를 사용한다. 검은색 피부를 가진 사람에게는 1,064nm 레이저가 표피의 간섭을 적게 받아 피부 투과에 유리하다.

에너지밀도는 조사부위가 순간적으로 백색으로 변하는 정도가 되어야 하지만 출혈이 되거나 물집이 생기지는 않아야 한다. 조사 직경이 큰 경우 레이저가 깊은 곳까지 도달하는데 유리하기 때문에 충분한 에너지밀도가 유지되는 최대한의 조사 직경을 사용하는 것이 좋다.

문신 제거에 몇 번의 레이저 치료가 필요할지를 예측하는 것은 쉽지 않다. 통상적으로 첫 번째 시행하는 레이저 치료가 그 다음에 시행하는 치료들보다 더 극적인 효과를 보이지만 어떤 문신의 경우는 초기 치료에는 전혀 반응을 보이지 않다가 점점 치료 반응이 좋아지는 경우도 있다. 이런 치료 반응의 차이는 대식세포가 레이저 치료에 의해 분쇄된 문신색소를 제거하는 속도의 차이에 기인하는 것으로 여겨진다. 문신이 표층에 존재할 때, 색소의 양이 적을 때 문신 제거에 필요한 레이저 치료의 횟수가 줄어드는데, 새로 만든 문신의 경우 문신색소가 표층에 존재하기 때문에 쉽게 제거되는 반면 오래된 문신은 색소가 진피 깊숙이 이동하기 때문에 치료 횟수가 증가하게 된다.

다) 부작용

과거에 사용되던 레이저와 달리 Q-스위치 레이저의 경우는 합병증이 적으면서도 좋은 효과를 낸다. 저색소증(hypopigmentation)은 사용하는 레이저 파장이 중요한 변수로 여겨지는데 정상적인 피부색으로 돌아오는 것을 촉진하기 위하여 광치료 또는 자외선 영역의 레이저를 시도할 수 있다. 이러한 과소색소침착은 짧은 파장의 레이저가 멜라닌에 집중적으로 흡수되면서 나타나는 현상이나 대부분의 환자에서 자연적으로 치유된다.

과색소 침착(hyperpigmentation)은 환자의 피부타입과 관련이 있는데 검은 피부를 가진 사람에서 더 나타나기 쉽다. Hydroquinone 등의 미백제와 광범위 일광차단제를 꾸준히 사용하면 수개월 내 소실되지만 일부의 환자에서는 오래 지속되는 경우도 있다. 흉터가 발생하는 경우는 매우 드물지만 화약가루 등이 조직 내로 침투하여 발생한 외상성 문신의 경우 레이저 치료 시 발화하여 화상을 만들 수 있으므로 주의를 요한다. 일시적인 피부 표면의 변화 등은 대부분 1-2개월 후에 소실되지만 이런 것이 발생하는 경우는 치료 간격을 더 두고 시술하는 것이 안전하다.

문신색소에 의한 알레르기 반응이 종종 보고되고 있는데 주로 붉은색이나 황색의 색소가 많이 나타낸다고 알려져 있다. 알레르기 반응을 보이는 문신은 치료를 하지 않아도 다른 문신보다 먼저 색이 바라는 경우가 많은데 면역반응에 의해 문신색소가 파괴 또는 이동하기 때문으로 생각된다. Q-스위치 레이저를 시행하면 없던 알레르기 반응이 나타나는 경우도 있고, 이미 있던 국소 알레르기가 심해져서 전신적 증상을 보이는 경우도 있다. 따라서 환자가 문신색소에 알레르기 반응을 보인다고 생각되는 경우 레이저 치료에 신중해야 한다.

흰색이나 살구색 또는 핑크색 문신의 경우 레이저를 조사하면 검게 변하는 경우가 있으므로 전체 면적을 치료하기 전에 작은 면적에 시험적으로 레이저를 조사해 보아야 한다. 레이저 치료 후 검게 변한 문신이라도 Q-스위치 레이저로 치료를 계속하면 효과를 볼 수 있다고 한다.

◀ 참고문헌

1. Alam M, Arndt KA. A method for pulsed carbon dioxide laser treatment of epidermal nevi. J Am Acad Dermatol 2002;46:554-556.

2. Altshuler GB, Anderson RR, Manstein D, Zenzie HH, Smirnov MZ. Extednded theory of selective photothermolysis. Lasers Surg Med 2001;29:416-432.

3. Altshuler GB, Anderson RR, Manstein D, Zenzie HH, Smirnov MZ. Extended theory of selective photothermolysis. Lasers Surg Med. 2001;29(5):416-32.

4. Berbstein EF. Laser treatment of tattoos. Clin Dermatol 2006; 24: 43-55

5. Bessou-Touya S, Picardo M, Maresca V, et al. Chimeric human epidermal reconstructs to study the role of melanocytes and keratinocytes in pigmentation and photoprotection. J Invest Dermatol 1998;116:1103-1108.

6. Boehncke WH, Hibst R, Kaufman R. Within-individual comparision of Q-switched Nd:YAG and alexandrite lasers in the treatment of monochromatic black amateur tattoos. J Dermatol treatment 1994; 5:29-32

7. Boyce S, Alster TS. CO2 laser treatment of epidermal nevi: long-term success. Dermatol Surg 2002;28:611-614.

8. Chan HH, Kono T. The use of lasers and intense pulsed light sources for the treatment of pigmentary lesions. Skin Ther Lett 2006;9:5-7.

9. Chen H, Diebold G. Chemical generation of acoustic waves: a giant photoacoustic effect. Science 1995;207:963-966.

10. Choi JE, Kim JW, Seo SH, Son SW, Ahn HH, Kye YC. Treatment of Becker's nevi with a long-pulse alexandrite laser. Dermatol Surg. 2009 Jul;35(7):1105-8.

11. Christensen HE, Schmidt H. The ultrastructure of tattoo marks. Patho Microbiol Scand 1972; 80:573-574

12. Cordova A. The Mongolian spot: a study of ethnic differences and a literature review. Clin Pediatr (Phila). 1981 Nov;20(11):714-9.

13. Costin GE, Birlea SA. What is the mechanism for melasma that so commonly accompanies human pregnancy? IUBMB Life 2006;58:55-57.

14. Diette KM, Bronstein BR, Parrish JA. Histologic comparison of argon and tunable dye lasers in the treatment of tattoos. J Invest Dermatol 1985; 85:368-373

15. Downs AM, Rickard A, Palmer J. Laser treatment of benign pigmented lesions in children: effective long-term benefits of the Q-switched frequency-doubled Nd:YAG and long-pulsed alexandrite lasers. Pediatr Dermatol. 2004 Jan-Feb;21(1):88-90.

16. Ee HL, Goh CL, Khoo EC, Ang P. Treatment of acquired bilateral nevus of Ota-like macules (Hori's nevus) with a combination of the 532nm Q-switched Nd:YAG laser followed by the 1064nm Q-switched Nd:YAG in more effective: Prostpective study Dermatol Surg 2006;32:34-40

17. Fitzpatrick RE, Lupton JR. Successful treatment of treatment-resistant laser-induced pigment darkening of a cosmetic tattoo. Lasers Surg Med 2000;27:358-361.

18. Goldman MP, Ehrlich M, Kilmer SL. Treatment of tattoo. In: Goldman MP, ed. Cutaneous and cosmetic laser surgery. Philadelphia: Elsevier, 2006:122-124.

19. Goldschmidt H, Raymond JZ. Quantative analysis of skin color from melanin content of superficial skin cells. J Forens Sci. 1972;17:124-131.

20. Goldstein N, Sewell M. Tattoos in different cultures. J Dermtol Surg Oncol 1979; 5:857-864

21. Grevelink JM, Gonzalez S, Bonoan R. Treatment of nevus spilus with the Q-switched ruby laser. Dermatol Surg 1997;23:365-369.

22. Grimes PE, Yamada N, Bhawan L. Light microscopic, immunohistochemical, and ultrastructural

alterations in patients with melasma. Am J Dermatopathol 2005;27:96–101.

23. Grossman MC, Anderson RR, Farinelli W, Flotte TJ, Grevelink JM. Treatment of cafe au lait macules with lasers. A clinicopathologic correlation. Arch Dermatol. 1995 Dec;131(12):1416–20.

24. Ho DD, London R, Zimmerman GB, Young DA. Laser-tattoo removal – a study of the mechanism and the optimal treatment strategy via computer simulations. Lasers Surg Med 2002;30:389–397.

25. Hori Y, Kawashima M, Oohara K, Kukita A. Acquired bilateral nevus of Ota-like macules. J Am Acad Dermatol 1984;10:961–964.

26. Jang KA, Chung EC, Choi JH, Sung KJ, Moon KC, Koh JK. Successful removal of freckles in Asian with a Q-switched alexandrite laser. Dermatol Surg 2000;26:231–234.

27. Jang WS, Lee CK, Kim BJ, Kim MN. Efficacy of 694-nm Q-switched ruby fractional laser treatment of melasma in female Korean patients. Dermatol Surg. 2011 Aug;37(8):1133–40.

28. Jee SH, Lee SY, Chiu HC, Chang CC, Chen TJ. Effects of estrogen and estrogen receptors in normal human melanocytes. Biochem Biophys Res Commun 1994;199:1407–1412.

29. Kagami S, Asahina A, Watanabe R, Mimura Y, Shirai A, Hattori N, Watanabe T, Tamaki K. Laser treatment of 26 Japanese patients with Mongolian spots. Dermatol Surg. 2008 Dec;34(12):1689–94.

30. Kang WH, Yoon KH, Lee ES et al. Melasma: histopathological characteristics in 56 Korean patients. Br J Dermatol 2002;146:228–237

31. Kawada A, Asai M, Kameyama H, Sangen Y, Aragane Y, Tezuka T, Iwakiri K.J. Videomicroscopic and histopathological investigation of intense pulsed light therapy for solar lentigines. J Dermatol Sci. 2002 Aug;29(2):91–6.

32. Kim EH, Kang HY. Partial unilateral lentiginosis with ocular involvement. Eur J Dermatol. 2006 Sep–Oct;16(5):582–3.

33. Kim EH, Kim YC, Lee ES, Kang HY. The vascular characteristc of melasma. J Dermatol Sci 2007;46:111–116.

34. Kim JH, Kim H, Park HC, Kim IH. Subcellular selective photothermolysis of melanosomes in adult zebrafish skin following 1064-nm Q-switched

Nd:YAG laser irradiation. J Invest Dermatol. 2010 Sep;130(9):2333–5.

35. Kippenberger S, Loitsch S, Solano F, Bernard A, Kaufmann R. Quntification of tyrosinase, TRP–1, and TRP–2 transcripts in human melanocytes by reverse transcriptase-compe첫ive multiplex PCR-regulation by steroid hormones. J Invest Dermatol 1998;110:364–367.

36. Lacz NL, Vafaie J, Kihiczak NI, Schwarz RA. Postinflammatory hyperpigmentation: a common but troubling condition. Int J Dermatol 2004;43:362–365

37. Levy JL, Mordon S, Pizzi-Anselme M. Treatment of individual café au lait macules with the Q-switched Nd:YAG: a clinicopathologic correlation. J Cutan Laser Ther. 1999 Dec;1(4):217–23.

38. Lowe NJ, Wieder JM, Shorr N, et al. Infraorbital pigmented skin. Preliminary observations of laser therapy. Dermatol Surg 1995;21:767–770.

39. Lu Z, Chen JP, Wang XS. Effect of Q-switched alexandrite laser irradiation on dermal melanocytes of nevus of Ota. Chin Med J 2000;113:49–52.

40. Luger T, Schwarz T. Evidence for an epidermal cytokine network. J Invest Dermatol 1990;95(suppl.):100–104.

41. Malcolm SK, Teresa S, Gary PL. Optimal treatment for hyperpigmentation. J Cosmet Laser Ther 2006;8:7–13

42. Mann R, Klingmuller G. Electron-microscopic investigation of tattoos in rabbit skin. Arch Dermatol Res 1981; 271:367–372

43. Manuskiatti W, Sivayathorn A, Leelaudomlipi P, Fitzpatrick RE. Treatment of acquired bilateral nevus of Ota-like macules (Hori's nevus) using a combination of scanned carbon dioxide laser followed by Q-switched ruby laser. J Am Acad Dermatol 2003;48:584–591.

44. Momosawa A, Yoshimura K, Uchida G, Sato K, Aiba E, Matsumoto D, Yamaoka H, Mihara S, Tsukamoto K, Harii K, Aoyama T, Iga T. Combined therapy using Q-switched ruby laser and bleaching treatment with tretinoin and hydroquinone for acquired dermal melanocytosis. Dermatol Surg 2003;29:1001–1007.

45. Nordlund JJ. The melanocyte and the epidermal melanin unit: an expanded concept. Dermatol Clin

2007;25:271-281.

46. Ohkuma M, Presence of melanophages in the normal japanese skin. J Am Acad Dermatol 1991; 13:32-37.

47. Park SH, Koo SH, Choi EO. Combined laser therapy for difficult dermal pigmentation: Resurfacing and selective photothermolysis. Ann Plast Surg 2001;47:31-36.

48. Pearson IC, Harland CC. Epidermal naevi treated with pulsed erbium:YAG laser. Clin Exp Dermatol 2004;29:494-496.

49. Polla LL, Margolis RJ, Dover JS, Whitaker D, Murphy GF, Jacques SL, Anderson RR. Melanosomes are a primary target of Q-switched ruby laser irradiation in guinea pig skin. J Invest Dermatol. 1987 Sep;89(3):281-6.

50. Polnikorn N, Tanrattanakorn S, Goldberg DJ. Treatment of Hori's nevus with the Q-switched Nd:YAG laser. Dermatol Surg. 2000 May;26(5):477-80.

51. Raine K, Al-Nakib, Quaba AA. A role for lasers in the treatmet of pigmented skin grafts. Burns 1997;23:641-644.

52. Rosdahl I, Rorsman H. An estimate of the melanocyte mass in humans. J Invest Dermatol 1983;81:278-281.

53. Rosdahl IK, Szabo G. Ultrastructure of the human melanocyte system in the newborn, with special reference of 'racial' difference. In: Riley V, ed. Pigment Cell, Vol. 3 Basel: Karger, 1976:1-12.

54. Ross EV, Naseef GS, Lin CP, et al. Comparison of responses of tattoos to picosecond and nanosecond Q-switched neodymium:YAG lasers. Arch Dermatol 1998;134:167-171.

55. Ross EV. Extended theory of selective photothermolysis: a new reipe for hair cooking? Lasers Surg Med 2001;29:413-415.

56. Rudlinger R. Successful removal by ruby laser of darkened ink after ruby laser treatment of mismatched tattoos for acne scars. J Cutan Laser Ther 2000;2:37-39.

57. Schaffer JV, Orlow SJ, Lazova R, Bolognia JL. Speckled lentiginous nevus: within the spectrum of congenital melanocytic nevi. Arch Dermatol. 2001 Feb;137(2):172-8.

58. Schauer E, Trautinger F, Kock A, et al. Proopiomelanocortin-derived peptides are synthesized and released by human keratinocytes. J Clin Invest 1994;93:2258-2262.

59. Shimbashi T, Kamide R, Hashimoto T. Long-term follow-up in treatment of solar lentigo and café-au-lait macules with Q-switched ruby laser. Aesthetic Plast Surg. 1997 Nov-Dec;21(6):445-8.

60. Shirakawa M, Ozawa T, Ohasi N, Ishii M, Harada T. Comparison of regional efficacy and complications in the treatment of aberrant Mongolian spots with the Q-switched ruby laser. J Cosmet Laser Ther. 2010 Jun;12(3):138-42.

61. Sies H, Stahl W. Nutritional protection against skin damage from sunlight. Annu Rev Nutr 2004;24:173-200.

62. Swerdlow AJ, English JSC, Qiao Z. The risk of melanoma in patients with congenital nevi: a cohort study. J Am Acad Dermatol 1995; 32:595-599

63. Thong HY, Jee SH, Sun CC, Boissy RE. The patterns of melanosome distribution in keratinocytes of human skin as one determining factor of skin colour. Br J Dermatol. 2003;149:498-505.

64. Tierney EP, Hanke CW. Review of the literature: Treatment of dyspigmentation with fractionated resurfacing. Dermatol Surg. 2010 Oct;36(10):1499-508.

65. Trelles MA, Allones I, Moreno-Arias GA, Velez M. Becker's nevus: a comparative study between erbium:YAG and Q-switched neodymium:YAG; clinical and histopathological findings. Br J Dermaltol 2005;152:308-313.

66. Tsukada S. The melanocytes and melanin in human skin autografts. Plast Reconstr Surg 1974;53:200-207.

67. Wang CC, Sue YM, Yang CH, Chen CK. A comparision of Q-switched alexandrite laser and intensive pulsed light for the treatment of freckles and lentigines for the treatment of freckles and lentigines in Asina persion: A randomized, physician-blineded, split-face comparative trial. J Am Acad Dermatol 2006;54:804-810.

68. Watanabe S, Nakai K, Ohnishi T. Conditions known as "Dark Rings Under the Eyes" in the japanese polupation is a kind of dermal melanosis which can be successfully treated by Q-switched ruby laser. Dermatol Surg 2006;32:785-789.

69. Weiss ET, Geronemus RG. Combining fractional resurfacing and Q-switched ruby laser for tattoo removal. Dermatol Surg. 2011 Jan;37(1):97-9.

70. Willard RJ, Moody BR, Hruza GJ. Carbon dioxide and Erbium:YAG laser ablation. In: Goldman MP, ed. Cutaneous and cosmetic laser surgery. Philadelphia: Elsevier, 2006:168-169.

71. Yamashita T, Negishi K, Hariya T et al. Intensive pulsed light therapy for superficial pigmented lesions evaluated by reflectance-mode confocal microscopy and optical coherence tomography. J Invest Dermatol 2006;126:2281-2286.

72. Yoshida Y, Hachiya A, Sriwiriyanont P, et al. Functional analysis of keratinocytes in skin color using a human skin substitute model composed of cells derived from different skin pigmentation types. FASEB J. 2007;21:2829-2839.

73. Yoshida Y, Sato N, Furumura M, Nakayama J. Treatment of pigmented lesions of neurofibromatosis 1 with intense pulsed-radiofrequency in combination with topical application of vitamin D3 ointment. J Dermatol. 2007 Apr;34(4):227-30.

74. Yoshimura K, Sato K, Kojima EA et al. Repeated treatment protocols for melasma and acquired dermal melanosis. Dermatol Surg 2006;32:365-371.

CHAPTER 06

기미의 레이저 치료

기미의 레이저 치료
Laser treatment of Melasma

여 운철

CHAPTER 06

I. 기미란?

기미는 옅은 갈색 혹은 진한 갈색이나 회색의 색소침착으로 불규칙하게 색소가 증가한 것이다. 기미는 서서히 발생하며 보통 대칭적으로 생긴다. 남자에서도 생기지만 대부분 여자에서 발생한다. 전체 기미환자의 10%는 남자이며, 남자에서 생기는 기미도 여자에서 발생하는 기미와 조직학적으로 같은 양상을 보인다.

발생시기는 인종적으로 차이가 있지만 대개 사춘기 이후이다. 인종적으로는 백인보다 황인종이나 히스패닉에서 많이 발견된다. 필자의 임상경험으로는 30대 이후에 발생하는 것이 흔하다. 기미는 여름에 진해지고 겨울에 흐려진다. 기미는 광대뼈 부위나 얼굴의 가운데 혹은 턱선을 따라서 잘 생긴다.

• 잘 생기는 부위

아래의 3가지 형태가 있으며 드물게 팔이나 목에 나타난 기미의 보고가 있다.

① 얼굴중앙

약 3분의 2의 기미에서 나타난다. 광대뼈부위, 뺨, 이마, 윗입술, 코, 턱 부위에 발생한다.

② 뺨에 주로

약 20%에서 발생한다. 뺨과 코에만 국한되어 나타난다.

③ 턱뼈부위

약 15%에서 발생하며 턱선을 따라 나타난다.

• 표피형 기미와 진피형 기미

기미의 색소 침착은 멜라닌에 의한 것으로 표피에만 멜라닌 침착이 있는 경우 표피형 기미라 하며 비교적 경계 부위가 명확하고 색깔은 갈색 색조를 띤다. 색소 침착이 진피에 있는 경우 진피형 기미라 하고 경계가 불명확하고 약간 회색이나 흐린 갈색을 띤다. 표피형 기미는 멜라닌색소가 표피에 많이 만들어지게 된다. 진피형 기미는 진피에 멜라닌색소를 잡아먹고 있는 탐식세포가 나타난다. 여러 홈페이지에 진피에 멜라닌세포가 있다고 잘못된 정보가 적혀있어서 적어본다. 멜라닌세포가 아니라 탐식세포(백혈구의 일종)가 멜라닌세포를 먹고 있는 상태이다. 진피형 기미는 대게 표피형과 같이 발생하여 복합형 기미가 생기게 된다. 복합형 기미의 경우 같은 부위에 표피형과 진피형이 생기거나 부위별로 표피형인 곳과 진피형인 곳이 생겨서 전체 기미의 색조가 똑 같이 되지 않을 수 있다. 대체로 표피형 기미가 더 잘 치료된다.

• 병리소견

표피형기미의 경우 표피의 아래부위에 멜라닌 색소가 증가되어 있다. 진피형인 경우는 표층과 중간층의 진피에서 멜라닌 색소를 탐식한 거대세포가 관찰된다. 복합형의 경우는 두 가지 현상이 같이 관찰된다. 기미부위에서는 멜라닌세포의 멜라닌합성이 증가하고, 멜라닌이 표피세포로 이동이 증가하며, 때로 진피로의 이동이 증가한 양상을 보인다. 기미부위에서는 멜라닌색소가 각질층에서 까지 관찰된다. 기미부위에서 멜라닌세포 숫자의 증가가 있는지는 아직 논란이 있다.

• 임신과 기미

기미를 "임신의 가면"이라고도 부른다. 임신 중에 기미는 아주 흔한 문제이다. 임신 중에는 에스트로겐이나 프로게스테론 등 호르몬의 영향과 유전적 영향 그리고 자외선에 노출 등에 의해서 색소침착이 발생한다고 생각하고 있다. 1998년에 internationl journal of dermatology에 임신 중 색소질환에 대해 140명의 임산부를 관찰하여 연구한 자세한 보고가 있어서 이 논문에 근거하여 살펴보자.

약 90%에서 임신 중에 여러 색소질환이 발생한다. 이중 젖꼭지, 성기, 배에 세로줄, 목 부위가 색소침착이 잘 생기는 부위이다. 임신 중 약 46%에서 기미가 발생하였다. 코 부분이 약 66%에서, 뺨이 약 56%에서 기미가 발생하였다. 이 외에 윗입술이나, 이마, 턱 부위에도 기미가 생겼다. 표피형이 70%, 혼합형이 24%이었다. 임신 중 기미는 주로 임신 1기나 2기에 발생하며, 3기에 발생하는 것은 드물다. 출산 후에도 기미가 지속되는 경우는 9.2%였다. 출산 후 좋아졌으나, 다음 임신에서 기미가 재발하는 경우는 7.6%이었다.

II. 기미의 원인

1. 자외선

자외선에 노출되면 피부가 방어기전을 작동하여 색소를 생성해 검어짐으로써 자외선이 내부로 침투되는 것을 막는다. 검게 그을린 피부가 보기 좋고 건강에 좋다는 생각에 선탠을 하거나 햇볕에 자주 노출되면 피부노화가 빨리 올 뿐 아니라 기미, 주근깨 등의 색소 침착성 피부 질환을 일으킬 수 있다.

2. 여성호르몬

피임약에 포함된 여성 호르몬인 에스트로겐은 멜라닌 세포를 자극하여 불규칙적인 반점을 형성하는데 피임약으로 인한 기미는 복용 중단 후에도 오랫동안 남아 있게 된다. 임신 중에도 여성호르몬인 에스트로겐이 증가하면서 임신 4-5개월쯤부터 기미가 나타나기 쉬운데 이때 생기는 기미는 출산과 함께 상당부분 없어진다. 그러나 신진대사가 원활하지 않거나 강한 자외선에 노출되었을 때, 신체적, 정신적으로 스트레스를 받으면 기미가 짙어지거나 새로 생겨 출산 후에도 없어지지 않으므로 주의해야 한다.

또 흔히 여성에게 좋다고 알려진 여러 식품들이 phytoestrogen을 함유하고 있어서 멜라닌세포를 자극한다. 석류, 홍삼, 감초 등 많은 식품에 포함된

식물성 에스트로겐이 다른 갱년기증세는 완화하나 기미가 있는 경우에는 기미를 악화시킨다.

3. 스트레스

스트레스를 받으면 부신피질에서 아드레날린이 나오면서 스트레스 상황에 대처하는 준비태세가 갖추어지게 된다. 지속적으로 스트레스를 받으면 신진 대사의 균형이 무너지면서 피부에 필요한 영양 공급이 늦어지고 색소 형성 세포의 활동이 증가, 보호 기능을 하게 된다. 이 색소 형성의 증가가 기미의 주원인이며 만성적으로 끊임없이 스트레스를 받으면 그 원인을 제거하기 전까지 변화된 피부는 원상복귀가 안된다.

4. 화장품, 약제

자신의 피부와 맞지 않는 화장품을 사용하여 발생한 접촉성 피부염이 치유되는 과정에서 자외선을 쬐면 기미가 발생할 수도 있다. 또한 피부를 자외선에 민감하게 만드는 약제를 복용하고 있을 때 자외선을 쬐어도 같은 결과가 발생할 수 있다.

5. 피부는 건강의 바로미터

간이 나빠 신진 대사가 잘 안되거나 난소가 제 기능을 못해도 기미가 생길 수 있다. 흔히 속이 좋지 않아서, 변비가 있어서 기미가 생긴다고 하는 사람들도 있지만 확실한 근거는 없으며 소화기 계통은 기미와 별 관계가 없는 듯 생각되고 있다.

6. 유전적 요인

부모 중에 기미가 있을 때 기미의 발생빈도가 높은 것으로 보아 어느 정도는 유전적 요인이 작용하는 것을 알 수 있다. 따라서 집안 식구 중에 기미를 가진 사람이 있을 때에는 기미의 중요한 유발 요인인 햇빛을 피하는 것이 기미 예방에 필수적이다.

7. 열

멜라닌세포를 배양하는 연구에서 배양온도를 올리면 멜라닌세포가 멜라닌색소를 더 많이 만들어낸다는 보고가 있다. 실제 진료 중에 찜질방이나 사우나를 자주 다니면서 기미가 심해졌다는 환자들을 만나게 된다. 아직 공식적인 학술지 보고는 없지만, 조심하는 것이 좋다.

Ⅲ. 감별진단(그림 6-1)

외래에서 대하는 환자들을 보면 기미라고 자가 진단 후에 오시는 분들 중에 기미가 아닌 경우가 많이 있다. 기미라고 해서 찾아오면 항상. 기미, 주근깨 내지 잡티와 오타반점을 염두에 두고 진찰하게 된다. 기미가 아니면 기미인 경우보다 치료에 유리한 것이 일반적이다. 기미는 30대 이후에 발생하는 경우가 많고, 햇볕을 보면 진해지고 겨울에 햇볕을 피하게 되면 옅어지며, 처음에 작게 생기더라도 점차 크기가 커지고 뭉치게 된다. 이에 반해서 주근깨나 오타반점은 더 일찍 발생하고 상태가 심해지더라도 기미처럼 뭉치지 않고 개별 병변이 숫자가 많은

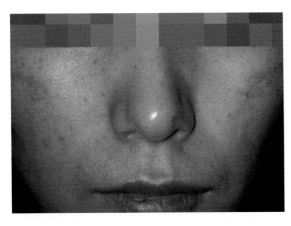

광대뼈 부위의 기미와 다른 부위의 잡티

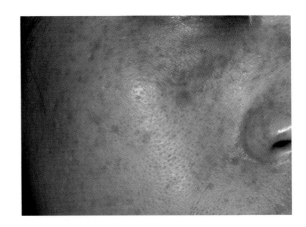

눈 아래 부위의 오타와 다른 부위의 잡티

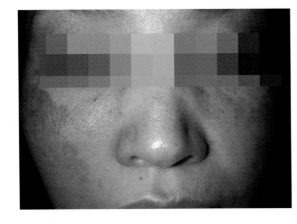

광대뼈와 눈 주위의 기미와 약간의 잡티들

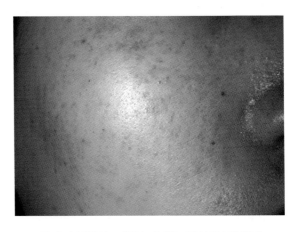

광대뼈 부위의 조금의 기미와 대부분의 주근깨

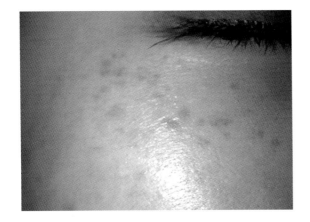

광대뼈 부위의 전형적인 오타반점

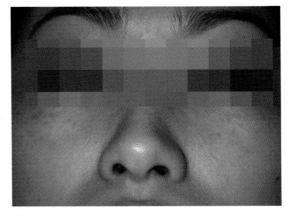

광대뼈 부위의 오타반점과 약간의 잡티

그림 6-1a. 기미의 감별진단

상태로 유지된다. 주근깨의 경우 햇볕에 의해 악화되나, 오타반점의 경우는 햇볕에 의해서도 별로 악화되지 않는다. 기미와 감별해야할 여러 질환의 특징에 대해 잘 읽어본 후 그림 6-1의 색소병변에 대한 진단을 해보자. 색소병변은 단독으로 발생하는 경우보다 여러 질환이 복합적으로 있는 경우가 훨씬 많다.

1. 주근깨

대게 5mm 이하의 작은 갈색 반점이 발생하는 것이다. 경계가 분명하고 기미와 달리 각각의 병변이 따로 떨어져서 분리되어있다. 햇볕을 보는 부위에 발생한다. 여름에 일광화상을 받으면 잘 발생하는데, 화상 후 피부가 벗겨지면서 바로 한달 이내로 주근깨가 많이 발생하는 것을 볼 수 있다. 피부가 흰 사람에서 더 잘 생기는 경향을 보인다. 어린 나이에도 발생하며 나이 들어서도 발생한다. 햇볕에 노출되지 않은 부위는 생기지 않는 특징이 있으며, 여름에 햇볕을 보면 색이 진해진다. 주로 얼굴, 등, 팔에도 생긴다. 어릴 때 생긴 주근깨가 햇볕을 보면서 나이가 들면서 더 많아지기도 하는데, 성년이 된 이후에는 점차 줄어드는 경향을 보인다. 남녀 모두에서 발생하며, 성별차이는 없다. 유전적 경향을 보인다.

가) 치료

주근깨의 치료는 과거에는 박피를 많이 사용하였다. 이는 레이저가 개발되기 이전의 일이다. 과거에 주근깨 치료를 위해 했던 박피는 상당히 깊은 박피여서 진피까지 박피가 되었다. 이 경우 주근깨는 떨어지나. 박피 후 붉어진 얼굴이 약 3개월 지속되는

등 불편함이 많아서 요사이는 잘 시행하지 않는다. 그리고, 90년대 이후 개발된 레이저의 발달로 주근깨를 더 안전하고 효과적으로 제거할 수 있으므로, 최근에는 박피로 주근깨를 없애는 경우는 거의 없다. 최근에 많이 시행하는 얕은 박피나 미백제 치료로 주근깨가 옅어지기는 하나 완전히 없어지지는 않는다. 완전히 없애기 위해서는 색소치료용 레이저를 사용하여야한다. 최근에는 IPL이 도입되면서 주근깨의 치료에 이용되고 있다. 색소치료용 레이저(Q-스위치 레이저)와 IPL의 주근깨 치료에 있어서의 장단점을 비교해보자.

나) 주근깨치료에서 IPL과 Q-스위치 레이저의 비교

IPL의 장점은 전체적으로 치료를 하므로(한 샷의 크기가 8×35mm) 빠지는 곳이 없고 지저분하지 않게 치료가 된다. 치료 후 경과가 간단하다. 치료 직후 붉은 것은 수 시간에서 하루면 다 없어진다. 주근깨는 약간 더 검어진 후에 5-7일 정도 후에 떨어지며 세안과 화장이 가능하다. 치료받은 부위 전체가 밝아지는 효과도 있다 등이다. 제일 중요한 장점은 치료 후 재발이 적다는 것이다. 그리고, 치료시 통증이 거의 없는 큰 장점이 있다. 단점은 어떤 주근깨의 경우 IPL로 잘 치료되지 않은 경우도 있다는 것이다. Q-스위치 레이저의 경우 재발은 잘 되지만, 치료 후 바로는 거의 다 떨어지는데 비해 IPL은 다 떨어지지 않는 것이 보통이다.

Q-스위치 레이저(엔디야그, 알렉산드라이트, 루비)는 한 번 치료로 일단 거의 모든 병변이 제거되나 레이저의 성격상 일부분이 치료에서 빠지는 경우도 있고, 지저분하게 빠지거나, 치료직후에 보면 오히려 색이 더 빠져서 옅어지는 등 얼룩덜룩하게 될

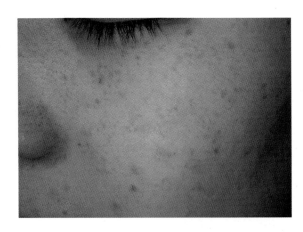

색조가 옅은 주근깨들

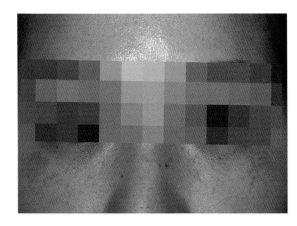

광대뼈 부위의 약간의 기미와 조금의 잡티

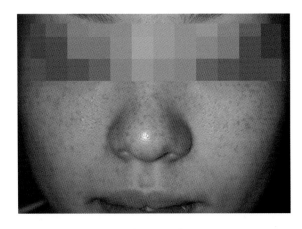

전부 주근깨

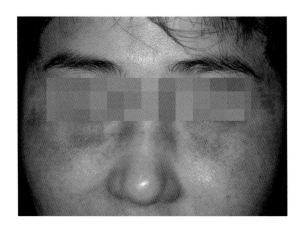

광대뼈 부위의 조금의 기미와 대부분의 주근깨

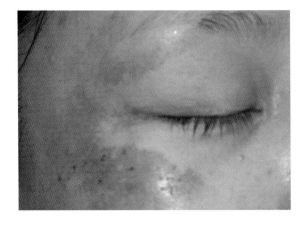

광대뼈와 눈 주위의 기미와 기미 위에 있는 더 진한 잡
티들

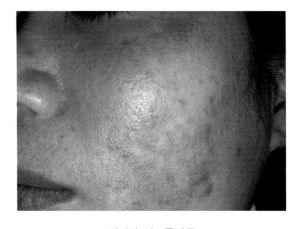

기미와 여드름자국

그림 6-1b. 기미의 감별진단

우려가 있다. 이런 현상은 시간이 지나면 해결이 된다. 큰 단점은 치료직후의 재발이 많다는 점이다. 치료 후 딱지가 떨어지고 나서 2-3주 사이에 다시 생기는 경우가 많다. IPL보다 우선 잘 떨어지나 재발이 잘되는 단점이 있는 것이다. 그리고, IPL에 비해 치료시 통증이 더 많다.

다) 치료 후 관리

이런 장단점이 있으며, 일단 치료 후 상태에 만족하시면, 이 상태를 유지하기 위해서 딱지 떨어진 직후에 2주간 미백치료를 권한다. 레이저시술은 일상생활에는 전혀 지장이 없으며(물론 보기 싫은 딱지가 일주일 이상 간다), 시술 후 해수욕, 야외수영장, 열대지방으로의 휴가 등은 곤란하다는 것과 같은 특별한 이벤트가 아니라면 계절에 관계없이 시술한다. 이런 정도의 주의사항을 지키고, 치료를 하면 대부분 만족스러운 치료를 할 수 있다.

라) 치료 후 예후

레이저로 주근깨를 제거하더라도, 다음 여름에 바닷가에서 햇볕보고 다시 주근깨가 발생하는 것을 예방할 수는 없다. 예방을 위해서는 자외선차단에 유의해야 한다. 자외선 차단만 잘되면, 많이 발생하지 않는다.

2. 잡티

피부에 생기는 잡티는 의학적 용어는 아니다. 일반적으로 2가지 의미로 사용되고 있다. 넓은 의미로는 기미, 주근깨, 검버섯, 기타 색소질환을 모두 포함하여 잡티라고 한다. 좁은 의미로는 기미, 주근깨, 검버섯 등 확실한 진단이 있는 경우를 제외한 정확히 명명하기 어려운 색소침착을 잡티라고 한다. 본 홈페이지에서는 잡티를 좁은 의미에서 사용하고 있다. 일반적으로 잡티는 주근깨와 임상양상 및 치료에 대한 반응과 경과 등이 가장 유사하다.

3. 후천성 오타모반

선천성 오타모반은 한쪽 눈가가 퍼렇게 멍든 것처럼 보이는 질환이다. 어릴 때(태어나서 바로나 청소년기 이전) 발생하고 한쪽 편(얼굴의 왼쪽이나 오른쪽)으로 생기며 마치 몽고반점처럼 보인다. 실제로 조직검사를 하면 몽고반점과 거의 유사하다. 몽고반점은 생기는 부위가 다르고 저절로 없어지는데. 오타반점은 일생 없어지지 않는다. 그런데 여기서 말하는 기미와 감별해야하는 오타반점은 이렇게 어릴 때 생기는 선천성오타반점을 말하는 것이 아니다.

나이 들어서 성인이 된 후에 발생하는(보통은 20대에 발병하는 경우가 가장 많다) 오타반점은 후천성 양측성 오타반점이라고 한다. 즉, 성인이 되어서 생기는 것이다. 그리고, 꼭 얼굴의 양쪽으로 나타난다. 선천성 오타반점이 한쪽에 생기는 것에 비해서 꼭 양쪽으로 거의 대칭으로 생긴다. 선천성 오타반점과 달리 안구나 점막에 발생하지 않는다. 그리고, 기미처럼 크게 뭉치지 않고 마치 콩알 뿌려 놓은 것처럼 또는 더 작게는 성냥머리 뿌려놓은 것처럼 여러 개가 흩어져 있다. 선천성 오타반점의 색이 푸르스름한 것에 비해서 색소의 양이 적어서 그다지 진하지 않다. 옅은 갈색이 있거나, 약간 푸르스름하면서 갈색이거나, 청회색을 띄기도 하고, 간혹 진한 갈색을 띄기도 한다. 오타반점은 선천성이든 후

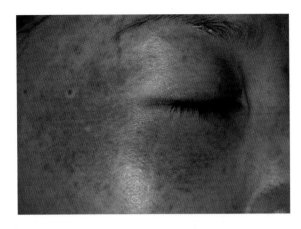

기미와 오타반점과 잡티

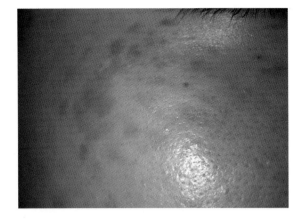

오타반점

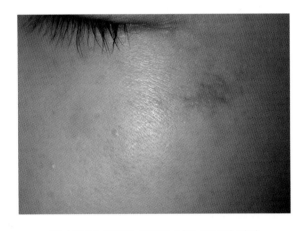

막 생기기 시작한 기미와 아주 조금의 잡티

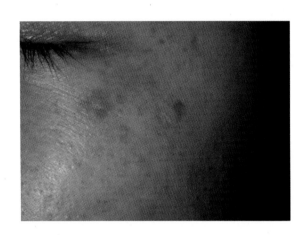

기미와 잡티

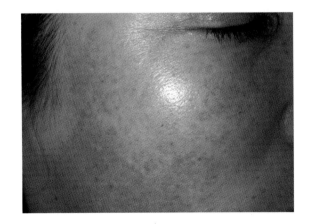

전체적으로 옅은 기미와 기미부위에 일부 잡티

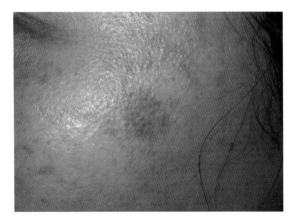

큰 기미(혹은 흑자)와 작은 잡티

그림 6-1c. 기미의 감별진단

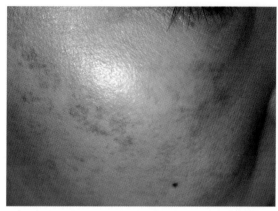

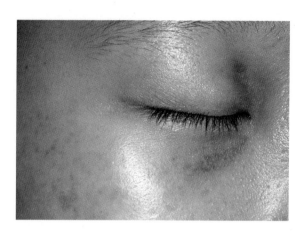

주로 기미   오타반점

그림 6-1d. 기미의 감별진단

천성이든 피부 깊은 곳에 멜라닌색소가 있다. 이런 공통점 때문에 오타반점이라고 하지만 눈으로 보기에도 후천성 오타반점과 선천성 오타반점은 너무나 다른 질환이다. 후천성 오타반점을 많은 분들이 기미라고 찾아온다. 기미처럼 뭉쳐서 한 덩어리가 아니고 흩어져서 여러 개가 있고, 색조도 기미와 다르며, 발생한 시기도 20대가 많다(30대, 40대에도 발생한다). 처음 발생할 당시에 2달 정도에 걸쳐서 갑자기 번졌고, 양쪽으로 대칭적이며, 그 후로 그다지 더 번지지 않으며, 햇볕을 봐도 별 차이가 없으면 후천성오타반점으로 진단한다. 후천성 오타반점이 잘 생기는 부위는 광대뼈부위, 이마의 가장자리, 눈꺼풀, 다크써클이 생기는 부위(해골에서 눈이 있는 부위), 코뿌리 부근, 그리고, 특징적으로 양쪽 콧방울이다. 콧방울 부위에 생기면 연탄 묻었냐고 놀림을 받기도 하는데 다른 색소질환이 이 부위에 생기는 일은 거의 없으므로 이 부위에 있으면 오타반점의 가능성이 크다.

• 치료

후천성 오타반점이라는 것은 색소를 포함하고 있는 멜라닌 세포가 비정상적으로 피부 진피에 존재하기 때문에 나타나는 것이다. 기미로 생각하고 진찰한 후 후천성오타반점이면 행운이라고 할 수 있다. 후천성 오타반점은 Q-스위치 레이저로 치료만 하면 좋아지는 것이 보장되어 있는 질환이다. 물론 한 번에 다 치료되지 않고 수개월 간격으로 수차례 치료를 하여야한다. 그리고, 치료 후 오타반점은 기미와 달리 재발하지 않는다.

• 치료 후 경과

색소 레이저로 치료한 후에 딱지가 생기고 떨어지면 색이 옅어져있거나 색의 변화가 별로 없는 것을 발견하게 된다. 주근깨의 레이저 치료 후에는 바로 효과를 확인할 수 있는데 오타반점의 치료 후에는 바로 효과를 볼 수 없는 경우가 많다. 주근깨의 색소는 표피에 있는 색소이고 레이저치료 후 색소가 파괴된 후 바로 피부에서 떨어지고 새 살이 나면서 치료가 끝나게 된다. 그런데, 오타반점의 경우는 색소가 진피에 깊이 있어서 치료로 파괴된 색소가 표피로 이동하여 떨어질 수가 없다. 오타반점 치료 후 생기는 딱지는 오타반점의 딱지가 아니고, 표피의 멜라닌과 레이저 빛이 반응하여 생긴 딱지이다. 그래서 이 딱지가 떨어져도 깊은 부위의 색소가 그대로 남아있으므로 오타반점이 좋아진 것을 알 수가 없는 경우가 많다. 그러나, 시간이 지나면서 진피 깊이 파괴된 색소를 탐식세포가 없애기 시작하면 점차 색이 옅어지게 된다.

간혹 치료 후 오히려 색이 더 진해지는 경우도 있는데 이 경우도 오타반점이 진해진 것이 아니라 오타반점 상부의 표피가 진해진 경우이다. 그래서, 이 경우 시간이 지나면 표피의 색소침착이 사라지고 오타반점은 좋아진 것을 발견하게 된다.

이렇듯 오타반점은 레이저에 의해 좋아진다. 그러나, 표피의 착색을 예방하기 위해서 자외선차단과 미백치료 등을 고려할 수 있다. 오타반점은 한 번 치료해서 좋아진 상태는 재발하지 않고 유지가 잘된다. 시간이 될 때 다시 치료하면 더 좋아지게 된다.

침착이 확인되면 미백치료를 꾸준히 하면 성과가 있다. 치료효과를 높이기 위해서 Q-스위치레이저를 사용하는 경우도 많이 있다. 레이저와 미백치료를 병행하는 것이 가장 효과적이라고 할 수 있다.

셋째, 눈밑 피부에 있는 정맥 혈관이 늘어나서 검푸른 빛을 띄는 정맥혈이 겉으로 비쳐 보이기 때문에 검게 보이는 경우이다. 이런 경우는 혈관이 두드러진 경우는 혈관경화요법이라는 주사로 간단히 해결할 수 있고, 은근히 푸른빛은 깊은 혈관을 치료할 수 있는 1064nm의 long pulse 엔디야그 레이저로 치료가 가능하다. 파장이 긴 1064nm의 엔디야그 레이저는 피부 깊이 침투하여 정맥혈에 효과가 있을 수 있다. 일반적으로 4주 간격으로 2-3회 정도 반복해서 치료를 받으면 상당히 좋아진다. 이 치료 후에는 딱지나 멍이 들지 않는 것이 정상과정이며, 눈밑이 하루나 이틀 정도 부을 수 있다.

4. 다크서클

다크서클이 생기는 원인은 크게 세 가지이다.

첫째, 눈밑 지방이 튀어나와서 그늘져 보이는 것이다. 이 경우에는 눈밑 지방 제거술을 받으면 좋아질 수 있다.

둘째, 피부염이 오래되어서 색소 침착이 되거나 아니면, 알 수 없는 원인으로 색소 침착이 된 경우이다. 유전적 경향을 보이기도 한다. 이런 색소침착은 얼굴에서 뼈가 만져지지 않는 안구부위에 잘 발생한다. 눈 아래 살이 부드러운 곳에 생기므로, 발생부위가 기미가 달라서 보통 쉽게 감별이 된다. 눈 안쪽에서 뺨쪽으로 내려오는 주름선과 일치하여 병변이 있고, 주름선 아래로는 병변이 보이지 않는다. 피부염이 있을 때는 피부염 치료를 해야 한다. 색소

IV.기미의 치료

기미의 치료로 여러 가지 방법이 있다. 기미를 치료하는 피부과의사의 입장에서 보면 기미의 치료는 상당히 까다롭고 어렵다. 환자의 입장에서 보면 기미의 치료제로 너무나 많은 제품이 선전을 하므로 과연 이런 제품이 얼마나 효과가 있는지 의학적으로 인정을 받고 있는 제품인지 염려가 될 것이다. 기미의 치료에서는 그 동안 의학적으로 검증되고 기미의 치료로 사용되었던 방법을 거의 망라해서 적어볼까 한다. 물론 이중에 개인적으로 또는 대부분의 피부과 전문의가 그다지 좋지 않은 방법이라고 생각하는 방법도 있다. 그러나, 어디까지나 객관적 입장에서 보자면 여기에 나열할 방법은 적어도 세계 각

국의 피부과 의사들이 보고 있는 공신력있는 학술지에 발표된 방법이므로, 이런 보고조차 없는 수많은 방법에 비해서는 차별이 되어야한다고 생각해서 가능한 빠뜨리지 않고 모두 적도록 노력했다. 그러므로, 여기에 언급조차 없는 방법으로는 아직 의학적으로 검증되지 않은 치료라고 생각해도 크게 무리가 없다. 그리고, 여기 적힌 방법 중에서 개인적인 경험으로 선악이 있지만 객관성을 유지하기 위해 각 치료의 선악은 너무 따지지 않고 소개하는 쪽으로 했다.

그 중에서 자외선 차단은 굉장히 중요하다. 이외에 소위 미백제라고 하는 멜라닌합성을 억제하는 치료가 많이 사용되고 있고, 이중에서 피부과에서 미백치료라고 하여 비타민 C 전기영동치료를 많이 하고 있다. 이보다 더 강한 치료는 박피인데 박피의 원리는 색소를 걷어내고 피부재생이 빨라지면서 표피세포 내에 멜라닌색소가 희석되어 옅어지게 한다는 것이다. 이외에 IPL 치료와 레이저 토닝이 많이 사용되고 있다.

기미치료법들을 원리에 따라 분류하면 다음과 같다.

• 멜라닌합성을 억제하는 치료: 약물치료, 이온토포레시스, 자외선차단

수많은 미백제들이 이 부류에 속한다. 이외에 자외선을 피하고, 자외선 차단제를 사용하는 것도 멜라닌합성을 억제하기 위해서이다. 여성호르몬이 포한된 피임약의 사용을 피하고, 임신을 하지 않는 등의 방법도 이 카테고리에 속한다.

• 멜라닌색소를 제거하는 치료: 박피, 레틴A, AHA, IPL, 듀얼토닝

표피의 멜라닌색소를 제거하는 방법은 대표적으로 박피가 있다. 박피는 피부과에서 직접 시술하는

방법과 집에서 화장품에 포함된 것을 꾸준히 사용하는 방법이 있다. AHA는 화장품에 포함되어있고, 그 중에서도 glycolic acid가 가장 흔히 사용된다.

멜라닌색소는 멜라닌세포에서 생산되어서 주변의 표피세포로 이동하게 된다. 표피세포 내로 전달된 멜라닌색소는 표피세포가 피부 바깥으로 이동하여 벗겨져 없어질 때까지 표피세포 내에서 서서히 파괴되면서 남아있다. 기미의 경우는 색소 생산이 많으므로 각질층까지 색소가 남아있다. 이런 색소를 제거하는 방법은 바로 박피를 하는 것이다. 박피를 하면 색소가 제거가 되고, 피부가 박피에 의해 벗겨지게 되며, 평소와 같이 한 달에 걸쳐서 피부가 재생하는 것이 아니라 바로 며칠 만에 피부가 재생하게 된다. 즉, 표피의 turn over가 증가된다고 표현한다. 이 상태에서는 표피세포가 기저층에서 만들어지는 대로 빨리빨리 각질층으로 이동하므로, 멜라닌세포와 접촉하는 시간이 짧아진다. 이렇게 되면 표피세포로 멜라닌세포로부터 멜라닌색소의 이동이 줄어들게 된다. 이것을 멜라닌색소의 희석이라고 표현한다. 이렇게 하여 기미가 옅어지게 된다. 그러나 이런 효과는 피부재생속도가 원래대로 돌아가면 없어지게 된다. 그러므로, 이런 박피 시술로 색소를 제거한 후 미백제의 사용이나 미백치료가 필요한 이유가 여기에 있다.

일부 미백제 중에는 멜라닌색소 합성을 억제하는 효과 뿐 아니라 표피의 turn over를 증가시켜서 멜라닌 색소제거의 효과가 있는 경우도 있다. 과거와 달리 약한 에너지를 이용하는 레이저와 IPL 등은 멜라닌세포의 직접적인 파괴가 아니라, 멜라닌색소를 통한 약한 손상을 표피에 전달하고 이에 대한 반응으로 표피의 turn over가 증가하여 손상된 멜라닌색소가 제거되는 기전이 예상된다.

• 멜라닌색소를 파괴하는 치료: 레이저 토닝

Q-스위치 레이저를 이용한 과거의 기미치료들이 바로 표피의 멜라닌세포가 파괴될 것으로 예상이 되었다. 표피의 병든 멜라닌세포를 완전히 제거하고 hair bulge에서 건강한 멜라닌세포가 이동하여 표피 멜라닌세포를 대체하면 기미가 치료될 수 있을 것이라 기대하였으나, 실제로 이렇게 돌아온 새로운 멜라닌세포는 표피에서 다시 기미를 만들었다. 이후 멜라닌세포의 직접적인 사멸이 기미치료에 별 도움이 되지 않는다고 판단하고, 멜라닌세포의 사멸이 없이 멜라닌색소만 파괴하는 레이저 토닝이 표준적인 치료법으로 자리를 잡았다.

• 진피 환경의 변화 유도: NAR, 듀얼토닝

기미가 있는 환자의 진피에는 섬유세포에서 유래한 stem cell factor가 증가하고 표피에는 c-kit ligand가 증가하여 멜라닌세포의 멜라닌 합성이 증가한다는 보고도 있다. 이는 기미라는 질환은 병변 부위의 멜라닌 세포가 병인이 아니고, 병변 부위의 진피가 바로 병인일 수 있다는 점을 시사한다. 즉, 병든 진피 위에는 어떤 건강한 멜라닌세포가 있더라도 기미가 생긴다는 뜻이다. 이런 원리에 따르면 순전히 진피의 개선을 유도하여 기미를 치료할 수 있다는 가설이 가능하다. 이에는 여러 NAR(비박피성 리주버네이션) 방법들이나 레이저 토닝, 듀얼레이저 토닝 그 외 프랙셔널 레이저 같은 방법들도 이런 기전을 통한 기미의 치료가 가능할 수도 있다.

기미치료법들을 방법에 따라 분류하면 약물치료, 박피, 레이저치료가 있으며 아래에 상술하기로 한다.

1. 약물치료

1) Ascorbic acid(비타민 C)

아스코르빈산의 멜라닌 색소 생성 억제 작용은 일반적으로도 널리 알려져 있다. 그러나 아스코르빈산은 복용하는 경우 피부에 도달하는 부분이 적고, 직접 표피에 도포해도 흡수가 적고, 화학 구조상 불안정하여 수용액에서 안정적인 형태를 유지하기가 어렵다. 비타민 C 제품은 이런 제한점을 극복하기 위해 다양한 방법을 사용하고 있다. 대표적인 방법이 전기이온영동법인데 기미치료의 기본적인 방법으로 광범위하게 이용되고 있다.

2) 미백치료(전기이온영동법)

대표적인 상품명을 따라 바이탈이온트라고도 한다. 피부에 바르는 화장품으로 사용하는 비타민 C와는 다르다. 비타민 C를 특수 제작하여 수용액에서 이온화가 많이 되게 하고, 이 수용액을 전기로 피부에 침투시키는 방법이다. 비타민 C는 파우더 상태에서는 안정하지만, 수용액으로 만들고 나면 비타민 C가 잘 파괴된다. 그래서, 병원에서 치료하는 경우 수용액으로 만든 비타민 C가 금방 소모되므로, 항상 신선한 비타민 C를 사용한다. 하지만, 개인이 집에서 기계를 사서 한다면 사용하는 비타민 C가 수용액 중에서 파괴되어서 효과를 보이지 않을 염려가 크다. 간혹 기계를 대여해주고 집에서 사용을 권장하고픈 환자도 있으나 이러한 이유로 곤란하다. 전기이온영동법을 시행하면 단순히 바르는 것보다 비타민 C가 피부에 훨씬 많이 흡수된다. 이때 사용하는 비타민 C는 바르는 제품과는 다르게 제작된 것이다. 피부 내에 흡수된 L-ascorbic acid(

비타민 C)의 반감기는 4일 정도이다. 전기 이온영동법을 1주일에 2번 하는 것이 가장 좋은 이유가 여기에 있다. 가장 널리 이용되는 것이 바이탈이온트라는 것이다.

다이어트를 하는 아이가 집에 있다고 생각해보자. 3주간 잘 지키다가 한 달에 며칠씩 할머니 댁에 다녀오는 아이가 있는데 할머니 댁에서 포식하고 온다면 다이어트가 될까? 미백치료로 꾸준히 멜라닌 세포의 멜라닌형성을 억제해야 효과가 있는데, 열심히 한동안 하다가 바빠서 한참 빠지면 이 때 멜라닌색소가 많이 만들어지므로 효과가 현저히 떨어진다. 즉, 꾸준한 치료가 중요하다는 뜻이며, 최선은 일주에 두 번, 적어도 일주에 한번, 가능하다면 한 달에 10번 정도 해야 한다. 이 방법으로 기미를 치료한 한국의 보고가 대한피부과학회지에 있다. 30명을 치료하여 20명 이상에서 10회 치료 후에 효과를 보았다. 분명히 좋아지지만 한 두 번의 치료로는 효과를 느끼기는 어렵다는 것이다. 시술 시에 전혀 통증은 없다. 피부과에서 하는 기미치료에 가장 기본적으로 사용되고 있다.

3) Hydroquinone

하이드로퀴논 4%는 tyrosinase에 작용한다. 가장 널리 사용되는 성분중의 하나이다. 농도가 낮으면 효과가 떨어지고 농고가 높으면 부작용의 가능성이 커진다. 하이드로퀴논은 피부자극의 가능성이 있다. 가장 효과적인 포뮬라는 Kligman의 포뮬라라는 것이다. 이 포뮬라는 레틴산과 하이드로퀴논 그리고 국소스테로이드제가 같이 섞여있는 형태이다. 이 포뮬라는 사용시 상황에 맞게 변형하는 것이 요구된다. 피부자극을 무시하고 바르다보면 기미가 더 심해지는 수가 있어서 조심해야한다. 피부

자극이 되지 않은 범위에서 사용하면 수년간 사용하여도 대부분 부작용이 없다.

4) Kojic acid

하이드로퀴논보다는 효과가 떨어진다. 농도를 높이더라도 더 효과가 보장되어있지 않다. Tyrosinase를 블록해서 효과를 나타낸다. 또한 dopachrome에서 5,6-dihydroindole-2-carboxy acid로 가는 tautomerization을 막아서 효과가 나온다. 4%의 코직산 단독 상용시에 약 3분의 1에서 일부반응을 보였다. 나머지 3분의 2에서는 반응이 없었다. 코직산이 스테로이드연고나 레틴산과 복합 사용되었을 때 12%에서 우수한 효과를, 48%에서 만족할 만한 효과를, 27%에서 조금의 효과를 보였고, 13%에서 효과가 없었다. 주로 나타나는 부작용은 가벼운 피부발적이며, 피부가 완전히 희게 되거나 피부염이 나타나거나 하는 경우는 수년간 사용하여도 거의 없다. 최근 일본에서 동물에서 암 발생이 되었다고 해서 메스컴을 탄 적이 있다. 아직 인체에서 암 발생의 위험이 있다는 연구결과는 없다.

5) Azelaic acid

Azelaic acid 20%는 tyrosinase에 작용하다. 60-80%의 경우에서 표피형 기미에 효과가 있다. 그러나 진피형 기미에는 효과가 없다. 부작용은 작열감이나 피부자극이다.

6) Oil-solubile licorice extract P-T (LPT)

주성분은 glabridin(10-40%)이다. Tyrosinase를 50% 억제하는 레벨에서는 하이드로퀴논의 16배

효과가 있다. 0.1% 농도에서 하루에 3번 4주간 도포하면 기미에 효과가 있다. 효과적인 농도가 아직 명확히 결정되지 않았다. 0.05%의 레틴산과 0.05%의 베타메타손과 같이 사용하였을 때 28%에서 효과적이었다는 보고가 있다. 0.4%의 농도로 저녁에 한번 발랐을 때 20%에서 효과적이었다. 0.4%농도에서 베타메타손 0.05%, 레틴산 0.05%, 화학박피와 같이 하면 70%에서 좋은 효과가 있다고 보고되었다. Licorice(감초)는 진피형기미의 치료에 이용이 기대된다.

7) Arbutin

Arbutin 7%는 tyrosinase 수용체에 DOPA와 경쟁함으로서 효과를 보인다. 이 제제의 효과는 코직산에서 보이는 효과보다 떨어진다고 알려져 있다.

8) Melawhite

백혈구에 추출된 물질로 성분은 비밀로 되어있으며, tyrosinase를 억제한다. 10% 농도에서 22명 중 5명에서 어느 정도 효과가 있었다.

9) Glutathione

Dopaquinone으로부터 pheomelanin으로의 합성을 유도한다. 그러면 eumelanin의 합성이 감소해서 기미 색조가 연해진다. 20%의 농도에서 큰 효과가 없다는 보고가 있다.

10) N-Acetyl-4-S-cysteaminylphenol

4% 농도에서 기능을 하고 있는 멜라닌세포에 작용하고 세포기능이 정지하도록 유도한다. 하이드로퀴논보다 덜 자극적이다. 검은 쥐를 흰쥐로 바꾼 연구결과도 있다. 성분이 불안정하여 유도체의 개발이 진행중이다. 효과는 서서히 나타나며 표피멜라닌세포에 작용한다.

11) N-Acetylcysteine (NAC)

7.4%의 농도에서 하이드로퀴논 2%와 같이 사용하여 일부효과를 보였다. 이 성분은 gluthione을 상승시켜서 pheomelanin의 합성을 유도한다고 알려져있다.

12) Ammoniated mercury

난치성 기미에 사용하며 멜라닌세포 독성을 보인다. 레틴산이나 베타메타손 없이는 효과가 없다는 보고도 있다. 접촉피부염과 중금속 중독이 발생할 수 있다. 하이드로퀴논에 피부염을 보이는 경우는 피부염부작용의 가능성이 크다. 효과는 상당하지만 중금속 중독의 부작용문제로 한국 내에서는 사용이 법으로 금지되어있다.

13) Isopropylcatechol

3% 농도에서 66%의 환자에서 효과가 있었다. 부작용은 자극, 피부염, 색소침착 등이 보고되었다. 주의해서 사용해야 한다.

14) Indomethacin

5%에서 스테로이드처럼 작용한다. 표피형 기미에 효과가 있다. 특히 입술근처 기미에 효과가 있었다.

이 물질 스스로 자외선차단지수 3에 해당한다.

15) 스테로이드제

기미에 효과가 있으나 단독사용은 좋지 않다. 장기간 사용 시 여드름 발생, 혈관확장, 안면홍조, 피부위축 등이 발생한다.

16) 도란자민

도란자민은 plasmin inhibitor인데, 이는 혈관세포에서 유래하여 표피의 각질형성세포를 자극하여 멜라닌합성을 자극하는 plasminogen을 방해하여 표피각질형성세포와의 연락을 방해하고, 결과적으로 각질형성세포에서 생산되는 prostaglandin 생산을 억제하여 멜라닌합성 억제효과가 있다.

17) 기타제제

이외에도 많은 성분들의 미백 효능이 보고되었다. 이미 열거한 물질들보다 축적된 데이터가 적거나 효능이 떨어지거나 하지만, 미백 효능이 알려진 성분들에 대해서 나열해 보았다.

a) An extract from green tea: its efficacy is not as pronounced as other tyrosinase inhibitors.

b) An extract from matricaria (chamomile): an endothelinantagonist that specifically inhibits UV-induced melanogenesis. After endothelin is released from UV-exposed keratinocytes, it binds to a receptor on the cell membrane of melanocytes, stimulating inositol-1,4,5-phosphate synthesis. A higher concentration of inositol-1,4,5-phosphate leads to the transfer of Ca2+ from the endoplasmic reticulum into the cell plasma. Endothelin causes an increase in DNA synthesis and melanogenesis.

c) Chaulmoogra oil, 2%

d) Dipeptides containing cysteine and tryptophan.

e) 4-Methylthioresorcin, 2.8%, inhibits tyrosinase by 90%.

f) 3-[(2-ß-Glucopyranosyloxy)phenyl]-2-cinnamic acid, 0.1%, inhibits tyrosinase activity by 97.2%.

g) Caffeic acid 3-ß-D-glucoside, 0.01%, inhibits melanin formation by 62%.

h) Oligopeptide: anserin, 4%.

i) Proteoglycans, 10%, and ascorbates, 3%.

j) Cholesteric liquid crystal and licorice extract, 1%.

k) Superoxide dismutase.

l) Placenta extract: unknown mechanism.

may inhibit tyrosinase synthesis.

m) Methyl 4-benzyloxy-2-hydroxybenzo-ate and 4-benzyloxy-2-hydroxybenzoic acid, 0.5%, are melanin formation inhibitors.

n) Calcium hopantenate, 0.05%, and dibasic carboxalic acid esters.

(15) Linoleic acid at 25 μM activates protein kinase C and inhibits melanogenesis.

o) Glyceryl-1,3-diferulate, 0.5%.

p) Eckol, 0.2%, and 1,3,5-trihydrobenzene is more effective than kojic acid and arbutin.

q) 5-Hydroxy-2-hydroxylmethyl v- pyridone has a skin lightening effect 32 times higher than that of kojic acid.

r) Fomes and Ganoderma extracts.

s) Bear berry extract, 5%, is more effective than kojic acid and arbutin, and acts by inhibiting tyrosinase activity by 100%.

t) 5-(3-(2,4-Dihydroxyphenyl)propyl) -3, 4-bis(3-methyl-2-butenyl)-1,2-benzenediol: compound isolated from the paper mulberry tree. Its inhibitory effect is more effective than that of kojic acid and HQ.

u) Bithionine sulfoximine

2. 박피

멜라닌색소는 멜라닌세포에서 생산되어서 주변의 표피세포로 이동하게 된다. 표피세포 내로 전달된 멜라닌색소는 표피세포가 피부 바깥으로 이동하여 벗겨져 없어질 때까지 표피세포 내에서 서서히 파괴되면서 남아있다. 기미의 경우는 색소 생산이 많으므로 각질층까지 색소가 남아있다. 이런 색소를 제거하는 방법은 바로 박피를 하는 것이다. 박피를 하면 색소가 제거가 되고, 피부가 박피에 의해 벗겨지게 되며, 평소와 같이 한 달에 걸쳐서 피부가 재생하는 것이 아니라 바로 며칠 만에 피부가 재생하게 된다. 즉, 표피세포의 turn over가 증가된다고 표현한다. 이 상태에서는 표피세포가 기저층에서 만들어지는 대로 빨리빨리 각질층으로 이동하므로, 멜라닌세포와 접촉하는 시간이 짧아진다. 이렇게 되면 표피세포로 멜라닌세포로부터 멜라닌색소의 이동이 줄어들게 된다. 이것을 멜라닌색소의 희석이라고 표현한다. 이렇게 두 가지 이유로 기미가 옅어지게 된다. 그러나 이런 효과는 피부재생속도가 원래대로 돌아가면 없어지게 된다. 그러므로, 이런 박피 시술 후 미백제의 사용이나 미백치료가 필요한 이유가 여기에 있다.

박피는 피부과에서 직접 시술하는 방법과 집에서 화장품에 포함된 것을 꾸준히 사용하는 방법이 있다. AHA는 화장품에 포함되어있고, 그 중에서도 glycolic acid가 가장 흔히 사용된다. 레틴A는 처방전으로 구입하여 의사의 지시에 따라 가정에서 사용할 수 있다. 박피는 깊이에 따라 여러 가지가 있으며 기미치료에 사용되는 박피를 소개하도록 하겠다.

가) AHA

a) AHA란 무엇인가?

AHA는 alpha-hydroxy acid의 줄임말이다. 화학 구조상 산기 바로 다음의 첫 번째 탄소 즉 알파 위치에 수산화기가 붙어있는 형태이다. AHA는 과일 등에서 얻는 자연산이며, 약한 유기산이며, 구조상 공통점(alpha-hydroxy)이 있다. AHA에는 5종류가 있는데, 사탕수수에서 추출한 glycolic acid, 신 우유에서 생산된 lactic acid와 과일에서 얻는 malic acid, tartaric acid, citric acid 가 그것이다. 피부노화의 예방, 기미의 치료 등으로 화장품시장에서 선풍적인 인기를 얻고 있는데, 화장품에 사용되는 AHA는 합성된 제품이다. 다섯 가지 AHA 중에서 glycolic acid와 lactic acid가 가장 많이 이용된다.

b) AHA의 효과

• 표피박탈

저농도의 AHA는 피부표피 세포사이의 결합을 약하게 해서 표피세포가 쉽게 떨어지도록 한다. 지저분한 각질의 제거효과가 있는 것이다. 더 높은 농도에서는 각질세포의 결합이 더 약해져서 크게 떨어지고 지나치게 사용하면 피부가 얇아지기도 한다. 기미의 치료원리이다.

• 피부보습

피부의 잔주름이 완화되어 보이고, 피부의 보습으로 탄력을 느끼게 한다.

• 진피의 두께 증가

콜라겐이나 점액다당질 등 진피 구성물질이 늘어나면서 진피의 두께가 증가한다.

• 피부혈류의 증가

AHA의 사용 후 수시간에서 수일 동안 가볍게 피부혈액순환이 좋아지는 것으로 알려져 있다.

c) 기미에 효과

AHA와 같이 피부각질세포의 결합을 느슨하게 해서 각질층에서 피부각질세포가 잘 벗겨지게 하는 성분은 피부를 매끈하고, 부드럽게 하며, 피부의 칙칙한 색조를 밝게 한다. 이런 가벼운 각질제거와 더불어 멜라닌색소가 제거되고 피부재생 속도가 빨라져서 표피 세포내에 멜라닌색소 농도가 옅어지는 효과가 있다. 이런 원리로 기미치료에 이용된다.

d) 화장품에 포함된 정도의 약한 AHA의 효과

FDA는 화장품에 사용하는 AHA에 대해서 산도(pH) 3.5 이상, 농도 10% 이하로 규정하고 있다(산도가 더 낮아서 2.0인 경우는 같은 농도라도 더 강한 것이다). 이런 제품은 효과는 떨어지나 의사가 처방하거나 감독할 필요가 없고 안전하다고 보는 것이다. 즉, 피부과병원에서 사용할 수 있는 AHA보다 강도가 약한 AHA가 화장품에 포함된 것이다. AHA는 다음에 설명할 박피에서 피부과에서 직접 시술하는 경우는 더 강력한 AHA를 사용하게 된다. 여러 화장품회사에서는 AHA의 효과를 증가시키고, 자극을 줄인다고 주장하면서, 중화, 에스테르화, 산도(pH)변화 등을 하고 있으나, 이런 제품들의 객관적인 효과 검증은 거의 없는 실정이다.

나) 레틴A

레틴산(레틴 A)은 0.025에서 0.05% 사이에 사용된다. 레틴산은 각질제거 효과가 있는데 이런 이유로 기미치료의 효과가 있다고 생각된다. 각질제거로 인해 다른 제제의 피부침투효과를 높이고 결과적으로 다른 제제의 미백효과를 높인다고 생각된다. 단독 치료도 효과 있다는 주장도 있으나 대게 다른 제제와 복합사용된다. 레틴A의 부작용은 피부자극이다. 이런 증세가 심하다면, 레틴A 대신 AHA제제가 사용되기도 한다.

레틴 A의 피부자극은 주로 잘못된 사용에 의한 것이다. 레틴A의 올바른 사용법은 피부가 빨갛게 되는 정도의 심한 자극이 일어나지 않게 레틴A를 사용하는 것이다. 레틴A를 사용하면서 조금씩 피부가 각질이 생기는 정도의 적당한 농도와 적당한 양을 사용하여야한다. 이를 위해 레틴A는 여러 농도로 만들어져 약국에 있다. 처음에는 저농도로 사용하여 피부자극이 줄어들면 점점 고농도로 사용하게 된다.

다) 박피

우리 몸의 모든 기관이 다 그렇지만, 피부는 특히 재생 능력이 아주 뛰어 난 기관이다. 주위 사람들 중에 '한 번도 피부에 상처가 났던 적이 없다'라고 하는 사람은 없을 것이다. 하지만 살짝 긁히거나 피부 껍질만 벗겨진 경우는 흉터 없이 잘 아물며, 좀 깊게 상처가 나더라도 칼에 베인 경우와 같이 아주 예리한 상처는 역시 흉터가 남지 않는 것을 경험했을 것이다. 그러나 심한 화상을 입은 경우처럼 상처 부위가 넓고 깊으면 그 부위에 흉터가 남게 된다. 이처럼 피부에 손상이 가해졌을 때, 어느 정도의 시간이 지나면 없어졌던 표피가 재생이 되기 시작하고 진피에 혈관이 새로 많이 생겨나서 영양 공급이 충분히 되는 한편 진피 조직이 새로이 구성되

는, 즉 진피 조직이 재배열되는 과정을 겪어서 피부가 아물게 된다.

이런 피부의 재생 과정을 이용하여 기미, 주근깨, 검버섯, 또는 흉터나 주름살 등을 치료할 수 있다. 우리가 피부를 인위적으로 파괴시켰을 때에도 위와 같은 재생 과정이 나타나는데, 이 과정에서 기존의 표피에 있던 색소(즉, 기미나 주근깨)가 파괴되며, 진피 조직이 새로이 구성되어 재배열되기 때문에 흉터가 얇아지고, 피부가 팽팽하게 당겨지면서 잔주름이 감소하게 된다. 또한 나이가 들수록 햇볕에 의해 피부가 많이 손상되어서 피부에 탄력이 없어지고, 화장도 잘 받지 않게 되던 것이 치료 후에 피부에 탄력이 생기면서 화장도 잘 받게 된다. 이런 원리를 이용한 치료 방법이 피부 박피 즉, 필링(Peeling)이다.

박피의 종류가 다양하기 때문에 치료하고자 하는 피부질환의 특성, 병변의 깊이, 회복시간, 환자의 개인사정 등을 고려하여 적절한 박피 방법을 선택, 시술하여야 한다. 흔히 내원 환자와 상담하다보면 환자분이 생각하는 박피와 의사가 설명하고 있는 박피가 전혀 다른 박피여서 의견교환이 힘든 경우가 많이 있다. 의사는 가벼운 박피를 설명하면서 부작용의 염려는 없다고 하는데 환자분은 친구가 깊게 한 박피를 보고 지금 의사가 설명하는 박피에 대해 큰 두려움을 가지고 대화에 임하는 경우가 있다. 이런 오해는 박피라는 것이 피부를 벗겨내는 것은 다 박피이지만 그 깊이에 따라 상당히 다르다는 것을 잘 이해하지 못해서 생기는 것이다.

• 박피는 왜 기미 치료에 도움이 되는가?

멜라닌색소는 멜라닌세포에서 생산되어서 주변의 표피세포로 이동하게 된다. 표피세포 내로 전달된 멜라닌색소는 표피세포가 피부 바깥으로 이동하여

벗겨져 없어질 때까지 표피세포 내에서 서서히 파괴되면서 남아있다. 기미의 경우는 색소 생산이 많으므로 각질층까지 색소가 남아있다. 이런 색소를 제거하는 방법은 바로 박피를 하는 것이다. 박피를 하면 색소가 제거가 되고, 피부가 박피에 의해 벗겨지게 되며, 평소와 같이 한 달에 걸쳐서 피부가 재생하는 것이 아니라 바로 며칠 만에 피부가 재생하게 된다. 즉, 표피세포의 turn over가 증가된다고 표현한다. 이 상태에서는 표피세포가 기저층에서 만들어지는 대로 빨리빨리 각질층으로 이동하므로, 멜라닌세포와 접촉하는 시간이 짧아진다. 이렇게 되면 표피세포로 멜라닌세포로부터 멜라닌색소의 이동이 줄어든다. 이것을 멜라닌색소의 희석이라고 표현한다. 이렇게 두 가지 이유로 기미가 옅어지게 된다.

• 방법에 따른 박피의 종류

박피는 어떻게 피부를 벗겨 내느냐에 따라 연마기를 이용하여 피부를 갈아내는 기계적 피부박피, 특수한 화학 약물을 이용하는 화학적 피부박피(chemical peeling), 해초성분을 이용하는 해초박피, 크리스탈 가루를 이용하는 크리스탈 필링 그리고 레이저를 이용한 레이저 박피(laserbrasion) 등으로 구분할 수 있다.

• 깊이에 따른 박피의 종류

표피의 두께는 약 0.1mm이다. 그 아래에 있는 진피는 두께가 부위마다 다르지만 얼굴에서 대략 2mm 정도이다. 표피는 세포 10층 정도로 구성되며, 이 세포층보다 더 표면에 죽은 세포인 각질세포가 납작하게 약 20층이 있다.

박피를 어느 정도 깊게 하는가에 따라 구분하기도 하는데 표피 내에서 박피가 되는 얕은 박피, 표피를 다 벗겨내고 유두진피까지 벗겨내는 중간 정도 깊이의 박피, 그리고 유두진 피를 지나 망상진피까지 파괴되는 깊은 박피가 있다.

중간 깊이나 깊은 깊이의 박피를 하면 피부의 잔주름이 좋아지고, 주근깨, 검버섯 등도 제거되는 효과가 있지만, 박피 후 2-3개월간 피부가 빨갛게 되는 것을 피할 수 없다.

중간 깊이 이상의 박피에서는 진피의 일부가 파괴되는데, 이 때 진피에 있는 모세혈관이 파괴되고 아물면서 모세혈관이 확장한다.

혈관의 입장에서는 혈관이 확장되어서 혈액순환이 좋아져야지 영양분, 수분, 산소가 충분히 공급되어서 피부재생이 원활하게 이루어진다고 생각하는 것이다.

이것이 피부가 재생되는 정상적인 과정이어서 피해갈 수가 없다.

요사이는 이런 불편한 중간 깊이나 깊은 박피를 회피하는 경향이 크다. 그래서 얕은 박피를 많이 한다. 얕은 박피 중에서 허물이 벗겨지는 것이 거의 표시가 나지 않는 것이 스케일링, 크리스탈 필링이다. 두 가지 다 피부 표피의 가장 바깥층인 각질층을 벗겨내는 정도이다.

얕은 박피 중에서 이보다 조금 깊이 되는 것은 표피층의 아래 부분까지 벗겨지는데, 수일간 허물이 벗겨지는 것을 보게 된다. 이런 박피에는 해초박피, 화학박피 등이 있다.

• 얕은 박피 여러 번을 하면 효과가 커지는 이유

얕은 박피(스케일링, 크리스탈 필링) 한 번을 하면 새로 재생되는 피부가 탄력이 생기고 표면이 매끈해져서 조금 좋아진다. 두 번을 하면 탄력있는 세포로 재생된 부위가 커진다. 3번 박피를 하면 표피의 더 많은 부분이 탄력있는 재생된 피부로 변한다. 이런 이유로 얇은 박피라도 여러 번 하면 누적된 효과가 나타나게 된다.

• 박피를 하면 어떤 효과가 있는가?

한 마디로 하면 피부가 젊어진다. 구체적으로는 피부표면이 매끈해지고, 탄력이 생기며, 칙칙한 색이 없어지고, 주근깨 기미가 옅어지고, 피부가 밝아진다.

• 깊은 박피 한 번과 얇은 박피 여러 번을 비교하면

일반적으로 얇은 박피는 비용이 적게 들고, 깊은 박피는 비용이 많이 든다. 깊은 박피 한 번할 비용으로 얇은 박피를 여러 번 할 수 있다. 같은 비용으로 비교하면 깊은 박피를 한 번 한 것이 얇은 박피 여러 번 한 것보다 효과가 크다. 다만 대인관계 등을 이유로 깊은 박피를 하지 못하는 경우는 얇은 박피를 여러 번 하기를 권하게 된다.

• 박피를 하면 피부가 상한다는데

인체 피부의 표피는 표피의 가장 아래부분인 기저층으로부터 쉬지 않고 새로운 세포가 자라나온다. 그래서 한 달이면 지금 우리가 가지고 있는 표피는 모두 없어진다.

이렇게 정상적으로 계속 재생하고 있는 피부여서, 박피를 하는 경우 이런 정상 메카니즘이 빠르게 작동하여 피부를 재생시키게 된다. 그래서 정상적으로 박피를 하는 경우 피부가 상하지는 않는다. 그러나, 깊은 박피를 무리하여 짧은 기간에 여러 번 한다면 피부가 상하게 된다.

• 박피를 한 번하면 계속 해야한다는데

한 번 하고 다시 하든지 안 하든지 본인의 자유이다.

• 박피를 한 번 하면 효과가 평생 지속되나

남북이산 가족상봉을 피부과적 측면에서 관심있게 보았다. 남한의 아버지와 북한의 아들이 상봉하는 경우 누가 아들이고 누가 아버지인지 모를 지경이다. 남한 사람은 그래도 자외선 차단제라도 사용하고, 피부에 좋다는 로션이라도 조금 바르지 않나 생각된다. 이런 것 발라본 적 없고, 비누도 거칠고 피부에 자극적인 것을 북한 사람이 사용하며, 자외선에 대해서도 무방비로 노출되어있다면 피부가 많이 늙게 될 것이다. 마찬가지로 남한 사람 중에서도 피부에 신경을 꾸준히 쓰는 것과 무신경하게 지내는 것은 나중에 차이가 날 것이다.

이런 관점에서 박피도 피부에 관심과 애정을 가지는 것이라 생각해야 하겠다. 한 번 박피해서 좀 젊게 된 피부는 그 상태에서 평생 지속되는 것이 아니라 다시 예전처럼 서서히 노화하겠지만, 아무것도 하지 않는 것에 비해서 젊게 피부를 유지할 수 있다.

• 어떤 박피가 효과가 큰가

간혹 환자들은 어떤 박피가 효과가 큰지 많이 질문한다.

한 마디로 정리하자면, 깊게 하는 것이 효과가 크다. 그러나, 깊게 하면 불편함이 따라서 커진다. 허물이 많이 일어나고, 부작용의 가능성도 따라서 커진다. 기미의 경우 필자는 스케일링이나 크리스탈 필링을 권하고 좀 더 깊은 박피로는 해초스케일링이나 해초박피를 권한다.

• 나에게 어떤 박피가 적당한가

피부의 성질(광피부타입, 상처회복정도, 피부의 두께, 피지선의 발달정도)과 문제가 되고 있는 피부질환의 종류, 대인관계 등 처한 사회적 여건, 예산 등에 맞추어서 개인에 알맞은 박피를 정한다.

• 박피를 하면 피부가 얇아지는가

피부는 계속 재생하고 있다. 피부 표피 깊은 곳에서 계속 피부가 자라나서 각질층으로 이동하고 탈락되어(때가 되어) 나간다. 그러므로, 박피를 지나치게 하지 않는 한 피부가 얇아지지는 않는다.

• 박피를 하면 얼굴이 붉어지는가?

진피까지 도달하는 중간 깊이나 깊은 깊이의 박피를 하면 필연적으로 얼굴이 붉어진다. 혈관확장이 되기 때문이다. 박피로 진피가 파괴되면 상처가 아물면서 혈관이 늘어난다. 그래서, 진피에는 도달하지 않고 표피 내에서 박피를 하면 얼굴이 붉어지지는 않고(표피 내에는 혈관이 없어서 혈관확장이 되지 않는다), 효과는 비교적 크게 나타난다. 이런 목표를 달성한 것 중에 해초박피가 있다.

화학 박피로도 같은 깊이의 박피를 할 수 있지만, 화학박피의 경우 박피가 빨리 진행되므로, 표피 내에서 일정하게 멈추게 하기가 어렵다. 반면에 해초박피는 마사지를 하면서 10분 정도에 걸쳐서 서서히 진행하므로, 늘 일정하게 표피에서 깊게 하는 정도로 맞출 수 있다.

a) 스킨스케일링

스킨스케일링은 초음파와 글리콜릭산을 이용하여 각질층과 표피상부만 얇게 벗겨내는 얕은 박피로, 별다른 부작용이 없고 시술 후 바로 세안이나 화장, 외출이 가능하여 직장인도 부담없이 받을 수 있다.

얕은 박피이기 때문에 색소침착의 우려가 없어서 시술 후 특별히 자외선차단에 신경쓰지 않아도 된다.

한 번에 큰 효과를 얻을 수는 없지만 반복 시술하면 시술 후 피부가 촉촉해지고 각질층이 정돈되면서 색이 맑아지는 것은 물론 입과 눈 주위의 엷은

주름 완화, 여드름과 기미, 잡티가 개선되는 효과를 얻을 수 있다. 기미치료에 있어서는 1주내지 2주에 1회 정도 간격으로 시술하면 좋은 효과를 볼 수 있다. 특히 스킨스케일링과 미백치료를 겸한 미백스케일링을 하면 효과가 좋다.

• 스킨스케일링 과정

- 1단계 : 아줄렌크린저로 피부 노폐물과 메이크업 성분을 제거한 후 엔자임필링 또는 젠틀필링크림을 도포한다.
- 2단계 : 프리마돌을 이용하여 딥크린싱을 한 후 AHA필과 스킨마스터 초음파필링으로 각질층을 정돈하고 모공 속 노폐물을 제거한다.
- 3단계 : 아이스 거즈팩으로 피부를 진정시킨 후 Bioptron을 쪼여 세포활성을 촉진한다.
- 4단계 : pH를 맞추고 피부 상태에 맞는 기초제품으로 마무리한다.

b) 크리스탈 필링

크리스탈 필링 혹은 미세연마술이라 불리는 치료는 1970년대에 개발되었지만 그 동안 이용이 뜸하다가 최근 피부 미용치료에 아주 효과적이라는 사실이 밝혀지면서 다시 미국과 유럽 등지에서 새로운 안면 박피 방법(facial resurfacing technique)으로 각광을 받고 있다.

크리스탈 필링은 미세한 크리스탈 입자를 피부의 가장 바깥 층에 강하게 분사하여 피부를 세밀하게 갈아내는 것과 동시에 크리스탈 입자와 연마된 조직을 흡입하여 제거하게 된다.

분사되는 크리스탈 양과 진공 압, 시술부위에 대고 있는 시간을 조정함으로써 박피의 깊이를 조절할 수 있으며 모공축소, 기미치료, 잔주름 완화, 잡티 개선, 얕은 여드름흉터 개선 효과는 물론 닭살,

튼살 치료에도 이용되고 있다.

크리스탈 필링 시술시 통증이 약간 있으나 경미하며 시술 직후 얼굴이 약간 붉어지지만 팩을 하고 나면 붉은 기운이 거의 없어진다. 시술 2-3일 후 각질이 약간 일어나는 과정을 거칠 수 있으며 피부가 예민한 경우 붉은 기운이 심할 수도 있다. 기미치료의 초기에 사용하면 다른 치료와 병행하였을 때 좋은 효과를 볼 수 있다.

• **크리스탈 필링 과정**

− 1단계 : 큐컴버크린저를 이용하여 피부 노폐물, 메이크업 성분을 제거한 후 엔자임필 또는 젠틀필링크림을 이용하여 모공 속 노폐물을 제거한다.

− 2단계 : AHA필링과 크리스탈 필링을 이용해 각질층을 포함한 표피 일부와 모공의 바깥 부분을 미세하게 깎아낸다.

− 3단계 : 남아있는 크리스탈입자를 제거한 후 피부에 수분을 공급하고 탄력을 줄 수 있는 pack을 한다.

− 4단계 : pH를 맞추고 피부상태에 맞는 제품으로 마무리한다.

c) 화학박피

약품을 이용해 피부를 벗겨내는 방법으로 벗겨지는 피부 깊이에 따라 표피에 국한된 얇은 박피, 상부 진피층까지의 중간 박피, 하부 진피층까지의 깊은 박피로 나뉘는데 동양에서 깊은 박피는 잘 시행하지 않는다. 기미의 치료에는 표피에 국한된 얇은 박피를 한다. 이 중에서 기미치료에 잘 사용되는 화학박피를 살펴보겠다.

• **AHA 박피**

− 적용질환 : 기미, 여드름, 잡티, 검버섯

− AHA는 과일, 사탕수수, 우유 등에서 추출하며 5~15%의 저농도에서는 각질제거, 피부보습 효과가 있고, 50~70%의 고농도에서는 세포간의 결합을 파괴시켜 각질층과 표피 일부를 떨어져나가게 하는 효과가 있다. 시술 후 각질이 약간 벗겨지지만 그다지 흉하지 않으며 1주일정도면 회복된다. 세안, 화장 등 일상생활에 전혀 불편함이 없으며 2주 간격으로 수회 치료하여 기미의 치료에 효과가 있다.

• **Jessner's solution 박피**

Combes 박피라고도 한다. Kligman 포뮬러 등 이미 강력한 미백제(피부 자극이 우려되는)를 사용 중인 경우는 적절하지 않을 수도 있다. 보통의 경우 거의 각질이 벗겨지는 것을 느낄 수 없을 정도의 가벼운 박피이다. 시술 후 바로 일상생활에 전혀 지장 없이 복귀하게 된다. 이 포뮬러에 포함된 resorcinol은 약 2%의 사람에서 알러지반응을 보인다. 기미에 사용하는 경우 약 2주에서 한번 정도 반복시술이 권고된다.

d) 해초박피

최근 아로마, botanical(식물성) 화장품, herb(허브)에 대한 관심이 높아지면서 천연해초(deep sea herb)를 이용한 박피술이 기미나 잡티와 같은 색소성 질환, 잔주름, 얕은 여드름흉터, 넓어진 모공 치료 등에 폭넓게 사용하는 해초는 미네랄이 풍부하고 장에 좋은 효과를 나타내기 때문에 오래 전부터 건강식품으로, 그리고 갑상선질환의 치료에 이용되어 왔다.

최근에는 해초가 피부에 미치는 효과에 대한 연구도 활발히 진행되고 있는데 해초는 풍부한 미네랄을 보충하여 피부에 영양을 공급하며 상처 회복을 돕고 뛰어난 보습기능과 피부의 투명성 유지에 효과를 나타내는 등 피부 미용에 좋은 효과를 나타내는 것으로 밝혀지고 있어서 몇몇 기능성화장품에 사용되고 있고 피부과 치료에도 쓰이게 되었다.

해초박피란 깊은 바다에서 추출한 해초가루를 활성용액과 섞어 마사지하듯이 얼굴에 발라 박피하는 방법으로, 마사지하는 강도와 시간에 따라 박피의 깊이가 결정된다. 시술시 통증이 있지만 마취를 할 정도는 아니며 시술 당일부터 세안, 화장이 가능하다. 시술 직후 2-3일간 얼굴이 붉게 되지만 화장으로 가릴 수 있고 2-3일 후부터 허물이 벗겨지기 시작해 2-3일간 벗겨진다. 5-6일이면 거의 다 벗겨지므로 직장 다니면서도 큰 무리없이 효과적인 박피를 할 수 있다는 것이 장점이다. 또한 해초의 피부 진정 작용과 상처 치유력, 보습 작용 때문에 기존의 화학 박피에 비해 치료 후의 회복이 빠르며 시술 후 피부가 민감하거나 건조해지고 붉은 기운이 오래 가거나 색소침착이 생길 가능성이 기존의 다른 박피에 비해 덜하다는 것이 더 큰 장점이라 할 수 있다.

• 해초박피 과정

- 아줄렌클렌저로 메이크업 및 피부불순물을 1차 세안한다. 스페시픽클렌저로 2차 세안한다.
- 재료를 피부에 발라 시술부위가 붉어질 때까지 5분간 전체를 꼼꼼히 마사지한다. 문제부위는 보다 세심하게 마사지하는데 기미 부위는 너무 세게 하지 않도록 주의한다.
- 차가운 거즈를 올려놓고 5분 정도 둔다.
- 해초팩을 피부로부터 제거한 후 포스트 필링 프로텍티브 겔을 발라준다.
- 아줄렌크림을 바른 후 색조크림을 바른다.

• 해초박피의 효과

여드름 및 여드름자국, 잡티, 기미, 늘어난 모공에 효과적이다. 한 번의 시술로 이 모든 것이 완전히 좋아질 수는 없지만 피부 톤이 맑아지며 피부의 탄력이 증가해서 보들보들한 피부가 된다. 2-3차례 반복하면 보다 만족스러운 결과를 얻을 수 있다. 해초박피 시술 후 여드름의 경우 여드름 치료를, 기미의 경우 전기영동치료를, 모공의 경우 크리스탈 필링, 쿨터치 시술, IPL시술을 병행하면 더 깨끗하고 탄력 있는 피부를 만들 수 있다.

• 해초박피의 장점

- 특별한 전처치 없이 바로 시술이 가능하다.
- 마취가 필요없고 시술시간이 30분 이내로 간단하다.
- 세안, 화장 등 일상생활이 가능하다.
- 박피 후 피부가 민감해지거나 색소침착 등 부작용이 생길 가능성이 적다.
- 회복기간이 짧다.
- 날짜만 잘 정하면 직장생활 하면서도 시술이 가능하다.

• 해초박피 후 주의사항

- 단순포진병력이 있는 경우 항바이러스제를 복용한다.
- 해초박피 후 하루정도는 손만 대도 따끔거리지만 정상과정이며 점차 좋아진다. 2-3일간 시술부위가 붉고 약간 붓는 것도 정상과정이나, 많이 붓고 진물이 흐르거나 피가 맺히거나 수포가 잡히는 등 불편한 증상이 나타나면 바로 내원하여 필요한 조치를 취하도록 한다.
- 시술 다음날부터 세안, 화장이 가능한데 특히 자외선 차단제를 매일 바른다.
- 시술 후에는 피부가 약하고 건조한 상태이니 피부상태에 맞는 세안제, 보습제를 사용하며 많이 당

기면 보습제를 수시로 바른다.

- 필링이 되어서 각질이 일어날 때 절대로 손으로 잡아 뜯어서는 안된다.

- 시술 후 5-6일째 되는 날 내원하여 사후관리를 받는다.

3. 레이저 치료

색소를 치료하는 레이저는 달리 말하면 멜라닌에 높은 흡수도를 보이는 레이저라고 할 수 있다. 이런 레이저가 처음 소개되었을 때 기미도 쉽게 정복되리라 믿었는데, 실제 치료를 해보니 기미에서는 일단 레이저 치료 후 색소가 없어지나, 시간이 지나면서 다시 색소가 올라오고 심지어 악화되는 경우도 많이 경험하였다. 지금도 색소레이저 다시 말해서 Q-스위치 레이저가 이용되고 있지만, 높은 재발 가능성과 악화 가능성 때문에 많은 피부과의사들이 사용을 자제하고 있다. 이후 IPL을 이용한 반복 치료가 Q-스위치 레이저와 달리 한 번에 기미가 없어지지 않으나 서서히 옅어지게 할 수 있음이 발견된 이래 레이저를 이용하여서도 약하게 여러번 치료하여 기미를 호전시키는 방법이 레이저 토닝이라 불리는 방법으로부터 시작하여 발전에 발전을 거듭하였다.

가) 고전적인 레이저 치료

광선이 피부에 조사될 때에 광선은 그 파장에 따라 피부의 특정 물질에 흡수된다. 피부를 구성하고 있는 물질은 각기 특정 파장의 빛을 잘 흡수하는 성질을 갖고 있는데 이 물질을 발색단(chromophore)이라고 한다. 예를 들어 탄산가스 레이저에서 방출되는 적외선 에너지는 주로 물에 흡수된다. 그런데 우리 몸의 70% 정도가 물로 구성되어 있기 때문에 조사된 레이저 에너지들은 우리 몸의 어느 부위에나 흡수되어 열을 발생시킴으로써 조직을 파괴시키게 됩니다. 따라서 탄산가스 레이저는 비특이적으로(아무 것이나) 조직을 파괴시킬 필요가 있을 때에 사용된다. 혈관 내에 있는 적혈구에는 532nm, 577nm 또는 585nm의 파장의 빛이 잘 흡수된다.

그리고 기미나 주근깨의 원인이 되는 멜라닌이라는 색소는 532nm, 694nm, 755nm, 그리고 1064nm 파장의 빛이 잘 흡수된다. 이런 원리로 기미를 치료하는 레이저는 색소치료용 레이저 또는 Q-스위치 레이저라고 하는 것을 주로 사용한다. 기미의 치료에 고전적으로 사용하던 Q-스위치 레이저는 알렉산드라이트 레이저(755nm), 루비 레이저(694nm), 엔디야그 레이저(532nm)가 있다.

기미는 치료가 쉽지 않고 난치성인 경우가 많아서 Q-스위치 레이저가 개발된 이후에는 레이저가 기미치료에 많이 시도되었다. 이런 레이저 시술 후 기미부위는 딱지가 발생하고 얼굴의 경우 약 1주에서 10일 정도면 딱지가 떨어지며, 딱지가 떨어진 직후에는 피부가 하얗게 보이나, 1-2주가 지나면서 다시 색소가 올라와서 재발하게 된다. 심지어 치료 전보다 악화되는 경우가 흔히 있어서 기미의 치료로 고전적인 Q-스위치 레이저의 치료는 위험한 치료였다. Q-스위치 레이저로 기미를 치료하는 것은 염증후 색소침착을 치료하는 것과 더불어 가장 어려운 치료로 기술된다.

나) 레이저 토닝

a) Subcellular selective photothermolysis

Laser tissue interaction에는 여러 종류가 있다.

233

즉, 레이저와 피부가 반응하는 방법은 여러 가지가 있다. Photoablation(thermal reaction에 의한 피부 ablation이 아니고, 근시교정의 엑시머 레이저에서 조직이 그냥 분해되어 없어지는 반응을 말한다), photochemical interaction(photodynamic therapy 포함), photothermal reaction(SPTL 개념이 바로 이 반응에 대한 피부레이저의 설명이다), photodisruption 이외에도 photo-biomodulation 등이 있다.

이중에서 피부과 영역의 레이저는 주로 photo-thermal reaction을 이용한 치료가 된다. 즉, 멜라닌, 헤모글로빈, 물 등의 발색단에 레이저 빛이 흡수되어 열이 발생하고 치료가 되는 기전이다. 이런 발열반응이 잘 localize 되기 위하여 발색단의 TRT를 고려한 SPTL 개념이 1983년 Science잡지에 Anderson 등이 발표하였다. 그런데 이 개념을 잘 보면 Anderson이 의도하였던 의도하지 않았던 발색단을 포함한 세포를 파괴하는 기전임을 알 수 있다. SPTL은 selective photo-thermo-cyto-lysis라 할 수 있을 것이다. 즉, SPTL은 멜라닌을 포함한 멜라닌세포나 멜라닌을 포함한 각질형성세포의 죽음을 유발하고, 헤모글로빈을 포함한 적혈구의 죽음을 의미한다. 훗날 발색단이 포함된 세포가 아닌 그 주변의 세포를 파괴할 목적으로 하는 경우, 예를 들면 hair shaft에 포함된 멜라닌을 발색단으로 이용하여 멜라닌이 없는 hair follicle을 파괴하는 제모레이저의 경우 발색단이 포함된 세포를 파괴하는 SPTL 개념이 아니고 발색단을 포함한 세포를 넘어선 범위의 파괴를 목적으로 하므로, extended theory of SPTL이라고 명명하게 된다.

이제 기미의 레이저 치료를 살펴보면, 기미의 멜라닌세포는 일반적인 Q-스위치 레이저로 오랫동안 치료해 왔으나 실패를 거듭하였다. 치료직후 멜라닌세포가 사망하고 갈색이 사라지나 멜라닌세포가 모낭구조에서 다시 이동하여(표피 melanocytic pre-cursor cell에서 재생되는지는 연구된바 없다) 오면서 색소를 더 많이 만들게 되고 기미가 다시 생기게 된다. 결국 일시적으로 멜라닌세포를 SPTL로 사망에 이르게 할 수 있지만, 결국 다시 돌아온 angry melanocyte에 의해서 멜라닌색소가 다시 많이 만들어지는 현상을 목격하였다.

그런데 김 등이 2010년 J Invest Dermatol에 발표된 연구(그림 6-2)에 의하면 멜라닌세포는 사멸되지 않고 멜라닌세포 내에 존재하는 멜라노좀만 파괴되는 fluence가 존재한다고 한다. 기존의 Q-스위치 레이저에서 이용하던 fluence보다 훨씬 낮은 fluence에서 이런 현상이 가능함이 알려졌다. 이런 영역의 fluence를 이용하면 멜라닌세포가 아닌 subcellular organelle인 멜라노좀을 목표로 광열용해가 가능하다. 그래서 세포보다 작은 단위에서 laser tissue interaction(즉, SPTL)이 있다고 하여 subcellular SPTL이라고 명명하였다.

이런 치료를 "레이저 토닝"이라고 명명하였는데 좀더 학술적으로 low fluence Q-스위치 엔디야그 레이저 치료라고 해석할 수 있고, 이때는 1064nm 파장을 이용한다. 레이저 토닝은 한국에서 시작되었고, 많은 연구가 발표되었으며, 아시아, 미국, 유럽, 중동 등 전세계로 전파되고 있다.

b) 레이저 토닝 시 나타나는 변화

• 멜라닌색소의 파괴(그림 6-3)

멜라노좀 안을 멜라닌이 채우고 있는데 고전적인 Q-스위치 레이저에서 관찰되는 것과 동일하게 레이저토닝에서도 멜라노좀이 파괴되고 멜라닌이 소멸되고, 조각나서 공포로 대체된 현상이 쉽게 발견

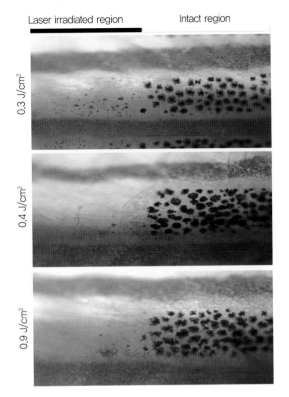

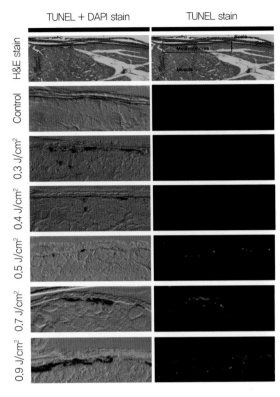

그림 6-2. subcellular selective photothermolysis of melanosome

0.3에서 0.4J/cm²의 플루언스에서는 멜라노포어의 파괴가 관찰되나, TUNEL 염색에서 확인되듯이 세포의 괴사는 없다. (J Invest Dermatol. 2010 Sep;130(9):2333-5.)

그림 6-3. 레이저 토닝 후 멜라닌세포의 변화

멜라닌이 멜라노좀 안을 채우고 있는데 고전적인 Q-스위치 레이저에서 관찰되는 것과 동일하게 레이저 토닝에서도 멜라노좀이 파괴되고 멜라닌이 소멸되고, 조각나서 공포로 대체된 현상이 쉽게 발견된다. 멜라노좀에 부착되어서 멜라노좀 내에서 멜라닌을 생성하는 여러 효소들도 이 과정에서 손상을 받고 멜라닌합성 능력이 저하될 가능성이 있다. 멜라닌세포의 핵은 건재하고 세포자체의 괴사는 관찰되지 않는다. (아산병원, 장성은 교수 제공)

된다. 멜라노좀에 부착되어서 멜라노좀 내에서 멜라닌을 생성하는 여러 효소들도 이 과정에서 손상을 받고 멜라닌합성 능력이 저하될 가능성이 있다.

• 멜라닌세포의 변화

수지상돌기가 짧아지고 숫자가 줄어든다(그림 6-4). 멜라닌세포에서 생산된 멜라노좀은 멜라닌세포의 수지상돌기을 통하여 각질형성세포로 전달된다. 그런데 수지상돌기가 숫자가 줄고 길이가 짧아진다면 멜라노좀이 각질형성세포로 전달되기 어려운 상황이 된다. 멜라닌을 합성하는 효소는 멜라닌이 멜라닌세포내에 많이 남아있게 되므로 negative feedback을 받게되고 멜라닌합성은 줄어들게 된다. 표피에서 보이는 갈색은 각질형성세포내의 멜

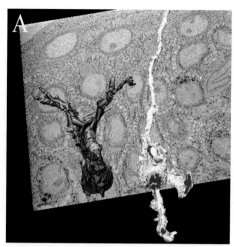
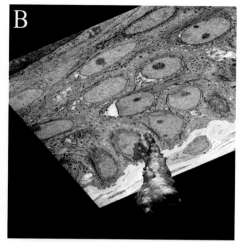

그림 6-4. 레이저 토닝 후 멜라닌세포의 수지상돌기가 짧아진다.

A) 치료 전 멜라닌세포는 붉은색
B) 치료 후 멜라닌세포는 붉은색. 수지상돌기가 짧아져있고 숫자가 줄어들었다.
레이저 토닝으로 stage IV의 멜라노좀이 많이 분포하는 멜라닌 세포의 dendrite에서 레이저조직반응이 많이 발생한 결과로 볼 수 있다. J Electron Microsc (Tokyo). 2011;60(1):11-8.

라닌색소의 양이 중요한데 각질형성세포내의 멜라닌이 줄어드는 결과가 되므로 표피의 갈색이 연해지게 된다.

전자현미경연구 등을 통해보면 레이저 토닝을 통해서는 멜라노좀은 파괴가 되고 파괴된 자리에 공포가 나타나나, 멜라닌세포의 핵은 건재하고 세포 자체는 사망하지 않는 것을 볼 수 있다.

• **진피의 멜라닌색소 탐식 대식세포 증가**

레이저 토닝 초기의 조직연구를 보면 진피에 멜라닌색소를 탐식한 대식세포가 증가된 양상을 볼 수 있다. 혹자는 이것이 pigmentary incontinence라 할 수 있고, 이것은 바로 색소침착의양상이므로 반갑지 않은 현상이라고 생각한다. 그런데 레이저토닝을 반복한 후 조직검사한 연구에서는 진피에서 멜라닌색소를 탐식한 대식세포가 사라진 것을 볼 수 있다. 상부진피의 멜라닌도 반복된 레이저 토닝으로 파괴되거나 대식세포가 림프관으로 이동하여 멜라

닌이 제거된 것으로 생각된다.

• **PAR-2 발현감소**

PAR-2는 각질형성세포에서 발현되어 멜라노좀을 멜라닌세포로부터 각질형성세포로 이동시키는데 결정적인 역할을 한다. 그런데 레이저토닝으로 인해 PAR-2가 점점 감소함이 알려져 있다. 이 또한 기미치료에 좋은 영향을 준다고 생각된다.

c) 레이저 토닝의 파라미터

① 치료강도

1064nm의 Q-스위치 엔디야그 레이저를 이용하는 레이저토닝에서 치료의 fluence는 각 레이저마다 다르다고 할 수 있다. 실제 한 기계에서 $2.0J/cm^2$가 다른 기계에서 $2.0J/cm^2$라는 보장이 없다. 그러므로, 같은 기계를 사용하는 사용자가 아니면 파라미터를 그대로 인용하기는 어렵다. 대략적으로는 기계마다 차이가 있으나 $1.6J/cm^2$에서 $2.0J/cm^2$ 정도

를 레이저토닝의 강도로 많이 사용하는 듯하다. 그리고, 6-7mm의 스팟사이즈를 선택하고, 브러싱테크닉으로 여러 패스하여 치료하게되서, 범위가 넓은 기미의 경우 양쪽 광대뼈부위와 뺨을 치료하면 약 1000샷이 필요하다.

② 치료간격

한국에서는 1주에 한번에서 2주에 한번 치료하는 것이 가장 흔한 방법이다.

③ 치료경과(그림 6-5A, 그림 6-5B)

치료를 시작한 후 금방 효과가 나타나면 환자는 만족하나, 의사는 이때부터 조심하게 된다. 치료반응이 빨리 나타나는 경우 최종적으로 치료 종결후 재발의 가능성이 크고, 재발이 빨리 되며, 더 진하게 재발할 가능성이 있다. 너무 빠르지 않게 적당한 속도로 치료되는 것이 좋다. 3-4회 치료 후 약간의 호전을 인지하고, 7-8회 후 50% 이상 좋아지는 정도가 적당하다. 이렇게 해서 10회 이상의 치료로 충분히 좋아지면 적절한 속도가 된다. 강도를 더 강하게 하면 더 빨리 호전될 수 있으나 재발 등의 이유

로 최종결과가 좋지 않다. 어느 정도 좋아진 다음에는 개인차가 있어서 호전될 수 있는 정도가 다르다. 한 개인에서 더 치료해서 별 진전이 없으면 그사람에서는 그 정도가 목표로 설정되어야 한다. 더 호전을 원하면 더 강한 치료를 하여야하나, 이는 바로 부작용으로 연결된다.

④ 병행치료

레이저 토닝은 멜라노좀을 파괴하는 치료이므로, 이로 인해 멜라닌세포가 자극되고, 멜라닌합성이 증가할까 우려하여, 멜라닌세포를 진정시키는 치료를 병행하게 된다. 일반적으로 이온트포레시스라는 테크닉으로 비타민 C등 멜라닌색소합성을 억제하는 약물을 침투시키는 치료를 한다.

⑤ 유지치료

10회 이상의 치료로 호전된 후 더 이상 호전되지 않아서 치료를 중단하게 되면 개인차가 있지만, 서서히 기미가 재발하게 된다. 다 재발하여 다시 치료하는 것보다 한 달에 한번 정도의 유지치료로 기미가 유지될 수 있다면 좋은 경과라고 하겠다.

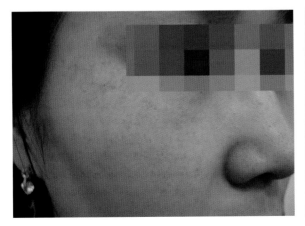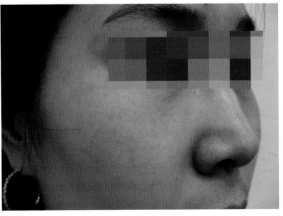

그림 6-5a. 기미의 레이저 토닝 치료 전후

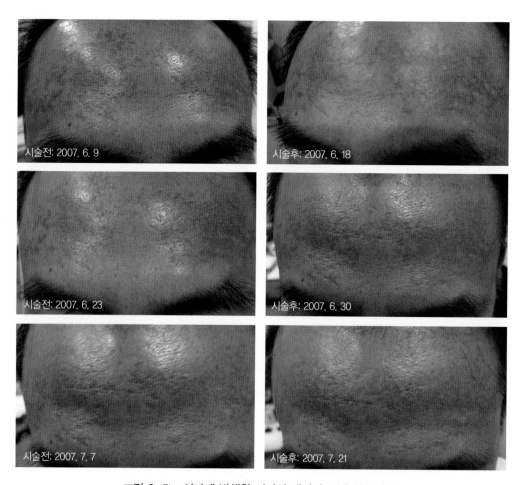

시술전: 2007. 6. 9

시술후: 2007. 6. 18

시술전: 2007. 6. 23

시술후: 2007. 6. 30

시술전: 2007. 7. 7

시술후: 2007. 7. 21

그림 6-5b. 이마에 발생한 기미의 레이저 토닝 치료과정

d) 레이저토닝의 부작용

① non-responder

레이저 토닝에 반응하지 않는 기미가 있다는 사실을 인지하지 않으면 보통 부작용으로 귀결된다. 모든 기미가 다 레이저 토닝으로 치료된다는 생각을 가지고 있다면, 치료가 잘되지 않는 경우 보통 치료강도를 증가시키게 되고, 이는 부작용으로 연결된다. 임상에서 이오토포레시스 병행치료없이 레이저 토닝만 하는 경우 효과가 많이 떨어짐을 경험하게 된다. 이온토포레시스 등 다른 치료를 병행하더라도 non-responder가 최소한 10-20%가 된다고 생각한다.

② hyperpigmentation

레이저토닝시 레이저토닝 자체로 인한 자극이나, 병행한 치료로 인한 자극, 기타 악화요인으로 기미가 악화되는 경우이다. 이런 경우에는 최소한 한달 정도는 레이저 등을 이용한 자극적인 치료를 중단하고, 멜라닌세포를 진정시킬 수 있는 치료를 하면서 기다린 후 조심스럽게 다시 레이저 토닝을 시도하는 것이 좋다.

③ guttate hypomelanosis

초기에 레이저 토닝의 강도가 지금보다 강하게 하던 시절 심지어 탈색소반의 확률이 30%나 된다는 보고도 있었다. 그러나 이런 보고를 면밀히 살피면 fluence가 3.0J/cm를 넘는 치료를 한 것을 알 수 있다. 최근 한국에서는 점점 fluence를 약하게 한 치료를 많이 하는데 이렇게 2.5J/cm² 이하의 fluence를 이용한 경우 탈색소반의 확률은 높지 않다(그림 6-6). 탈색소반이 처음 발견되면 일단 fluence를 더 높이지 말아야하며, 좀 더 안전한 fluence로 약하게 레이저토닝을 하는 것이 좋다. 처음 탈색소반이 발견된 부분을 조직검사해 보면 아직 멜라닌세포가 살아있음을 알 수 있다. 그래서, 더 이상 손상을 주지 않고 기다리면 보통 탈색소반은 회복될 수 있는데, 계속 강한 레이저 토닝으로 멜라닌세포의 손상이 지속되면 영구히 탈색소반이 형성될 것이다.

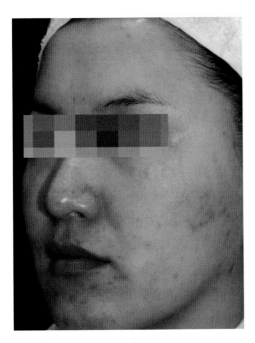

그림 6-6. 기미의 레이저 토닝 후 발생한 guttate hypomelanosis

2.5J/cm2이하의 플루언스에서 259 명의 기미환자를 치료하여 3명에서 저색소증이 발생하였다. 이는 약 1.6%에 해당한다. (J Eur Acad Dermatol Venereol. 2009 Aug;23(8):960-2.)

다) 프랙셔널 레이저 토닝(그림 6-7)

레이저 토닝의 non-repsonder가 있다고 했는데, 그런 경우 어떻게 하면 좋을까? 프랙셔널 레이저 토닝이 나오기 전에는 이에 대한 답이 궁했다. 필자는 지금 레이저 토닝으로 효과가 없는 경우 프랙셔널 레이저 토닝을 실시한다. 레이저 토닝이 효과가 없는데, non-responder의 개념이 없으면 더 강하게 치료하게 된다고 했다. 그런데 더 강한 치료는 부작용이 일어날 가능성이 커진다. 그런데 프랙셔널 레이저 토닝을 하면서 fluence를 올리면 일반 레이저 토닝과 달리 강한 fluence로 치료한 바로 주변의 피부가 보존되어 있으므로 자극이 적게 되고 빨리 회복되어 염증반응이 적어서 rebound가 없기를 기대하는 치료이다. 필자는 레이저 토닝은 Q-스위치 엔디야그(1064nm) 레이저로 2.0J/cm² 이하로 하는데 프랙셔널 레이저 토닝은 Q-스위치 엔디야그(1064nm) 레이저로 4.0J/cm² 이하로 하고 있다.

라) 듀플렉스 펄스 레이저 토닝(그림 6-8)

레블라이트(HOYA의 Q-스위치 엔디야그 레이저)가 TPT(photoacoustic therapy pulse)라고 소개하면서 duplex pulse 레이저 토닝 방법을 도입하였다. 이에 대한 명칭이 어떠하든 요점은 10hz 정도로 2.0J/cm²의 샷을 하던 방법을 변경하여, 10hz로 duplex pulse를 발사하면 duplex pulse의 간격은 약 50~80μsec이 되고, 1초 동안에는 20번의 샷이 발사된다.

3.0J/cm² PTP on이라하면 듀플렉스펄스 레이저 토닝을 의미하고, duplex pusle의 합이 3.0J/cm²이고 하나의 subpulse는 1.5J/cm²이다. 3.0J/cm² PTP off 라고 하면 single pulse로 나오고 하나의

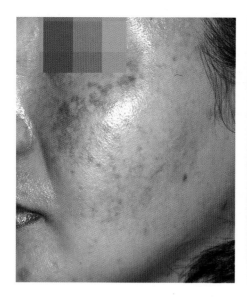
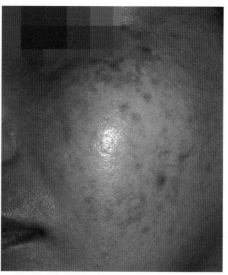

그림 6-7. 프랙셔널 레이저 토닝 치료 전후

Rich-PTP™ for Subcellular Selective Photothermolysis

- Rich-PTP™
  - Rich-PTP™ can deliver High pulse energy at 1.6J (per duplex shot).
  - TRI-BEAM use 20Hz Practically 40Hz d/t Dual pulse.
  - Rich-PTP™ delivery system has the ability to produce a mild collateral thermal damage by 2 pulse low peak energy.
    * It minimizes Hyperpigmentation / Hypopigmentaion / Pain
  - Photothermal effect with TRI-BEAM stimulate collagen remodeling.

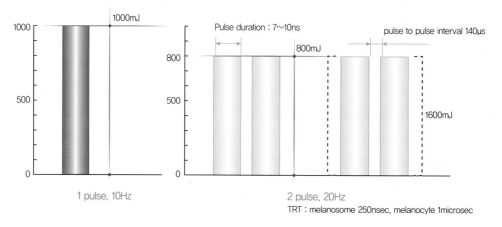

그림 6-8. duplex pulse 레이저 토닝(Tri-beam의 Rich-PTP의 설명)

pulse가 3.0J/cm²라는 의미이다. 두 subpulse사이의 50~80μsec의 delay time동안 멜라닌세포가 충분히(멜라닌세포의 TRT는 1μsec) 식어, 원래 레이저 토닝의 목적인 멜라노좀을 파괴하고 멜라닌 세포는 보존하는 원리에 충실한 치료라고 할 수 있다. 결국, 기존의 토닝레이저 시술(Single pulse)에 사용했던 Fluence를 둘로 나누어서 에너지가 방출되어 target에 가해지는 총 에너지는 single pulse와 duplex pulse는 동일하지만, 에너지를 둘로 나누어서 나가기 때문에 통증과 부작용면에서는 duplex pulse가 유리하다.

필자는 duplex pulse 치료 시 각각의 subpulse가 멜라노좀을 파괴할 수 있는 fluence는 되어야한다고 생각해서 보통 3.0J/cm PTP on 방법으로 시작한다. 즉, 하나의 subpulse는 1.5J/cm²이고 이는 오랜 경험으로 레이저토닝의 효과가 있는 fluence이다. 즉, 1.5J/cm²에서는 멜라노좀의 파괴가 일어난다. 이렇게 시작해서 강도를 올려갈 수 있는데, 특히 색소침착의 치료에서는 빠른 치료속도를 해서 강도를 올리는 경우가 많다. 결국 치료가 될 것으로 예정된 색소침착의 경우 기미치료와 달리 rebound의 가능성이 별로 없어서 빠른 치료가 유리하다.

그러면 duplex pulse가 아니라도 Hz만 높이면 비슷한 효과가 있을지 의문이 발생한다. 다시 말해 PTP on 3.0J/cm² 10hz는 PTP off 1.5J/cm² sinlge pulse 20Hz와 거의 같은 치료일 수 있다. 이에 대해 장 등의 연구에 따르면 1.5J/cm² 10hz의 치료에서 3.0J/cm² PTP on 10hz로 올라가는 것이, 3.0J/cm² PTP off sinlge pulse 10hz로 올라가는 것보다 유리하다는 연구결과가 있다(그림 6-9). 이 연구가 위 질문의 직접 답은 아니나, 앞으로 duplex pulse 레이저 토닝에 대한 더 많은 관심이 필요함을 시사하고 있다.

마) 듀얼 토닝

듀얼 토닝이라 함은 아직 정확히 정의 되어있지 않다. 말뜻대로는 한 가지가 아니고 한 가지 더 동원해서 두 가지 방법으로 한다는 뜻이다. 레이저 토닝의 제한점을 깨달은 후 주로 레이저 토닝으로 인해 더 색소침착이 된 악화된 경우에 마땅한 방법이 없던 차에 기존의 나노초 단위의 Q-스위치 레이저가 아닌 멜라닌색소에 흡수되는 파장을 가진 길 펄스시간의 레이저로 기미를 치료하여 더 gentle 하게 기미가 호전되는 현상을 발견하고 듀얼 토닝이라고 불렀다.

원리적으로 보면 Q-스위치가 아니어서 멜라노좀의 파괴가 일어나지 않게 되고, 멜라노좀을 통해서 흡수된 빛에너지가 열로 변하여 주변피부 즉, 표피에 전달되어 표피의 변화를 유도하여 기미가 좋아지게 된다. 가만히 들어보면 이것이 바로 IPL의 기미치료원리이다. 결국 IPL이나 듀얼 토닝에 사용한다는 긴 펄스시간 레이저가 모두 ms의 펄스시간을 가지므로 당연한 결과라고 할 수 있다. 최초에는 듀얼 토닝으로 long pulse 1064nm를 주로 언급하였고, 현재 long pulse 755nm도 포함하여 지칭하고 있다.

그런데 genesis 테크닉이 원래 알려져 있었는데, 이는 0.4ms 펄스시간을 가지는 1064nm 파장의 레이저를 이용한 브러싱 테크닉으로 많은 샷을 피부에 가하면, 전반적인 진피자극이 되고, 콜라겐 리모델링을 통해 리주버네이션이 된다는 치료이다. 이 genesis 치료는 밀리초 단위의 펄스시간을 가지는 long pulse 1064nm 레이저와 진피 리주버네이션 효과에 대해서 비교연구가 있을 정도로 오랫동안 알려진 치료이다. 그런데, 바로 이 genesis 테크닉으로 듀얼 토닝을 하면 기미가 호전됨이 알려지면서,

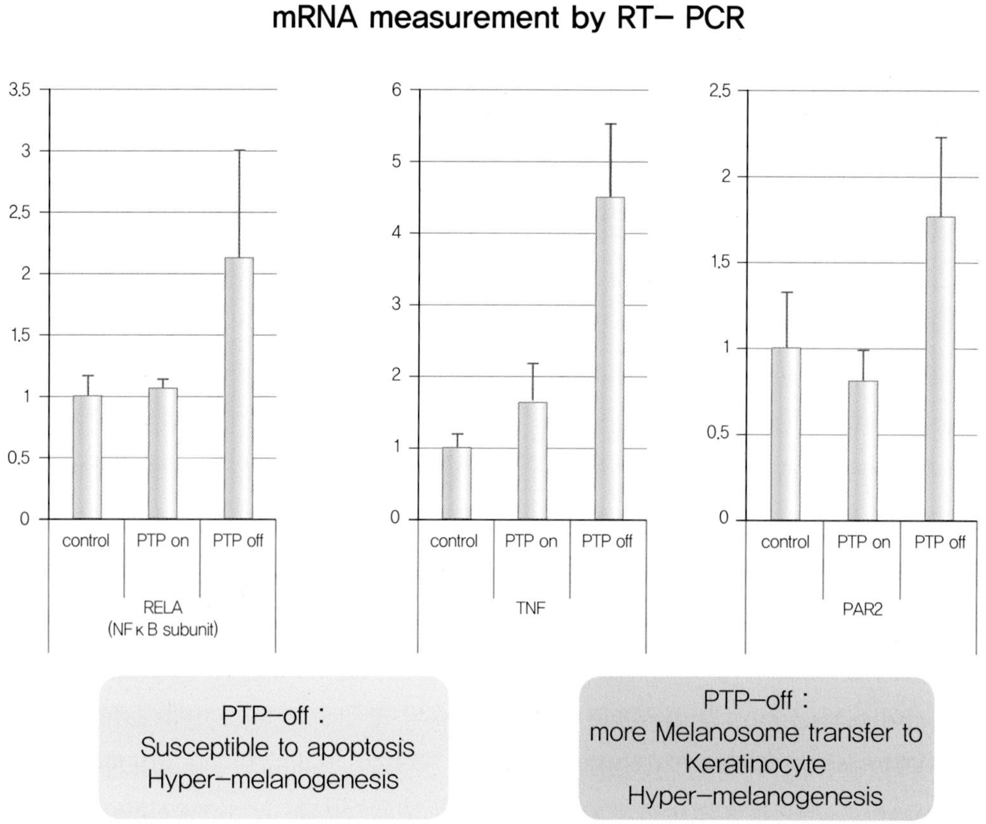
mRNA measurement by RT- PCR
3.5
3
2.5
2
1.5
1
0.5
0
control
PTP on
PTP off
RELA
(NF κ B subunit)
6
5
4
3
2
1
0
control
PTP on
PTP off
TNF
2.5
2
1.5
1
0.5
0
control
PTP on
PTP off
PAR2
PTP-off :
Susceptible to apoptosis
Hyper-melanogenesis
PTP-off :
more Melanosome transfer to
Keratinocyte
Hyper-melanogenesis

그림 6-9. PTP-on과 PTP-off 모드의 비교

PTP-off 모드에서는 PAR-2가 증가하는데, 이는 멜라닌세포에서 각질형성세포로의 멜라노좀의 이동을 도와주므로 기미 치료에 불리하다. 또한 PAR-2의 증가는 각질형성세포에서 Prostglandin 등 멜라닌세포에서 멜라닌합성을 자극하는 인자를 생성하게 하여 기미치료에 불리하다.

PTP-off 모드에서는 TNF와 NFkB가 증가하는데 이는 멜라닌세포의 아폽토시스를 조장하여 레이저 토닝의 원리인 멜라닌세포의 사멸을 유도하지 않는다는 원리에 적절하지 않다. 또한 PTP-off 모드에서 증가하는 TNF는 멜라닌세포에서 멜라닌합성을 유도하므로 기미치료에서 불리하다.(아산병원, 장성은 교수 제공)

기존의 듀얼토닝에 이용되던 밀리초 단위의 펄스시간을 가지는 레이저치료도 표피의 변화에 의해 기미가 좋아지는 것인지, 진피의 변화에 의해 기미가 좋아지는 것인지 양쪽 다 기여하는 것인지 좀더 연구될 필요가 생겼다. 더구나 genesis 방법은, long pulse 755nm, long pulse1064nm 레이저가 없어도, 기존의 Q-스위치 엔디야그 레이저에서 쉽게 구현이 되므로, 이 방법으로 듀얼토닝이 가능하다.

뿐만 아니라, 진피의 환경변화가 기미의 호전으로 연결될 수 있다면, 기존의 NAR(비박피성 리주버네이션)치료인 아라미스, 스무드빔, 쿨터치뿐만 아니라 써마지 등의 치료도 진피변화를 유도하여 기미가 호전될 가능성이 열려있다고 하겠으며, 이런 치료를 듀얼토닝으로 불러야할지도 결정되어야 하겠다.

바) IPL

IPL을 이용한 기미의 치료는 레이저 토닝보다 먼

저 시작되었다. 당시로서는 고전적 레이저치료만 하는 시절에 IPL로 기미를 치료한다는 것이 쉽게 받아들여지지 않았다. 레이저로도 되지 않는 기미치료가 어떻게 IPL이라고 좋아질 수 있을까 하는 의문이 팽배했다. 당시에 IPL을 이용한 기미치료는 레이저 치료와 달리 딱지 지고 떨어지는 강한 치료가 아니고 약하게 여러 번하고 미백관리와 병행하면 미백관리 단독보다 현저히 좋은 효과가 있다고 주장하였다. 당시의 가장 중요한 포인트는 치료의 end point가 mild erythema라고 주장하였는데 이것이 직접 옆에서 본 것이 아니라서 시술자마다 큰 차이가 있었다. 모두 IPL을 이용한다고 하지만 같은 IPL이 아니어서 엔디야그 레이저에서 몇 J/cm²로 한다는 것처럼 간단히 서로 파라미터를 교환하는 것이 불가능하여 mild erythema라는 치료의 end point가 자리잡기까지 시간이 오래 걸렸다. 결국은 IPL로 가볍게 여러 번 치료하면 기미치료에 큰 도움이 된다는 것이 사실로 자리 잡을 즈음, 레이저로도 약하게 여러 번 치료하면 기미치료에 효과적이

라는 것이 알려지고 레이저 토닝으로 알려지게 되었다. 지금도 필자는 기미치료 시 IPL로 1회 치료 후 레이저 토닝을 연결하는 것을 선호한다. IPL과 레이저 토닝은 치료원리가 달라서 보완적인 면이 있고, 기미환자는 대부분 다른 잡티 등 색소질환이 동반되어있어서 이런 병변은 레이저 토닝보다 IPL이 더 효과가 좋기 때문에, 한번 IPL을 한 후에 레이저 토닝을 하면 환자 만족도가 좋다(그림 6-10).

사) Multi-subpulse IPL

레이저 토닝이 PTP 방법을 소개하면서 IPL도 multiple subpulse를 이용한 치료방법이 소개되었다. 레이저 토닝과 IPL의 치료원리는 다르다고 생각하는데, IPL에서는 멜라노좀을 통하여 표피로 열이 전달되고 이 열자극에 의해서 표피가 변화되는 것이 기미치료에 효과를 발휘할 것으로 기대되고 있다. 즉, 표피의 변화로 표피의 turn over가 증가하여 표피의 멜라닌색소량이 줄어들어서 표피가 밝아

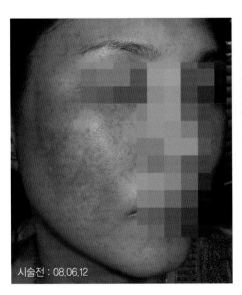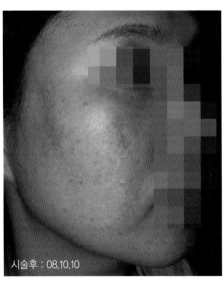

시술전 : 08.06.12   시술후 : 08.10.10

그림 6-10. 기미를 IPL로 치료한 경우

진다는 것이다. 이런 관점에서 보면 IPL의 효과는 표피에 어떻게 열이 발생하고 유지되는지 그 요소에 의해서 좌우된다. 열자극 혹은 열손상이라고 할 때는 타겟의 온도와 그 온도가 유지된 시간이 중요한 요소이다(그림 6-11).

그러면 그림 6-12에서 multiple subpulse를 이용한 IPL을 살펴보자. 붉은 선은 multiple subpule를 이용한 IPL이고 검은 선은 통상적인 IPL이다. 그래프의 아래쪽의 사각형들은 에너지가 전달된 방식인데, 두 방법에서 2ms에 전달된 J/cm²은 같다는 것

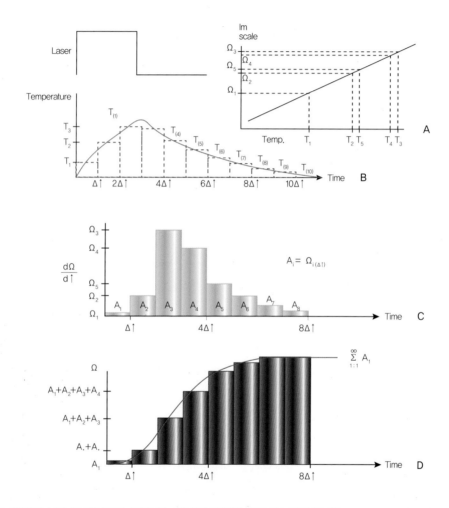

그림 6-11. 레이저나 IPL의 에너지가 전달되는 과정과 피부의 온도상승과의 관계(Laser surg Med. 2003;32(2):160-70.)
빛이 전달되는 동안 빛을 흡수한 조직의 온도가 상승하나, 빛의 전달이 끝나는 순간부터 조직의 온도는 감소하기 시작한다. 조직의 손상은 온도상승의 정도와 지속된 시간과 관계가 있다.
A) Each tissue has a curve showing the thermal damage as a function of temperature.
B) Rise in tissue temperature. At the end of the laser pulse, the temperature decreases.
C) Thanks to the curve in figure 1, resulting damage can be linked to temperature. The higher the temperature, the larger the damage.
D) The final damage is the sum of damage obtained at each different temperature. It can be seen that the greater damage is produced after the laser pulse has been fired.

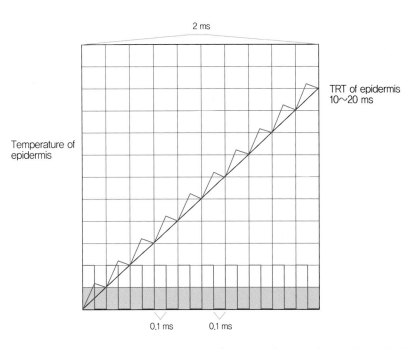

그림 6-12. Multi-subpulse IPL과 single pulse IPL(통상의 IPL) 치료 시 표피 온도 상승의 그래프

검정색 : single pulse IPL, 붉은색: Multi-subpulse IPL

을 알 수 있다. 붉은 선에서는 이것을 10번에 나누어서 전달하고, 검은 선에서는 2ms 동안 같은 watt로 전달하였다. 검은 선을 보면 2ms의 시간이 지나면서 우상방으로 가면서 표피의 온도가 꾸준히 상승한 것을 볼 수 있다. 그런데 붉은 선처럼 에너지를 전달하면, subpulse 중의 한 개가 전달되는 동안 표피의 온도는 상승한다. 그런데 그 상승속도는 검은 선보다 빠르다. 왜냐하면 짧은 시간에 더 많은 에너지가 전달되었기 때문이다. 그런데 multiple subpulse를 이용한 경우 첫 번째 subpulse가 전달된 이후 잠시 delay시간 동안에 표피의 온도가 식게 된다. 그런데 표피의 TRT는 10-20ms이고 쉬는 시간은 0.1ms이므로 많이 식기 전에 두 번째 pulse가 발사된다. 그러면 다시 표피의 온도는 상승하여 붉은 선을 따라서 온도가 올라가게 된다. 결국 2ms가 지난 시점에서 비교해보면 붉은 선과 검은 선에

의해서 만들어진 표피의 온도변화는 큰 차이가 없다. 이렇게 비슷한 표피온도 프로파일을 보이므로 비슷한 조직반응이 기대되고, 통상적인 IPL을 이용한 기미치료와 multiple subpulse를 이용한 기미치료는 별 차이가 없어 보인다. 그런데 cut off filter를 이중으로 사용한 IPL이 I2PL 혼자만은 아닌데 이것이 상표명으로 등록되고 마케팅에 성공했듯이, multiple subpulse도 항간에 선풍적인 인기를 모았다. 필자도 multiple subpulse를 이용한 기미치료의 파라미터를 정립하는 오랫동안 multiple subpulse를 이용하였으나 현재는 과거의 고전적인 IPL 파라미터로 기미를 치료하고 있다.

아) 프랙셔널 레이저

프랙셔널 레이저로 기미를 치료한다는 것은 프랙

셔널 레이저의 시초인 프락셀로부터 시작한다. 프락셀을 이용하여 피부를 치료한 후 조직학적 검사를 시행해서 밝혀진 바로는 fractional photo-thermolysis의 치료 중 발생하는 micro epidermal necrotic debris(MEND)가 만들어지고 배출되어가는 과정 중 각질형성세포내의 멜라닌색소와 멜라닌세포내의 멜라닌색소 등이 같이 제거되는 현상이 나타나고 이를 "melanin shuttle"이라 하였다. 즉 "melanin shuttle"작용을 통해 일부 멜라닌색소가 제거되므로 기미 치료에 효과가 있다는 것이 바로 프락셀 레이저를 기미 치료에 적용할 수 있다는 이론적 배경이다. 이 이론을 놓고 볼 때 기미의 치료 방법으로 많이 알려진 IPL의 치료 기전과는 좀 다른 것을 알 수 있을 것이다. 프락셀이 최초 소개되던 때부터 melanin shuttle을 이용한 색소질환치료도 같이 주장되었고, 서양에서는 기미치료에 프랙셔널 레이저의 치료효과가 꾸준히 반복되어 보고되었다. 하지만, 한국인의 피부에서는 재현성이 없었고, 한두 번 치료로 호전되는 경우에도 반복

사용하면 결국 기미가 악화되는 경험을 하였고, 원 등이 이를 보고하였다(그림 6-13).

그런데 최근 튤리움 레이저를 이용한 프랙셔널 치료는 비교적 확실한 표피와 진피상부의 열변성에 비해서, 각질층은 보존되는 1927nm 파장의 특징으로 인해 기미치료에서 좋은 효과를 경험하였다는 보고가 있으나, 이를 확인하기 위해서는 장기간의 추적관찰이 필요하다고 본다.

자) 옐로우 레이저

옐로우 레이저는 511nm와 577nm 파장을 가지고 있는데, 기미의 치료를 위해서 577nm를 이용한 옐로우 토닝이라는 기법을 이용한다. 이와 관련하여 강 등이 발표한 "The vascular characteristics of melasma"가 자주 인용되고 있다. 옐로우 레이저는 확장된 혈관을 치료함으로써 기미를 치료한다고 하면서 이 논문을 언급하고 있다. 필자는 처음부터 이런 관점에는 아직 증거가 불충분하고, 옐

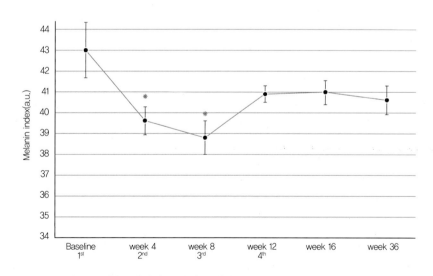

그림 6-13 한국인에서 프랙셔널 레이저로 기미치료 후 색소변화의 추이
평균적으로 3회 치료 시까지 색소의 감소를 보이나 이후에는 더 치료하여도 색소가 오히려 증가한다(Dermatol Surg. 2009 Oct;35(10):1499-504.).

로우 레이저도 당연히 멜라닌색소에 흡수되는 파장을 발사하므로 멜라닌색소에 흡수되어서 레이저 토닝의 효과가 있는 것이지 혈관치료의 효과는 아닐 것이라고 생각했다.

언급한 강등의 논문을 보면 "기미병변에서 혈관확장이 자주 발견되며, 이때 keratinocyte에는 VEGF 발현이 높으며, 멜라닌세포는 VEGF 수용체를 가지고 있으므로, 기미에서 VEGF가 역할을 할 가능성도 있다. 기미 병변에서 혈관확장은 keratinocyte 유래의 VEGF가 역할을 할 것으로 생각한다. 혈관내피세포에서 생산되는 여러 cytokine 등이 멜라닌세포에서 멜라닌합성을 자극할 가능성이 있다." 라고 적혀있다. 그런데 이런 내용만으로 바로 기미에서 혈관을 없애는 치료로 기미치료가 가능하다 또는 크게 도움이 된다고 바로 주장하기에는 근거가 부족하다. 일부에서는 옐로우 레이저 치료로 VEGF가 감소해서 기미가 좋아진다고 주장하는데 필자는 이런 주장이 근거가 없다고 본다. 그 이유는,

a) VEGF를 생산하는 것은 keratinocyte이지 혈관이 아니다. 고로 혈관을 없애는 것이 VEGF를 감소시키는데 도움이 안된다. VEGF 생산을 촉진하는 유발인자 중 가장 강력한 것은 저산소증이다. 혈관을 없애서 산소공급이 줄면 오히려 keratinocyte로부터 생산되는 VEGF가 증가할 우려가 있다.

b) 멜라닌세포에 VEGF 수용체가 있다는 것은 in-vitro 연구이지 in-vivo 연구가 없다.

c) 멜라닌세포에 VEGF 수용체가 있다는 것만 in-vitro 연구에서 밝혀졌으나, 이것이 곧 멜라닌색소의 생산과 관계있다는 증거 또는 연구가 전혀 없다.

d) VEGF가 AA(Arachidonic acid) 생산을 유발하여 염증반응을 심화시키고 간접적으로 멜라닌색소 생산을 유발할 수 있다고 설명하기도 하지만, VEGF에 의해서 AA가 생산된다는 것은 혈관내피세포에서의 연구결과이지 표피세포나 멜라닌세포에서 연구되지 않았다.

e) 혈관내피세포에서 유래하는 여러 cytokine 등이 멜라닌세포를 자극할 가능성이 있지만, 구체적으로 연구 보고된 바가 없다. 참조로 기미에서는 섬유아세포에서 생산되는 SCF가 증가하고 표피에서는 c-kit이 증가한 조직연구 보고가 있다.

그런데, 최근에 기미병변에서 동반된 혈관확장이 치료로 개선된 후 기미도 같이 호전되었다는 보고가 있다. 그렇다면 아직 5번의 가능성은 열려있는데 기미치료에서 확장된 혈관치료의 연관성은 더 연구할 필요가 있고, 현재로서는 연관성을 단정적으로 말하기 어렵다.

V. 기미 치료의 요약

1. 원인제거

기미의 원인이 있다면 원인을 제거하도록 노력한다. 먹는 피임약 등이 대표적인 경우이다. 스트레스를 피한다.

2. 자외선 차단

자외선을 차단하는 것은 기미치료의 기본이다. 자외선차단 시에 자외선 A가 차단되는 제품을 사용하도록 해야 한다. 자외선 A는 화상을 입히지는 않지만 색소침착을 일으키므로 기미예방을 위해서 자외선 A까지 차단되는 고급 썬크림을 사용해야 한다.

자외선 차단제의 사용법은 자외선과 피부노화 부분을 참고하면 된다.

3. 국소도포제의 사용

하이드로퀴논 등의 미백제와, 레티노익산, AHA와 같은 박피제를 바르면서 기미를 치료하기 위해 집에서 바를 수 있는 미백제가 많이 있다. 약으로 처방되는 것도 있고, 화장품에 포함된 것도 있다. 멜라닌 세포에서 멜라닌을 많이 생산하지 못하게 억제하는 역할을 한다. 산화되어서 검은 멜라닌을 옅게 하는 작용도 한다.

4. 복용약

항산화제나 pheomelanin을 유도하는 약을 복용하는 것이 효과적이다. 그 외에 도란자민이 경험적으로 기미치료에 많이 이용된다. 도란자민은 plasmin inhibitor인데, 이는 혈관세포에서 유래하여 표피의 각질형성세포를 자극하여 멜라닌합성을 자극하는 plasminogen을 방해하여 표피각질형성세포와의 연락을 방해하고, 결과적으로 각질형성세포에서 생산되는 prostaglandin 생산을 억제하여 멜라닌합성 억제효과가 있다. 도란자민 1일 복용량은 750mg에서 1,000mg 정도이다.

5. 미백관리(이온토포레시스)

미백제의 사용으로 큰 효과를 보지 못하는 경우도 많은데 이때 병원에서 비타민 C를 전기로 피부에 많이 침투시키는 치료를 한다. 비타민 C의 미백효과를 최대로 이용할 수 있다. 바르는 경우보다 훨씬 많은 비타민 C가 피부에 침투하게 된다. 이 사항과 관련하여 비타민 C 부분을 참조하길 바란다.

6. 박피

미백치료로도 원하는 만큼의 효과를 보지 못하거나, 처음부터 빨리 치료하기 원하는 경우에는 박피를 먼저 할 수 있다. 다만 박피로 색소가 옅어진 후에는 이를 유지하기 위하여 비타민 C 이온토포레시스를 꼭 하기를 권한다. 박피를 하면 색소가 많이 제거되고, 박피 후 피부가 빨리 재생하는 과정에서 표피세포 내에서 멜라닌색소의 양이 줄어들게 된다. 이런 이유로 박피후 색소가 옅어지는데, 이후 아무런 처치 없이 시간이 지나면 다시 색소가 침착되므로, 박피 후에 바로 미백치료를 하면 좋은 효과를 볼 수 있다. 이런 목적의 박피는 해초박피가 많이 이용된다.

빠른 시간 내 효과를 보고 싶거나, 기미가 심해서 위의 방법으로 별로 좋아지지 않으면 해초박피 또는 화학박피를 시술한다. 이런 박피는 각질이 많이 벗겨지는 박피부터 일상생활에 전혀 지장이 없는 박피까지 있으므로 그 중에서 선택하게 된다. 그런데 이런 시술은 시술 후 미백관리 등으로 지속적인 관리가 가능할 때 권하며, 박피만 하고 다른 치료를 할 여력이 없다면 권하지 않는다.

7. Q-스위치 레이저를 이용한 레이저 토닝이나 IPL

박피를 하면 허물이 벗겨지는데 이것을 싫어하는 경우도 있다. 레이저나 IPL로 치료하면 허물이 벗겨지지는 않고 색소부위가 진해졌다가 떨어지면서 치료효과를 보인다. 이 경우도 치료 후 미백치료를 연이어 해야 치료의 효과를 유지하게 된다.

IPL 치료를 하면 멜라노좀이 파괴되지는 않으나 멜라노좀을 통해 IPL을 빛을 흡수한 후 표피 전체가 열자극을 받게 되고, 이것이 유리하게 작용하여 표피의 turn over가 증가하여 기미가 옅어진다고 생각된다. 흔히 기미와 같이 잡티 등 다른 색소질환이 병발하므로 IPL로 치료 후 바로 레이저 토닝으로 연속 치료하는 것이 효과적이다. 레이저 토닝은 멜라노좀을 파괴하나, 멜라닌세포는 사멸시키지 않는 원리로 기미가 옅어지게 한다. IPL과 레이저 토닝도 시술 후 미백관리 등으로 지속적인 관리가 가능할 때 권하며, IPL이나 레이저 토닝만 하고 다른 치료를 하지 않으면 효과가 감소한다.

◀ 참고문헌

1. Alena F, Dixon W, Thomas P, et al. Glutathione plays a key role in the depigmenting and melanocytotoxic action of N-acetyl-4-S-cysteaminylphenol in black and yellow hair follicles. J Invest Dermatol 1995;104:792-797.

2. Amer M, Metwalli M. Topical liquiritin improves melasma. Int J Dermatol. 2000 Apr;39(4):299-301.

3. Benathan M, Alvero-Jackson H, Mooy AM, Scaletta C, Frenk E. Relationship between melanogenesis, glutathione levels and melphalan toxicity in human melanoma cells. Melanoma Res. 1992 Dec;2(5-6):305-14.

4. Benathan M, Labidi F. Cysteine-dependent 5-S-cysteinyldopa formation and its regulation by glutathione in normal epidermal melanocytes. Arch Dermatol Res. 1996 Oct;288(11):697-702.

5. Benathan M, Labidi F. Cysteine-dependent 5-S-cysteinyldopa formation and its regulation by glutathione in normal epidermal melanocytes. Arch Dermatol Res. 1996 Oct;288(11):697-702.

6. Benathan M, Virador V, Furumura M, Kobayashi N, Panizzon RG, Hearing VJ. Co-regulation of melanin precursors and tyrosinase in human pigment cells: roles of cysteine and glutathione. Cell Mol Biol (Noisy-le-grand). 1999 Nov;45(7):981-90.

7. Bern B, Ros AM. 7 years' experience of photopatch testing with sunscreen allergens in Sweden. Contact Dermatitis 1998;31:61-64.

8. Bleehen SS. The Treatment of hypermelanosis with 4-iso-propylcatechol. Br J Dermatol 1976;94:687-694.

9. Brody HJ. Chemical Peeling. St Louis: Mosby Yearbook, 1992.

10. Cho SB, Kim JS, Kim MJ. Melasma treatment in Korean women using a 1064-nm Q-switched Nd:YAG laser with low pulse energy. Clin Exp Dermatol 2009;34:847-850

11. del Marmol V, Ito S, Bouchard B, Libert A, Wakamatsu K, Ghanem G, Solano F. Cysteine deprivation promotes eumelanogenesis in human melanoma cells. J Invest Dermatol. 1996 Nov;107(5):698-702.

12. del Marmol V, Ito S, Bouchard B, Libert A, Wakamatsu K, Ghanem G, Solano F. Cysteine deprivation promotes eumelanogenesis in human melanoma cells. J Invest Dermatol. 1996 Nov;107(5):698-702.

13. Duval C, Poelman MC. Scavenger effect of vitamin E and derivatives on free radicals generated by photoirradiated pheomelanin. J Pharm Sci. 1995 Jan;84(1):107-10.

14. Eberlein-Konig B, Placzek M, Przybilla B. Protective effect against sunburn of combined systemic ascorbic acid(vitamin C) and d-a-

tocopherol(vitamin E). J AM Acad Dermatol 1998;38:45-48.

15. Fitzpatrick TB, Eisen AZ, Wolff K, et al. Dermatology in Internal Medicine, 4th edn. New York: McGraw-Hill, 1993.

16. Fox C. OTC skin care products. Cosmet Toil 1996;111:105-128.

17. Gilchrest BA, Fritzpatrick TB, Anderson RR, et al. Localization of melanin pigmentation in the skin with Wood's lamp. Br J Dermatol 1977;96:245-248.

18. Griffiths CEM, Finkel LJ, Ditre CM, et al. Topical tretinonin (retinoic acid) improves melasma. A vehicle-controlled clinical trial. Br J Dermatol 1993;129:415-421.

19. Grimes PE. Melasma. Etiologic and therapeutic considerations. Arch Dermatol 1995;131:1453-1457.

20. Guevara IL, Pandya AG. Melasma treated with hydroquinone, tretinoin, and a fluorinated steroid. Int J Dermatol. 2001 Mar;40(3):212-5.

21. Guzzo C, Lazarus GS, Werth VP. Dermatological pharmacology. In: Hardman JG, Limbird LE, eds. Goodman ψ Gilman's The Pharmacological Basis of Therapeutics. New York: McGraw-Hill, 1996:1612.

22. Hughes BR. Melasma occurring in twin sisters. J Am Acad Dermatol. 1987 Nov;17(5 Pt 1):841. N

23. Hurley ME, Guevara IL, Gonzales RM, Pandya AG. Efficacy of glycolic acid peels in the treatment of melasma. Arch Dermatol. 2002 Dec;138(12):1578-82.

24. Ichihashi M, Funasaka Y, Ohashi A, Chacraborty A, Ahmed NU, Ueda M, Osawa T. The inhibitory effect of DL-alpha-tocopheryl ferulate in lecithin on melanogenesis. Anticancer Res. 1999 Sep-Oct;19(5A):3769-74.

25. Im S, Kim J, On WY, Kang WH. Increased expression of alpha-melanocyte-stimulating hormone in the lesional skin of melasma. Br J Dermatol 2002;146:165-167.

26. Imokawa G. Autocrine and paracrine regulation of melanocytes in human skin and in pigmentary disorders. Pigment Cell Res 2004;17:96-110.

27. Javaheri SM, Handa S, Kaur I, Kumar B. Safety and efficacy of glycolic acid facial peel in Indian women with melasma. Int J Dermatol. 2001 May;40(5):354-7.

28. Jee SH, Lee SY, Chiu HC, Chang CC, Chen TJ. Effects of estrogen and estrogen receptor in normal human melanocytes. Biochem Biophys Res Commun 1994;199:1407-1412.

29. Jeong SY, Chang SE, Back H, Choi J, Kim IH. New melasma treatment by collimated low fluence Q-switched Nd:YAG laser. Korean J Dermatol 2008;46:1163-1170.

30. Jimbow K. N-Acetyl-4-S-cysteaminylphenol as a new type of depigmenting agent for the treatment of patients with melasma. Arch Dermatol 1991;127:1528-1534.

31. Jimbow M, Marusyk H, Jimbow K. The in vivo melanocytotoxicity and depigmenting potency of N-2,4-acetophenyl thioethyl acetamide in the skin and hair. Br J Dermatol 1995;133:532-536.

32. Kameyama K, Sakai C, Kondoh S, et al. Inhibitory effect of magnesium-L-ascorbyl-2-phosphate(VC-PMG) on melanogenesis in vitro and in vivo. J Am Acad Dermatol 1996;34:29-33.

33. Kang HY, Valerio L, Bahadoran P, Ortonne JP. The role of topical retinoids in the treatment of pigmentary disorders: an evidence-based review. Am J Clin Dermatol. 2009;10:251-260.

34. Kato H, Araki J, Eto H, Doi K, Hirai R, Kuno S, Higashino T, Yoshimura K. A prospective randomized controlled study of oral tranexamic acid for preventing postinflammatory hyperpigmentation after Q-switched ruby laser. Dermatol Surg. 2011 May;37(5):605-10.

35. Kim JH, Kim H, Park HC, Kim IH. Subcellular selective photothermolysis of melanosomes in adult zebrafish skin following 1064-nm Q-switched Nd:YAG laser irradiation. J Invest Dermatol. 2010 Sep;130(9):2333-5.

36. Kim MJ, Kim JS, Cho SB. Punctate leucoderma after melasma treatment using 1064-nm Q-switched Nd:YAG laser with low pulse energy. J Eur Acad Dermatol Venereol. 2009 Aug;23(8):960-2.

37. Kim MJ, Kim JS, Cho SB. Punctate leucoderma after melasma treatment using 1064-nm Q-switched Nd:YAG laser with low pulse energy. J Eur Acad Dermatol Venereol 2009;23:960-962.

38. Kimbrough-Green CK, Griffiths CEM, Finkel LF, et al. Topical retinoic acid (tretinoin) for melasma

in black patients. A vehicle−controlled clinical trial. Arch Dermatol 1994;130:727−733.

39. Kippenberger S, Loitsch S, Solano F, Bernd A, Kaufmann R. Quantification of tyrosinase, TRP−1, and Trp−2 transcripts in human melanocytes by reverse transcriptase−competitive multiplex PCR−−regulation by steroid hormones. J Invest Dermatol 1998;110:364−367.

40. Kligman AM, Willis I. A new formula for depigmenting human skin. Arch Dermtol 1975;111:40−48.

41. Konishi N, Kawada A, Morimoto Y, Watake A, Matsuda H, Oiso N, Kawara S. New approach to the evaluation of skin color of pigmentary lesions using Skin Tone Color Scale. J Dermatol. 2007 Jul;34(7):441−6.

42. Kunachak S, Leelaudomlipi P, Wongwaisayawan S. Dermabrasion: a curative treatment for melasma. Aesthetic Plast Surg. 2001 Mar−Apr;25(2):114−7.

43. Kushikata N, Tezuka Y, Takeuchi K, Miyamoto E, Wakamatsu S. Study of the incidence and nature of "very subtle epidermal melasma" in relation to Intense Pulsed Light treatment. Dermatol Surg 2004;30:881−886.

44. Lawrence N, Cox SE, Brody HJ. Treatment of melasma with Jessner's solution versus glycolic acid: a comparison of clinical efficacy and evaluation of the predictive ability of Wood's light examination. J Am Acad Dermatol. 1997 Apr;36(4):589−93.

45. Lee HS, Won CH, Lee DH, An JS, Chang HW, Lee JH, et al. Treatment of melasma in Asian skin using a fractional 1,550−nm laser: an open clinical study. Dermatol Surg 2009;35:1499−1504.

46. Lee HS, Won CH, Lee DH, An JS, Chang HW, Lee JH, Kim KH, Cho S, Chung JH. Treatment of melasma in Asian skin using a fractional 1,550−nm laser: an open clinical study. Dermatol Surg. 2009 Oct;35(10):1499−504.

47. Lee JH, Park JG, Lim SH, Kim JY, Ahn KY, Kim MY, Park YM. Localized intradermal microinjection of tranexamic acid for treatment of melasma in Asian patients: a preliminary clinical trial. Dermatol Surg. 2006 May;32(5):626−31.

48. Lee Os, Kim EJ. Skin lightening. Cosmet Toil 1995;110:51−56.

49. Lerner AB, Fitzpatrick TB. Biochemistry of melanin formation. Physiol Rev 1950;30:91−126.

50. Lieberman R, Moy L. Estrogen receptor expression in melasma: results from facial skin of affected patients. J Drugs Dermatol 2008;7:463−465.

51. Lim JT. Treatment of melasma using kojic acid in a gel containing hydroquinone and glycolic acid. Dermatol Surg. 1999 Apr;25(4):282−4.

52. Lubell A. Controversies of pigmentation disorders discussed. Cos Dermatol 1993;6:32−34.

53. Manaloto RM, Alster T. Erbium:YAG laser resurfacing for refractory melasma. Dermatol Surg. 1999 Feb;25(2):121−3.

54. Mandry Pagan R, Sanchez JL. Mandibular melasma. P R Health Sci J. 2000 Sep;19(3):231−4.

55. Masuda M, Tejima T, Suzuki T, et al. Skin lighteners. Cosmet Toil 1996;111:65−77.

56. Moncada B, Sahagún−Sánchez LK, Torres−Alvarez B, Castanedo−Cázares JP, Martínez−Ramírez JD, González FJ. Photodermatol Photoimmunol Photomed 2009;25:159−160.

57. Moy LS, Murad H, Moy RL. Glycolic acid peels for the treatment of wrinkles and photoaging. J Dermatol Surg Oncol 1993;19:243−240.

58. Mun JY, Jeong SY, Kim JH, Han SS, Kim IH, A low fluence Q−switched Nd:YAG laser modifies the 3D structure of melanocyte and ultrastructure of melanosome by subcellular−selective photothermolysis. J Electron Microsc (Tokyo). 2011;60(1):11−8.

59. Nair X, Parab P, Suhr L, et al. Combination of 4−hydroxyanisole and all−trans retinoic acid produces synergistic skin depigmentation in swine. J Invest Dermatol 1993;101:145−149.

60. Nakayama H, Harade R, Toda M. Pigmented cosmetic derma 炎is. Int J Dermatol 1976;15:673.

61. Njoo MD, Menke HE, Pavel W, et al. N−Acetylcysteine as a bleaching agent in the treatment of melasma. J Eur Acad Derm Venereol 1997;9:86−87.

62. Nouri K, Bowes L, Chartier T, Romagosa R, Spencer J. Combination treatment of melasma with pulsed CO2 laser followed by Q−switched alexandrite laser: a pilot study. Dermatol Surg. 1999 Jun;25(6):494−7.

63. O'Brien TJ, Dyall−Smith D, Hall AP. Melasma of the arms associated with hormone replacement therapy. Br J Dermatol. 1999 Sep;141(3):592−3.

64. Oil-soluble Licorice Extract. Hiroshima: Maruzen Pharmaceuticals C., Ltd., 1994.

65. Ortonne JP, Arellano I, Berneburg M, Cestari T, Chan H, Grimes P, et al. A global survey of the role of ultraviolet radiation and hormonal influences in the development of melasma. J Eur Acad Dermatol Venereol 2009;23:1254-1262.

66. Ortonne JP, Passeron T. Melanin pigmentary disorders: treatment update. DermatolClin. Apr2005;23:209-226.

67. Oyehaug L, Plahte E, Vage DI, Omholt SW. The regulatory basis of melanogenic switching. J Theor Biol. 2002 Apr 21;215(4):449-68.

68. Pathak MA, Fritzpatrick TB, Kraus EW. Usefulness of retinoic acid in the treatment of melasma. J Am Acad Dermatol 1986;15:894-899.

69. Pavel S, Smit NP. Metabolic interference of melanogenesis in pigment cells. Sb Lek. 1996;97(1):29-39. Review.

70. Pavel S, Smit NP. Metabolic interference of melanogenesis in pigment cells. Sb Lek. 1996;97(1):29-39. Review.

71. Pérez M, Sánchez JL, Aguiló F. Endocrinologic profile of patients with idiopathic melasma. J Invest Dermatol 1983;81:543-545.

72. Perez M, Sanchez JL, Aguilo F. Endocrinologic profile of patients with idiopathic melasma. J Invest Dermatol. 1983 Dec;81(6):543-5.

73. Piamphongsant T. Chronic environmental arsenic poisoning. Int J Dermatol(in press).

74. Piamphongsant T. Treatment of melasma: a review with personal experience. Int J Dermatol. 1998 Dec;37(12):897-903.

75. Polnikorn N. Treatment of refractory dermal melasma with the MedLite C6 Q switched Nd:YAG laser: two case reports. J Cosmet Laser Ther 2008;10:167-173.

76. Potterf SB, Virador V, Wakamatsu K, Furumura M, Santis C, Ito S, Hearing VJ. Cysteine transport in melanosomes from murine melanocytes. Pigment Cell Res. 1999 Feb;12(1):4-12.

77. Rhodes LE, Gledhill K, Masoodi M, Haylett AK, Brownrigg M, Thody AJ, et al. FASEB J 2009;23:3947-3956.

78. Rhodes LE. Topical and systemic approaches for protection against solar radiation-induced skin damage. Clin Dermatol 1998;16:75-82.

79. Sanchez NP, Pathak MA, Sato S, Fitzpatrick TB, Sanchez JL, Mihm MC Jr. Melasma: a clinical, light microscopic, ultrastructural, and immunofluorescence study. J Am Acad Dermatol 1981;4:698-710.

80. Sanchez NP, Pathak MA, Sato S, Fitzpatrick TB, Sanchez JL, Mihm MC Jr. Melasma: a clinical, light microscopic, ultrastructural, and immunofluorescence study. J Am Acad Dermatol. 1981 Jun;4(6):698-710.

81. Sanchez NP. Melasma: a clinical light microscopic, ultrastructural and immunofluorescence study. J Am Acad Dermatol 1981;4:698-710.

82. Seiji M, Fritzpatirick TB. The reciproal relationship between melanization and tyrosinase activity in melanosome(melanin granules). J Biol Chem(Tokyo) 1961;49:700-706.

83. Suzuki I, Kato T, Motokawa T, Tomita Y, Nakamura E, Katagiri T. Increase of pro opiomelanocortin mRNA prior to tyrosinase, tyrosinase-related protein 1, dopachrome tautomerase, Pmel-17/gp100, and P-protein mRNA in human skin after ultraviolet B irradiation. J Invest Dermatol 2002;118:73-78.

84. Tadaki T, Watanabe M, Kumasaki K, et al. The effect of topical tretinoin on the photodamaged skin of the Japanese. Tohoku J Exp Med 1993;169:243-240.

85. Taylor CR, Anderson RR. Ineffective treatment of melasma and postinflammatory hyperpigmentation by Q-switched ruby laser. J Dermatol Surg Oncol 1994;20:592-597.

86. Urbach F. Risk of contact dermatitis from UV-A sunscreens. Contact Dermatis 1993;29:220.

87. Verallo Rowell VM, Varallo V, Grapupe K, et al. Double blind comparison of azelaic acid and hydroquinone in the treatment of melasma. Acta Derm Venereol(Suppl)(Stockh)1989;143:58-61.

88. Watkinson AC, Brain KR, Walters KA, et al. Prediction of hte percutaneous penetration of ultraviolet filters used in sunscreen formulations. Int J Cos Sci 1992;14: 265-275.

89. Wolf R, Wolf D, Tamir A, Politi Y. Melasma: a mask of stress. Br J Dermatol. 1991 Aug;125(2):192-3.

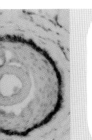

CHAPTER **07**

레이저 제모

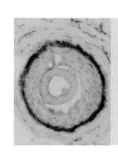

레이저 제모
Laser Hair Removal

고 우석

I. 서론

털은 동물의 가장 외부를 담당하고 있다. 이런 털은 동물의 종에 따라 털의 기능과 물리적 성질의 차이를 보이지만 대체적으로 보온, 마찰의 감소, 특수한 감각기능 등의 역할을 하고 있다. 그러나 사람의 털은 다른 동물의 털과 달리 기능적으로 어떠한 역할을 하는지 정확히 알려져 있지 않고, 단지 퇴행 되어가는 기관으로 여겨지고 있다.

털, 즉 모낭은 인간에게 있어서는 기능적인 역할보다는 미용적인 기능이 중요한 기관이라고 볼 수 있다. 성별에 따라 털의 미용적인 기능은 큰 차이를 보이는데, 남자의 경우는 머리털이 현저하게 감소한 대머리가 가장 문제가 된다. 여자의 경우는 대머리도 문제가 되지만 반대로 신체 각 부위의 털이 증가된 다모증이 주된 미용적 문제라고 볼 수 있다. 최근에 남자의 경우도 깔끔한 이미지가 사회생활에 있어 중요시 되고 있어 팔이나 다리, 수염 등을 제거하기 원하는 사람들이 증가하고 있다. 저자가 20대 여성에게 설문조사를 해본 결과 89.8%에서 수염이 적은 남자에게 호감을 느낀다고 답하였고 몸에 털이 많은 남자에게 호감을 느낀다고 답한 여성은 2%에 지나지 않았다. 20-30

여 년 전만해도 가슴의 털은 남성의 상징이었지만 남자의 털을 싫어한다고 답한 여성의 91%는 특히 가슴의 털을 싫어한다고 답하고 있다. 털의 미용적인 기준은 그 시대, 그 사회의 흐름과 유행을 반영한다고 볼 수 있다.

현재 털을 일시적이든 영구적이든 제거할 수 있는 방법은 다음의 네 가지로 나누어 볼 수 있다. 면도를 하는 것이 가장 흔한 방법이고 그 다음으로 여러 수단을 동원하여 뽑는 방법이다. 서양에서 주로 이용되고 있고 최근에 우리나라에서도 쉽게 접할 수 있는 왁싱도 뽑는 방법의 하나로 볼 수 있다. 이상의 방법은 개인적으로나 비의료인이 할 수 있는 것들이다. 병원에서 의사에 의하여 행하여지는 제모 방법은 전기침을 이용한 전기분해술(외국의 경우 electrologist라는 독립된 자격의 직종이 있지만 현재 국내의 경우 의료법상 의사만이 전기침분해술을 할 수 있다)과 레이저나 강한 빛을 이용한 제모 방법이 있다. 전기제모술과 레이저나 빛을 이용한 제모술은 영구적인 제모가 가능한 방법이다.

1990년대 후반에 루비 레이저를 이용한 제모기계가 우리나라에 소개되기 전에는 일부 병원에서 산발적으로 전기침을 이용한 제모가 시행되어 왔다. 전기침은 동반되는 통증이나 효과와 같은 의학적인 문제를 떠나서 치료시간이 매우 길어 현실적으로 널리 보급되기 어려운 점이 있었다.

레이저나 강한 빛을 이용한 제모 방법은 통증의 감소와 짧은 치료시간으로 2000년대에 들어서 우리나라에 급속도로 보편화된 시술 분야이다.

구조물은 모간(hair shaft)전체와 모구(hair bulb)의 멜라닌세포와 모구의 각질형성세포이고 일부 논문에서는 외측모근초에서도 멜라닌 색소가 있는 것으로 발표도 있지만 물리적인 성질에 영향을 줄 정도의 양은 아니다.

1. 털의 구조

털의 구조를 이해하는 것은 털의 물리적 성질을 이용하는 치료인 레이저 제모를 이해하는 첫 출발이라고 할 수 있다.

모낭은 세로축으로 구분하면 모낭 개구(follicular orifice)로부터 피지선관의 입구까지 이르는 가장 윗부분인 모누두(infundibulum), 피지선관과 기모근(arrector pili muscle) 부착부 가지의 중간부를 협부(isthmus)라 하며 기모근 밑의 부위를 하부(inferior segment)라고 한다. 하부 중에서 모낭의 팽창된 가장 밑부분을 모구(hair bulb)라고 한다. 협부의 아래에서 수평의 단면도를 보면 가장 내부에 모간(hair shaft)이 있고 그 다음에 내측모근초(inner root sheath), 외측모근초(outer root sheath)가 존재한다.

모낭의 구조물 중에서 멜라닌 색소를 포함하는

2. 털의 성장주기와 제모치료의 가설

털은 각종 시그널이나 자극에 의하여 생장기(anagen), 퇴행기(catagen), 휴지기(telogen)의 3가지 단계를 윤회하는데, 인체의 기관(organ)중 주기적으로 성장과 퇴행을 반복하는 유일한 기관(organ)이라 할 수 있다. 인체의 털은 각각의 털이 서로 다른 주기를 갖고 있고 또 부위 마다 평균적인 주기의 차이를 보인다(표 7-1).

Lyle 등이 1998년 털의 성장에 가장 중요한 줄기 세포의 위치를 알 수 있는 염색방법을 발견하였고, 저자가 이 방법을 모낭의 수평절편에 적용하여 염색한 결과 털의 근원세포의 위치는 외측 모근초의 가장 외측의 단일 세포층인 기저 세포층이라는 것을 알 수 있었다. 털의 성장에 중요한 또 다른 세포는 mesenchymal origin의 유두세포(papilla cell)와 모낭주위 막(perifolicular sheath)을 이루

표 7-1. Distribution of hair follicles

Area	Density (/cm²)	Anagen hair (%)	Telogen hai r(%)	Telogen duration	Depth (mm)
Scalp	350	80–90	10–20	3–4 months	3–5
Beard	500	70	30	10 weeks	2–4
Upper lip	500	65	35	6 weeks	1–2.5
Axillae	65	30	70	3 months	3.5–4.5
Pubic area	70	30	70	3 months	3.5–4.5
Legs and thighs	60	20	80	24 weeks	2.5–4

는 섬유아세포(fibroblast)로 생각하고 있다. 이들 세포의 상호 작용을 모낭의 표피-진피 상호작용(dermal-epidermal interaction)이라고 하며 현재로는 인체 모낭의 가장 중요한 성장기전의 핵심을 이루는 축으로 알려져 있다. 과거에는 출생 후 새로 털이 만들어지지 않을 것으로 생각하였지만 2000년대 들어서는 흉터 조직에서 새롭게 털이 만들어질 수 있다는 사실이 증명되었다.

한편 이러한 모낭의 성장 기전을 연구하는 그룹들과는 별도로 1990년대에 털의 제거를 독립적으로 연구하던 사람들은 표피에 존재하는 멜라닌 색소를 최대한 보호하면서 털의 멜라닌 색소만을 비교적 선택적으로 파괴 시킬 수 있는 방법을 찾으려는 연구를 진행하였다. 털의 멜라닌 색소는 가장 하단부인 털의 모구(bulb)와 모간(hair shaft)에 존재하고 표피의 멜라닌 색소의 분포와 달리 그 밀도가 높아서 하나의 커다란 멜라닌 색소 덩어리를 이루고 있다고 가정하여도 큰 무리가 없을 것으로 연구자들은 가정하였고 이러한 과정은 다른 피부치료용 레이저의 개발과정과 같이 레이저의 기계적 특성을 수학적인 계산에 의하여 결정하는데 큰 도움이 되었다. 즉 다시 말해서 표피의 멜라닌 색소를 선택적으로 파괴시키기 위하여는 Q-switch가 달린 ns단위의 조사시간을 갖는 기존의 레이저가 효과적이지만, 털과 같이 그 색소 덩어리의 굵기가 수십에서 때로 100㎛가 넘는 경우는 적어도 ms 단위의 조사시간이 필요하다는 것을 계산상에서 알게 되었다. 그러나 이러한 이론적 가정은 연구자들이 모낭의 모든 물리적, 생리적 성질을 계산에 고려한 것이 아니므로 상황에 따라서는 달리 작용할 개연성은 충분히 존재하였다. 첫 번째 제모용 레이저로 조사시간이 길어진 루비 레이저(long pulse normal mode ruby laser)가 1995년

경에 만들어지게 되었다. 실험도중 표피의 보호를 위하여 표피의 냉각장치가 부작용을 줄이고 더 높은 에너지를 사용할 수 있게 한다는 점에 착안하여 접촉형 냉각장치가 부착된 제모용 루비 레이저가 미국시장에서 시판 되었다. 그러나 이 기계를 만들 당시에는 정확한 모낭의 줄기세포(stem cell)의 위치를 모르는 상황이었고 털의 주기별 구조나 에너지를 흡수 하는 멜라닌 색소의 분포를 잘 모르는 상황에서, 털의 색소덩어리는 그 크기가 표피의 멜라닌색소에 비하여 현저히 크므로 직경의 제곱에 비례하는 TRT(thermal relaxation time)의 차이를 이용하여 ms 단위의 조사시간을 갖고, 다른 피부의 색소(피부에 문신과 같이 이물질이 없는 한 Hb 또는 HbO_2)에 상대적으로 덜 흡수되는 파장대인 루비 레이저, 알렉산드라이트 레이저, 다이오드 레이저, 엔디야그 레이저 등이 털을 선택적으로 파괴시킬 수 있다고 설명하였다. 또한 레이저의 초기 개발자들은 성장기의 털이 가장 많은 멜라닌 색소를 가지고 있다는 점 때문에 실험적 검증 없이 성장기의 털이 주로 반응하는 것으로 설명하는 오류를 범하였고 이를 쥐에서는 검증할 수 있었으나 사람에서는 검증하는데 실패하였다.

3. Possible Mechanism of Laser Hair Removal

위의 설명을 종합하여 설명하면, 레이저를 이용한 제모 시술의 Chromophore는 hair shaft에 존재하는 melanin pigment이지만 possible biological target은 follicular stem cells(그림 7-1)이나 dermal papilla cell(그림 7-2) 또는 두 세포 모두라고 생각하고 있다. 정확히 증명된 적은 없

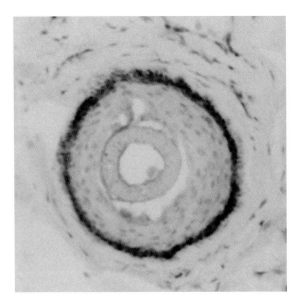

그림 7-1. Follicular stem cells (ABC staining with CD8/144B)

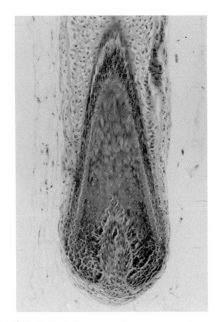

그림 7-2. Hair Bulb and Dermal papilla cell

지만 이 두 세포들이 털을 만드는 중요 세포이므로 이 세포들을 파괴하여야 털이 사람의 육안으로 보이지 않을 정도로 가늘어지거나 완전히 제거될 수 있다고 보고 있다. 하지만 chromophore와 pos-

sible targets이 공간적으로 떨어져 있기 때문에 열이 전달되는 추가 시간이 필요하고 이런 개념은 Thermal Damage Time이라는 개념으로 소개되고 있다. 이러한 개념들은 10년 이전에 이미 확립된 가정으로 아직까지도 정확한 target이 증명되지 않고 있지만 틀릴 가능성은 높지 않다.

대부분의 동양인은 털의 melanin(특히 eumelanin)이 많고 피부색은 백인과 흑인의 중간 정도의 색깔을 가지고 있어서 다른 인종 보다 털의 색과 피부색의 편차가 크기 때문에 레이저를 이용하여 영구적으로 털을 제거하는 것이 상대적으로 쉽다고 할 수 있다. 하지만 여러 가지 이유(표 7-2)로 인하여 모든 제모 시술을 하는 병원들이 충분한 영구적인 제모 효과를 경험하고 있지 않는 것이 현실이다. 하지만 동양인의 경우가 가장 유리한 조건을 가지고 있다고 볼 수 있다.

작용기전의 가설은 존재하지만 어느 하나 과학적으로 증명된 사실에 근거한 것이 아니라 가정에 의존하고 있는 면이 강하다. 이미 많은 제모용 레이저 기계가 시판되고 있고 비슷한 원리를 이용한 새로운 제모용 레이저가 꾸준히 제작되고 있지만 각 레이저들이 조금씩 다른 물리적 성질을 가지고 있기 때문에 파괴시키는 털의 부분이 같은지 아니면 서로 다른지 어느 레이저가 더 효과적인지를 알기 위해서는 많은 연구를 필요로 하는 부분이다.

저자가 직접 ex vivo skin sample을 이용하여 손상된 부분을 알아 보기위한 실험을 한 결과, 기본적으로는 제모용 레이저 기계들이 모구와 근원세포의 일부를 파괴시킨다는 것이다. 이는 털의 miniaturization을 유도 하면서 털이 가늘어지고 색이 옅어지는 결과를 초래할 것으로 생각하고 있다. 하지만 매우 긴 조사시간(100ms 이상의 조사시간을 갖는 레이저들)의 레이저는 좀 다른 손

표 7-2. 레이저 제모의 영구적인 효과가 떨어지는 이유

1. 충분한 효과를 볼 수 있는 레이저들은 고가의 기계들이다. (ex : LightSheer XC, Vectus, GentleMax, Elite MPX, Advantage etc.)
2. 효과적인 시술이 되기 위해서는 누락부위를 최소화 하여야 하고 결국 시술시간이 오래 걸려서 지루한 시술이 될 수 있다.
3. 시술의 심각성이 낮기 때문에 환자분들의 협조가 떨어지는 경향이 있다 (ex : 시술 간격을 지키지 않는 경우, 시술 기간중 선탠을 하는 경우 등)
4. 2000년대 중반을 계기로 시술 비용이 급속도로 낮아지면서 의료계의 관심이 낮아지게 되었다.

상 패턴(damage pattern)을 가질 것으로 보인다.

정확한 털의 성질과 성장과정을 이해하고 현재 시판되는 기계들 각각의 정확한 작용기전을 이해하는 것은 향후 더 효율적인 제모기계를 만드는 시발점이 되므로 좀 더 많은 연구가 선행되어야 하지만 오랜 기간 이런 부분에 대한 연구가 답보상태에 있다.

II. 레이저 제모 시술과 효과

1. 영구제모와 영구감모의 정의

1990년대 제모용 레이저를 개발할 때 영구제모의 정의가 필요하게 되었는데 시술 후 환자를 영구적으로 추적 관찰한다는 것이 불가능하므로 합리적인 연구를 위하여 인위적인 기준이 필요하게 되었다. 당시 미국의 FDA에서는 어떠한 기계가 영구제모가 가능하다는 결론을 내리기 위해 다음과 같은 정의를 제시하였다.

"Permanent hair removal is a significant reduction in the number of terminal hairs after a given treatment, which is stable for longer than the complete or nearly-complete follicles cycle at a given body site"

위의 미국 FDA 정의에서도 얼마나 오래 동안 추적 관찰을 해야 영구적인 제모가 되었는지 알 수 있는지에 대한 해답은 주지 않았기 때문에 초기 임상연구에서는 약 2년까지 추적 관찰을 하였다. 그 후 모든 연구를 2년이라는 긴 시간의 추적 관찰을 할 수 없으므로 좀 더 현실적인 기간의 설정이 필요하게 되었다. 제모를 연구하는 사람들의 생각은 6개월을 추적 관찰하면 2년 이상의 관찰 결과와 일치하는 결과를 얻을 수 있고 따라서 6개월 동안 털이 다시 나오지 않으면 영구제모가 된 것으로 잠정적인 결론을 내리고 있다.

그 후로 이런 점을 반영하여 미국 FDA는 아래와 같은 기준을 제시하고 있다.

"Permanent hair reduction is defined as the long-term, stable reduction in the number of hairs re-growing after a treatment regime, which may include several sessions. The number of hairs regrowing must be stable over time greater than the duration of the complete growth cycle of hair follicles, which varies from four to twelve months according to body location. Permanent hair reduction does not necessarily imply the elimination of all hairs in the treatment area."

즉 시술을 중단한 후에 4개월에서 1년 정도 털이

다시 올라오지 않으면 그 후로는 다시 올라 오지 않지만 모든 털이 다시 올라 오지 않게 하기는 어려워서 오해의 소지를 줄이기 위하여 영구제모라는 단어 보다는 영구감모(Permanent Hair Reduction)라는 용어를 사용하고 있다. 위의 내용을 영구제모가 되어도 마치 4개월에서 1년이 지나면 털이 다시 올라 온다고 반대로 이해하지 않도록 주의할 필요가 있다.

2. 레이저 제모의 치료과정과 그 효과

동양인을 대상으로 한 과학적이고 객관적인 레이저 제모의 연구는 찾아보기 어렵다. 유럽이나 미국에서 나오는 연구 결과 중에 Fitzpatrick 피부형 3-5의 결과는 신빙성이 떨어진다고 보아야 한다. 저자가 근무한 하버드 레이저 센터를 예로 들면 이 연구소에서 나온 연구 논문의 피부 타입 3-5는 거의 모두가 중동지방이나 인도계 사람들로 이들의 털은 우리 동양 사람들의 털에 비하여 그 굵기가 현저히 가늘고 동양인에 비하여 피부색도 더 검은 경향이 있기 때문이다.

대개는 치료부위에 털의 휴지기의 기간에 따라 4-8주 간격으로 재치료를 하며 평균 5회 이상 치료를 필요로 하지만, 일반적으로 3회 이상의 치료를 받으면 대다수의 환자가 주관적으로나 객관적인 관찰로 털의 수가 줄었다는 것을 느끼게 된다.

치료강도에 따라 차이가 있을 수 있으나 본인의 임상경험으로는 1회 치료효과는 평균 약 20-30%의 영구 제모효과가 있다고 보인다. 그러나 이를 객관적으로 연구하는 것이 선행되어 추후 동양인에 적합한 레이저 제모의 치료 기준을 만들어가야 할 시점이다.

낮은 강도로 치료하는 것은 부작용을 줄이는 장점이 있지만 본연의 목적인 영구제모의 효율은 떨어질 수밖에 없으므로 치료하는 의사가 신중하게 치료 방향을 정해야 할 것으로 보인다.

미국의 하버드 레이저 센터에서 치료 전 후의 디지털 사진을 컴퓨터로 분석하는 방법을 이용하여 다이오드 레이저(LightSheer)의 1회 치료효과를 본 연구 결과를 인용하면 다음과 같다.

95명을 대상으로 800nm의 다이오드 레이저(LightSheer)를 이용한 이 연구는 모든 사람에서 일시적인 제모가 가능하였고 약 88%의 사람에서 $30J/cm^2$ 이상을 조사하였을 때 약 12개월 후 적어도 털의 수가 15% 이상의 감소를 보였다. 그러나 12%의 대상에서는 일시적인 제모 효과는 있었으나 영구적인 반응은 보이지 않았다. 이 연구는 객관성을 유지하기 위하여 털의 수의 변화를 디지털 카메라로 촬영하고 이를 컴퓨터에 입력 후 추적관찰 한 결과로 굵기나 자라는 속도, 털 색깔의 변화는 고려하지 않았다.

실제 임상에서는 위의 연구보다 더 꼼꼼하게 시술하기도 하고 강도를 각 환자에 맞춰 조정하면 실제 그 효과는 더 높아진다. 저자가 최근 800nm의 다이오드 레이저(Advantage, Lutronic)를 이용하여 12명의 한국인을 대상으로 실제 임상의 시술 방법과 동일하게 3회 시술 후 3개월-6개월 Follow-up을 한 결과, 평균 52.4%의 털 감소율을 보였다. 털 감소율이 25% 이하인 경우가 12명 중에 1명이었으며 25~49% 사이에 해당하는 환자가 1/3인 수치인 4명, 그리고 50~75%의 털 감소율을 6명에서 나타났는데 이는 50%에 해당하는 수치이다. 75% 이상의 높은 털 감소율을 보인 환자도 1명 있었다.

3. 각 레이저들의 임상적인 제모 효과

제모용 레이저는 크게 롱 펄스의 루비 레이저, 알렉산드라이트 레이저, 다이오드 레이저, 엔디야그 레이저로 구분된다. 그 외에 레이저는 아니지만 IPL을 이용한 제모 기계도 출시되고 있다.

1996년 제모용 루비 레이저가 출시되고 2~3년 동안은 제모가 정말로 되는가에 초점이 맞춰져 있었다. 앞에서 설명한 것처럼 당시에는 일부 털이라도 한 번의 시술로 오랜 기간(당시는 적어도 2년 이상) 다시는 나오지 않게(의학적으로 보면 사람의 눈에 보이지 않게)되는 현상을 'Permanent hair removal(영구 제모)'이라고 부르는 데 아무런 문제가 없었다. 한 번으로 얼마만큼의 털이 영구적으로 제거되는지 만 관심을 가지고 있었다. 왜 한 번의 시술로 모든 털이 영구적으로 제거되지 않는지에 대하여는 궁금해 하기는 했지만 모든 털이 한 번에 영구적으로 제거되지 않는다는 것 때문에 영구 제모라는 단어의 사용에 문제가 생기지는 않았던 시기다. 모든 털이 한 번에 다 영구적으로 제거되지 않아도 영구 제모라는 단어를 사용하는데 문제가 없었던 이유는 다른 방법으로 일부의 털이라도 쉽게 영구적으로 제거할 수 있는 방법이 없었기 때문이었다. 전기침이 있기는 했지만 불편하며 아프고, 시간이 오래 걸리고, 영구적으로 제거되는 비율도 레이저 제모보다 떨어졌기 때문에 논란의 여지가 존재하지 않았다. 하지만 제모용 레이저가 보급되고 시간이 지나면서 전기침의 불편함을 경험해본 소비자들이 줄어들면서 Permanent hair removal(영구제모)라는 단어에 문제가 생기기 시작했다. 많은 소비자들이 영구 제모가 모든 털이 전부 영구적으로 제거된다는 의미로 받아들이기 시작했기 때문이다. 초기 제모 레이저의 연구를 활발히 하였던 Christine Dierickx는 2000년 자신의 review논문에서 Permanent hair loss와 Complete hair loss의 차이를 구분할 줄 알아야 한다고 설명하였다.

1990년대 후반부터 다양한 제모용 레이저들의 임상적인 효과를 발표하는 논문과 서로 다른 레이저의 효과를 비교한 논문들이 주요 병원들에서 쏟아져 나오게 된다. 하지만 레이저 제모의 연구는 근본적으로 부정확한 결과를 보여줄 수밖에 없는 속성을 가지고 있어서 어느 하나 확실한 결론이라고 인정하기 힘든 상황이 반복되고 있다(표 7-3).

결국 다양한 복합적인 요소들로 인하여 어떤 물리적 성질의 레이저가 영구적인 제모 효과가 가장 우수한지에 대한 믿을 만한 논문은 발견하기 어렵다. 이런 레이저 제모의 임상 연구의 정확성에 문제가 생기고 2000년대 초반을 지나면서 더 이상의 제모 레이저의 발전이 이루어지지 않자 많은 유명한 의사들은 더 이상의 임상 연구를 하지 않게 된다. 더욱이 미국 FDA가 임상 연구를 하지 않아도 기존의 레이저와 유사하다고 판단하면 기계의 안정성과 부작용 정도만을 확인하고 제모용으로 허가를 하기 시작했기 때문에 회사에서 지원하는 임상 연구도 자연스럽게 중단되었다. 결국 2000년대 중반부터는 영구적인 제모율이 얼마나 되는지의 임상적인 확인 없이도 쉽게 판매 허가를 받을 수 있어 새롭게 시장에 등장한 대부분의 제모용 레이저들은 원가의 절감을 위하여 power(watt)를 줄이는 방법을 사용하게 되었고, 결국 효과가 오히려 더 떨어지는 기현상을 경험하게 된다. 새로운 레이저가 기존의 레이저보다 항상 효과가 더 좋을 것이라는 선입견을 버려야 할 시대에 이르게 된다. 하지만 이러한 트랜드는 다시 효과가 좋은 제모용 레이저를 원하는 병원이 조금씩 증가하고 있

표 7-3. 레이저 제모의 효과에 대한 임상 연구의 결과가 부정확한 이유

레이저 기기	1. 같은 파장이어도 기계의 모델에 따라서spot size, pulse duration, power, beam profile이 다를 수 있다. 2. 피부 냉각 장치가 기기마다 다르다.
시술	1. 같은 기기로 같은 사람을 시술하더라도 실제 사용한 fluence가 달라지면 효과도 달라진다. 2. 시술의 누락 부위가 항상 없었다고 가정하기 어려운 시술이다. 결국 누락의 정도가 시술자마다 병원마다 다를 수 있지만 이런 부분을 비교하기가 불가능하다. 3. 시술 간격에 따라 효과가 달라 질 수 있다. 4. 시술 회수에 따라 효과가 달라진다. 5. 냉각 장치가 같아도 피부 냉각의 정도를 시술자가 달리 할 수 있어서 부작용과 효과의 차이를 보일 수 있다.
대상 치료군	1. Fitzpatrick피부 타입만으로는 털의 성질을 반영할 수 없다(예. 인도인 skin phototype IV와 한국인 skin phototype IV는 평균 털의 굵기와 멜라닌의 정도가 다르다). 2. 연령, 성별간의 효과가 차이가 날 수 있다. 3. 털이 굵고 검은 환자가 선택될 가능성이 높다. 4. 시술 부위의 선정에 따라 결과의 차이를 보일 수 있다(겨드랑이와 팔 다리, 등, 가슴 등의 결과가 동일할 것이라고 볼 수 없다.)
최종 결과의 확인 방법	1. 시술을 중단하고 최소한 6개월에서 1년이라는 오랜 시간이 지나야 정확한 결과를 알 수 있지만 연구상의 어려움으로 추적 관찰 기간이 연구마다 차이가 있다. 2. 털의 수를 세는 방법이 논문마다 차이가 있다.

고 다시 높은 파워(Watt)를 가진 새로운 레이저들이 소개되고 있다.

가) Long Pulse Ruby Laser

1996년 최초로 시판된 제모용 레이저이지만 현재 판매되는 제모용 루비레이저는 찾아보기 힘들다.

하지만 초기 레이저 제모를 설명하는 논문들은 모두 루비 레이저를 이용한 논문들이다. 제모용 루비레이저는 동양인보다는 백인들에 활용 가치가 높았던 레이저였다. 우리나라에 최초로 들어온 제모용 레이저이지만 지금도 국내에서 사용되고 있는 제모용 루비 레이저가 있는지는 정확히 파악되지 않고 있다. 동양인에는 피부 표면의 멜라닌 색소의 흡수율이 높아서 부작용의 위험으로 높은 fluence를 사용하기에 어려움이 있어서 상대적으로 효과가 떨어질 수 있다.

Rox Anderson은 1999년에 200명을 대상으로 한 임상 연구에서 평균 4회를 시술하고 6개월이 지난 후에 대부분의 환자에서 75% 이상의 효과를 보았다고 보고하였다.

나) Long Pulse Alexandrite Laser

롱 펄스 알렉산드라이트 레이저는 동양인에도 충분히 사용할 수 있는 레이저로 현재 다이오드와 함께 국내에서 가장 많이 사용되고 있는 제모용 레이저이다. Gentlelase와 Apogee로 대표할 수 있고 최근에는 GentleMax와 EliteMPX가 나와서 여전히 발전의 가능성이 남아 있는 제모용 레이저이다.

2003년 Goldberg는 144명의 동양인을 대상으로 9개월의 추적 관찰을 한 연구에서 한 번의 시술로 32%, 두 번의 시술로 44%, 세 번의 시술로

55%의 털이 감소하였다고 보고하였다.

2008년에는 Davoudi가 피부타입 III-IV를 대상으로 8주 간격으로 4회 시술하고 (long-pulsed alexandrite laser, 12 and 18mm spot size, 1.5 ms pulse duration and fluences of 20 or 40 J/cm²) 18개월간 관찰한 연구에서 76~84%의 털이 감소하였다는 연구 결과를 발표하였다.

다) Diode Laser

LightSheer로 대표되는 제모용 레이저로 800~810nm의 반도체를 이용한다. 최근에는 높은 파워(Watt)를 가진 Avantage와 Vectus가 추가로 출시되었다. 하지만 반도체 가격의 부담으로 낮은 출력(watt)의 제모용 다이오드 레이저들도 출시되고 있기 때문에 의사들은 구매 이전에 정확한 기계적인 특성(spot size, fluence, pulse duration, maximum peak piower 등)을 살펴보아야 할 필요성이 있다. 저가의 다이오드 레이저들은 보통 파워가 낮은 반면 pulse duration을 길게 하여 겉으로 보이는 fluence를 높이는 방법을 활용한다. 이런 낮은 파워의 레이저들은 초기에는 제모효과가 있어 보이지만 최종 결과를 보는데 시술을 시작하고 적어도 2년 이상의 시간이 필요하기 때문에 임상 의사들은 어느 제모용 레이저가 더 효과적인지를 단순히 한두 달 사용만으로는 판단할 수 없다는 어려움이 있다.

2000년 Lou는 한두 번의 시술 후(9 mm spot size, pulse duration of 5~30ms, fluences of 15~40J/cm²) 20개월이 지났을 때 40%의 털이 감소하였다는 결과를 발표하였고 2001년에는 Eremia가 4번의 시술 후(9mm spot size, pulse duration of 5~30ms, fluences of 12~40J/cm²) 1

년 뒤에 84%의 털이 감소하였다는 결과를 발표하였다.

라) Long Pulse Nd:YAG Laser

흑인들에게는 가장 효과가 좋고 안전한 제모용 레이저일 수 있지만 동양인이나 백인들에게는 효과면에서 알렉산드라이트나 고출력의 다이오드보다 제모 효과가 더 좋다는 대규모의 객관적인 연구 결과를 찾기 어렵다.

하지만 2001년 Alster는 nonrandomized 연구에서 얼굴과 겨드랑이 다리를 한 달 간격으로 회 시술하고 1년이 지났을 때 70-90%의 털이 감소하였다고 보고하였다.

마) IPL

IPL은 400-1200 nm의 polychromatic non-coherent light로 다양한 필터가 이용하여 특정 chromophore를 파괴하는데 활용된다. 장기간의 효과가 잘 유지될 가능성이 떨어지는 기계로 아래의 일부 논문에서는 기존의 다른 레이저들보다 효과가 떨어지는 것을 보고하고 있다.

바) 복합 치료

Khoury는 알렉산드라이트와 엔디야그 레이저를 번갈아 사용하여도 추가적인 효과는 없었다는 결과를 발표하였다. 지금까지 저자의 경험도 이 논문과 일치하기 때문에 병원의 입장에서는 효과가 좋다고 확신되는 한 가지 기계를 이용하여 누락 부위 없이 강도를 잘 정하여 시술하는 것이 제모 효과에 도움이 된다.

4. 레이저 제모의 효과에 영향을 주는 요소들

지금까지의 각 논문이나 레이저 학회에서 발표된 내용을 바탕으로 레이저 제모의 효과에 영향을 주는 요소들은 매우 다양하지만 중요한 요인들을 보면 아래와 같다.

가) 털의 굵기

털의 굵기는 효과적인 레이저의 pulse duration을 결정하는데 영향을 주는 요소로 다른 각도에서 보면 같은 레이저로 시술해도 굵기가 다른 털은 다르게 반응할 수 있다는 의미이기도 하다. 이는 아래의 부위별 시술 효과의 차이에도 영향을 주는 요소로 볼 수 있다. 일반적으로 다른 변수를 제외하면 레이저의 pulse duration이 충분한 경우 굵은 털이 제거될 가능성이 더 높은데 아직 그 이유에 대하여는 정확한 연구가 되어 있지 않지만 저자의 의견으로는 에너지를 흡수하는 주요 부위인 hair shaft와 주변을 둘러싼 털의 다른 조직 간의 비율이 굵은 털과 가는 털에서 차이가 나기 때문일 가능성이 있다.

나) 털의 밀도

밀도가 높으면 각 털이 개별적으로 레이저 빛을 흡수하고 온도가 올라가는 현상에서 주변의 털들이 같이 서로 상승 작용을 하는 경우가 생길 수 있고 이럴 가능성에 대한 수학적인 테이타들이 제시되고 있다. 실제로 이마선의 경우 높은 강도로 시술을 할 경우 제거효과가 다른 부위보다 좋은데 굵은 털이 높은 밀도로 분포하기 때문이라고 보고 있다.

다) 털의 색

현재 개발된 제모용 레이저는 모두 eumelanin에 선택적으로 더 잘 흡수되는 파장을 이용하고 있기 때문에 흰 머리나 금발, 붉은 털은 효과를 볼 수 없다.

라) 피부색

표피에 존재하는 멜라닌 색소도 에너지를 흡수하기 때문에 피부색이 검을수록 털로 가는 레이저 빛이 줄어들게 되어서 효과가 떨어질 가능성이 높아진다. 더욱이 표피에 흡수된 레이저 빛은 일시적인 딱지나 물집, 착색이나 탈색의 부작용이 생기는 원인이 되므로 피부색이 검을수록 시술 가능한 레이저 fluence,가 낮아지므로 효과에 악영향을 주게 된다.

마) 최근 햇빛 노출 정도

선탠처럼 피부색이 검어진 경우뿐만 아니라 장시간 햇빛 노출이 된 경우도 시술 후 색소침착의 가능성이 증가되어 충분한 fluence를 사용하기 어렵게 하는 이유가 되고 있다.

바) 레이저 파장

파장이 길어지면 레이저 빛의 피부에 들어가는 깊이가 깊어지고 멜라닌 색소에 흡수되는 율이 감소되어서 피부색이 검은 사람에도 사용이 가능해진다. 초기의 루비 레이저는 백인의 경우 효과적인 시술이 가능했음에도 기계적인 안정성의 부족과 다양한 피부나 인종에 적용되지 못하는 한계로 현재는 그 존재를 찾아보기 힘들게 되었다.

사) 레이저의 Spot size

제모 효과가 있다고 발표된 논문을 살펴보면 모두 최소한 7mm 이상의 spot size를 가지고 있다. 그 이유는 털이 상대적으로 다른 피부의 target보다 깊게 존재하고 옆으로도 누워 있어서 spot size가 작으면 효과가 떨어지는 이유가 될 수 있다. 레이저 빛은 진피를 통과하면서 산란이 일어나는데 spot size가 크면 산란의 영향을 줄일 수 있어서 더 깊은 부위까지 효과적으로 레이저 에너지를 전달할 수 있기 때문이다.

아) 레이저의 fluence

위의 여러 요소에 의하여 부득이하게 fluence를 높이지 못하는 경우도 있고 기계자체가 높은 fluence를 만들지 못하여 충분한 효과를 보지 못하는 경우도 생길 수 있다.

자) 부위

부위마다 평균적인 털의 굵기나 모근이 있는 깊이, 털이 나오는 각도, 부위별 피부색의 차이 등으로 같은 사람에서도 각 부위마다 효과가 다를 수 있다. 발표하는 저자마다 효과가 좋은 부위가 다르지만 저자의 경험을 바탕으로 보면 효과가 좋은 부위는 겨드랑이, 종아리, 비키니 라인, 성기부위, 이마선 등이고 효과가 떨어지는 부위는 등과 손가락, 발가락, 손등, 발등, 얼굴, 팔 상완 등이다.

차) 시술 간격

너무 짧지도 너무 길지도 않은 시술 간격이 효과에 도움이 된다. 보편적으로 4주에서 8주 이내의 간격으로 시술을 하는 것이 도움이 된다.

5. 치료 계획을 세우는 과정

의료, 특히 미용치료는 점점 획일화 되어가 패스트푸드같이 정해진 방법으로 치료를 하는 경우가 늘고 있다. 치료의 기준을 획일화 하는 것은 부작용이 생기지 않는 범위 내에서 가능하므로 대부분의 환자들이 약한 치료를 받게 되고 따라서 치료 효과가 떨어지는 것은 당연하다. 대부분의 기계제조 회사들은 회사의 치료 가이드라인을 설정해 놓고 있지만 이것 또한 부작용의 위험부담을 줄이기 위하여 대부분의 경우 매우 약하게 설정되어 있다.

환자 개개인에게 최적의 치료를 제공하기 위해서는 그 환자의 여러 상황을 고려하여 치료 용량을 설정하여야 한다. 처음으로 치료를 시작하는 경우는 회사의 설정 가이드라인을 따르고 치료 경험이 쌓이면 차차 다음 사항들을 고려하여 그 치료 강도를 올려가는 것이 좋다.

효과에 영향을 주는 요소들을 고려하여 아래와 같은 판단 기준으로 시술 계획을 세우는 것이 좋은 효과를 보는데 도움이 된다.

가) 피부색

동양인에도 색이 하얗고 선탠이 잘 되지 않는 타입의 피부가 있으며 이런 경우는 과감하게 치료강도를 올려도 부작용이 생기지 않는다. 실례로 다이오드 레이저로 겨드랑이 털을 뽑을 때 보통은 20-

25 J/cm²를 사용하지만 경우에 따라서 60 J/cm²(최대 강도, 백인들을 치료하는 평균 강도가 30-40 J/cm² 정도라는 것을 고려하면 매우 높은 치료 강도이다.)로 치료해도 부작용이 수반되지 않는 경우를 자주 경험할 수 있다. 다시 말해서 피부색이 하얄수록 치료 강도를 올릴 수 있다.

나) 털의 굵기

털은 몸의 부위마다 평균적인 굵기가 다르고 같은 부위의 털들도 최대 두 배까지 굵기의 차이를 보인다(그림 7-3). 남여 사이의 차이도 상당할 것으로 보인다. 털의 굵기를 측정하는 것은 매우 간단한 실험이지만 아직도 인종간 부위마다의 털의 굵기와 분포 평균의 정확한 자료를 구할 수 없다는 것은 안타까운 현실이다. 실제 파괴되어야 할 부분이 털의 줄기세포와 모유두라고 가정하면 hair shaft에서 이 세포까지 열에너지가 전달되는 시간이 필요하므로 긴 조사시간이 필요하게 된다.

털이 굵은 경우는 조사시간을 길게 하는 것이 필수이지만 조사시간이 긴 경우는 가는 솜털이나 여성의 팔다리의 가는 털을 제거하기가 매우 어렵다. 조사시간이 긴 레이저 기계로 가는 털을 제거하기 위해서는 치료강도를 오히려 더 높여야 효과적인 치료가 가능하다. 조사시간이 상대적으로 짧은 레이저 기종은 가는 털을 제거하기가 쉽지만 굵은 털은 1회 치료 시의 효과가 떨어진다. 그러나 환자의 구성이 굵은 털의 환자로만 이루어지는 것이 아니므로 조사시간이 짧은 레이저 기계도 그 가치가 있다고 볼 수 있다.

다) 최근 피부의 햇빛노출 정도

피부색이 검지 않더라도 최근 1-2개월 이내에 선탠이나 햇빛에 장시간 노출된 부위를 시술하면 색소침착의 가능성이 높아진다. 따라서 햇빛 노출이 된 부위의 경우 특별한 주의를 요한다.

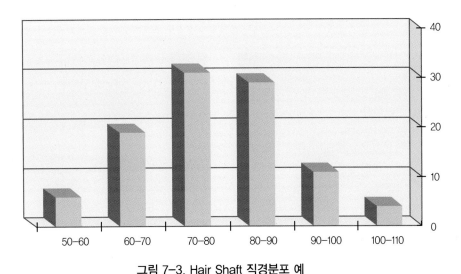

그림 7-3. Hair Shaft 직경분포 예
같은 사람, 같은 부위(두피). 단위 um. 세로축; %

라) 시술 간격

시술 간격은 너무 짧아도, 너무 길어도 효과가 떨어지는 것으로 보인다. 4주 이내의 간격은 효과가 떨어진다는 발표가 있고 간격이 길어져도 효과가 떨어진다는 보고가 있어서 4-8주 사이에 시술을 하는 것이 적절하다.

6. 부작용

부위마다 약간의 차이가 있을 수 있지만 저자가 경험한 부작용을 빈도순으로 보면,

1) 가려움증
2) 지속적인 붉은 기운
3) 모낭염처럼 보이는 반응(그림 7-4)
4) 색소침착(그림 7-5)
5) 얇은 갈색막(또는 딱지, 그림 7-6, 그림 7-7)
6) 탈색(그림 7-8)
7) 물집(그림 7-9) 등이 있다.

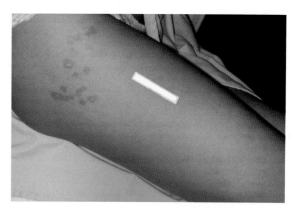

그림 7-5. 시술 후 4주째 사진. 딱지가 생긴 후 depigmentation과 hyperpigmentation이 동시에 생김

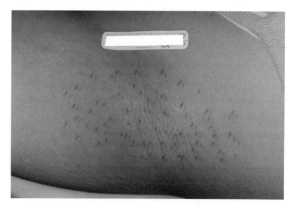

그림 7-6. 시술 후 일주일째 사진으로 갈색막이 레이저 조사 부위를 따라 생김. 이 반응은 갈색막의 모양이 특이한 것으로 보아 팁에 묻은 털을 딱지 않아서 생긴 것을 알 수 있는 반응이다.

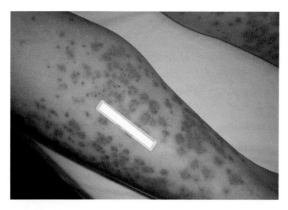

그림 7-4. 3차 시술 일주일 후 사진으로 perifollicular erythema가 지속된 경우로 3주 후 pigmentation을 남기고 가라앉음

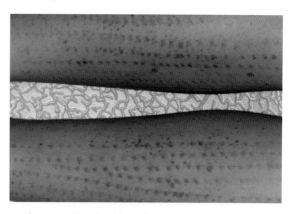

그림 7-7. 시술 후 5일째 사진으로 얇은 갈색막이 레이저 조사된 부위를 따라 생김.

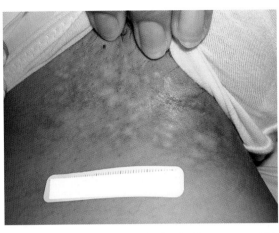

그림 7-8. 피부색을 고려하지 않고 높은 fluence로 시술 후 착색과 탈색. 일부 mild ulceration이 생김

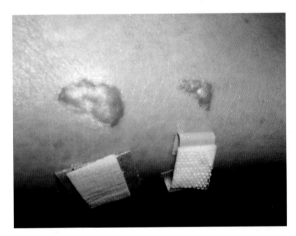

그림 7-9. 시술 후 3일째 사진으로 착색 부위를 강도를 낮추지 않고 시술 후 물집이 생김

여름철에 선탠을 한 피부는 색소침착이 증가하며 피부색이 짙은 사람도 색소 침착의 가능성이 높아진다. 그러나 이는 치료 강도(fluence)를 줄여 치료하면 어느 정도 예방할 수 있지만 효과도 같이 떨어지므로 선탠의 효과가 줄어들기를 기다린 후에 시술을 시작하는 것이 좋다.

지금까지 논문에 발표된 부작용들을 보면 Postinflammatory Hyperpigmentation, Hypopigmentation, Scabbing, Blister, Paradoxical Hypertrichosis, Koebnerization, Pili Bigemini, Reticulate Erythema, Temporary hair color change, Urticarial reaction, Sweat production ; Axilla, Inguinal, Diode-laser-induced cataract and iris atrophy, Fox-Fordyce Disease 등이 있다.

Paradoxical Hypertrichosis라고 부르는 레이저 제모시술 후 털이 더 많아 지는 현상은 이미 잘 밝혀져 있기 때문에 그런 반응을 보이는 환자들을 보고 제모와 상관없다는 설명을 하는 실수를 하지 않는 것이 필요하다.

7. 레이저 제모의 허와 실

1) 레이저로 영구제모가 가능한가의 질문을 자주 듣게 된다. 그 이유는 영구적으로 빠지는 털도 있고 그렇지 않은 털도 섞여 있기 때문이다. 저자의 이에 대한 생각은 치료를 부작용을 감안하여 최대한으로 강하게 시술하면 미용적으로 만족스러운 수준의 영구 제모가 가능하다고 볼 수 있다. 좀 더 체계적인 답을 할 수 있기 위하여 털의 굵기 , 피부 타입, 사용하는 레이저 종류, 치료강도에 따른 부작용과 영구제모율(전체 털 중에서 영구적으로 제모 되는 털의 비율)을 고려하여야 가능하다. 현재로 정확한 과학적인 표현은 "개인간의 차이가 있기는 하지만 거의 모든 사람에서 대부분의 털을 (80-90% 이상) 영구적으로 나오지 않게 또는 육안으로 보이지 않게 하는 것이 가능하다" 정도로 답할 수 있다(그림 7-10, 그림 7-11).

2) 레이저 제모가 기존의 다른 방법, 특히 전기분해법에 비하여 치료 속도가 빠른 것은 사실이지

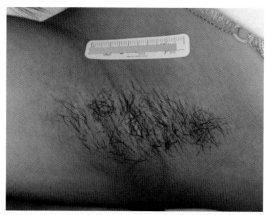 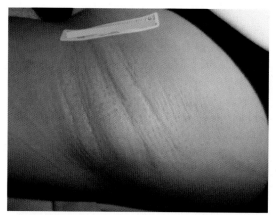

800nm, 12×12mm, 30ms, 5℃ Contact cooling
26 J/cm² ×3
27 J/cm² ×2

3yrs 7mo. later post 5th tx (no shaving post 5th tx)

그림 7-10. 시술 전과 5회 시술 후 3년 7개월 경과 사진

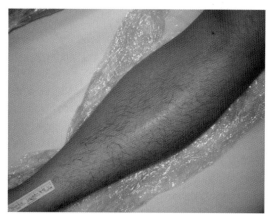 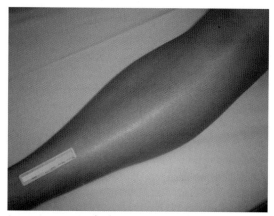

800nm, 12×12mm, 30ms, 5℃ Contact cooling
26 J/cm² ×2
24 J/cm² ×1

3yrs later post 3rd tx (no shaving post 3rd tx)

그림 7-11. 시술 전과 3회 시술 후 3년 경과 사진

만 레이저 제모도 치료부위의 모든 털을 하나도 빠짐없이 치료하려면 상당한 시간이 걸린다. 90% 정도의 털을 치료하는 것은 쉽게 할 수 있지만 이것을 100% 모두 같은 정도의 레이저 에너지를 쪼이려고 노력한다면 상당한 추가 치료시간이 필요하게 된다. 이런 철저한 시술의 어려움은 각 의료기관마다 시술 시간의 큰 차이를 보이는 이유가 되고 있으면 결국 최종적인 제모효과에도 영향을 주

고 있다.

3) 최근에는 매우 드물게 레이저 제모 시술 후 털이 더 굵어지거나 많아졌다고 호소하는 사례를 직, 간접으로 접하고 있다. 이론적으로 털을 제거하는 목적의 시술이 털을 더 자라게 하거나 굵어지게 하는 것이 이해가 되고 있는 현실은 아니지만 이미 각 학회와 논문, 저자의 임상 경험으로 그

빈도는 매우 낮지만 엄연한 사실로 인정되고 있기 때문에 더 이상 시술 후 털의 증가를 호소하는 환자들의 의견을 무시하는 경우가 없어야 하겠다. 지금까지 밝혀진 내용으로는 이런 현상은 여성에 더 많고 얼굴의 턱선이나 볼, 목, 어깨, 등, 팔상완 등에서 보고되고 있고 pulse duration이 짧은 경우나 파장이나 fluence가 적절하지 못할 때 그 빈도가 좀 더 높은 것으로 보이지만 정확한 통계를 내보기에는 어려움이 있다.

8. 대표적인 제모 레이저의 종류

가) Cynosure 사의 제모용 레이저

1997년 Cynosure는 혈관용 레이저로 개발 중이던 롱 펄스 Alexandrite 레이저(Long-Pulse Infra Red 레이저, LPIR)를 제모용으로 출시하였다. 당시 혈관용으로 준비를 하고 있었기 때문에 FDA 승인은 혈관용으로 먼저 받게 되지만 실제 판매는 주로 제모용으로 이루어지게 된다. 앞에서도 언급하였던 것처럼 피부 냉각장치가 달려 있지 않았지만, 지금 돌이켜 보면 pulse duration(5, 10, 20ms)이 경쟁사인 Candela의 Gentlelase와 비교해 장점이 있었기 때문에 단점에도 불구하고 경쟁을 할 수 있었다. 피부 표면의 냉각장치의 특허가 없었기 때문에 피부 냉각장치가 없는 상태로 출시하였다.

이어 1998년 6월 4일, 지금도 판매되고 있는 Apogee모델을 출시하였다. 아포지 모델은 곧 피부 냉각을 위하여 독일 Zimmer 사의 찬 공기를 이용한 피부 냉각장치를 추가하게 되고 조사 면적을 더 넓히면서 기계적 성질들을 보완한 다양한 후속

모델들이 나오게 되었다.

최근에는 pulse duration과 spot size를 다양하게 선택할 수 있고 롱 펄스 엔디야그를 같이 또는 따로 사용할 수 있는 Elite와 Elite MPX가 추가되었다. 이 두 레이저들은 제모 이외에도 혈관과 색소 질환을 치료할 수 있어서 주목을 받고 있는 레이저이다.

나) Candela 사의 제모용 레이저

1997년 3ms pulse duration의 Alexandrite 레이저인 Gentlelase를 출시한다. 이 레이저는 pulse duration으로 보면 Cynosure의 LPIR보다 제모에 적합하지 않은 특성을 가지고 있지만 피부 냉각장치로 DCD를 사용했다는 점에서 의미가 있는 제모용 레이저이다. 그 후 1999년 9월 22일, spot size를 18mm로 넓힌 Gentlelase Plus를 출시하였다. 이어 Gentlelase mini를 출시하고 최근에는 Cynosure의 Elite와 같이 롱 펄스 Alexadrite와 롱펄스 엔디야그가 동시에 장착되고 DCD가 달린 GentleMax를 출시하였다.

다) Lightsheer

LightSheer를 제목으로 정한 이유는 이 제모 레이저가 한 회사에서 만들고 판매된 것이 아니기 때문이다.

처음 만들어진 Lightsheer는 SC모델로 9mm × 9mm의 정사각형 spot size에 5ms-30ms의 pulse duration 최대 fluence 40J/cm², 1Hz, 800nm 파장의 다이오드 레이저로 접촉 방식의 피부 냉각장치가 달려 있었다. 곧 이어서 출시된 EC모델은 동일한 spec에서 최대 출력을 60J/cm²

로 올리고 repetition rate를 2Hz로 증가시켰다. 최대 출력이 올라갔다는 의미는 부작용이 생기지 않은 환자의 경우는 더 좋은 제모 효과를 볼 수 있게 되었다는 의미이고 2Hz가 되었다는 의미는 같은 환자를 두 배 더 빠르게 제모 시술을 할 수 있게 되었다는 의미를 가지고 있다.

레이저를 이용한 제모의 시술을 실제로 해본 임상의사들은 시술 경험이 쌓이면서 제모용 레이저에서는 실제의 영구적이거나 오래 유지되는 제모 효과와 시술 시간이 중요하다는 것을 알게 되었다. 이런 의사들의 필요성에 맞춰서 2000년 Light-Sheer는 spot size를 9×9mm에서 12×12mm로 넓히고 조사 시간도 100ms까지 늘린 XC모델을 출시되었다. 그 후 pulse duration을 400ms까지 늘리는 업그레이드가 한 차례 있었던 것을 제외하고 10년 가까이 큰 변화 없이 지금까지 판매되는 장수 모델이 되었다.

2008년에는 photopneumatic 시스템을 이용한 HS handpiece가 추가된 Duet모델이 시판되었다. HS handpiece는 22mm×35mm의 넓은 spot size로 시술 속도가 빠르고 추가된 photopneu-matic시스템으로 통증이 감소한 장점이 있다. 최근에는 805nm와 1060nm를 교환할 수 있는 장치가 추가된 다이오드 레이저도 추가 되었다.

라) 롱펄스 엔디야그

롱펄스 엔디야그 레이저가 2000년에 들어서면서 제모용 레이저로 판매되기 시작하였다. 초창기의 대표적인 기계로 Coolglide를 들 수 있다. 많은 논문에서 롱펄스 엔디야그 레이저가 기존의 다이오드나 알렉산드라이트 레이저와 동등한 제모 효과를 볼 수 있다는 결과를 보여주었지만 알렉산드라이트 레이저나 다이오드 레이저에 비하여 상대적으로 널리 사용되지는 않고 있다. 그 이유는 레이저 빛이 들어가는 깊이가 깊고 혈관에 주는 영향이 커서 드물게 흉터를 만드는 경우가 있어 이런 점은 레이저 제모를 하는 병원 입장에서는 꺼려지기 충분한 이유가 되었다. 하지만 조사 면적이나 pulse duration의 자유로운 선택, 높은 fluence는 레이저 제모를 전문적으로 하고 있는 병원에서는 충분히 활용될 수 있는 제모 레이저의 특성들이다.

마) Advantage와 Vectus

2012년 오랜 기간 고출력의 새로운 다이오드 레이저가 출시되지 않고 있던 시기가 끝나고 두 개의 새로운 고출력(높은 Maximum peak power)을 가진 다이오드 레이저가 출시되었다는 것은 주목할 만하다. 그 이유는 이 두 레이저가 기존의 레이저에 비하여 조사 면적이 더 크다는 점 때문이다. Advantage는 Lutronic사에서 만든 제모용 레이저로 3cm²의 spot size와 높은 flunce, 충분한 냉각장치를 특징으로 하고 있고 Vectus(Palomar)의 경우는 가장 넓은 면적의 spot size(23×38mm)를 가지고 있지만 fluence가 상대적으로 낮고 피부 냉각온도도 높기 때문에 각각 서로 다른 장점을 가지고 있다. Vectus의 경우 2013년 초에 Palomar사가 Cynosure로 합병되어 지금은 Cynosure사에서 만들어지고 있다.

Ⅲ. 맺음말(표 7-4)

제모 레이저의 출현은 우리나라에 소수에 지나지 않던 제모 환자를 주요 환자층으로 변화시키고 있다. 털에 대한 사람들의 생각은 계속 변하고 있으며 점차 깔끔한 피부, 즉 털이 적은 피부를 선호하는 경향이 우세하다고 볼 수 있다. 이는 여성 환자 뿐 아니라 남자 환자들도 점차 증가 추세에 있는 것으로 더욱 뚜렷하게 알 수 있다.

동양인의 피부는 백인들과 달리 표피의 멜라닌 색소가 많아서 레이저 제모시에 세심한 주의를 요한다. 그러나 백인들의 털색은 주로 갈색에서 금발이 흔하고 이는 털 자체가 에너지를 흡수하기가 어려우므로 그 나름대로의 문제가 있다고 볼 수 있다.

아직 영구 제모의 작용기전을 정확히 밝히기 어려운 이유는 털의 모든 성질이 제 각각이기 때문이라는 사실을 기억할 필요가 있다. 아래 제시하는 10가지 사항은 동양인에서 제모시술의 영구적인 제모 효과를 극대화 하는 방법이다.

표 7-4. How to maximize permanent results?(Asian)

1.	Proper	Wavelength
2.	Proper	PulseDuration
3.	Proper	Fluence(J/cm2)
4.	Proper	Spot Size
5.	Proper	Epidermal Cooling
6.	Proper	Coverage Rate
7.	Proper	Follow Up Interval
8.	Proper	Care of Side Effects
9.	Proper	Physicians
10.	Proper	Evaluation of Results

• 제모시술에서 영구적인 제모 효과를 극대화하는 법

가) Select Proper Wavelength

루비 레이저(694nm)를 시작으로 알렉산드라이트 레이저(755nm), 다이오드 레이저(800-810nm), Nd:YAG Laser(1,064nm) 등이 사용되었지만 점차 알렉산드라이트와 다이오드 레이저가 선호되고 있다. 일부 논문에서는 이 두 파장이 상대적으로 더 좋은 효과를 보이고 있다는 결과를 발표하고 있다.

나) Proper Pulse Duration

R Rox Anderson의 Extended theory of selective photothermolysis논문에서는 100ms의 ideal pulse duration 가능성에 대하여 언급하였지만 실제 사용을 해 본 경험으로 보면 30-40ms의 pulse duration이 적합하다. 최근 2-3년 사이에 40-70ms의 pulse duration을 이용한 레이저들이 시판되기 시작하였고 이런 레이저들의 영구적인 효과도 좋을 가능성이 있다. 하지만 최종적인 결론을 내리기에는 아직 2-3년 정도의 추가 시술 경험과 결과 자료가 필요하다. 3ms의 경우는 대부분의 경우 효과적인 결과를 만들고 있지만 굵은 털의 밀도가 높은 경우에는 한계가 있을 수 있다.

다) Proper Fluence (J/cm^2)

Fluence는 심각한 permanent side effects를 만들지 않는 범위내에서 가능한 높은 Fluence로 시술하는 것이 효과에 도움이 된다. 그러기 위해서는 환자들의 Hair coarseness, Hair density, Current skin color(not Fitzpatrick skin type!) Sun exposure history를 고려하여 결정하는 것이 필요하다. Fluence가 높을수록 털이 더 잘 제거된다는 것은 상식적이어서 의외로 논문을 찾아보기 어렵지만 Valeria Campos는 Hair removal with an 800-nm pulsed diode laser제목의 논문에서 30J/cm²보다 강하게 시술한 그룹이 30J/cm² 이하로 시술한 그룹보다 털이 더 많이 제거된 결과를 발표하였다.

라) Proper Spot Size

이론적으로 제모의 효과는 다른 spec이 모두 같다면 spot size가 클수록 효과가 좋아진다. 그 이유는 possible biology target들이 피부 속 적어도 2-3mm 이하에 있어서 spot size가 작을 경우 산란으로 인하여 충분한 에너지가 전달되기 어렵기 때문이다. 하지만 얼마나 넓은 것이 기계적으로 가능한가는 별도의 문제로 spot size가 커지면 같은 fluence를 만들어내기 위하여 더 높은 power가 필요하고 결국 기계값이 상승하게 된다. 이런 이유로 넓은 spot size를 가진 제모용 레이저를 쉽게 찾기 어려웠지만 최근에 LightSheer duet이나 Vectus는 기존의 다른 제모용 레이저에 비하여 2-4배 정도의 넓은 spot size를 가지고 있어서 주목을 받고 있다.

Nouri K 등은 Comparing 18- vs 12-mm spot size in hair removal using a gentlase 755-nm alexandrite laser. 논문에서 다른 조건이 동일할 때 18mm가 12mm보다 효과가 좋다는 보고를 하였다.

마) Proper Epidermal Cooling

보편적으로 활용되는 Contact Cooling, Dynamic Coolinig Device, Cold Air Cooling 중에서 레이저 제모 시술에는 접촉형 피부 냉각이 가장 적절하다. 그 이유는 제모에서는 pulse duration이 길기 때문에 레이저가 조사되는 동안에도 냉각을 유지하는 parallel cooling이 추가적인 도움이 될 수 있고 접촉형 냉각은 시술자가 precooling time을 임으로 조절할 수 있기 때문에 부작용이 걱정되는 상황(착색 부위를 치료할 때, 햇빛이 강한 계절, 털일 굵고 밀도가 높은 부위를 치료할 경우 등)에서 피부 냉각을 증가시켜서 부작용의 확률을 낮추고 효과를 유지하는데 도움이 된다. 추가적으로 Cold Room Temperature(20℃-23℃)도 효과적인 피부냉각에 도움이 될 수 있다고 보고하였다.

바) Proper Coverage Rate

Eric Bernstein는 2005년 매우 흥미로운 case를 보고하였다. 등의 한 부위의 털을 제거하는 제모 시술을 하고 시술 부위를 둘러싼 부위에 털이 더 많아진 경우였다. 그 외에도 제모 시술 후 시술 부위 주변의 털이 많아지는 현상이 보고되고 있다. 이런 이유로 누락 부위를 최소화하는 것은 효과에 매우 중요하다. 누락 부위는 당연히 털이 제거되지 않을 뿐만 아니라 시술 부위와 접해 있기 때문에 반대로 털의 더 많아질 가능성이 존재한다. 털을 제거한 부위가 더 넓기 때문에 산술적으로 털이 더 많아졌다는 확인은 불가능하지만 꼼꼼하게 하는 시술과 누락 부위가 많은 시술은 다른 경과를 보일 수 있다. 누락 부위를 줄이는 방법으로 하얀

가죽을 이용하여 누락 부위가 없도록 천천히 시술해보는 연습이 도움이 될 수 있다.

사) Proper Follow Up Interval

2004년 ASLMS학회에서 벨기에의 Christine Dierickx는 시술 간격이 4주 이내이거나 8주 보다 더 길어지면 효과가 떨어지는 결과를 발표하였다. Navid Bouzari는 얼굴과 목의 제모시술에서 60일이나 90일 간격보다 45일 간격이 더 효과적이었다는 보고를 하였다. 저자의 경험으로는 시술 간격을 지키는 것은 매우 중요하지는 않지만 효과가 떨어질 가능성이 있는 환자들에서는 중요한 요인으로 작용하고 누가 효과가 떨어질지를 정확히 구분하기 어렵기 때문에 가능한 모든 환자들이 시술 간격을 지키도록 하는 것이 좋다.

아) Proper Care of Side Effects

가려움증과 오래 지속되는 붉은 기운 같은 흔한 불편한 반응 이외에 Postinflammatory Hyperpigmentation, Hypopigmentation, Scabbing, Blister, Paradoxical Hypertrichosis, Koebnerization, Pili Bigemini, Reticulate Erythema, Temporary hair color change, Urticarial reaction, laser-induced cataract and iris atrophy, Fox-Fordyce Disease 등 다양한 부작용이 보고되고 있다. 이런 부작용에 대하여 숙지하고 있지 않으면 충분한 fluence로 시술을 하기 어렵게 되고 결국은 효과에 영향을 줄 수 있다. 겨드랑이의 땀이 많아질 수 있느냐는 발표된 논문마다 차이가 있는데 땀이 많아진다는 보고와 줄어든다는 보고가 모두 있으므로 자기 상황에서는 어떤지를 각자 판단해 볼 필요가 있다. 저자의 경우 비교적 높은 fluence를 사용하고 있는데 이런 이유로 땀이 많아졌다는 환자는 거의 경험하지 않고 있다. 최근에는 inguinal area의 땀이 많아졌다는 보고도 있다.

자) Proper Physicians

레이저를 이용한 제모 시술은 매우 지루한 시술이기 때문에 인내심을 요한다. 레이저 제모 시술의 지루함에도 불구하고 매 환자 마다 강도를 조절하고 누락부위를 최소화 하는 것은 결코 쉬운 일이 될 수 없다. "Laser hair removal: No training required? In the right hands, laser hair removal can be safe and effective."

차) Proper Evaluation of Results

레이저를 이용한 제모의 영구적인 효과의 판단은 항상 마지막 시술 후 6개월 이상이 지난 후에 가능하다. 1년 이상 지나면 정확도를 높일 수 있지만 저자의 경험으로 보면 마지막 시술 후 6개월 이상이 지나면 털의 수에 큰 변화는 보이지 않는다. 시술 전 정확한 사진촬영을 하면 환자나 의사의 기억에 의존하는 것 보다 최종적인 효과판단을 정확히 하는데 도움이 되기 때문에 사진 촬영 시스템의 구축도 레이저 제모시술의 중요한 부분 중 하나이다.

◆ 참고문헌

1. Alajlan A, Shapiro J, Rivers JK et al. Paradoxical hypertrichosis after laser epilation. J Am Acad Dermatol. 2005 Jul;53(1):85-8.

2. Alster TS, Bryan H, Williams CM. Long-pulsed Nd:YAG laser-assisted hair removal in pigmented skin: a clinical and histological evaluation. Arch Dermatol 2001: 137 (7): 885~889

3. Altshuler GB, Anderson RR, Manstein D, Zenzie HH, Smirnov MZ. Extended Theory of Selective Photothermolysis. Lasers Surg Med. 2001;29(5):416-32)

4. Anderson RR, Burns AJ, Garden J, et al. Multicenter study of long-pulse ruby laser hair removal. Lasers Surg Med 1999:11 (Suppl.): 14.)

5. Anderson RR, Parrish JA : Selective photothermolysis: precise microsurgery by selective absorption of pulsed radiation. Science 1983;220:524

6. Battle EF Jr, Hobbs LM. Laser-assisted hair removal for darker skin types. Dermatol Ther. 2004;17(2):177-83.

7. Berstein EF. Hair Growth Induced by Diode Laser Treatment. Dermatol Surg 2005;31:5

8. Bouzari N, Tabatabai H, Abbasi Z et al. Laser hair removal: comparison of long-pulsed Nd:YAG, long-pulsed alexandrite, and long-pulsed diode lasers. Dermatol Surg. 2004 ;30(4 Pt 1):498-502.

9. Campos VB, Dierickx CC, Farinelli WA et al. Hair removal with an 800-nm pulsed diode laser. J Am Acad Dermatol. 2000;43:442.

10. CARLA RAQUEL FONTANA, DANIEL BONINI, VANDERLEI SALVADOR BAGNATO. A 12-month follow-up of hypopigmentation after laser hair removal Journal of Cosmetic and Laser Therapy, 2013; 15: 80-84

11. Carter JJ, Lanigan SW. Incidence of acneform reactions after laser hair removal. Lasers Med Sci. 2006 Jul;21(2):82-5.

12. Cotsarelis G, Sun TT, Lavker RM. Label-Retaining cells reside in the bulge area of pilosebaceous unit: implications for follicular stem cells, hair cycle and skin carcinogenesis. Cell 1990;1329

13. Davoudi SM, Behnia F, Gorouhi F, et al. Comparison of long-pulsed alexandrite and Nd : YAG lasers, individually and in combination, for leg hair reduction: an assessorblinded, randomized trial with 18 months of follow-up. Arch Dermatol 2008: 144 (10): 1323~1327

14. Dierickx CC, Grossman MC, Farinelli WA et al. Permanent hair removal by normal-mode ruby laser. Arch Dermatol 1998;134:837

15. Eremia S, Li C, Newman N. Laser hair removal with alexandrite versus diode laser using four treatment sessions:1-year results. Dermatol Surg 2001: 27 (11): 925-929. Discussion 929~930

16. Gerardo A. Moreno-Arias, Camil Castelo-Branco, Juan Ferrando. Side-Effects After IPL Photodepilation Dermatol Surg 2002;28:1131-1134

17. Goh CL. Comparative study on a single treatment response to long pulse Nd : YAG lasers and intense pulse light therapy for hair removal on skin type IV to VI - is longer wavelengths lasers preferred over shorter wavelengths lights for assisted hair removal. J Dermatolog Treat 2003: 14(4): 243~247

18. Gorgu M, Aslan G, Akoz T et al. Comparison of alexandrite laser and electrolysis for hair removal. Dermatol Surg. 2000;26:37

19. GRACE OBEID , JOSIANE HELOU , ISMAEL MAATOUK , ROY MOUTRAN, ROLAND TOMB. Depilatory laser: a potential causative factor for inguinal hyperhidrosis: Report of three cases Journal of Cosmetic and Laser Therapy, 2013: Early Online: 1-4

20. Grossman MC, Dierickx CC, Farinelli WA et al. Damage to hair follicles by notmal-mode ruby laser pulses. J Am Acad Derm 1996;35:889

21. Harilaos S. Brilakis, Edward J. Holland, Diode-laser-induced Cataract and Iris Atrophy as a Complication of Eyelid Hair Removal Am J Ophthalmol 2004;137:762

22. Hussain M, Polnikorn N, Goldberg DJ. Laser-assisted hair removal in Asian skin: efficacy, complications, and the effect of single versus multiple treatments. Dermatol Surg 2003: 29 (3): 249~254).

23. Jahoda CAB, Horne KA, Oliver RF et al. Induction of hair growth by implatation of cultured dermal papilla cells. Nature 1984;311:560

24. Jahoda CAB, Reynolds AJ, Oliver RF. Induction of hair growth in ear wounds by cultured dermal papilla cells. J Invest Dermatil 1993;101:584

25. Josiane Helou, Ismaël Maatouk, Roy Moutran,

Grace Obeid. Fox-Fordyce-like disease following laser hair removal appearing on all treated areas Lasers Med Sci (2013) 28:1205-1207

26. Khoury JG, Saluja R, Goldman MP. Comparative evaluation of long-pulse alexandrite and long-pulse Nd : YAG laser systems used individually and in combination for axillary hair removal. Dermatol Surg 2008: 34 (5): 665~670. Discussion 670~661

27. Kontoes P, Vlachos S, Konstantinos M et al. Hair induction after laser-assisted hair removal and its treatment. J Am Acad Dermatol. 2006 Jan;54(1):64-7.

28. Kurt G. Klavuhn et al. Importance of Cutaneous Cooling During Photothermal Epilation: Theoretical and Practical Considerations. Lasers Surg Med 2002: 31:97-105

29. Lask G, Friedman D, Elman M, Fournier N, Shavit R, Slatkine M. Pneumatic skin flattening (PSF): a novel technology for marked pain reduction in hair removal with high energy density lasers and IPLs. J Cosmet Laser Ther. 2006 Jun;8(2):76-81.

30. Lim SP, Lanigan SW. A review of the adverse effects of laser hair removal. Lasers Med Sci. 2006 Sep;21(3):121-5.

31. Lin TY, Manuskiatti W, Dierickx CC et al. Hair growth cycle affects hair follicle destruction by ruby laser pulses. J Invest Dermatol. 1998;111:107

32. Lou WW, Quintana AT, Geronemus RG et al. Prospective study of hair reduction by diode laser (800 nm) with long-term follow-up. Dermatol Surg. 2000;26:428.

33. Lou WW, Quintana AT, Geronemus RG, Grossman MC. Prospective study of hair reduction by diode laser (800nm) with long-termfollow-up. Dermatol Surg 2000: 26 (5): 428~432

34. Lyle S, Christofidou-Solomidou M, Liu Y et al. The C8/144B monoclonal antibody recognizes cytokeratin 15 and defines the location of human hair follicle stem cells. J Cell Sci. 1998; 111:3179

35. Macoy S, Evans A, James C. Histologic study of hair follicles treated with a 3-ms pulsed ruby laser. Lasers Surg Med 1999;24:142

36. McGill DJ, Hutchison C, McKenzie E, McSherry E, Mackay IR. A randomised, split-face comparison of facial hair removal with the alexandrite laser and intense pulsed light system. Lasers Surg Med 2007: 39 (10): 767~772.

37. Nanni CA, Alster TS. Optimizing treatment parameters for hair removal using a topical carbon-based suspension and 1064 nm Nd:YAG laser energy. Arch Derm1997;133:1546

38. Narisawa Y, Kohda H, Tanaka T. Three-dimensional demonstration of melanocyte distribution of human hair follicles: special reference to the bulge area. Acta Derm Venereol. 1997;77:97

39. Navid Bouzari et al. Hair removal using an 800-nm Diode Laser: Comparison at different treatment intervals of 45, 60, and 90 days. International Journal of Dermatology 2005, 44, 50 -53

40. Nerea Landa, Natalia Corrons, Inaki Zabalza, Jose L. Azpiazu. Urticaria Induced by Laser Epilation: A Clinical and Histopathological Study With Extended Follow-Up in 36 Patients. Lasers in Surgery and Medicine 2012;44:384-389

41. Omar A. Ibrahimi, Mathew M. Avram, C. William Hanke, Suzanne L. Kilmer, R. Rox Anderson, Laser hair removal. Dermatologic Therapy, Vol. 24, 2011, 94~107

42. Ono I, Tateshita T. Histopathological changes in the hair follicle after irradiation of long-pulse alexandrite laser equipped with a cooling device. Eur J Dermatol. 2000;10:373.

43. Orringer JS, Hammerberg C, Lowe L et al. The effects of laser-mediated hair removal on immunohistochemical staining properties of hair follicles. J Am Acad Dermatol. 2006 Sep;55(3):402-7.

44. Polderman MC, Pavel S, le Cessie S et al. Efficacy, tolerability, and safety of a long-pulsed ruby laser system in the removal of unwanted hair. Dermatol Surg. 2000 ;26:240.

45. Ramin Ram et al Effects of ambient room temperature on cold air cooling during laser hair removal Journal of Cosmetic Dermatology, 6 , 203-206

46. SHRADDHA DESAI, BASSEL H. MAHMOUD, PHD, zASHISH C. BHATIA, ILTEFAT H. HAMZA-VI. Paradoxical Hypertrichosis After Laser Therapy: A Review Dermatol Surg 2010;36:291-298

47. Sperling LC. Hair anatomy for the clinician. J Am Acad Dermatol. 1991 ;25:1-17.

48. Weiss RA, Weiss MA, Marwaha S et al. Hair removal with a non-coherent filtered flashlamp intense pulsed light source. Lasers Surg Med 1999;24:128

CHAPTER

혈관성 병변의 레이저치료;
혈관종과 혈관기형

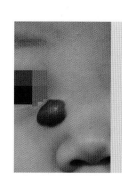

혈관성 병변의 레이저치료; 혈관종과 혈관기형

Laser treatment of Vascular Anomaly; Hemangioma and Vascular Malformation

박 승하

CHAPTER 08

I. 혈관종과 혈관기형

혈관성 병변(vascular lesion)에 대하여는 최근까지 알려진 것이 거의 없어서 병명도 겉보기에 따라 딸기 혈관종(strawberry hamangioma), 포도주색 반점(port wine stain), 연어색 반점(samon patch) 등 이라고 불리어 왔다. 병명이 특징적으로 음식의 이름을 하여 임신 중에 혹시 이를 섭취하여 생기기 않나 의심하는 사람이 많았으며, 병의 원인과 양상을 전혀 모르고 붙인 이름이며 비과학적인 병명의 대표라 하겠다.

혈관과 관련된 병변을 통칭 혈관종이라 하고 있으며 아직도 많은 의사들이 이렇게 부르고 있다.

최근에 혈관성 병변 또는 혈관 이상(vascular anomaly)을 혈관종(hemangioma)과 혈관 기형(vascular malformation)으로 구분하고 있다.

혈관종은 대부분 유아기에 갑자기 증식하여 소아기에 점차 퇴행하는 것이 많다.

혈관 기형은 구성하는 혈관 종류에 따라 모세혈관, 동맥, 정맥, 임파 기형과 이의 복합 혈관기형으로 분류된다. 혈관기형은 대부분 퇴행하지 않으며, 혈류 속도에 따라 동맥을 포함한 빠른 혈류 혈관기형(fast flow vascular malformation)과 모세혈관, 정맥, 임파 성분의 느린 혈류 혈관기형

그림 8-1. 혈관성 병변을 딸기, 포도주, 연어와 비슷하다고 strawberry hamangioma, port-wine stain, salmon patch이라고 부르는 것은 잘못된 비과학적인 진단명이다.

(low flow vascular malformation)으로 나누며 혈류 속도에 따라 임상 양상이나 예후가 판이하게 다르게 나타난다.

혈관성 병변은 두개안면부에 많이 발생하고 또한 피부에 많이 보이기 때문에 특히 성형외과와 피부과 의사들이 관심을 갖고 치료하게 되었다.

혈관성 병변은 혈관의 구성 조직과 형태, 양상, 위치와 깊이, 혈류 속도 등에 따라 임상적으로 판이하게 나타난다. 혈관성 병변의 분류와 진단도 쉽지 않으며, 병의 예후도 병명에 따라 또한 개인에 따라 상당히 달리 나타나고 있다.

혈관성 병변에 대한 치료도 병명에 따라, 부위와 정도에 따라, 또한 개인적인 양상과 나이에 따라 치료방법을 달리하고 있다.

혈관성병변의 치료는 보존적 치료, 약물치료, 외과적 절제, 레이저치료, 경화요법주사, 혈관중재술 등 다양한 방법이 있으며 환자 개인에 적합한 치료방법을 선택하여 개인별 치료 계획을 세워야 한다. 또한 많은 경우에서 치료의 한계를 보이기 때문에 관련된 모든 의료진이 협진하여 환자를 종합적으로 판단하고 가능한 치료방법을 모두 검토하여 팀 어프로치가 필요하다.

레이저는 1960년대부터 개발되었고 임상적으로는 1970년대부터 피부 혈관 병변에 아르곤레이저와 엔디-야그 레이저가 사용되기 시작하였다. 그 당시 레이저는 혈관에 선택적으로 작용하지 않고 조직을 비선택적으로 파괴시키는 역할을 하였기에 부작용으로 조직의 괴사와 피부의 흉을 만들었으며 또한 레이저 투과깊이의 제한으로 치료의 한계를 보였다.

1990년대 선택적 광열반응(SPTL)개념이 도입되어 헤모글로빈에 흡수가 높은 577nm 펄스색소 레이저(PDL; pulse dye laser)가 개발되었다. 이는 피부 표재성 혈관에 선택적 반응은 좋으나 침투가 1mm 이내로 한계가 있었다. 이후 피부 열손상의 부작용을 피하기 위하여 표면 냉각을 하며 출력을 높이게 되었고 또한 투과 깊이를 증가시키기 위하여 파장이 긴 롱 펄스(595nm) 색소가 더 나은 결과를 보이지만 역시 투과의 한계를 지니고 있다.

피부에 표재성으로 혈관 병변이 있는 경우 혈관 치료용 레이저로 수차례 치료하면 완치를 보이는 경우도 있지만 많은 경우에서 피하층과 연결된 혈관(retaining 또는 collateral vessel)으로 치료 후에 다시 나타날 수도 있으며 완전한 치료를 하기가 쉽지 않다.

혈관 병변이 피하 층 깊이 있는 경우 피부에 직접 레이저로 치료를 할 수 없으며, 최근에는 레이저빔을 직접 조직 내로 삽입하여 병변내 레이저 치료(intralesional laser 또는 interstitial laser)를 하고 있다. 레이저는 구부러지고 가는 광섬유 형태로 피부를 뚫고 병변에 도달하며, 레이저 팁이 가이드 내에 위치하여 원하는 조직에만 레이저가 작용하게 된다. 병변내 치료 레이저는 엔디야그 레이저(1,064nm, 1,440nm)를 사용하고 있다. 이런 경우에도 혈관이 가늘고 혈류가 느린 모세혈관, 임파, 정맥 기형에만 사용할 수 있으며, 혈관이 굵고 혈류가 빠르며 동맥 기형인 경우 사용할 수 가 없다. 병변내 레이저 치료는 또한 근육, 신경 등의 비선택적인 조직 파괴로 인한 부작용을 초래할 가능성이 있다.

혈관 병변에 대한 레이저 치료는 혈관 병변을 정확하게 알고 레이저의 특성을 잘 이해하고 적합한 방법으로 수행해야 한다.

II. 혈관성 병변의 종류와 분류

이전에는 혈관 병변에 대한 병리학적 발생원인과 그 특성을 전혀 알지 못하였으며 혈관 병변을 통칭하여 병리학자에 의해 혈관종양(angioma)로 불려졌다. 20세기에 들어서 혈관 병변을 혈관이 가늘면 모세 혈관종(capillary hemangioma)이라 하고 혈관이 굵고 수세미처럼 생긴 것을 해면상 혈관종(cavenous hemangioma)이라 하였다. 한편 모세 혈관종은 대부분 피부가까이 생기기 때문에 표재성 혈관종이라 하고 해면상 혈관종은 피부 깊이 있어서 심부 혈관종이라 부르기도 하였다. 최종 병명의 확진은 병리소견인데 아직도 많은 병리 의사들이 혈관 병명을 제각각 달리하기 보고하기 때문에 임상의사들도 혼동하고 있다.

혈관 병변을 크게 혈관종과 혈관기형으로 나누는 것은 혈관종은 혈관에 발생하는 종양(-oma)이며 혈관기형은 종양이 아니라 혈관의 형태가 비정상적인 기형(malformation)이기 때문에 전혀 다른 특성을 갖고 있고 이를 정확하게 구분할 필요가 있다.

1980년대부터 Mulliken 등 혈관병변에 대한 연구를 하는 의사들이 이 혈관 병변의 임상 양상과 병리소견 등을 종합하여 혈관종과 혈관 기형으로 분류하고 이를 세분하여 표 8-1과 같이 체계적인 분류를 하게 되었다.

1. 혈관종 (Hemangioma)

가) 선천성 혈관종 (congenital hemagioma)

선천성 혈관종은 출생시부터 갖고 태어나는 혈관종이며 이는 임상적으로는 드물고 우리가 흔히 보는 혈관종은 유아성 혈관종(infantile hemangioma)이나 흔히 그냥 혈관종이라 부르고 있다.

선천성 혈관종은 급격히 퇴행하는 RICH (rapid involuting congenital hemangioma)와 퇴행하지 않는 NICH (non involuting congenital hemangioma)로 구분이 된다. RICH가 더 심하게 보

표 8-1. 혈관종과 혈관기형의 분류

Hemangioma	Vascular Malformation
Infantile IH	Slow-flow malformation
Congenital CH	CM; capillary
RICH; rapid involuting	VM; venous
NICH; non involuting	LM; lymphatic
Other	Fast-flow malformation
tufted angioma	AM; arterial
(Kasabach Merritt Synd)	AVF; fistula
hemangioendothelioma	AVM; malformation
(Kaposiform)	Combined; CVM, CLM,LVM,
pyogenic granuloma	CLVM, AVM-LM, CM-AVM

*H; hemangioma, M; malformation, A; arterial, C; capillary, V; venous, L; lymphatic
(ISSVA;International Society of Study of Vascular Anomaly 참조)

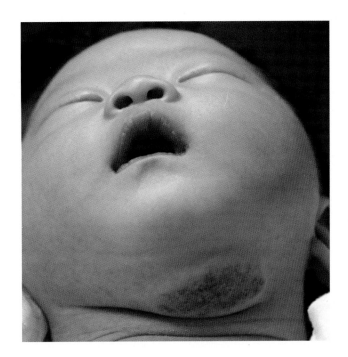

그림 8-2. 선천성 혈관종(congenital hemangioma)은 태어날 때부터 갖고 있는 보기 드문 형태로 임상양상은 가운데가 붉고 융기되고 가장자리는 창백한 둘레의 특징적인 양상을 보인다.

이고 많이 돌출하며 색상도 진하지만 생각보다 빨리 퇴행하며, NICH는 전혀 퇴행하지 않으며 그림 8-2와 같이 돌출이 많지 않고 가운데가 약간 융기되어 오돌오돌하며 색이 붉으며 가장자리는 창백한 둘레의 특징적인 양상을 나타낸다.

나) 유아성 혈관종 (infantile hemagioma)

가장 흔히 보는 혈관종은 유아기에 나타나며 보통 출생시에는 거의 보이지 않거나 약간 붉은 색을 보이다가 생후 2주-4주경부터 급격하게 커지게 된다. 얼굴이나 흉부에 깊이 있는 경우 색의 변화가 보이지 않고 부피만 커져 보이게 된다.

혈관종은 유아에서 가장 많은 종양이며 여자에서 남자보다 3배 이상 많이 나타난다. 두경부가 가장 많고(60%), 흉복부(25%), 사지(15%)순으로 나타나며, 대부분 80%에서 한 군데 있지만 20%에서 여러 군데 나타난다.

혈관종은 특징적으로 3단계 시기를 거친다.

a) 증식시기(proliferation period)

생후 몇 개월간은 급속한 증식을 하여 혈관종이 커지고 색상도 진해지며 단단해 진다. 하지만 12개월 이내에 증식은 대부분 멎게 되며 그 이상 계속 증식하는 경우는 거의 없다.

b) 퇴행시기(involuting period)

퇴행시기는 환자마다 다르며 보통 5세에 50%, 7세에 70%가 퇴행을 보이며 10세 전후까지 점차 퇴행을 보이게 된다. 퇴행 될 때는 색상이 밝아지고 딱딱한 종양이 부드러워지며 많은 경우 중앙에서부터 옅은 색상을 나타내며 군데군데 옅어지기도 한다.

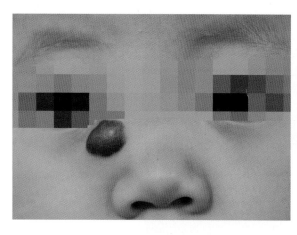
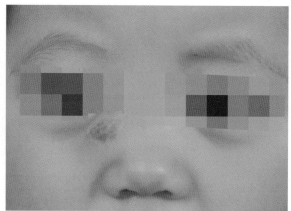

그림 8-3. 유아성 혈관종(infantile hemangioma)으로 생후 급격하게 커지며, 레이저와 스테로이드 주사로 퇴행시기를 당길 수 있다.

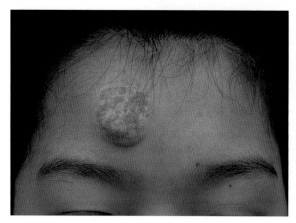
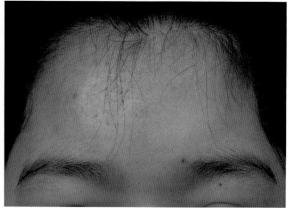

그림 8-4. 안면부 혈관종이 퇴화 후 조직이 늘어지고 피부에 흉터를 남김: 부분절제와 레이저 박피로 치료했다.

c) 퇴화시기(involuted period)

혈관종이 퇴화하면 부피가 줄어들고 피부는 약 절반 이하의 경우 정상 피부가 되지만 나머지 절반이상은 피부의 흔적을 남기어 피부가 늘어지거나 얼룩진 피부색상과 질감의 변화를 남기게 된다.

혈관종은 혈관기형과 달리 근골격계의 증식과 변형을 초래하는 경우는 별로 없다.

혈관종이 있는 경우 일찍 레이저 치료를 하면 퇴행을 촉진시킨다는 주장도 있으며, 반면 레이저가 피부 깊이 투과하지 않기 때문에 효과가 없다는 주장도 있다.

그러나 저자의 경험으로는 급속히 자라는 피부 혈관종에 혈관치료 레이저(595nm, long pulse dye 등)와 국소 내 스테로이드 주사를 하면 확실히 성장이 멈추고 퇴행이 촉진되었으며, 초기에 적극적인 레이저 치료를 권장하고 있다.

다) 기타 혈관종

기타 혈관에서 발생하는 종양으로 화농성 육아

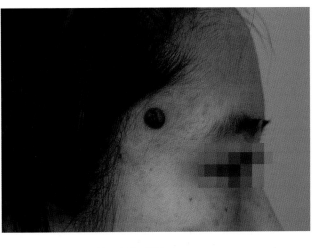

그림 8-5. 화농성 육아종(pyogenic granuloma)

후천적으로 발생하는 혈관성 병변이며 출혈을 잘 일으킴. 레이저 치료로 지혈이 안 되는 경우가 많고 외과적 절제와 생검을 요한다.

종(pyogenic granuloma)이 있으며 이는 안면에 잘 발생하고 소아나 성인의 정상 피부에도 생기고 붉게 돌출하여 출혈을 잘 일으킨다. 염증이나 외상이 원인이 될 수도 있으며 관련 없는 경우도 많다. 크기는 대부분 1cm 이상 더 커지지는 않는다. 레이저치료로는 출혈이 잘 멈추지 않아 외과적 절제와 생검을 하는 것이 효과적이다.

혈관종이 큰 경우 Kasabach-Merritt 신드롬(Kaposiform Hemangioendothelioma)은 혈소판 감소, 출혈, 피부의 출혈 반점을 특징으로 하며 전신적인 치료를 요하게 된다. 이와 비슷한 Tufted angioma는 모세혈관이 굵어진 혈관이 뭉쳐서 보이며 피부 혈관 반점을 보인다.

2. 혈관 기형

가) 모세혈관기형(capillary malformation)

모세혈관 기형은 피부에 붉은 색 반점으로 나타나며 안면이나 몸의 어느 부위에도 나타날 수 있다. 유아에서는 붉은 반점이 키스 자국(angel's kiss)처럼 보이는 nevus flammeus neonatorum이 있으며 이는 대부분 저절로 없어지는데 계속 존재하면 모세혈관기형과 감별 진단을 요하게 된다.

안면에 발생하는 경우 절반이상에서 삼차신경 분포 부위를 따라 나타나며 이는 신경외배엽(neuroectoderm) 발생과 관련이 있는 것으로 보인다.

눈 주위와 이마에 모세혈관기형이 있는 경우 뇌막과 망막에도 모세혈관기형을 동반할 수 있으며 이를 Sturge-Weber 신드롬 이라고 간질 발작과 시력감퇴, 녹내장의 증상을 보일 수 있다. 눈주위와 이마에 모세혈관 기형이 있는 경우 뇌와 안구의 증상을 동반하는지 유심히 살펴보아야 한다.

사지에 혈관기형이 있는 경우 뼈의 과성장으로 사지가 길어지고 굵어지는 증상을 동반한 증후근으로 나타날 수 있다(Klippel-Trenaunay 신드롬, Proteus 신드롬 등).

혈관기형은 혈관종과 달리 여러 증상을 동반하는 증후군으로 나타날 수 있다(표 8-2).

모세혈관 기형은 출생시부터 옅은 분홍색으로 있는 경우가 많으며 대부분 급격히 변하지 않고 나이가 들면서 점차 색이 짙어진다. 중년 정도 되면 기형적인 모세혈관이 굵어져서 피부색이 검붉게 되고 병변은 두꺼워지며 일부는 융기되고 결절로 튀어나오며 출혈되기도 한다.

모세혈관기형은 어릴 때 레이저로 치료할수록 완치율이 높으며 나이가 들면 혈관이 굵어지고 두꺼워져서 완치율이 낮아지며 중년이후 튀어나오면 레이저로 치료가 되지 않고 외과적 절제와 피부이식을 요하게 된다.

나) 임파 기형(Lympathic Malformation)

임파 기형의 원인은 잘 알려져 있지 않으며 태생기에 임파선의 비정상적인 발생으로 생기고 임

표 8-2. 신드롬을 동반하는 혈관기형

Kasabach–Merritt	hemangioma, thrombocytopenia
Klippel–Trenaunay	CLVM, skeletal hypertrophy
Proteus	CLVM, asymmetric limb, macrocephaly
Maffucci	VM, enchondroma
Render–Osler–Weber	hereditary hemorrhagic telangictasia, CM, viseral AVM
Ataxia telangiectasia	CM, ataxia
Bean(blue rubber bleb)	VM, GI hemorrhage, coagulopathy
Gorham–Stout	LM, bone resorption

* C; capillary, L; lymphatic, V; venous, M; malformation

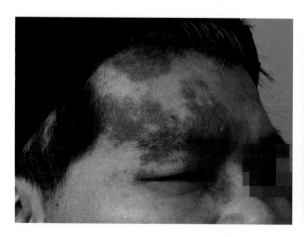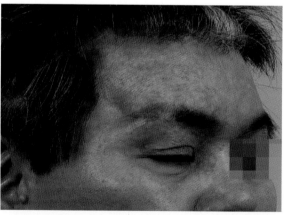

그림 8-6. Sturge Weber 증후군

눈과 이마 부위의 삼차신경 분포를 따라 발생하는 모세혈관기형에서 뇌와 눈에서 모세혈관기형이 있는 경우를 Sturge Weber 증후군이라 한다. 동반된 증상으로 경련발작, 시력감퇴, 녹내장 등을 보일 수 있다. FD–Nd:YAG(532nm) 레이저 치료 후 모습

파선의 굵기나 부위, 발생 양상이 다양하게 나타난다.

대부분 출생시나 생후 2년 내에 보이며 간혹 소아기에 발견하기도 한다.

임파 기형이 굵게 생기는 경우(macrocystic)는 큰 종양형태로 피부 융기를 보이며 피부는 정상 피부색을 보인다. 임파 기형이 작게 생기는 경우(microcystic)는 피부에 작게 많은 결절형태로 융기되고 붉은 색을 띄게 된다.

임파 기형은 임파선이 있는 어느 부위에나 생길 수 있으며 특히 안면부와 경부에 많이 나타난다. 안면에 발생할 경우 뺨이 크게 융기될 수도 있으며 혀나 입술, 귓바퀴 등이 기형적으로 클 수 있다.

임파 기형이 안에서 출혈되면 검붉게 변하기도 하며 특히 감염에 약하여 염증이 생기면 봉와직염으로 갑자기 커지고 통증, 발열을 동반하게 된다. 이럴 경우 적극적인 항생제 치료로 패혈증으로의 진행을 막아야 한다.

액와부와 흉부에 큰 임파 기형은 cystic hygroma로 외과적 절제를 필요로 한다.

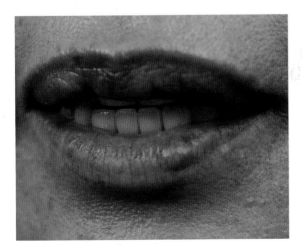

그림 8-7. 입술에 발생한 정맥기형(venous malformation 또는 venous lake)

외과적 절제는 임파 기형이 조직에 퍼져있을 경우 쉽지 않고 재발을 많이 하며, 경화요법이나 병변 내 레이저 삽입치료를 하기도 한다.

다) 정맥 기형(Venous Malformation)

정맥 기형은 안면이나 사지, 복부 등에 나타나며 색상은 피부 겉에 나타나면 짙은 푸른색에서 보라색을 보이며 피부 깊이 있는 경우 옅은 푸른색을 나타낸다. 만지면 딱딱하지 않고 누르면 들어가는 말랑한 느낌을 보인다.

안면에 발생하면 보통 일측성으로 오며 안면 비대칭을 나타내고 혀와 입안에 생기면 출혈과 호흡곤란을 일으키기도 한다.

정맥기형은 혈류가 정체되는 까닭에 오래된 정맥기형에서는 석회화된 결절이 나타나며 방사선 촬영에서도 석회화된 구슬은 정맥기형의 전형적인 특징으로 보인다.

치료는 외과적 절제와 병변내 레이저 삽입치료를 하며 경화요법도 사용한다.

라) 동맥 기형, 동정맥 기형
(arterial aneurysm, AV malformation)

동맥에 단독으로 생기는 경우는 동맥류(aneurysm)로 두개강내에 잘 생기며 기타 부위에서는 대부분 동정맥 기형(AVM)으로 나타난다. 혈류가 빠른 혈관기형이며 점차 주변으로 잠식하여 임상적으로는 완치가 어려운 악성에 속하게 된다.

처음에는 조용하고 표시가 안날 수 있는데 점차 진행되면 열감과 맥박이 뛰는 것을 느낄 수 있으며 촉진이나 도플러 검사에 동맥 맥박을 알 수 있으며 점차 확장하게 된다.

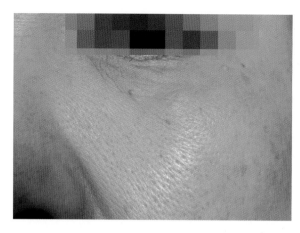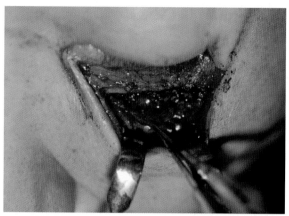

그림 8-8. 눈 밑에 발생한 정맥기형으로 수술적 제거를 했다

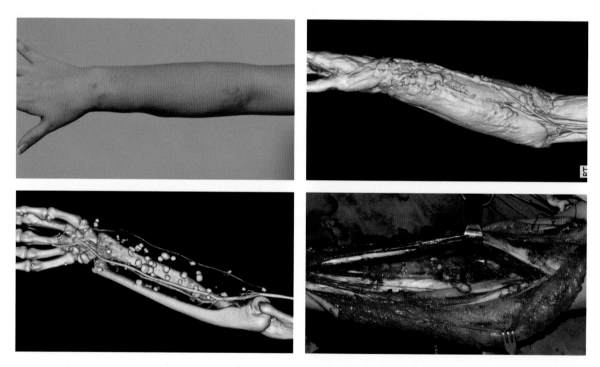

그림 8-9. 상지에 발생한 정맥기형으로 방사선 촬영에 석회화된 구술이 특징적으로 보인다. 피부와 방사선촬영, 그리고 수술적 제거 장면

더욱 진행되면 피부의 변화로 궤양과 염증, 조직 괴사를 초래하고 지속적인 통증을 느끼게 된다. 최악의 경우 혈류의 변화로 심장 기능 부전을 초래하기도 한다(표 8-3).

사지에서는 동맥 혈류가 말단까지 이르지 않고 정맥으로 중간에 순환되어 말단부 괴사로 절단을 요하기도 한다.

동정맥 기형은 혈관촬영으로 기형의 양상을 확인하며 최근에는 쉽고 간편하게 3차원 혈관 CT촬영만으로도 동정맥 기형의 위치, 크기, 깊이 등을

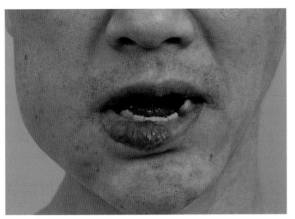
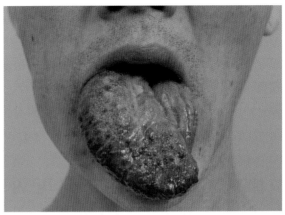

그림 8-10. 안면과 입안, 혀에 발생한 정맥기형

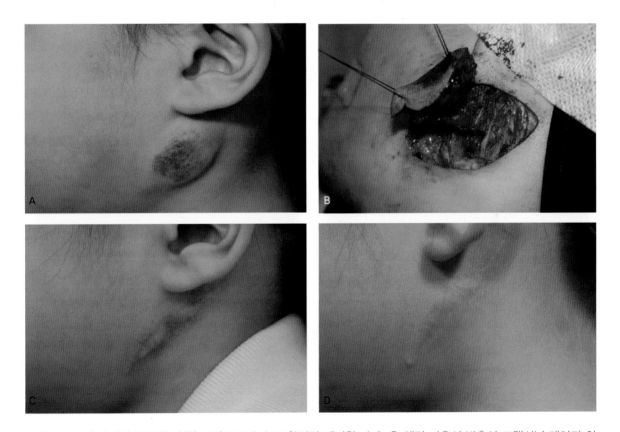

그림 8-11. 귀 아래의 동정맥 기형(AVM)으로 수술로 완전히 제거함. 수술 후 생긴 비후성 반흔이 프랙셔널 레이저 치료를 통해 개선됨.

알 수 있다.

동정맥 기형은 수술로 완치하는 것이 제일 좋지만 주변과 통하는 혈관이 많아 완치가 어렵고 동

정맥 핵심 부위(nidus)가 남아있는 경우 반드시 재발하게 된다.

동정맥 기형은 혈류를 공급하는 동맥을 결찰하

거나 색전술(embolization)로 막아 치료할 수도 있지만 주변과 통하는 혈관이 많아 이것만으로 치료가 되지 않는 경우가 대부분이며, 색전술은 동정맥 기형 수술 시 출혈을 적게 하는 정도로 치료 효과가 제한적이다.

안면부는 혈류가 사통팔달하기 때문에 안면부 동정맥기형의 치료가 어려우며, 광범위한 근치적 절제술을 하여야 하나 안면부의 중요한 눈, 코, 입, 안면신경과 근육 같은 중요 부위를 보존하기가 어렵다. 또한 수술 후 외관상 혐오스런 추형을 남기게 때문에 근치술을 결정하기가 쉽지 않다.

마) 복합 혈관기형

빠른 혈류를 가진 동맥기형과 동정맥 기형은 분명하게 구분이 되지만 느린 혈류를 가진 혈관기형은 모세혈관, 정맥, 임파선이 혼합되어 같이 존재하는 경우가 많아 복합적인 혈관기형을 나타내기도 한다. 그러므로 모세혈관-임파-정맥 기형이 복합적인 경우 그 구성에 따라 CLM, CVM, LVM, CLVM 등으로 표시한다.

III. 혈관성 병변의 진단

1. 병력 및 이학적 소견

혈관성 병변에 대한 진단은 쉽지 않으나 환자의 병력과 이학적 소견으로 경험있는 의사는 90%이

표 8-3. 동정맥 기형의 임상적 단계

Stage 1 quiescence	조용하며 촉진과 도플러에 맥박을 느낌, 열감 동반
Stage 2 expansion	확장하여 융기하며 맥박이 눈으로 보이고 정맥도 굵어짐
Stage 3 destruction	피부궤양, 조직괴사, 출혈, 지속적 통증을 동반
Stage 4 decompensation	심부전

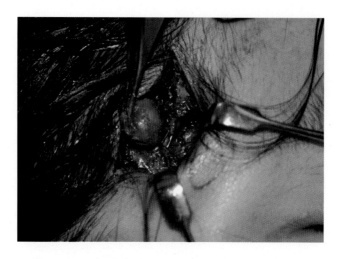

그림 8-12. 이마성형술 후 발생한 동맥류(arterial aneurysm)

상 정확한 진단이 가능하다.

병변의 발생시기와 성장 속도를 아는 것이 중요하며 혈관종은 출생시 미미하다가 유아기에 급격히 팽창하고 1세 전후에 정지기를 거쳐 수년내에 퇴행을 하기 시작한다.

혈관기형은 동맥 기형, 동정맥 기형만 급속히 커지며 그 외에 모세혈관, 정맥, 임파로 구성된 혈관기형은 급격한 변화가 없다.

시각적으로 혈관이 피부 가까이 있으면 선홍빛을 띠며 혈관이 깊이 있는 경우 색상변화가 없거나 푸른색을 띠게 된다. 정맥 기형인 경우 더 짙은 푸른색이나 보라색을 띠게 되고, 임파 기형인 경우 색상의 변화는 거의 없다.

촉진 시 맥박이 만져지면 동맥/동정맥 기형이다. 혈관종은 급속히 팽창할 때 단단하게 만져지며 퇴행하면 부드럽게 느껴진다. 정맥기형은 누르면 말랑하며 가라앉고 띠면 다시 천천히 올라오는 양상을 보인다.

• 도플러 검사(Doppler test)

피부에 도플러를 대고 음을 청취하는 방법으로 환자에게 쉽게 적용할 수있는 비침습적인 방법이다. 동맥과 정맥의 특징적인 음을 들을 수 있으며, 특히 동맥의 분포를 알 수 있고, 환자와 같이 들을 수 있어 환자에게 설명하고 이해시키기가 편하다.

• 초음파 검사

피부를 통한 초음파검사로 혈관의 크기, 깊이, 혈류속도를 쉽게 알 수 있다.

• 혈관촬영(angiogram)

이전에는 혈관촬영을 위해 대퇴정맥이나 경동맥을 천자하여 조영제를 주사하고 혈관촬영을 하였으나 위험성도 있고 소아에서 전신마취를 해야 하는 불편하고 침습적인 방법이다.

혈관촬영으로 혈관 분포와 동맥 혈류와 정맥 혈류를 구분하여 볼 수 있다.

현재는 혈관촬영대신 대부분 정맥주사로 조영제를 주사하여 쉽게 삼차원적으로 영상(3D angio CT)을 얻을 수 있기에 편하고 위험성이 없으며 안전하다.

• CT 스캔, MRI

CT 스캔은 혈관 종양의 크기, 깊이, 근골격계의 영향을 알 수 있으며(그림 8-14), MRI는 연부조직을 더 세밀하고 볼 수 있다. 혈관종과 혈관기형의 구분은 전문적인 경험이 있어야 정확히 가능하다. CT 스캔이나 MRI도 혈관촬영 기능이 있는 angio CT나 MR angio를 하는 것이 더 도움이 된다. MRI에서 혈관종에서는 혈류없이 주변과 잘 구분되는 종양형태를 보이며, 정맥기형이나 임파 기형에서는 T2-sequence에서 hypersignal 양상을 보인다.

• 임파 조영술(lymphangiogram)

임파종이나 임파부종일 경우 임파 조영술이 도움이 된다.

하지에 임파 부종일 경우 족부에 파란 색소를 피하 주사하면 대퇴부나 서혜부에서 임파선을 눈으로 볼 수 있다. 임파종과 임파부종의 진단에 효과적이며 또한 임파선과 정맥을 이어주는 미세혈관 봉합술(lympho-venous microscopic anastomosis)을 시행할 때 유용하다.

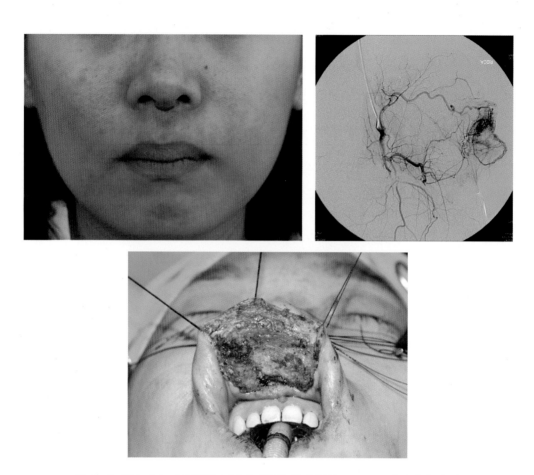

그림 8-13. 입술과 코에 발생한 동정맥기형의 혈관촬영(angiogram)과 수술적 제거

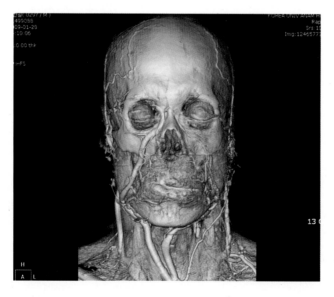

그림 8-14. 두개 안면부 혈관기형의 3D angio CT 촬영으로 혈관의 종류, 굵기, 분포를 입체적으로 쉽게 볼 수 있다.

2. 병리-생화학적 소견

병리학적으로는 혈관종은 혈관에서 발생하는 종양으로 세포 증식을 보이며 특히 혈관 내피세포(endothelial cell)와 mast cell의 증식을 특징으로 하고 있다. 또한 혈관의 기저세포막(basement membrane)이 두꺼워진 특성을 보인다. 혈관기형에서는 이런 소견과 달리 혈관의 형태 변화를 동반하게 된다. 혈관종이 퇴행하면 혈관주위가 두꺼워진 섬유층(fibro-fatty layer)으로 둘러싸이게 된다.

생화학적으로는 혈관종은 혈관 세포가 증식하면서 VEGF(vascular endothelial growth factor), bFGF(basic fibroblast growth factor), collagenase IV, urokinase, GLUT 1(glucose transporter)등이 증가하며 특히 급속한 성장이 이뤄질 때 더욱 증가하며 퇴행기에는 점차 감소하게 된다.

혈관기형에서는 이런 물질의 상승을 보이지 않는다.

• 염색체 검사

혈관 이상에서 유전 양상을 보이는 가족을 조사하여 보면 염색체 이상이 증명되는 경우가 많아지고 있으며, 이는 혈관 발생 시에 염색체 이상이 gene 발현에 영향을 미쳐 발생하는 것으로 병인이 설명된다(예로 lymphedema of Miloy는 5q34-q35/VEGFR3 이상을 보이며, ataxia telangiectasia 는 11q22-23/ATM 이상을 나타낸다).

Ⅳ. 혈관성 병변의 내과적 치료 및 외과적 치료

1. 보존적 치료

혈관종은 80%에서 90%가 나이가 들면서 퇴화하기 때문에 특별한 문제를 일으키지 않는 한 경과관찰을 하게 된다. 하지만 급격하게 커지고 주요 안면부를 덮거나 주요부위를 막는 경우, 그리고

표 8-4. 혈관종과 혈관기형의 특성 비교

	혈관종	혈관기형
나이	유아-소아	지속됨
퇴행	증식-퇴행-퇴화 단계 거침	없음
성별	여자>남자	비슷
병리	내피세포, mast cell 증식	–
	기저막 두꺼움	얇음
생화학	VEGF, bFGF ++	–
	collagenase IV, urokinase ++	–
	GLUT1 +	–
영상, MRI	well delineated tumor with flow voids	hypersignal on T2-sequence

혈소판 감소나 출혈 소인이 있는 경우 적극적인 치료를 요하게 된다.

임파종과 임파부종일 경우 압박 요법으로 증식을 막고 개선될 수 있으나 사지에서만 적용이 가능하다.

혈관성 병변부위는 감염에 취약하기 때문에 피부 궤양이 있거나 염증이 있는지 관심있게 보아야 하는데 이는 염증이 발생하면 봉와직염이나 패혈증이 될 수 있기 때문이다.

2. 약물 치료

유아에서 혈관종이 급격히 커질 때 병변내에 스테로이드를 주사하여 효과를 볼 수 있다. 병변이 크지 않은 경우 혈관종에 가는 주사바늘로 Triamcinolone(25mg/ml), 3-5mg/kg 을 한 달에 한번 간격으로 주사할 수 있다. 소량이기 때문에 전신 영향은 미미하나 여자에서는 생리불순을 초래할 수도 있다.

혈관종이 크고 급격히 증식하여 호흡곤란, 심부전, 시력감퇴 등 심각한 상태를 나타내면 스테로이드를 전신투여 할 수 있다. prednisolone 2-3mg/kg을 매일 2주간 투여하고 경과를 보아 점차 줄이거나 소아과와의 협진으로 조절을 하게 된다.

스테로이드를 장기간 전신 투여할 경우 후유증으로는 감염가능성, Cushing face, 위궤양, 성장저하, 면역기능 감소 등을 초래할 수 있다.

스테로이드 전신 투여로 효과를 보이지 않으면 최후에는 종양 증식을 억제하는 인터페론이나 Vincristine, cyclophosphamide와 같은 항암치료를 시도할 수 있다.

3. 수술적 치료

혈관종이 커서 안면부의 눈, 코, 입을 덮거나 항문 등 주요한 부위를 막거나 호흡곤란과 혈류장애, 심부전, 출혈, 조직괴사 등 심각한 문제를 동반할 경우 수술을 고려하여야 한다.

혈관종이나 혈관 기형은 수술로 완전제거가 어려운 경우가 많으며, 수술후 후유증을 생각한다면 수술로 인한 득실을 고려하여 수술을 결정하여야 하겠다.

수술은 단순 절제를 하는 경우도 있으며, 완치가 불가능하여 부분적인 절제를 하는 경우도 있다.

혈관종은 저절로 퇴화하여도 절반 이상에서 피부 변화를 초래하기 때문에 흉터를 피하기 위해 무조건 수술을 미룰 이유는 없다.

피부의 표재성 혈관기형도 레이저 치료는 3-4 mm 이상 깊이 들어가지 않으며, 피부 밑에 두꺼워진 혈관 병변이나 피부와 연결되는 혈관이 있으면 피부에 레이저 치료를 하여도 재발하거나 치료의 한계가 있다. 이런 경우 피부 레이저 치료 전 수술로 피부의 연결 혈관을 차단하고 레이저치료하면 효과를 높일 수 있다.

혈관 기형은 단순제거로 해결되는 경우도 있으나 동정맥 기형은 완치가 가장 어렵다. 단지 동맥을 결찰이나 혈관촬영을 하면서 시행하는 색전술은 동정맥기형을 해결하지 못하고 일시적인 혈류 감소 효과뿐이 없다. 특히 안면에서는 혈류 연결이 상하 좌우로 있기 때문에 근치적 절제술을 해야 하지만 후유증이 심각하게 남는다. 겉으로 보기에는 안면의 작은 동정맥 기형도 수술 후 안면 추형을 남기게 되어 근치적 절제 수술에 동의하기가 쉽지 않다.

동정맥 기형 수술 시에는 동맥과 정맥이 통하는

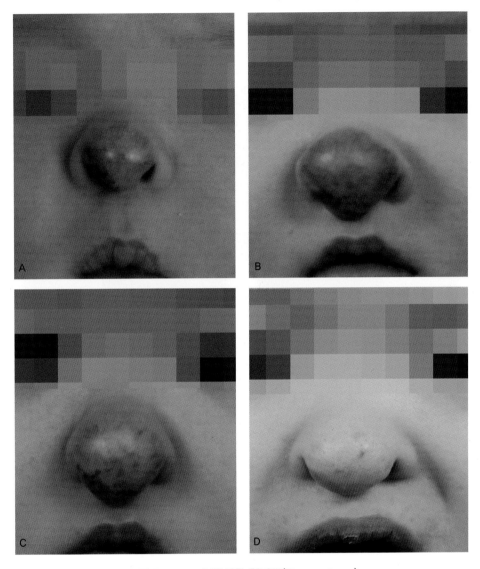

그림 8-15. 코에 발생한 혈관종(Hemangioma)
A) 생후 1개월로 혈관종이 나타남. B) 생후 4개월로 혈관종이 커지기 시작함. 스테로이드(Kenalog) 병변내 주사함.
C) 생후 7개월로 Nd:YAG 레이저로 치료 반응을 나타냄. D) 생후 24개월로 혈관종 대부분이 퇴행(regression)을 보임.

핵심부위를 포함하여 제거하여야 하며, 동정맥 기형은 저산소증으로 혈관이 계속 자라기 때문에 광범위한 절제 후 혈액 순환이 좋은 유리피판 전이술(free flap)로 덮어주어야 한다는 주장도 있다.

• 경화요법 (sclerotherapy)

혈류가 느린 혈관기형이나 정맥기형, 하지 정맥류에서는 경화요법이 효과를 보이며 에탄올, Tetradecyl sulfate 을 많이 사용하고 직접 병변 내에 주사를 하게 된다.

경화제 주사가 주변으로 유출될 경우 부작용으

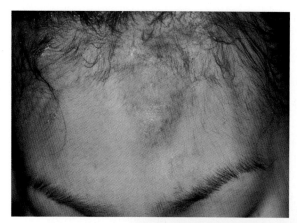
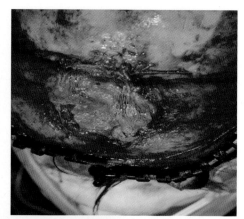
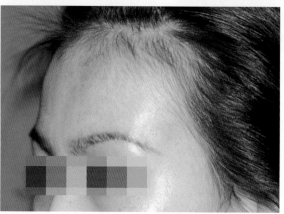

그림 8-16. 이마의 동정맥기형(AVM)으로 두개강 내로 통하는 혈관을 차단하고 동정맥기형 부위를 제거한 후 함몰을 피하기 위해 골막피판성형술을 동시에 시행함.

표 8-5. 혈관종과 혈관기형의 치료 효과

	혈관종	혈관기형
약물치료 (steroid, chemotherapy)	+++	+/-
레이저 (PDL, Nd:YAG,등)	+	CM ++　VM, LM +
외과적 절제 (excision)	++	++
경화요법 (sclerotherapy)	+/-	VM, LM ++
색전술 (embolization)	+/-	AVM ++, VM +/-

*C; capillary, N; venous, L; lynphatic, A; aterial, M; malformation

로 조직괴사와 피부에는 색소침착을 일으킬 수 있어 혈관내에 주사가 되는지 자주 확인하며 조심해서 시행하여야 한다.

• **영상의학적 중재술(embolization, radiologic intervention)**

영상의학과 전문가가 혈관내에 직접 삽관을 하거나 피부를 통하여 초음파를 보며 정확하게 병변

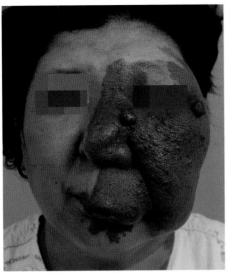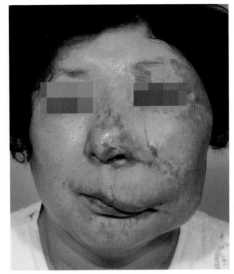

그림 8-17. 안면부 모세혈관기형으로 나이가 들수록 혈관이 굵어지고 병변이 두꺼워졌다.
두꺼운 안면부는 외과적 절제와 피부이식을 시행하고 얇은 주변부위는 롱펄스 색소 레이저(595nm)로 치료함.

내에 경화제나 색전제를 주사하게 된다. 두개안면부에는 두강내나 안와부 등 막다른 동맥(end artery)에 주사할 때 치명적인 부작용이 발생할 수 있어 환자, 보호자에게 상세한 설명을 득한 후 각별히 조심하며 시행하여야 한다.

혈관촬영시 색전 시술을 동시에 시도 할 수 있으며, 색전시술이 완전 혈류 차단은 할 수 없어도 수술시 출혈을 줄이는 효과를 보일 수 있다.

느린 혈류의 혈관 기형도 수술로 완치가 어려우며, 피부를 통한 경화요법 주사로 효과를 볼 수 있다.

V. 혈관성 병변의 레이저 치료

1. 혈관성 치료 레이저 조건

가) 레이저파장과 투과 깊이

피부가 레이저를 흡수하는 주요 발색단은 헤모글로빈과 멜라닌 그리고 수분이다.

혈관성 병변을 레이저 치료하기 위해서는 헤모글로빈에 흡수가 잘되는 파장을 선택해야 하며 헤모글로빈 흡수파장의 피크는 418nm와 577nm이다. 418nm 파장은 멜라닌도 흡수가 높아 577nm가 레이저 치료에 더 선택적으로 효과가 좋다. 577nm 파장의 색소 레이저(PDL)은 투과 깊이가 1mm 이하여서 좀 더 깊은 투과를 위해서는 595nm 파장이 1.2mm까지 투과되어 더욱 효과적이다(그림 8-18, 8-19).

일반적으로 레이저는 파장이 길수록 투과가 깊게

되며 1,064nm 엔디야그 레이저는 피부 3-4mm 깊이까지 투과 된다. 이럴 경우 표피의 손상을 피하기 위해서 냉각 장치가 필요하다.

나) 레이저 조사 시간

레이저는 연속 조사(continuous wave 또는 quasi-CW) 할 수도 있으며 단 시간 내에 펄스파로 조사할 수도 있다. 레이저 조사시 주변의 열 손상을 피하기 위해서는 조직의 열이완시간(TRT; thermal relaxation time)보다 짧은 시간에 조사하여야 한다.

소아에서 모세혈관의 직경은 10μm에서 100μm로 TRT는 1.2msec이며 성인에서 모세혈관의 직경은 300μm이상이어서 TRT는 10ms 이상으로 증가되어 혈관이 굵을 수록 레이저 조사시간이 증가하여야 한다. 짧은 펄스파(PDL)는 200-450μsec를 사용하며 긴 펄스파에서는 10msec에서 40msec까지 사용한다.

다) 레이저 빔의 직경

혈관치료 레이저의 빔은 직경 3mm에서 12mm까지를 사용하며 보통 안면부에서는 7mm에서 10mm 직경을 많이 사용한다.

혈관성 병변은 혈관이 주위로 연결이 많이 되어 있기 때문에 레이저로 혈관치료를 위해서는 직경이 작은 것보다는 큰 것이 더 효과적이다.

피부 혈관의 레이저치료 시에는 레이저 빔을 붙여서 중복(overlap)하는 것보다는 1-2mm 정도 약간 간격을 두고 치료하는 것이 더욱 안전하다.

라) 레이저 출력

혈관 병변의 레이저 치료를 위해서는 혈관 내피세포의 온도가 70℃ 이상 되어야 하며 혈관이 굵을 수록 높을 출력을 요하게 된다. 그러나 출력이 높으면 표피나 주변조직의 손상을 초래하기 때문에 연속파가 아닌 펄스파를 사용하거나 냉각장치로 표피를 보호해야 한다.

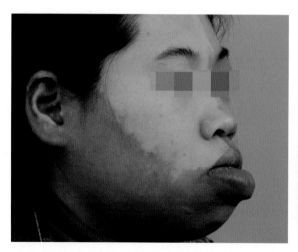 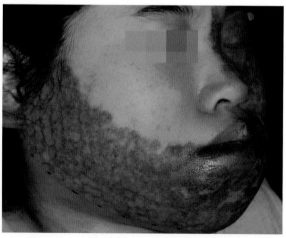

그림 8-18. 모세혈관기형에서 롱펄스 색소 레이저 치료시 레이저를 흡수한 혈관은 즉시 회색으로 변하고 곧 짙은 색으로 되었다가 7일에서 10일 사이에 점차 없어짐.

혈관을 파괴하여 출혈반점(purpura)를 만드는 에너지 밀도(fluence)는 3.5-4.25 J/cm² 이상 되어야 한다.

마) 냉각장치

피부의 모세혈관은 대부분 진피 바로 밑에 있기에 피부 혈관 병변의 치료를 위해서는 깊이 투과하는 높은 출력의 레이저를 필요로 한다. 그러나 이럴 경우 표피 손상과 멜라닌 세포 손상으로 흉터와 탈색 부작용을 초래하기 때문에 표피와 멜라닌 세포를 보호하기 위해 표면의 냉각장치를 사용하여야 한다(그림 8-20, 8-21).

냉각장치는 수랭식과 공랭식이 있으며 수랭식은 접촉하여 온도를 낮추며 공랭식은 냉매(cryogen)을 분사하고 바로 레이저를 조사하는 방식이다.

표피를 보존하기 때문에 진피 깊이 높은 출력의 레이저를 조사하여 혈관병변의 레이저 치료효과를 높이게 되었다.

바) 병변내 레이저 조사

피부를 통한 혈관성 병변의 레이저 치료는 투과 깊이의 한계를 보이기 때문에 직접 레이저 팁을 피부를 통과하여 시행하는 병변 내 레이저 치료(intralesional laser treatment)가 효과적일 수 있다. 또한 정맥 기형이나 하지정맥류에서는 정맥 내 레이저 치료(EVLT; endovenous laser treatment)가 효과적이다.

2. 표재성 혈관기형의 레이저 치료 (cutaneous vascular laser)

혈관성 병변의 레이저치료는 초기에 루비 레이저(1968년), 아르곤 레이저(1976년), 이산화탄소 레이저(1982년), 엔디야그 레이저(1988년)가 사용되었으며 혈관에 선택적인 치료로는 펄스 색소 레이저(585nm, PDL; pulse dye laser)가 1990년부터 사용되기 시작하였다. 1996년부터 냉각장치를

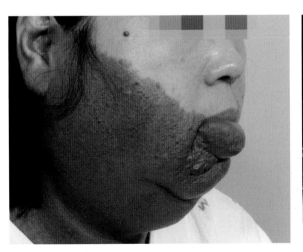 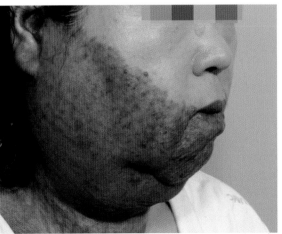

그림 8-19. 안면과 경부에 모세혈관기형으로 입술 축소수술과 혈관치료레이저(595nm, long pulse dye)의 치료과정을 보임. 레이저는 7mm에서 10mm 빔 크기를 사용하며 레이저가 흡수된 부위는 색이 옅어지고 피부병변이 얇아짐.

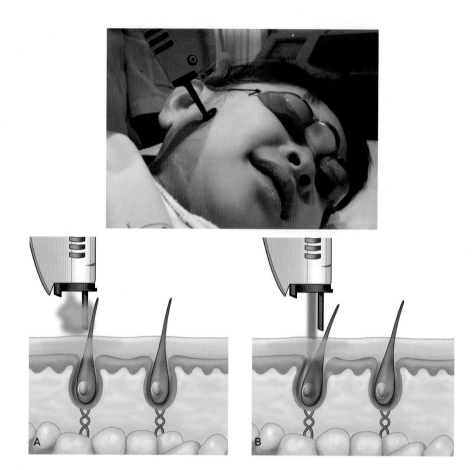

그림 8-20. A) 표재성 모세혈관 기형의 레이저 치료 시 표피를 보호하기 위해 냉매(cryogen)를 분사하며 레이저 치료하는 장면. B) 냉매 분사로 표피를 냉각시켜 보호하며 레이저를 조사하여 표피 아래의 깊은 혈관이나 모낭을 선택적으로 치료함. (DCD: dynamic cooling device)

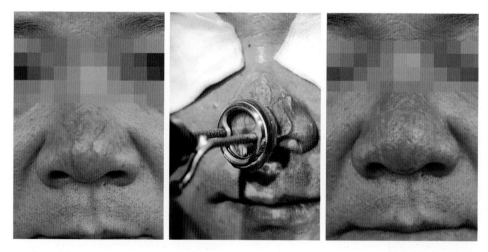

그림 8-21. 코의 모세혈관 확장증(telangiectasia)을 레이저 치료 시 접촉식 냉각 장치를 대어 표피를 냉각 보존하며 혈관을 선택적으로 레이저 치료하는 모습. 레이저가 혈관에 선택적으로 흡수되어 혈관의 붉은 색이 즉시 없어지고 회색으로 변하게 됨.

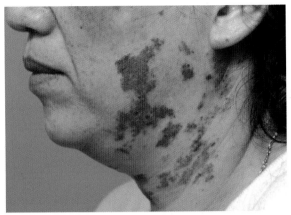
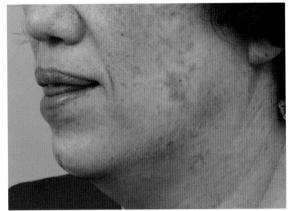

그림 8-22. 안면과 경부의 표재성 모세혈관기형으로 롱펄스 색소 레이저(595nm) 치료로 개선됨.

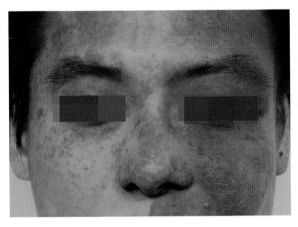
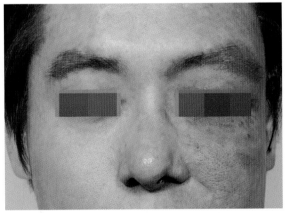

그림 8-23. 모세혈관기형과 멜라닌색소 이상으로 혈관치료 레이저(long pulse dye laser 595nm)와 색소 치료 레이저 (Alexandrite 755nm)로 호전됨.

구비한 FD-Nd:YAG(532nm) 레이저를 사용하기 시작하였으며 투과 깊이를 증가하기 위해 595nm 의 롱 펄스 색소레이저가 2000년부터 사용되고 있다(Vbeam®, Photogenica V®).

• 아르곤 레이저 (Argon)

577nm 파장을 주로 사용하며 피부의 투과 깊이는 1-2mm이다. 연속파이며 헤모글로빈과 멜라닌에 흡수가 높다. 1980년대 까지는 혈관병변에 많이 사용하였으며, 부작용으로 흉터 형성과 탈색

을 동반하여 그 후 부작용을 줄이기 위해 6각형으로 부분적으로 레이저빔을 조사하는 Hexascan을 부착하여 사용하고 있다.

• KTP, Krypton, Copper vapor 레이저

아르곤 레이저와 파장이 비슷한 레이저로 KTP(532nm), Krypton(568nm), Copper vapor bromide(578nm) 레이저가 quasi-CW로 사용하며 헤모글로빈에 흡수는 잘 되고 출혈반점은 적다. 안면의 가는 모세혈관 기형이나 모세혈관 확

장에 효과가 있지만 투과 깊이가 얕아 치료의 한계를 지닌다.

• 이산화탄소 레이저(CO_2)

10,600nm 파장으로 수분에 친화력이 높아 비선택적으로 조직에 흡수되는데, 작은 혈관성 종양의 파괴나 제거에 사용하고, 박피레이저 역할처럼 두꺼워진 피부의 모세혈관 기형, 주사코 등에서 사용한다.

• 엔디야그 레이저 (Nd:YAG)

1,064nm의 적외선 영역 파장으로 피부 4-5mm 깊이까지 투과한다. 과거에 피부의 두꺼워진 혈관성 병변에 사용하였으며 비선택적인 흡수로 조직의 파괴를 일으켜 후유증으로 흉터를 만든다.

다리의 모세혈관 확장증 치료에 효과적이며, 깊은 혈관성 병변의 병변내 삽입하는 레이저나 정맥내 투입하는 레이저 치료로도 사용한다.

• 펄스 색소레이저 (PDL; pulse dye laser 또는 FL-PDL; flashlamp pulse dye laser)

585nm파장으로 헤모글로빈에 높은 흡수를 보이며 모세혈관이 레이저 열로 파괴되어 검은 출혈 반점을 만들고 7일에서 10일 사이에 없어진다. 피부의 투과 깊이는 1mm 이하로 한계를 보인다. 조사시간은 190-450μsec로 짧으며 출력은 출혈반점(purpura)가 생기는 에너지밀도(fluence)의 1.5배에서 2배로 보통 3.4-9.0J/cm² 으로 사용한다.

피부에 표재성 모세혈관 기형에 효과적이며 보통 4주에서 6주 간격으로 반복치료하며 더 이상의 개선이 보이지 않을 때까지 치료한다.

피부 하부층과 혈관 연결이 있으면 레이저 치료 전 수술로 피하층 연결 혈관을 차단하고 피부 레이저 치료를 하면 더욱 효과적이고 재발을 막을 수 있다.

• FD-Nd:YAG 레이저

파장이 Nd:YAG의 절반인 532nm(FD; frequency)는 1,064nm보다 혈관에 친화성이 높다. 같은 엔디야그를 사용하기 때문에 1,064nm와 532nm 파장을 같이 방출하는 레이저가 많다.

532nm는 투과깊이는 낮으나 헤모글로빈에 흡수가 높으며, 출력을 높여 치료효과를 보기 위해 표면 냉각장치를 부착하여 사용한다.

표 8-6. 혈관성 병변 치료 레이저의 발전사

Year	Doctor	Laser
1968	Goldman	Ruby
1976	Apfelberg	Argon
1982	Rats	CO_2
1988	Rosenfield	Nd:YAG
1990	Tan	FL-PDL (flashlamp pulsed dye laser), 585nm
1996		long pulse FD Nd:YAG, 532nm
2000		long pulse dye laser, 595nm

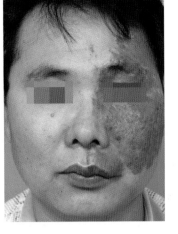

그림 8-24. 표재성 모세혈관기형이 나이가 들면 혈관이 굵어져 두꺼워짐. 이산화탄소 레이저 박피로 얇게 된다. 그 후 혈관치료 레이저를 해야 효과적임.

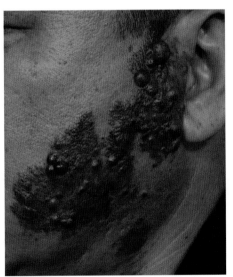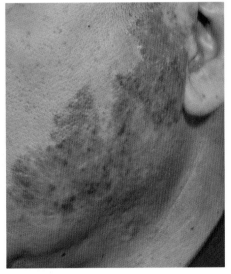

그림 8-25. 모세혈관기형으로 박피 레이저(CO2)와 혈관치료 레이저(595nm long pulse dye)를 복합 치료함.

• **롱펄스 색소 레이저 (long pulse dye laser)**

펄스 색소 레이저(PDL, 585nm)보다 투과를 깊이하기 위해서 595nm 파장을 사용한다. 조사 시간을 1msec-40msec로 늘리고 표피를 보존하기 위해 표면에 냉매를 분사하면서 레이저를 조사한다. 현재 피부의 혈관 치료 레이저 중에는 가장 효과가 좋고 부작용이 적은 효과적인 레이저이다.

혈관에 선택적으로 흡수를 하여 피부 색상변화는 없으며 혈관만 즉시 회색으로 변하다가 십여 분 후에 점차 검은 색으로 변하며 7일에서 10일 정도 경과하면 정상 피부색으로 돌아온다.

레이저 치료시 혈관의 피부색 변화를 보면서 출력을 높이거나 같은 부위를 반복 치료하게 된다.

표재성 모세혈관 기형은 어릴 때일수록 레이저

치료에 완치율이 높으며 나이가 들수록 혈관이 굵어져 완치율이 떨어지게 된다.

소아에서 레이저 시술시 통증으로 치료가 쉽지 않으나 수면/진정마취제나 전신마취로도 치료를 해야 더 좋은 효과를 보인다.

· 기타 레이저

IPL은 500nm-1,200nm 사이의 넓은 파장을 분출하며 원하는 영역의 파장을 조사할 수 있다. 혈관치료 전용레이저는 아니며 비교적 가는 모세혈관 확장증에 효과를 보인다. 노화된 안면피부에 IPL을 사용하면 노인성 반점과 모세혈관 확장증을 개선 시키는 효과가 있다.

Diode(800nm-940nm)와 Alexandrite(755nm)도 사용하지만 혈관 전용 레이저는 아니며 파장이 길어 진피 깊이까지 투과되며 가는 모세혈관에만 일부 효과를 보인다.

PDT(photodynamic therapy)는 광감각제(photosensitizer)를 투여하고 저출력 레이저를 조사하는 방식으로 종양의 증식 억제 효과가 있어 앞으로 혈관 종양의 증식억제와 치료에 사용될 가능성도 있다.

3. 심부 조직의 레이저 치료 (Laser treatment for deep sited vascular lesions)

혈관성 병변이 크고 깊고있는 경우 피부를 통하여 레이저 치료를 하는 것은 피부에 흉터를 남기고 병변은 줄어들지 않아 치료의 한계를 보인다. 직접 피부를 관통하여 병변 내에 레이저를 삽입하여 치료하는 것(intralesional laser treatment)이 Gregory와 Apfelberg에 의해 시도되었으며 레이저를 가늘고 유연한 광섬유를 통하여 조사하는 것이 Berlien에 의해 체계화되었다.

엔디야그 레이저는 1,064nm의 긴 파장으로 피부에 4-6mm깊이 투과되지만 피부에 비선택적으로 조직파괴를 하기 때문에 병변이 깊이 있는 경우 조직 내 삽입하여 치료효과를 보이게 된다. 피부에 조사는 비접촉식이지만 병변 내 삽입은 접촉식이며 레이저 팁 주변 5mm 내외가 레이저 열 효과를 받게 된다. 병변 내 레이저 치료는 광섬유(fiber optic)로 레이저 빔이 전달되며 피부와 주변조직은 가이드 캐뉼라(16G Teflon)로 레이저 빔으로부터 보호하며 레이저 팁이 닿는 부위만 레이저 영

표 8-7. 병변에 따른 레이저 치료 효과

레이저	혈관종 (hemangioma)	모세혈관기형 (PWS)	얼굴모세혈관확장 (telangiectasia)	다리모세혈관 (leg vein)
Argon tunable dye*(577nm)	++	+	+	−
KTP, Krypton, Copper vapor (532, 567, 578nm)	+/−	+	+	−
Nd:YAG * (1,064nm)	++	+	+	++
PDL (585nm)	+	++	++	+/−
FD-Nd:YAG (532nm)	+	+++	+++	+
Long pulse dye (595nm)	+	+++	+++	+
IPL (500-1,200nm)	+/−	+	++	−

* 열손상 가능성있음

향을 받게 된다.

그러므로 주요 조직에 미치는 영향을 생각하여 해부학적 위치를 생각해야 하며, 피부와 안면 신경과 근육의 손상을 피해야 한다. 병변 내 레이저 치료는 열효과로 조직의 온도가 상승하여 뜨거워지고 부종이 심하기 때문에 얼음찜질을 해주어야 한다.

1,064nm 엔디야그 레이저가 혈관종 등 병변 내 레이저 치료 효과를 보이는데 한편 레이저 지방 제거(laser lipolysis)로 개발된 1,440nm 엔디야그 레이저도 병변 내 삽입 레이저로 혈관종과 느린 혈류의 혈관 기형인 모세혈관 기형, 임파 기형 등에 효과적인 치료 효과를 보인다(그림 8-26, 8-27).

병변 내 레이저 삽입 치료를 위해서는 출혈을 줄이고 레이저 전파를 좋게 하기 위해서 혈관수축제인 에피네프린을 포함한 생리식염수액의 tumescent 주사가 효과적이다.

병변이 크거나 소아인 경우 국소마취로 시술하기 힘들며 전신마취를 요하게 된다.

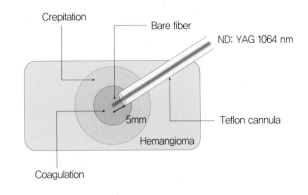

그림 8-26. 연한 색조의 선천성 멜라닌세포성 모반
밀크커피색 반점과 혼동될 수 있다. 밀크커피색 반점과 달리 병변 내 색조가 일정하지 않다. 이렇게 연하게 발견되는 경우 점차 진행하여 검어진다.

4. 기타 혈관 관련 레이저 치료

• 안면 모세혈관확장증과 홍조증 (facial telangiectasia, facial flushing)

안면의 모세혈관 확장증은 후천적으로 혈관의 압력상승, 알콜중독, 임신 등 호르몬 영향, 노화, 염증 등으로 발생하며 안면 홍조증은 체질적 요인이나 심리적 동요가 있을 때 나타난다. 피부에 얕

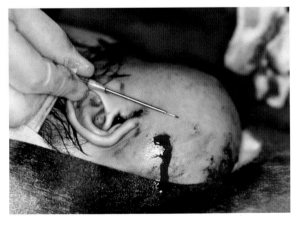

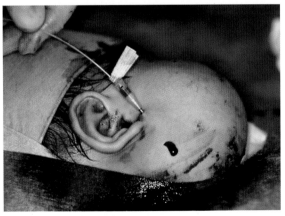

그림 8-27. 병변내 삽입 레이저 치료(intralesional laser) (현원석; 대한성형외과학회지 30:773, 2003)

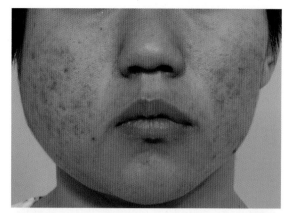

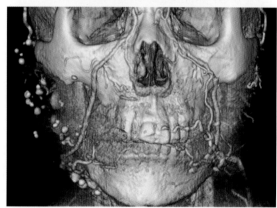

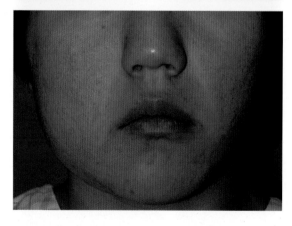

그림 8-28. 안면의 복합 혈관기형(모세혈관-정맥-임파
기형 CVLM)으로 수술적 제거와 남아있는 병변을 조직내
삽입 레이저 시술(Interstitial laser, 1,440nm)함.
(수술: 박승하, 레이저: 박재우)

게 있는 모세혈관이 굵어져서 나타나기 때문에 혈
관치료 레이저로 치료 효과가 좋으며 레이저로는
PDL, FD-Nd:YAG, 롱 펄스 색소레이저, IPL 등

을 사용한다.

• 주사코 (Rhynophyma)

코 피부의 혈관 비후로 코가 붉고 튀어나오게 된
다. 심한 경우는 박피성 레이저인 이산화탄소 레
이저로 피부를 얇게 한 후 혈관치료 레이저를 하
며, 심하지 않은 경우는 혈관치료 레이저인 PDL,
FD-Nd:YAG, 롱펄스 색소 레이저로 좋은 치료
결과를 보인다.

• 하지 정맥류 (varicose vein)

하지 정맥류는 후천적으로 하지의 정맥 기형으
로 발생하며 여자에 많고 중년여성에서는 절반이
상에서 나타나고 있다. 외관상 보기 싫을 뿐만 아
니라 심하면 혈액 순환 장애를 보이기도 한다. 하
지 정맥의 압력이 높으면 생기며 오래 서있는 사
람이나 임신 후에 복압이 증가하여도 발생하며 정
맥과 임파의 순환이 되지 않을 때, 또한 임파와 정
맥 사이의 밸브가 정상 작용을 하지 않는 경우도
하지 정맥류가 발생한다.

하지 정맥류는 정도에 따라 혈관의 굵기가 달라
지며 초기 피하에 1-2mm 이하의 가는 정맥은 혈
관치료 레이저인 PDL, FD-Nd:YAG, 롱 펄스색
소레이저로 치료되지만 혈관이 굵어지고 피하지
방층과 연결 혈관(retaining 또는 collateral ves-
sel)이 있으면 레이저 치료 효과가 떨어진다. 하지
정맥이 2-3mm 이상 굵어지면 경화요법으로 에
탄올, 3% ThrombojectR의 정맥내 주사가 효과
적이다. 경화요법 주사가 혈관 밖으로 유출될 경
우 피부 색소침착을 초래할 수 있어 주의를 요하
며, 정맥내 혈전 생성 방지를 하기 위해 테이프로
압박하고 가만있지 않고 30분 정도 가볍게 걷기
를 권한다.

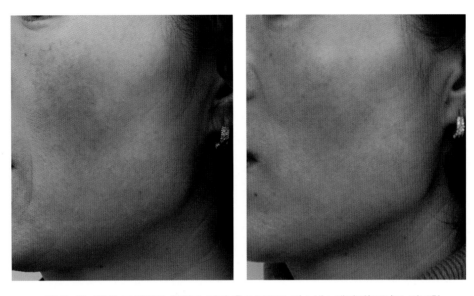

그림 8-29. 뺨의 모세혈관 확장과 안면 홍조증으로 펄스색소레이저(PDL)로 치료함.

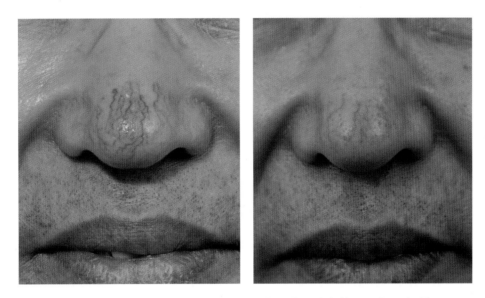

그림 8-30. 코의 모세혈관확장증으로 롱펄스 색소 레이저(595nm)로 치료함.

하지 정맥류를 동반한 피부 혈관확장이 있는 경우 피부의 혈관치료 레이저만으로는 효과를 기대하기 어려우며 우선 하지 정맥류에 대한 치료를 한 후 피부의 혈관치료 레이저를 하는 것이 효과적이다.

하지 정맥이 5-6mm 이상 굵은 경우는 외과적 절제술로 서혜부 절개로 확장된 정맥 혈관을 제거하거나 피부에 직접 2-3mm의 작은 절개를 하여 정맥을 걷어 낼 수 있다.

정맥내에 레이저를 삽입하는 방법(EVLT; endo venous laser treatment)은 정맥 내에 광섬유 레이저 관을 삽입하고 1,064nm 엔디야그 레이저를 조사하여 혈관 내피세포를 파괴하여 치료하는 방법이다.

VI. 요약

혈관성 병변은 혈관종과 혈관기형이 전혀 다른 성질의 병변으로 병의 원인과 치료, 예후가 판이하게 다르기 때문에 병을 정확하게 진단하는 것이 중요하다. 혈관성 병변은 그 종류에 따라 치료 결과가 달라지고 여러 가지 치료 방법을 동원하여도 치료의 한계가 있는 경우가 많다. 혈관성 병변에 레이저가 선택적으로 좋은 치료결과를 보이는데 레이저로 효과를 볼 수 있는 병변인지 판단이 중요하며, 혈관성 병변에 치료하는 레이저의 특성을 알고 적합한 레이저 기종을 선택하여야 하겠다.

혈관성 병변이 피부에 국한된 표재성일때 혈관에 선택적으로 흡수되는 혈관 치료레이저들이 효과적이며, 한편 심부 혈관성 병변이며 혈류가 빠르지 않은 경우는 병변내 레이저 삽입 치료가 효과를 보인다.

혈관성 병변이 표재성인지 심부에 존재하는지,

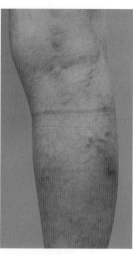

그림 8-31. 하지 정맥류(varicose vein); 혈관 경화제의 정맥내 주사(Tetradecyl sulfate; 3% Thromboject®) 로 굵은 정맥을 치료한 다음 피부의 혈관을 레이저로 치료하는 것이 효과적임.

병변의 혈관 종류가 무엇인지 아는 것이 중요하며 혈관의 굵기와 병변의 크기를 파악하여 레이저 치료를 결정한다.

혈관성 병변은 레이저뿐 만 아니라 약물치료, 경화요법, 수술적 제거, 혈관 중재술등 여러 방법이 있으며, 혈관성 병변의 치료 전문가들과 팀을 이루어 환자를 종합적으로 판단하고 치료하여야 한다.

참고문헌

1. 박승하: 혈관종과 혈관기형 대한의학레이저학회지 15:1 1-11, 2011

2. 현원석, 문구현, 방사익, 오갑성: 대한성형외과학회지 30:6, 773-778, 2003

3. Achauer BM, Celikoz B, VanderKam VM: Intralesional bare fiber laser treatment of hemangioma of infancy. Plast Reconst Surg 1999; 101, 167-172

4. Achauer BM, Vanderkam VM : Capillary hemangioma (strawberry mark) of infancy: comparison of argon and Nd: YAG laser treatment. Plast Reconstr Surg 84(1) : 60-69, 1989

5. Achauer BM, Vanderkam VM : Capillary hemangioma (strawberry mark) of infancy: comparison of argon and Nd: YAG laser treatment. Plast Reconstr Surg 84(1) : 60-69, 1989

6. Anderson RR, Parrish JA : The optics of human skin. J Invest Dermatol 77(1) : 13-19, 1981

7. Apfelberg DB : Intralesional laser photocoagulation-steroids as an adjunct to surgery for massive hemangiomas and vascular malformations. Ann Plast Surg 35(2) : 144-148, 1995

8. Apfelberg DB, Greene RA, Maser MR, Lash H, Rivers JL, Laub DR: Results of argon laser exposure of capillary hemangiomas of infancy: preliminary report. Plast Reconstr Surg 67(2) : 188-193, 1981

9. Astne S, Anderson RR: Treating vascular lesions. Dermatol Therapy 18; 267-281, 2005

10. Berlien HP, Müller G, Waldschmidt J : Lasers in pediatric surgery. Prog Pediatr Surg 25: 5-22, 1990

11. Brauer JA, Geronemus RG: Laser Treatment in the management of infantile hemangiomas and capillary vascular malformations. Tech Vasc Interventional Rad 16;51-54, 2013

12. Chim H, Drolet B, Duffy K, Koshima I, Gosain A: Vascular anomalies and lymphedema. Plast Reconst Surg, 126(2), 55e-69e, 2010

13. Craig LM, Alster TS: Vascular skin lesions in children; a review of laser surgical and medical treatments. Dermatol Surg 39; 1139-1146, 2013

14. Dierickx C, Goldman MP, Fitzpatrick RE : Laser treatment of erythematous, hypertrophic and pigmented scars in 26 patients. Plast Reconstr Surg 95(1) : 84-90, 1995

15. Enjolas O, Wassef M, Chapot R: Color atlas of vascular tumors and vascular malformation. Cambridge university press, New York, 2007

16. Hobby LW: Further evaluation of the potential of the argon laser in the treatment of strawberry hemangiomas. Plast Reconstr Surg 71: 481, 1983

17. Levine VJ, Geronemus RG : Tattoo removal with the Q-switched ruby laser and the Q-switched Nd:YAG laser: A comparative study. Cutis 55(5) : 291-296, 1995

18. Maler JJ, Mulliken JB: Vascular anomalies. in Mathes SJ; Plastic Surgery Vol 5, 19-68, Saunders, 2006

19. Mulliken JB : Diagnosis and natural history of hemangiomas. In Vascular Birthmarks: Hemangiomas and Vascular Malformations. Philadelphia, W.B. Saunders, 1988.

20. Mulliken JB, Glowacki J : Hemangiomas and vascular malformations in infants and children: A classification based on endothelial characteristics. Plast Reconstr Surg ; 69(3): 412-422, 1982

21. Patel AM, Haou EL, Findeiss L, Kelly KM: The horizons for treating cutaneous vascular lesions. Semin Cutan Med Surg 31(2); 98-104, 2012

22. Railan D, Parlette EC, Uebelhoer NS, Rohrer TE: Laser treatment of vascular lesions. Clin Dermatol 24; 8-15, 2006

23. Sivarajan V, Mackay IR : Noninvasive in vivo assessment of vessel characteristics in capillary vascular malformations exposed to five pulsed dye laser treatment. Plast Reconstr Surg, 115: 1245-1252, 2005

24. Tan OT, Sherwood K, Gilchrest BA: Treatment of children with port-wine stains using flashlamp-pulsed tunable dye laser. N Eng J Med 320; 426-421, 1989

25. Wall TL; Current concepts; laser treatment of adult vascular lesions. Semin Plast Surg 21;3 147-158, 2007

26. Waner M, Suen JY : Management of congenital vascular lesions of the head and neck. Oncology 9(10): 989-994, 1998

CHAPTER

09 레이저 박피

레이저 박피
Laser Resurfacing

박 승하

Ⅰ. 레이저 박피의 이해

레이저 박피는 레이저의 특성을 이용하여 피부를 벗겨 내어 재생시키는 것으로 피부질환의 치료와 노화된 안면의 리주버네이션(rejuvenation)에 사용하는 것으로 레이저 박피가 피부에 광범위하게 이용되고 있다.

레이저박피는 기계 박피나 화학적 박피보다도 안전하고 효과적이며 수술로 할 수 없는 피부질환의 치료에도 널리 사용되고 있다. 피부의 병변의 치료, 또한 안면주름과 흉터의 치료에도 효과적인 특성을 보이고 있다.

레이저 박피의 원리와 다른 박피 방법과의 비교, 레이저 박피 시술의 주의사항에 대하여 기술하기로 한다.

1. 박피의 원리

박피(剝皮)는 '피부를 얇게 벗긴다'는 뜻으로 박피술은 피부를 치료 목적으로 표면을 벗겨내는 시술을 말한다. 피부는 표피(epidermis)와 진피(dermis)로 나누어지며 표피는 일정한 주기로 기저세포층(basal cell layer)에서부터 각질층(keratin layer)으로 하부에서 상부로 세포가 이동하면서 새로운 표피층을 형성하게 된다.

피부의 상피세포(epithelial cell)는 표피에 존재하며 진피의 일부에서도 피부 부속기관에 존재한다. 땀샘과 피지선의 분비관(duct)에도 분포하며 또한 모낭의 줄기를 상피세포가 싸고 있다. 피부의 창상 치유에는 상피세포의 존재가 필수적이며 상피세포가 있는 표피와 피부부속기관이 많은 상부 유두상 진피(papillary dermis)에서는 상피화(epithelization)와 피부 창상치유가 잘 이루어지기 때문에 피부를 얇게 벗겨도 정상적으로 피부가 아물게 된다. 그래서 박피를 양파에 비유하는데 이는 양파껍질을 벗겨도 똑 같은 층이 있듯이 피부를 벗겨도 똑같이 재생되기 때문이다.

박피에 대한 기록은 기원전 1,500년경부터 있었다고 하며 피부 일부를 제거하기 위해 물리적으로 제거하거나 약을 발라 태우는 방법을 사용하였으며 이에 대한 이론적이거나 과학적인 기록은 없었다.

피부를 기계적으로 박피하고 난 후 표재성인 경우 정상 피부로 아문다는 것을 관찰하고 난 후 기계적 박피를 의료용으로 활용하게 되었고, 민방으

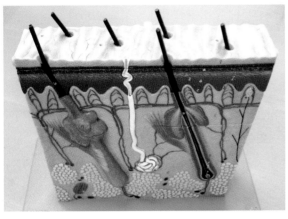
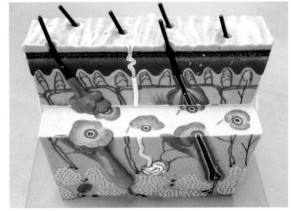

그림 9-1. 피부의 정상 구조와 박피 시 피부의 재생 원리

진피층 상부(papillary dermis)까지 박피하여도 피부부속기관인 땀샘, 피지선, 모낭을 싸고 있는 상피세포가 증식하여 피부가 재생하게 된다.

로 전해오던 약물에 의한 박피도 점차 일정한 형태를 갖춘 화학 박피로 이용하게 되었다.

1970년대 레이저가 의료용으로 활용된 이후 1990년대에 레이저를 이용한 박피가 활용되었으며, 기계적, 화학적 방법을 대신하여 레이저로 안전하고 효과적으로 박피를 할 수 있게 되었다.

가) 기계 박피(dermabrastion)

피부 병변을 없애기 위해 기원전부터 물리적으로 제거하기 위한 노력이 있었으며, 피부 점을 제거하기 위해 돌로 문질렀다는 민간적인 방법들이 있었다.

박피의 과학적 기술은 1905년 독일 의사인 Kromayer에 의해 이루어졌으며, 피부를 얇게 벗겨내어도 정상 피부로 치유된다는 이론적 근거를 제시하였다. 박피를 이용하는 수술을 'scarless surgery'라 하여 각광을 받게 되었고 피부 병변이나 흉터치료에 널리 쓰이게 되었다. 그전에는 피부를 표면이 거친 사포로 문질렀으나 회전하는 기계에

사포를 부착하여 현재의 기계박피(dermabrader) 형태를 갖추게 되었다. 박피의 원리와 기계적 박피의 도입으로 Kromayer를 근대 박피의 시조라고 부르게 되었다.

기계적 박피가 표재성 피부 병변이나 흉터, 피부의 요철부위에 사용되었고 화학박피나 레이저 박피가 도입되기 전에 여드름 흉터나 천연두 반흔(small pox scar)에 널리 사용되었다.

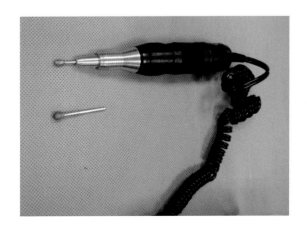

그림 9-2. 기계 박피에 사용하는 기구; dermabrader

안면주름은 리프팅 수술을 하게 되는데 입주위 주름은 리프팅으로 효과를 볼 수 주름은 기계적 박피를 하였으며, 안면 리주버네이션(rejuvenation)을 위해 안면리프팅과 입주위 기계박피를 동시에 시행하였다.

하지만 기계박피는 박피시 통증이 심하고 출혈과 삼출이 많으며 가피(crust)가 두껍게 앉으며 창상 처치에 환자가 상당히 불편해 하는 단점이 있었다.

레이저 박피가 도입되면서 부터 기계적 박피를 할 수 없는 눈꺼풀 부위 등도 할 수 있게 되었고 레이저 박피가 피부 탄력을 증가시키는 효과가 있어 기계적 박피를 대치하게 되었다.

나) 화학 박피(chemical peel)

피부를 깨끗하게 하고 주름을 펴서 젊게 보이기 위한 인간의 욕망은 오래전부터 있었다.

피부 관리의 일종으로 과일을 산화한 약한 산성 물질로 피부에 발라 피부를 깨끗하게 유지하기도 하였으며, 우유를 삭힌 젖산으로 피부 각질을 벗겨내는 민간요법이 기원전부터 사용되었다는 기록이 있다. 또한 다양한 약물을 피부에 발라서 태워내기도 하였다.

민간 비방으로 화학박피를 하여 안면 주름을 펴고 피부를 젊게 한다고 시술하였으나 깊이 조절에 실패하여 안면의 끔찍한 흉터를 만들었기 때문에 의학적으로는 사용되지 않았다.

1960년대 화학박피를 좀 더 안전하게 하기 위한 중화제 첨가와 포뮬라를 개발하면서 성형외과 의사들(Brown, Caplan, Baker)은 깊은 박피인 페놀박피를 사용하였고, 피부과 의사들은(Aryes 등) 얕은 박피인 TCA(25-30%) 박피를 사용하여 일부

의사들에서 화학박피가 시행되고 있다.

박피는 깊이 조절이 가장 중요한데 화학박피는 화학물질을 바르는 회수, 시간, 농도, 환자의 피부 두께 및 상태 등에 따라 달리 효과가 나타나며 예상치 못한 결과를 얻을 수도 있다는 단점이 있다.

또한 페놀 박피는 잘 된 경우 깊은 레이저 박피 못지않게 주름을 펴고 리주버네이션 효과가 뛰어나지만 페놀의 멜라닌 세포의 독성으로 수개월 후에 피부의 탈색이라는 심각한 후유증이 나타날 수 있으며 화학박피부위와 치료하지 않은 부위의 경계선이 뚜렷하게 남을 수 있다. 페놀 박피는 시술 시 심장부정맥 및 심박정지 등 급성중독증이 나타날 수 있어 일부 용감하고 경험 있는 의사만이 시행하고 있다.

화학 박피의 장점이라면 레이저 박피와 달리 고가의 장비가 필요 없다는 것이나, 화학박피가 깊이 조절에 실패하여 요즘도 화학박피의 심각한 후유증으로 고통 받는 환자들이 있다.

안전하고 효과적인 레이저를 마다하고 굳이 화학박피를 사용할 필요성에 대하여는 의문시 된다. 또한 페놀 등 화학 박피의 여러 포뮬라가 있는데 이에 대한 안정성과 식약청의 인허가 사항을 반드시 알고 시행하여야 하겠다.

페놀이나 TCA 박피와 달리 약한 성분의 탈피제(exfoliant)인 비타민-A(retinoic acid)연고나 AHA(alpha hydroxy acid), 젖산(glycolic acid)는 스킨케어용으로 사용하면 주름을 펼 수는 없지만 각질제거와 표피층을 재생시켜 피부를 깨끗하게 하는 목적으로 사용될 수 있다.

다) 레이저 박피 (laser resurfacing)

a) 레이저 박피의 특성

1989년 David가 연속파형태(CW)의 이산화탄소 레이저를 박피에 사용하여 레이저로 박피를 할 수 있다는 가능성을 제시하였다. 연속파 형태의 레이저는 피부에 열손상이 증가하기 때문에 연속파에서 펄스파로 개발하면서 부작용을 피할 수 있게 되었다.

더 나아가 초단파(superpulse)나 극초단파(ultrapulse)로 개발되면서 고출력 레이저가 박피에 이용되었다. 1990년대 중반부터 레이저 박피가 널리 이용되기 시작하였고 레이저 박피가 피부 병변에 대한 치료효과와 리주버네이션(rejuvenation) 효과가 뛰어나 급속히 확산되었고 레이저 박피 시대가 초래되었다. 2000년대에 어븀야그 레이저가 박피에 이용되기 시작하여 이산화탄소 레이저보다 얕지만 깊은 박피의 단점인 홍반 등을 피할 수 있어 레이저 박피에 많이 사용되고 있다.

기계 박피는 박피 시에 피부가 깎인 모양, 남아 있는 진피 모양, 출혈되는 정도를 보아 깊이 조절을 하게 된다. 하지만 박피 후에 출혈이 많고 삼출액과 함께 두꺼운 피딱지를 만들게 된다. 창상치유 시 통증이 많고 환자가 불편한 단점이 있다. 또한 기계박피는 피부가 편편한 이마나 뺨에는 시술하기가 좋으나 피부가 부드럽고 약한 눈꺼풀이나 목 부위는 피부가 기계에 말려 위험하므로 시술할 수가 없다. 또한 피부 두께가 얇은 부위도 시술할 수 없겠다. 기계박피는 회전하는 사포 팁으로 피부를 깎아내기 때문에 피부의 요철부위 중 튀어나온 부위가 주로 깎이게 된다. 그러므로 함몰된 반흔인 여드름이나 천연두 반흔의 치료에서는 흉터가 있는 함몰부위보다 정상 피부가 더 많이 깎이기 때문에 함몰 흉터에 대한 박피효과가 적게 나타난다.

화학박피는 특별한 기계나 고가의 장비가 필요 없이 박피 약제만 있으면 할 수 있으나 박피에 가장 중요한 깊이 조절이 어렵다. 화학박피 후에는 괴사된 피부가 응고되어 가피를 형성하며 가피가 떨어져 나간 다음에야 아문 피부가 보이며 가피가 떨어져 나가는 기간을 보아 박피 깊이를 짐작할 수 있다. 간혹 가피 밑에 감염이 있는 경우 발견이 쉽지 않고 피부 괴사로 박피가 깊어지며 합병증으로 인한 반흔을 형성할 수 있다. 피부가 얇은 눈꺼풀과 목의 경계부에는 조금만 깊게 박피되어도 후유증을 남기기가 쉽다. 화학박피는 100건을 잘 하다가도 1건을 잘 못하면 심각한 후유증을 남기기 때문에 경험도 필요하며 확신이 서지 않으면 계속 시행하기가 어렵고 깊은 박피는 피하는 것이 좋다.

레이저 박피의 가장 큰 장점은 다른 박피술에 비하여 깊이 조절이 쉽다는 것이다. 화학박피는 가피가 떨어져 나가야 깊이를 알 수 있으며 기계적 박피는 출혈이 있는데 레이저 박피는 출혈이 없어 박피 깊이를 더 정확하게 알 수 있다. 깊이 조절이 용이하여 상부 진피까지 안전하게 레이저 박피는 박피할 수 있으며 비후성 반흔 형성 등 부작용을 피하고 효과적으로 깊게 박피할 수 있다. 극초단파로 고출력 박피레이저를 이용하면 피부 기화를 최대로 하고 반면 잔류 열손상은 최소로 하여 효과적으로 박피를 할 수 있다.

레이저 박피는 기계박피 때와 같은 출혈이 없어 상처가 깨끗하다. 레이저가 0.5 mm 이하의 모세혈관과 림프절, 신경말단을 차단하기 때문에 출혈과 삼출이 적고 시술 후 통증이 적어 환자가 편리하다. 화학박피처럼 가피가 앉지 않기 때문에 바로 세안도 가능하며 창상 치료가 간편하다. 박피에 중요한 깊이 조절을 쉽게 하여 원하는 깊이로 박피를 할 수 있다.

피부가 얇은 눈꺼풀이나 목에도 안전하게 시술이 가능하다. 레이저 열 효과로 피부 수축을 일으키고 탄력을 증가시켜 주름이나 흉터에도 유용하게 사용할 수 있다.

하지만 레이저 박피는 박피용 레이저 장비를 구입하는 비용이 필요하며 레이저 기기를 잘 다루기 위한 숙달 과정 필요하며 레이저 시술시 안전에 유의해야한다.

b) 박피용 레이저 기종

박피용 레이저로는 이산화탄소 레이저와 어븀야그 레이저를 사용하고 있다. 박피용 레이저는 피부의 수분을 발색단으로 하며 피부의 수분이 레이저 열을 흡수하여 박피 효과를 나타내며 파장은 수분이 잘 흡수되는 파장이 긴 적외선(infra-

red) 영역이다.

피부의 수분 함량은 표피가 90%로 진피의 50%보다 많아 표피 박피가 더 쉽게 먼저 이루어진다. 진피 박피를 위하여 추가적인 조사가 필요하며, 또한 진피에 열손상이 축적된다.

이산화탄소 레이저는 파장이 10,600nm이며 조직의 침투력은 0.1mm 이하로 약하지만 수분에 대한 친화력이 강하며 혈색소나 멜라닌과 관계없이 피부 조직을 비선택적으로 파괴할 수 있어 박피에 이용하게 되었다.

초기 이산화탄소 레이저는 연속파로 조직에 열손상이 많이 남게 되어 이를 보완하기 위한 차단파(chopped)나 펄스(pulse)파를 이용하게 되었다. 박피용 이산화탄소 레이저는 연속파가 아닌 극초단파(ultrapule)나 초단파(superpule)를 사용하고 있다. 초기 개발된 Silktouch 레이저는 펄스파는 아니지만 직경 0.2mm의 작은 레이저 빔을 빠른 시간에 움직여 펄스파의 효과를 나타내었다.

조직의 열손상을 최소화하고 기화를 최대로 하기 위하여 순간적인 출력이 높은 고출력 이산화탄소 레이저를 개발하게 되었다. 극초단파(Ultrapulse) 이산화탄소 레이저는 조사 시간이 피부의 열이완시간(TRT; thermal relaxation time)인 960μsec 보다 짧은 600μsec이며, 출력은 최대 100W로 기화에 필요한 최소 출력밀도인 4-5J/cm^2 이상 되며, 펄스당 에너지(직경 2.25mm)는 250-500mJ을 나타낸다.

어븀야그 레이저는 파장이 2,940nm이며 조직의 투과력은 0.02mm 이하이며 수분에 대한 친화력은 이산화탄소 레이저보다 10배 이상 높다(co-efficiency of water absorption: CO레이저 790 μm^{-1}, Er:YAG 레이저 13,000 μm^{-1}). 고출력 이산화탄소 레이저는 1회에 박피 깊이가 50-200

표 9-1. 기계 박피, 화학 박피, 레이저 박피의 비교

기계적 박피
· 박피하는 피부를 눈으로 직접 보면서 한다.
· 출혈이 많다.
· 시술 후 통증이 심하다.
· 피딱지가 앉아 창상 처치 시 불편하다.
· 피부가 얇고 기계에 말려드는 눈꺼풀, 목 피부에 시행할 수 없다.
· 피부 수축 현상이 없다.

화학적 박피
· 의료장비가 필요 없고 수 분 내에 빨리 시술할 수 있다.
· 가피가 형성되며, 가피가 제거 된 후 박피 깊이를 짐작한다.
· 깊이 조절이 어렵다.
· 피부가 얇은 눈꺼풀과 목에 사용 시 위험하다.
· 감염이 늦게 발견될 수 있다.
· 화학 약품의 독성이 있다; 부정맥, 심박정지, 멜라닌 탈색

레이저 박피
· 출혈이 없고 수술 후 통증과 부기가 적다.
· 시술 후 처치가 간편하다.
· 깊이 조절이 쉽다.
· 피부가 얇은 눈꺼풀, 목에도 안전하게 시행할 수 있다.
· 피부 수축과 탄력이 증가하여 주름과 흉터에 효과적이다.
· 박피용 레이저가 필요하고 레이저 사용에 익숙해야 한다.

μm이며 남는 열손상 깊이는 80-150μm이다. 어븀야그는 박피 깊이가 얕아 수 회 조사하여야 이산화탄소 레이저 박피 깊이에 도달할 수 있다. 어븀야그가 열손상이 적어 박피 부위에 출혈로 더 깊이 박피할 수 없는 단점이 있다.

어븀야그의 열손상 깊이는 30-50 μm로 이산화탄소 레이저 보다 훨씬 적어 창상치유가 빠른 장점이 있다. 어븀야그가 열손상이 적어 창상 치유가 빠르고 홍반이 적으나 이산화탄소 레이저와 같은 피부 수축과 탄력 증가를 얻을 수 없어 주름에 대한 효과가 미미한데 이를 보완하기 위하여 어븀야그의 조사 시간을 늘려 이산화탄소 레이저와 비슷한 효과를 볼 수 있다. 이중 모드(dual mode) 어븀야그(Contour®)는 조사 시간이 짧은 350μsec와 좀 더 긴 40msec를 동시에 낼 수 있는 기종으로 박피에서 기화(ablation)모드와 응고(coagulation) 모드를 병행하여 사용할 수 있다.

2. 레이저 박피의 적응증과 금기 사항

가) 적응증

레이저 박피는 피부 병변의 제거하기 위한 기화 목적(vaporization, ablation)과 피부 탄력 증대를 위한 목적(contraction 또는 elasticity)으로 나눌 수 있으며, 이 두 가지 목적이 같이 이용되기도 한다.

피부 병변으로 표피에 국한된 경우는 쉽게 레이저 박피로 제거된다. 대표적으로는 주근깨(freckle), 검버섯-노인성 반점(senile lentigene), 지루성 각화증(seborrheic keratosis), 표피성 모반(epidermal nevus) 등 레이저 박피로 쉽게 제거된다. 표피성 병변은 적은 출력으로도 제거되며 눈으로 보면서 없어질 때까지 반복하여 조사한다. 표피성 병변은 레이저 출력이 가해지면 진피와 경계부에서 분리되어 쉽게 미끄러지듯 벗겨지며(epidermal sliding) 창상 치유도 빠르고 깨끗이 아물게 된다.

병변이 진피까지 있지만 크기가 작은 것으로 비립종(milia), 한관종(땀샘종, syringoma) 등도 쉽게 제거되며 흉을 남기지 않는다. 그밖에 진피성으로 조금 큰 것으로 황색종(xanthelasma), 피지선모반(nevus sebaceous), 주사코(rhinophyma) 등에서는 레이저 박피로 효과는 보지만 완전제거는 안되며 남아있게 된다.

피부암의 전구 단계(precancerous lesion)인 광선각화증(actinic keratosis), 보웬 병(Bowen's disease) 각화극세포증(keratoacanthoma), Paget 병(extramammary Paget's disease), 광선구순염(actinic cheilitis), 백반증(leukoplakia) 에서는 레이저 박피로 효과적인 제거가 되며, 이런 암 전구 병변에서는 주기적으로 재발 여부에 대한 관찰을 하여야 하겠다.

피부 수축을 위하여 흉터에 레이저 박피를 사용할 경우 즉시 흉터의 수축이 나타날 뿐만 아니라 추가적으로 피부 탄력이 증가하여 흉터로 인한 요철 현상이 편편해진다. 외상성 반흔, 비후성 반흔, 수술 후 흉터, 여드름이나 천연두 반흔 같은 함몰 반흔에서도 레이저 박피를 하면 상당한 효과를 본다. 흉터 교정성형술로 호전이 안 되는 경우도 레이저 박피로 상당한 효과를 볼 수 있다. 함몰 흉터에서는 함몰부위 흉터를 더 깊게 박피하여 더 좋은 효과를 볼 수 있다. 흉터에 대한 레이저 박피는 Chapter 14 흉터의 레이저 치료에서 더 상세히 기술되어 있다.

노화된 안면피부에서도 레이저 박피를 시행하면 변성된 표피와 진피의 탄력섬유변성(elastosis)를 제거하며, 새로운 표피가 재생되고 진피가 수축하며 새로 형성된 진피 층에 콜라겐 섬유층이 증가하여 피부가 젊은 사람처럼 색과 윤기가 회복되며 피부 탄력이 증가하여 주름의 개선 효과를 보이게 된다.

피부의 혈관성 병변이나 색소성 병변이 있는 경우 그에 따른 선택적인 레이저를 사용하지만 우선 표피와 상부 진피를 박피 레이저를 시행하면 치료 효과를 더 높일 수 있다. 표재성 모세혈관기형(superficail capillary malformation: portwine stain)이 증식된 경우에 박피레이저를 시행하면 병변의 두께를 줄일 수 있기 때문에 다음에 치료하는 혈관병변용 레이저치료(PDL, Long pulse dye, 엔디야그 등)에 효과가 좋다. 진피성 색소 병변으로 오타 모반도 처음 박피 레이저를 먼저 하고 이어서 색소 치료용 Q-스위치 레이저(루비, 알렉산드라이트, 엔디야그 레이저)를 시행하면 빠른 효과를 볼 수 있고 치료 횟수를 줄일 수 있다.

나) 금기증

레이저 박피로 효과를 볼 수 없는 경우는 박피 후 창상 치유가 정상적으로 이루어지지 않는 경우로 화상과 같은 깊고 넓은 흉터와 비타민-A를 장기 복용하여 피부가 위축된 경우에 금기사항이 된다. 이런 경우 박피 후 창상 치유가 지연되거나 완전히 상피화가 이루어지지 않아 더 큰 반흔을 초래할 수 있다. 비타민-A를 복용한 경우 6개월 이후에 레이저 박피를 하는 것이 안전하다.

레이저 박피 후 색소 침착이 많이 나타나는데 이를 치료하기 위한 스킨케어에도 민감한 환자는 레이저 박피를 할 수 없다. 기미가 있거나 얼굴색이 짙은 경우 색소 침착이 잘 나타나며 레이저 박피 전에 전-처치로 사용하는 미백제(hydroquinone)와 탈피제(retinoic acid)에 민감하여 바를 수 없는 환자는 레이저 박피를 피해야 한다.

레이저 박피에 대하여 비현실적인 기대감을 갖고 있거나 정신질환자, 약물중독자도 레이저 박피를 피해야 한다. 레이저 박피 후 홍반과 색소침착이 1-2개월 지속될 수 있으며 이로 인하여 사회활동에 지장을 초래할 수 있는데 수술 전 환자에게 설명하여 환자가 지장이 있다고 하는 경우는 박피를 하지 말아야 하겠다.

3. 피부 타입과 레이저 박피

피부는 피지선의 역할에 따라 지성과 건성으로 나눌 수 있으며 일반적으로 지성인 경우 피부가 두꺼운 편이며 건성인 경우 피부가 얇다. 지성이나 건성 모두 박피가 가능하지만 건성인 경우 피부가 얇고 피지선이 적으므로 더 조심해서 시행해야 하겠다.

얼굴색에 따른 피부 분류는 Fitzpatrick에 의하여 6가지로 나누며 백인인 경우 Type I, II로 햇빛 노출에 홍반(sun burn)이 잘 생기나 그을리지는(tan) 잘 않는 형태로 레이저 박피 후 색소침착이 거의 없어 레이저 박피 시 전-처치가 필요 없다.

Type III, IV는 동양인이나 히스패닉 계로 햇빛 노출에 홍반보다는 그을리기가 쉬우며 박피 후 색소침착이 대부분 나타나며 박피 전에 전-처치로 색소침착을 예방할 필요가 있다. 박피 후 색소침착이 나타나면 후-처치로 스킨케어를 요하게 된다.

Type V, VI은 흑인으로 박피 후 색소침착보다

표 9-2. 레이저 박피의 적응증과 금기사항

적응증 (indication)		금기사항 (contraindication)
표피성 병변	검버섯 senile keratosis 지루성각화증 seborrheic keratosis 주근깨 freckle 흑자 lentigene 표피성 모반 epidermal nevus	깊고 넓은 흉터 화상 반흔 기미(일시적 악화 가능성) 햇빛에 민감한 피부 미백제, 탈피제에 민감한 피부 비현실적인 기대감이 있는 환자 정신질환자 약물중독자
진피성 병변	비립종 milia 한선종 syringoma 황색종 xanthelasma 주사코 rhinophyma	
피부암 전구 병변	광선각화증 actinic keratosis 각화극세포증 keratoacanthoma 보웬, 파제트 씨병	
피부노화, 주름, 외상성 반흔, 여드름 흉터, 천연두 반흔		

표 9-3. 햇빛 반응에 따른 피부 타입 (Fitzpatrick 분류)

Type	Skin color	Reaction
I	white	always burns, never tan
II	white	usually burns, tans with difficulty
III	white-brown	sometime exhibit mild burn, average tan
IV	light brown	rarely burns, tans with case
V	brown	very rarely burns tans very easily
VI	black	never burns, tans very easily

저색소증(hypopigmentation)이나 탈색(depig-mentation)을 보일 수 있다.

II. 레이저 박피 시술

1. 레이저 박피의 깊이 조절

레이저 박피의 깊이를 조절하기 위하여 피부의 두께와 레이저 박피의 깊이를 알아야 하겠다.

피부의 두께는 사람마다 다르기는 하지만 보통 0.5mm-2mm로 인체 부위별로 두께가 다르다.

각 부위마다 피부 두께가 다르지만 표피의 두께는 100-200μm(0.1-0.2mm)로 큰 차이가 없으나 진피의 두께는 눈꺼풀은 210μm(0.21mm)로 얇으며 이마나 뺨은 1,000μm(1mm)로 두꺼워 표피보다 진피의 두께에 따라 피부 두께가 결정된다.

사람마다 부위마다 피부 두께가 다르기 때문에 대략 두께를 알아보는 방법은 엄지와 검지 손가락 사이로 피부를 잡아 볼 때 접히는 두께로 짐작할 수 있으며, 눈꺼풀과 목의 피부는 얇게 잡히며 다른 부위는 두껍게 잡혀 그 차이를 느낄 수 있다.

레이저 박피 깊이는 레이저 조사 시 기화된 층의 두께와 남아있는 열 손상 층의 두께를 합한 것을 뜻하게 된다. 레이저 기종에 따라 기화의 깊이와 열손상의 깊이가 다른데 일반적으로 기화된 두께의 1-3배를 열손상의 깊이로 생각된다.

표피를 기화하기 위하여 Ultrapulse CO_2 레이저는 펄스당 250mJ-300mJ로 1회 조사하면 표피가 박피되며 어븀야그 레이저로는 25-50μm(6-12J/cm²)이면 표피를 박피할 수 있다.

표피를 제거하고 필요에 따라 기화 목적이나 수축 목적으로 레이저를 수 회 추가 조사한다. 피부 두께에 따라 피부수축 목적의 레이저 출력설정은 다른데 Ultrapulse CO_2레이저는 펄스당 250mJ-500mJ, 어븀야그 레이저로는 25-50μm(6-12J/cm²)로 하여 노화된 피부나 두꺼운 피부는 출력을 높게 하고 피부가 얇은 눈꺼풀, 목, 젊은 여자, 건성 피부에서는 출력을 낮게 하여 추가한다. 추가로 레이저를 조사하면 진피의 열효과로 피부가 수축하는 것을 눈으로 볼 수 있다.

피부 수축 효과는 상부 진피에 열이 가해질 때 잘 나타나며, 그러므로 처음 레이저 조사보다 2-3회 때 레이저 조사 시 피부 수축을 잘 볼 수 있다. 레이저 출력을 높일수록 또한 레이저 조사 횟수를 늘릴수록 레이저 박피가 깊어진다. 레이저 조사를 추가할 때 횟수에 정비례하여 박피 깊이가 증가하지는 않으며 추가회수에 따른 1회당 깊이는 점차 감소한다. 고출력 이산화탄소 레이저로 박피를 하면 기화되는 깊이는 3회 조사 시까지 증가하며 더 이상 추가 조사 시에는 기화 효과가 미미하며 열손상이 축적된다.

이산화탄소 레이저와 어븀야그 레이저를 비교하면 일반적으로 이산화탄소 레이저 박피가 깊으며, 어븀야그 레이저도 잘 활용하면 이산화탄소 레이저에 못지 않은 깊은 박피도 할 수 있다. 어븀야그 레이저는 기화가 잘 되고 수축이 잘 안되지만 ablation 모드와 coagulation 모드를 같이 사용하는 dual mode로 하면 이산화탄소 레이저와 비슷한 박피효과를 볼 수 있다.

저자의 동물실험에서 어븀야그 레이저 – 이산화탄소 레이저 박피 깊이를 비교하여 보았으며 Ultrapulse 250mJ 2회 조사는 박피 깊이가 129μm였으며 Dual mode 어븀야그 레이저(albation 1회 60μm, 15J/cm²와 coagulation 1회 25μm)조사

표 9-4. 안면 부위별 피부의 두께(단위 μm)

	표피 epidermis	진피 dermis	피하조직 hypodermis	전체 두께
턱 끝	149	1,375	1,020	2,544
이마	202	969	1,210	2,381
윗입술	156	1,061	931	2,148
아랫입술	113	973	829	1,915
코. 하부	111	918	735	1,764
목	115	138	544	1,697
뺨	141	909	459	1,509
코. 상부	144	324	223	691
눈꺼풀	130	215	248	593

(인용 Gonzalez-Ulloa M, Catillo A, Stevens E, et al: Preliminary study of the total restoration of the facial skin. Plast Reconstr Surg. 13: 151-161, 1954)

표 9-5. 레이저 박피의 깊이 비교 (저자의 실험적 연구; 강동희, 박승하)

Group	Method of Resurfacing	Energy	Vaporization	Thermal damage	Total depth (μm)
I	Er:YAG (ablative mode)	60 μm (15 J/cm²) × 2 passes	35	21	56
II	Ultrapulse CO₂	250 mJ, 30 watt × 2 passes	75	54	129
III	Er:YAG dual mode (ablation & coagulation)	60/25 μm × 2 passes	45	35	80
IV	Ultrapulse CO₂ + Er:YAG	250 mJ, 30 watt × 1 pass + 60 μm (15 J/cm²) × 1 pass	58	46	104

시 박피 깊이는 80μm로 어븀야그 레이저가 이산
화탄소 레이저 박피 깊이 보다는 조금 얕지만 이산
화탄소 못지않게 이용할 수 있는 것을 측정하였다.

진정효과와 수면마취 효과를 얻을 수 있다.

안면의 대부분이나 전체를 레이저 박피할 경우
전신마취를 하는 것이 환자나 시술자가 편하고 안

2. 레이저 박피술 과정

레이저 박피하기 전에 환자는 비누로 세안을 하
고 건조시켜 피부를 깨끗하게 한다. 레이저 박피
할 부위를 수술용 펜으로 표시하고 환자가 원하는
부위가 빠지지 않도록 한다. 얼굴에서는 눈꺼풀과
목 경계부 피부가 얇아 별도로 표시하도록 하여 출
력을 낮게 조절한다. 눈꺼풀은 깊게 박피할 경우
부작용으로 안검외반증이 올 수 있으며, 목과의 경
계부인 턱선에서는 피부가 얇아 깊게 박피할 경우
피부 질감변화나 탈색, 비후성 반흔이 잘 발생한
다. 피부두께는 손가락으로 잡아보아 얇아지는 부
위를 표시하고 특별히 주의한다.

마취는 필요에 따라 시행하며 얕은 마취인 리
도카인 크림(EMLA)으로는 부족하여 국소마취제
(dental lidocaine)을 직접 피부에 주사하거나 안
면의 신경 차단(nerve block)을 추가하기도 한다.
안면의 국소마취제 주사 시 통증이 심하기 때문에
진정제로 midazolam(2-5mg)을 정맥주사하면

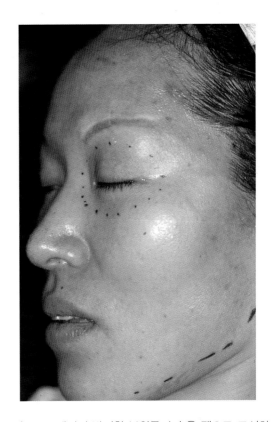

그림 9-3. 레이저 박피할 부위를 수술용 펜으로 표시하
며 피부가 얇은 눈꺼풀과 목의 경계부를 표시한다. 피부
두께는 엄지와 검지로 잡아보면 얇은 부위와 두꺼운 부
위를 쉽게 알 수 있다.

319

전하다. 기관지 삽입 마취 튜브는 레이저에 손상되지 않게 은박지 호일로 싸며 편편한 광택이 보이는 쪽을 안쪽으로 하고 무광택 면을 밖으로 보이게 한다. 튜브 고정은 테이프로 하는데 레이저 할 부위를 가리지 않게 하며, 또한 얼굴을 돌릴 때 튜브가 빠지지 않도록 치아에 실로 묶어 고정하기도 한다.

박피할 부위의 소독은 알코올 등 휘발성이 있는 것은 화재와 화상의 위험이 있어 절대 사용하면 안 되겠다. 레이저 박피 자체가 멸균 효과가 있어 소독은 별로 중요하지 않으며, 베타딘이나 하이진으로 소독하여도 되나 생리식염수와 마른 거즈로 닦고 박피하여도 충분하다.

안구를 보호하기 위하여 국소마취제 안약을 1-2방울 점적한 후 안구보호구를 삽입한다. 눈꺼풀을 하지 않을 경우는 안구보호대나 젖은 거즈로 눈꺼풀을 덮어 준다.

레이저 출력을 부위와 용도에 맞게 세팅한 다음 가스흡인기를 보조자가 시술부위 가까이 대어 박피 시 발생하는 가스를 효과적으로 흡입하도록 한다.

박피 레이저로 1회 조사하면 표피가 기화하고 남은 허연 꺼풀(white-gray bubble)이 남게 된다. 이산화탄소 레이저보다 어븀야그 레이저에서 표피가 기화하면서 떠지는 듯한 소음이 심하게 발생한다. 표피가 기화되고 남은 허연 꺼풀을 젖은 거즈로 닦아낸 후 마른 거즈로 닦아 건조한 상태를 만든다. 허연 꺼풀이 있는 상태로 레이저 조사를 추가할 때 허연 꺼풀은 까맣게 타는 데, 이는 숯처럼(char 형성) 조직이 타면서 조직의 열손상이 깊어지기 때문에 반드시 허연 꺼풀은 닦아내고 레이저를 추가해야 한다. 표면이 젖은 상태로 레이저를 추가 하면 수분이 레이저 에너지를 흡수하기 때문에 더 깊게 레이저 박피를 할 수 없게 된다.

표피를 제거하고 나면 피부는 밝은 핑크빛을 띠게 되며 박피 레이저를 추가하면 피부가 수축하는 것이 눈으로 보이게 된다. 피부병변을 제거하기 위해서는 ablation 모드로 추가하며, 수축과 탄력 증대를 위하여 coagulation 모드로 추가 조사한다. 레이저 조사를 추가하면 피부색은 밝은 핑크색에서 점차 흰색이나 회색으로 변하게 된다. 몇 분 경과하면 다시 핑크색으로 돌아오게 된다.

더 깊이 박피하여 망상진피까지 이르면 피부색이 누런색이 되며 탄력이 없고 건조하며 삼출액도 나오지 않는다. 또한 얇은 피부에서는 진피 구조물이 눈으로 보이기도 한다. 망상진피까지 깊게 박피하면 피부 질감이 변하거나 탈색될 수 있고 비후성 반흔을 형성하기도 하므로 돌이킬 수 없는 후유증을 만들게 된다. 그러므로 박피는 항상 조심스럽게 박피 깊이를 생각하며 시행해야 하고 처음에는 얕은 박피로 창상 치유 과정을 경험한 다음 점차 원하는 적당한 박피를 하여 조심스럽게 박피를 시행하여야 하겠다.

안면부에서 박피한 부위와 하지 않은 부위의 경계가 뚜렷하게 수개월 동안 눈에 띌 수가 있다. 안면부 레이저 박피에서 미용적 단위(aesthetic unit) 부위에 따라 박피할 필요성은 없으며 경계부가 가급적 표시가 안 나도록 하여야 하겠다. 이런 경계부를 약하게 박피하는 방법을 feathering technique이라 하며, 이는 출력을 낮추어 하거나 레이저 조사 횟수를 줄이거나 레이저 각도를 직각에서 눕히어 시행하면 경계부를 얕게 박피할 수 있고 눈에 띄지 않게 된다.

박피가 끝나면 박피 부위를 차가운 생리식염수 거즈로 10분 이상 덮어주며 이는 삼출액을 흡수하여 상처를 깨끗하게 하며 환자는 박피 부위의 열감, 통증을 완화시켜서 좋다. 박피 부위의 처치는 창상 치유가 이루어질 때까지 개방성 처치나 도포

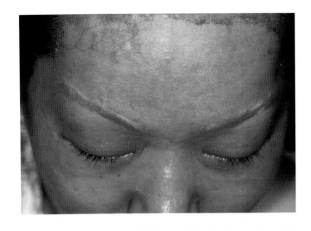

그림 9-4. 고출력 이산화탄소 레이저(Ultrapulse)로 1회 조사하면 표피가 기화되고 하얀 꺼풀(white bubble)이 남게 된다. 하얀 꺼풀을 젖은 거즈로 벗겨내고 마른 거즈로 건조시킨 후 레이저를 추가 조사한다. 박피 후 찌꺼기가 남아 있으면 추가 박피시에 열손상이 증가하며, 진물이나 물기가 있으면 레이저 에너지를 흡수하여 더 깊이 박피할 수 없으며 정확한 박피 깊이 조절을 위하여 반드시 닦아내고 마른 상태에서 레이저를 추가 조사한다.

그림 9-5. 레이저를 추가 조사하여 진피에 이르면 피부가 수축하고 점차 깊게 들어가면 핑크색에서 흰색-회색으로 바뀌며 진물이 나지 않게 된다. 피부가 두꺼운 이마와 뺨은 높은 출력으로 추가조사하고 피부가 얇은 눈꺼풀은 낮은 출력으로 추가 조사한다.

성 처리를 하게 된다.

박피 부위는 삼출액은 박피 후 2-3일 동안 지속될 수 있으나 점차 줄어들며 이후에는 분비물이 없어 자주 치료할 필요 없이 상처가 깨끗이 유지된다.

수술 후 24-48시간 동안 박피 부위에 통증이나 작열감이 있을 수 있으며 이때에는 Acetaminophene (Tyrenol, 500mg) 1-2알 복용을 권한다. 항생제는 경구로 3일에서 5일 정도 사용하며, 입주위에 물집이 잘 잡히고 헤르페스(Herpes simplex)감염 병력이 있는 환자는 항바이러스제인 Acyclovir (Zovirax)를 예방목적으로 하루 2알(1T: 200mg)씩 상처가 이루어 질 때까지 7-10일 정도 사용을 권하며, 안면 전체를 박피한 경우는 반드시 예방목적으로 사용하여야 하겠다. 박피 부위에 헤르페스 감염이 되면 Acyclovir를 하루 5알(1,000mg)을 사용하며 심한 경우에는 정맥 주사를 하게 된다.

3. 레이저 박피 후 창상 처치

레이저 박피 후 창상 처치는 개방성 처치(open dressing)와 도포성 처치(occlussive dressing)를 할 수 있다. 개방성 처치는 생리 식염수나 희석한 식초액(1컵에 1스푼 넣어 희석)으로 적신 거즈를 한 번에 10분 정도 덮어 주며 하루에 3-4회 실시한다. 이는 창상에서 배출된 삼출액을 흡수하여 깨끗하게 유지하며 환자의 통증, 작열감, 가려움증, 건조감을 완화시켜 시원한 느낌이 들게 하며 삼출액으로 인한 딱지가 앉는 것을 막게 된다.

피부가 건조하면 조이는 통증이 있으므로 항생제 연고나 바셀린, 스테로이드 연고, 안연고 등을 바르게 되며 이는 피부가 조이고 건조한 것을 피하면서 또한 항균 효과도 보이게 된다. 환자는 바로 세안을 할 수 있으며 손으로 문지르지 말고 물을 튀겨내듯이 세안을 하며 부드러운 물비누나 세

표 9-6. 개방성 치료와 도포성 치료

	개방성 치료(open dressing)	도포성 치료(occlussive dressing)
치료재료	항생제 연고, 바셀린, 안연고 생리식염수, 희석한 식초액	colloid, 반투과성막 Duoderm, Flexzan, Askina, Lasersite
장 점	· 세안이 가능. 피지선 축적이 없다 · 창상을 항상 볼 수 있고 염증을 쉽게 발견할 수 있다.	· 통증이 적고 드레싱의 불편함이 없다. · 건조하고 조이는 느낌이 없다. · 색소침착이 적게 온다. · 상처 표시가 적고 외출이 가능하다
단 점	· 드레싱 할 때 불편함이 있다. · 통증, 건조감, 조이는 느낌이 있다. · 색소침착이 더 나타난다. · 상처를 보이기 싫어한다.	· 피지선 분지가 축적되며 여드름이 악화될 수 있다. · 감염이 늦게 발견될 수 있다.

안제를 사용하여도 좋다. 세안을 잘 하지 못해 가피가 앉게 되는 경우 무리하게 제거하지 말고 면봉으로 살짝 문지르며 창상치유가 완전히 되어 저절로 벗어질 때까지 기다린다. 박피 후 가피를 억지로 제거할 경우 상피화 과정 중에 벗겨서 창상치유가 늦게 되고 자국이 남을 수 있다. 개방성 치료는 상처를 항상 볼 수 있는 장점이 있는 반면 환자가 상처를 보아 싫어할 수 있으며 건조함과 조이는 느낌이 있어 불편할 수 있다.

상안검은 항상 움직이므로 도포성 치료를 할 수 없고 개방성 치료로 안연고를 발라 주어야 한다.

도포성 치료는 박피부위를 콜로이드나 반투과성막이 코팅된 드레싱 제재로 치료하는 것으로 박피 후 3-4일 동안은 삼출액 분비가 있어 매일 갈아 붙이나 이후에는 분비물이 없어 2-3일 이후에 한 번 바꿔 붙여도 되겠다. 드레싱제재 중에 스펀지 층이 있는 것은 분비물을 흡수하여 창상 치유 시까지 갈아 붙일 필요가 없으나 분비물이 말라서 굳어버리면 제거할 때 쉽게 제거가 안 되며 간혹 자국이 남을 수 있으며 염증이 있는 경우 발견이 어렵기 때문에 피하는 것이 좋겠다. 도포성 치료로는 Duoderm (thin), Fleszan, Askina, Lasersite 등과 국내에서도 많이 생산되는 여러 도포성 제재를 사용할 수 있다. 도포성 치료는 통증, 건조감이 적고 환자가 편하게 느끼며 햇빛에 노출이 없어 색소침착이 적게 온다. 단점으로는 피지선 분비가 고일 수 있으며 감염이 될 경우 늦게 발견될 수 있다. 박피 부위에 소양감, 열감이 심하거나 불쾌한 냄새가 나면 감염을 의심해보아야 하겠다.

4. 레이저 박피와 피부 관리(Skin Care)

레이저 박피 후에는 홍반(erythema)이 나타나는데 이는 박피 과정에서 꼭 나타나는 증상이며 시간이 지나면서 점차 홍반이 없어지게 된다. 홍반은 박피를 깊게 할수록 심하게 나타나고 오래 지속된다. 평상시에는 홍반이 없어져도 운동을 하거나 더운 상태나 음주 후에는 나타나는 것이 수개월 더 지속 될 수 있다. 환자는 홍반이 있어 불편할 수 있으나 홍반이 있는 동안은 피부가 재생하는 시기로 진피에 콜라겐섬유가 더 증가하게 된다.

박피 후 음주나 사우나는 혈관 확장을 하여 홍반이 오래 지속되므로 피하는 것이 좋으며, 가려운 증상이 동반되면 스테로이드 연고를 바르게 하여 진정작용으로 가려움과 홍반을 가라앉히게 된다.

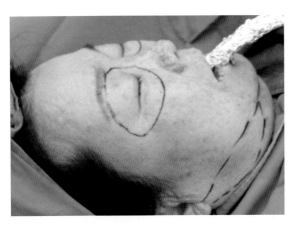

그림 9-6. 천연두 반흔으로 안면 전체의 레이저 박피 준비과정

마취는 폭발성 흡입마취를 피해야 하며, 기관지 삽입튜브는 호일의 반짝이지 않는 면으로 싸주어 튜브에 손상과 반사로 인한 사고를 방지한다. 피부 두께가 얇은 눈꺼풀과 목의 경계부를 표시하여 박피 출력을 낮게 하며, 박피하지 않은 경계부와 표시를 줄이기 위해 feathering technique을 사용한다. 눈에는 마취안약을 점적하고 eye shield를 삽입하여 보호한다. 머리와 주변은 생리식염수로 적시어 레이저에 타지 않도록 한다.

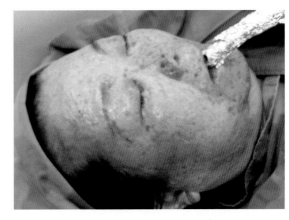

그림 9-7. 어븀야그 레이저 박피 직후 모습

부위별로 적당히 깊게 박피를 하며, 피부의 색상, 수축현상, 진물이 나는 정도 등으로 박피 깊이를 최종 결정(end point)한다.

어븀야그 레이저도 albation mode와 coagulation mode를 잘 활용하고 수차례 추가 조사하면 이산화탄소 레이저 못지않은 깊은 박피를 할 수 있다. 표피를 제거하기 위해 ablation mode로 하며 진피 수축을 위해서는 coagulation mode로 조사한다.

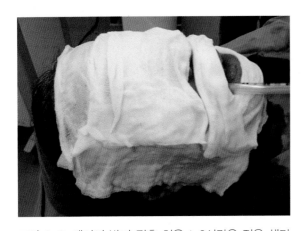

그림 9-8. 레이저 박피 직후 처음 1-2시간은 젖은 생리식염수 거즈로 덮어 주는 것이 진물(oozing)을 흡수하고 통증을 줄여주게 된다. 개방성 창상처치를 할 수 있으며 진물이 나오는 처음 며칠은 젖은 생리식염수 거즈로 한 번에 10분 정도, 하루에 3-4회 도포(saline gauze compression)하는 것이 상처가 깨끗하고 환자가 편하게 느끼게 된다.

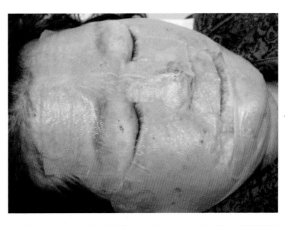

그림 9-9. 도포성 치료(occlusive dressing)는 창상치유를 촉진하는 드레싱제재를 붙여주며, 진물이 나올 때는 매일 갈아 붙이지만 상처가 안정되면 2-3일에 한 번 갈아주어도 된다. 사진은 박피 1주일 후로 얇은 콜로이드 드레싱제재를 붙인 모습이며, 윗 눈꺼풀은 안연고를 사용하여 개방성 드레싱을 한다.

스킨케어로는 시원한 느낌을 주는 오이, 알로에 팩 같은 마사지를 하면 일시적으로 홍반을 빨리 가라

앉힐 수 있다.

레이저 박피 후에 박피 효과를 더 돋보이게 하고

피부를 깨끗하게 유지하기 위하여 피부 관리(skin care)가 중요하다. 특히 동양인에서는 박피 후 색소침착(hyperpigmentation), PIH가 흔하기 때문에 박피 전후 스킨케어가 필수적이다. 박피 후 색소침착을 예방하기 위해서는 멜라닌 색소 형성을 억제하는 미백제(bleaching agent; 4% hydroquinone, kojic acid)를 6주 이상 사용하여야 예방효과가 있다. 기미가 있거나 얼굴색이 검은 경우는 2개월 이상 사용하는 것이 좋다. 색소침착의 치료에는 Kligman formula가 대표적이며 이는 hydroquinone(4%), retinoic acid(0.1%), Hydrocortisone(1%, 또는 dexamathasone)로 구성하여 미백제, 탈피제, 염증완화제를 혼합한 것이 되겠다. 스킨케어 프로그램에 많은 종류가 있으나 이와 비슷하게 미백제, 탈피제, 자극완화제(soother), 자외선 차단제를 포함하는 것이 기본적이다.

hydroquinone은 tyrosinase를 억제하여 멜라닌 색소 형성을 막게 된다. retinoic acid는 각질을 벗기고 표피 재생을 촉진하며 피부의 혈액 순환을 증가시키게 되며 박피 후 창상 치유를 고르고 빨리 이루어지도록 하는 효과가 있다. 0.1% retinoic acid는 자극이 심하여 0.05%나 0.025%를 사용하는 것이 좋다. 스테로이드 연고는 탈피제와 미백제의 자극을 완화시키며 창상치유를 촉진하고 진정작용으로 홍반과 가려움을 감소시킨다. 스테로이드 연고 자체도 미백효과가 있다.

박피 전에 미백제와 약한 농도의 탈피제, 그리고 자극완화제를 보통 4주 내외 사용한다. 피부색이 흰 편인 환자는 2주만 사용하여도 되며, 기미나 피부색이 검은 경우는 6-8주 사용하는 것이 바람직하다. 미백제와 탈피제를 사용할 때는 자극으로 색소침착이 더 올수 있으므로 반드시 자외선 차단제를 같이 사용하여야 한다. 박피 전 전-처치로

스킨케어를 할 때는 화장도 평상시처럼 가능하다.

환자에 따라서는 피부가 민감하여 홍반이 심하고 부기가 있는 경우도 있는데 약간의 홍반과 가려움은 과정 중에 흔히 있는 것으로 환자에게 잘 설명해주어야 한다.

환자가 스킨케어를 견딜 수 없을 정도로 불편한 경우는 자극이 강한 탈피제 농도를 낮추거나 바르는 양을 줄여 본다. 더 심한 경우는 미백제만을 바르게 한다. 탈피제나 미백제에 자극이 심하여 사용할 수 없는 경우는 레이저 박피를 해서는 안되는데 탈피제나 미백제를 사용할 수 없는 환자는 레이저 박피 후에 색소침착이 오면 치료를 할 수 없기 때문이다.

전-처지를 하는 동안 피부가 더 검어 졌다고 호소하는 환자도 있는데 이는 피부 자극이 되어 멜라닌 색소가 증가하기도 하지만 이미 있는 멜라닌 색소가 탈피되면서 위로 올라와 더 두드러져 보일 수 있기 때문이다. 일시적으로 검어 보일 수 있지만 1-2 개월 꾸준히 바르게 하면 점차 옅어지므로 환자에게 잘 설명하여 이해시킬 필요가 있겠다.

레이저 박피 후 상처가 아물면 곧 스킨케어를 시작하는데 진정크림, 스테로이드 크림은 바로 시작할 수 있으며 세안 후 먼저 바르게 한다. 자외선 차단제는 일찍 바를수록 좋으나 자외선 차단제를 바를 때 따가울 수 있으며 피부에 자극이 될 수 있다는 것을 설명해 주어야 한다. SPF(sun protection factor)가 높은 40-50 보다는 SPF 25-30 정도가 적당하며 아침과 낮에 바르게 한다.

미백제와 탈피제는 환자가 견디는 정도에 따라 바르는 시기를 달리 하는데 보통 미백제는 상처가 아물고 난 후 1주일 후부터 바르게 하며, 탈피제는 창상 치유 2주일 후부터 낮은 농도(0.025% retinoic acid) 부터 바르게 한다. 환자가 미백제나 탈

피제에 견딜 수 없다면 며칠 더 늦추어 바르게 한다. 박피 후 한 달 후에는 박피전과 같이 스킨케어를 하며, 1-2개월 이상 지속하여 색소침착이 없으면 스킨케어를 중단하는 것보다 양을 줄여서 수개월 더 바르게 하는 것이 좋다.

박피 후 피부는 건조하기 때문에 보습제(moisturizer)나 바셀린로션, 영양크림 등을 바르는 것이 좋다. 화장은 박피 부위 창상 치유가 이루어진 후 가능하며 보통 박피 10일에서 2주 후에 화장을 하게 된다.

박피 부위에 홍반과 색소침착으로 얼굴색이 울긋불긋하여 불편한 경우는 색조화장이나 특수화장(커버마크, concealer 등)을 하여 커버할 수 있다. 색조화장 시에는 붉은색에는 녹색 커버를 사용하고 갈색에는 노란색 커버를 사용하여 보색 관계를 이용하면 색상카버를 더 쉽게 할 수 있다.

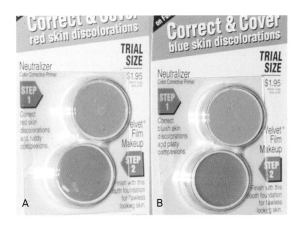

그림 9-10. 박피술 후 색조화장(concealer)
박피술 후 홍반과 색소침착을 색조화장을 하여 불편함을 해소하며, 보색 관계를 이용하면 쉽게 커버할 수 있다.
A) 홍반을 커버하기 위하여 녹색 화장을 먼저 하고 베이지색 화장을 한다.
B) 청색을 커버하기 위해 노란색 화장을 먼저 하고 아이보리색 화장을 한다.

5. 이산화탄소 레이저 (CO$_2$ Laser)

가) 이산화탄소 레이저의 특성

이산화탄소(CO$_2$) 레이저는 1964년 Patel이 개발하고 1967년 Polanyi가 처음으로 임상에 적용하였다. 이산화탄소 레이저는 이산화탄소 기체를 매질로 하여 레이저 튜브에 높은 전류를 흐르게 하여 발생하는 10,600nm의 긴 파장의 적외선(far infrared) 영역의 레이저이다. 이산화탄소 레이저는 공기 중의 이산화탄소를 매질로 하기 때문에 매질의 교환이 필요 없고 매질의 유지, 교환 비용이 들지 않는다. 이산화탄소 레이저는 눈에 보이지 않으므로 치료 시 저출력의 Helium-Neon(633nm)레이저가 붉은 빛으로 가이드 빔을 하게 된다.

이산화탄소 레이저는 수분에 흡수되어 효과를 나타내며 피부의 발색단인 멜라닌 색소나 헤모글로빈(oxyhemoglobin)에는 친화력이 없으며 수분에 친화력이 높아 조직의 파괴나 기화에 사용된다. 혈관에 대한 친화력은 아르곤(488nm) 레이저나 엔디야그(1,064nm)보다 적어 혈관치료에 선택적으로 효과를 보이지는 않지만 이산화탄소 레이저 조사 후 열손상에 의한 조직응고(coagulation)로 지혈효과를 보이며 0.5mm 이상 큰 혈관에는 지혈효과를 나타내지 못한다. 이산화탄소 레이저는 또한 림프절과 신경 말단을 차단하기 때문에 레이저 조사 후 부기와 통증이 다른 레이저보다 적은 특성을 나타낸다.

레이저가 조직에 닿으면 반사, 흡수, 분산, 투과로 반응을 달리하는데, 피부에 효과를 나타내는 것은 레이저 열에너지의 흡수와 분산으로 레이저가 직접 닿은 곳은 열을 흡수하여 온도가 올라가며 레이저가 닿은 주변 조직은 열이 전파되어 효과를 미치게 된다.

이산화탄소 레이저의 에너지의 대부분은 수분으로 흡수되는데, 수분만 있는 경우 이산화탄소 레이저의 깊이는 20μm까지만 이를 수 있다. 피부는 50-70% 이상 수분으로 구성되어 있으며 이산화탄소 레이저는 피부에 0.2mm 이상 투과할 수 없고 이산화탄소 레이저가 효과를 미치는 것은 피부의 기화와 주변 조직이 열을 흡수 분산하기 때문에 박피 효과를 나타내게 된다.

피부가 레이저 열을 받으면 온도에 따라 반응이 달라지며 100℃ 이상이면 수분이 증발하며 조직도 같이 기화(vaporization)되며, 70℃ 이상이면 단백질 변성과 조직응고, 세포괴사로 비가역적인 손상을 입게 되고, 60℃ 정도이면 가역적인 반응으로 콜라겐 섬유소 등이 수축하여 피부의 탄력이 증가하게 된다.

나) 연속파와 펄스파, 극초단파 이산화탄소 레이저

초기 이산화탄소 레이저는 연속파(continuous wave)로 조직의 기화보다는 응고가 많아 주로 조직의 파괴, 제거에 사용되었으며 박피에는 사용되지 못하였다. 그러나 점차 이산화탄소 레이저가 조사시간이 짧은 맥파, 펄스파(chopped, pulse)로 개발되면서 피부 박피에 사용되기 시작하였다.

펄스파는 연속파와 비교할 때 같은 에너지를 전달하여도 조사시간이 10분의 1 이하로 짧은 조사시간과 휴식시간이 연속으로 반복하게 되는 특징이 있다. 펄스파는 최대 출력(peak power)은 연속파의 2-3배 이상 되지만 주변 조직의 온도는 연속파보다 적게 받는다.

극초단파(ultrapulse) 이산화탄소 레이저는 조직의 기화를 최대로 하는 반면, 주변 열손상을 최소로 하기 위해 개발된 것으로 출력은 100W이며 펄스당 에너지는 500mJ까지 올릴 수 있다.

반면 조사 시간은 피부의 열이완 시간(TRT: thermal relaxation time)보다 적은 950μsec이며 에너지 밀도(energy density; fluence)는 기화의 한계치(vaporization threshold)인 5J/㎠ 이상이다. 조직의 열이완 시간 TRT는 조직의 받은 열이 주위로 확산하여 50% 이하로 되는 시간으로 열이완 시간보다 짧은 시간에 레이저를 조사하여야 주변 조직의 열손상을 피할 수 있다.

연속파 이산화탄소 레이저는 주변 조직의 열손상이 300-500μm인데 비하여 펄스파(super-pulse) 이산화탄소 레이저는 150μm로 줄어들며 극초단파(ultrapulse) 이산화탄소 레이저는 기화는 최대로 하면서 열손상은 오히려 적은 70μm를 나타낸다.

박피용 레이저로 기화를 하기 위하여 레이저 빔의 직경(spot size)은 2-5mm 되어야 하며, 반면 절개용으로 사용할 이산화탄소 레이저는 빔의 직경이 0.1-0.2mm가 적합하다.

레이저가 같은 출력이어도 빔의 직경이 작아질수록 출력밀도(power density; irradiance)는 제곱으로 커지게 되므로 직경이 15배 작아지면 출력밀도는 제곱인 225배 커지게 된다.

Irradiance; power density(W/㎠) =
power output(W)/ spot size(㎠)

이산화탄소 레이저가 출력이 20W에 직경이 0.2mm이면 출력밀도는 50,000W/㎠로 절개에 충분한 조건이 된다.

이산화탄소 레이저 박피의 창상 치유는 1주일 전후가 걸리며, 이산화탄소 레이저로 절개한 경우는 조직의 긴장 강도(tensile strength)는 처음 1-2개월은 메스 절개보다 떨어지지만 3개월 이후에는 비슷하거나 오히려 더 강할 수 있다.

다) 기화와 수축

이산화탄소 레이저가 출력이 높고 조사시간이 짧으면 순간적으로 높은 에너지를 전달하여 피부의 기화 효과가 뛰어나고 주변의 열손상은 적어진다. 하지만 같은 이산화탄소 레이저로 같은 에너지를 조사하여도 조사시간이 다소 길고 출력이 낮으면 기화는 적고 주변의 열 축적이 일어난다. 열에너지 전달로 피부의 수축이 일어나고 피부 탄력을 증가하게 된다. 그러므로 피부 병변을 제거하기 위해서는 출력을 높이고 조사시간을 짧게 해야하며 반면 흉터나 주름에 치료할 때는 피부 수축

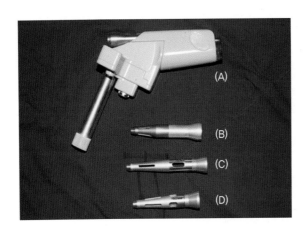

그림 9-11. 박피용 레이저의 핸드 피스: Ultrapulse CO$_2$ 레이저
A) 넓은 부위를 일정한 깊이로 신속히 박피하는 스캐너
 (CPG; computer pattern generator)
B) 3mm 레이저 빔으로 빛이 분산되지 않고 평행성을 지님(collimated 3mm hand piece)
C) 직경 1mm로 반점 등 작은 병변 제거에 사용함.
D) 직경 0.2mm 핸드피스는 절개용으로 안검성형술 등에 사용한다.

과 탄력을 증가시키기 위하여 조사시간을 조금 늘리고 출력을 낮추는 것이 효과적이다.

이산화탄소 레이저로 박피를 하기 위하여 단일 펄스 조사보다는 스캐너를 이용하면 균일하게 박피를 할 수 있다. 스캐너는 원형, 사각형 등여러 모양이 있으며, Ultrapulse 레이저인 경우 CPG(computer pattern generator) 스캐너를 사용하는데 이것의 각 펄스는 직경 2.5mm이며 스캐너 모양대로 레이저 펄스가 채워지게 된다. 원형모양의 펄스파는 가운데는 출력이 높지만 가장자리는 출력이 낮은 형태(Gaussian beam)로 박피의 깊이를 고르게 하기 위해서는 펄스가 30-50%중첩하게 하는 좋다.

이산화탄소 레이저는 직선형의 통을 통과하기 때문에 거울이 달린 꺾이는 형태(articulated arm)로 사용하며, flexible한 fiber 형태로 사용할 수는 없다.

이산화탄소 레이저가 피부의 열손상을 줄이고 기화를 극대화하는 고출력 극초단파(high power ultrapulse) 이산화탄소 레이저로 발전하면서 박피의 대표적인 방법이 되었다. 고출력 이산화탄소 레이저는 조직의 기화뿐만 아니라 피부의 탄력을 증가시키기 때문에 각종 피부 질환의 박피치료와 노화된 안면피부에 리주버네이션(rejuvenation)효과가 뛰어나고 안전하기 때문에 1990년대 중반부터 선풍적인 인기 시술로 자리를 잡았으며 현재 미국에서 레이저 박피술이 리프팅 주름제거성형술(face lifting, rhytidectomy)보다 더 많이 시행되고 있다.

이산화탄소 레이저는 박피 효과와 피부 수축효과는 뛰어나지만 조직에 잔존하는 열 손상으로 홍반이 오래가는 불편함이 있는 것이 단점인데 2000년대 초반부터 어븀야그(Er:YAG)레이저가 개발

되어 이산화탄소 레이저와 함께 박피에 널리 사용하고 있다. 어븀야그 레이저는 이산화탄소 레이저와 같이 피부의 수분을 목표로 하는데 어븀야그 레이저가 이산화탄소 레이저보다 수분에 친화력이 10배 이상 높으며 반면 조직의 박피 깊이는 이산화탄소 레이저의 몇 분의 일 정도로 얕은 박피가 된다.

최근 박피의 단점을 피하기 위한 비박피성(non-albative) 레이저들이 개발되어 피부의 탄력을 증가시키기 위하여 사용되고 있다. 엔디야그 레이저, 다이오드 레이저, IPL 등 비교적 파장이 길고 피부 투과가 깊어 진피의 수축을 유도하는데 이런 비박피성 레이저들은 몇 번을 하여도 이산화탄소 레이저와 같은 박피성 레이저 한번 시술보다는 효과가 적은 것이 사실이다.

이산화탄소 레이저는 여러 가지 기기가 있으며 각 이산화탄소 레이저의 특성을 알아 잘 활용하면 피부 성형에서 가장 효과적이고 용도가 많은 레이저가 되겠다.

그림 9-12. Ultrapulse 이산화탄소 레이저 계기판
아래는 레이저의 모드, 펄스당 에너지, 출력, 빈도를 조절하며 위의 계기판은 스캔(CPG)의 패턴, 크기, 밀도를 조절함.

6. 어븀야그 레이저 (Er:YAG Laser)

가) 어븀야그 레이저의 특성

어븀야그 레이저는 이산화탄소 레이저보다 늦게 개발되었지만 이산화탄소 레이저보다 조직의 열

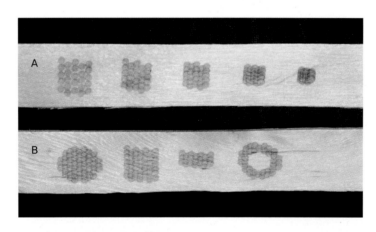

그림 9-13. 나무 설압자에 레이저를 조사하여 알 수 있는 레이저 박피의 깊이와 형태
A) 스캐너의 밀도에 따른 형태 변화로 왼쪽에서부터 밀도(density)가 0%에서 10%, 30%, 50%, 70%로 밀도가 높아질수록 겹치는 부분이 많은 것을 알 수 있다. 피부에 고르게 박피레이저를 조사하기 위해서는 30%-50%로 밀도를 겹치게 하는 것이 좋다.
B) 스캐너의 형태에 따라 크기와 모양을 선택하여 시행할 수 있다.

표 9-8. 이산화탄소 레이저 박피 전 처치, 레이저 박피 시 처치, 레이저 박피 후 처치

레이저 박피 전 처치 : pre laser resurfacing care

병력 기록, 사진 촬영,
전신 마취시 필요한 일반적 검사를 시행함, 고혈압, 당뇨병 등 조절
스킨케어(pre-laser skin care); 박피 전-처치
  1. 미백제 : hydroquinone 4%, 저녁
  2. 탈피제 : retinoic acid 0.025%-0.05%, 저녁
  3. 자외선차단제 sun screen; SPF 20-50, 아침, 낮

  4. 자극완화제 soother; hydrocortisone 0.5-1%, betamethasone 연고, 아침
보통 박피 전 1개월 간 사용, 기미나 짙은색 피부는 2개월 이상 사용
박피 전-처치에도 민감한 피부는 레이저박피를 포기하며 이는 박피후 색소침착시 스킨케어가 불가능함.

레이저 박피 시 처치 : laser resurfacing day treatment

세안: 비누 세안 후 건조시킴
마취
  전신마취: 안면 전체, 안면 1/2이상이나 손바닥크기 이상 레이저 박피 시 마취 튜브는 호일로 감싸서 레이저로 인한 튜브손상, 화재 예방
  국소마취: 리도카인 국소주사 (lidocaine with epinephrine) dental lidocaine 10개 이내 사용
  신경차단: supraorbital, infraorbital, mental nerve block
  수면마취: midazolam 3-5mg/IV, 신경차단이나 국소마취 시 보조 pulse oxymeter로 호흡을 모니터링함
소독: 알코올 등 휘발성 소독제는 금기, hygiene 등 사용
  생리식염수거즈로 닦은 후 마른 거즈로 건조시킴
  박피 부위 외는 젖은 소독포로 화재 예방함
  눈의 보호: 안검부 박피 시 국소마취안약 점적 후 eyeshield 삽입
  기타 부위할 경우 젖은 생리식염수 거즈로 눈 부위를 덮어줌

레이저 박피: 기화(vaporization)와 수축, 탄력(cogulation, elasticity) 목적에 맞게 출력조정
  박피 시행하고 최종 깊이 (end point)를 결정함
  레이저박피 직후 1-2시간 동안 차가운 생리식염수 거즈로 덮어줌
  통증과 삼출, 부기를 줄임
창상처치:
  1. 개방성 처치 open dressing
  saline gauze : oozing이 있는 2-3일 간은 10분씩 4회/일
  바셀린, 항생제포함 연고, 안연고 등 사용
  2. 도포성 처치 occlusive dressing
  colloid, 반투과성막 사용: Duoderm, Flexan, Askina 등 치유까지
  상안검은 안연고만 바르고 개방함.
치료약
  항생제 : 세파계나 합성페니실린 3-5일간 경구 투여
  통증 : Tyrenol 500-1,000mg, 2-3회/일, 2일간
  항바이러스제: 헤르페스 예방, 안면전체, 넓게 박피하거나 자주 감염되는 환자, Acylovir 200mg; 예방 2T/일, 치료 5T/일

레이저 박피 후 처치 : post laser reurfacing care

창상처치
  개방성 처치: 세안을 하며 물비누나 부드러운 비누 사용 가능함
  건조시킨 후 연고 도포, 피부가 마르고 딱지 (crust) 앉는 것을 방지
  도포성 처치: 드레싱제재를 삼출액이 많은 3-4일간은 매일 교환
  삼출액이 적어지면 며칠에 한 번 교환, 창상치유 시까지 사용
스킨케어: 창상치유 후 기간에 따라 종류별로 달리 시작함
  박피 1개월 후는 박피 전과 같은 방법으로 사용
  박피 3개월 후부터는 양을 줄여 수개월간 사용함(tapering)
  1. 염증완화제: 가려움과 홍반을 빨리 가라앉힘
  아침과 저녁 세안 후 먼저 바르게 함
  hydrocortisone, betamethasone 연고 사용
  2. 자외선차단제: sunscreen agent
  창상 치유가 끝난 후부터 사용, 바르면 즉시 따가울 수 있음
  자극(irritation)이 심하면 쉬고 며칠 후 다시 시작함.
  박피 후 3개월-6개월 간 사용

  3. 미백제: bleaching agent, hydroquinone 4%
  창상치유가 이루어지고 1주일 후부터 저녁에 사용
  색소침착이 되면 아침과 저녁에 사용
  4. 탈피제: exfoliant agent, retinoic acid 0.025%-0.05%
  창상치유가 이루어지고 2주일 후부터 저녁에 사용
  낮은 농도부터 사용(retinoic acid 0.025%)
  자극이 심하면 홍조, 소양증, 부기가 있을 수 있음
  자극 심하면 수일 쉬거나, 적은 양(1/2-1/4)으로 사용
박피 피부, 염증관찰
홍반이 심해지는 음주, 찜질, 사우나를 지양
가렵고 불쾌한 냄새, 염증이 쉽게 가라앉지 않는 경우 진균 검사(fungus culture)
비후성 반흔: 기다리지 말고 국소마취제와 함께 희석한 스테로이드 병변내 주사 (intra-lesional Kenalog injection), 가라앉을 때 까지 1개월 간격으로 주사

손상이 적고 얕은 박피로 안전하고 홍반 등 후유증이 적어 레이저 박피술에 최근 널리 사용되고 있다.

어븀야그 레이저는 파장이 2,940nm로 적외선 영역 중 비교적 파장이 짧은 근-적외선(near-infrared)영역에 속한다. 어븀야그는 1975년 러시아에서 개발되었으며 실제 임상적 사용은 1996년부터 시작되었다. 초기 어븀야그 레이저는 조사시간(펄스)이 짧아 피부에 적용하였을 때 열손상이 거의 없어 지혈이 되지 않고 출혈로 인하여 더 깊은 박피를 할 수 없었다. 이런 단점을 보완하기 위하여 이산화탄소 레이저와 동시에 사용하거나 이산화탄소 레이저 박피와 같은 효과를 내기 위하여 펄스 조사 시간이 긴 어븀야그를 개발하여 본격적으로 박피 레이저에 2000년대 초반부터 사용되었다.

어븀야그 레이저는 수분에 흡수가 잘 되는 파장으로 수분 흡수지수(water absoption coefficiency)는 $12,800\ cm_{-1}$로 이산화탄소 레이저의 수분 흡수지수인 $800\ cm_{-1}$에 비하여 16배로 수분에 대한 흡수 친화력이 매우 높다. 피부의 구성은 약 70%가 수분으로 되어있어 수분에 대한 친화력이 높은 레이저가 박피에 적합하게 된다.

피부 수분이 레이저 에너지를 흡수하여 온도가 급격히 올라가면서 피부가 겉에서부터 기화(vaporization)를 하며, 또한 온도가 올라가면서 팽창하여 피부조직이 터지면서 박피가 이루어지는데 어븀야그가 다른 레이저보다 레이저 조사 시에 폭발하는 듯한 소리(pumping sound)가 요란한데 이는 조직이 기화하고 폭발하면서 나타내는 소음이 되겠다.

피부를 기화하기 위한 최소한의 에너지(ablation threshold)가 이산화탄소 레이저는 4.5-5 J/cm^2인데 비하여 어븀야그 레이저의 기화최소에너지는 0.5-1.5J/cm^2로 어븀야그 레이저가 이산화탄소 레이저보다 적은 에너지로 기화가 더 잘 되는 것을 알 수 있다.

일반적으로 레이저의 파장이 길수록 피부 깊게 투과되지만 박피 레이저는 수분에 레이저 에너지가 흡수되어 깊게 투과되지 못하며 이산화탄소 레이저의 투과 깊이는 100μm(0.1mm)이며 어븀야그 레이저의 투과깊이는 10μm(0.01mm) 이하로 투과 깊이는 매우 낮다.

레이저의 박피 깊이는 기화된 조직두께와 비가역적인 열손상을 입은 조직두께의 합으로 산정되며, 이산화탄소 레이저의 경우 Ultrapulse 레이저로 펄스에너지가 250-500mJ이면 기화 두께가 20-30μm이고 열손상은 25-70μm가 된다. 어븀야그 레이저에서 통상 사용하는 출력인 5-15J/cm^2에서 기화두께는 2-5μm이고 열손상은 10μm가 된다.

이산화탄소 레이저는 펄스 시간이 Ultrapulse인 경우 950μsec 이하로 약 1msec보다 적으며, 어븀야그 레이저의 펄스 시간은 200-300μsec로 적으며, 어븀야그 중 펄스 시간이 긴 것은 1msec보다 긴 것도 있다.

어븀야그 레이저는 얕은 박피가 되기에 이산화탄소 레이저와 같은 박피를 위해서는 보통 이산화탄소 레이저 1회 조사의 초기 어븀야그 레이저는 10회 조사와 박피 깊이가 비슷하였지만 최근 어븀야그 레이저는 2-3회 조사가 이산화탄소 레이저 1회 조사와 비슷한 박피 깊이를 보인다.

나) 박피용 어븀야그 레이저

어븀야그 레이저는 종류가 많이 있으며 Alster

는 여섯 종류의 어븀야그 레이저의 효과를 비교하였을 때 별다른 차이가 없다고 하였다. 현재 박피에 사용되는 대표적인 어븀야그 레이저로는 Contour, Derma-K, CO3 레이저 등이 있다.

Contour 레이저(Sciton Co.)는 dual mode로 펄스가 짧은 200-300msec와 긴 펄스가 복합적으로 사용하는 것으로, 짧은 펄스는 기화(ablation) 모드로 사용하며 긴 펄스는 수축(coagulation) 모드로 사용한다. 기화 깊이는 200μm에까지 이를 수 있다. Contour Er:YAG 레이저는 터치스크린 패널로 기화와 수축의 깊이를 μm단위로 표시하여 기화와 수축 깊이를 사용자가 쉽게 조절할 수 있게 하였다.

Derma-K 레이저(ESC medical system)는 어븀야그 레이저와 이산화탄소 레이저가 같이 조사되는 것으로 hybrid 타입이며, 어븀야그 타입은 350μsec에 28J/㎠까지 조사할 수 있고 열손상 깊이는 50μm에 이른다.

CO3 레이저(Cynosure Co.)는 500μsec에서 10msec까지 조사시간을 가지며, 짧은 펄스는 기화용으로 사용하고 긴 펄스는 이산화탄소 레이저와 같은 열 효과를 얻을 수 있다.

어븀야그 레이저를 이산화탄소 레이저와 같이 복합적으로 사용할 수 있으며, 이런 복합사용의 장점으로는 어븀야그 레이저가 기화는 하지만 열손상이 적어 지혈과 수축을 할 수 없으므로 어븀야그 레이저 사용 후 바로 이산화탄소 레이저를 사용하여 지혈과 수축을 이룰 수 있다. 반면 이산화탄소 레이저를 사용하고 이어 어븀야그 레이저를 사용하면 이산화탄소 레이저로 인한 열손상 조

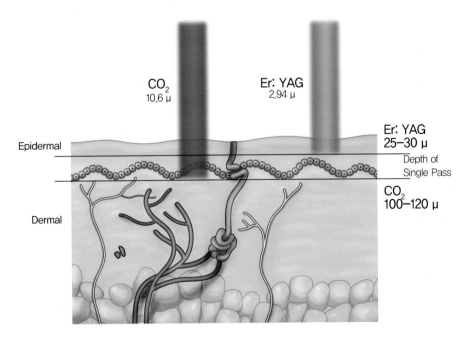

그림 9-14. 이산화탄소 레이저와 어븀야그 레이저의 비교

이산화탄소 레이저는 10,600nm 파장이며 피부 투과 깊이는 100μm(0.1mm) 이하이다. 어븀야그는 2,940nm 파장으로 수분에 친화력은 이산화탄소 레이저보다 10배 이상 강하지만 피부 투과 깊이는 25μm(0.025mm)로 매우 얇고 피부 수축효과가 적다.

직을 어븀야그 레이저로 제거하여 창상치유가 빠른 이점이 있다.

그러나 최근 어븀야그 레이저는 이산화탄소 레이저와 같은 효과를 볼 수 있으며, 레이저 박피를 많이 경험한 의사들은 박피를 할 경우 두 가지 레이저를 같이 사용할 필요성은 별로 느끼지 못하고 있다.

다) 어븀야그 레이저의 박피 과정

일반적으로 어븀야그 레이저의 박피 과정은 이산화탄소 레이저의 박피 과정과 거의 같다. 레이저 박피 전에 전-처치 스킨케어를 하는 것이 좋으며 어븀야그 레이저는 이산화탄소 레이저보다 박피 후 색소침착이 적게 나타나지만 박피 후 관리와 효과를 위해서는 전-처치를 하는 것이 바람직하다.

피부의 부위별 두께에 따라 레이저 출력을 세팅한다. 피부가 얇은 눈꺼풀과 턱선, 목 경계부는 5J/㎠의 낮은 출력으로 하며 기타 이마, 뺨 등 피부가 두꺼운 부위는 10-15J/㎠으로 레이저 박피를 하는 것이 바람직하고 안전하다. 레이저기기가 박피 두께를 μm로 표시하는 어븀야그 레이저(Contour®)에서는 얇은 부위는 기화모드를 25-50μm으로 하며 두꺼운 부위는 100-200μm으로 조사하여 우선 표피를 벗기게 된다. 이후 수축모드로 하여 얇은 부위는 25μm로 추가 조사하고 두꺼운 부위는 50μm로 필요에 따라 2-3회 추가 조사한다. 어븀야그 레이저는 기화모드로만 하면 지혈이 안 되고 출혈이 있어 추가적으로 깊게 박피를 할 수 없으므로 처음 표피를 제거할 때도 기화모드/수축모드를 혼합하여 얇은 곳은 25-50/25μm로 두꺼운 곳은 100-200/50μm로 하는 것이 편리하며 표피를 벗기고 진피에 추가적인 수축모드로 조사하는 것이 효과적이다.

어븀야그 레이저는 피부에 조사할 때 기화모드에서 요란한 폭발음이 발생하여 환자가 놀랄 수 있

표 9-9. 이산화탄소 레이저와 어븀야그 레이저의 특성 비교

Characteristics / Lasers	Er:YAG	CO_2
wave length	2,940nm	10,600nm
water absorption coefficient	12,800cm_{-1}	800cm_{-1}
pulse duration	200–300μsec	–950μsec
albation depth /pass	2–5μm	20–30μm
thermal damage	10μm	25–70μm
usual power setting	5–15J/cm²	250–500 mJ/pulse
immediate collagen shrinkage	1–2%	25%
late collagen contraction	–14%	–43%
epithelization period	3–5 days	5–10 days
erythema lasting	1–2 week	1–3 month
hyperpigmentation	30–50%	50–80%
delayed hypopigmentation	rare (in Caucacian)	none
infection	less than CO_2	2–7%

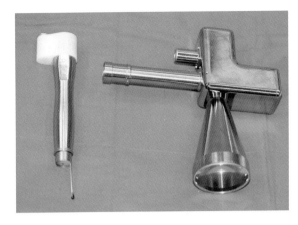

그림 9-15. 어븀야그 레이저의 핸드 피스
좌측은 2mm로 반점 등 제거에 사용하며, 우측 스캐너를 사용하면 넓은 부위를 고르게 박피할 수 있다.

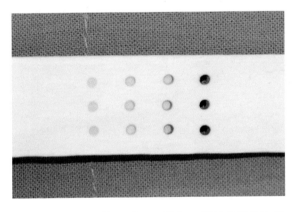

그림 9-16. 2mm 핸드 피스로 200μm 깊이 출력으로 좌측부터 1회, 3회, 5회, 7회 패스한 모습. 1.5mm 두께의 나무 설압자가 관통할 정도의 깊이를 나타냄.
나무 설압자는 박피 레이저를 테스트하기 좋으며 나무 색이 약간 갈색으로 그을리는 정도로도 표피는 제거된다. 나무나 종이에 연속할 때는 화재가 발생하므로 주의해야 한다.

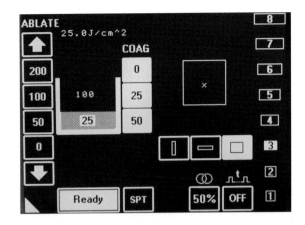

그림 9-17. 어븀야그 레이저의 터치스크린 타입의 스캐너 보드
출력을 깊이로 자동 환산되어 사용하기 편리하다. 25J/cm² 출력은 100μm 깊이이며 12.5J/cm²은 50μm 깊이를 나타낸다. 피부가 얇은 곳은 기화모드 25–50μm에 수축모드 25μm로 표피를 벗겨내며, 피부가 두꺼운 부위는 기화모드 100–200μm에 수축모드 50μm로 표피를 벗겨낸다. 이후 진피에 수축모드로 25–50μm로 필요에 따라 2–3회 추가 조사한다.

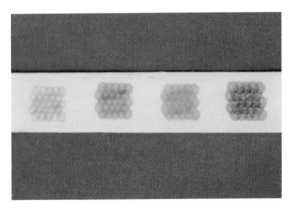

그림 9-18. 좌측부터 스캐너로 25μm, 50μm, 100μm, 200μm 깊이로 박피한 모습.

으므로 미리 이에 대한 설명을 해주어야 하며, 기화 후 피부 표면에는 조직의 남은 찌꺼기가 하얗게 남으며(white bubble) 이를 젖은 거즈로 닦고 다시 마른 거즈로 물기를 없앤 후 추가적인 수축모드로 레이저 조사를 한다. 상부 진피에 레이저 조사를 하면 이산화탄소 레이저 때와 같이 피부가

수축하는 것을 눈으로 볼 수 있다. 피부의 색상, 분비물, 탄력 정도를 보고 박피의 최종 깊이를 결정하고 레이저 추가조사를 마치게 된다.

창상 치유는 개방성 치료로 세안을 하고 항생제 연고를 바를 수 있으며 도포성 치료로는 드레싱 제재로 창상 치유 시까지 덮어둘 수 있다. 이산화탄

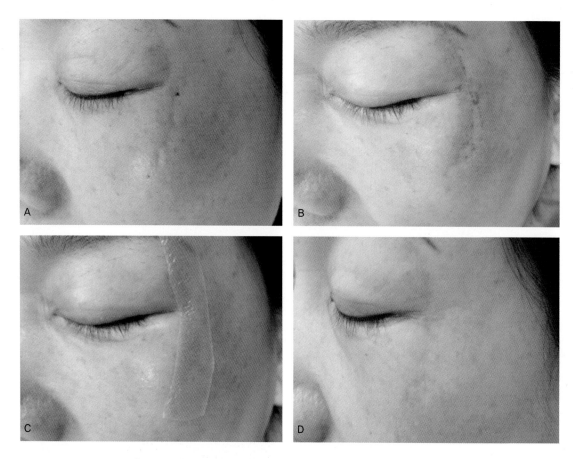

그림 9-19 뺨과 눈주위의 외상성 반흔으로 어븀야그 레이저 박피 모습
A) 레이저 박피 전 모습, B) 반흔과 주변을 레이저 박피한 직후 모습
C) 도포성 드레싱 모습, D) 레이저 박피 2주 후 모습으로 반흔이 편편해졌으며, 이산화탄소 레이저보다 홍반이 적은 것을 알 수 있다.

소 레이저 박피와 달리 박피 표면에 출혈이 1-2일 있을 수 있다.

어븀야그 레이저의 창상 치유는 이산화탄소 레이저보다 빨라 3-5일 이내 대부분 이루어지며 깊은 박피로 7일 이상 걸리는 경우는 거의 없다. 일반적으로 이산화탄소 레이저보다 약 3일 정도 창상치유가 빨리 이루어진다.

7. 피부 질환별 레이저 박피

피부 질환의 레이저 박피 적응증은 레이저 박피 장에서 기술한 바와 같이 표피성 피부 병변에 특효를 보이며, 일부 진피성 피부병변에도 사용할 수 있고, 피부암의 전구 단계의 병변에도 사용할 수 있다.

가) 표피성 병변의 박피

표피성 병변으로 표피성 모반(epidermal nevus)은 레이저로 한 번에 깨끗하게 제거되며 재발이 되지 않는다. 표피성 모반은 각질이 두꺼워지고 짙은 색을 보이나 표피에 한정된 것으로 레이저 박피에 특효를 보인다. 주근깨(freckle)는 어린 나이에 많으며 안면 피부에 작고 넓게 분포하여 기

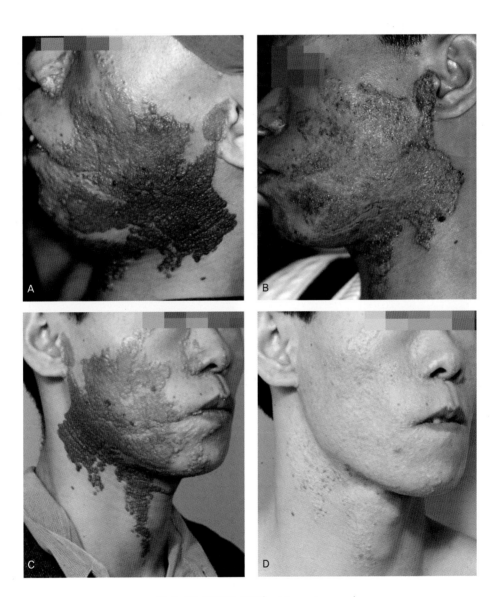

그림 9-20 표피성 모반(epidermal nevus)

안면과 경부에 발생한 표피성 모반과 일부 지선모반(nevus sebaceous)으로 이산화탄소 레이저 박피로 표피성 모반은 완전 제거되고 일부 지선모반만 남아있다. 고출력 극초단파(high power Ultrapulse) 이산화탄소 레이저는 열손상이 적고 기화를 최대로 할 수 있어 흉을 남기지 않고 피부 병변의 제거에 특효를 보이고 있다.

A, C) 박피 전 모습, B) 박피 2주 후 모습, D) 박피 1년 후 모습
레이저 박피 1회로 반흔 형성 없이 만족할 만한 결과를 얻음.

미와 잘 구분이 안 될 수 있으나 레이저 박피로 제거하면 재발은 거의 없다. 노인에서 나타나는 지루성각화증(seborrheic keratosis)는 레이저 박피가 특효로 다른 표피성 병변과 같이 겉으로 보기에는 두껍고 심해 보여도 레이저 박피를 하면 표피와 진피 사이가 잘 분리되며 적당한 에너지의 레이저가 조사되면 미끄러지듯이 벗겨진다(dermo-epidermal sliding).

나) 피부암, 피부암 전구질환의 박피

피부암의 전구 질환(precancerous lesion)으로 광선각화증(actinic keratois), 광선구순염(actinic cheilitis), Bowen's disease, extramammary Paget' disease도 레이저 박피로 잘 제거되며 이런 경우 재발 여부에 대하여 주기적인 관찰이 필요하겠다.

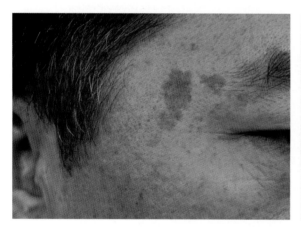
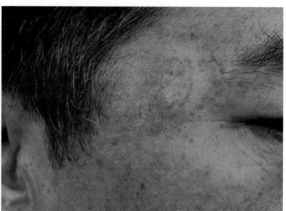

그림 9-21. 지루성 각화증(seborrheic keratosis)
레이저 박피로 쉽게 벗겨진다.

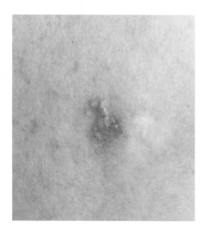
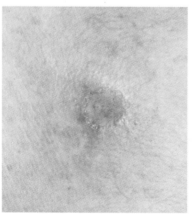

그림 9-22. 광선각화증(actinic keratosis)
뺨에 발생한 광선각화증 치료 전과 직후 사진으로 그림에서 보듯이 일정한 레이저 에너지가 조사되면 표피성 병변은 진피와 사이에서 쉽게 분리되어 벗겨지는 것을 알 수 있다(dermo-epidermal sliding).

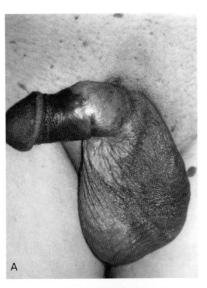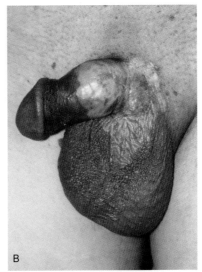

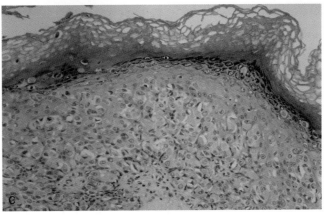

그림 9-23. extramammary Paget's disease.

A) 레이저 박피 전. B) 레이저 박피 후 치유된 모습. C) Paget 병변의 병리조직소견: 특징적인 세포가 나타남.
남자의 성기와 고환 피부에 발생한 파제트병으로 다른 치료 방법보다 레이저 박피가 편리하고 효과적이며, 재발에 대하여는 관찰을 요하게 된다.

다) 진피성 병변의 박피

진피에 잘 생하는 병변 중 크기가 작은 땀샘종(syringoma; 한관종/한선종)과 미립종(milia)은 레이저 박피로 잘 제거 된다. 땀샘종은 중년여성의 하안검에 잘 타나나며 좁쌀처럼 하얗게 보이는데 점차 진행되면 좀 더 크게 돌출하고 주변과 합쳐서 커 보이게 된다. 레이저 박피 빔을 1-2mm 작은 것으로 사용하여 몇 회 연속 조사하여 깊이 조사하면 쉽게 파 낼 수 있다.

눈꺼풀이 주름지고 늘어진 경우에는 눈꺼풀 부위 전체를 같이 박피하면 주름도 펴고 더 편편한 효과를 얻을 수 있다. 미립종도 중년 이후에 눈 주위에 잘 생기며 작은 레이저 빔으로 잘 제거된다. 그러나 땀샘종과 미립종은 피부 부속기관에서 발생하기 때문에 수년 후에 재발하는 사람도 많다.

진피성 병변 중 혈관 증식을 동반한 주사코(rhi-nophyma)와 혈관섬유종(angiofibroma)는 피부 표면에 돌출되며 이산화탄소 레이저 박피로 좋은 치료 효과를 보인다. 혈관 병변에는 아르곤 레이저(488nm, 514nm)나 엔디야그 레이저(1,064nm)가 흡수가 더 잘 되는데 아르곤 레이저는 얕게 있는 옥시헤모글로빈에 흡수가 잘 되지만 흉터를 남기기 쉬우며, 엔디야그 레이저는 깊이 투과하지만 역시 치료 후 흉터를 남길 수 있다. KTP 레이저(532nm)나 FLPPD 레이저(585nm)는 옥시헤모글로빈에 흡수는 잘 되나 피부에 너무 얕게 작용하여 돌출한 병변에는 효과가 미미하다. 주사코는 혈관과 피부가 코에 특징적으로 증식되어있으며 이산화탄소 레이저로 완전히 없어지지는 않지만 증식된 피부와 혈관이 줄어들고 평편해져서 좋은 효과를 보인다. 혈관섬유종은 안면중앙부인 뺨에 넓게 생기며 이산화탄소 레이저 박피로 돌출한 병변이 줄어들어 좋은 효과를 보이며 레이저 박피가 가장 좋은 효과를 보일 수 있다.

라) 반흔(흉터)에 대한 박피 치료

안면부 반흔에 대하여 이산화탄소 레이저 박피가 반흔교정성형술(scar revison)보다 좋은 효과를 보일 때가 많다. 반흔교정성형술은 반흔이 깊고 폭이 넓은 경우 반흔의 절제와 봉합으로 반흔이 좁아지는 효과를 보이는데, 반흔 중에는 반흔교정성형술로 호전이 안 되는 경우도 많으며 여드름흉터나 마마자국처럼 다발성이라 반흔교정성형술을 할 수 없는 경우가 많다.

외상성 문신(traumatic scar)으로 반흔교정성형술을 할 수 없는 경우나 반흔교정수술 후 반흔도 레이저 박피로 호전될 수 있다. 반흔교정성형술로 반흔의 폭은 좁아졌으나 주위와 층이 질 경우 화장을 하여도 커버가 되지 않고 눈에 띄는데 이런 요철이 있는 반흔에 레이저 박피가 좋은 효과를 보인다. 외상성 반흔이 폭이 넓거나 반흔의 방향이 안면선(facial line)에 역행하거나 밑의 표정근육에 유착된 경우는 반흔교정성형술을 한 후 레이저박피를 하는 것이 좋다. 안면부 반흔이 함몰 유착된 경우는 반흔을 분리(subcision)하고 지방이식(fat

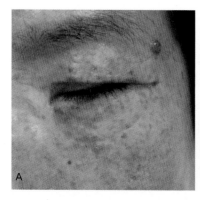 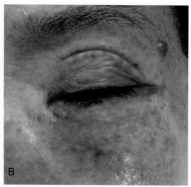 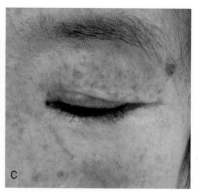

그림 9-24 땀샘종(한선종/한관종; syringoma)
A) 하안검에 발생한 한선종. B) 레이저박피 직후. C) 박피 1주일 후 치유된 모습.
중년 여성의 하안검에 잘 발생하며, 레이저 박피를 안검부 전체에 하면 주름제거효과까지 얻을 수 있다.

injection)을 레이저 박피와 동시에 병행하면 좋은 효과를 얻는다.

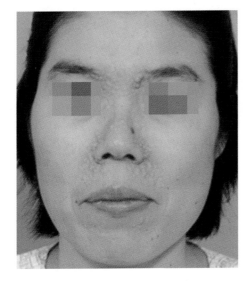

그림 9-25. 안면에 발생한 혈관섬유종(angiofibroma 또는 adenoma sebaceum)
전체를 수술적 제거가 불가능하며, 진피성 병변으로 레이저 박피로 완치가 될 수는 없으나 레이저 박피로 상당한 미용적 개선이 있어 레이저 박피가 가장 좋은 치료 방법이 될 수 있다.

여드름 반흔(acne scar)과 마마자국(천연두 반흔, small pox scar)의 치료는 레이저 박피가 가장 효과적인 방법으로 사용되고 있다. 이런 다발성 함몰반흔은 겉으로 보이는 것보다 반흔이 깊게 위치하고 있어 일반적인 레이저 박피로는 만족할 만한 결과를 얻을 수 없다. 레이저 박피 시 같은 깊이의 박피방법과 추가적으로 반흔 부위를 깊게 파내는 개념(laser punch-out)을 병행하는데 직경 3mm 내외의 레이저 빔을 함몰부에 약 10회 정도 연속 조사하여 깊이 박피하면 좋은 효과를 얻을 수 있다.

흉터에 대한 레이저 박피는 다음의 "반흔의 레이저 박피" 장에서 상세하게 기술하고 있다.

마) 노화된 안면피부의 박피

노화된 안면 피부에 이산화탄소 레이저 박피가 젊음회복(rejuvenation)효과가 뛰어나다. 노화된 안면 피부는 지루성각화증(검버섯; seborrhi-

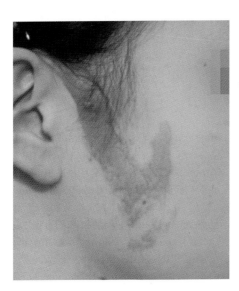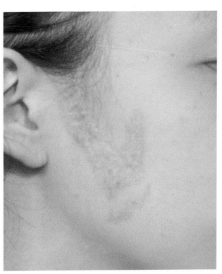

그림 9-26. 안면과 두피에 발생한 피지선 모반(nevus sebaceous)
피지선에서 발생한 모반으로 레이저로 완치는 어려우나 상당히 개선될 수 있다.

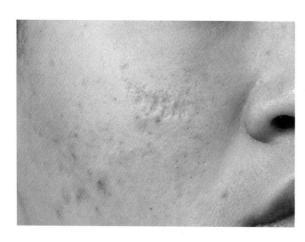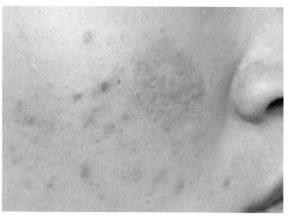

그림 9-27. 반흔의 레이저 박피

뺨에 실밥자국(stitch mark)을 동반한 외상성 반흔으로 반흔교정성형술(scar revision)보다 레이저 박피로 편편해져 좋은 효과를 보인다.

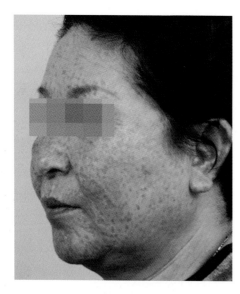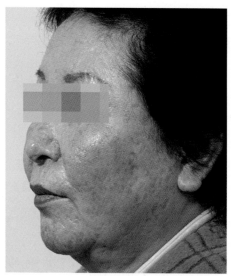

그림 9-28. 천연두 반흔(small pox scar)으로 레이저 박피(어븀야그 레이저)로 호전됨.

ec keratosis), 흑자(lentigine) 등 잡티와 멜라닌 색소가 증가하여 얼굴이 얼룩덜룩한 색(mottled pigmentation)을 띄는데 레이저 박피 후 표재성 색소 병변이 쉽게 제거되고 멜라닌 색소가 줄어 안면이 밝고 깨끗한 피부색을 가지게 된다.

레이저 박피는 안면의 잔주름(fine wrinkle)과 탄력이 없는 피부에 매우 효과적이다. 레이저 박

피가 피부의 수축과 탄력을 증가시키는데 특히 이 산화탄소 레이저가 어븀야그 레이저나 비박피성 레이저 탄력증대 레이저(non-ablative lasers)보다 뛰어난 효과를 보이고 있다. 레이저 박피로 피부면적이 30%까지 줄어들 수 있으며 레이저 박피 후 피부 콜라겐 층이 3배에서 6배 증가하기 때문에 레이저 박피가 피부의 잔주름 개선에 효과를 보

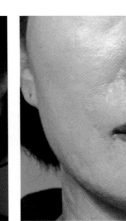
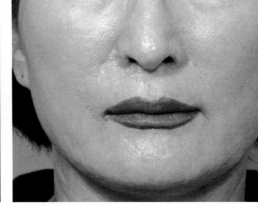

그림 9-29. 천연두 반흔(small pox, variola scar)의 이산화탄소 레이저 박피

레이저 박피 후 천연두 반흔의 피부 요철이 많이 호전되었으며 부가적으로 피부가 수축되고 탄력이 증가하여 리프팅 효과로 젊어 보이게 된다.

이며 특히 눈가 주름 제거에 효과적이다. 하안검의 주름에 레이저 박피를 할 경우 하안검 피부 감소가 하안검성형술(lower blepharoplasty) 시 피부 절제보다 더 많을 수 있으며, 또한 하안검성형술 후에도 잔주름이 있는 경우 레이저 박피를 추가하면 하안검이 더 팽팽하게 된다.

레이저 박피는 주름제거성형술(face lifting, rhytidectomy) 못지않게 리프팅효과와 주름제거효과를 보이게 된다. 레이저 박피는 특히 주름제거성형술을 할 수 없는 입가 주름에 특효를 보이게 된다. 그러므로 안면전체를 레이저박피를 할 수도 있으며 주름제거성형술을 할 경우 입 주위를 레이저 박피를 하여 효과적으로 젊게 할 수 있다. 레이저 박피가 도입되기 전에 입 주위 주름 때문에 주름제거성형술과 동시에 화학박피를 하였는데, 화학박피가 얇게 될 경우 주름에 효과가 없으며 화학박피가 깊게 될 경우 주름은 펴지지만 간혹 피부가 영구히 탈색되는 심각한 부작용을 초래하였다.

주름제거성형술과 화학 박피를 동시에 할 경우 피부의 혈액순환 장애로 안전하게는 6개월의 간격을 두고 시행하였다. 레이저박피를 주름제거성형술과 동시에 할 경우 깊은 박리의 리프팅 수술(deep plane face lifting)이나 내시경 리프팅 수술(endoscopic lifting)에서는 레이저 박피를 동시에 하여도 혈색순환장애가 없어 전혀 지장을 초래하지 않는다. 그러나 얕은 박리의 리프팅 수술(subcutaneous face lifting)을 할 경우 피부의 혈액순환장애로 위험할 수 있다. 피하지방층 박리를 할 경우 레이저 박피한 안면 피부는 혈액순환이 감소하여 창상치유가 늦을 수 있으며 안면에서는 귀 주위 피부가 혈액순환장애로 괴사될 수 있으므로 얕은 박리의 리프팅 수술 시에는 레이저 박피를 동시에 하는 것은 피해야 하겠다.

바) 색소성 병변의 레이저 박피

노인성 안면 피부는 흑자(lentigene) 등 색소성 병변이 많으며, 이는 레이저 박피로 표피성 색소는 제거되지만 일부 진피성 색소는 남아있어 창상치유가 되면서 다시 색소침착이 더 심해지는 경우

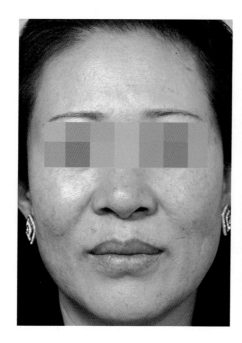
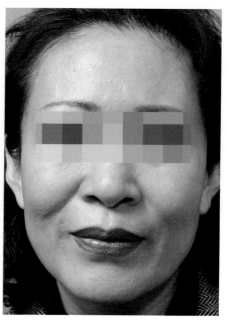

그림 9-30. 레이저 박피 후 잔주름이 개선되고 피부의 탄력이 증가함.

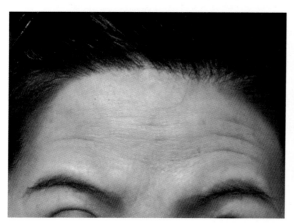
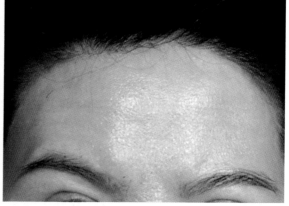

그림 9-31. 레이저 박피술 후 주름제거 및 리프팅 효과로 이마의 주름이 펴지고 눈썹이 자연스럽게 올라가 눈을 편하게 뜨게 됨.

가 많다. 노인성 안면의 색소성 병변은 레이저 박피하기 전에 스킨케어로 미백제와 탈피제를 2개월 정도 사용한 후 레이저 박피를 하는 것이 효과적이다. 레이저 전-처치로 스킨케어를 2개월 정도 사용하면 얇은 색소성 병변은 제거되거나 희미해지며 남아있는 것만 레이저 박피를 할 수도 있다.

기미(melasma)는 환자들이 없애기를 원하지만 완전히 없애는 것은 거의 불가능하며 재발이 잘 나타난다. 기미는 대부분 표피성으로 표피와 진피경계부(epidermo-dermal junction)에 멜라닌 색소가 많으며, 일부 진피성으로 깊게 존재하는 경우도 있다. 표재성 색소질환은 보통 갈색을 많이 띠

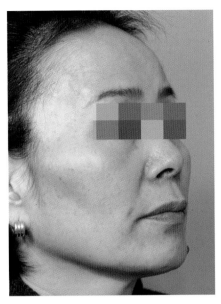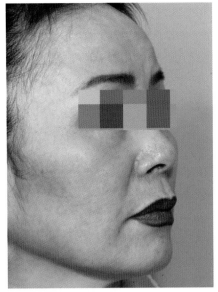

그림 9-32. 레이저 박피 후 피부가 깨끗하고 투명하게 맑아 보임.

며, 깊은 진피성 색소는 좀 더 짙은 갈색이나 푸른 색을 띄는 경우가 많다.

표재성 색소질환은 레이저 박피나 다른 치료에 잘 반응하여 없어지지만 곧 창상 치유가 되면서 다시 나타나거나 PIH(post-inflammatory hyper-pigmentation)로 더 심하게 나타날 수 있다. 표피성 색소질환은 레이저 박피를 하면 바로 색소 병변이 제거된 것을 눈으로 볼 수 있으나 깊은 진피성 색소질환은 레이저 박피를 하여도 진피에 색소가 남아있어 시술할 때 색소가 제거되지 않는 것을 알 수 있다. 기미는 레이저 박피 전에 스킨케어 전-처치를 하고 레이저 박피를 하면 얕은 기미는 제거되었다가 다시 나올 수도 있으며 일부에서는 옅어지거나 호전될 수도 있다. 그러나 기미에 레이저박피가 항상 효과를 나타내는 것이 아니고 PIH가 심해질 수도 있기 때문에 환자에게 충분한 설명을 하고 시도해 볼 수는 있다.

밀크커피색 반점(Cafe au lait spot)은 표재성 색소질환 형태이며 레이저 박피를 하면 얕게 박피하여도 표재성이라 즉시 제거되지만 기미처럼 재발이 흔하기 때문에 기미에 준하는 치료를 하게 된다. 레이저 박피전 미백제를 2개월 정도 사용한 후 레이저 박피를 하며 창상 치유 후 바로 자외선 차단제와 미백제를 계속 바르게 한다. 반점이나 색소침착이 다시 생긴 경우는 레이저 후-처치 스킨케어와 함께 색소성 병변에 선택적으로 작용하는 Q-스위치 레이저인 루비 레이저(694nm), 알렉산드라이트 레이저(755nm), 엔디야그 레이저(532nm, 1064nm)를 호전될 때까지 4-6주 간격으로 반복하게 된다.

오타 모반처럼 진피성 색소 병변은 잘 제거가 되지는 않지만 한 번 제거되면 재발되는 경향은 표재성 색소병변보다 훨씬 적다. 진피성 색소 병변은 Q-스위치 레이저로 5회에서 10회 이상 여러 번 반복치료를 요하게 된다. 레이저 박피로 진피성 색소를 제거할 수는 없지만 Q-스위치 레이저 시술 전에 레이저 박피를 먼저 하면 표피와 유두상 진피의 상부 색소는 제거되며 그러므로 피부가 얇고 색소가 줄어들어 그 다음 시행하는 Q-스위치 레이저에 반응을 잘 하며 또한 Q-스위치 레이저 치료 횟수를 줄일 수 있고, 전체 치료 기간도 단축할 수 있다.

저자의 오타 모반의 치료 경험에서는 Q-스위치 레이저(알렉산드라이트, 루비)만 사용한 것보다 레이저박피를 병행할 때 치료 회수가 평균 2-3회 감소하고 치료 기간도 2-3개월 감소하여 평균 치료 회수는 5회이며 치료기간은 6개월 소요되었다.

선천성 모반(congenital compound nevus)는 크기가 작은 경우는 레이저 박피로 완전히 제거할 수 있다. 안면의 작은 모반(점)은 레이저 박피로 제거하게 된다. 그러나 크기가 커질수록 레이저 박피로 제거할 경우 탈색과 반흔 형성으로 깨끗하고 완전한 제거는 불가능하다. 선천성 모반 중 거대모반(giant nevus with hair)은 색이 짙고 두꺼우며 털이 있는 경우가 많다. 거대한 기준은 손바닥 크기(성인에서 약 8cm) 이상을 일컬으며, 거대선천 모반은 악성변화로 피부암이 될 가능성이 있으며

보고마다 다르지만 평생 약 2% 가능성이 있다고 보고된다. 선천 모반이 큰 경우는 수술적 제거와 피부이식을 보통 시행하는데, 레이저 박피와 Q-스위치 레이저 치료를 시도해 볼 수 있다. 여러 번 레이저 치료하면 상당히 옅어지거나 화장으로 가려질 정도로 될 수 있으며 아직 이런 치료 후 피부암 발생은 보고되지 않았으나 추적 관찰과 필요시 조직검사(punch biopsy)를 해야 하겠다.

진피성 병변 중 크기가 작은 것은 레이저 박피로 제거할 수 있다.

황색종(xanthelasma)은 중년의 상안검 내측에 흔하며 점차 커지게 된다. 작은 경우 레이저 박피로 진피까지 박피하여 제거할 수 있으며 크기가 커질수록 눈꺼풀의 변형 없이 제거하기가 어려워진다. 황색종을 수술로 제거할 경우도 크기가 크며 눈꺼풀모양이 변하게 된다.

피지선 모반(nevus sebaceous)도 크기가 작은 경우 레이저 박피로 가장 효과적으로 제거할 수 있는데 크기가 커질수록 레이저 박피로 완전히 제거가 힘들며 반흔 형성을 피하다 보면 일부 모반이 남게 된다.

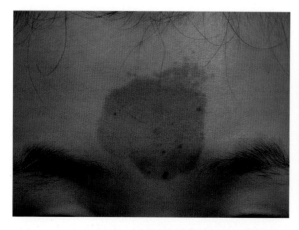 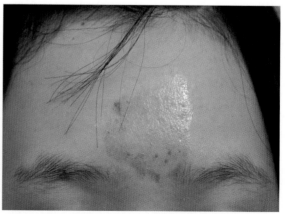

그림 9-33. 밀크커피색반점(Cafe au lait spot)로 레이저 박피 1주일 후 제거된 모습
그러나 표재성 색소 병변은 재발이 흔하여 추가적인 치료를 요하는 경우가 많다.

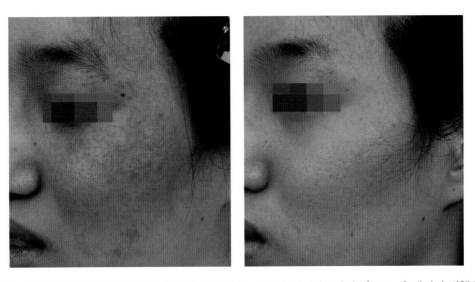

그림 9-34. 오타 모반의 이산화탄소 레이저 박피와 Q-스위치 알렉산드라이트(755nm) 레이저 병행치료

레이저 박피 후 Q-스위치 레이저 치료를 함으로써 치료 횟수와 치료기간을 줄일 수 있다.

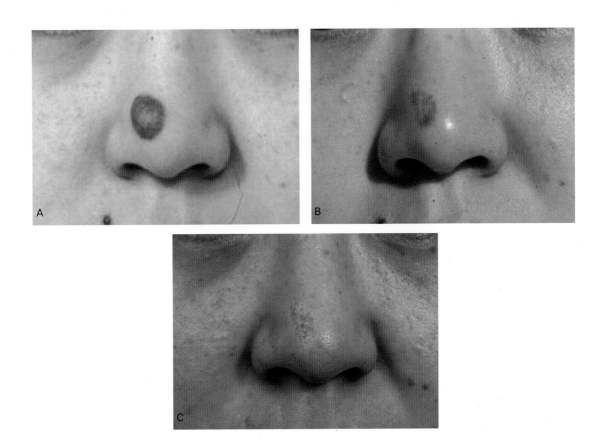

그림 9-35. 선천성 모반(congenital compound nevus)으로 이산화탄소 레이저 박피를 먼저 하고 Q-스위치 레이저로 치료하여 개선된 모습

A) 코에 있는 절개가 용이하지 않은 선천성 모반, B) 레이저 박피 후 일부 색소가 남아있음. C) Q-스위치 알렉산드라이트(755nm)로 치료 후 모습.

Becker 모반은 주로 몸통이나 팔다리에 갈색으로 넓게 발생하며 제거를 원하는 환자가 많다. 피부암 발생의 우려는 없으며 수술적 제거와 피부 이식은 요하지 않는다. 레이저 박피로 Becker 모반이 개선 될 수 있으나 부분적 진피성 병변으로 모반이 남을 수 있다.

사마귀(wart)는 표면이 오돌오돌한(verrucous) 특징적인 양상으로 레이저 박피로 제거할 수 있다. 사마귀는 다른 피부병변이나 모반보다 병변에 수분이 적어 레이저 박피로 쉽게 벗겨지지 않는다.

사) 혈관성 병변의 레이저 박피

혈관성 병변은 혈관종(hemangioma)과 혈관기형(vascular malformation)으로 나누며 혈관성 병변은 피부뿐만 아니라 피하지방층 이하 깊게 있는 경우가 많다. 혈관종은 출생 직후에는 없거나 희미하다가 1세 전후까지 증식하고 이후 학동기 전까지 60-70% 이상이 자연 퇴축(spontaneous regression)하게 된다. 그러나 혈관기형은 자연 퇴축이 거의 없으며 나이가 들수록 점차 혈관이 굵어져 더욱 두드러지고 피부 표면위로 돌출하게 된다. 혈관종이 퇴축하고 난 후 피부는 정상 피부가 아니라 탄력이 없는 반흔성 피부를 나타내게 된다. 이런 경우 수술적 반흔제거성형술도 하지만 일부에서는 이산화탄소 레이저 박피로 효과를 볼 수 있다. 이산화탄소 레이저는 옥시헤모글로빈에 선택적 흡수성은 없지만 수분에 친화력이 있어 피부에 결절성 돌출 혈관성 병변(nodular vascular lesion)에 효과적으로 사용할 수 있다. 표재성 모세혈관기형(superficial capillary proliferation)은 흔히 포도주색 모반(portwine stain)이라 하며, 이는 어려서는 혈관이 가늘어 혈관성 병변에 선택적인 레이저(PPD 588nm, KTP 532nm 등)로 조기에 치료 할수록 완치율이 높게 된다. 나이가 들수록 혈관이 굵어져 색이 짙어지고 병변이 두꺼워지며 피부로 돌출하게 된다. 이런 혈관이 두꺼워진 병변은 혈관치료 레이저로 효과를 보기 어려우며 피부로 돌출한 경우 치료 효과가 미미하게 된다.

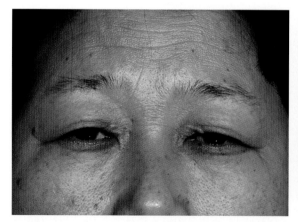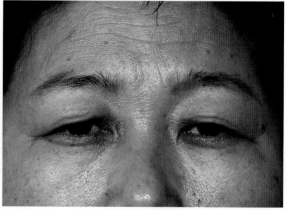

그림 9-36. 상안검 내측에 발생하는 황색종(xanthelasma)으로 레이저 박피로 제거된 모습
작은 경우 깨끗하게 제거되지만 오래되어 큰 경우 안검모양의 변형이 초래된다.

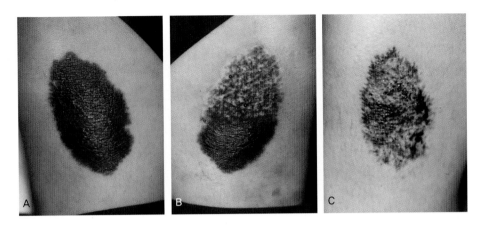

그림 9-37. A) 무릎에 발생한 선천성 모반(congenital compound nevus), B) 이산화탄소 레이저 박피 중 모습
C) 창상치유 후 모습으로 반흔 없이 완전제거가 불가능하며, 이후 색소성 병변의 치료 레이저로 효과를 볼 수 있다.

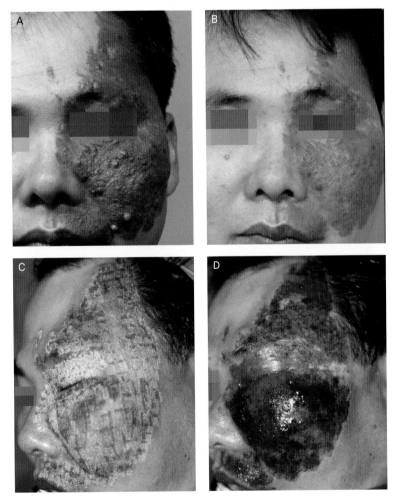

그림 9-38. 증식된 표재성 모세혈관기형(superficial capillary malformation; portwine stain)에서 CO2레이저 박피를 하면 병변의 두께를 줄이는 효과를 볼 수 있다. A, B) 치료 전과 레이저박피 후 모습, C, D) 레이저박피 중 모습

표재성 모세혈관기형이 증식된 경우 이산화탄소 레이저로 박피를 하면 진피 상부까지의 혈관을 제거하고 피부 병변 두께를 얇게 하여 그 후 혈관치료용 레이저의 효과를 높이게 된다.

8. 레이저 박피의 효과

가) 이산화탄소 레이저의 박피 효과

피부는 어린 시절이나 젊을 때 핑크빛으로 혈색이 좋으며 투명하고 맑아 보이며 잡티가 별로 없으며 탄력이 좋다. 그러나 햇빛에 노출되고 노화된 피부는 피부색이 점차 탁해지고 누런빛이 돌며 잡티가 증가하고 탄력이 감소하며 주름지고 거칠어진다.

조직학적 소견으로 젊은 피부는 표피의 세포가 크기나 모양, 배열이 균일하고 각질층이 얇으며 멜라닌 색소가 균일하게 배열하고 멜라닌 세포가 표피세포와 일정한 비율로 기저세포층에 존재한다. 표피 세포가 정상적인 분열과 이동을 하여 주기적인 재생성과정을 가진다. 진피 층은 콜라겐 섬유가 규칙적으로 배열하며 탄력섬유와 기질(ground substance), 수분이 적절하게 분포하고 있다.

노화된 피부는 각질층이 두꺼워 지고 변성을 나타내며(elastosis) 일광 손상(actinic change)을 동반한다. 표피 세포는 모양과 크기가 각기 다르고 작으며 배열이 달리 불규칙적으로 배열하여 전반적으로 위축이 되어 있다. 멜라닌 세포가 불규칙적으로 배열하고 멜라닌 색소는 증가하며 넓고 두껍게 위치하여 피부의 얼룩 반점을 나타낸다. 진피에서는 탄력섬유가 변성되어(elastosis) 굵고 거친 탄력섬유가 매우 불규칙적으로 넓게 존재하며 표

피 바로 밑의 콜라겐섬유층(supepidermal Grenz zone)은 얇아져 있다. rete ridge가 평편해지고 콜라겐섬유, 섬유모세포(fibroblat)가 감소하며 기질 중 glycosaminoglycan이 증가하여 피부의 탄력이 감소하게 된다.

레이저 박피 후 재생된 피부는 피부 노화현상이 제거되고 젊은 사람의 피부 특성과 같게 된다. 표

표 9-10. 레이저 박피의 효과

치료의 특효 choice of treat	
표피성 병변	epidemal nevus freckle seborrheic keratosis keratoacanthoma actinic keratosis actinic cheilitis Bowen's disease Extramammary Paget's disease
진피성 병변	syringoma milia rhiophyma angiofibroma
반흔	traumatic scar acne scar small pox scar
주름	perioral wrinkle fine wrinke, loss of skin elasticity lower eyelid wrinkle

다른 치료 방법보다 효과가 좋을 수 있는 경우
lentigene nevus sebaceus xanthelasma cafe au lait spot Beker nevus wart advanced nodular portwine stain facial wrinkles

다른 레이저와 병행하여 좋은 경우
portwine stain (supercial capillary malformation) Ota nevus tattoo congenital compound nevus

치료 효과가 있을 수도 있고 없을 수도 있는 경우
melasma PIH; post inflammatory pigmentation hypertrophic scar hemangioma

피의 각질이 얇아지고 변성된 각질(keratosis)이 제거되며 표피층은 두꺼워지고 표피 세포의 모양과 크기가 일정해지며 규칙적으로 배열하게 된다. 멜라닌 색소가 감소하여 주로 기저세포층에 있으며 멜라닌세포도 기저세포층에 규칙적으로 배열한다. 레이저 박피한 진피에서 특징적인 변성으로 거칠고 두꺼워진 탄력섬유(탄력섬유증; elastosis)가 없어지고 콜라겐 섬유로 대치하여 콜라겐섬유가 규칙적으로 배열하며 두껍게 위치하게 된다. 콜라겐섬유의 길이가 짧아지고 밀도는 높아지게 된다. 기질의 glycosaminoglycan 이 감소하고 탄력섬유도 새로 가늘게 재생되며 섬유모세포(fibroblast)도 증가한다. 레이저 박피 후 진피의 콜라겐섬유층은 3배에서 6배 증가하여 전반적인 피부 탄력이 증가하는 것을 알 수 있다.

나) 이산화탄소 레이저와 기계적 박피, 화학 박피의 실험적 비교

저자는 이산화탄소 레이저 박피 효과를 기계적 박피와 화학박피 효과와 동물 실험을 통하여 비교

해 보았다. 임상에서 가장 많이 쓰는 방법으로 기계적 박피는 분당 12,000회전으로 점상 출혈(pinpoint bleeding)이 있을 때까지 시행하였고 이산화탄소 레이저 박피는 Ultrapulse 250mJ과 500mJ 2회 pass를 하였으며, 화학박피는 30%와 50% TCA(trichloroacetic acid)를 사용하여 하얀 서리(frosting)가 형성될 때까지 화학약제를 발랐다.

박피의 깊이는 기계적 박피가 24μm 이산화탄소 레이저 박피가 250mJ/2pass에 43μm(기화 16μm, 열손상 27μm), 500mJ/2pass에서는 112μm(기화 52μm, 열손상 60μm), 30%TCA는 깊이가 49μm, 50% TCA가 258μm로 50% TCA가 가장 깊은 박피 깊이를 보였다.

표피의 두께는 박피 2주 후에 이산화탄소 레이저 500mJ와 50% TCA에서 3배 이상 증가하였으며, 박피 2개월 후에는 박피 전 표피 두께와 비슷하나 이산화탄소 레이저 500mJ에서만 약 2배 두꺼웠다. 진피의 재생을 보는 Grenz zone의 두께는 박피 3개월 후에 기계박피와 얕은 박피인 이산화탄소 250mJ 레이저 박피와 30% 화학 박피는 정상과 별 차이가 없었으나 Ultrapulse 이산화탄소 레이저

그림 9-39. 토끼의 피부에서 레이저 박피 과정 중에 레이저 박피로 피부가 수축하는 현상을 눈으로 볼 수 있다. 레이저 박피로 피부면적의 30%가 즉시 감소할 수 있다.

표 9-11. 기계적 박피, 고출력 이산화탄소 레이저 박피, 화학 박피의 비교(단위 μm)

박피 방법	박피 깊이(기화+열손상)	표피 재생 두께(2주)	Grenz zone 두께
normal		32	
Dermabrasion	24	62	
Ultrapulse 250mJ	43 (16+27)	60	
Ultrapulse 500mJ	112 (52+60)	101	427
TCA 30%	49	64	
TCA 50%	258	92	347

500mJ 조사시 Grenz zone이 427μm로 가장 두껍게 형성되었고 50% TCA는 박피 깊이는 이산화탄소 레이저 보다 깊었으나 Grenz zone은 347μm 로 오히려 적었다. 이는 고출력 이산화탄소 레이저가 박피 깊이는 얕아도 진피의 재생 능력이 뛰어나 안전하고 효과적인 것을 보여주고 있다.

박피에 의하여 콜라겐이 변화하는데 이는 콜라겐 섬유소의 삼차나선구조의 변성, 풀림, 교차결합의 가수분해에 의해 이루어지며 특히 레이저 박피로 콜라겐 밀도가 증가하고 콜라겐 길이가 1/3 까지 수축한다고 알려져 있다.

저자의 실험에서도 콜라겐 미세섬유(microfibril)는 모든 박피 방법에서 정상 피부보다 감소하였으며, 콜라겐 미세섬유 밀도는 이산화탄소 레이저 박피에서 가장 많이 증가하였다.

다) 어븀야그 레이저 박피의 효과

어븀야그 레이저는 피부의 표피성 병변의 제거가 효과적이고 홍반이 적어 환자가 편하게 느낀다. 이산화탄소 레이저에 비하여 피부의 수축과 탄력 증가 효과가 약하지만 어븀야그 레이저도 콜라겐섬유가 30% 수축하고 진피의 콜라겐섬유 층이 50%까지 증가하므로 어븀야그 레이저도 잘 활용하면 이산화탄소 레이저 못지않은 피부 탄력을 이룰 수 있겠다.

노안에서 깊은 화학 박피를 잘 한 경우 효과가 20년 이상 지속된 것이 관찰되었고, 저자도 이산화탄소 레이저 박피를 시행한지 20년은 안 되었지만 레이저 박피로 안면피부의 탄력증대 효과가 10년 이상 지속된 것을 경험하였다. 박피 시술을 받은 환자들이 상당히 만족해하면서 흔히 물어보는 것이 박피 효과가 얼마나 오래 지속되는지 궁금해하는데 어븀야그 레이저 박피도 수축모드를 잘 활용하면 박피 효과가 일시적인 것이 아니라 상당히 오래 지속된다.

안면의 노화현상은 피부에만 국한 된 것이 아니라 연부조직, 표정 근육, 근골격계 등 종합적으로 나타나는 현상이기 때문에 피부 및 안면 소생(rejuvenation)을 위해서는 어븀야그 레이저 박피뿐만 아니라 안면거상수술, 내시경거상술, 색소 및 혈관성 치료 레이저, 보톡스주사, 자가지방이식, 필러주사 등을 병행하면 더욱 만족스러운 결과를 얻을 수 있다.

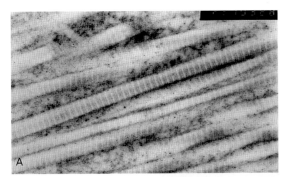
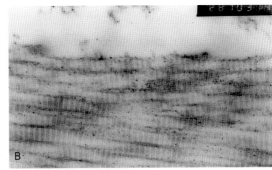
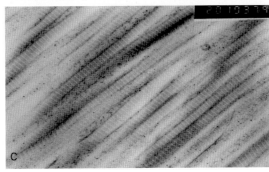

그림 9-40. 이산화탄소 레이저 박피 후의 콜라겐 밀도의 증가, 전자현미경 소견

(A) 정상 피부, (B) 50% TCA 화학 박피 후, (C) 500 mJ Ultrapulse CO_2 레이저 박피 후. 이산화탄소 레이저 박피가 깊은 화학 박피보다 콜라겐 밀도가 증가한 것을 알 수 있다. (정흥수, 박승하 연구)

표 9-12. 이산화탄소 레이저와 어븀야그 레이저 박피의 실험적 비교(강동희, 박승하 연구)

Resurfacing methods	vaporization depth μm	thermal necrosis μm	resurfacing depth μm	Grenz zone μm	Microfibril density No/μm²
Alblative mode Er:YAG 60 μm	21	34	55	209	16.6
Dual mode Er:YAG 25 μm	35	45	80	208	15.9
Ultrapulse CO_2 250 mJ	53	74	127	358	17.4
Ultrapulse CO_2 + Ablative Er:YAG	48	58	106	299	15.9

(정상 microfibril density; 5.6 /μm²)

라) 이산화탄소 레이저와 어븀야그 레이저 박피효과의 실험적 비교

저자는 고출력 극초단파 이산화탄소 레이저(Ultrapulse)와 어븀야그 레이저의 효과를 실험을 통하여 비교하였다. 어븀야그 레이저는 ablative와 dual mode로 2가지 방법을 사용하였고 이산화탄소 레이저와 어븀야그 레이저를 동시한 것도 비교하였다. 각 레이저 방법은 2 pass를 하였다.

표 9-12에서 보는 바와 같이 박피 깊이는 Ul-

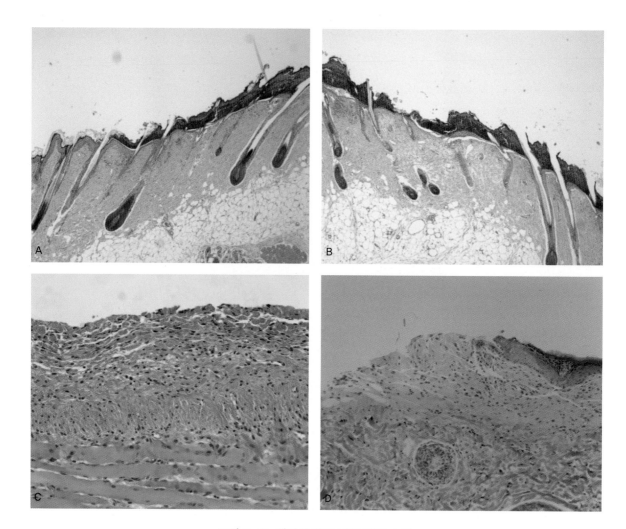

그림 9-41. 레이저 박피 직후 조직 소견

A) Er:YAG ablative mode, B) Er:YAG dual mode, C) Ultrapulse CO_2, D) Ultrapulse CO_2 + ablative Er:YAG
박피의 깊이를 비교하는 것으로 상부의 어븀야그 레이저는 표피가 일부만 기화된 것에 비하여 하부 이산화탄소 레이저는 표피 전체가 기화되어 벗겨진 것을 알 수 있다. (강동희, 박승하 연구)

trapulse 이산화탄소 레이저가 가장 깊었고 Grenz zone도 358μm로 가장 두껍게 형성되었다. microfibril density도 이산화탄소 레이저에서 가장 높았다.

어븀야그 레이저는 dual mode로 하면 박피를 ablative mode보다 깊게 할 수 있다.

이산화탄소 레이저와 어븀야그 레이저를 동시에 시행하면 두 가지 레이저의 단점을 보완할 수 있

은데 이산화탄소 레이저 후 어븀야그 레이저를 하면 열손상 부위를 제거하여 창상치유가 빠르고 홍반이 일찍 없어지는 효과를 얻을 수 있다. 어븀야그 레이저는 출혈로 더 깊은 박피를 할 수 없는데 어븀야그 레이저 후 이산화탄소 레이저를 시행하면 지혈을 하면서 피부를 수축시키는 효과를 얻을 수 있다. 두 가지 레이저를 병행하면 장점은 있지만 보통 1가지 레이저로도 사용방법에 따라 원하

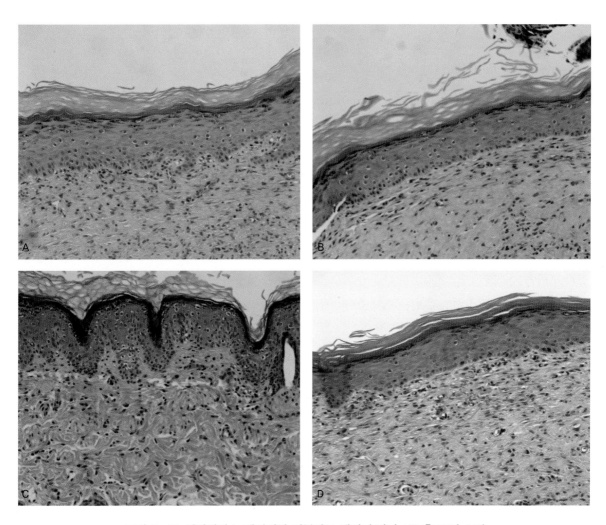

그림 9-42. 이산화탄소 레이저와 어븀야그 레이저 박피 4주 후 조직 소견

A) Er:YAG ablative mode, B) Er:YAG dual mode, C) Ultrapulse CO_2, D) Ultrapulse CO_2 + ablative Er:YAG
표피와 유두상 진피(papillary dermis)가 재생된 것을 보여주며, 이산화탄소 레이저 박피시 표피와 Grenz zone이 가장
두껍게 형성된 것을 알 수 있다(강동희, 박승하 연구).

는 박피 효과를 얻을 수 있다.

9. 레이저 박피의 합병증

레이저 박피의 합병증으로 박피 과정의 모든 합병증이 나타날 수 있다. 저자는 1995년부터 10년간 극초단파(Ultrapulse) 이산화탄소 레이저를 사용하여 2,079명을 레이저 박피하였으며 이중 154명 (7.6%)에서 합병증을 보였다. 이중에는 홍반은 8주 이상 지속된 경우만 포함하였으며, 색소침착도 적극적인 스킨케어를 요하는 경우만 포함시켰다.

가) 홍반(Erythema)

이산화탄소 레이저 박피 후 홍반은 모든 박피

표 9-13. 이산화탄소 레이저의 합병증(저자의 2,079명의 경험 중)

Complications	No. of Case	%
Hyperpigmentation (need skin care)	76	3.9
Prolonged erythema (over 8 weeks)	36	1.7
Hypertrophic scar	21	1.0
Hypopigmentation, depigmentation	12	0.5
contour change, striae	9	0.4
Infection	8	0.4
Total	162	7.8 %

부위에 필연적으로 나타나는 것으로 이는 레이저 박피 부위에 가역적인 열손상(reversible thermal damage)이 남기 때문이다. 홍반은 합병증이라기보다 박피과정에 나타나는 일시적인 현상으로 환자에게 이해시킬 필요가 있다. 홍반은 얕은 박피를 한 경우 빨리 소실되며 깊게 박피한 경우 오래 지속된다.

안검부 등 얕은 박피는 2-4주에 소실되며 마마자국이나 노화된 피부에 깊게 박피한 경우는 6개월 이상 지속될 수도 있다. 홍반은 처음에 심하여

도 시간이 경과하면서 점차 옅어지게 된다. 홍반이 평상시는 소실되어도 운동을 하거나 더울 때, 음주를 하였을 때는 보이는 것은 수개월 더 지속될 수도 있다.

홍반은 시간이 경과해야 없어지지만 심한 경우는 스테로이드 연고를 바르면 홍반의 정도가 줄어든다. 레이저 박피 부위에 시원한 느낌이 드는 마사지나 팩으로 오이나 알로에 등은 홍반을 일시적으로 감소시켜 좋으나 박피한 피부에 바를 때 따갑고 화끈거리는 것은 홍반을 심하게 하기 때문

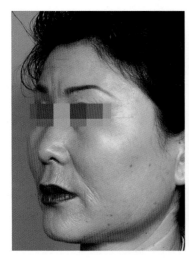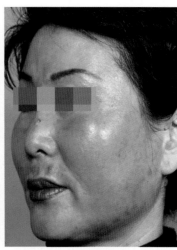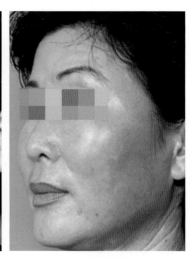

그림 9-43. 레이저 박피 후 홍반
후유증이라기보다 박피에 필수적인 과정으로 깊이 박피할수록 홍반이 오래 지속됨.

에 피해야 한다. 사우나, 찜질, 음주 등은 홍반을 오래 지속시키기 때문에 피하는 것이 좋다. 창상 치유가 이루어지면 화장을 할 수 있으며 홍반이 심한 경우는 특수화장(concealer)을 하여 카버 한다. 레이저 박피 전 환자와의 상담에서 남자나 사회생활이 많은 여자는 홍반으로 인하여 불편할 수 있다는 것을 주지시키고 홍반이나 색소침착으로 사회생활에 문제가 된다면 이산화탄소 레이저 박피를 피해야 하겠다.

홍반으로 인하여 불편할 수는 있지만 홍반이 있는 동안은 피부에 자극으로 콜라겐섬유가 더 증가한다. 박피한 피부는 박피 후에도 12개월 이상 cytokinine 등이 분비되고 생화학적인 반응을 하여 피부의 탄력이 증가하는 것이 관찰되었다. 이산화탄소 레이저는 깊게 할 경우 홍반이 오래 지속되는데 홍반이 적은 어븀야그 레이저나 비박피성 레이저(non-ablative lasers)보다 피부의 수축이나 탄력 증대가 뛰어나다.

레이저 박피 후 이차적인 시술은 홍반이 소실되고 난 다음 약 3개월 이후에 시행하는 것이 좋으며 이는 피부의 휴식기를 갖고 이차적인 레이저박피를 하는 것이 안전하다. 이차적인 레이저 박피시기를 결정하는데 홍반의 지속 기간이 가이드가 될 수 있으며, 얕은 레이저 박피보다 깊은 레이저 박피는 더 오랜 기간을 두고 시행하는 것이 바람직하다.

나) 색소침착(Hyperpigmentation)

레이저 박피 후 색소침착은 피부 자극으로 발생하기 때문에 PIH(post-inflammatory hyper-pigmentation)라고도 한다. 동양인은 피부 타입이 박피 후 색소침착이 잘 오는 형태로 (Fitzpatrick type III, IV, V) 거의 대부분의 환자에서 정

도의 차이는 있지만 발생하고 있으며 저자의 경험 상으로는 약 80%에서 색소침착이 발생하고 있다.

피부색이 흰 편인 경우 문제가 되지 않으며 백인에서는 색소침착이 거의 발생하지 않거나 발생하여도 약하게 나타나기 때문에 레이저박피 전-처치를 필요로 하지 않는다. 미백제는 대부분 멜라닌 색소를 만드는 과정 중 tyrosinase를 억제하는 작용을 나타내는데 멜라닌색소 형성을 억제하여 레이저박피 후 색소침착을 예방하려면 적어도 레이저 박피 전 6주에서 8주 이상은 사용하여야 예방 효과를 볼 수 있다고 한다.

색소침착은 레이저 박피 2주경부터 나타나기 시작하여 점차 짙어지는데 색소침착이 일단 발생하면 자연 소실되는 데는 6개월에서 1년 이상 걸릴 수도 있다. 환자가 색소침착으로 인하여 불편해할 수 있으므로 레이저 후-처치로 색소침착을 해결해 주어야 하며 스킨케어 후-처치로 대부분은 2-3개월 내에 색소침착이 없어지게 된다. 레이저 박피 직후 피부는 민감하여 미백제와 탈피제를 바를 수 없기 때문에 레이저 박피 1개월 후에 색소침착이 가장 짙게 나타나며 이후는 스킨케어로 점차 감소하게 된다.

색소침착은 피부색이 흰 경우, 스킨케어 전-처치를 한 경우가 적게 나타나고 얼굴색이 짙거나 기미가 있는 경우, 레이저 전-처치를 하지 않은 경우에 심하게 나타난다. 또한 레이저 박피를 얕게 하여 창상치유가 빠른 경우가 박피를 깊게 하고 창상치유가 늦은 경우보다 색소침착이 적게 온다. 어븀야그 레이저는 이산화탄소 레이저보다 박피가 얕고 열손상이 적으며 창상치유가 빠르기 때문에 색소침착이 적게 나타난다. 박피 창상을 도포성 처치를 한 경우가 개방성 처치를 할 때보다 색소침착이 적으며, 계절적으로는 자외선이 약한

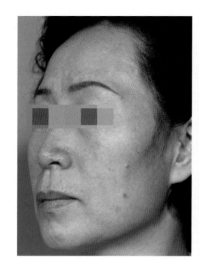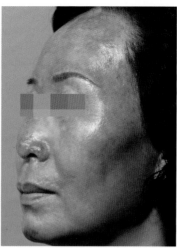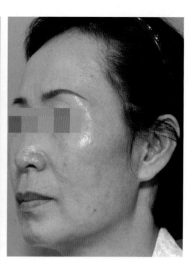

그림 9-44. 레이저 박피후 색소침착(Hyperpigmentation)
레이저 박피 후-처치로 색소침착은 조절할 수 있다.

가을, 겨울이 적으며, 자외선차단을 철저히 한 경우가 적다.

색소침착이 발생하면 환자는 불편해하고 항의할 수 있으므로 레이저 시술 전에 충분히 설명하고 이해시켜야 하며, 색소침착은 스킨케어로 처치된다는 확신을 주어 안심하고 치료에 따르도록 한다.

다) 저색소증 및 탈색(hypopigmentation, depigmentation)

레이저 박피를 하면 표피가 제거되면서 원래 피부보다 희게 보이게 되며 점차 창상 치유가 되면서 정상 피부색으로 돌아가게 된다. 레이저 박피 후-처치 기간 동안에도 약간 밝고 희게 보이는데 원래 피부색보다 색소가 감소된 경우를 저색소증이라 한다. 저색소증은 정상으로 돌아올 수 있으나 탈색이 된 경우는 회복이 불가능한 심각한 후유증이 되겠다.

탈색은 멜라닌색소를 형성할 멜라닌세포가 없는 경우로 박피가 너무 깊이 되거나 흉터와 같은 정상 피부가 아닌 경우에 박피할 경우 발생한다. 화학 박피는 화학약제가 멜라닌세포에 독성이 있어 영구한 탈색을 초래할 수 있으나 레이저 박피는 멜라닌세포에 독성은 없으나 깊이 박피할 경우 탈색을 초래할 수 있다. 또한 레이저 박피를 깊이 할 경우 창상 치유가 된 수개월 후에도 저색소증을 초래할 수 있다. 피부 탈색은 박피를 너무 깊이 한 경우로 정상 피부로 치유가 되지 않고 반흔 형성을 동반하거나 피부 질감(contour)의 변화를 초래한다.

탈색되고 주변이 얼룩얼룩한 경우 탈피제를 약한 농도(retinoic acid 0.01%-0.025%)로 꾸준히 수개월 바르게 하면 탈피되면서 멜라닌세포가 이동하여 탈색된 부위가 호전되는 경우도 있다. 탈색된 부위를 백반증(vitiligo)처럼 광선치료를 하기도 하며, 넓게 탈색된 경우 표피 이식(epidermal graft)을 시도한다. 표피이식은 반흔이나 탈색된 부위를 dermabrader나 어븀야그 레이저로 얇게 벗겨내고 다른 부위 피부에 음압을 걸어 물집이 생기면 물집위의 표피를 도려내어 탈색된 부위에 놓고 2주일간 움직이지 않게 고정하면 공여

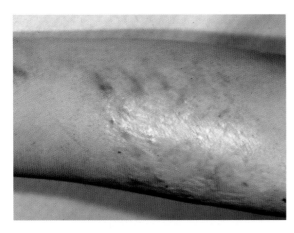

그림 9-45. 화상 흉터의 레이저 박피 후 부분적인 저색 소증(hypopigmentation)이 나타남.

부의 반흔을 남기지 않고 표피이식을 할 수 있다. 표피이식은 실패가능성도 많으며 표피가 부분적으로 생착하여 얼룩지는 경우도 있어 이에 대한 예측이 어렵다. 프랙셔널 레이저로 약하게 반복 치료하면 부분적으로 저색소증이나 탈색된 부위의 호전을 보이기도 한다. 피부 탈색은 박피를 너무 깊이 한 경우로 정상 피부로 치유가 되지 않고 반흔 형성을 동반하거나 피부 질감(contour)의 변화를 초래한다.

라) 감염(infection)

레이저 박피 3-4일 후에 피부가 벌겋게 붓고 통증, 작열감, 소양증이 있으면 피부 감염을 의심해 보아야 한다. 박피 상처의 감염은 세균성, 바이러스성, 진균성 감염이 올 수 있다.

레이저 박피 상처의 감염은 피부감염에 흔한 staphylococcus aureus 감염이 가장 많으며 다른 세균에 의한 감염도 나타날 수 있다. 전반적인 감염보다는 부분적인 감염이 흔하며 항생제 예방과 처치로 잘 치료 된다.

레이저 박피부위에 바이러스 감염으로는 헤르페스심플렉스가 흔하며, 입주위에 잘 발생한다. 헤르페스에 감염되면 항바이러스제를 예방목적보다 용량을 올려 투여하며 acylovir를 400mg에서 1일 1,000mg으로 올려 경구 투여하며 심한 경우 정맥 주사로 치료한다.

피부 감염이 부분적으로 오는 경우가 많으며 약제로 잘 치료가 되기 때문에 감염으로 박피가 깊어지는 경우가 아닌 한 이로 인하여 흉터가 생기는 경우는 별로 없겠다.

간혹 박피 부위에 소양증이 심하고 부기가 오래 지속되며 불쾌한 냄새가 나면 진균감염을 의심해야하며 상처부위에 진균 배양을 한다. 진균(fungus)은 candidiasis가 많으며 진균감염이 확인되면 항진균제를 투여한다.

바이러스나 진균에 감염되면 피부에 항바이러스 연고나 항진균 연고를 바르는 것이 도움이 되겠다.

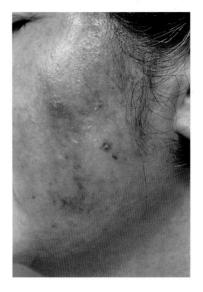

그림 9-46. 레이저 박피 후 진균 감염(fungal infection) 세균성이나 바이러스성보다 드물게 진균감염이 발생할 수 있으며, 사진은 candidiasis 감염으로 소양증이 오래 지속됨.

마) 비후성 반흔(hypertrophic scar)

비후성 반흔은 레이저 박피를 너무 깊고 넓게 한 경우 발생할 수 있으며, 이는 정상 피부에 박피할 경우보다는 반흔이 있는 피부로 천연두 반흔(small pox scar), 화상성 반흔, 외상성반흔 등에 레이저 박피를 깊게 할 경우 잘 나타난다. 외상성 반흔은 폭이 넓고 깊은 반흔에 레이저박피를 하면 박피 직후에는 평편해 보이지만 창상치유가 되면서 흉터가 튀어 오르게 된다. 화상 흉터도 박피 후 피부의 창상치유가 정상으로 될 수 없으므로 비후성 반흔 형성과 탈색이 초래되어 화상 흉터는 레이저 박피의 금기 사항이 되겠다. 천연두 반흔에서 함몰 반흔이 뭉쳐있는 경우(conglomerated scars)는 레이저 박피 후에 반드시 비후성 반흔이 발생하게 된다.

보통 흉터치료에서는 흉터 발생 후 6개월 이상 기다리지만 레이저 박피 후 비후성 반흔이 형성되면 바로 치료하여야 한다. 치료는 비후성 반흔 부위에 희석한 스테로이드 주사(intralesional Kenalog injection)를 1개월 간격으로 가라앉을 때까지 한다. 이것은 스테로이드 주사가 이미 형성된 흉터의 fibroblast보다는 새로 생긴 흉터의 미성숙한 fibroblast에 반응을 잘 하기 때문에 비후성 반흔이 형성되면 기다리지 말고 바로 스테로이드 주사를 하는 것이 효과적이다.

또한 비후성 반흔으로 붉은 융기를 보이면 프랙셔널 레이저나 혈관치료 레이저로 일찍 치료하는 것이 결과가 좋으며 비후성 반흔 억제와 리모델링 효과가 있다.

바) 피부 질감 변화, 선상 흔적 (contour change, striae)

안면피부에 레이저 박피 후 피부의 질감 변화가 오는 경우가 있으며 이는 대부분 피부가 얇은 부위에 다른 부위와 같은 출력으로 할 경우 생길 수 있으며, 피부 두께에 비하여 출력이 과한 경우 발생

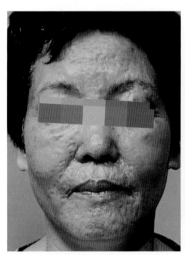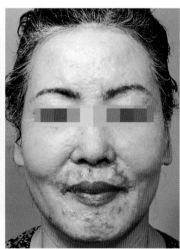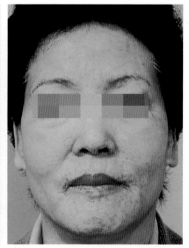

그림 9-47. 레이저 박피 후 비후성 반흔
스테로이드 주사로 효과적으로 치료할 수 있다.

한다. 색은 약간 희끗하게 보이며 흉터와 정상 피부의 중간 정도로 보인다.

레이저 박피 시 넓은 부위를 일정한 두께로 고르게 박피하려면 스캐너를 사용하는데 피부가 얇은 부위에 레이저 빔이 중복될 때 그 부위만 깊게 되어 선상 흔적을 남기게 된다. 선상 흔적이 생기면 시간이 지남에 따라 다소 완화되며, 다시 박피하는 것은 비후성 반흔의 위험이 있으나 얕은 박피나 피부 수축을 유도하는 레이저로 호전을 볼 수 있다. 선상 흔적이나 피부 질감 변화는 피부가 얇은 부위를 출력을 세게 할 때 발생하며, 특히 목과의 경계부는 피부가 얇고 피부부속기관이 적어 위험 지역이다. 손가락으로 피부를 잡아보면 안면보다 목과의 경계부가 얇은 것을 알 수 있으며 이 부위를 따로 선으로 표시하여 출력을 낮추어 박피를 해야 하겠다.

레이저 박피 한 부위와 하지 않은 사이에 경계(demarcation)가 뚜렷하게 보일 수 있는데 이는 feathering technique을 함으로써 피할 수 있다. feathering 방법은 경계부위를 부드럽게 처리하는 방법으로 레이저 출력을 낮추거나 조사회수를 줄이거나 레이저빔의 각도를 눕히면 적은 에너지 밀도로 조사하게 된다. 박피 경계부위는 1cm-3cm 폭으로 feathering 방법이 필요하겠다. 안면 피부에 부분적으로 박피할 경우 안면의 미용적 단위(aesthetic unit)에 따라 박피할 필요는 없으며 스캐너를 사용하면 일정하고 고르게 박피를 할 수 있어 미용적 단위별로 하는 박피는 의미가 없겠다.

사) 여드름 악화, 미립종(milia)

레이저 박피 후 피지 분비가 안 되고 분비물이 고여 여드름이 악화되고 미립종이 생길 수 있다. 지성피부인 경우 박피 후 부드러운 물비누로 세안을 하는 것이 좋으며 반면 건성 피부인 경우 피부가 건조하여 보습제를 사용할 필요가 있다. 여드름이 일시적으로 악화될 수 있으며 분비물이 염증을 동반한 경우 아크네 큐렛으로 배농을 하며 급성기 여드름 치료에 준해서 치료한다. 여드름은 박피 후 탈피제를 낮은 농도(0.01-0.025% retinoic acid)

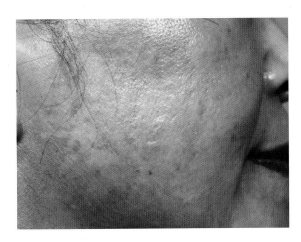

그림 9-48. 목의 경계부위에 깊게 할 경우 선상 흔적(striae) 및 비후성 반흔이 발생할 수 있음.

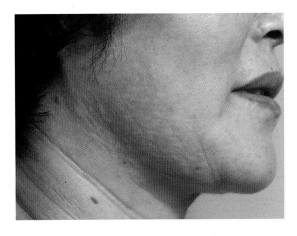

그림 9-49. 레이저 박피를 깊게 할 경우 부분적인 저색소증(hypopigmentation)이나 질감변화(contour change)를 초래할 수 있다.

로 사용하면 탈피되면서 피지가 쉽게 분비되도록 하며 또한 피지생성을 억제하여 여드름이 수그러들게 된다. 여드름이 심한 경우는 경구용 비타민 A(Accutane)를 단기간 투여하여 피지 생성을 억제하면 여드름이 가라앉게 된다.

레이저 박피한 피부에 미립종이 생길 수 있으며 작고 하얗게 다발성으로 나타난다. 이는 대부분 자연 소실되지만 빨리 없애기를 원하면 작은 바늘로 열어주거나 1mm 이하 작은 직경의 레이저 빔을 조사하여 없앨 수 있다.

◆ 참고문헌

1. 위성윤, 구상환, 박승하, 안덕선: 극초단파 이산화탄소 레이저를 이용한 레이저 박피의 피부 조직학적 변화에 대한 실험적 연구. 대한 성형외과 학회지 24: 1464, 1997

2. 김형준, 구상환, 박승하, 안덕선: TCA 화학 박피술의 피부 조직학적 변화와 Retinoic Acid의 효과에 대한 실험적 연구. 대한성형외과 학회지 24: 1261, 1997

3. 임형우, 신승한, 구상환, 박승하: CO2레이저박피의 합병증과 대책. 대한의학레이저학회지, 9:33, 2005

4. Achauer BM, Adair SR, VanderKam VN: Combined Rhytidectomy and Full-Face Laser Resurfacing. Plast Reconstr Surg 106: 1608-1611, 2000

5. Adrian RM, Griffin L. Laser tattoo removal: Clin Plast Surg, 27:181, 2000

6. Alam M, Hsu T, Dover JS, et al: Nonablative laser and light treatment: histology and tissue effects-a review. Laser Surg Med, 33:30, 2003

7. Alster TS, Garg S: Treatment of facial rhytides with a high energy pulsed carbon dioxide laser. Plast Reconstr Surg 98: 791, 1996

8. Alster TS, Lupton JR: Are all infrared lasers equally effective in skin rejuvenation. Seminar Cutaneous Med Surg, 21:274, 2002

9. Alster TS, Lupton JR: Laser therapy for cutaneous hyperpigmentation and pigmented lesions. Dermatol Therapy, 14:46, 2001

10. Alster TS, Lupton JR: Prevention and treatment of side effects and complications of cutaneous laser resurfacing. Plast Reconstr Surg, 109:308, 2002

11. Alster TS. Comparison of two high-energy pulsed carbon dioxide lasers in the treatment of periorbital rhytides. Dermatol Surg 22:541, 1996

12. Alster TS: Clincal and hitologic evaluation of six Erbium:YAG lasers for cutaneous resurfacing. Laser Surg Med 24: 87, 1999

13. Alster TS: Cutaneous resurfacing with CO2 and Erbium:YAG lasers: Preoperative, intraoperative, and postoperative considerations. Plast Reconstr Surg, 103:619, 1999

14. Alster TS: Laser scar revision: comparison study of 585nm pulsed dye laser with and without intralesional corticosteroid. Dermatol Surg, 29:25, 2003

15. Apfelberg DB: Ultrapulse carbon dioxide laser with CPG scanner for full face resurfacing for rhytides, photoaging, and acne scars. Plast Reconstr Surg 99: 1817, 1996

16. Arndt KA, Dover JS, Olbright SM: Lasers in cutaneous and aesthetic surgery. Lippincott-Raven, Philadelphia, 1997

17. Atiyeh BS, Dham R, CostalgliolaM, et al: Moist exposed therapy: an effective and valid alternative to occlussive dressing for post laser resurfacing wound care. Dermatol Surg, 30:18, 2004

18. Baker TJ, Gordon HL, Moienko P, Seckinger DL: Long term histologic study of skin after chemical face peeling. Plast Reconstr Surg 53: 522, 1974

19. Baker TJ, Stuzin JM, Baker TM: Facial skin resurfacing. Quality Medical Publishing, St.Louis, 1998

20. Bisson MA, Grover R, Grobblelaar AO: Long-term results of facial rejuvenation by carbon dioxide laser resurfacing using a quantitative method of assessment. Br Plast Surg, 55:652, 2002

21. Buns JA: Erbium Laser Resurfacing: Current Concepts. Plast ReconstrSurgery 103: 617-618, 1999

22. Chan HH, Ying SY, Ho WS, Kono T, King WW: An in vivo trial comparing the clinical efficacy and complications of Q-switched 755nm alexandrite and Q-switched 1064nm Nd:YAG lasers in the treatment of nevus of Ota. Dermatol Surg 26:919, 2000

23. Collawan SS, Biossy RE, Vasconez LO: Skin ultrastructure after CO2 laser resurfacing. Plast Reconstr Surg, 102:509, 1998

24. Collawn SS: Occlusion following laser resurfacing promotes reepithelization and wound healing. Plast Reconstr Surg, 105:2180, 2000

25. Eberlein A, Schepler H, Spilker G, Altmeyer P, Harmann B: Erbim:YAG laser treatment of post-burn scars: potentials and limitations. Burns 31: 15, 2005

26. Ersek RA: Comparative study of dermabrasion, phenol peel, and acetic acid peel. Aesthetic Plast Surg 15(3): 241, 1991

27. Fitzpatrick PE, Ruiz Esparza J, Goldman MP: The clinical advantage of the   superpulse carbon dioxide laser. Laser Surg Med Suppl 2: 52, 1990.

28. Fitzpatrick RE, Goldman MP: Pulsed carbon dioxide laser resurfacing of photodamaged facial skin. Arch Dermatol, 132:395, 1996

29. Fitzpatrick RE, Rostan EF, Marchell N: Collagen tightening induced by carbon dioxide laser versus erbium:YAG laser. Laser Surg Med, 27:395, 2000

30. Fitzpatrick RE, Smith SR, Sriprachya-anunt S: Depth of vaporization and effect of pulse stacking with a high-energy, pulsed carbon dioxide laser. J Am Acad Dermatol, 40: 615, 1999

31. Fitzpatrick RE, Tope WD, Goldman MP, Satur NM: Pulsed carbon dioxide laser, trichloroacetic acid, Baker-Gordon phenol, and dermabrasion: a comparative clinical and histologic study of cutaneous resurfacing in a porcine model. Arch Dermatol 132:469-471, 1996.

32. Fitzpatrick RE: Maximizing benefits and minimizing risk with CO2 laser resurfacing. Dermatol Clin, 20:77, 2002

33. Friedman PM, Skover GR, Payonk G, Geronemus RG: Quantitative evaluation of nonablative laser technology. Seminar Cutaneous Med Surg, 21:266, 2002

34. Fulton JE: Complications of laser resurfacing. Dermatol Surg, 23:91, 1997

35. Geronemus RG: Fractional photothermolysis: current and future applications. Laser Surg Med, 38:169, 2006

36. Goldberg DJ (ed) : Laser and lights. Elsevier Saunders, Philadelphia, 2005

37. Goldberg DJ: Full-face nonablative dermal remodeling with a 1320 nm Nd:YAG laser. Dermatol Surg, 26:915, 2000

38. Goldman MP, Fitzpatrick RE: Cutaneous laser surgery. Mosby, St. Louis, 1994

39. Goldman MP, Fitzpatrick RE: Laser treatment of scars. Dermatol Surg, 21:685, 1995

40. Gonzalez-Ulloa M, Catillo A, Stevens E, et al: Preliminary study of the total restoration of the facial skin. Plast Reconstr Surg, 13; 151-161, 1954

41. Grema H, Greve B, Raulin C: Facial rhytides-subsurfacing or resurfacing? A review. Laser Surg Med 32:405, 2003

42. Grimes PE, Bhawan J, Kim J, et al: Laser resurfacing-induced hypopigmentation: histologic alterations and repigmentation with topical photochemotherapy. Dermatol Surg, 27:515, 2001

43. Grossman RA, Majidian AM, Grossman PH: Thermal Injuries as a Result of CO2 Laser Resurfacing. Plast Reconstr Surg 102: 1247-1252, 1998

44. Hohenleutner U, Hohenleutner S, Baumler W, Landthaler M: Fast and effective skin ablation with an Er:YAG laser: Determination of ablation rates and thermal damage zones. Lasers Surg Med 20: 242, 1997.

45. Hung VC, Lee JY, Zitelli JA, Hebda PA: Topical tretinoin and epithelial wound healing. Arch Dermatol 125: 65, 1989

46. Kauvar AN, Geronemus RG: Histology of laser resurfacing. Dermatol Clin, 15:459, 1997

47. Khatri KA, Ross V, Grevelink JM, Magro CM, Anderson RR: Comparison of Erbium:YAG and carbon dioxide lasers in resurfacing of facial rhytides. Arch Dermatol 135: 391, 1999

48. Kirn DS, Vasconez HC, Cibull ML, Fink BF: Skin contraction with pulsed CO2 and erbium:YAG laser. Plast Reconstr Surg 104: 2255, 1999

49. Kitzmiller WJ, Visscher M, Page DA, Wichet RR, Kitzmiller KW, Singer LJ: A controlled evaluation of dermabrasion versus CO2 laser resurfacing for the treatment of perioral wrinkles. Plast Reconstr Surg 106: 1366, 2000.

50. Kligman AM, Baker TJ, Gordon HL: Long-term histologic follow-up of phenol face peels. Plast Reconstr Surg, 75:652, 1985

51. Kligman AM, Willis I: A new mormaula of depigmenting human skin. Arch Dermatol 111: 40, 1975

52. Lanzafame RJ, Naim JO, Rogers DW: Comparison of continuous-wave, and chop-wave, super-pulse

laser wounds. Lasers Surg Med 3: 119, 1988.

53. Leber GE: Dermabrasion compared with laser resurfacing. Plast Reconstr Surg 107: 1917, 2001.

54. Levy JL, Trelles M, Lagarde JM, Borrel MT, Mordon S: Treatment of wrinkles with nonablative 1,320-nm Nd:YAG laser. Ann Plast Surg47:482, 2001

55. Litton C: Chemical face lifting. Plast Reconstr Surg 29: 371, 1962.

56. Lupton JR, Alster TS: Laser scar revision. Dermatol Clin, 20:55, 2002

57. Mandal A, Al-Nakib K, Quaba AA: Treatment of small congenital nevocellular naevi using a combination of ultrapulse carbon dioxide laser and Q-switched frequency-doubled Nd:YAG laser. Aesth Plast Surg, 30:606, 2006

58. Newman JB, Lord JL, Ah K, McDaniel DH: Variable pulse Erbium:YAG laser skin resurfacing of perioral rhytide and side-by-side comparison with carbon dioxide laser. Laser Surg Med 26: 208, 2000

59. Orentreich N, Orentreich D: Dermabrasion; As a complement to dermatology. Clin Plast, 25:63, 1998

60. Papadavid E, Katsambas A: Lasers for facial rejuvenation: a review. Dermatol Surg, 42:480, 2003

61. Park SH, Koo SH, Choi EO: Combined laser therapy for difficult dermal pigmentation: resurfacing and selective photothermolysis. Ann Plast Surg, 47:31, 2001

62. Polnikorn N, Goldberg DJ, Suwanchinda A, Weng S: Erbium:YAG laser resurfacing in Asians. Dermatol Surg 24: 1303, 1998

63. Pozner JN, Roberts TL: Variable pulse width ER:YAG laser resurfacing. Clin Plast Surg 27: 263, 2000.

64. Raulin C, Greve B, Grema H: IPL technology: a review. Laser Surg Med 32:78, 2003

65. Rendon-Pellerano MI, Lentini J, Eaglstein W, et al: Laser resurfacing: usual and unusual complications. Dermatol Surg, 25: 360, 1999

66. Rosenberg GJ, Brito MA, Aportella RA, Kapoor S: Long-term histologic effects of the CO2 laser. Plast Reconstr Surg, 104:2239, 1997

67. Ross EV, Naseef GS, McKinlay JR, Barnette DJ, Skrobal M, Grevelink J, Anderson RR: Comparison of carbon dioxide laser, erbium:YAG laser, dermabrasion, and dermatome. J Am Acad Dermatol 42: 92, 2000.

68. Ross EV, Sajben FP, Hsia J, Barnette D, Miller CH, McKinly JR: Nonablative skin remodeling:selective dermal heating with a mid-infrared laser and contact cooling combination. Laser Surg Med, 26:186, 2000

69. Roy D; Ablative facial resurfacing. Dermatol Clin, 23: 549, 2005

70. Ruiz-Esparza J, Lupton JR: Laser resurfacing of darkly pigmented patient. Dermatol Clin, 20:113, 2002

71. Sapijaszko MJA, Zachary CB: Er:YAG lasser resurfacing. Dermatol Clin 20: 87, 2002

72. Schwartz RH, Burns AJ, Rohrich RJ, Barton FE Jr, Byrd HS: Long-term assessment of CO2 facial laser resurfacing: aesthetic results and complications. Plast Reconst Surg, 103:592, 1999

73. Seckel BR, Younai S, Wang K: Skin tightening effects of the ultrapulse CO2 laser. Plast Reconstr Surg, 102:872, 1998

74. Seckel BR: Aesthetic laser surgery. Little Brown Co, Boston, 1996

75. Spira M, Gerow FJ, Hardy B; Complications of chemical peeling. Plast Reconstr Surg, 54: 397, 1974

76. Stegman SJ: A study of dermabrasion and chemical peels in an animal model. J Dermatol Surg Oncol 6: 490, 1980

77. Stuzin JM, Baker TJ, Baker TM, Kligman AM: Histologic effects of the high energy pulsed CO2 laser on photoaged facial skin. Plast Reconstr Surg 99: 2036, 1996

78. Stuzin JM, Baker TJ, Gordon HL: Treatment of photoaging. Facial chemical peeling(phenol and trichloroacetic acid) and dermabrasion. Clin Plast Surg 20(1): 9, 1993

79. Stuzin JM, Baker TJ: Histologic effects of the high energy pulsed CO2 laser on photoaged facial skin. Plast Reconstr Surg 99:2036, 1997

80. Stuzin JM: Famciclovir as Antiviral Prophylaxis in Laser Resurfacing Procedures. Plast Reconstr Surg 104: 1109, 1999

81. TB Fitzpatrick; The validity and practicality of sun-reactive skin type I through VI. Arch Dermatol, 124, 869, 1988

82. Vagotis FL, Brudage SR: Histologic study of dermabarsion and chemica peel in an animal model after pretreatment with Retin-A. Aesth Plast Surg 19: 243, 1995

83. Walsh JT, Deutsch TF: Pulsed CO2 laser tissue ablation : measurements of the ablation rate, Lasers Surg Med 8:264, 1988.

84. Walsh JT, Flotte TJ, Anderson RR, Deutsch TF: Pulsed CO2 laser tissue ablation: effect of tissue type and pulse duration on thermal damage. Laser Surg Med, 8:108, 1988

85. Weinstein C, Roberts III TL: Aesthetic skin resurfacing with the high-energy ultrapulsed CO2 laser. Clin Plast Surg 24(2): 379, 1997.

86. Weinstein C, Scheflan M: Simultaneously combined Er:YAG and carbon dioxide laser for skin resurfacing. Clin Plast Surg 27: 273, 2000.

87. Weinstein C: Erbium Laser Resurfacing: Current Concepts. Plast Reconstr Surg 103: 602-616, 1999

88. Zachary CB: Modulating the Er:YAG laser. Lasers Surg Med 26: 223, 2000

89. Zenzie HH, Altschuler GB, Smirnov MZ, Anderson RR: Evaluation of cooling methods for laser dermatology. Laser Surg Med 26:130, 2000

CHAPTER

10 레이저 리주버네이션

레이저 리주버네이션
Laser Rejuvenation

박 승하

Ⅰ. 노화와 리주버네이션

1. 노화현상

노화 현상은 얼굴에 뚜렷하게 나타나며 젊어 보이기 위해 여러 가지 방법을 찾게 된다. 노화 현상으로 인해 얼굴에 주름이 지고 검버섯과 잡티가 늘어나는데 노화는 안면 피부뿐만 아니라 안면의 모든 조직에도 영향을 미치게 된다. 피하 지방이 위축되고 안면 표정근육은 뚜렷하게 보이며 피부와 유착되어 깊은 주름을 나타내게 된다. 이마와 눈꺼풀은 아래로 내려오고 뺨과 턱 선도 쳐지며 나이가 들수록 깊은 골이 생기게 된다. 미간은 내천자(川) 주름이 생기고 뺨은 팔자(八) 골(nasolabial fold)이 생기게 된다. 또한 안면골도 위축되며 치조골이 함몰되면서 입도 합죽하게 된다.

노화 현상은 안면과 외관상 보이는 신체에만 오는 것이 아니라 인체 대사에도 영향을 미치게 된다. 혈관은 좁아지고 동맥경화가 오며 호르몬, 내분비도 감소한다. 성장호르몬은 16세에 최대 분비를 하며 점차 감소하여 60세에는 최고 때의 20%로 줄어들게 된다. 성장호르몬은 성장에만 필요한 것이 아니라 신체의 유지에 필수적이다. 나이가 들

면 근력이 떨어지고 골다공증으로 뼈의 밀도도 떨어지게 된다. 자신감이 없어지며 정신적으로 우울해지기가 쉽다.

노화의 원인은 여러 가지로 설명하고 있는데 1) 조직과 세포의 마모와 기능 저하(wear & tear theory)는 유해한 물질에 많이 노출되거나 과도한 사용으로 노화현상이 촉진되는 것으로, 술·담배·환경오염이 주원인이다. 2) 유리된 유해 물질(free radical theory)로 대사 중 폐기되는 물질이 DNA에 악영향을 주는 것으로 설명하기도 한다. 3) 염색체 예정설(program theory)은 이미 염색체에 각인된 예정대로 노화가 진행된다고 한다. 4) 신경내분비(neuroendocrine theory) 분비가 감소하면서 노화가 된다고 설명한다. 이렇듯 노화가 나타나는 것은 한 가지가 아니라 여러 가지가 복합되어 나타나는 것으로 보인다.

한국은 평균 수명이 계속 증가하여 현재 평균수명이 80세를 넘어서고 노인이 늘어나 고령화 사회에 이르게 되었다. 이전에는 60세이면 환갑으로 노인 취급하였지만 생체나이로 보면 요즘은 20%가 증가한 72세가 이전 환갑나이라 하겠다.

노인은 65세 이상을 노인이라 하며 고령화 사회는 노인이 전체 인구의 7% 이상이며 고령사회

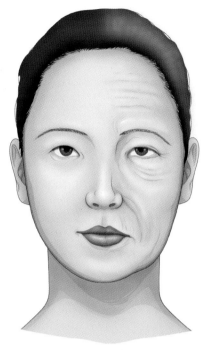
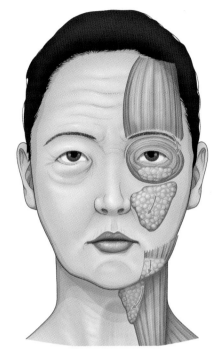

그림 10-1. 안면의 노화현상
나이가 들면 피부의 노화뿐만 아니라 지방은 위축되고 연부조직은 처지며 주름과 골은 깊어진다.

는 14% 이상을 말하는데 우리나라의 노인 비율은 2013년 현재 12%로 곧 고령사회로 접어들게 된다. 미국이 고령화 사회에서 고령 사회로 바뀌는데 72년이 걸린 것에 비하여 우리나라는 18년으로 예상되어 OECD국가 중에서 고령화가 가장 빠르게 증가한 나라가 되겠다.

노인이 늘어나면서 노화방지와 젊어지기 위한 관심과 노력이 더욱 증가할 것이며 이와 더불어 리주버네이션 시술이 더욱 늘어날 것으로 전망된다.

2. 안티에이징과 리주버네이션
(anti-aging and rejuvenation)

노화현상에 대하여 안티에이징과 리주버네이션은 다른 개념이다.

안티에이징은 노화방지/항노화로 더 이상의 노화를 예방하는 주로 약물적인 치료로 소극적인 방법이고(anti-aging; prevention of aging), 리주버네이션은 노화현상을 젊게 되돌리려는 젊음 소생술로 수술이나 시술 같은 적극적인 방법이 되겠다(rejuvenation; restoration of youth).

안티에이징 방법으로는 감소된 호르몬과 대사물질을 보충해주는 것이 대부분으로 성장호르몬, 여성호르몬/에스트로젠, DHEA 등을 사용하며 항산화제로는 비타민C와 E 사용이 대표적인 방법이다.

리주버네이션은 젊게 되돌리려는 방법으로 크게 보면 신체적, 정신적, 사회적 모든 면에서 젊은 형태로 되돌려야 한다. 신체적으로는 안면의 노화 현상을 수술이나 시술로 젊게 하며 또한 술, 담배, 유해환경을 피하고 비만을 조절하는 등 생활 습관을 개선하며 운동으로 근-골격계를 튼튼하게 한다. 정신적 위축과 우울현상은 임상심리가나 정신건강의학과의사의 도움으로 치료하여 모든 면에서 젊게 되돌리는 것이 넓은 범위의 총체적인 리주버네이션 방법이라 하겠다.

3. 안면의 리주버네이션 방법

안면의 노화현상은 피부, 지방 및 연부조직, 근육과 골격의 모든 면에서 증상이 나타내게 되며 리주버네이션 방법도 이런 노화 증상에 접합한 방법을 선택하여 시술하여야 한다.

노화된 안면피부는 각화증, 검버섯, 햇빛에 의한 노화, 색소침착, 모세혈관 확장의 증상을 나타내며 이에 대한 치료로는 필링, 레이저 박피, 스킨케어, 색소 레이저, 혈관치료 레이저를 사용한다. 피부탄력감소와 주름은 박피 레이저와 비박피

성 레이저, 프랙셔널 레이저, 고주파, 초음파 등을 사용하며, 탈모가 있으면 모발이식을 하면 젊게 보인다.

지방과 연부 조직의 변화로 안면 조직이 쳐질 경우 안면 거상술, 즉 리프팅 수술을 하며 이마와 눈썹이 처지면 내시경 이마 리프팅을 하고 목이 처지면 목 리프팅을 하게 된다.

눈꺼풀이 처지고 다크서클이 생기면 안검성형술을 하며, 지방이 불거지면 레이저 지방성형을 하게 된다. 지방이 감소하고 골이 생기면 적은 부위이면 필러를 주입하며, 볼륨 증가를 많이 필요로 하면 지방이식, 지방주사를 하게 된다.

안면 표정근육이 뚜렷해지고 눈가, 미간 주름이 깊어지면 보툴리눔 주사로 수개월 간은 편하게 주름을 펼 수 있다. 안면 골격이 함몰되면 연부조직 이식으로 치료를 하게 된다.

노화 현상이 모든 조직에 나타나기 때문에 한 가지 리주버네이션 방법이 안면 전체를 젊게 할 수

표 10-1. 노화현상과 리주버네이션 방법

	Aging phenomenon	Rejuvenation methods
Skin change	keratosis, actinic change	ablation laser, peeling pigmentation laser skin care
	telangiectasia	vascular laser
	loss of elasticity, wrinkle	resurfacing laser sub-ablative rejuvenation fractional laser, NAR, RF, HIFU
	hair loss	hair graft
Soft tissue	sagging, drooping	face lift, endoscopic lift, neck lift
	eyelid, eyebrow ptosis	blepharoplalsty, eyebrow lift
	bulging	liposuction, lipoplasty
	fat atrophy, dimple	fat injection
	furrow, fold	filler
Muscle	prominent expression	botulinum toxin
Bone atrophy		soft tissue augmentation

* NAR; non-ablative rejuvenation laser, RF; radio-frequency, HIFU; high intensity focused ultrasound

는 없으며 환자에게 리주버네이션 방법에 대한 효과를 정확하고 자세하게 설명하여 환자를 이해시킬 필요가 있다.

노화의 현상도 많고 이를 치료하는 리주버네이션 방법도 많지만 모든 리주버네이션 방법을 한번에 같이 시행하는 것은 아니다. 환자도 경제적, 시간적 투자가 필요하기 때문에 환자가 원하는 것을 먼저 시행하고 추가적인 시술을 단계적으로 할수도 있다.

여러 가지 리주버네이션 방법을 복합적으로 시행할 수 있게된 경우에도 환자에게 무리가 없고 다른 방법에 의한 악영향이 없을 때만 같이 시행할 수 있겠다.

II. 수술적 리주버네이션

1. 안면 리프팅, 안면 거상술 (face lifting, rhytidectomy)

노화는 안면피부뿐만 아니라 안면조직 전체의 노화현상을 동반하며 특히 연부조직이 늘어지고 처지게 되어 리프팅을 요하게 된다.

안면 연부 조직이 중력에 의해 아래로 쳐지는데 모든 조직이 같이 쳐지는 것이 아니라 안면 골격에 고정되어 있는 부위는 쳐지지 않게 된다. 안면골격과 피부 및 연부조직을 연결하는 인대를 retaining ligament라 하며 안면에는 관골, 교근, 하악골, 이하선 부위 인대(zygomatic, masseteric, parotid, mandibular ligament)가 있으며 이 부위는 고정되어 쳐지지 않고 주변 연부조직만 쳐지게 된다.

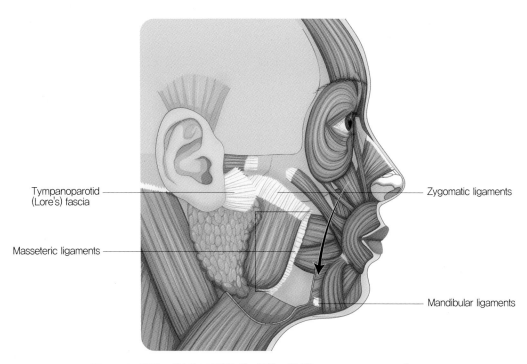

그림 10-2. 안면 피부와 조직을 유지하는 인대(retaining ligament)
관골, 교근, 이하선, 하악골 인대는 피부를 잡고 있어 쳐지지 않으나 이 주변 조직은 늘어지고 쳐지게 된다.

369

주름제거성형술(rhytidectomy)은 주름을 수술로 제거한다는 것이며 이보다는 안면 리프팅이란 용어가 더 적합하겠다.

리프팅 수술은 박피하는 깊이에 따라 1) 피하지방층 거상술(subcutaneous), 2) SMAS 거상술(sub-SMAS), 3) 복합 거상술(composite face), 4) 골막하 거상술(subperiosteal)로 분류한다.

피하지방층 거상술은 수술이 쉬우나 리프팅 효과가 약하고 수년 내에 다시 쳐져 리프팅 효과가 오래가지 않는 단점이 있다. 피하지방층 거상술은 레이저 박피보다 리주버네이션 효과가 못할 수 있다. 골막하 거상술은 리프팅 효과는 좋으나 수술 부위가 깊고 부자연적인 안면을 만들 수 있다. 복합거상술은 안면의 연부조직인 SMAS와 안면 중앙지방층을 효과적으로 리프팅할 수 있으나 수술에 대한 숙련도를 요하게 된다. SMAS거상술은 SMAS하층 박리를 하거나 SMAS 일부를 제거하고 리프팅하는 효과적인 방법이며 수술시 안면신경분지의 손상을 주지 않도록 주의를 요한다.

안면 리프팅은 광범위한 절개와 박리를 하기 때문에 이를 최소화하는 최소절개 리프팅, MACS 리프팅 등 여러 방법들이 있으나 이와 같은 리프팅의 효과는 비교적 적은 편이다.

나이가 들면서 안면의 연부조직은 하방과 내측으로 주로 쳐지게 되기 때문에 안면 리프팅할 때의 방향은 상방과 외측이 된다. 리프팅은 원래 젊을 때 모양으로 리프팅하기 때문에 피부층의 리프팅 방향과 SMAS층의 리프팅 방향은 달리 시행하는 것이 효과적이다.

안면리프팅과 레이저 박피를 동시에 하는 경우 안면 피부의 혈류 지장을 초래하는 리프팅 방법에서는 같이 시행할 수 없다. 예를 들어 피하지방층 리프팅은 피부의 혈류 장애를 초래할 수 있어 창상치유가 늦거나 귀 앞의 피부가 괴사가 될 수 있어 피해야 하나, 깊은 층을 박리하는 리프팅 방법은 피부 혈류에 지장이 없어 레이저 박피나 필링을 동시에 시행할 수 있다.

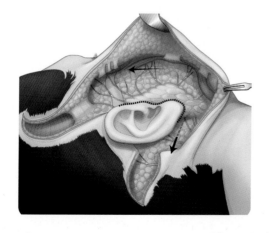

그림 10-3. 안면 리프팅 과정

피부층과 SMAS층을 분리하고 리프팅하여 여분의 피부층을 제거한다. 피부층과 SMAS층의 리프팅 방향은 젊은 때의 형태를 따라 다르게 진행한다.

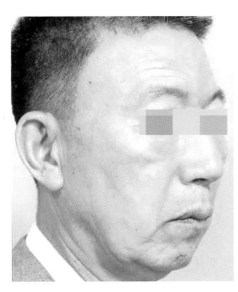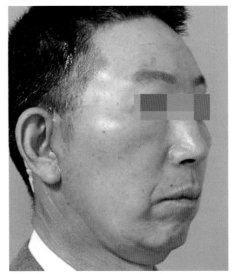

그림 10-4. 안면 전체 리프팅 모습

내시경 이마 리프팅과 안면리프팅을 동시에 시행함. 이마, 미간, 눈가, 입주위 주름이 펴지고 눈썹, 뺨, 볼의 처진 부위가 올라감.

2. 내시경 이마 리프팅(endoscopic forehead lifting)

이마 리프팅을 하기 위해 이전에는 전두부 두피에 광범위한 절개(coronal incision)를 하였지만 현재는 최소 침습적인 방법으로 주로 내시경 수술을 통하여 최소 절개와 이마 리프팅을 하고 있다. 내시경 이마 리프팅은 절개 부위가 적고 회복이 빠른 최소 침습적인 방법으로 부분마취나 수면진정마취로 당일 수술이 가능하며 환자의 불편이 적다.

내시경 이마 리프팅은 이마와 눈썹의 리프팅뿐만 아니라 미간 근육(corrugator, procerus)과 외안와부의 안륜근(orbicularis oculi)의 박리와 부분 제거로 약화시키기 때문에 미간 주름과 눈가 까마귀 주름(crow's feet)에도 효과를 보게 된다. 이마 리프팅 시에는 전두골과 안와골 사이의 골막(periorbita)을 절개하여야 저항 없이 조직이 위로

올라가게 된다. 미간 근육의 박리 시에는 상안와 신경(supra orbital nerve)을 주의하여 이마와 전두부의 감각을 유지한다.

이마주름은 이마와 눈썹이 처지기 때문에 생기는 현상이며 이마주름을 없애기 위해 전두근을 일부 제거하면 이마와 눈썹을 올리는 기능이 떨어지기 때문에 전두근을 제거하면 안되며 전두근의 시작부위를 위로 올려 고정하여 전두근의 기능을 살리는 것이 더욱 자연스럽고 효과적인 리주버네이션 방법이다. 이마 리프팅은 안면 상부의 리주버네이션으로 눈 주위와 눈 윗부분을 젊게 하는 효과를 나타낸다.

이마 리프팅 시에 이마 조직의 고정은 여러 가지 방법이 있다. 미간 근육과 안륜근은 눈썹을 끌어내리는 역할을 하는데 이 근육들을 약화시키면 전두근(frontalis) 역할로 이마와 눈썹이 올라가기 때문에 이마를 특별히 고정을 하지 않는 의사도

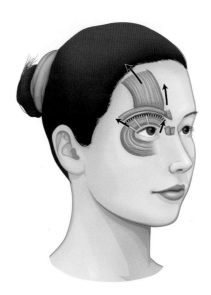

그림 10-5. 내시경 이마 리프팅(endoscopic forehead lifting)
내시경을 이용하여 최소 절개로 이마를 리프팅한다. 미간 근육(corrugator, procerus)과 안륜근(orbicularis oculi)을 분리하여 약화시키거나 부분 제거한다. 안와부 골막(periorbita)을 안와 상연에서 절개하여야 리프팅 효과를 보인다.

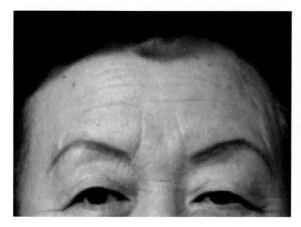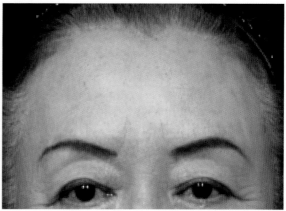

그림 10-6. 내시경 이마 리프팅으로 이마 주름과 미간, 눈가 주름이 펴지고 올라가 젊어 보이게 된다.

많다. 이마조직을 고정시키는 방법으로는 흡수성 스크루로 고정하거나 전두골에 구멍을 내어 봉합사로 고정하기도 하며 의료용 접착제를 사용하기도 한다.

내시경 이마 리프팅의 단점은 이마가 넓어질 수 있다는 것이다. 때문에 이마가 넓은 사람이나 이마가 넓어지길 원하지 않는 여자에게는 이마와 머리선 사이 절개를 하여 이마리프팅을 할 수 있다.

3. 안검성형술과 눈썹 리프팅

노화 현상으로 이마와 눈썹, 눈꺼풀이 모두 쳐지게 된다. 눈썹은 내측보다는 외측이 더 아래로 쳐지며 눈가의 주름을 만들고 눈꺼풀이 눈을 덮게 된다. 눈썹과 안와골 사이에는 연한 지방층(ROOF)이 있어 노화가 되면 눈썹부위가 미끄러져 내려오게 된다.

눈꺼풀이 눈을 덮으면 무의식적으로 시야확보를 위해 눈썹을 올리기 때문에 이마 주름이 더 뚜렷하게 된다. 눈썹 리프팅 수술이나 상안검 수술을 하면 문제가 해결되어 눈썹을 올리지 않아 이마주름이 자연히 펴지게 된다.

눈썹을 올려주는 것이 더 젊어 보이며 눈썹을 리프팅하는 방법은 내시경 이마 리프팅을 하면 눈썹도 올라가고 젊어 보인다. 눈썹 바로 위의 피부를 절개하고 봉합하면 효과적으로 눈썹을 올리게 되며 안면신경마비환자에서는 눈썹이 쳐지기 때문에 많이 사용하는 방법이다.

눈썹 밑의 피부를 절개하는 방법은 눈꺼풀은 올라가지만 눈썹은 올라가지 않는다. 이외에도 실(thread)을 이용하여 눈썹을 올릴수도 있으나 눈을 감는 근육의 영향으로 곧 처지게 된다.

전두근은 눈썹을 올리는 기능을 하며 안륜근과 미간 근육은 눈썹을 내리는 역할을 하기 때문에 보톡스로 안륜근과 미간 근육을 약화시키면 눈썹이 약간 올라가는 효과를 보게 된다.

늘어진 눈꺼풀의 수술적 교정도 노인에서는 가장 많이 시행하는 성형수술이며 이는 chapter 15 레이저 안검 성형에서 기술하고 있다.

4. 기타 수술적 리주버네이션 방법

가) 목 리프팅(neck lifting)

나이가 들면 목주름이 생기고 턱 밑에 불룩 지방이 고이기도 하며 목에 수직 주름이 뚜렷해져서 거위 목주름처럼 변하기도 한다. 목의 주름은 피부가 탄력이 없어 생기기도 하며 목의 근육인 활경근(platysma)이 밴드를 형성하기도 한다. 목의 리프팅은 안면리프팅 시에 목의 피부와 활경근을 리프팅할 수 있다. 목에 직접 절개를 하여 턱밑 지방을 제거하고 활경근을 가운데로 모아주거나 부분

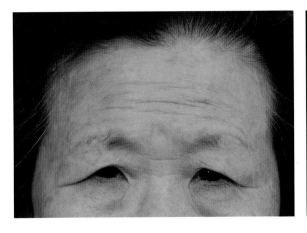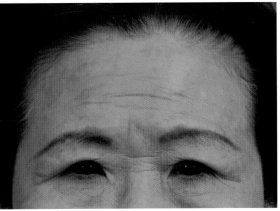

그림 10-7. 노인성 상안검 성형술(upper blepharoplasty)
나이가 들어 눈꺼풀이 늘어지면 눈을 덮게 되는데 이때 상안검 성형술로 늘어진 눈꺼풀을 제거하면 보기가 편하며 또한 이마도 힘주어 올릴 필요가 없어 이마 주름도 완화 된다.

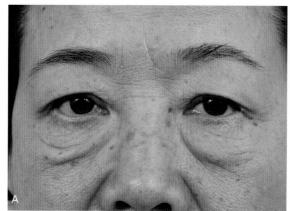
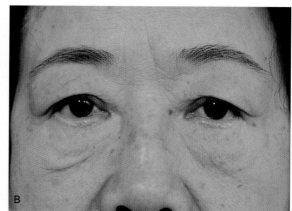
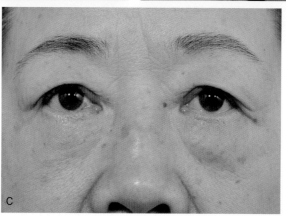

그림 10-8. 노인성 하안검 성형술(lower blepharoplasty)
노화로 주름과 다크서클이 생김. 하안검 성형술후에 남아 있는 잔주름은 레이저 박피로 호전된다.
A) 노화된 안검, B) 하안검성형술 후, C) 레이저 박피 후

절개로 약화시킬 수 있다.

나) 지방성형(lipoplasty)

노화로 뺨과 입술 사이가 불룩해지거나(nasol-abial fold), 턱 선이 처지면(jawl) 지방을 융해시키는 레이저(laser lipolysis)로 효과를 볼 수 있다. 엔디야그 레이저(1,064nm-1,444nm)나 다이오드 레이저(980nm) 같은 지방에 잘 흡수되는 파장의 레이저를 사용한다.

지방성형 레이저로 피하지방층과 진피층에 열을

가하여 피부 탄력을 증가시킬 수 있는데 이는 상당한 경험과 주의를 요하게 된다.

다) 모발성형(hair graft)

이마가 넓어지거나 대머리가 되면 나이보다 더 늙어보이게 된다. 탈모는 유전 경향이 강하며 전두부에서부터 머리선이 올라가며 탈모현상을 보인다.

대머리 환자는 젊어 보이기 위해 모발 성형을 하며 모발은 후두부에서 채취하여 전두부에 모낭

을 이식함으로써 앞머리를 가려주고 리주버네이션 효과를 보게 된다.

Ⅲ. 최소침습 리주버네이션

최근의 리주버네이션 시술은 침습적인 수술보다는 비침습적이거나 최소침습 방식의 리주버네이션 방법이 많이 사용되고 있다. 우리나라의 통계는 나와 있는 것이 없으며 미국 통계를 보면 안면 리주버네이션을 위해 안면리프팅 수술보다는 레이저 박피가 2000년대 초반부터 더 많이 시행되고 있다. 또한 수술적 리주버네이션 건수는 전에 비해 비슷하거나 약간 감소추세를 보이지만 최소침습 리주버네이션 건수는 증가 추세를 보이며 특히 보톡스, 필러, 프랙셔널 레이저 시술은 급격히 늘어나고 있다.

1. 스킨케어와 필링

노화된 안면 피부의 스킨케어로는 미백크림, 박피크림, 보습제 등을 사용하며 검버섯과 잔주름의 치료로 얕은 박피인 화학박피와 기계박피를 시행하고 있다. 스킨케어를 사용하는 동안은 피부 수축을 보이며 필링 후에는 얕은 박피효과를 보이는데 레이저박피와 같은 깊은 박피시 보이는 지속적인 리주버네이션 효과를 보이지는 못한다.

표 10-2. 미국의 리주버네이션 관련 수술 및 시술 건수 (단위 1,000건)

	2013년	2000년
Aesthetic operation	538	666
blepharoplasty	215	327
face lift	133	133
forehead lift	46	120
neck lift	55	*
hair graft	15	44
dermabrasion	74	42
Minimal invasive cosmetic procedure	12,130	5,039
botulinum toxin	6,321	786
chemical peel	1,163	1,149
IPL	602	*
laser skin resurfacing	511	*(170; 2007년)
ablative	146	
non-ablative	365	
microdermabrasion	970	863
sclerotherapy	321	866
soft tissue filler	2,242	652
fat injection	66	66
(laser hair removal)	1,077	735

* : 자료 없음.

2. 보툴리눔 독소(botulinum toxin)

흔히 보톡스라고 하는 보툴리눔 독소는 Clostridium botulinum에서 분비하는 독소로 타입 A와 B가 의료용으로 사용되며 대부분 타입 A 독소를 주름에 사용하고 있다.

보툴리눔 독소는 근육과 인접하는 신경말단에서 아세틸콜린 분비를 억제함으로써 근육 수축 방지 효과를 나타낸다. 보톡스 효과는 6개월 이내에 없어지며 이는 신경말단에서 축삭(axon)이 근육 내에 새로 자라 들어가면서 근육 수축이 다시 회복되기 때문이다. 그러므로 보톡스로 표정 조절을 하기

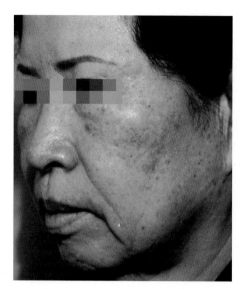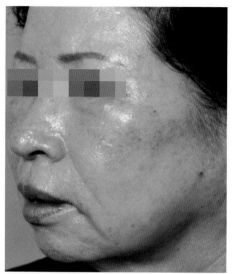

그림 10-9. 스킨케어와 필링
박피로 노인성 반점을 제거하고 스킨케어만 하여도 피부는 젊어 보이게 된다.

위해서는 6개월 마다 반복 주사를 시행해야 한다.

보톡스를 효과적으로 사용하기 위해서는 안면 표정 근육을 잘 알고 있어야 하며 잘못 시행할 경우 부작용을 겪게 된다. 보톡스가 효과적인 부위로는 미간과 눈가주름, 콧등, 목주름이 있다.

이마주름을 펴기 위해 이마에 보톡스를 주사하면 전두근 마비로 눈썹이 내려와 눈꺼풀을 덮는 불편함을 초래할 수 있다. 안와부 가까이 주사할 경우 안검하수를 초래할 수 있으며 하안검에 주사 시 노인에서 안검외반증을 일으킬 수 있다. 눈가와 미간에만 보톡스를 주사하면 콧등에는 주름이 남아 웃을 때 고양이처럼 보일 수 있다. 입주위와 입술에 보톡스를 주사하면 입 모양이 안면신경마비된 듯한 부자연스러운 표정이 될 수 있다. 뺨과 입술에는 필러를 사용하거나 소량의 보톡스를 포함하는 메조보톡스 개념으로 소량으로 조심하여 사용하여야 한다.

보톡스로 표정근육을 마비시키는 것 보다는 표정 근육을 약화시키는 것이 자연적인 표정을 가진 리주버네이션 효과를 얻을 수 있다. 턱이 각진 경우 보톡스로 교근(masseter)을 위축시켜 얼굴을 슬림하게 하는 효과를 볼 수 있으나 중년 환자에 시행할 경우 교근 볼륨 감소로 뺨이 더 처져 보일 수 있다.

많이 사용하는 보툴리눔 독소로는 Botox, Dysport, 보툴렉스 등이 있다.

3. 필러(filler)

노화현상으로 안면의 지방과 연부조직이 위축되며 볼륨이 감소하기 때문에 이런 경우에는 리주버네이션을 위해 볼륨의 보충이 필요하다. 많은 양을 주입하기에는 지방 이식이 좋으나 적은 양을 주사하기에는 필러가 편리하다.

필러는 노화로 생긴 깊은 주름이나 골을 올려주

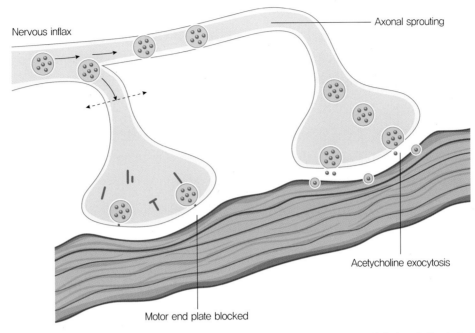

그림 10-10. 보툴리눔 독소는 근육의 신경 말단에 작용하여 아세틸콜린 분비를 억제하여 근육을 마비시킨다. 그러나 수개월 후에는 신경말단에서 축삭(axon)이 새로 자라나서 근육이 다시 수축하게 된다.

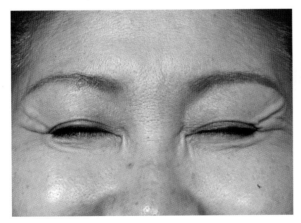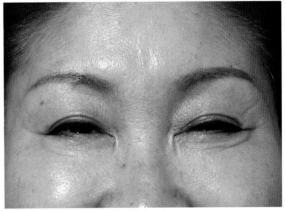

그림 10-11. 보툴리눔 독소는 눈가주름에 효과적이다.

는 역할을 하며 효과적인 부위로는 이마와 미간의 주름, 아래눈꺼풀의 다크서클, 입술주름, 비구순 주름, 턱선의 골진 부위에 편리하게 주름과 골을 개선할 수 있다. 주름과 골의 양상에 따라 필러를 진피하 주사나 피하지방층, 근육과 피부 사이 층

에 달리 주입할 수 있다.

필러는 이물질이므로 부작용이 있을 수 있으며 안전한 필러의 조건으로는 생화학적으로 변하지 않아야 하며 독성이 없고 영구적으로 작용하지는 않더라도 어느정도 지속적인 효과를 지녀야 한다.

또한 가급적이면 생체에서 유래된 것이 좋으며 사용하기 편하고 원래 상태로 돌아올 수 있어야 한다.

많이 사용하는 필러는 생체에서 유래한 콜라겐과 hyaluronic acid(HA)가 있으며 콜라겐은 흡수가 잘 되기 때문에 HA가 가장 많이 사용되고 있다. HA는 세균이나 혈청에서 유전공학적으로 증폭시킨 것으로 안전하며 장기간 사용시 부작용이 거의 없어 거부반응 테스트를 하지 않고 주사하고 있다. HA는 주사 후 체내 수분을 흡수하여 볼륨이 증가하여 효과를 나타낸다. HA는 인체 내에서 아주 서서히 흡수되어 1-2년 사이에 느끼지 못할 만큼 없어지게 되며 필요할 때 보충하게 된다.

합성 필러로는 PMMA (polymethylmeth-acrylate), calcium hydroxyapatite, PLLA (poly L lactic acid)가 있으며 합성 필러는 영구히 지속되지만 흡수가 되지 않고 부작용의 가능성이 항상 있다. 감염, 딱딱함, 육아종(granuloma) 형성, 위치 이동, 피부 및 조직 괴사 등의 부작용이 있을 수 있으며 합성 필러는 제거가 불가능하기에 가급적 사용하지 않는 것이 좋다.

HA 성분의 필러는 안전하여 가장 널리 사용되고 있으나 필러 주사 시에는 항상 조심하여 부작용을 피해야 한다. 필러 자체가 안전하더라도 한 곳에 많은 양을 주입하면 문제가 될 수 있으며 가급적 적은 양을 고르게 주사하는 것이 좋고 또한 소량을 일정 기간을 두고 반복 주입하는 것이 더욱 안전하다. 간혹 혈관 내에 필러를 주사하면 피부와 조직의 혈류 장애로 괴사가 발생할 수 있으며 HA로 인한 부작용은 신속하게 hyaluronidase(Hyalase)를 사용함으로써 필러를 융해하고 치료할 수 있다.

4. 지방 이식(fat injection)

노화현상으로 안면의 지방과 연부조직이 위축하여 줄어들며, 마치 풍선이 바람이 빠지면 쭈글쭈글 해 지는 것과 같이 볼륨의 보충이 필요하게 된다. 노화로 피하 지방이 줄어들고 피부아래의 표정근육과 유착되어 주름과 골이 더 심하게 된다.

안면의 리주버네이션은 쳐진 조직의 리프팅(lifting for drooping)과 병행하여 위축된 조직의 볼륨 증대(volume replacement for atrophy)를

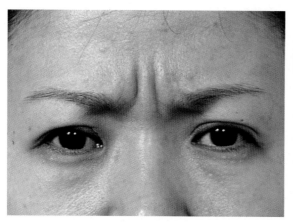
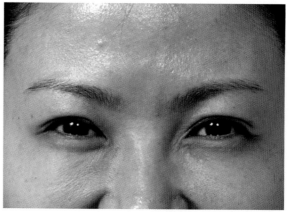

그림 10-12. 필러는 주름과 골에 효과적이며, 미간의 주름에는 미간 근육을 약화시키는 보톡스와 병행하는 것이 더욱 효과적이다.

고려해야만 더욱 효과적인 리주버네이션이 된다.

지방이식은 깊은 주름이나 골진 부위에 효과적이어서 뺨의 함몰, 관자놀이부위, 이마, 미간, 하안검, 비구순부, 입술에 주입 시 효과적이다. 필러는 사용하기 간편하지만 많은 양의 볼륨을 주입하기에는 지방이식이 더욱 효과적이다.

지방 채취는 하복부, 옆구리, 대퇴부에서 주사기를 이용한 지방흡입으로 빼게 된다. 지방흡입시 출혈반점과 종창을 피하기 위해 지방흡입부위에 에피네프린을 포함한 tumescent 용액을 주사한 후 지방 흡입을 하게 된다. 지방 흡입 후 주사기를 원심분리로 3,000rpm으로 3분 이상하거나 주사기를 10분 이상 세워놓아 지방과 기름, 혈청을 분리하는데 맨 위의 기름 층을 제거하고 맨 아래 층의 혈청부위를 제외한 가운데 층의 순수한 지방만을 사용하게 된다.

지방이식을 효과적으로 하기 위해 넣을 부위를 터널링을 하여 고르게 주입되게 한다.

이마와 눈 주위는 혈관에 지방이 주사될 경우 심각한 부작용을 일으키기 때문에 날카로운 주사기는 피하고 부드러운 팁으로 조심스레 주입하여야 한다.

지방 이식은 시간이 경과하면서 20%-50%의 흡수율을 보이기에 2-3개월 후에 보충 주입(booster fat injection)을 하는 것이 좋다. 지방 이식은 처음에는 감소를 보이지만 6개월 이후 생존한 지방은 평생 유지하게 된다.

5. 기타 최소침습 리주버네이션

늘어진 안면 조직을 리프팅하기 위해 특수 고안된 실(thread)을 사용하는데 이는 봉합사에 미세한 낚시 바늘 모양이 연결되어 있어 조직을 원하는 방향으로 리프팅하여 잡고 있게 된다.

처음에는 비흡수성 봉합사를 사용하였으나 이것이 피부 밖으로 노출되거나 염증, 딱딱함의 부작용으로 제거하는 경우가 많아 흡수성 봉합사도 개

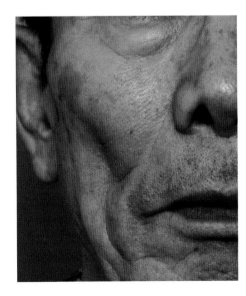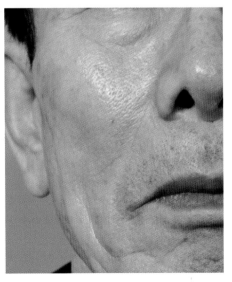

그림 10-13. 노화로 함몰된 뺨에 지방이식을 하면 젊어보이게 된다.

발되어 사용하고 있다. 실을 이용한 리프팅은 뺨 같이 늘어진 부위에 사용하면 처음에는 어느 정도 효과가 있으나 수개월 이상 리프팅 효과가 지속되기는 어렵다.

노화현상으로 인한 안면의 모세혈관확장증은 혈관 전용레이저를 사용하며, 다리에 혈관이 비쳐 보이는 표재성의 비교적 가는 혈관은 롱펄스 레이저나 엔디야그 레이저 등으로 치료한다. 중년 여성에서는 다리에 하지정맥류가 많고 정맥이 잘 보이는 경우가 많은데 이럴 경우 혈관 경화요법으로 sodium tetradecyl sulfate(Thrombojet 1–3%) 정맥내 주사를 많이 사용하고 있다.

IV. 레이저와 리주버네이션

이산화탄소 레이저는 대표적인 박피성 레이저이며 또한 침습성(invasive) 레이저이다. 이산화탄소 레이저는 햇빛에 의한 피부 변화 및 노화된 피부를 가장 효과적으로 치료하며, 광노화된 피부를 젊게 하고 피부의 수축과 탄력을 증가시키는 효과가 뛰어나 주름의 개선에도 가장 효과적이다. 이산화탄소 레이저 박피의 단점은 박피 상처의 치유 기간이 필요하고 박피 후 홍반이나 색소침착으로 인하여 환자가 불편한 기간이 있다는 것이다.

어븀야그 레이저는 박피성이지만 박피 깊이가 얕고 창상 치유 회복이 빨라 침습성이 적은 레이저이다. 어븀야그 레이저도 박피를 하여 광노화된 피부를 깨끗하게 하고 진피의 콜라겐 수축을 일으킨다. 어븀야그 레이저가 이산화탄소 레이저보다 홍반과 색소침착이 적은 장점은 있지만 피부의 수축과 탄력 증대는 이산화탄소보다 적은 단점이 있다.

최근 개발된 프랙셔널 레이저는 부분적인 박피성 레이저이며 비침습적인 레이저이다. 프랙셔널 레이저를 조사하면 $1cm^2$에 수백 개의 미세한 구멍을 내며 이는 1–2일 만에 창상치유가 이루어진다. 부분적 박피성으로 박피레이저의 불편함이 없으며 바로 다음날 세안과 화장이 가능하여 사회생활에 지장을 초래하지 않는다. 광노화된 안면 피부의 개선 효과는 박피성 레이저보다는 못하며, 수회 반복 치료하면 진피의 수축을 초래하므로 피부 탄력이 증대하고 주름과 반흔에도 개선효과를 보인다.

비박피성 적외선 레이저(NAR)는 박피를 하지 않아 비침습적이며 표피보다는 진피의 개선에 중점을 두고 개발되었다. 진피에 적절한 열(60℃ 내외)을 가하여 콜라겐의 수축을 유도하기 위하여 파장이 비교적 긴 중간적외선(mid–infrared)영역의 레이저를 사용하고 있다. 대표적인 레이저들로는 1,320nm Nd:YAG(Cooltouch), 1,450nm diode (Smoothbeam), 1,540nm erbium:glass (Aramis) 등이 있다. 이 레이저들은 냉각 장치가 있어

표 10-3. 레이저 리주버네이션 종류와 성격

ablation 유무와 invasiveness	레이저 종류
ablation, invasive laser	CO2 laser
ablation, less invasive laser	Er:YAG laser
partial ablative, non–invasive laser	Ablative Fractional laser (AFL)
non–ablative, non–invasive laser	non–ablative rejuvenation(NAR), non–ablative fractional laser(NAFL)

표피를 보호하고 파장이 비교적 긴 레이저로 진피의 깊이까지 투과하는 장점이 있다. 진피의 콜라겐을 수축시키는 효과를 한 번의 시술로 기대하기는 어려우며 수회 치료하여도 박피성 레이저만큼 피부 재생효과는 뛰어나지 못하다.

노화된 피부는 멜라닌색소도 증가하며 또한 피

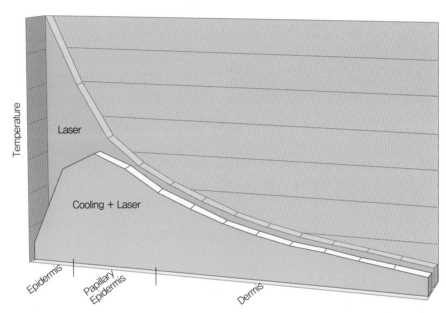

그림 10-14. 비박피성 리주버네이션 레이저(NAR;nonablative rejuvenation laser)는 표피를 냉각시켜 보존하며 진피에 선택적으로 열을 가하여 진피 수축 효과를 나타낸다.

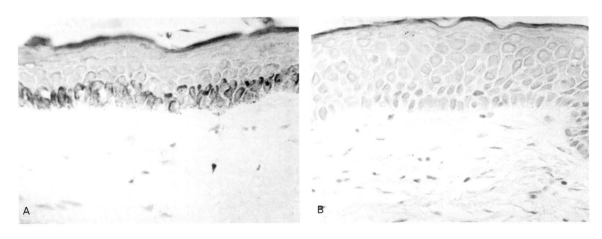

그림 10-15. 노화된 피부와 레이저 박피 후의 표피

A) 노화된 피부에서는 각질이 두껍고 거칠며 표피 세포층이 위축되어 세포의 크기, 모양, 배열이 불규칙적이다. 멜라닌 색소가 증가하고 넓게 분포하여 얼룩 반점을 나타낸다.

B) 레이저 박피 후 각질이 얇아지고 표피 세포층이 두꺼워지며 세포의 크기, 모양이 일정하고 규칙적으로 배열되었다. 멜라닌 색소가 줄어들고 주로 기저세포층에 배열되어 있다.[인용; Stuzin JM, Baker TJ,.Histologic effects of the high energy pulsed CO2 laser on photoaged facial skin. Plast Reconstr Surg 99:2042, 1997]

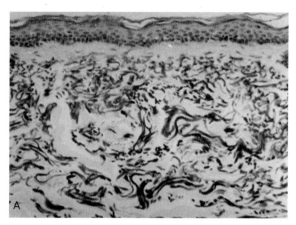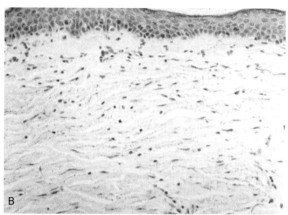

그림 10-16. 노화된 피부와 레이저 박피 후의 진피

A) 노화된 피부의 진피에서는 탄력섬유가 변성하여(elastosis) 진피에 넓게 굵고 거친 탄력섬유가 매우 불규칙적으로 배열한다. 콜라겐섬유는 감소하며 표피 바로 밑에 층에 얇게 존재하게 된다.(thin subepidermal Grenz zone)
B) 레이저 박피 후 진피에서는 변성된 탄력섬유층이 없어지고 대신 콜라겐섬유가 규칙적으로 두껍게 배열하며 섬유모세포(fibroblast)가 증가하여 피부의 탄력이 증가하게 된다.(Stuzin, Baker 인용)

표 10-4. 노화된 피부와 레이저 박피 후의 변화

	노화된 피부	레이저 박피 후 피부
육안 소견	피부색이 탁하고 누런 얼룩반점이 증가함. 거칠고 주름이 증가하며 탄력이 감소함	밝고 투명한 고른 분홍색을 나타냄 부드럽고 탄력이 증가하며 주름이 감소함
각질층	두꺼워지고 변성됨(keratosis) 일광손상됨(actinic change)	변성되고 손상된 각질이 제거되고 얇아짐
표피세포; keratinocyte	크기가 작아지고 모양이 서로 다르며 불규칙적으로 배열함 표피 세포층이 얇아짐	크기와 모양이 일정하며 규칙적으로 배열하고 표피 세포층이 두꺼워져 재생성하는 모습을 보임
멜라닌 세포, 멜라닌 색소	불규칙적으로 배열하며, 색소가 증가하며 표피층에 넓게 분포함	규칙적으로 배열하며, 색소가 감소하고 주로 기저세포층에 분포함
탄력섬유	탄력섬유가 변성하여 굵고 거칠며 매우 불규칙적으로 배열함(탄력섬유증: elastosis)	elastosis가 제거되고 두껍고 규칙적인 배열의 탄력섬유로 대치됨
콜라겐섬유	표피바로 밑에 얇게 존재함; thin supepidermal Grenze zone	진피에 전반적으로 고르고 두껍게 위치, 길이가 짧아지고 밀도가 증가
기질: gylco-saminglycan	증가함	감소함

부에 모세혈관이 확장되어 눈에 잘 띄게 된다. 혈관치료용 레이저로 532nm KTP 레이저나 585nm dye(FLPPD) 레이저를 사용하게 되면 확장된 피부의 모세혈관에 효과를 보인다. 그러나 색소치료에는 별 효과가 없으며 깊이 투과하지 못하므로 진피의 탄력을 증가시키지 못한다. 694nm 루비 레이저나 755nm 알렉산드라이트 레이저는 피부의 색소침착에 효과를 보인다. 이보다 파장이 긴 810nm 다이오드 레이저나 1,064nm 엔디야그 레이저는 혈관치료용 레이저나 색소치료용 레이

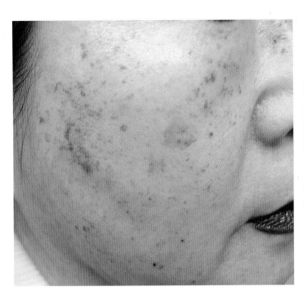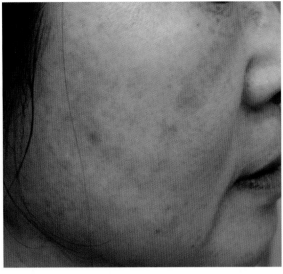

그림 10-17. IPL은 노화된 안면 피부의 모세혈관 확장증(telangiectasia)와 증가된 멜라닌색소에는 효과를 보이나 주름에 대한 개선은 기대하기 어렵다.

저보다 파장이 길어 진피에 좀 더 깊이 영향을 미칠 수 있으나 진피의 수축 효과는 미미한 편이다.

IPL은 보통 레이저와 달리 한 기구에서 여러 파장이 나오며, 500nm에서 1,200nm 사이의 빛이 같이 나오게 된다. 그러므로 노화된 안면 피부에 특징적인 모세혈관 확장과 멜라닌 색소 침착을 같이 개선하는 효과를 보인다. 진피에 투과하는 빛도 있어 진피의 재생을 돕기는 하지만 비박피성, 비침습성 레이저와 같이 피부 수축과 탄력 증대 효과는 미미하다.

노안에서 깊은 화학 박피를 잘 한 경우 효과가 20년 이상 지속된 것이 관찰되었고, 저자의 경우 이산화탄소 레이저 박피를 시행한지 20년은 안 되었지만 레이저 박피로 안면피부의 탄력증대 효과가 10년 이상 지속된 것을 경험하였다. 박피 시술을 받은 환자들이 상당히 만족해하면서 흔히 물어보는 것이 박피 효과가 얼마나 오래 지속되는지 궁금해 하는데 어븀야그 레이저 박피도 수축모드를

표 10-5. 동안(童顔)의 특성과 관련 수술 및 시술

어린아이의 얼굴 젊어 보이는 얼굴	Rejuvenation methods
피부가 깨끗하다	Laser, Skin care
통통하다	Fat injection, filler
주름이 없다	Botulinum toxin
늘어짐이 없다	Lifting operation
얼굴이 작다	Facial bone contouring

* 어린 아이는 두개골에 비하여 안면 골격이 작다.

잘 활용하면 박피 효과가 일시적인 것이 아니라 상당히 오래 지속된다.

안면의 노화현상은 피부에만 국한된 것이 아니라 연부조직, 표정 근육, 근골격계 등 종합적으로 나타나는 현상이기 때문에 리주버네이션을 위해서는 어븀야그 레이저 박피뿐만 아니라 안면 리프팅, 내시경 이마 리프팅, 색소 및 혈관성 치료레이저, 보톡스 주사, 자가지방이식, 필러주사 등을 병행하면 더욱 만족스러운 결과를 얻을 수 있겠다.

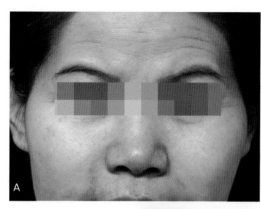
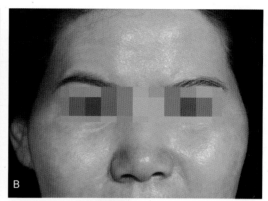
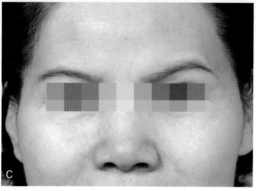

그림 10-18. 레이저 박피의 주름 개선 효과는 일시적인 것이 아니라 10년 이상 지속된다.
A) 레이저 박피 전, B) 레이저박피 6개월 후, C) 레이저 박피 10년 후

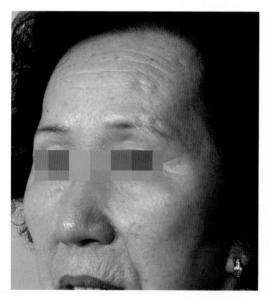
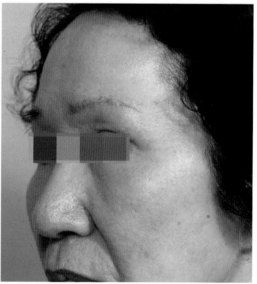

그림 10-19. 안면 리주버네이션을 위해서는 리프팅, 레이저, 보톡스, 필러 및 지방 이식 등 여러 방법을 병행하면 더욱 효과적이다.

72세 여성으로 안면 리프팅 후 상태로 리주버네이션을 추가하길 원하여 레이저 박피를 시행 받아 더욱 효과적인 안면 리주버네이션을 보인다.

참고문헌

1. Baker D. Lateral SMASectomy. Plast Reconstr Surg 1997;100: 509
2. Born TM, Airan LE, Motakis D; Soft-tissue fillers. in Neligan PC; Plastic surgery, p44-59, Elsevier saunders, 2013
3. Carruthers J; Treatment of glabellar frown lines with Clostridium botulinum A exotoxin. Dermatol Surg 1992; 18: 17-21
4. Codner MA, Wolfi J, Anzarut A. Primary transcutaneous lower blepharoplasty with routine lateral canthal support. a comprehensive 10-year review. Plast Reconstr Surg 2008; 121: 241-250
5. Colman SR; Facial recontouring with lipostructure. Clin Plast Surg 1997; 24; 347
6. Danieal RK, Tirkanits B; Endoscopic forehead lift; an operative technique. Plast Reconstr Surg 1996; 22; 619
7. Fagien S. Botox for the treatment of dynamic and hyperkinetic facial lines and furrows; adjunctive use in facial aesthetic surgery. Plast Reconstr Surg 1999; 103; 701
8. Furnas D; The retaining ligaments of the cheek. Plast Reconstr Surg 1989, 83, 11
9. Hammra ST. Composite rhytidectomy . Finesse and refinements in technique. Clin Plast Surg 1997; 24:337
10. Hamra ST: Composite rhytidectomy. Plast Reconstr Surg 1992; 90: 1
11. Hamra ST; Deep plane rhytidectomy. Plast Reconstr Surg 1990, 86; 53
12. Matos E, Garcia JA, Yaremchuk MJ. Changes in eyebrow shape and position with aging. Plast Reconstr Surg 2009; 124: 1296-1301
13. Mendelson BC. Fat preservation technique of lower-lid blepharoplasty. Aesthet Surg J 2001; 21: 450-459
14. Mitz V, Peyronie M; The superficial muscloaponeurotic system(SMAS) in the parotid and cheek area. Plast Reconstr Surg 1976, 58; 80
15. Owsley JQ Jr; SMAS-platysma face lift. Plast Reconstr Surg 1983; 71: 573
16. Ramirez OM, Mailard GE, Musolas A: The extended subperiosteal facelift; a definitive soft tissue remodeling for facial rejuvenation. Plast Reconst Surg 1991; 88; 227
17. Rohrich RJ, Beran SJ: Evolving fixation methods in endoscopically assisted forehead rejuvenation; controversies and rationale. Plast Reconstr Surg 1997; 100: 1575
18. Skoog T; Plastic surgery-new methods and refinements. Phaladelphia, WB Saunders, 1974
19. Stuzin JM, Baker TJ, Gordon HL, Baker TM: extended SMAS dissection as an approach to midface rejuvenation. Clin Plast Surg 1995; 22; 295
20. Tonnard P, Verpaele A. The MACS-lift short-scar rhytidectomy. St Louis: Quality Medical 2004
21. Zins JE, Menon A. Anterior approach to neck rejuvenation. Aesthetic Surg J 2010; 30: 477-484

CHAPTER

비박피적 피부재생술

비박피적 피부재생술
Non—ablative laser for skin rejuvenation

여 운철

CHAPTER 11

I. 개요

피부재생술(skin rejuvenation)은 노화에 의해 발생한 피부의 색소침착, 혈관확장을 개선하거나 주름, 탄력저하를 개선하는 치료법을 말한다. 전통적으로 이런 피부노화현상을 탄산가스 레이저나 어븀야그(Er:YAG) 레이저 등 박피적(ablative) 방법으로 치료를 해왔으나, 박피적 방법이 일상생활에 많은 지장을 초래하므로 치료의 제한점으로 작용하였다. 이에 반해 비박피적(noablative) 방법은 시술 후 표피를 보존하고 진피 또는 피하지방층에만 열을 가하여 치료하므로 시술 후

회복이 박피적인 방식에 비교할 수 없을 정도로 빨라서 각광받고 있다(표 11-1). 피부노화의 치료는 Ⅰ형과 Ⅱ형으로 구분하는데, 이중에서 Ⅰ형 피부재생술(type Ⅰ rejuvenation)은 노화에 따른 색소질환과 혈관질환의 치료를 포함하며, Ⅱ형 피부재생술(type Ⅱ rejuvenation)은 피부 주름의 개선, 탄력의 증가 등이 포함된다. 박피적과 비박피적이라는 개념은 Ⅰ형과 Ⅱ형과는 별개의 개념으로 피부재생술이 박피를 동반하느냐가 관건이다.

비박피적 피부재생술(nonablative rejuvenation: NAR)은 일반적으로 박피를 일으키지 않으면서 Ⅱ형 피부재생술을 목적으로 하는 치료를 말

표 11-1. 피부노화치료에서 레이저, 수술, 보톡스, 필러의 장단점 비교

Rejuvenation method	수술	박피 레이저	비박피 레이저	전자기파 RF	보툴리늄 독소	필러
장기적 효과	O	O	+	+	−	−
피부 회춘	−	O	+	O	−	−
콜라겐 재생	−	O	O	O	−	−
침습성	O	O	−	−	−	−
회복기 필요	O	O	−	−	−	−
주사 요법	−	−	−	−	O	O
안면전체치료	O	O	O	O	−	−
피부타입 무관	O	−	O	O	O	O

한다. 비박피적 피부재생술은 레이저나 고주파 (radiofrequency)를 이용하여 피부표면부터 진피 혹은 지방층까지 열을 발생시킴과 동시에 표면을 냉각시켜서 표피는 열로부터 보호하고 그 아랫부분만 열이 발생되게 한다. 진피 또는 지방층의 열은 치료방식에 따라 다르나 일반적으로 50~70도 정도를 목표로 한다. 열 발생은 진피의 교원질 변성을 유도하여 교원질 합성이 증가하게 하거나 열충격단백질(heat shock protein)을 유도하여 교원질 합성이 증가시키게 된다. 이런 치료는 치료 후 표피의 손상이 없어서 회복이 빠르고 안전하며 박피적 시술에 따르기 쉬운 부작용(색소침착, 홍반)의 가능성이 크게 줄어든다. 비박피적 피부재생술의 목표는 피부주름의 감소, 탄력 증가 등이다. 때로 비박피적 피부재생술에는 intense pulsed light(IPL)나 Q-스위치 레이저, 색소(dye) 레이저 등을 이용한 비박피적 Ⅰ형 피부재생술이 포함되며, 이 경우는 주된 치료대상이 색소 병변, 혈관 병변이다. 본 챕터에서는 Ⅱ형 피부재생술의 다양한 방법에 대하여 기술하고, Ⅰ형 피부재생술에 대해서는 IPL을 이용한 방법만 기술하였다.

상업적 목적으로 개발된 최초의 비박피적 피부재생술 기계는 1997년에 발매를 시작한 1,320nm 파장의 엔디야그 레이저인 쿨터치(CoolTouch®)이다. 이후로 비박피적 피부재생술에 대한 관심이 급속히 증가하면서 다양한 방법이 선보이고 있다. 여러 가지 다양한 파장을 이용한 수많은 레이저들이 속속 발표되었고, 고주파를 이용한 써마지 (Therma Cool TC system®), 고주파와 레이저를 같이 사용하는 폴라리스(Polaris®) 등이 발표되었다. 최근에는 절연전기침을 피부에 삽입한 후 비절연된 깊은 부분에서만 고주파가 통하는 프랙셔널 RF 방법이 각광을 받고 있다. 비박피적 피부재생술에 이용되던 중적외선 파장은 프랙셔널 방식으로 피부에 조사하면 피부 표피에서부터 진피에 이르는 열기둥이 발생하고 열기둥 주위로는 정상적인 피부가 생존하여 치료 후 빠른 재생이 가능하다. 이런 프랙셔널 방식의 레이저는 Fraxel®이 시초인데 이후 유사한 방법과 비슷한 성격을 가지는 파장을 이용한 프랙셔널 방식의 레이저치료가 많이 이용되고 있다. 이 외에도 발광다이오드(Light Emitting Diode : LED), 초음파(HIFU), 고주파 치료 등이 있다(표 11-2).

이런 비박피적 피부재생술의 홍수 속에서도 여전히 기존의 피부과적 시술이나 레이저 시술을 완전히 대체하지 못하며, 여러 가지 약점이 지적되고 있다. 하나씩 살펴보면 다음과 같다.

① 비박피적 피부재생술은 박피적 피부재생술 방식에 비해 현저히 효과가 떨어진다.

② 효과에 대한 객관적 검증이 부족하다. 객관적 검증을 위한 피부측정기구(profilometry, 초음파측정 등)나 이중맹검이 이루어진 연구도 있으나 소수이고, 효과에 대한 객관성 있는 연구가 잘 이루어지지 않았다.

③ 효과에 대한 보고가 연구자마다 상이하며, 같은 보고에서도 효과가 환자마다 다르다. 같은 기계로 치료 연구한 결과보고가 보고자에 따라 효과가 없다 있다 등으로 상당한 차이를 보이는 경우가 많이 있다. 파라미터를 똑같이 한 연구의 경우에도 연구자에 따라 효과에 대한 보고가 차이가 난다. 같은 보고에서도 효과가 있는 환자와 효과가 없는 환자가 있으며 치료 전에 예후에 대한 예측이 어렵다.

④ 임상적 효과와 조직학적 변화의 연관성이 약

표 11-2. 피부노화치료에서 써마지, 폴라리스, IPL, 프락셀의 비교

	써마지	폴라리스	IPL	프락셀
제조회사	미국의 Thermage사 www.thermage.com	이스라엘의 Syneron사 www.elos.co.kr	미국의 Lumenis사 www.lumenis.com	미국의 Reliant사 www.reliant-tech.com
시술원리	고주파를 이용하여 피부 깊은 곳에서 새로운 콜라겐 형성을 유도	고주파와 레이저 에너지를 이용하여 새로운 콜라겐 형성을 유도	복합파장의 빛을 이용하여 색소질환이나 붉은 피부를 치료	어바움글라스 레이저를 이용하여 피부에 미세하게 에너지를 전달하여 새살이 돋게 함
적용증	주름개선, 탄력증대, 여드름 흉터, 피부노화, 모공	주름개선, 탄력증대, 여드름 흉터, 모공	색소성질환, 혈관질환, 탄력증대, 피부노화	여드름 흉터, 색소성질환, 기미, 잡티, 피부노화
장점	강력하고 일상생활에 지장이 없음, 피부가 투명해지는 효과도 있음	효과가 써마지에 비해 빠름	피부가 지저분한 것이 단일 시술로 좋아짐	새살이 돋아나면서 피부를 재생
단점	효과가 서서히 나타나는 경우가 있음	여러 번 시술 받아야 함	여러 번 시술 받아야 함	다른 시술에 비해 좀 더 붉어지는 경우가 있음
시술간격 및 횟수	1회(1회가 기본이지만, 추가를 원할 시에 6개월 후에 1회 정도 추가할 수 있음)	3~5회 (2~6주 간격으로 시술 가능)	3~5회 (2~6주 간격으로 시술 가능)	3~5회 (2~6주 간격으로 시술 가능)
일상생활 지장여부	없음	없음	딱지가 가볍게 앉을 수 있으나, 화장 가능, 일상생활에 큰 지장 없음	1~2일간 얼굴이 붉어지고, 1주정도 갈색빛으로 변할 수 있으나, 화장 가능. 일상생활에 큰 지장 없음

하다. 조직학적으로 교원질의 신생합성(neocollagenosis) 등이 곧바로 눈으로 확인할 수 있는 주름의 감소와 잘 연관되지 않음이 많이 보고되었다. 즉, 조직학적으로 변화가 확인되나 임상적으로 확인하기 어려운 경우가 있다.

⑤ 장기적인 추적관찰이 부족하다. 효과가 나타난 경우 이런 효과가 얼마나 지속되는지에 대한 1년 이상의 장기 관찰이 많이 보고되지 않았다. 이런 장기관찰에 대한 보고는 임상적인 관찰 위주이며, 조직학적 변화나 분자수준에서의 변화가 여전히 유지되는지에 대한 보고가 거의 없다.

⑥ 다른 기계간의 비교연구가 부족하며 최적의 파라미터에 대한 합의점이 없다. 발표되는 기계마다 최선의 방법인 것으로 보고되는 경우가 있으나 연구 방법에 객관성이 떨어진다. 효과나 부작용에 대한 다른 기계 사이의 비교연구가 미흡하다. 또 같은 기계라 할지라도 서로 다른 파라미터를 사용

하여서 다른 연구자 사이의 치료성과에 대한 비교가 힘들다. 이런 이유로 최적의 파라미터(파장, 펄스 조사시간, 에너지레벨 등등)에 대한 공통된 의견이 도출되지 않는다. 이는 분자수준에서의 비박피적 피부재생술 치료 메커니즘이 규명되지 않은 것도 한 요소로 작용한다.

⑦ 분자 수준에서의 연구가 미흡하다. 임상적인 효과의 연구에 비해서 분자 수준에서 어떤 메커니즘에 의해서 피부재생술이 가능한지에 대한 연구가 거의 없다. 피부과 레이저에 관한 연구를 하는 주요 연구자들은 주로 임상적인 연구를 하고 있으며 분자 수준의 연구에 관심이 적다.

⑧ 인종 차이에 대한 연구가 부족하다. 소수의 보고가 있으며 동양인에서 효과가 떨어진다는 보고들이 있다. 한국인에 대한 인종 차이 보고는 거의 없다고 생각된다.

⑨ 일부에서는 콜라겐합성의 증가 양상이 흉터

와 유사하다는 주장이 있으나 이에 대해서는 더 이상 연구 발표가 진행되지 않고 있다.

비박피적 피부재생술에 이용되는 레이저는 물을 발색단으로 하여 피부에 열을 발생하는 경우가 많다. 1300nm에서 1600nm사이의 파장이 이런 용도로 이용되었다. 이런 파장에서 물에 대한 흡수도가 높으면 피부에 침투하는 깊이가 얕고, 물에 대한 흡수도가 낮으면 오히려 피부에 침투깊이는 깊어지게 된다. 이런 특성을 이용하여 상부진피를 치료목표로 하거나 심부진피를 치료목표로 결정할 수 있다. 프랙셔널 레이저 방식에서는 역시 1300nm에서 1600nm 사이의 파장을 이용한 방식이 최초에 사용되었다. 프랙셔널 레이저도 파장의 차이에 따른 물에 대한 흡수도의 차이로 피부 속 침투깊이가 달라진다. 1300nm에서 1600nm사이의 파장을 이용하면 비박피성 치료가 된다. 이런 비박피성 프랙셔널 레이저가 개발된 이후 박피성 프랙셔널 레이저가 곧 개발되었다. 박피성 프랙셔널 레이저는 기존의 탄산가스 레이저나 어븀야그 레이저를 프랙셔널 방식으로 사용하게 된다. 이런 성격을 이용하여 치료하면 프랙셔널 방식이지만 실제로 박피가 발생하여 표피에서 진피까지 연결되는 구멍이 피부에 발생한다. 비박피성 프랙셔널 레이저와 박피성 프랙셔널 레이저는 장단점이 있어서 필요에 의해 선택하여 사용하게 된다. 최근에 박피성 파장과 비박피성 파장의 중간성질을 가지는 파장이 프랙셔널 레이저에 이용되고 있다. 튤리움 레이저는 중간정도의 성격을 가지고 있어서 사용하는 방식에 따라 박피성 프랙셔널 치료가 되기도 하고, 비박피성 프랙셔널 치료가 되기도 하는데 이의 효용성은 더 지켜보아야 하겠다.

비박피적 피부재생술은 다양한 파장의 레이저와 고주파 등을 이용하는데 각각의 방법이 목표로 하는 발색단(chromophore)에 따라서 나누어 볼 수 있다. 1) 헤모글로빈을 발색단으로 이용하는 색소레이저와 2) 헤모글로빈, 멜라닌, 물이 발색단으로 작용하리라 생각되는 1,064nm의 엔디야그(Nd:YAG) 레이저와 IPL, 3) 물을 발색단으로 이용하는 중적외선(midinfrared) 레이저 등이 있다.

II. 비박피적 피부재생술의 원리

리주버네이션은 type I과 type II가 있다. 노화에 의해 생성된 혈관, 색소 등을 제거하는 치료가 type I 리주버네이션이고, 진피 콜라겐의 합성을 촉진하는 치료가 type II 리주버네이션이다. 오늘의 주제는 제II형 리주버네이션의 원리에 대한 고찰이 되겠다. 이를 위한 방법으로는 크게 나누어보면 박피레이저(흔히, CO_2 레이저나 어븀야그 레이저를 지칭함)와 NAR(non-ablative rejuvenation) 레이저 그리고, fractional laser가 있다. 이중에서 리프팅레이저라고 한다면 NAR 기계들을 지칭한다.

이런 NAR 기법의 기본원리에 대하여 몇 가지 고찰해보고자 한다.

1. NAR에 의해서 콜라겐합성이 증가하는 이유는?

이런 치료법들이 임상적인 효과가 있기 위해서는 치료 후에 피부 속에 어떤 변화가 일어나서 주름제거, 탄력증가 등의 효과가 나타나는 것이다.

흔히 NAR 시술 후 진피의 콜라겐의 손상이 일어나고 이것이 회복되는 과정에서 새로운 콜라겐합성이 일어나고 리주버네이션이 달성된다고 설명하고 있다(그림 11-1). 그런데 이렇게 흔히 설명하듯 콜라겐의 직접적인 변성만이 리주버네이션의 시작이 될 수 있는 것일까? 콜라겐의 직접변성이 발생하지 않으나 진피 리주버네이션이 진행된다는 여러 연구와 보고가 있다.

Omi 등이 다이 레이저 시술 후 진피의 변화를 기술한 것을 보면, N-Lite 시술 3시간 후에 조직검사 소견상 진피의 모세혈관에서 혈관내피세포가 부종을 보이고 hemostasis를 보이며, 모세혈관의 기저막이 두꺼워져있고, 혈관주변으로 호중구, 단핵구, 비만세포 등 염증세포의 침윤을 보인다. 그러나, 콜라겐 섬유의 변성은 없다. 이후 콜라겐의 변화를 관찰하면 시술 2주 후부터 보이기 시작하여 시술 후 4주, 5주 후에는 진피 콜라겐의 증가를 관찰할 수 있었다. 5주 후에 섬유아세포의 수적 증

가가 가장 두드려졌다. 연구자들은 비만세포에서 분비된 성장인자 등이 진피 콜라겐 합성을 자극한 것으로 고찰하였다.

Desmettre 등과 Souil 등이 보고한 바에 의하면 60℃에서 1초 이상 노출되면 콜라겐의 변성이 발생하나, 50℃ 이하로 노출되면 열변성을 유발하기는 충분하지 않은 에너지나 HSP&)등을 활성화시켜 콜라겐 합성을 증가시킬 수 있다고 하였다.

Lee 등은 830nm와 633nm의 LED 광선으로 치료하여 주름감소(36%), 탄력증가(19%)를 관찰하였다. 시술 후 조직검사에서 열변성이나 콜라겐섬유의 변성은 발견되지 않았으나, 섬유아세포의 활성이 강해진 것을 전자현미경소견으로 관찰하였다. 전자현미경 소견상 섬유아세포의 크기가 증가하고, ER이 확장되어있고, 주변에 두꺼운 콜라겐섬유로 둘러싸여있었다. 이 치료법에서도 콜라겐섬유의 열변성으로 유발된 콜라겐합성증가는 관찰되지 않는다.

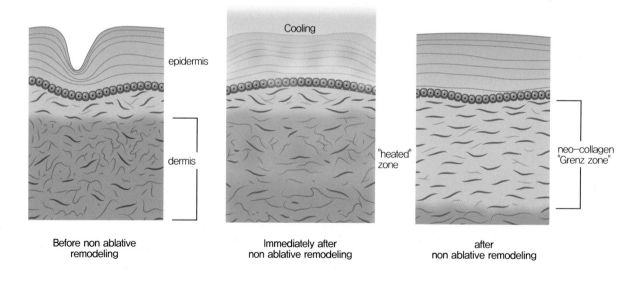

그림 11-1. 비박피적 피부재생술

진피의 물을 포함한 여러 발색단에 흡수되는 파장을 조사하여 진피의 온도변화를 유도하여 변화를 유도하게 된다. 레이저조사와 병행하여 피부표면은 냉각하여 표피는 보호하고 진피를 발열하고자 하는 경우가 많다.

결국, 다이 레이저들, Midinfrared laser들, LLLT, ablative laser(CO₂, Er:YAG), RF, fractional laser 등이 조금씩 다른 기전으로 콜라겐합성을 자극하게 됨을 알 수 있다.

2. 조직손상의 어떤 부분이 콜라겐합성에 가장 큰 영향이 있나?

흔히 콜라겐이 열변성으로 손상된 후 회복되는 과정에서 리주버네이션이 진행된다고 생각하나, 이때 어떤 콜라겐이 파괴되는 지에 대한 정확한 검증이 필요하다.

Verani 등이 광노화된 콜라겐은 cross-linked, 부분적으로 파괴된, 조각난 콜라겐이 형성된다고 하였다. 이런 콜라겐은 건강한 콜라겐과 달리 섬유아세포와 접촉시 섬유아세포를 활성화된 상태인 길게 잡아 늘여진 상태가 아니라 수축된 상태로 접촉하게 되고, 결과적으로 섬유아세포로 부터의 콜라겐합성을 방해한다고 보고하였다(그림 11-2).

Orringe 등은 탄산가스 레이저 박피나, 다이 레이저, NAR 시술 후에 증가한 MMP(matrix metallo-proteinase)가 이런 광손상된 콜라겐을 제거하여 섬유아세포의 활성을 증가시켜서 노화를 역전시킨다고 가설을 세웠다.

여러 시술 후 MMP의 증가가 발생하는데 이때 MMP의 증가한 양이나 시기 등에 따라서 이 MMP가 광손상된 콜라겐을 혹은 열변성된 콜라겐을 혹은 정상 콜라겐을 제거할지에 대한 구체적인 연구는 아직 없는 상태이다.

어떤 치료법을 사용하느냐에 따라 다양한 피부손상이 발생하는데, 조직이 전달받은 에너지와 그 전달방식에 따라서 즉, 증가한 온도와 지속시간에 따라 다양한 정도의 조직손상이 발생한다. 이는 ablation, irreversible thermal damage, reversible thermal damage 등이 있다. 이중에서 어떤 부분이 결과적으로 콜라겐합성 증가에 가장 좋은 영향을 주는 것인지도 정확한 연구가 없다.

3. 시술시 발생하는 shrinkage는 궁극적인 치료결과와 어떤 관계가 있나?

시술 레이저와 시술방법에 따라서 시술시 발생하는 shrinkage의 정도는 다르다. 또 이런 shrinkage가 시술 후 계속 지속되지 못하고 release가 되었다가 이후 콜라겐합성이 증가하면서 다시 tightening이 온다는 것이 일반적 견해이다. 시술 직후 발생하는 shrinkage는 궁극적인 치료결과와 어떤 관계가 있는지 아직 정확히 밝혀지지 않았다.

4. NAR로 인해 콜라겐합성이 증가하는 효과는 얼마나 오랜 동안 지속될 수 있는 것인가?

Dainichi 등의 비박피성 프랙셔널 레이저인 1540nm Er:Glass 레이저를 이용한 연구에서 콜라겐은 1달에서 2달 사이에 나타났고, 1년 후에는 어떤 남아있는 효과도 발견할 수 없었다고 하였다. Ortiz 등의 연구에서, 박피성 프랙셔널 레이저인 탄산가스 프랙셔널 레이저를 이용한 치료 3개월 후의 효과가 1년, 2년 지나서도 어느 정도 유지됨을 보고하였다. Manuskiatti 등의 탄산가스 레이저 박피 후 3개월 후의 개선효과는 2년이 지나도

Intact Collagen | Partiallly-Degraded Collagen

그림 11-2. Scanning electron microscopic appearance of an intact collagen lattice and a lattice that has been partially degraded by exposure to human skin organ culture fluid.
(A) The intact collagen lattice consists of a fine network of interconnected fibers with no apparent broken ends. (B) After partial digestion, the collagen lattice appears to have collapsed, and there is less open space within the lattice. Numerous blunt-ends, indicative of breaks in the collagen chains, are apparent. (C) Breaks are more easily seen at higher magnifiation(arrows). Original magnification: (A,B) Scale bars: 30μm, (C) Scale bar: 50μm. (J Invest Dermatol. 2002 Jul;119(1):122-9.)

상당히 유지됨을 보고하였다. 즉, 박피성재생술이 비박피적 재생술에 비해서 효과가 크고, 그 효과의 지속도 오래 유지됨을 알 수 있다.

이까지만 침투하는 방법으로는 충분한 치료가 되지 않을 수 있다.

5. 치료 깊이와 효과의 관계나 병변의 종류에 따른 적절한 치료깊이가 있는 것인가?

치료깊이에 대한 논란에서 흔히 깊이 들어가서 좋다든지 얕은 것이 좋다든지 주장이 있다. 깊이는 일반적으로 좋은 것이 있다기보다 목적에 맞게 적절한 깊이가 선택되어야 한다고 생각한다. 표면의 리주버네이션을 위해서 얕은 치료이면 충분할 수 있는데 깊은 치료를 하면 더 열변성이 깊은 부위까지 심하게 나타나고 이에 수반되는 염증반응에 의한 홍반지속이나 색소침착 등의 가능성이 증가될 수 있다. 또 깊은 병변의 치료시에는 얕은 깊

III. 비박피적 피부재생술의 비교

NAR의 임상 효과를 비교한 논문은 많지 않다. 각각의 기계의 성능과 효과에 대한 연구발표는 많이 있지만 이런 기계를 서로 비교한 연구는 아주 드물다. 이런 연구를 발표하기 어려운 여러 가지 이유가 있다. 발표는 하지 않더라도 같은 기계를 의사가 오래 사용하면 기계의 장단점에 대해서 알게 된다. 그러나, 한 의사가 여러 기계를 충분히 오랫동안 사용하는 것이 현실적으로 어려운 과제여서 NAR의 효능을 비교하기가 어렵다. 비교논문이 나오기 어려운 이유들을 살펴보면,

• 효능 발표는 스폰서 발표인 경우가 많다.

기계회사의 연구비 지원이나, 장비 지원 등의 도움으로 연구가 처음부터 진행되는 경우가 많이 있다. 이 경우에 결과가 충분히 double blind가 되지 않고 주관적인 관점에서 결과를 판정할 가능성이 있는데 이때 스폰서 회사에 유리한 방향으로 판단 내릴 가능성이 있다. 처음부터 결과가 나쁘면 발표하지 못한다는 조건 하에 연구를 시작할 수도 있다.

• 나쁜 결과를 발표하는 경우가 드물다.

가끔 어떤 기계에 대한 치료결과를 나쁘게 발표하는 경우가 있으나 사심 없는 정상적인 연구의 결과를 발표하는 것이 아니고 정치적 목적으로 발표하는 것 같은 경우를 본다. 즉, 나쁜 결과의 발표도 그대로 믿기 어려운 경우가 있다. 나쁜 결과를 발표하는 경우 연구자는 해당 기계의 생산 회사로부터 어떤 스폰서도 없다고 밝히는 경우가 있다. 당연히 예상할 수 있는 일이다. 그런데 문제는 이 경우 지나치다 싶을 정도로 그 회사에 불리한 연구 결과가 발표되는 경우가 있다. 예를 들면 치료가 잘 되지 않을 것 같은 파라미터로 치료하고 결과를 발표하는 경우이다. 이렇게 연구를 디자인해서 어떻게 peer review를 통과했지 싶은 생각이 들지만 학문세계에도 엄연히 백이나 권세는 통하는 법이다. 이렇게 나쁜 결과를 발표하는 것을 보는 경우는 '발표자와 기계회사가 갈등이 있나'하는 생각이 더 많이 들지 '효과가 적은 기계구나'하는 생각은 적게 든다.

• 효과를 비교하면 분란이 일어난다.

실제 효과를 비교한 논문에서도 불리한 결과를 보인 기계를 다시 이용하여 더 적절한 파라미터를 이용한다면 결과가 달라질 수도 있다고 설명하고 있는 경우도 보았다. 즉, 갑이 을보다 우수하다고 발표하는 순간에, 을 측에서는 연구자의 치료법이 적절하지 않았다고 반박할 가능성이 크다. 기계회사 입장에서는 이런 발표에 예민할 수밖에 없으므로 강력히 항의할 것이다.

• 실제로 기계보다 치료자가 효과에 더 영향을 미칠 수 있다.

갑이라는 치료기계로 A와 B의 다른 치료자가 다른 결과를 낼 수가 있다. 벤츠 세단을 10년 운전한 사람이 베엠베 SUV와 성능을 비교하여 SUV보다 세단이 우수하다고 한다면 베엠베 SUV를 10년 운전하던 사람은 반대로 말할 수도 있다. 정확한 비교가 되려면 두 차를 다 충분히 운전한 후 결론을 내려야한다. 즉, 여러 기계로 충분한 임상을 쌓은 분이 나오기 어려워서 비교연구는 시빗거리를 제공한다.

• 치료효과가 나타나는 시기가 오래 걸린다.

금방 효과가 나타나지 않으므로 장기간 끈질기게 추적, 관찰하여 효과가 비교하기가 어렵다.

• 각각의 발표를 간접적으로 비교하기도 어렵다.

같은 기계를 이용한 연구도 같은 파라미터를 사용하지 않았고 효과 판정기준도 다 다르므로 별개로 발표된 논문을 토대로 간접적으로 비교해보는 것도 어렵다.

이런 이유로 비박피성 피부재생술의 여러 레이저 사이의 비교 연구는 어려운 점이 있다. 우선 박피성 피부재생술에 대해서 기술한 후 비박피성 재생술과 비교하기로 한다. 박피성패부재생술은 대표적으로 이산화탄소 레이저 박피 후 피부의 변화를 Orringer 등이 연구하였다(그림 11-3, 11-4, 11-5, 11-6). 이에 따르면 박피 후 수일 이내에 IL-1β와 TNF-α가 증가하고, 이에 따라서 MMP-1, 3, 9, 13이 2주 이내에 surge가 일어나고, 이후 콜라겐합성이 한 달 이내에 활발히 일어난다.

그런데 이런 양상은 리주버네이션 방법이 바뀌면 그 정도와 시기가 달라진다. 이에 대한 연구는 많지 않아서 참조할 수 있는 연구가 거의 없으나 다음의 발표된 자료와 필자의 연구결과를 모두 모

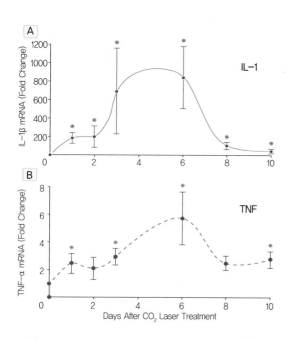

그림 11-3. Induction of interleukin 1 (IL-1) (A) and tumor necrosis factor (TNF) (B) messenger RNA (mRNA) in human skin in vivo by carbon dioxide laser (CO_2) resurfacing.

Skin samples were obtained at the indicated times after resurfacing. The IL-1 and TNF- mRNA levels were quantified by reverse transcriptase–polymerase chain reaction. n=5 to 9 at each time point; asterisk indicates P<.05 vs untreated control skin. Data points represent means; limit lines, standard error. (Arch Dermatol. 2004 Nov;140(11):1326–32.)

아서 비교해 보았다. 비교대상인 연구는 Orringer 등이 발표한 탄산가스레이저, Orringer 등이 발표한 pulsed dye laser(다이 레이저)와 NAR 치료, Lee 등이 발표한 LED, Renton 등이 발표한 Renesis(침습적 고주파치료, 현재 기계의 이름은 e-Prime), Zelickson 등의 써마지 연구, 필자가 연구한 Intracel(침습적 고주파)이다(표 11-3, 11-4, 11-5).

우선 다이 레이저나 NAR 방법의 연구는 연구기간이 짧아서 다른 치료와 시간적인 비교가 어렵다. 탄산가스 레이저와 침습적 고주파를 비교하면 탄산가스 레이저박피에서는 피부가 손상 받은 지 한 달 이내로 새로운 콜라겐의 합성이 왕성하여 피부를 재생시키는 반면 Renesis나 Intracel 같은 침습적 고주파에서는 연구기간이 끝나는 시점까지 계속해서 콜라겐합성이 서서히 증가하는 양상을 보여준다. 이는 이전에 보고된 바가 없는데 침습적 고주파의 표피를 통과한 손상은 2일 정도에 바로 아물고, 진피의 콜라겐변성은 오히려 시간을 두고 천천히 개선함을 알 수 있다. 분자생물학적 연구가 없어서 제외되었으나 비박피성 프랙셔널 레이저 치료 후의 조직검사 연구에서도 진피의 열변성 기둥이 수개월에 걸쳐서 서서히 새로운 콜라겐으로 대체됨이 알려져 있다.

탄산가스 레이저에 비해 다이 레이저나 NAR, 침습적 고주파 모두 cytokine 반응과 MMP 반응의 정도가 훨씬 약하다. 그중에서 침습적 고주파(Renesis와 Intracel)는 다이 레이저나 NAR에 비해서 사이토카인과 MMP 반응이 약한데도 불구하고 콜라겐합성의 강도는 이보다 더 강해서 매우 효율적으로 콜라겐합성이 자극된다고 판단할 수 있다.

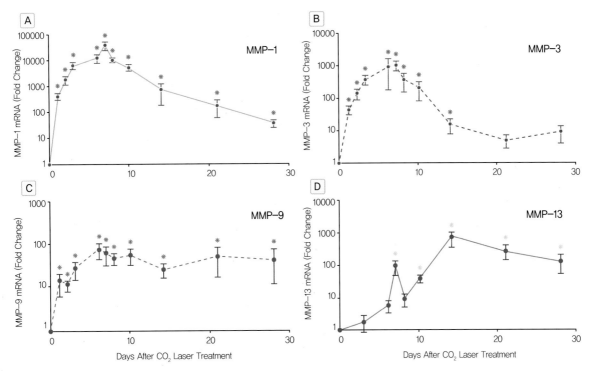

그림 11-4. Induction of matrix metalloproteinase (MMP) 1 (A), MMP-3 (B), MMP-9 (C), and MMP-13 (D) messenger RNA (mRNA) in human skin in vivo by carbon dioxide (CO_2) laser resurfacing.

Skin samples were obtained at the indicated times after resurfacing. The MMP-1, MMP-3, MMP-9, and MMP-13 mRNA levels were quantified by reverse transcriptase – polymerase chain reaction. n=4 to 11 at each time point; asterisk indicates $P<.05$ vs untreated control skin. Data points represent means; limit lines, standard errors. The ordinates are on the log scale. (Arch Dermatol. 2004 Nov;140(11):1326–32.)

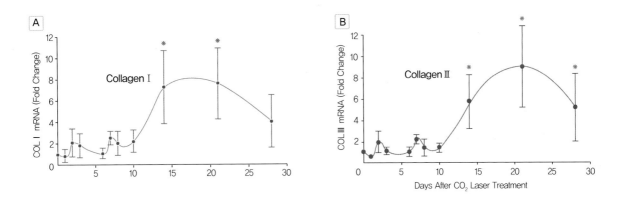

그림 11-5. Induction of type I (COL-I) (A) and type III (COL-III) (B) procollagen messenger RNA (mRNA) in human skin in vivo by carbon dioxide (CO_2) laser resurfacing.

Skin samples were obtained at the indicated times after treatment. Type I procollagen and type III procollagen mRNA levels were quantified by reverse transcriptase – polymerase chain reaction. n=4 to 11 at each time point; asterisk indicates $P<.05$ vs untreated control skin. Data points represent means; limit lines, standard errors. (Arch Dermatol. 2004 Nov;140(11):1326–32.)

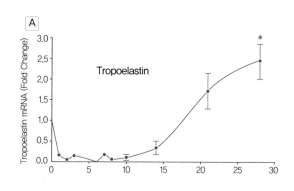
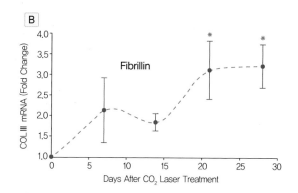

그림 11-6. Induction of tropoelastin (A) and fibrillin 1 (B) messenger RNA (mRNA) in human skin in vivo by carbon dioxide (CO_2) laser resurfacing.

Skin samples were obtained at the indicated times after treatment. Tropoelastin and fibrillin 1 mRNA levels were quantified by reverse transcriptase-polymerase chain reaction. n=4 at each time point; asterisk indicates P<.05 vs untreated control skin. Data points represent means; limit lines, standard errors. (Arch Dermatol. 2004 Nov;140(11):1326-32.)

표 11-3. Production of cytokine

IL-1 mRNA	NAR cooltouch	PDL	LLLT	CO_2 LSR	Renesis	Intracel
Ratio to baseline at peak	7.61	1.45	13.3	839	2.13	1.62
Peak	D2	D7		D6	D28	D70
Period of elevation	D1 - D7	D3 - D7		D1 - D8	D1-D28	D0-D70
Observation period	until D11	until D7	observed 20min after	until D10	until D28	until D70

Il-1의 mRNA를 정량분석하여 치료 전 baseline과 peak 인 시기의 양을 비교하였다. 이산화탄소 레이저로 피부박피를 한경우가 가장 Il-1이 높게 증가함을 알 수 있다. 피크에 도달한 시간은 치료법 마다 차이가 있다. 침습적 고주파의 경우 피크에 도달하는 시간이 오래 걸린다. 그런데 이 비교연구는 관찰한 기간이 연구마다 차이가 있어서 완전한 비교가 어렵다.

NAR(Cooltouch and PDL) 참조 : J Am Acad Dermatol. 2005 Nov;53(5):775-82. / LLLT 참조 : J Photochem Photobiol B. 2007 Jul 27;88(1):51-67. / CO2 LSR 참조 : Arch Dermatol. 2004 Nov;140(11):1326-32. / Renesis 참조 : Lasers Surg Med. 2009 Feb;41(2):87-95.

IV. 다양한 비박피적 피부재생술

비박피적 피부재생술을 나열하면 light를 이용한 IPL, midinfrared 레이저, 긴펄스의 1064nm 엔디야그 레이저, 고주파를 이용한 치료, 고주파와 light나 진공 등을 병합한 치료, 비박피적 프랙셔널 레이저, LED 등의 방법이 있다(표 11-6).

1. 색소(dye) 레이저

펄스 색소 레이저(Pulsed dye laser)는 585~600nm 파장의 레이저를 이용하여 진피 상부 모세혈관의 헤모글로빈을 발색단으로 하여 진피를 간접적으로 자극하는 방법이다. 기존의 혈관질환 치료에 부수적으로 발견되는 주름 치료효과를 연구하

표 11-4. Production of MMPs

MMP mRNA	NAR cooltouch	PDL	LLLT	CO$_2$ LSR	Renesis	Intracel
MMP-1	109.3 D7P	14.8 D3P		39,130 D7P	1.79 D28P	1.62 D0P D0-D70
MMP-3	3.55 D4P	1.86 D3P		1041 D7P	1.63 D28P	1.48 D70P D2-D70
MMP-9	25.42 D1P	2.17 D7P		75 D6 D6-D28	2.94 D28P	2.63 D70P D0-D70
MMP-13				767 D14P	2.83 D28P	2.17 D28P D0-D70

여러 MMP가 피크로 증가한 날짜와 전체적으로 증가한 기간을 표시하였다. 수치는 치료 전 baseline에 비해서 증가한 비율이다.

NAR(Cooltouch and PDL) 참조 : J Am Acad Dermatol. 2005 Nov;53(5):775-82. / LLLT 참조 : J Photochem Photobiol B. 2007 Jul 27;88(1):51-67. / CO2 LSR 참조 : Arch Dermatol. 2004 Nov;140(11):1326-32. / Renesis 참조 : Lasers Surg Med. 2009 Feb;41(2):87-95.

표 11-5. Production of Collagen I

Collagen I mRNA	NAR cooltouch	PDL	Thermage	CO$_2$ LSR	Renesis	Intracel
Ratio to baseline at peak	1.84	1.47	2.4(D2) 1.7(D7)	7.5	3.02(D28)	3.98(D70)
Peak	1week ?	1week ?		D21	D28 ?	D70 ?
Period of elevation			Below Baseline at 3.8 week	Elevated at least 6mo	Continuing elevation until D28	Continuing elevation until D70
Observation period	until D11	until D7			until D28	until D70

1형 콜라겐의 mRNA 증가량을 수치로 표현하였다. 수치는 치료 전 baseline에 비해서 증가한 비율이다.
1형 콜라겐의 mRNA가 피크로 증가한 날짜와 전체적으로 증가하였던 기간을 표시하였다.
NAR(Cooltouch and PDL) 참조 : J Am Acad Dermatol. 2005 Nov;53(5):775-82. / Thrermage 참조: Arch Dermatol. 2004 Feb;140(2):204-9. / CO2 LSR 참조 : Arch Dermatol. 2004 Nov;140(11):1326-32. / Renesis 참조 : Lasers Surg Med. 2009 Feb;41(2):87-95.

여 발표한 것이 시초가 된다. 기존의 0.45ms 펄스 조사시간(pulse duration)을 이용한 경우 멍이 드는 경우가 많으나 0.35ms 펄스 조사시간의 펄스 색소 레이저(N-Lite®)를 이용하면 낮은 에너지로도 좋은 효과를 얻을 수 있다고 Bjeering 등이 발표하였으나 다른 연구자들은 같은 치료 방법으로 Bjeering이 주장하는 효과를 얻을 수 없었다고 발표하기도 하였다.

2. IPL(Intense Pulsed Light)

2000년에 한국에 소개된 IPL은 혈관질환, 색소질환의 치료에 새로운 이정표를 세웠다. IPL은 레이저와 달리 단일 파장이 아니고 복합파장의 빛이 조사된다. 최초로 도입된 Lumenis 사의 Vasculight®는 515~1,200nm까지의 복합적 파장의 빛이 조사된다. Vasculight®는 여러 종류의 필터

표 11-6. NAR 장비의 분류

	Device &Technology	Product Name	Supplier	Dealer
Light-based therapy	**Intense Pulsed Light (IPL)**			
	생략			
	Mid Infrared laser (IR)			
	1320nm/Nd:YAG laser	CoolTouch(CT3)	CoolTouch	신한
	1450nm/Diode laser	Smooth Beam	Candela	신한
	1540nm/Er-Glass laser	Aramis	Quantel Med.	신한
	1100~1800nm	Solera Titan	Cutera	콘바이오
	Long-pulse 1064 Nd-Yag laser			
	1064nm/Nd:YAG laser	CoolGlide vantage	Cutera	콘바이오
	1064nm/Nd:YAG + IPL(560-1200nm)	CoolGlide Xeo	Cutera	콘바이오
	1064nm/Nd:YAG laser (G-beam)	Gentle YAG	Candela	신한
	1064nm/Nd:YAG + KTP 532nm	Gemini	Laserscope	
Radio-Frequency	**RF technology**			
	ThermaCool System (Mono-polar RF)	Thermage	Solta	Solta
	Mono- &Bi-polar RF	Relex-F / Tenor	ALMA	MsQ
Combination technology	**RF + Light sources**			
	ELOS Technology (Bi-Polar RF + Diode laser.900nm)	Polaris WR applicator(WR)	Syneron	AMA
	ELOS Technology (Bi-Polar RF + broadband:700-2000nm)	ReFirme ST applicator	Syneron	AMA
	CIRF Technology (Bi-polar RF + IR:1100-1800nm)	Anti-Lax (국산)	Jeisys	Jeisys
	RF + Light sources + Vacuum			
	Thermal fine lift system(국산) (Bi-polar RF + Diode :635, 915nm)	Arneb (국산)	Medro	Medro
	RF + Vacuum			
	RF FACES technology(RF & Vacuum)	Aluma	Lumenis	원익
Fractional technology	**Fractional technology**			
	1550nm fiber laser	Fraxel	Solta	Solta
	1540nm Er:Glass	Lux1540 fractional	Palomar	콘바이오
	850~1350nm	Lux IR Fractional	Palomar	콘바이오
	2940nm Erbium laser	ER Pixel 2940nm	ALMA	MsQ
	1440nm (CAP Tech.)	Affirm	Cynosure	Cynosure
	Select laser system	Sellas(국산)	TNL	
	1550 Er:Glass laser(Micro lens Ttech.)	Mosaic(국산)	Lutronic	Lutronic
Plasma technology	**Plasma technology**			
	Nitrogen Plasma	Portrait PSR	Rhytec	신한
LED as LLLT	**LED as LLLT**			
	633nm	OmniLux Revive	Photo-therapeutics	Lutronic
	830nm	OmniLux Plus	Photo-therapeutics	Lutronic
	590nm visible yellow light	GentleWave	Light BioScience	신한

를 이용하여 적절한 파장의 빛을 선택하게 하고 있다. 필터는 515nm, 550nm, 570nm, 590nm, 615nm, 645nm가 있다. 이런 필터를 이용하면 필터에 표시된 파장보다 짧은 파장은 필터에 의해서 차단된다. 예를 들면, 550nm의 필터를 이용하면 550~1,200nm의 파장의 빛이 조사된다. 복합 파장 중에서 긴 파장은 깊은 부분의 치료에 유용하고 짧은 파장의 빛은 얕은 병변의 치료에 유용하다고 할 수 있다. 이렇게 한꺼번에 다양한 치료가 가능한 반면 선택성이 떨어지는 단점이 있다.

최근에 Vasculight® 이후로 수많은 IPL이 도입되었고 가격 대비 성능면에서 최근에는 국산 IPL이 진료에 많이 이용되고 있다. 수많은 IPL 기계들은, 각 IPL마다 어떤 파장의 빛이 방출되며, 그 파장의 분포(spectral distribution)는 어떠한지, 헤드 내에서 필터의 교환이 가능하여 다양한 파라미터가 가능한지, 다른 파장을 사용하기 위해서는 헤드를 바꿔 끼워야 하는지, 냉각기능이 있는지, 에너지 레벨은 충분한지, 펄스 모드(pulse mode)가 다중(multiple)이 가능한지 또는 고정되어 있는지, 펄스 조사 시간 등을 다양하게 조절할 수 있는지 등 기능상의 차이가 많다. 최근에는 기존의 에너지 방출방식에서 발전한 square pulse의 IPL이 빛이 조사되는 시간동안 발사되는 파장이 변하지 않는 장점이 있다고 소개되었다. 서로 다른 IPL을 비교하는 것은 마치 탄산가스(CO_2) 레이저와 어븀야그(Er:YAG) 레이저를 가진 두 의사가 치료경험과 부작용을 서로 비교하는 것과도 같아서 무의미하다.

가) IPL을 이용한 I형 피부재생술

혈관병변 치료시 IPL은 넓은 파장대의 빛을 포함하고 혈관에 대한 선택적 반응성이 떨어지며 멜라닌에도 흡수되어 표피 멜라닌 등과도 반응하므로 강한 에너지를 조사하면 화상 등의 부작용을 일으킬 염려가 있다. 즉, 광범위한 치료의 이면에 선택성이 떨어짐으로 인한 부작용의 우려로 혈관 치료에서 강한 치료가 어려운 측면이 있다. IPL은 자반(purpura)이 없이 혈관병변이 치료된다. IPL 치료시 에너지를 높여가면 자반이 발생하는 에너지에 도달하기 이전에 수포와 딱지가 생기는 부작용이 먼저 발생하는데 이를 최소화하고 혈관 치료 효과는 높이는 적정 파라미터를 찾는 것이 관건이다. IPL의 모드를 이중이나 삼중으로 하고, 펄스간 간격(pulse delay)을 두면, 혈관 내부의 열은 쌓이고 주변조직에서는 열이 발산되고 냉각되어 보호되므로 혈관 치료 효과를 높일 수 있다.

색소병변의 치료시 IPL은 Q-스위치 레이저와는 다른 양상을 보인다. 펄스 조사시간이 Q-스위치 레이저보다 현저히 길어서 멜라닌 병변에 대한 가벼운 치료가 가능하다. 적절한 필터를 사용함으로써 다양한 피부타입에 맞추어 치료가 가능하다. IPL 치료는 치료팁의 크기가 레이저에 비해서 월등히 크므로 IPL 치료시에는 전체 피부를 대상으로 치료를 하게 되고 이런 이유로 각각의 색소병변뿐 아니라 전체 피부의 톤이 밝아지는 효과가 있다(그림 11-7).

IPL을 이용한 병변의 치료시 적절한 치료 종료 시점을 찾아야 한다. 한 번 IPL을 조사한 후 치료받은 부위를 살펴보면 치료 직후 약간의 홍반이 치료받은 부위의 일부에서 나타나는 것이 적당하다. 이런 상태를 약한 홍반이 전체적으로 가볍게 발생한다고 하여 미만성 홍반(diffuse erythema)이라고도 한다. 이런 홍반이 수분 내에 약해지는 정도이면 일반적으로 적절한 치료 종료 시점이다. 그

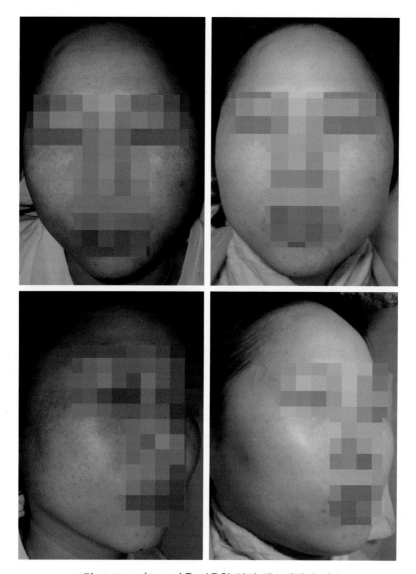

그림 11-7. IPL(Cellec)을 이용한 안면 색소병변의 치료
IPL 치료시에는 전체 피부를 대상으로 치료를 하게 되고 이런 이유로 각각의 색소병변뿐 아니라 전체 피부의 톤이 밝아지는 효과가 있다

런데 미만성 홍반이 전적으로 안전한 치료 종료 시점은 아니며 개인차이가 있어서 심한 홍반을 치료 직후 보이지 않았으나 추후에 부작용이 발생하는 경우도 있다. 그래서 치료 종료 시점은 홍반, 통증, 색소의 변화, 환자의 피부톤, 야외활동의 정도, 개인적인 생활환경(절대로 안전하게 치료해야 하는 경우와 약간의 부작용은 감수할 수 있는 경우) 등을 참조하여 부작용을 일으키지 않도록 결정하여야 한다. 색소병변의 경우 시술 직후나 수분을 기다리면 치료한 색소병변이 검어진다. 치료 직후 정상피부에 홍반이 거의 발생하지 않으면서도 색소병변이 검어질 수 있다면 가장 안전하게 치료가 가능하다. 혈관질환에서는 약한 에너지로 치료가 어려운 경우가 많고 색소병변의 치료시 보다 강하

게 치료하여야 하므로 홍반, 물집, 딱지 등 부작용의 가능성이 증가한다. 특히 혈관병변의 치료시에는 표피 멜라닌에 의한 열 발생을 상쇄하고 표피를 보호하기 위하여 냉각기능이 있는 것이 유리하다.

IPL 치료의 부작용이라 하면 피부가 견디기 어려운 과도한 에너지가 전달되어서 물집 딱지 등이 발생한 후 홍반이나 색소침착이 되어서 장기간 지속되는 경우가 가장 문제가 되는 부작용이다.

나) IPL을 이용한 II형 피부재생술

IPL은 I형 피부재생술(색소, 혈관)에서는 탁월한 효과가 인정되고 있다. II형 피부재생술인 주름, 탄력의 치료에 있어서는 일반적으로 중적외선(midinfrared) 레이저보다 효과가 적다고 알려져 있다. 처음에 소개될 당시 IPL은 혈관을 통한 간접 작용과 중적외선 영역의 긴 파장을 이용한 진피 가열이 동시에 작용한다고 소개되었으나, 이후 Goldberg의 연구에 의해 혈관을 통한 간접 효과가 주인 것으로 알려졌다. Goldberg는 IPL을 이용한 II형 피부재생술을 하면서 515 필터와 645 필터를 사용한 경우를 비교하여 645 필터를 사용한 경우 효과가 없었다고 발표하였는데, 이는 IPL의 장파장이 아니라 헤모글로빈에 흡수될 수 있는 짧은 파장에 의해 주름, 탄력이 좋아지는 효과가 나타난다는 뜻이다.

3. 엔디야그 레이저(Nd : YAG laser)

1,064nm의 Q-스위치 엔디야그 레이저는 과거부터 색소성 질환의 치료에 널리 이용되어 왔다. 이런 치료 후에 주름이 펴지는 현상이 발견되

면서 비박피적 피부재생술의 용도로 이용되기 시작했다. 이후 긴 펄스 엔디야그(long pulsed Nd: YAG)가 비박피적 피부재생술에 많이 이용되었는데 보고된 바에 따르면 3~80ms의 다양한 펄스 조사 시간을 이용하고 있다. 1064nm는 멜라닌, 헤모글로빈, 수분에 다양한 흡수를 보이는데 진피 전반에 흡수되고 반응하여 리주버네이션 효과를 보인다고 생각된다.

Q-스위치 레이저들은 Q-스위치 작동을 멈추고 free running을 하게 되면 pulse 길이가 0.3ms가 된다. 이런 마이크로초단위의 펄스를 이용하여 5 밀리미터 핸드피스로 14J/cm2으로 연속(7Hz)으로 한 뺨에 1000샷 정도를 조사하면 피부표면이 서서히 뜨거워지고 이런 열자극이 진피 리주버네이션을 유도한다고 보고되었다. 이 방법은 피부에 접촉하지 않고 피부표면에서 떨어져서 마치 붓질하듯 연속적 발사하며 냉각 없이 치료하는 방법으로 제네시스 테크닉이라고 소개되었다.

결국 nsec 단위에서 msec 단위까지 다양한 펄스 조사시간을 이용한 엔디야그 레이저 치료가 피부재생술에 이용되고 있다. 이중 nsec 단위의 Q-스위치 레이저는 박피적 치료가 될 수도 있고, 비박피적 치료가 될 수도 있으며, 마이크로초단위의 제네시스 테크닉이나 밀리초 단위의 치료는 비박피적 재생술이라 할 수 있다.

4. 중적외선 레이저(Midinfrared laser)

1,300~1,800nm 사이의 중적외선 파장은 물에 의해서 주로 흡수되고, 진피를 광범위하게 가열하는데 적절한 파장으로 알려져 있다. 이런 파장은 진피에 대한 흡수계수(absorption coefficient)가 20/cm~80/cm이고(그림 11-8) 이런 파장을 피부에 조사하면, 가열의 목표가 되는 진피의 깊이는 0.2~0.4mm가 되어(표 11-7) 비박피적 피부재생술에 적절한 진피 부위가 가열된다. 이런 파장대 중에서 1,320nm(CoolTouch®), 1,450nm(Smoothbeam®), 1,540nm(Aramis®) 등이 사용되고 있으며 통칭하여 중적외선 레이저라고 한다. 980nm, 1,064nm 파장을 이용한 레이저는 근적외선(near infrared) 레이저라고 하며 발색단이 멜라닌, 헤모글로빈, 그리고 물이다. 반면 중적외선 레이저의 파장들은 주로 물에 흡수되어서 열을 발생하고 진피의 변화를 유도한다.

이 세 가지 1,320nm(CoolTouch®), 1,450nm(Smoothbeam®), 1,540nm(Aramis®) 레이저가 어떻게 피부에 영향을 주는지 알려면 파장에 따른 빛을 흡수하는 정도를 나타내는 흡수곡선을 알아야 한다(그림 11-9). 여기서 보면 1200nm에

서 1600nm 사이에서 물에 대한 흡수가 증가하여 1450nm 근처에서 피크를 보이고 이후 감소함을 본다. 물에 대한 흡수는 3000nm 근처에서 훨씬 잘됨을 알 수 있다. 그런데 너무 흡수가 잘되면 바로 피부표면에 접하자마자 표피의 물을 태우고 조직이 파괴된다. 이런 레이저가 있다면 검버섯이나 피부표면의 혹은 잘 치료가 되겠는데, 그것이 바로 어븀야그 레이저이다. 즉, 어븀야그 레이저는 그 빛이 물에 대한 흡수도가 너무 높아서 피부 깊이 들어가기 전에 이미 반응이 일어난다. 즉, 피부 깊은 곳을 뜨겁게 하기 위해서는 물에 대한 흡수가 너무 높아도 안 되고 너무 낮아도 안 되며 적당하여야 진피에서 열이 발생한다.

그래서 피부주름치료를 위해서 적절한 파장이란 것은 물에 적당히 흡수되어 진피에서 열이 발생할 수 있는 1,200에서 1,600nm 사이의 파장이라고 할 수 있다.

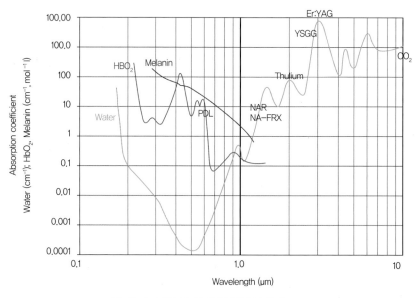

그림 11-8. 피부의 여러 발색단의 흡수도
1,300~1,800nm 사이의 중적외선 파장은 주로 물에 의해서 흡수되고, 진피를 광범위하게 가열하는데 적절한 파장이다.

표 11-7. Light penetration depth inside human skin

1320nm, 1450nm, 1540nm 파장의 피부 속 침투깊이는 0.27mm에서 1.49mm이다.

Wavelength(μm)	Absorption coefficient μa(cm−1)	Reduced scattering coefficient μs'(cm−1)	Penetration depth δ(mm)
1.00	1	16	1.40 mm
1.32	1	14	1.49 mm
1.45	16	12	0.27 mm
1.54	10	11	0.40 mm

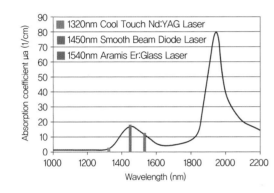

그림 11-9. Optical properties of human skin in the near infrared wavelength range of 1000 to 2200nm
그래프에서 보면 스무드빔이 물에 흡수가 가장 많이 되고 다음이 아라미스이며 물에 가장 적게 흡수되는 것이 쿨터치이다. 물에 흡수가 많이 되면 피부 깊이 레이저가 들어가기 전에 물에 에너지가 흡수되어 버린다. 물에 흡수되는 것이 적은 레이저빔은 좀 더 깊이 들어간다. (Journal of Biomedical Optics, 2001, 6, 2: 167-176)

가) 중적외선 레이저의 비교(표 11-8)

a) 멜라닌에 대한 흡수도

1,320nm 파장에 비해 1,450nm 파장은 멜라닌에 의한 흡수가 적으며 1,450nm 파장에 비해 1,540nm 파장은 멜라닌에 의한 흡수가 더 적다. 멜라닌에 의한 흡수가 낮으면 표피에 대한 반응이 약하고 더 안전하게 시술이 가능하며 색소침착의 부작용이 적으므로 특히 피부톤이 검은 한국인에

서 시술시 큰 장점으로 작용한다.

b) 냉각방식

냉매분사(cryogen spray) 방식과 접촉냉각(contact cooling) 방식이 이용되고 있다. CoolTouch®나 Smoothbeam®에서는 냉매분사 방식을 이용하는데 정해진 파라미터에 따라 대로 레이저와 냉매가 발사되며, 레이저가 발사되는 동안은 냉매가 발사되지 않는다. Aramis®에서 이용되는 접촉냉각 방식은 레이저가 발사되는 동안에도 냉각이 동시에 작동하므로 안전한 면이 있으나, 냉각 시간이 정해져 있지 않고 치료자의 치료법에 의해서 냉각 정도가 달라질 수 있다. 즉, 접촉 냉각 방식에서는 차가운 치료팁을 피부에 접촉한 후 레이저 발사까지의 시간이 길어지면 피부표면이 더 차가워지며 더 깊은 곳까지 냉각이 된다. 그러므로 너무 강한 냉각으로 진피 깊은 곳까지 냉각이 되어서 치료효과가 없어지지 않도록 조절하여야 하며, 반대로 냉각이 너무 약해서 표피에 화상을 일으키지 않도록 하여야 한다. 적절한 냉각을 위해서는 매 단계마다 주의를 기울여야 한다.

c) 시술 깊이

물에 대한 흡수도가 1,450nm에서 가장 높아서 Smoothbeam®은 진피 침투력이 가장 약하며

표 11-8. Non ablative laser comparative data for side effect

Laser	1320nm Nd:YAG Cool Touch	1450nm Diode Smooth Beam	1540nm Er:Glass ARAMIS
Pain	+++	+++	+/-
Erythema	++	+++	0
Hyperpigmentation	20% (5/25)	40% (4/10)	0
Hypopigmentation	0	0	0
Blisters	12% (3/25)	20% (2/10)	0
Scars	0	10% (1/10)	0

다른 레이저에 비해 얇은 부분이 주로 치료대상이다. 스무드빔은 주로 피부 속 0.2mm 깊이 정도에 영향을 많이 미친다. Aramis®(1,540nm)는 물에 대한 흡수도가 중간이어서 치료 깊이가 0.3~0.7mm 정도이며 진피 상층이 주로 치료대상이다. 이 깊이는 주름과 여드름 치료에 유용한 깊이이다.

CoolTouch®(1,320nm)는 물에 대한 흡수도가 가장 낮아서 피부 속으로 가장 깊이 침투한다. 쿨터치의 경우 좀 더 깊은 1.4mm 깊이의 피부에 영향을 준다(표 11-7). 깊이 들어가는 것이 무조건 좋은 것은 아니다. 써마지의 경우도 쿨터치 이상으로 깊이 들어간다. 깊이 들어가면 피부의 처짐을 개선하거나 탄력을 증가시키는 좋은 영향을 준다. 얇은 경우는 써마지보다 잔주름에 더 효과가 있다. 단순히 깊고 얇은 것이 문제가 아니며 치료하고자 하는 증세를 개선하는데 적절한 기계를 선택해야 한다.

중적외선 레이저의 피부침투깊이에는 물에 대한 흡수도만 관여하는 것이 아니다. 물에 대한 흡수도 이외에, 긴 파장이 산란이 적어서 더 깊이 들어간다. 레이저빔의 크기가 크면 빛의 산란이 적어서 깊이 들어간다. 이런 요소도 고려되어야 하겠다.

d) 시술 직후 진피의 온도

CoolTouch®와 Smoothbeam®은 목표 부위를 60~70℃ 정도로 가열하나 Aramis®는 48~50℃ 정도로 가열한다. 교원질은 60℃ 이상에서는 변성이 일어나나, 50℃ 근처에서는 교원질섬유의 변성은 일어나지 않고 열충격단백질(heat shock protein)의 활성화를 통해 교원질 합성이 증가한다고 알려져 있다.

e) 시술시 통증

Aramis®는 다른 레이저에 비해 시술시 통증이 거의 없다. 이는 Aramis®의 목표 온도가 낮은 것이 한 가지 이유이며, 접촉냉각으로 레이저 발사시에도 냉각을 계속하는 것도 통증 감소에 도움을 준다. Aramis®에서는 약 500msec 간격으로 여러 개의 펄스를 발사하는 펄스 행렬(pulse train) 방식을 이용하여 서서히 진피를 가열하므로 시술시 통증이 적다.

나) Erbium Glass laser(Aramis)의 특징

a) 색소침착의 가능성이 적다

① 아라미스가 다른 중적외선 레이저에 비해

서 파장이 길어서 멜라닌색소와 반응이 적다. 1540nm파장은 1320nm(쿨터치)나 1450nm(스무드빔) 파장에 비해서 멜라닌 흡수가 더 적다.

② 아라미스가 레이저시술 중에도 표피를 냉각해서 표피 손상이 적다

③ 스무드빔 같은 경우 냉각이 단속적으로 발사되면서 여러 번 나누어 발사되는데, 이런 방식이 색소침착의 가능성을 높이는 것으로 알려져 있다.

④ 쿨터치는 시술 중에는 냉각이 되지 않는다. 시술 전이나 후에만 냉각한다.

b) Contact cooling 방식으로 확실한 표피 보호가 가능하다.

쿨터치나 스무드빔에서는 cryogen spray 방식을 이용하는데 이런 이유로 레이저가 발사되는 시간 동안은 쿨링 스프레이를 하지 않는다. 그러나 아라미스는 레이저가 발사되는 순간에도 냉각을 계속한다.

c) 시술 깊이가 쿨터치보다 얕고 스무드빔보다 깊다.

물에 대한 흡수도가 1450nm에서 가장 높아서 스무드빔은 진피 침투력이 가장 약하다. 쿨터치 (1320)는 물에 대한 흡수도가 가장 낮아서 가장 깊이 침투한다. 아리미스(1540)은 이 중간이어서 치료 깊이가 0.3-0.7mm 정도이며 진피 상층이 주로 치료대상이다. 이 깊이는 주름과 여드름치료에 유용한 깊이이다.

d) 다른 레이저나 전기고주파 등이 목표부위를 60-70도 정도로 가열하나 아라미스는 48-50도 정도로 가열한다.

콜라겐은 60도 이상에서는 변성이 일어나나, 50

도 근처에서는 HSP(heat shock protein)의 활성화를 통해 콜라겐 합성이 증가한다는 연구결과가 있다.

e) 시술 시 통증이 없다.

목표 온도가 낮은 것이 통증이 적은 이유의 하나이다. 쿨터치나 스무드빔에 비교해서 아라미스는 긴 시간 동안에 에너지를 발사한다. 아라미스에서는 약 500ms 간격으로 여러 개의 펄스를 발사하는 pulse train 방식을 이용하여 서서히 진피 속 열을 증가시키므로 시술시 통증이 없다.

다) Erbium Glass laser(Aramis)의 문헌 고찰

여러 중적외선 레이저를 이용한 연구가 발표되었다. 이중 아라미스를 이용한 연구를 정리해본다. 다른 중적외선 레이저를 이용한 치료도 임상적으로 비슷한 효과를 보이므로 아래의 보고를 참조할 수 있다. 그림 11-10, 11-11, 11-12는 한국에서 아라미스를 리주버네이션에 이용한 사례들이다.

a) Mordon ; In vivo experimental evaluation of skin remodeling by using an Er:Glass laser with contact cooling ; Lasers Surg Med, 2000

아라미스에 대한 최초의 기본적이고 광범위한 연구이다. 실험동물의 피부에서 치료팁의 온도를 달리하고, single pulse와 pulse train을 비교하여 상부진피에 열손상을 주고 표피와 깊은 진피가 보호되는 파라미터를 찾아냈다. 아라미스의 기본 파라미터는 현재까지도 이 연구에 기초하여 정해져있다. 결과를 분석하여 0.1-0.4mm 정도의 깊이가 효과적인 치료 깊이이며, pulse train 방식 (4-6회의 펄스로 레이저를 발사한다. 각각의 펄

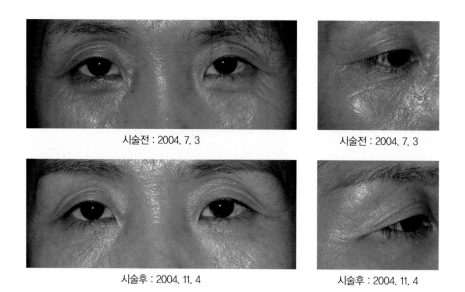

시술전 : 2004. 7. 3　　　　시술전 : 2004. 7. 3

시술후 : 2004. 11. 4　　　　시술후 : 2004. 11. 4

그림 11-10. 아라미스를 이용한 눈가 주름 치료

아라미스를 4회 시술한 전후의 모습이며 눈밑의 처진 모습과 주름이 많이 개선되었습니다.

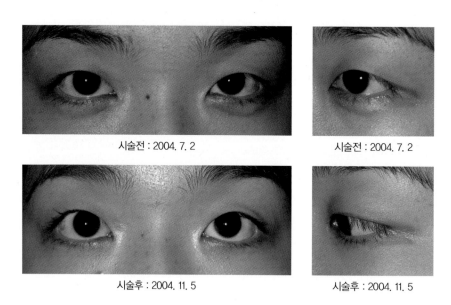

시술전 : 2004. 7. 2　　　　시술전 : 2004. 7. 2

시술후 : 2004. 11. 5　　　　시술후 : 2004. 11. 5

그림 11-11. 아라미스를 이용한 눈밑 애교살의 치료

치료 전 많이 늘어지던 애교살이 치료 후 사라졌다.

스는 3ms이고, 펄스의 발사주기는 3Hz이다)이 유리하고, 치료팁의 온도는 5도가 적당하다고 발표하였다. 에너지가 60J/cm2을 넘지 않아야 표피가 안전하다.

b) Fournier ; A 35-month profilometric and clinical evaluation of non-ablative remodeling using a 1540-nm Er:Glass laser ; J Cosmet Laser Ther, 2004

그림 11-12. 아라미스를 이용한 눈밑 주름의 치료
치료 후 굵은 눈밑 주름이 완화되었다.

아라미스 뿐 아니라 다른 NAR의 효과보고 중에서도 가장 장기간의 추적관찰 연구이다. 연구는 silicone imprint를 이용한 anisotrophy의 정도를 측정했으며 11명의 눈주위, 입주위 주름 환자를 추적하였다. 6주 간격으로 5회 치료하였으며 치료 종료 후 6개월 후에 41.21%호전되었고, 14개월 후에 51.76%, 35개월 후에 29.87% 호전되었다고 보고하였다.

c) Dahan ; Treatment of neck lines and forehead rhytids with a nonablative 1540-nm Er:Glass laser: A controlled clinical study combined with the measurement of the thickness and the mechanical properties of the skin ; Derm Surg, 2004 (그림 11-13)

이 연구는 목과 이마에서 아라미스 3회 치료 후 1개월 후에 초음파판독으로 피부두께의 변화를 관찰하였다. 목부위는 치료 후 0.13mm, 이마부위는 0.13mm의 진피두께 증가가 있었다. NAR 이후 피부두께의 증가를 초음파를 이용해 측정한 흔치 않은 연구이다.

d) Levy ; Determination of optimal parameters for laser for nonablative remodeling with a 1.54um Er:Glass laser:A dose-response study ; Derm Surg, 2002

아라미스의 부위별 적정 파라미터를 연구한 논문이다. 입주위는 8J*5, 눈가는 8J*3을 적정파라미터로 보고하였다. 이 이상이 에너지에서는 물집, 딱지 등이 발견되었다.

e) Alster ; Nonablative laser skin resurfacing using a 1540nm Erbium Glass laser: A Clinical and histologic analysis ; Derm Surg, 2002

유럽에서 많이 발표되던 연구가 미국에서 확인된 의의가 있다. 한달 간격으로 3회 치료 후 1개월 후보다 6개월 후에 더 효과가 증가하였다. 6개월 후를 보면 입주위와 눈주위에서 평균적으로 26-50% 정도의 주름 감소효과가 있었다.

f) Mordon ; Can thermal lasers promote skin wound healing? ; Am J Clin Dermatol, 2003

아라미스가 다른 NAR 레이저에 비해 상대적으로 낮은 온도인 48에서 50도로 진피를 가열하는

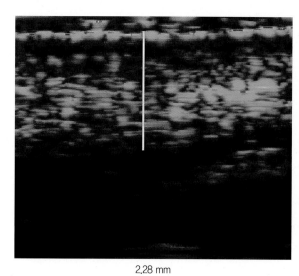

2.28 mm   2.54 mm

그림 11-13. 아라미스 치료 전후 피부초음파를 이용한 피부두께 측정

치료 전 2.28mm였던 피부두께가 3회 치료, 6주 후에 측정한 결과 2.54mm로 증가하였다.(Derm Surg. 2004;30:872-879)

이유에 대한 설명이 자세히 있다. 이 정도 온도에서 단백질의 완전한 변성은 오지 않지만 진피 단백질이 열 손상을 입고 이는 HSP의 증가를 유도하고 이로부터 진피의 neocollagenosis가 증가되는 과정에 대한 설명이 있다.

g) Mordon ; Treatment of active acne with an Er:Glass laser ; ASLMS 2004

한 달 간격으로 4회 치료(50-60J/cm2) 후 12주 후에 관찰한 결과 평균적으로 여드름병변이 78% 호전되었다. 모든 환자(25명)에서 피지분비의 감소가 있었다.

h) Kassir ; Er:Glass laser for the treatment of facial acne vulgaris ; ASLMS, 2004

3-6pulses of 8-12J/cm2(24-72J/cm2) 2주 간격으로 4번 치료 후 1달, 3달 후 관찰하여 평균적으로 70% 이상의 여드름병변 호전이 있었다.

i) Arndt ; 1540nm Erbium:Glass laser for inflammatory facial acne ; ASLMS, 2005

얼굴전체는 48J/cm^{2}으로 치료하고 여드름부위는 60J/cm^{2}으로 치료했다. 2주 간격으로 4회 치료 한 달 후 관찰하였다. 여드름 병변은 전체적으로 67% 호전되었다. 피지분비는 26% 감소하였다.

5. 프랙셔널 레이저

탄산가스 레이저를 이용한 피부종양 등의 치료가 보편화된 후에 얼굴전체를 탄산가스 레이저를 이용하여 박피를 하면 상처가 치유되면서 피부노화가 역전될 수 있다는 것이 알려지면서 한동안 레이저박피가 피부노화 치료의 표준적인 방법으로 이용되던 시기가 있었다. 그러나 탄산가스 레이저 시술 후 회복기간이 길어서 이를 극복하고자 어븀야그 레이저를 이용하였으나 이 또한 탄산가스 레이저에 비해서 회복기간은 짧으나 효과가 적은 단점이 있었다.

이후 피부표면의 박피가 발생하지 않는 NAR (non-ablative rejuvenation) 방법이 1997년 최초로 소개된 이후 수년간 다양한 NAR 기술이 개발되었다. NAR은 레이저 박피를 하고 싶어도 긴 회복기간 때문에 못하는 경우에 표피와 상부진피는 보존하면서 좀 더 깊은 진피 또는 피하지방층에 마치 레이저박피와 같은 heating에 의한 조직 손상을 유도하고 이에 따른 상처치유 기전을 통하여 피부가 재생되면서 피부노화가 역전되도록 하였다. 그러나, NAR 시술이 전 세계적으로 수년간 많이 시술되면서, 과거의 레이저박피에 비해서 NAR이 현저히 효과가 떨어진다는 것이 일반적인 견해가 되었다.

그래서, 예전에 레이저박피에서 손상을 가했던 표피와 상부진피 부위를 치료범위에 포함한다면 더 좋은 효과를 얻을 수 있을 것이란 기대에 프랙셔널 방식(fractional technology)이 태동하게 된다. 프랙셔널 방식은 전체 피부를 치료하는 것이 아니고 부분적으로 치료하므로, 표피가 손상되어도 주변의 손상되지 않고 남아있는 표피 부분에 의해 상처부위가 금방 회복이 되고 이런 치료를 반복함으로써 전체 피부를 안전하게 표피 진피 모두를 치료할 수 있을 것이라 기대하게 된다. 결국 2004년 Fraxel® 이란 이름으로 탄생한 프랙셔널 방식은 이후 지금까지 빠르게 진화하고 있다. 자세한 내용은 별도 챕터에서 기술하기로 한다.

가) 비박피성 프랙셔널 레이저

Fraxel®은 1,550nm 파장의 레이저를 피부에 조사하는데 스캔을 이용하여 아주 작은(직경 80~180micrometer) 미세열구역(microthermal zone, MTZ)을 수없이 많이(375~4000/cm²) 만들어낸다. 시술 방법은 OptiGuide Blue®를 바른 후 국소마취제를 바르고 60~90분 후에 Fraxel®을 하며 다중조사를 하여 전체 치료 피부의 10~20%에 미세열구역이 만들어지면, 손상 받지 않은 건강한 주변 피부로부터 재생이 쉽게 일어나도록 유도하는 치료이다. 시술 후 부기는 1~3일 지속되며, 홍반은 3~7일에 85%에서 사라지고 3주 후에는 100%에서 사라진다. 2주에서 4주 간격으로 3~5회 반복 치료하게 된다. 이렇게 반복치료하면 피부 속으로 충분히 깊은 곳(0.9mm)까지 치료가 가능하지만 일상생활에 불편함이 최소로 발생하면서 쉽게 상처가 치유되고, 다른 비박피적 피부재생술과 달리 표피도 같이 치료하므로 주름, 탄력, 흉터뿐만 아니라 표피의 병변도 같이 치료가 되는 장점이 있다. 이런 부분치료 개념을 이용한 Fraxel®의 소개 이후로 유사한 방법의 다른 기계들이 속속 선보이고 있다. 국산으로는 같은 원리를 이용한 Mosaic® 등이 많이 이용되고 있다(그림 11-14, 11-15, 11-16, 11-17). 비박피성 프랙셔널 레이저 치료는 비박피성 중적외선 레이저를 프랙셔널 방식으로 조사하는 것이란 할 수 있다. 결국 비박피성 리주버네이션의 연장선에 있다.

나) 박피성 프랙셔널 레이저

Fraxel® 등 비박피성 프랙셔널 레이저의 등장 이후 같은 원리를 박피성 레이저인 탄산가스 레이저나 어븀야그 레이저를 이용하면 어떤 차이가 있을지 관심이 집중되었고, 비박피성 프랙셔널 레이저의 개발 이후 박피성 프랙셔널 레이저 개발도 봇물을 이루었다. 탄산가스나 어븀야그 레이저를

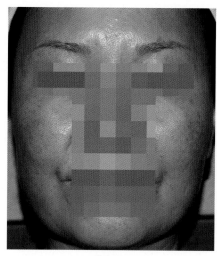

Before   Post 2nd Tx

그림 11-14. 모자이크를 이용한 안면피부 리주버네이션

Pulse Energy : 8mJ, Total Density 1500spots/cm²

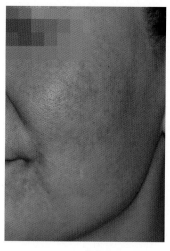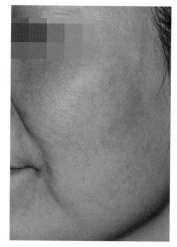

Before   Post 2nd Tx

그림 11-15. 모자이크를 이용한 기미의 치료

Pulse Energy : 6mJ, Total Density 1600spots/cm²

이용한 박피성 프랙셔널 레이저에서는 실제 미세열구역이 100℃ 이상으로 발열되어 물이 기화하여 공기 중으로 증발하면서 피부조직도 같이 소실되는 현상이 나타난다. 이런 박피성 치료는 비박피성 치료에 비해서 회복기간이 증가하고 부작용의 가능성이 커지나 일반적으로 효과는 증가하는 양상을 보인다. 박피성 프랙셔널 레이저는 비박피성 리주버네이션의 방법은 아니다.

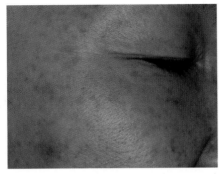
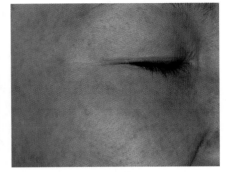

Before   Post 2nd Tx

그림 11-16. 모자이크를 이용한 안면피부 리주버네이션
Pulse Energy : 12mJ, Total Density 1200spots/cm²

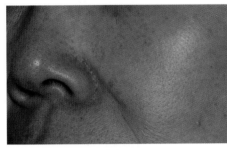
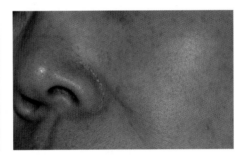

Before   Post 2nd Tx

그림 11-17. 모자이크를 이용한 모공축소 시술
Pulse Energy : 14mJ, Total Density 900spots/cm²

다) 튤리움(Thulium) 레이저

1927nm의 파장을 이용하는 튤리움 레이저는 물에 대한 흡수도가 탄산가스레이저와 Fraxel®과 Mosaic®의 중간에 해당한다. 다시 말해 박피성 레이저와 비박피성 레이저의 중간 정도의 물에 대한 흡수도를 보이는데, 이런 이유로 실제로 레이저의 에너지 레벨에 따라서 박피가 되기도 하고, 안되기도 한다(그림 11-18).

필자가 1927nm를 이용한 튤리움 레이저이 일종인 라비앙으로 연구한 바에 따르면, fluence 레벨에 따라서 조직반응이 다르다. 낮은 fluence에서

는 비박피성이 되고, fluence가 증가함에 따라 부분 박피성을 보이다가, 더 높은 fluence에서는 확실한 박피성 경향을 보이게 된다. 즉, 비박피성과 박피성 성격을 자유자재로 조절할 수 있다. 필요에 따라서 박피가 필요한 치료나 환자가 박피성 치료를 견딜 수 있고, 높은 효과를 위해 원하는 경우는 그렇게 치료가 가능하고, 부작용이 적고 경과가 편한 치료를 원하는 경우 비박피성을 선택할 수 있다. 특히 29mJ의 펄스에너지에서 보는 부분박피성의 경우 표피하부와 진피상부는 일부 조직이 소실된 부분박피성 경향을 보이는데 아직 각질층은 많이 보존이 되어있다. 즉, 박피성 프랙셔널 레이

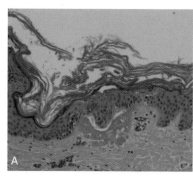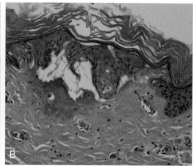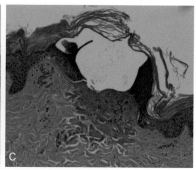

그림 11-18. 1927nm Thulium레이저(라비앙, 원텍)를 이용한 치료

A) 12mJ의 pulse energy에서 피부의 비박피성 coagulation을 보인다.

B) 20mJ의 pulse energy에서 피부의 비박피성 coagulation과 표피진피의 분리 현상을 보인다.

C) 20mJ 2 pulse stacking (= 40mJ) 의 pulse energy에서 피부에 박피성 coagulation을 보인다. 즉, 표피와 일부진피의 박피가 관찰되고, 그 아래 진피부위에 coagulation을 보인다.

저에서 보는 박피와 더불어 각질층과 표피가 소실된 양상이 아닌, 각질층이 보존된 양상을 보인다. 이런 경우 확실 표피하부와 진파상부손상에 수반된 효과를 노리면서, 각질층보존으로 인한 장점을 지킬 수 있는 독특한 치료가 가능하다. 라이방에서는 fluence 레벨을 조절하여 이런 변화가 가능하나, Fraxel dual의 튤리움 레이저의 경우 펄스에너지가 증가하면 스팟 사이즈도 동시에 커지므로 fluence를 증가시킬 수 없고 늘 일정한 조직반응만 보이므로, 다양한 응용이 불가능하다.

튤리움 레이저를 이용한 프랙셔널 치료는 Fraxel®과 Mosaic®에 비해서 물에 대한 흡수도가 높아서 진피에 깊이 침투하지 않고 표면에 더 변화를 유도하므로 얕은 주름의 치료에 이용될 수 있다(그림 11-19). 또 색소병변도 잘 치료되어서 한번 치료로 I형과 II형 리주버네이션이 가능하다.

6. 고주파(Radiofrequency)

RF (radiofrequency) 기계들은 3 Khz에서 300

Mhz의 frequency를 가지는 전기기계이다. 전류가 피부에 가해지면 피부의 전기에 대한 고유한 성질인 전기저항에 의해서 전류의 흐름이 있는 동안 조직과 전류사이에 마찰이 발생하여 이것으로 인해 열이 발생한다. 고주파는 피부 조직의 전기저항성에 따라서 열을 발생하게 된다. 고주파는 이온의 흐름에 따라서 열을 발생하는데 이온의 흐름은 저항의 원리를 따른다. 즉, 전기는 전기저항이 가장 적은 길을 따라서 흐른다. 예를 들면 혈액은 높은 전기 전도성이 있어서 전기저항(impedance)이 낮다. 반면 뼈는 전기전도성이 낮고 높은 전기저항을 보인다. 뼈와 혈관이 있는 부위라면 전기는 전도성이 낮은 뼈를 피해서 혈액을 타고 흐르게 되며 혈관 주위로 열이 발생한다. 전기저항은 조직의 온도와도 관계가 있다. 높은 온도의 조직은 전기저항이 적고 전류를 유도하여 열이 발생한다.

이런 RF기계들은 monopolar(단극성)과 bipolar(양극성)가 있다. 단극성은 리턴패드를 피부(주로 배나 등)에 부착한 후 치료전극을 이용하여 치료하게 된다(주로 얼굴). 단극성 고주파는 써마지가 가장 대표적인 기기이다. 써마지를 이용한 안

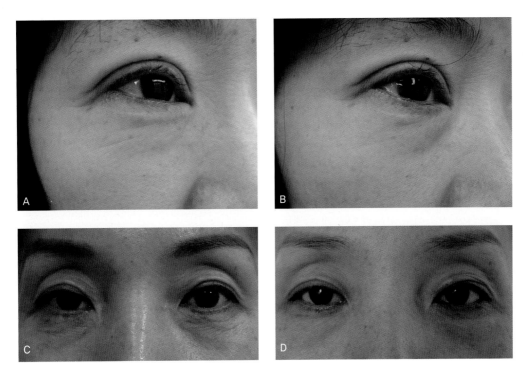

그림 11-19. 눈밑, 눈가 주름에 대한 Thulium 레이저(라비앙) 시술 전후
A) 시술전, B) 시술후, C) 시술전, D) 시술후

면, 경부, 기타 몸통이나 손등같은 부위의 비박피성 리주버네이션이 많이 발표되었다. 양극성 고주파는 고주파 단독이 아니고 빛과 결합하여 두 에너지를 동시에 사용하는 흔히 ELOS(Electro-optical synergy)라고 하는 방식으로 이용된다. 폴라리스, 오로라 등으로 시작된 ELOS방식의 치료는 최근까지 다양한 발전을 하였다. 국산으로는 An-ti-Lax, Arneb 등이 있다.

최근에는 절연침을 피부 속에 삽입한 후 비절연된 끝부분에서 RF를 발사하는 프랙셔널 방식의 RF가 각광을 받고 있다. e-Prime, e-Max, 인트라셀, 디아지, 스칼렛, 인피니 등 많은 기기가 소개되고 있다. 최근에 가장 주목받는 치료방식이라 할 수 있다. 치료침의 길이를 선택하면 치료깊이를 달리 할 수 있으므로, 한 대의 기계로 다양한 깊이를 치료할 수 있는 큰 장점이 있다.

레이저는 표피의 멜라닌 등과 반응하여 열을 발생하는데, 고주파는 레이저가 아니어서 표피의 멜라닌색소 등에 영향을 받지 않고 피부 속에서 열을 발생한다. 즉, 피부색에 관계없는 치료가 가능하여 피부색이 검은 한국인의 치료에 큰 장점으로 작용한다. 고주파 리주버네이션에 대해서는 고주파 챕터에서 따로 기술하기로 한다.

7. 고강도 집적 초음파(HIFU)

넓은 피부표면을 통하여 피부 속으로 들어간 초음파가 피부 속 일정깊이의 한곳에서 모이게 한다면, 피부손상은 일어나지 않고 집적된 부분에서는 고열이 발생할 수가 있다. 이런 원리로 초음파를 피부 밑 지방층에 집적시켜 지방분해를 목적으로 할 수가 있다. 같은 원리를 이용한 HIFU가 피부밑 SMAS층을 겨냥하여 초음파를 집적하면 이 층에서 열이 발생하고 이것이 리프팅으로 연결되는 방식이 소개되었다. 이를 최초로 사용화한 것은 Ulthera라고 하는 HIFU 장비이다.

이상의 설명에서 보듯 지방분해 HIFU와 리프팅 HIFU는 초음파가 집속되는 깊이가 다르게 설계된 것이지 HIFU의 물리적 힘은 동일하다. 그래서, 리프팅 HIFU의 초음파가 피하지방층깊이에 모이게 되면 피하지방층의 분해가 일어난다. 이는 곧 예기치 못한 부작용과 연결된다. 현재 사용되는 여러 리프팅 HIFU 장비는 피하지방층을 완벽하게 피하고 SMAS에만 치료 효과를 발휘한다는 증거를 제시하지 못하고 있다. 또 많은 국산 HIFU 장비는 제대로 된 치료 후 조직사진을 보여주지 못하고 있다.

HIFU에 대한 자세한 기술은 별도 챕터에서 하기로 한다.

◀ 참고문헌 ▶

1. Dahan S, Lagarde JM, Turlier V, Courrech L, Mordon S. Treatment of neck lines and forehead rhytides with nonablative 1540-nm Er:glass laser: a control led clinical study combined with the measurement of the thickness and mechanical properties of the skin. Dermatol Surg 2004;30:872-879

2. Dainichi T, Ueda S, Fumimori T, Kiryu H, Hashimoto T. Skin tightening effect using fractional laser treatment II: A pilot animal study on skin remodeling. Dermatol Surg. 2010;36(1):71-5.

3. Desmettre T, Maurage CA, Mordon S. Heat shock protein hyperexpression on chorioretinal layers after transpupillary thermotherapy. Invest Ophthalmol Vis Sci. 2001 Nov;42(12):2976-80.

4. Fatemi A, Weiss MA, Weiss RA. Short-term histologic effects of nonablative resurfacing: results with a dynamically cooled millisecond-domain 1320nm Nd:YAG laser. Dermatol Surg 2002;28:172-176

5. Fitzpatrick R, Geronemus R, Goldberg D, Kaminer M, Kilmer S, Ruiz-Esparza J. Multicenter study of noninvasive radiofrequency for periorbital tissue tightening. Lasers Surg Med 2003;33:232-242

6. Fournier N, Dahan S, Barnean G, et al. Nonablative remodel ing: cl inical , histologic, ultrasound imagery and profilometric evaluation of a 1540nm Er:glass laser. Dermatol Surg 2001;27:799-806

7. Goldberg AJ, Whitworth J. Laser skin resurfacing with the Q-switched Nd:YAG laser. Dermatol Surg 1997;23:903-907

8. Goldberg D, Tan M, Dale Sarradet M, Gordon M. Nonablative dermal remodel ing with a 585-nm, 350- microsec, flashlamp pulsed dye laser: clinical and ultrastructural analysis. Dermatol Surg 2003;29:161-163

9. Goldberg DJ, Cutler KB. Nonablative treatment of rhytides with intense pulsed light. Lasers Surg Med 2000;26:196-200

10. Goldberg DJ, Silapunt S. Q-switched Nd:YAG laser: Rhytid improvement by nonablative dermal remodeling. J Cutan Laser Ther 2000;2:157-160

11. Goldberg DJ. Nonablative subsurface remodeling: clinical and histologic evaluation of a 1320-nm Nd:YAG laser. J Cutan Laser Ther 1999;1:153-157

12. Hantash BM, Renton B, Berkowitz RL, Stridde BC, Newman J. Pilot clinical study of a novel minimally invasive bipolar microneedle radiofrequency device. Lasers Surg Med. 2009 Feb;41(2):87-95.

13. Hardaway CA, Ross EV, Paithankar DY. Nonablative cutaneous remodel ing with a 1.45 micron mid-infrared diode laser: phase II . J Cosmet Laser Ther 2002;4:9-14

14. Hsu T, Kaminer MS. The use of nonablative radiofrequency technology to tighten the lower face and neck. Semin Cutan Med Surg 2003;22:115-123

15. Jacobson LG, Alexiades-Armenakas M, Bernstein L, Geronemus RG. Treatment of nasolabial fold and jowls with a noninvasive radiofrequency device. Arch Dermatol 2003;139:1371-1372

16. Karimipour DJ, Kang S, Johnson TM, Orringer JS, Hamilton T, Hammerberg C, Voorhees JJ, Fisher G. Microdermabrasion: a molecular analysis following a single treatment. J Am Acad Dermatol. 2005 Feb;52(2):215-23.

17. Lee SY, Park KH, Choi JW, Kwon JK, Lee DR, Shin MS, Lee JS, You CE, Park MY. A prospective, randomized, placebo-controlled, double-blinded, and split-face clinical study on LED phototherapy for skin rejuvenation: clinical, profilometric, histologic, ultrastructural, and biochemical evaluations and comparison of three different treatment settings. J Photochem Photobiol B. 2007 Jul 27;88(1):51-67.

18. Lefell DJ. Clinical efficacy of devices for nonablative photorejuvenation. Arch Dermatol 2002;138:1503-1508

19. Levy JL, Trelles M, Lagarde JM, Borrel MT, Mordon S. Treatment of wrinkles with the nonablative 1,320-nm Nd:YAG laser. Ann Plast Surg 2001;47:482-488

20. Lupton JR, Williams C, Alster TS. Nonablative laser skin resurfacing using 1540 nm erbium glass laser: a clinical and histologic analysis. Dermatol Surg 2002;28:833-835

21. Manuskiatti W, Fitzpatrick RE, Goldman MP. Long-term effectiveness and side effects of carbon dioxide laser resurfacing for photoaged facial skin. J Am Acad Dermatol. 1999 Mar;40(3):401-11.

22. Meglinsky, IV, The determination of absorption coefficient of skin melanin in visible and NIR spectral region, SPIE, Vol 3907: 143-150

23. Menaker GM, Wrone DA, Williams RM, Moy RL. Treatment of facial rhytides with a nonablative laser: a clinical and histological study. Dermatol Surg 1999;25:440-444

24. Negishi K, Tezuka Y, Kushikata N, Wakamatsu S. Photorejuvenation for Asian skin by intense pulsed light. Dermatol Surg 2001;27:627-632

25. Omi T, Kawana S, Sato S, Honda M. Ultrastructural changes elicited by a non-ablative wrinkle reduction laser. Lasers Surg Med. 2003;32(1):46-9.

26. Orringer JS, Kang S, Johnson TM, Karimipour DJ, Hamilton T, Hammerberg C, Voorhees JJ, Fisher GJ. Connective tissue remodeling induced by carbon dioxide laser resurfacing of photodamaged human skin. Arch Dermatol. 2004 Nov;140(11):1326-32.

27. Orringer JS, Voorhees JJ, Hamilton T, Hammerberg C, Kang S, Johnson TM, Karimipour DJ, Fisher G. Dermal matrix remodeling after nonablative laser therapy. J Am Acad Dermatol. 2005 Nov;53(5):775-82.

28. Ortiz AE, Tremaine AM, Zachary CB. Long-term efficacy of a fractional resurfacing device. Lasers Surg Med. 2010 Feb;42(2):168-70.

29. Rogachefsky A, Hussain M, Goldberg D. Atrophic and mixed pattern of acne scars improved with a 1320-nm Nd:YAG laser. Dermatol Surg 2003;29:904-908

30. Sadick NS, Schester AK. A preliminary study of utilization of the 1320-nm Nd:YAG laser for the treatment of acne scarring. Dermatol Surg 2004;30:995-1000

31. Sadick NS, Weiss R, Kilmer S, Bitter P. Photorejuvenation with intense pulsed light: results of a multi-center study. J Drugs Dermatol 2004;3:41-49

32. Sadick NS. Update on nonablative light therapy for rejuvenation: a review. Lasers Surg Med 2003;32:120-128

33. Souil E, Capon A, Mordon S, Dinh-Xuan AT, Polla BS, Bachelet M. Treatment with 815-nm diode laser induces long-lasting expression of 72-kDa heat shock protein in normal rat skin. Br J Dermatol. 2001 Feb;144(2):260-6.

34. Tanzi EL, Williams CM, Alster TS. Treatment of facial rhytides with a nonablative 1450nm diode laser: a controlled clinical and histologic study. Dermatol Surg 2003;29:124-128

35. Varani J, Perone P, Fligiel SE, Fisher GJ, Voorhees JJ. Inhibition of type I procollagen production in photodamage: correlation between presence of high molecular weight collagen fragments and reduced procollagen synthesis. J Invest Dermatol. 2002 Jul;119(1):122-9.

36. Varani J, Spearman D, Perone P, Fligiel SE, Datta SC, Wang ZQ, Shao Y, Kang S, Fisher GJ, Voorhees JJ. Inhibition of type I procollagen synthesis by damaged collagen in photoaged skin and by collagenase-degraded collagen in vitro. Am J Pathol.

417

2001 Mar;158(3):931-42.

37. Weiss RA, McDaniel DH, Geronemus RG, Weiss MA. Clinical trial of a novel nonthermal LED array for reversal of photoaging: clinical, histologic, and surface prof ilometric results. Lasers Surg Med 2005;36:85-91

38. Weiss RA, Weiss MA, Geronemus RG, McDaniel DH. A novel, nonthermal nonablative LED photomodulation device for reversal of photoaging: digital microscopic and clinical results in various skin types. J Drugs Dermatol 2004;3:605-610

39. Woo WK, Handley JM. A pilot study on the treatment of facial rhytides using nonablative 585-nm and pulsed dye and 532-nm Nd:YAG laser. Dermatol Surg 2003;29:1192-1195

40. Zelickson BD, Kilmer SL, Bernstein E, Chotzen VA, Dock J, Mehregan D, etal. Pulsed dye laser therapy for sun damaged skin. Lasers Surg Med 1999;25:229-236

41. Zelickson BD, Kist D, Bernstein E, Brown DB, Ksenzenko S, Burns J, Kilmer S, Mehregan D, Pope K. Histological and ultrastructural evaluation of the effects of a radiofrequency-based nonablative dermal remodeling device: a pilot study. Arch Dermatol. 2004 Feb;140(2):204-9.

CHAPTER 12 IPL (intense pulsed light)

IPL(intense pulsed light)

IPL(intense pulsed light)

여 운철

I. IPL의 특성

IPL은 한꺼번에 여러 파장의 빛이 나온다고들 한다. 물론 IPL의 종류에 따라 서로 다른 다양한 범위의 파장의 빛이 나온다. 이번 챕터에서는 IPL의 prototype이라고 할 수 있는 Vasculight를 예로 들어 설명하겠다. IPL과 달리 레이저는 일정한 정해진 파장의 빛이 나온다. 예를 들면 혈관치료 레이저인 브이빔의 경우 595nm 파장의 빛이 나온

다. 색소치료를 위한 엔디야그 레이저는 532nm의 파장의 빛이 나온다. 그런데 IPL은 Vasculight의 경우에는 515nm에서 1200nm까지의 빛이 한꺼번에 나온다(그림 12-1). 파장별로 조사되는 빛의 양을 그래프로 나타내면 이것을 spectral distribution 이라한다. 이외에도 다양한 spectral distribution을 보이는 다양한 IPL이 있는데 모든 IPL은 단일 파장이 아니고 광역파장대의 빛을 발사하는 것은 공통점이다.

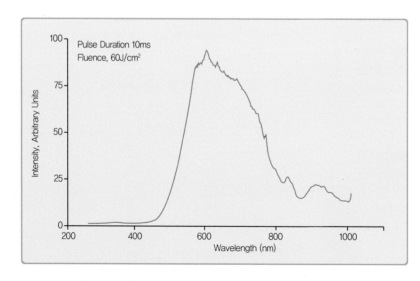

그림 12-1. 최초의 IPL인 Vasculight의 spectral distribution
Cut off filter를 사용하지 않은 상태에서 515에서 1200ddm 사이의 파장에서 빛이 조사된다.(Arch Dermatol. 1999 Jun;135(6):679-83.)

레이저를 이용하면 목표로 하는 크로모포어에 잘 흡수되는 파장의 빛을 이용하게 된다. 그런데 IPL을 이용하면 각각의 크로모포어에 맞는 빛을 모두 포함하고 있으므로 IPL을 한번 조사하면 각각 타겟에 맞는 파장의 빛이 각각의 타겟과 반응하여 한꺼번에 여러 치료효과를 보입니다. 515에서 1200nm의 파장의 빛이 한꺼번에 조사되면 멜라닌과도 반응하고 헤모글로빈과도 반응하고 물과도 반응하게 된다. 그러면 색소질환, 혈관질환, 피부노화의 문제가 있는 피부의 경우에 이런 여러 문제점들이 IPL 치료로 한꺼번에 개선이 된다.

1. IPL의 broadband의 특성

IPL은 한 번의 치료로 여러 가지 타겟이 한꺼번에 치료된다고 한다. 이러한 설명은 IPL의 성능을 선전하는 광고에서 흔히 보는 것이지만, 실제 치료에 있어서 여러 병변을 한꺼번에 치료하는 것은 간단한 것이 아니고, 여러 제한점이 존재한다. 몇 가지 제한점을 살펴보겠다.

가) IPL의 빛이 모든 파장대에서 일정한 강도가 아니다.

IPL기계마다 발사되는 파장이 다르다. Vas-culight는 515nm에서 1200nm인데 다른 IPL은 600nm에서 800nm일 수 있다. 그런데 이런 차이 뿐 아니라 515에서 1200이라 하더라도 어느 부분이 강하고 어느 부분은 약할 수 있다. 똑 같이 515에서 1200nm 영역의 파장의 빛이 나온다 하더라도 IPL마다 강한 에너지가 나오는 파장이 다를 수 있다. Vasculight의 경우는 500, 600근처가 강

하게 나오고 그 보다 장파장은 약하게 나온다. 다시 말해서 색소나 혈관병변에 치료효과가 높은 반면 주름이나 피부노화나 모공이 치료되는 장파장의 빛은 약하게 나오게 된다. 레이저는 피부노화를 치료하기 위해서는 장파장(1000에서 1600nm)의 빛을 많이 이용한다. 혈관병변을 치료하는 pulsed dye laser는 585nm, 590nm의 파장을 이용한다. 광역대의 파장이 한번에 나오는 IPL은 색소병변, 혈관병변, 피부노화 모두에 효과가 있지만 어느 것 하나 전문적이지 못하다는 비판을 들을 수 있다. 즉, 이것이 IPL이 레이저에 비해 치료의 선택성이 떨어진다고 하는 점이다. 이점이 IPL이 처음 소개되었을 때 많은 의사들이 비난했던 부분이다. 지금은 장기간 사용해 본 결과 나름대로의 장점이 많이 알려져서 여러 파장을 같이 사용하는 장점이 인정되고 있다.

나) 모든 병변이 같은 파라미터에 치료되는 것이 아니다

병변에 따라서 비슷한 fluence에 다 같이 치료되면 좋으련만 어떤 병변은 더 강한 fluence가 필요하다. 예를 들어 혈관병변을 치료하기 위해서는 색소병변의 치료 때보다 일반적으로 강한 fluence가 필요하다. 그러면 혈관병변의 치료를 위하여 높은 fluence로 치료하면 색소병변에는 너무 강한 반응이 일어나 표피의 화상이 염려된다. 색소병변을 주 목표로 하는 안전한 fluence에서는 혈관병변에는 치료효과가 없기가 쉽다. 그러므로 넓은 영역의 파장의 빛이 한꺼번에 나온다 하더라도 여러 병변이 한꺼번에 치료되기가 쉬운 것은 아니다. Fluence 뿐 아니라 병변에 따라 적절한 pulse duration도 다른데 이것도 한꺼번에 여러 병변이

다 같이 치료되기 어려운 이유이다.

다) 한 파장이 한 물질에 대해서만 반응하는 것이 아니다

예를 들어 IPL에 포함된 560근처의 파장은 멜라닌색소와도 반응하고 혈관 속의 헤모글로빈과도 반응한다. 이는 이런 파장을 사용하는 레이저의 경우도 마찬가지이다. 혈관을 없애기 위해 강하게 치료하고 싶은데 이 경우 혈관뿐 아니라 색소도 반응하므로 피부가 검은 사람의 경우 자기 피부전체가 IPL과 반응하게 되어서 혈관치료를 위해 너무 강한 에너지를 가하기가 어려운 면이 있다.

2. SPTL(selective photothermolysis)

레이저 치료의 기본원리인 Selective photothermolysis for microscopic precision을 위해서 다음과 같은 3가지 조건이 충족되어야 한다.

첫째, 목표물질에 잘 흡수되는 wavelength둘째, 충분히 효과를 볼 수 있는 fluence셋째, pulse duration이 TRT(thermal relaxation time)보다 짧게 한다.

선택적광열용해를 쉽게 풀어서 보면 예를 들어 멜라닌 색소에 잘 흡수되는 파장의 빛이 있다고 하고 이 빛을 멜라닌색소 병변에 조사한 경우, 병변부의 증가한 멜라닌 색소는 이빛을 흡수하여 열이 발생하게 된다. 이 열에 의하여 멜라닌색소가 파괴된다. 그런데 멜라닌 색소가 아닌 다른 부위는 상대적으로 이 빛에 별로 반응하지 않으므로 열이 발생하지 않는다. 그래서 멜라닌 색소만 파괴되고 주변피부조직은 열이 발생하지 않아서 안전하다.

그런데 한 가지 멜라닌 색소에 열을 발생시키는데 시간이 오래 걸리면 멜라닌 색소가 뜨거워지기 전에 주변 피부로 열이 전달되어서 주변피부도 같이 온도가 올라가게 된다. 이렇게 되면 선택적 파괴에 의한 선택적 열용해가 불가능하다. 그래서 열이 오르는 시간이 짧아야지 주변으로 열이 전달되기 전에 멜라닌 색소가 충분히 뜨거워져서 파괴된다. 너무 서서히 열이 발생하면 멜라닌 색소가 주변으로 열을 전달하면서 식어서 멜라닌 색소를 파괴할 수가 없게 된다.

예를 들어 멜라노좀을 파괴하기 위해서는 멜라노좀의 TRT인 100nsec 보다 짧은 시간동안 에 멜라노좀에 잘 흡수되는 파장의 빛이 충분한 fluence로 발사되면 SPTL이 이루어진다. 레이저를 이용한 피부병변의 치료가 바로 이 selective photothermolysis의 원리를 이용한다.

IPL을 이용한 치료의 원리도 SPTL이다. IPL에는 다양한 파장이 존재하나 각각의 파장이 해당되는 크로모포어와 각각 SPTL 현상을 일으킨다고 이해할 수 있다. IPL을 이용한 색소병변의 치료에서 SPTL에 적합하지 않은 점은 바로 IPL에서 이용하는 밀리초 단위의 pulse duration이 melanosome의 TRT인 100nsec 보다 훨씬 길다는 점이다. 이런 경우는 멜라노좀에 열이 국한되지 않고 주변 조직으로 열이 발산되어서 멜라노좀이 파괴되지 않는다. 밀리초 단위의 pulse duration을 가진 IPL을 이용한 치료에서나, 밀리초나 마이크로초 단위의 pulse duration을 가진 레이저의 색소병변 치료후에 멜라노좀 자체는 파괴되지 않은 현상이 보고되고 있다(그림 12-2). 그런데 표피의 기저층의 TRT인 1.5msec나 표피전체의 TRT인 10msec을 고려한다면 IPL을 통한 색소치료는 멜라노좀을 매개로 해서 표피의 기저층이나 표피전

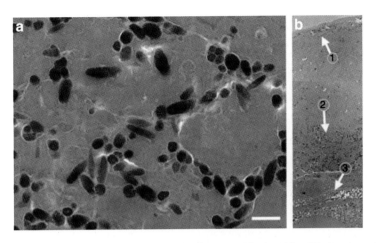

그림 12-2. Microscopic structure of microcrust formed by IPL treatment

Many melanosomes are observed in the microcrust that sloughed off the skin surface of a pigmented spot. (a) Melanosomes in the microcrust. (b) The vertical block (J Invest Dermatol. 2006 Oct;126(10):2281-6.)

체의 치료에 적절한 msec 단위의 pulse duration 을 이용한 표피기저층이나 표피전체의 SPTL이라고 이해할 수가 있다.

결국 IPL을 이용한 색소병변의 치료시 표피기저층이나 표피전층에 전반적인 열을 가하게 되고, 색소치료레이저를 이용하여 nsec 단위의 pulse duration을 이용하면 keratinocyte나 melanocyte에 포함된 melanosome에 선택적으로 열을 가하게 된다. 이런 차이점을 이해하는 것이 색소병변의 치료에서 레이저를 이용하거나 IPL을 이용하는 차이점을 이해하는데 도움이 되겠다.

3. TRT(thermal relaxation time)과 pulse delay

• TRT

thermal relaxation time흡수한 열의 반을 잃어버리는 데 걸리는 시간

• pulse delay

IPL의 치료에서 multipulse를 선택한 경우 각 펄스사이의 off time의 길이

많은 레이저는 치료시 레이저빔의 크기와 fluence만 결정하면 된다. 그런데 IPL은 우선 어떤 파장의 빛으로 할 것인지 cut off filter를 결정하고, 싱글로 할 것인지 더블모드로 할 것인지, 더블이면 처음과 두 번째 펄스를 길이를 어떻게 하고 그 사이는 얼마나 쉴 것인지, 스팟 사이즈는 어떤 것으로, fluence는 어떻게 할 것인지 등등 결정해야 할 것이 굉장히 많다(그림 12-3). 이중에서 가장 생소한 것이 multiple mode를 어떻게 이해하고 이용할 것 인가 이다.

예를 들어 double mode로 발사하게 된다고 하고 처음 펄스를 3밀리초 두 번째 펄스를 3밀리초 두 펄스사이의 간격 즉, pulse delay를 20밀리초로 한다면 3.0(20)3.0으로 표시할 수 있다. 자 이런 multiple pulse의 의미는 무엇일까?

이를 분석해보기 위해 기초지식이 필요하다. 혈

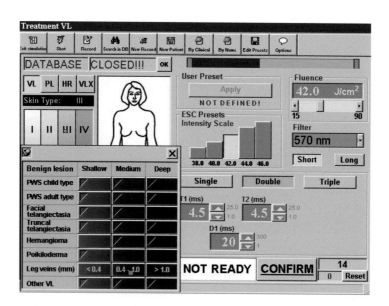

그림 12-3. IPL파라미터의 설정

이 그림에 표현된 파라미터 설정은, Cut off 필터는 570nm로 하였고, 더블모드로 설정하고 첫번째 펄스의 pulse duration은 4.5밀리초 인터벌은 20밀리초 두번째 펄스의 pulse duration은 4.5밀리초로 설정하였다. 두 펄스를 포함한 전체 샷의 fluence는 42J/cm²이다.

관병변에서 나타나는 모세혈관(Capillaries)을 보면 굵기가 10-150마이크론이고 이때 TRT가 1-10밀리초로 알려져 있다. 표피는 TRT가 10-20밀리초이다. TRT는 열을 받아 뜨거워지더라도 받은 열의 반이 다시 식는 시간이다.

초창기 IPL사용설명서를 보면 화염상모반에서 더블펄스로 3.0(20)3.0로 치료하면 주변피부는 delay time동안 식고 혈관은 열이 축적되어서 효과적으로 치료된다고 설명하고 있다. 다시 말해서 두 번으로 나누어 치료하면 목표로 하는 혈관에는 열이 축적되고 주변피부는 delay time 동안 식었다가 다시 열이 올라서 화상 입을 정도까지 되지 않는다는 설명이다. 그런데 잘 보면 여기에 바로 문제가 있다.

이렇게 설명대로 되려면 치료할 혈관의 TRT는 delay time 보다 길어야 하고, 주변피부의 TRT는 delay time보다 짧아야 한다. 그런데 대부분의 치료하고자 하는 혈관의 TRT는 delay time인 20밀리초보다 짧으므로, delay time 동안 첫 펄스로 열이 오른 혈관도 모두 식게 된다. 결론적으로 초창기 IPL 설명서와 같은 multiple pulse 이점은 존재하지 않는 것이다.

그렇다면 IPL에서 흔히 이용되는 multiple pulse의 이점은 무엇일까? 다음 장에서 더 설명해보자.

4. multipulse의 의미

가) multipulse의 기원

그런데 1995년 Journal of Investigative Dermatology에 Dierickx는 중요한 논문을 발표했다. 당시 Dierickx의 연구는 수식으로 알고 있던 혈관

의 TRT를 실제로 조직에서 실험적으로 밝혀낸 연구였다. Dierickx는 화염상모반 혈관병변을 대상으로 그림 12-4와 같은 실험을 했다.

그림 12-4의 위쪽의 점선은 브이빔을 한번 조사한 후 멍이 드는 강도이다. Y축이 레이저의 flu-ence이다. 그런데 실험은 멍이 드는 fluence가 10이라면 80%에 해당하는 8을 먼저 조사하였다. 그리고, 델타t 정도의 시간이 흐른 후 다시 두 번째 펄스를 조사하는데 다양한 강도로 하게 된다. 만약 두 번째 펄스까지의 경과시간이 TRT에 해당이 된다면 8이라는 에너지에 의한 열은 50%가 식어서 4가 되었을 것이다. 이때 두 번째 펄스의 fluence가 6이라면 남아있는 열과 합산하여 10이 된다. 10이 되면 다시 멍이 발생한다. 이렇게 해서 혈관의 굵기에 따른 TRT를 실험으로 알아냈는데 기존의 물리학적 식으로 계산한 것과 같은 결과를 얻었다.

이 실험으로 레이저를 한번에 발사하지 않고 나누어 발사해도 적어도 한번에 강하게 발사하는 것과 같은 결과를 얻을 수 있다는 사실을 알게 되었다. 이는 오늘날 multipulse 기술의 기초가 된다. 이런 multipulse를 이용하여 long pulse laser를 개발하게 되었다. long pulse 레이저가 개발되던 시기에는 multipulse를 이용하지 않고 true long pulse를 만들기 위해 필요한 높은 출력을 내는 것이 어려워서 낮은 에너지의 subpulse를 모아서 연속발사하고 이것으로 long pulse를 만들었던 것이다.

칸델라회사의 스클레로펄러스는 true long pulse를 사용하여 1.5밀리초까지 만들었으나, 이후 브이빔에서는 멀티펄스를 이용하여 더 긴 long pulse를 만들었다(그림 12-4a). 포토제니카, 브이스타에서도 이런 멀티펄스를 이용하고 있다. 이

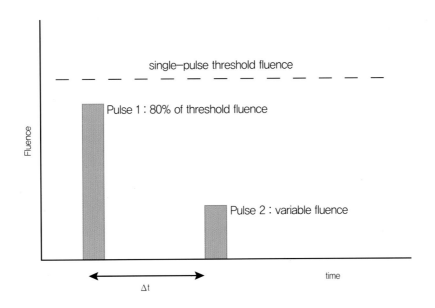

그림 12-4. Thermal relaxation of port-wine vessels
이 실험으로 인해 롱펄스의 혈관치료레이저가 본격적으로 개발되는 급물살을 맞게 되었는데, 이와 별개로 이 연구에서 한가지 주목할 만한 깨달음은 레이저를 한번에 발사하지 않고 나누어 발사해도 적어도 한번에 강하게 발사하는 것과 같은 결과를 얻을 수 있다는 사실이었다. 이는 오늘날 multipulse의 기초가 된다. (J Invest Dermatol. 1995 Nov;105(5):709-14.)

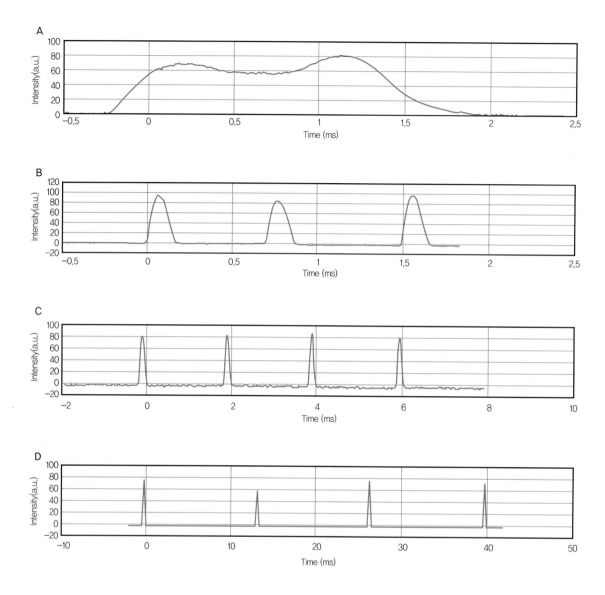

그림 12-4a. vascular response to photothermolysis : true long pulse vs multipulse

A: true long pulse (Scleroplus) B,C,D: long pulse composed of multiple subpulses(V-beam)
(Lasers Surg Med. 2002;30(2):160-9.)

렇듯 IPL에서 multipulse를 이용할 시기에는 이
미 레이저들도 multipulse를 이용하고 있었다. 다
만 IPL은 이 multipulse를 사용자가 직접 조작하
게 함으로서 multipulse의 개념이 주목을 받게 되
었다.

나) pulse delay 때 발생하는 denaturation

Optical thermal model of laser tissue inter-
action

a) Optical phase

In order to be selective, target must absorb the light better than the surrounding tissue. Wavelength that is readily absorbed by the target should be selected.

b) Thermal phase

For each type of tissue targeted, absorbed light plays a role to heat up the target.

c) Tissue denaturation process

A change in tissue structure and in its optical properties

• Denaturation process

① Optical absorption increases after this phase by a factor of 3-4

② Tissue denaturation takes place mainly after the laser has been fired

③ Tissue change induces better light absorption and improves target selectivity compared to surrounding tissue

④ This takes place several tens or even several hundreds of ms after the laser has been fired

2002년의 보고를 보면 KTP레이저를 이용하여 트리플펄스를 이용한 치료를 하고 있음을 본다(그림 12-5). 100밀리초를 조사하고 250밀리초를 쉬고 다시 30밀리초를 조사하고 250밀리초를 쉬고 30밀리초를 조사했다. 그리고, 이 논문에 보면 이렇게 멀티펄스를 하는 경우 펄스사이의 쉬는 시간에 조직의 변성(denaturation)이 일어난다고 한다. 그리고, 이런 원리는 IPL에서도 사용되고 있다고 한다. 바로 이 denaturation이 해법이다. 멀티펄스를 하는 경우는 두 샷 사이에 쉬는 시간에 단백질 변성이 생겨서 단백질의 빛을 흡수하는 성질이 바뀐다는 것이다. 그래서 두 번째 샷에서 이런 성질을 잘 이용하면 파괴하고자 하는 부분이 더 빛을 잘 흡수하게 만들면 상대적으로 타겟의 온도가 더 많이 올라가고 주변 피부조직은 온도가 잘 올라가지 않게 할 수 있다는 것이다.

- 532 nm KTP laser
- Nonuniform pulse sequence of multipulse mode
- Superficial 0.5-1mm leg telangiectases

- Three stacked pulses

100ms	30ms	30ms
250ms	250ms	

- Safe and effective treatment
- The time between pulses : tissue denaturation process takes place
- Also used in IPL(first by Goldman and Eckhouse, Derm surg, 1996, Photothermal sclerosis of leg veins)

그림 12-5. Treatment with multiple pulse mode (Dermatol Surg. 2002 Jul:28(7):564-71.)

그런데 두 펄스사이의 쉬는 시간에 일어나는 denaturation은 첫 번째 pulse 발사 후에 일어난다. 레이저발사가 끝나면 조직의 열도 서서히 식게 되지만 상당 시간 열이 지속된다. denaturation은 이때 일어난다. 이렇게 변성이 생기면 빛에 대한 성질이 변해서 다음 빛이 오면 3-4배 더 그 빛을 잘 흡수하게 된다. 즉, 이런 변성이 선택적으로 우리가 파괴하고자 하는 조직에서 발생한다면 멀티펄스로 나누어서 조사함으로써 주위 피부는 보호하면서 파괴하고자 하는 병변을 더 쉽게 선택적으로 파괴할 수가 있다.

헤모글로빈을 예로 들어보자. 이는 혈관치료에 꼭 필요한 크로모포어이다. 헤모글로빈은 레이저 빛을 흡수하여 열이 발생하면 methemoglobin으로 변성된다. 그런데 methemoglobin은 1064nm 파장의 빛을 그냥 헤모글로빈보다 몇 배 더 잘 흡

수한다(그림 12-6). 그렇다면 레이저를 한번 쏠 것이 아니라 두 번, 세 번에 나누어 조사하면 헤모글로빈이 메트헤모글로빈이 되고 이 상태에서 두 번째 샷이 1064nm이라면 더 쉽게 선택적으로 헤모글로빈의 열 발생과 혈관파괴가 가능하다. 이때 변성된 헤모글로빈인 methemoglobin이 1064nm에 대한 흡수도가 증가하므로 두 번째 pulse는 1064nm이어야 하지만 첫 번째 pulse는 헤모글로빈에 흡수되는 어떤 파장이어도 좋다는 것을 알 수 있다. 그런데 실제적으로는 다른 파장의 빛이 짧은 시간에 같은 자리에 발사되기 어려우므로 1064nm 파장의 레이저로 multipulse를 하면 소기의 목적을 이룰 수 있음을 알 수 있다.

헤모글로빈에 있어서는 열변성에 의한 흡수도 변화가 잘 알려져 있다. 그런데 멜라닌은 어떠한가? 색소병변의 치료에서는 멜라닌 또는 멜라노좀

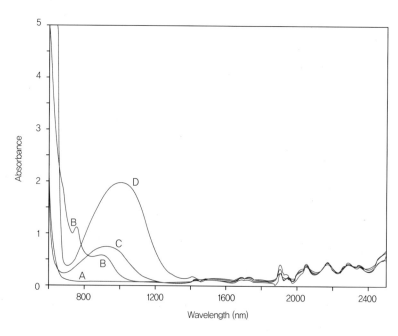

그림 12-6. absorption spectrum of each of the hemoglibin species

A: carboxyhemoglobin, B: deoyhemoglobin(Hb), C: oxyhemoglobin(Hb-O₂, D: methemoglobin(Met-Hb) (Lasers Surg Med. 2003;32(2):160-70.)

이 타겟 크로모포어라고 할 수 있는데, 멜라닌은 multipulse로 조사할 때 delay time 동안 어떤 변성이 일어나는지 잘 알려진 것이 없다.

다) uniform pulse sequence vs non-uniform pulse sequence

a) non-uniform pulse sequence (그림 12-7)

multipulse를 하는 경우에 처음 펄스를 강하게 하고 다음 펄스를 약하게 유지하면 크로머포어의 온도를 일정하게 유지할 수 있다. 이런 치료를 nonunifrom pulse sequence 라 한다. Nonuniform pulse sequence에서는 온도는 일정하다.

b) uniform pulse sequence (그림 12-8)

그런데 multipulse를 하는 경우 각각의 sub-pulse를 같은 fluence로 하게 되면 첫 번째 pulse

에 의해 에너지를 흡수한 크로모포어는 변성이 되고 그러면 다음 pulse의 빛을 더 잘 흡수하게 되고, 그렇지 않은 주변피부는 상대적으로 차갑게 유지가 된다. 이렇게 여러 번 pulse를 조사하면 목표로 하는 크로모포어에만 열전달을 많이 할 수 있다. 그림8에서 자주색은 레이저빔을 표시하고, 청색은 주변피부, 흑색은 목표로 하는 크로모포어이다. 펄스를 거듭할수록 둘 사이의 온도 차이가 점점 더 생기는 것을 본다. 이런 방식의 치료는 각 subpulse의 에너지가 같으므로 uniform pulse sequence라고 한다. Vasculight에 이어 새로 나온 Lumenis-one은 바로 uniform pulse sequence를 구현한다고 회사 측에서 말하고 있는데, 이를 optimal pulsing technology라고 부르고 있다(그림 12-9). 각 subpulse의 에너지가 같은 것이 어떤 장점이 있는지 spectral shift에서 알아보기로 한다.

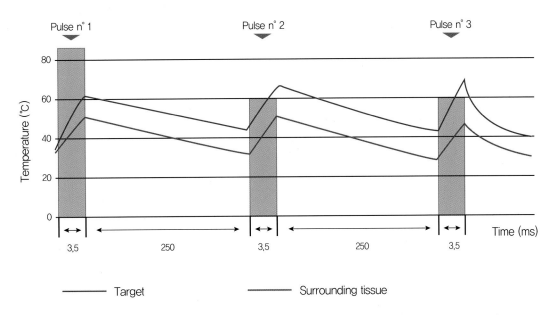

그림 12-7. Nonuniform pulse sequence
(Lasers Surg Med. 2003;32(2):160-70.)

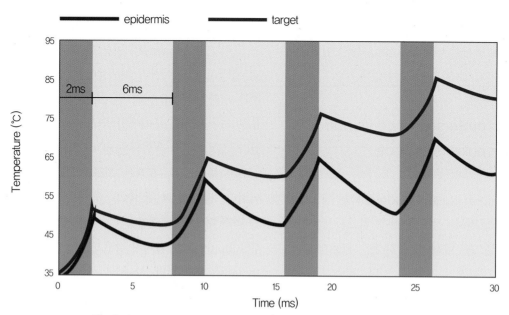

그림 12-8. uniform pulse sequence (Lasers Surg Med. 2003;32(2):160-70.)

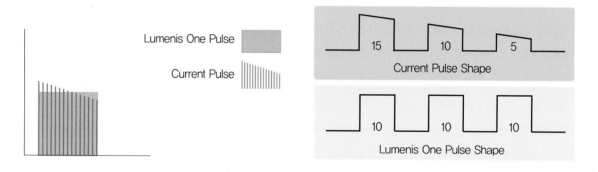

그림 12-9. Lumenis One: Clinical advantages of OPT (optimal pulsing technology)

Lumenis 사의 Lumenis One 은 optimal pulsing technology를 구사하여 pulse가 나오는 동안 전기출력의 변화가 없이 일정하고, 멀티펄수가 발사되는 동안도 항상 일정한 전기출력이 유지된다.

라) IPL의 색소병변치료시의 multipulse

다시 한번 정리하여 multipulse의 장점은 무엇일까?

혈관병변의 치료시 multipulse는 단백질(즉, 헤모그로빈)의 변성을 유도하여 흡수도를 증가시키거나, 혈관의 직경이 커서 표피의 TRT보다 큰 TRT를 가진 경우 혈관에는 열이 축적되고 표피의 열은 delay time에 식게 되는 이점이 있다.

색소병변의 치료시 멜라노좀의 변성이 알려진 바가 없고, 주로 표피색소성병변을 치료한다면 delay time 동안 표피가 식게 되면 타겟인 멜라노좀도 같이 식게 된다. 그러므로, 굵은 혈관병변을 치료할 때처럼 타겟에는 열이 축적되고 주변조직에서는 열이 식어서, 타겟이 multipulse를 할수록 타겟에 선택적으로 열이 발생하는 상황을 기대할 수도 없다.

최근에 IPL뿐 아니라 여러 레이저치료에서 한번의 강한 치료보다 플루언스가 약한 샷을 여러 차례 반복하는 치료가 안정성이 높고 효과가 좋을 수 있음이 발표되고 있는데, IPL을 이용한 색소병변의 치료에서 multipulse를 이용한 치료는 이런 관점에서 더 연구할 필요가 있다고 생각한다.

5. spectral shift

동일한 IPL에서 전기에너지가 높은 경우는 단파장의 빛이 많이 조사되고, 에너지가 낮은 경우는 장파장의 빛이 많이 조사되는 현상이 spectral jitter라고 소개되었다(그림 12-10). Jitter는 흔들린다는 뜻인데, IPL에서 일어나는 현상은 정확히는 전기에너지에 따라 빛의 파장이 바뀌는 현상이므로 spectral shift라로 할만하다.

그림 12-10에서 보면 전통적인 IPL은 전기에너지가 초기에 약하고 중간에 강하며 pulse duration이 끝나가는 시점에는 다시 약해진다. 이에 따라서 IPL에서 발사되는 빛의 파장도 에너지가 약할 때는 장파장의 빛이 주로 나오고, 에너지가 강할 때는 단파장의 빛이 많이 발사된다. 즉, 어떤 IPL이 510에서 1200nm의 파장의 빛이 나온다하고 이때 파장별 빛의 강도가 알려져 있다 해도 이는 IPL이 발사되는 전체 pulse duration 시간중의 한 시점에서 포착한 spectral distribution일 뿐이고, 전체 발사되는 시간별로 분석해보면 발사초기에는 긴 파장이 많이 나오고, 중간에는 500nm-600nm의 단파장의 빛이 많이 나오고, 다시 pulse가 끝날 시점에는 장파장이 많이 나온다는 뜻이다.

그런데 전기에너지가 발사되는 처음부터 끝나는 시점까지 같은 수준을 유지하면 이를 square pulse라고 한다. 이때 만들어지는 IPL의 빛은 pulse의 시작과 중간, 끝에서 spectral distribution이 일정하게 된다(그림 12-11A). 이런 기술은 멀티펄스를 발사하는 경우에도 같은 모양의

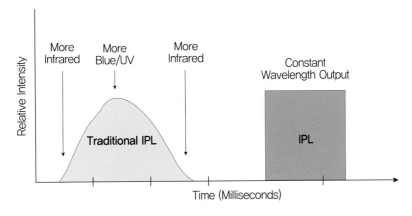

그림 12-10. Spectral shift in Traditional IPL

기존의 IPL에서는 전류가 높은 펄스의 중간에서는 단파장의 빛이 많이 생성되고, 전류가 낮은 펄스의 초기나 말기에는 장파장의 빛이 많이 생성된다. 그러나, 최근의 constant current를 보이는 IPL은 펄스시간 동안 일정한 파장의 스펙트럼을 보인다. (Lasers Surg Med. 2006 Apr;38(4):261-72.)

spectral distribution이 각 subpulse마다 나타난다. 그러나, 과거의 conventional pulse라면 멀티펄스에서 첫 펄스보다 다음 펄스가 전기에너지가 낮고, 따라서 더 장파장의 빛이 발사되고 단파장은 줄어드는 현상이 나타난다(그림 12-11B). 이런 이유로 멀티펄스를 하여도 효과가 증가하지 않는 현상이 발생할 수 있다.

전기적으로 square pulse를 구현하고 이에 따라 조사되는 빛의 파장이 일정하게 유지되는 기술을 Lumenis회사에서는 optimal pulsing technology라고 부른다. 이런 기술을 이용하지 않는다면, 즉, 전기 에너지가 square pulse가 아니라면, 한 pulse 내에서도 발사되는 spectrum이 변경되고, 여러 subpulse 사이에는 서로 다른 파장의

빛이 발사될 것이므로 치료결과를 예측하기 어려워진다. 그림 12-11과 같이 한시점이 아니라 IPL이 발사되는 시간전체에 대해서 시간별로 spectrum이 어떻게 되는지 표시하는 그래프가 바로 time-resolved spectral distribution이다. 이런 자료를 제시할 수 있는 IPL이라면 기술력을 인정할 수 있겠다.

Lumenis의 IPL이 고가인 이유가 square pulse의 전기출력을 발생하기 때문이라고 생각하는데, 국산 IPL 중에서 루트로닉사의 Solari가 square pulse 방식을 취하고 있다(그림 12-12, 그림 12-13). 그러나, square pulse 방식을 만들기 위하여 출력에 손해를 보게 되는데 이를 보상하기 위해서 시스템 파워를 증가시킨다면 이에 따른 많은 제

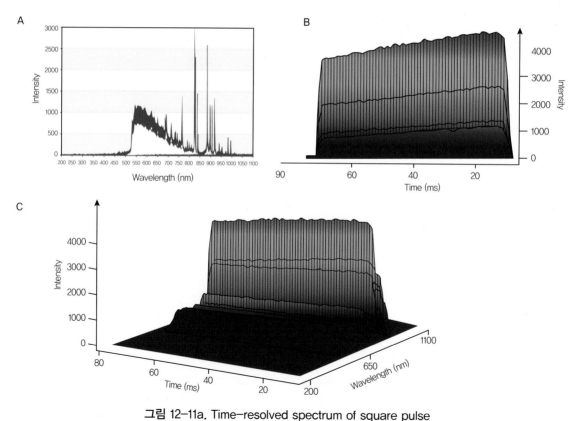

그림 12-11a. Time-resolved spectrum of square pulse
이때 만들어지는 IPL의 빛은 pulse의 시작과 중간, 끝에서 spectral distribution이 일정하게 된다.

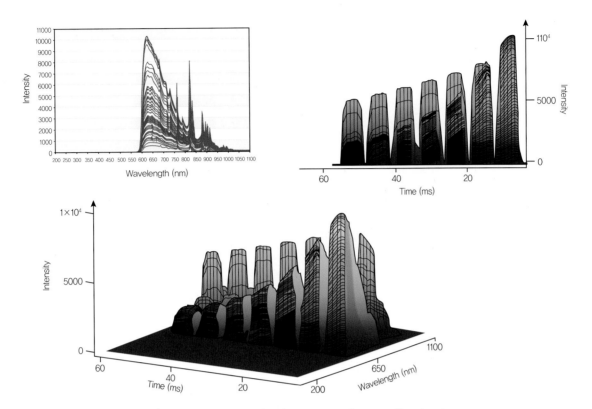

그림 12-11b. Time-resolved spectrum of conventional pulse

멀티펄스에서 첫 펄스보다 다음 펄스가 전기에너지가 낮고, 따라서 더 장파장의 빛이 발사되고 단파장은 줄어드는 현상이 나타난다. (Lasers Surg Med. 2008 Feb;40(2):83-92.)

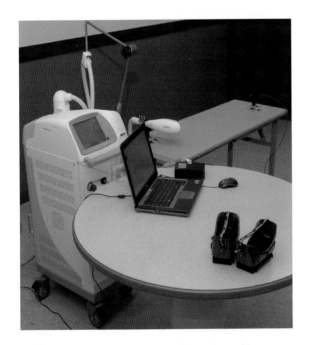

그림 12-12. Measurement of IPL pulse with spectrometer

조원가 상승이 발생한다. 비용대비 성능을 평가하자면 실제 suare pulse가 아니면서(이러면 제조원가가 많이 증가하지 않는다) 전기출력을 최적화하여 spectral shift가 최소한으로 발생하도록 고안된 Cellec같은 IPL이 대안이 될 수도 있다 (그림 12-14).

II. IPL을 이용한 색소병변의 치료

- Benign Pigmented Lesions
- Epidermal
  Solar lentigo

433

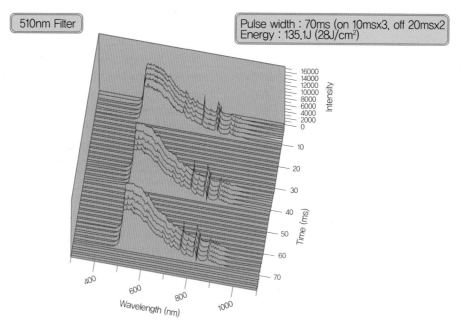

510nm Filter

Pulse width : 70ms (on 10msx3, off 20msx2)
Energy : 135.1J (28J/cm²)

그림 12-13. Time resolved spectral distribution of Solari(Lutronic)

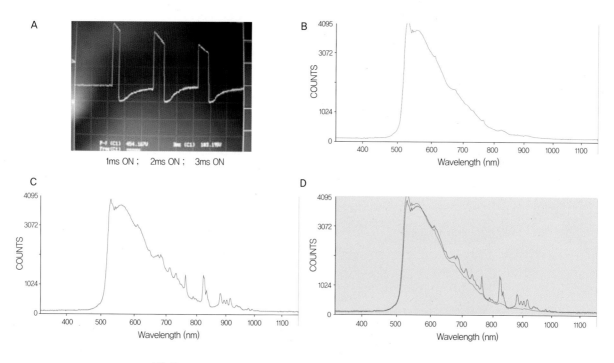

1ms ON ;   2ms ON ;   3ms ON

그림 12-14. Time resolved spectral distribution of Cellec (Jeisys)

A) 트리플 펄스의 전기 출력이 모습인데 suare pulse 보다는 두 번째, 세 번째 펄스가 일정한 출력을 보여주지 못하
고 있으나 기존의 conventional electric current 로 지적되던 것보다는 두 번째, 세 번째 펄스에서 전기출력이 많이
유지되고 있는 양상이다.
B) 첫 번째 펄스의 spectral distribution   C) 세 번째 펄스의 spectral distribution
D) 첫 번째 펄스와 세 번째 펄스를 겹쳐보면 세 번째 펄스가 전기출력이 떨어지면서 장파장이 좀 더 많이 방출되고 있
는 것을 볼 수 있으나 첫째 펄스에 비해서 그 차이가 크지 않다.

Cafe-au-lait spots

Ephelides

Nevi spili

Melasma

Becker's nevi

Post inflammatory hyperpigmentation

- Dermal

Nevi of Ota /Nevi of Ito

Melanocytic nevi

Mongolian spots / Ectopic mongolian spots

Blue nevi

Post inflammatory hyperpigmentation

IPL은 색소질환의 치료에 상당한 장점이 있다. 물론 다른 색소질환 치료용 레이저가 있지만, IPL은 다른 레이저로 치료가 곤란한 질환의 치료에 적절히 이용이 되거나, 레이저로 치료하는 것보다 훨씬 경과가 가볍게 지나가도록 치료가 가능하다.

• 다른 레이저로 곤란한 경우

기미나, 염증후 색소침착, 얼굴전체가 너무 검고 지저분한 경우, 일광에 노출이 너무 많은 야외활동이 심한 사람 등에서 Q-switched laser의 경우 부작용의 가능성이 높으나, 이런 경우에도 IPL은 가볍게 여러 번 치료하면 부작용의 가능성을 줄이고 좋은 효과를 볼 수 있다.

• 주근깨, 잡티 등

이 경우 레이저로 치료하는 것보다 IPL로 치료하면 치료 후 경과가 가볍게 지나가고 색소병변부위만 아니라 얼굴전체를 치료하게 되므로 얼굴톤도 밝아진다. IPL시술 후에는 약간 붉어진 후 금방 회복이 되며, 다음날부터 원래 병변이 진해지

는 정도로 되는데 이것을 microcrust라고 한다. 이 microcurst가 수일 후 떨어지며, 딱지 떨어진 자리가 홍반 등의 표시가 잘 나타나지 않다. 이런 좋은 장점이 있지만, 주근깨나 잡티 등이 주변피부색과 차이가 많이 나지 않거나, 희미한 경우는 IPL로 치료가 잘 되지 않아서 색소치료용 레이저를 이용하여야하는 경우도 있다.

• 오타모반의 치료

오타모반의 경우는 Q-스위치 레이저를 이용하는 것이 일반적이다. Q-switched laser의 pulse duration은 nsec range 인데 이는 멜라노좀의 TRT보다 짧아서 멜라노좀을 잘 파괴하고 멜라노좀을 함유하는 진피의 멜라닌세포가 잘 파괴가 된다. 그러나, IPL의 경우 pulse duration이 msec range여서 멜라노좀의 TRT보다 훨씬 길고, IPL로 멜라노좀에 전달된 에너지는 멜라노좀을 뜨겁게 하기 전에 주변으로 열이 퍼져나가게 되고, 오타모반의 경우 진피멜라닌세포 주변은 정상조직이므로 넓은 범위를 은근히 열을 올리는 것이 치료효과가 없다. 오타모반이 경우 넓은 진피에 가끔 멜라닌세포가 있는 형태이다. 즉, IPL을 이용해서는 멜라노좀을 선택적으로 파괴하고 진피멜라닌세포를 파괴하는 효과가 없어서 오타모반의 치료에 도움이 되지 않는다.

결론적으로 IPL은 주근깨, 기미, 흑자, 밀크커피색 반점, 베커씨 반점, 반문상모반, 색소침착 등의 표피 멜라닌병변의 치료에 이용된다. 일반적으로 진피성 색소병변은 Q-스위치 레이저가 first choice이다. 진피병변 중에는 선천성 색소성모반 같은 진피에 멜라닌세포 nest가 형성되는 경우는 이 세포덩어리의 TRT는 msec range에 해당하므로, IPL이 효과적인 파라미터가 있을 수 있다.

1. 파라미터의 조절

- **Pigmented lesion -guideline**
- Shorter filter

Light skin

Light lesion

Shallow lesion

- Longer filter

Dark skin

Dark lesion

Deep lesion

사용하는 필터 : 515, 550, 570, 590, 615, 645

색소병변의 치료시에 Vasculight에 있어서는 표와 같이 다양한 필터의 사용이 가능하다. 515에서 645까지의 필터가 쉽게 교체해서 사용할 수 있다. 이렇게 다양한 필터를 이용하면 빛의 성질을 조금씩 바꿀 수 있어서 쉽게 표현하면 미세조절이 가능하다.

가) 짧은 필터를 사용하는 경우

515필터를 이용하면 빛은 515nm에서 1200nm까지 나온다. 즉, 짧은 파장의 빛이 많이 포함된다. 짧은 파장의 빛은 멜라닌에 흡수가 많이 된다. 즉, 표피와 강하게 반응한다. 그래서, 피부가 흰 경우나, 병변이 연한 경우나, 얇은 병변에 적절하다. 이런 빛을 얼굴이 아주 검은 분에 사용하면 멜라닌색소와 빛이 강하게 반응하여 물집과 딱지가 생기는 화상이 생긴다.

나) 긴 파장의 필터를 이용하는 경우

645파장의 필터를 이용하면 빛은 645nm에서 1200nm까지 나온다. 이 경우 빛은 멜라닌색소와의 반응이 적다. 그래서 약하게 치료하고 싶은 경우에 도움이 된다. 기미를 치료할 때 많이 사용하게 된다. 피부가 아주 검은 분이 치료를 원할 때 안전한 필터가 된다.

이상의 경우는 양극단을 본 것이지만, 피부색, 병변의 색, 등을 파악하여 결국 6가지 필터가 다양하게 사용되고 있다.

파장별 흡수곡선을 보면, 헤모글로빈의 경우 500근처의 파장이 잘 흡수된다. 멜라닌 색소는 긴 파장의 빛일수록 잘 흡수되지 않는다. 파장이 긴 빛으로 멜라닌색소병변을 치료하면 가벼운 치료가 되고, 짧은 파장의 빛이 많이 포함되면 멜라닌 색소병변이 강하게 반응하게 된다.

2. 색소병변치료시 Q-switched laser와 IPL의 비교

- **Impact of short-pulsed(<1 ms) laser**
- Immediate and temporary whitening

persists 5-20min

- Ring cell

dispersion of pigment in pigmented keratinocyte, melanocyte, nevus cell to the periphery of cell

- Scab or crust

forms over 1 to 2 days, lasts for several days Epidermal death caused by release of melanin from melanosome

- Ideal situation

Unwanted pigment is eliminated, surrounding skin maintains constitutive pigment

1밀리초 이내의 pulse duration의 레이저를 이용한 즉, 색소치료용 레이저를 이용한 색소병변의 치료시 나타나는 변화이다. 색소레이저라 하면 Q-스위치 레이저를 말하며, 이에는 3가지가 있다. Q-스위치 루비 레이저, Q-스위치 알렉산드라이트 레이저, Q-스위치 엔디야그 레이저가 바로 그것이다.

이 레이저를 하면 치료 직후에 20분까지 하얗게 보이다가. 그 후 딱지가 형성되고 수일 후 떨어지게 된다.

• Fluence of Q-switched lasers

- Subthreshold

Can result in hyperpigmentation

- Threshold

Uniform whitening immediately after treatment. Lower the fluence to a level that produces uniform but faint whitening, healing is more rapid. Dark skin has lower threshold

- Suprathreshold

Tissue sloughing, prolonged healing, greater risk of PIH or hypopigmentation or textural change

기술한 바와 같이 Q-스위치 레이저를 이용한 치료시 fluence의 강도에 따라 다양한 결과가 나타난다. 그런데, 이때 레이저 에너지의 강도에 따라서 적절한 정도의 강도(threshold)이면 딱지 생겨서 떨어지고 치료가 잘된다. 그런데 이보다 약하

거나 조금 강한 경우 색소침착의 위험이 증가한다. 강하게 하면 우선은 잘 치료가 되나 이후에 색소침착의 가능성이 크다. 약하게 하면 딱지 형성이 미약하고 딱지가 떨어진 후에도 병변의 소실이 관찰되지 않고 병변이 오히려 검어진다. 결국 병변에 따라 optimal한 치료를 하여야 한다. optimal한 치료는 시술직후 병변이 너무 강하지 않게 하얗게 되도록 세기를 정하는 것이다.

색소치료용 레이저(엔디야그, 알렉산드라이트, 루비)는 한 번 치료로 일단 거의 모든 병변이 제거되나 레이저의 성격상 일부분이 치료에서 빠지는 경우도 있고, 지저분하게 빠지거나, 치료직후에 보면 오히려 색이 더 빠져서 옅어지는 등 얼룩덜룩하게 될 우려가 있다. 딱지가 떨어진 후에 홍반이 남아 있는 경우가 많다. 이런 현상은 시간이 지나면 해결된다. 큰 단점은 치료직후의 재발이 많다는 점이다. 재발이 되는 경우 원래 병변의 크기보다 더 크게 레이저 치료직후 발생한 딱지의 크기만하게 재발한 병변이 커지는 경우가 있다. 재발은 치료 후 딱지가 떨어지고 나서 1-2주 사이에 발생하여 4주까지 진행하는 경우가 많다. IPL보다 병변의 제거가 잘되나 재발이 잘되는 단점이 있는 것이다(그림 12-15, 그림 12-16). 그리고, IPL에 비해 치료 시 통증이 더 많다.

IPL은 빛이 발사되는 시간(Pulse duration)이 레이저보다 월등히 길다. Q-스위치 레이저를 발사하면 멜라노좀의 TRT보다 짧은 시간에 레이저가 전달되어서 멜라노좀이 파괴되어, 세포의 변연부로 흩어지고, 이런 shock wave의 발생으로 세포내에 빈공간이 생기고 임상적으로 whitening이 발견된다. 그런데 IPL에서는 밀리초 단위로 빛이 발사되므로 멜라노좀이 파괴되기 전에 주변으로 열전달이 되어서, 표피기저층이나 표피전층이

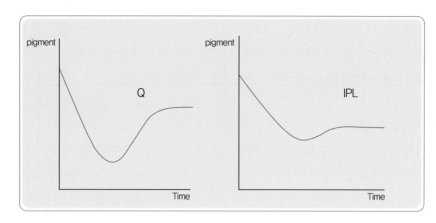

그림 12-15. Comparison of Q-switched laser & IPL

Q-switched laser는 IPL보다 병변의 제거가 잘되나 재발이 잘되는 단점이 있다. 재발은 보통 시술후 2주에서 4주사이에 진행된다.

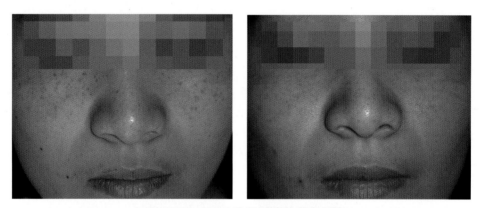

그림 12-16a. Q-스위치 레이저 시술 전후

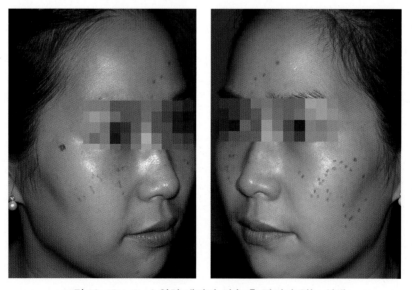

그림 12-16b. Q-스위치 레이저 시술 후 딱지가 있는 상태

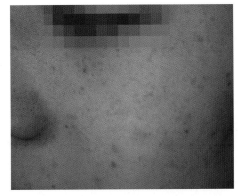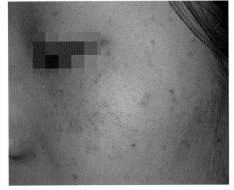

그림 12-16c. Q-스위치 레이저 시술 전과 시술 후 화장으로 가렸으나 보이는 상태

전체적으로 열을 받게 된다. 이 경우는 임상적으로 whitening은 발견되지 않고 치료 직후에는 미세하게 치료받은 병변이 검어지는 현상만 보인다.

IPL의 장점은 스팟의 크기가 커서 전체적으로 치료를 하므로 병변을 빠뜨리지 않고 치료하며 지저분하지 않게 치료가 된다. 치료 후 경과가 간단하다. 치료 직후 붉은 것은 수 시간에서 하루면 다 없어진다. 주근깨는 약간 더 검어진 후에 5-7일 정도 후에 떨어지며 세안과 화장이 가능하다. 치료받은 부위 전체가 밝아지는 효과도 있다. 제일 중요한 장점은 치료 후 재발이 적다는 것이다. 그리고, 치료시 통증이 적은 장점이 있다. 단점은 어떤 주근깨의 경우 IPL로 잘 치료되지 않은 경우도 있다는 것이다. 색소레이저의 경우 재발은 잘 되지만, 치료 후 바로는 거의 다 떨어지는데 비해 IPL은 다 떨어지지 않는 것이 보통이다. 특히 색상이 연한 병변은 IPL에 대한반응이 떨어진다. 그래서, IPL은 보통 약 한달 간격으로 반복치료를 하게 된다.

3. 기미

2002년 미국레이저학회에서 일본의 Negishi 등이 46명의 기미환자 치료결과를 발표하였다.

46 female patients
Skin type III-V
Average 4 IPL treatments
640nm filter, 4(20)6, 23-26J/cm2
Minimal darkening after Tx. and micro-crust formation
Significant improvement

설명한 것과 같은 파라미터를 이용하였고 이는 필자가 기미를 치료하는 파라미터와 거의 유사하다. 기미의 치료시 IPL을 가볍게 여러 번 시술하면 점차로 기미가 좋아진다. 이때 주의점은 강하게 시술하면 기미가 완전히 딱지가 되어 떨어져서 하얗게 되지만 다시 금방 색소가 앉는다는 점이다. 그렇게 강하게 하면 IPL도 레이저와 같은 결과를 가져온다. 그래서 IPL로 약하게 하면 점차로 좋아진다.

기미의 치료는 자외선 차단, 미백제 사용, 미백치

439

료(이온트포레시스), 박피, 레이저가 포함된다. 이 중에서 박피와 레이저 치료는 선택사항이고 의사마다 의견이 다를 수 있다. 레이저 치료라 함은 색소치료용 레이저를 말하며 소위 Q-스위치 레이저(루비, 엔디야그, 알렉산드라이트)가 여기에 해당한다. 레이저 교과서를 보면 색소치료용 레이저로 치료하는 질환 중 가장 어려운 것이 기미나 염증후 색소침착이라고 기술되어있다. 그래서 최근에는 기미병변에 치료 후 딱지가 생길만한 강도로 레이저를 이용한 치료는 하지 않는 것이 일반적이다.

Q-스위치 레이저는 아주 짧은 시간에 강한 에너지가 전달되어 물리적인 파괴력이 발생한다. 강하게 하면 기미부위의 살이 찢어지면서 공중에 날리는 것을 볼 수 있다. 최근에 등장한 IPL은 Q스위치 레이저에 비해 긴 시간 동안 서서히 에너지를 방출한다. 결과적으로 멜라노좀의 파괴되는 열이 전달되기 전에 멜라노좀에 흡수된 열이 주변피부로 퍼지게 된다. 즉, IPL치료는 멜라노좀의 파괴와 멜라노좀을 포함한 멜라닌세포나 표피각질형성세포

의 사망이 초래되는 것이 아니고, 전반적으로 표피기저층이나 표피전층에 열이 전달된다. 이런 현상이 어떻게 기미치료에 도움이 되는지 정확히 알려져 있지 않으나 경험적으로 이런 IPL치료가 기미치료에 많은 도움이 된다는 것이 잘 알려져 있다. 과거의 Q-스위치 레이저의 경우 치료직후 표피의 멜라닌세포가 사멸하나, 시간이 지나면서 표피에 멜라닌세포가 repopulation되고, 이 멜라닌세포는 멜라닌을 생산하여 다시 착색되었다. IPL의 경우는 약하게 치료되어서 치료 후 다시 색소가 침착되지 않고 서서히 개선된다는 점이다. 그러나 이런 장점을 살리기 위해서는 IPL을 가볍게 실시해야 하고, 이런 이유로 한 번에 치료되는 것이 아니고 여러 차례 치료해서 좋아지게 된다(그림 12-17).

최근에 기미의 치료로 많이 이용되는 1064nm Q-스위치 레이저를 이용한 low fluence treatment는 IPL을 이용한 치료와 공통점이 있다. 기존의 Q-스위치 레이저를 이용한 conventional treatment에서는 scab이 생기고 딱지가 떨어

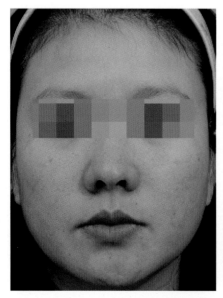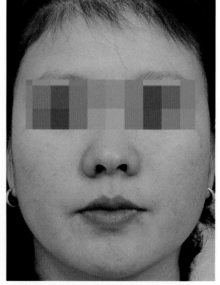

그림 12-17. 기미와 모공확대로 IPL 시술 전과 2차 시술 후 3주 뒤의 모습

질 때는 기미가 완전히 제거되었다가 시간이 지나면서 다시 기미가 올라오게 되는데, 1064nm Q스위치 레이저를 이용한 low fluence treatment는 IPL을 이용한 치료와 같은 개념을 이용하는데, 한 번 치료로 기미를 완전히 제거하고자 하는 것이 아니고, 한 번의 치료로 조금 옅어지게 하고 반복치료로 더 좋아지게 하려고 한다. IPL을 이용한 치료와 달리 1064nm Q-스위치 레이저를 이용한 low fluence treatment는 멜라노좀이 파괴되는 치료인데, 과거의 convetntional Q-스위치 레이저 치료에 비해서 낮은 fluence를 사용하여 멜라노좀을 함유한 세포자체는 사멸시키지 않는다.

4. 주근깨, 잡티

• 주근깨

대게 5mm 이하의 작은 갈색 반점이 발생하는 것이다. 경계가 분명하고 기미와 달리 각각의 병변이 따로 떨어져서 분리되어있다. 햇볕을 보는 부위에 발생한다. 여름에 일광화상을 받으면 잘 발생하는데, 화상 후 피부가 벗겨지면서 바로 한 달 이내로 주근깨가 많이 발생하는 것을 볼 수 있다. 피부가 흰 사람에서 더 잘 생기는 경향을 보인다. 어린 나이에도 발생하며 나이 들어서도 발생한다. 햇볕에 노출되지 않은 부위는 생기지 않는 특징이 있으며, 여름에 햇볕을 보면 색이 진해진다. 주로 얼굴, 등, 팔에도 생긴다. 어릴 때 생긴 주근깨가 햇볕을 보면서 나이가 들면서 더 많아지기도 하는데, 성년이 된 이 후에는 점차 줄어드는 경향을 보인다. 남녀 모두에서 발생하며, 성별차이는 없다. 유전적 경향을 보인다.

• 주근깨의 IPL 치료(그림 12-18)

주근깨의 치료는 과거에는 박피를 많이 사용하였다. 이는 레이저가 개발되기 이전의 일이다. 과거에 주근깨 치료를 위해 했던 박피는 상당히 깊은 박피여서 진피까지 박피가 되었다. 이 경우 주근깨는 떨어지나. 박피 후 붉어진 얼굴이 약 3개월 지속되는 등 불편함이 많아서 요사이는 잘 시행하지 않는다. 그리고, 90년대 이후 개발된 레이저의 발달로 주근깨를 더 안전하고 효과적으로 제거할 수 있으므로, 최근에는 박피로 주근깨를 없애는 경우는 거의 없다. 최근에 많이 시행하는 얕은 박피나 미백제 치료로 주근깨가 옅어지기는 하나 완전히 없어지지는 않는다. 주근깨를 완전히 없애기 위해서는 색소치료용 레이저를 사용하여야 한다. 최근에는 IPL이 도입되면서 주근깨의 치료에 이용되고 있다. IPL은 색소레이저보다도 가벼운 경과를 보이며 주근깨가 제거된다.

IPL 시술 직후 붉은 것은 시술강도에 따라 다르나 약 1시간이면 사라진다. 그 후 주근깨가 진해져 있다가 약 5-7일에 떨어지게 되며 떨어진 자리는 표시가 잘 나지 않는다. 옅은 주근깨는 IPL 치료 후 완전히 제거되지 않고 옅어만 지는 경향이 강한다. 이런 경우 부분적으로 Q-스위치 레이저를 이용하여 제거하는 것도 좋은 방법이다. 옅은 주근깨가 IPL 후 완전히 제거되지 않아도 한 달 간격으로 반복치료하면 점차 더 옅어진다.

• 잡티

피부에 생기는 잡티는 의학적 용어는 아니다. 한국에서는 일반적으로 2가지 의미로 사용되고 있다. 넓은 의미로는 기미, 주근깨, 검버섯, 기타 색소질환을 모두 포함하여 잡티라고 한다. 좁은 의미로는 기미, 주근깨, 검버섯 등 확실한 진단이 있

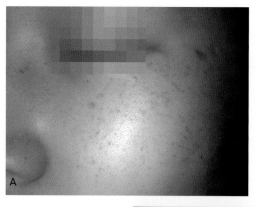 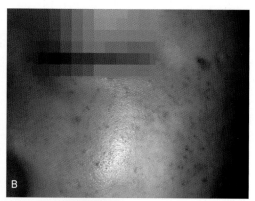

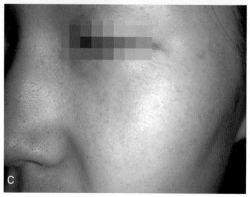

그림 12-18. 주근깨의 IPL치료
A) 치료전, B) 치료직후, C) 10일 후

는 경우를 제외한 정확히 명명하기 어려운 갈색 색소병변을 가리킨다. 일반적으로 잡티는 주근깨와 임상양상 및 치료에 대한 반응과 경과 등이 가장 유사하다. 주근깨 보다 나이 들어서 발생하며, 주근깨보다 크기가 크고 색의 진하기는 다양하다. IPL로도 잡티가 잘 치료되는데, 특히 시술 후 경과가 가볍고 표시가 많이 나지 않아서 좋은 치료이다. 사진은 잡티에 IPL 일회 시술한 결과이다(그림 12-19).

III. IPL을 이용한 혈관병변의 치료

본격적인 혈관치료 레이저의 치료역사는 Candela 회사의 SPTL-1이 시판되면서 시작되었다고 할 수 있다. SPTL-1은 0.45ms pulse duration의 585nm 파장의 빛이 조사된다. 이 레이저는 1987년에 시판되었고 한국에서는 1989년 말 도입되었다. 이전의 Argon 레이저로 혈관병변을 치료 시 혈관의 선택적 파괴가 잘 되지 않아서 흉터가 잘 발생하였는데, SPTL-1은 1983년에 발표된 selective photothermolysis 이론에 근거하여 제작되었으며 혈관을 선택적으로 파괴하고 주변조직에 대한 열손상이 적어서 피부회복이 빠르고 흉이 잘 발생하지 않는다. 그러므로, 실용적인 혈관

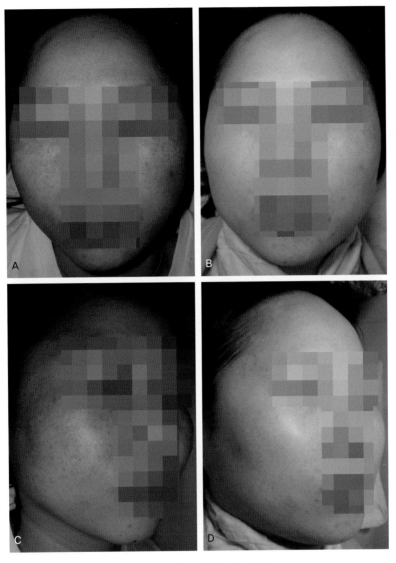

그림 12-19. 잡티의 IPL 치료
A, C) 치료전 / B, D) 1회 치료 후

치료레이저만 거론한다면 SPTL-1부터 혈관치료 레이저의 역사가 시작된다고 할 수 있다. 최초의 Candela 사의 SPTL-1 이후 SPTL-1a, SPTL-1b, Sclerolaser, ScleroPLUS, ScleroPLUS HP, V beam, C beam 등이 발표되었다. Cynosure 사로부터는 Photogenica V, Photogenica V-star, Photogenica VLS가 발표되었다.

IPL(intense pulsed light)의 출현도 새로운 이

정표를 세웠다. IPL은 레이저와 달리 단일 파장이 아니고 복합파장의 빛이 조사된다. 최초로 도입된 IPL인 Lumenis사의 Vasculight는 515nm에서 1200nm까지의 복합적 파장의 빛이 조사된다. 이런 파장의 빛 중에서 긴 파장은 깊은 부분의 치료에 유용하고 짧은 파장의 빛은 얕은 병변의 치료에 유용하다고 할 수 있다. 또 IPL은 pulse duration msec 단위로 초기의 다이레이저보다 충분

히 긴데, 긴 pulse duration을 이용하면 혈관에 purpura가 덜 생기는 장점이 있다. 그러나, IPL은 넓은 파장대의 빛을 포함하여 헤모글로빈에 대한 흡수도가 떨어지는 파장도 포함하므로 혈관에 대한 선택적 반응성이 떨어지며 멜라닌에도 흡수되어 표피 멜라닌등과도 반응하므로 강한 fluence를 조사하면 화상 등의 부작용을 일으킬 염려가 있다. 즉, 광범위한 치료의 이면에 선택성이 떨어짐으로 인한 부작용의 우려로 혈관치료에서 강하고 안전한 치료가 어려운 측면이 있다. 그림 12-20에서 보면 피부색이 검으면 치료효과를 나타내기 이전에 벌써 부작용이 발생할 수 있음을 알 수 있다. 즉, 검은 피부의 한국인에서는 상당히 제한사항이 있음을 알아야 한다.

지금까지 설명한 대로 혈관치료에 있어서 분명 IPL의 장점이 있지만, IPL 하나로 모든 혈관병변을 치료하기에는 분명 무리가 따른다. 다양한 혈관 병변의 치료를 위해서 여러 가지 혈관치료레이저를 사용하고 있다. 각각의 병변에 적절한 레이저는 항상 다를 수가 있고 늘 여러 레이저 중에서 선택하여야한다. 예를 들어 어린이의 화염상모반이면 IPL보다 브이빔이 좋다. 얼굴의 푸른 정맥이 있다면 브이빔이나 IPL보다 롱펄스 930nm 파장이 좋다. 깊은 곳에 동맥혈이 있으면 1064nm가 효과적이다. 홍조가 있다면 IPL이나 브이빔을 사용하고 경우에 따라서 동시에 사용하기도 한다. 혈관의 깊이, 굵기, 혈액조성에 따라 다양한 파장과 pulse duration이 선택된다.

1. 혈관치료 방식의 발전

최초의 혈관레이저 발표 이후 혈관치료에 있어서 레이저의 작용기전이 더 자세히 밝혀지고 이

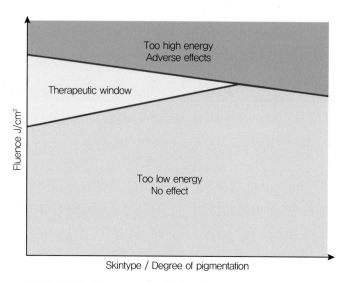

그림 12-20. Therapeutic window for vascular treatments

혈관병변 치료 시 IPL은 넓은 파장대의 빛을 포함하고 혈관에 대한 선택적 반응성이 떨어지며 멜라닌에도 흡수되어 표피 멜라닌 등과도 반응하므로 강한 에너지를 조사하면 화상 등의 부작용을 일으킬 염려가 있다.
그림에서 보면 피부색이 검으면 치료효과를 나타내기 이전에 벌써 부작용이 발생할 수 있음을 알 수 있다. 즉, 검은 피부의 한국인에서는 상당히 제한사항이 있음을 알아야 한다.

런 이론들이 기술발전으로 뒷받침이 되면서(레이저 제작 기술이 발달하면서) 최초로 SPTL-1이 발표된 이후로 약 10년 동안 주로 3가지 측면에서 혈관 치료 레이저가 발전되었다. 더 장파장의 빛을 사용한 점, pulse duration이 더 길게 변한 점, 냉각장치의 사용이 그 세 가지이다.

가) 장파장을 사용하여 깊고 굵은 혈관치료가 유리하게 변함

파장에 따른 빛의 피부 속 침투 깊이를 보여준다 (그림 12-21). 여러 가지 레이저의 피부 속 유효 침투 깊이이다. 혈관치료 레이저인 다이 레이저의 파장인 585나 595를 보면 피부 속 침투깊이가 겨우 진피에 들어갈 수 있는 정도라는 것을 알 수 있다. 실제로 얇은 혈관병변은 이 정도에 치료가 되지만 더 깊은 혈관의 치료를 위해서는 더 깊이 침

투할 수 있는 파장이 필요하다.

헤모글로빈에 대한 흡수도가 높으면 굵은 혈관의 치료에 불리하다. 585nm는 hemoglobin에 대한 흡수가 높아서(oxyhemoglobin에 대한 absorption coefficient가 19/mm) 레이저빔이 혈관에 도달하게 되면 0.05mm를 통과하는 동안 원래 강도의 37%로 약화된다(그림 12-22). 즉, 585파장을 사용하면 굵은 혈관의 바닥부분이나 깊은 혈관의 치료에 제한점으로 작용하게 된다(그림 12-23). 이의 개선을 위해서 595nm의 파장을 이용한 레이저가 개발되었는데, 헤모글로빈에 대한 absorption이 떨어져서 혈관의 상층부에서 에너지가 다 흡수되는 단점 없이 굵은 혈관전체에 에너지 전달이 가능해졌다. 그러나, 에너지흡수율이 낮으므로 high intensity가 필요한데 이는 기계의 성능개선으로 가능해졌다.

그림 12-23에서 보면 좌측의 혈관(동그란 구멍)

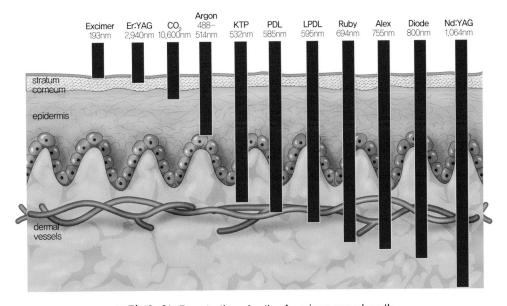

그림 12-21. Penetration depth of various wavelength

여러 가지 레이저의 피부 속 유효 침투 깊이이다. 혈관치료레이저인 PDL나, LPDL의 파장인 585나 595를 보면 피부 속 침투깊이가 겨우 진피에 들어갈 수 있는 정도라는 것을 알 수 있다. 실제로 얇은 혈관병변은 이 정도에 치료가 되지만 더 깊은 혈관은 IPL이 유용하게 사용될 수 있다는 뜻이다.

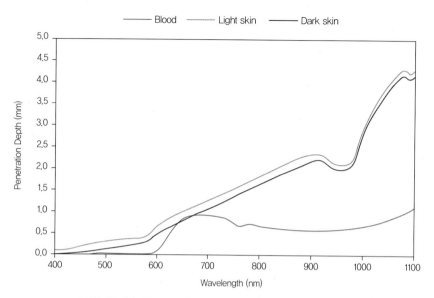

그림 12-22. Penetration depth in the blood and skin

파장에 따른 빛의 피부 속 침투 깊이를 보여준다. 붉은 색으로 표시한 것은 혈액 속을 통과할 때의 경우인데, 혈액 속에서는 600nm보다 짧은 파장들이 투과깊이 아주 얇은 것을 알 수 있다. 다양한 파장을 보이는 IPL이라도 혈액속에서는 더 깊이 투과하지 않고 혈액에 흡수되는 것을 볼 수 있다. 즉, 혈액을 만나기 전까지는 깊이 침투하다가 혈액을 만나면 치료효과를 보인다는 것이다.

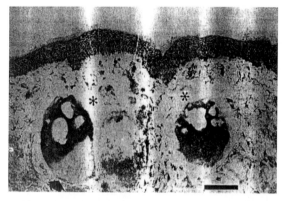

그림 12-23. Penetration depth of 585nm vs 595nm

좌측의 혈관(동그란 구멍)은 상층부만 응고되고 하층부는 살아있다. 이렇게 치료하면 전체 혈관은 되살아 나게 된다. 오른쪽 혈관처럼 전체가 응고되어야 치료가 가능하다. 그런데 혈관이 굵거나 깊은 경우 585는 좌측처럼 595는 우측처럼 될 수 있다는 설명이다. IPL은 긴 파장의 빛이 많으므로 우측처럼 될 수 있다. 그러면 항상 긴 파장이 좋으냐 하면 그건 아니다. 얇고 가는 혈관의 경우는 585가 훨씬 유리하다. (J Invest Dermatol. 1995 May;104(5):798-802.)

은 상층부만 응고되고 하층부는 살아있다. 이렇게 치료하면 전체 혈관은 되살아나게 된다. 오른쪽 혈관처럼 전체가 응고되어야 치료가 가능하다. 그런데 혈관이 굵거나 깊은 경우 585는 좌측처럼 595는 우측처럼 될 수 있다는 설명이다. 585nm 파장보다 더 장파장인 595nm로 파장이 바뀌면서 레이저가 좀 더 굵은 혈관의 병변을 치료하는데 유리하게 되었다. 그러면 항상 긴 파장이 좋으냐 하면 그건 아니다. 얇고 가는 혈관의 경우는 585가 훨씬 유리하다.

• IPL은?

IPL이 깊은 혈관의 치료나 굵은 혈관의 치료에 유리한 이유는 다음과 같다. IPL이 515에서 1200nm 사이의 빛을 이용하는 반면 보통의 혈관치료레이저는 585내지는 595nm의 파장을 이용한다. IPL에 포함된 긴 파장의 빛은 피부깊이 침투하기가 쉽다. 즉, 브이빔보다 더 깊이 치료가 된다. 그러나 이렇게 깊이 침투할 수 있는 이유는 깊이 까지 침투하는 동안 빛이 흡수가 덜되고 남아 있어서(진피에 대한 흡수도가 낮다, 다시 말하면 물에 대한 흡수도가 낮다) 깊이 침투하는 것이므로, 치료효과를 보기 위해서는 강한 fluence가 필요하다.

한 가지 유의할 사항은 혈액 속에서는 IPL 파장이라도 더 깊이 투과하지 않고 혈액에 흡수되는 것을 볼 수 있다(그림 12-23). 즉, 혈액을 만나기 전까지는 깊이 침투하다가 혈액을 만나면 치료효과를 보인다.

나) pulse duration이 길어짐

0.1mm 굵기의 혈관의 TRT가 4.8ms인 것을 감안하면 0.45ms보다 더 긴 pulse duration을 사용하면 치료 효과가 높아질 것을 예상할 수 있다. 이런 long pulse duration의 레이저빔은 긴 시간 동안 에너지를 분산시키므로 peak power가 낮아서 혈관의 급격한 충격을 완화시켜서 비교적 부작용을 줄이며 gentle한 치료로 효과를 높일 수 있다. 대표적으로 purpura(멍)가 적게 생긴다. 10ms pulse duration, 595nm 레이저의 경우 purpura가 발생하지 않고도 혈관확장이 치료될 수 있다(

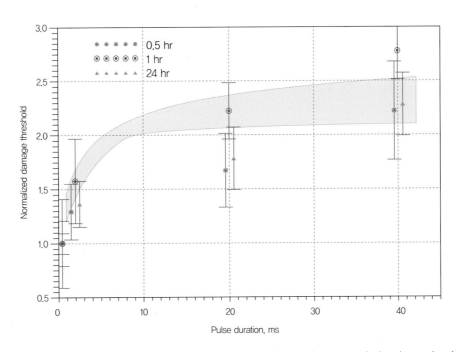

그림 12-24. Evaluation of pulse-duration on purpuric threshold using extended pulse pulsed dye laser
0.1mm 굵기의 혈관의 TRT가 4.8ms인 것을 감안하면 0.45ms보다 더 긴 pulse duration을 사용하면 치료 효과가 높아질 것을 예상할 수 있다. 이런 long pulse duration의 레이저빔은 긴 시간 동안 에너지를 분산시키므로 peak power가 낮아서 혈관의 급격한 충격을 완화시켜서 비교적 부작용을 줄이며 gentle한 치료로 효과를 높일 수 있다. 대표적으로 purpura가 적게 생긴다. 10ms pulse duration, 595nm 레이저의 경우 purpura가 발생하지 않고도 혈관확장이 치료될 수 있다. 물론 이런 레이저도 purpuric level의 에너지를 조사하면 치료효과가 증가한다. 또한 purpura가 발생하더라도, 0.45ms보다는 훨씬 가볍게 발생한다. Purpura로 인한 down time을 환자들이 싫어하므로 long pulse duration이 장점이 되고있다. 그래서 과거와 달리 브이빔은 멍들지 않고 치료가 된다. (Lasers Surg Med. 2002:31(5):363-6.)

그림 12-24). 물론 이런 레이저도 purpuric level의 에너지를 조사하면 치료효과가 증가한다. 또한 purpura가 발생하더라도, 0.45ms보다는 훨씬 가볍게 발생한다. Purpura로 인한 down time을 환자들이 싫어하므로 long pulse duration이 장점이 되고 있다. 그래서 과거와 달리 브이빔은 멍들지 않고 치료가 된다.

최초의 0.45ms의 pulse duration보다 더 긴 pulse duration이 혈관치료에 유리하다고 알려지면서 다양한 pulse duration의 레이저들이 출현하였다. 파장의 변화와 pulse duration의 변화는 purpura 발생 면에서도 매우 유리하게 작용하여 SPTL-1보다 purpura 발생이 현저하게 줄어들게 되었다. 환자의 입자에서 이해한다면 초기의 레이저는 치료직후 바로 멍이 들었으나 요사이 브이빔은 멍이 잘 들지 않고 치료가 가능하게 되었고, 냉각장치로 인해 피부표면이 보호된다고 이해하면 된다.

· IPL은?

짧은 pulse duration의 subpulse로 구성된 다이레이저와 달리 IPL은 ture long pulse duration이어서 purpura가 없이 혈관확장이 치료된다(그림 12-24). IPL 치료에서는 purpura가 발생 하는 fluence에 도달하기 이전에 수포와 딱지가 생기는 부작용이 먼저 발생하는데 이를 최소화하고 혈관 치료효과는 높이는 적정 parameter를 찾는 것이 관건이다. IPL의 mode를 double이나 triple로 하고 pulse delay를 두면, 큰 직경의 혈관내부의 열은 build up되고 주변조직에서는 열이 발산되어 냉각되어 혈관치료 효과를 높일 수 있다.

2. 안면홍조(그림 12-25)

안면홍조와 혈관확장이 있어서 치료를 하고자 할 때에 가능하면 짧은 파장(530에서 600nm)의 빛이 나오도록 하면 안면홍조에 더 효과적이다. 하지만 확장된 혈관을 치료하기 위해서는 좀 더 빛이 깊이 들어가야 하기 때문에 긴 파장의 빛이 나오도록 조절하며, 깊은 곳에 위치한 혹은 확장된 혈관을 치료하기 위해서 또 긴 파장을 이용하면 헤모글로빈에 대한 흡수도가 떨어지므로 fluence를 더 높여야 한다. fluence가 높아지면 피부가 상할 우려가 커지기 때문에 빛이 나오는 시간이 길어지도록 조절을 해서 치료를 하게 된다. 처음 치료를 할 때에는 가능한 짧은 파장으로 적절한 에너지를 선택하여 얼굴 전체를 한 번 치료하는 것으로 끝나는 것이 보통이다.

하지만 다음에 두 번째 치료를 할 때에는 첫 번째 치료 후의 결과를 확인한 후에 좀 더 에너지를 높여서 전체를 치료하고 혈관이 늘어난 부위를 재차 치료하는 과정을 겪게 된다. 마찬가지로 모공이 늘어나 있거나 얕은 흉터, 혹은 잔주름을 치료하고자 할 때에도 이 부위에 2차 치료를 추가로 하게 된다. 이때 얼굴색이 검은 경우에는 색소에 많은 에너지가 흡수되어서 딱지가 생길 가능성이 많아지기 때문에 통상적으로 에너지를 좀 더 낮추고, 좀 더 높은 파장의 빛이 나오도록 하며, 보다 긴 시간 동안 빛이 나오도록 조절을 하게 된다. 따라서 얼굴색이 검은 사람들은 아무래도 하얀 피부색을 갖고 있는 사람들에 비해 치료효과가 떨어지게 된다. 그러므로 얼굴색이 검은 사람들 중에서 안면홍조나 늘어난 혈관이 문제가 아니라 늘어난 모공이나 잔주름 또는 얕은 흉터 때문에 치료를 하고자 하는 사람들은 IPL보다는 NAR(비박피적 리주

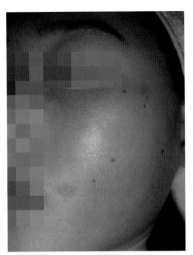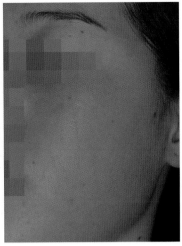

그림 12-25a. 안면홍조의 치료

IPL 치료 전과 1회 치료 후

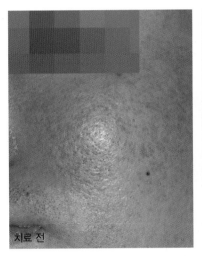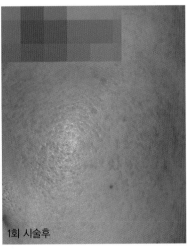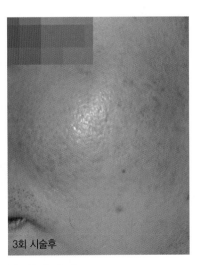

치료 전 · 1회 시술후 · 3회 시술후

그림 12-25b. 안면홍조의 IPL 치료(에스앤유피부과 김방순 원장 제공)

안면홍조와 혈관확장이 있어서 치료를 하고자 할 때에 가능하면 낮은 파장의 빛이 나오도록 하면 안면홍조에 더 효과적이다. 하지만 늘어난 혈관을 치료하기 위해서는 좀 더 빛이 깊이 들어가야 하기 때문에 높은 파장의 빛이 나오도록 조절하며, 이 때에 깊이 들어가도록 하기 위해서는 에너지를 높여야 한다. 에너지가 높아지면 피부가 상할 우려가 커지기 때문에 빛이 나오는 시간이 길어지도록 조절을 해서 치료를 하게 된다. 처음 치료를 할 때에는 가능한 낮은 파장으로 적절한 에너지를 선택하여 얼굴 전체를 한 번 치료하는 것으로 끝나는 것이 보통이다.

버네이션) 레이저 시술을 받는 것이 좋다. NAR 레이저는 색소에 상관없이 부작용이 생기는 경우가 거의 없기 때문이다.

얼굴색이 검기 때문에 또는 빛에 대해 예민하게 반응을 보이기 때문에 낮은 에너지로 시작을 하는 경우에는 어느 정도 치료효과가 떨어지는 것은 어쩔 수 없어서 한, 두 번 치료 후에 치료효과가 별로 없다고 하는 경우가 있을 수 있다. 하지만 치료를 거듭하면 이런 사람들도 효과를 볼 수 있다. 얼굴이 붉기 때문에 치료를 받는 경우 빠르면 처음 치료한 지 1주 만에 얼굴이 붉어지는 것이 어느 정도 줄어드는 것을 경험하기도 한다. 그리고 치료를 거듭할수록 붉어지는 것이나 전체적인 홍조, 그리고 늘어난 혈관도 줄어들게 된다. 얼굴색이 검은 경우는 브이빔을 사용하면 이런 문제를 비켜갈 수 있다. 즉, 안면홍조에도 여러 레이저를 이용하는 이유는 이런 차이가 있기 때문이다.

홍조의 치료에는 대표적으로 IPL과 브이빔이 많이 사용된다. 두 치료의 장단점이 있는데 비교하면 다음과 같은 기준으로 선택을 할 수 있다.

잡티가 같이 있으면 IPL, 얼굴이 검으면 브이빔, 여드름이 같이 있으면 IPL, 시술 후 딱지나 물집이 싫으면 브이빔, 시술 후 멍이 싫으면 IPL, 색소질환이 없으면 브이빔, 피부염이 있으면 브이빔 등등이 있다.

3. 혈관확장(그림 12-26)

Telangiectasia의 치료는 0.45ms의 585nm 다이레이저가 80년대 말부터 국내에서 사용되어왔는데, 이 당시치료에서는 치료직후 혈관의 파괴로 인해 멍이 많이 발생하였다. 이후 다이레이저는 pulse duration을 혈관의 TRT에 맞추어 길게 하여 멍이 잘 들지 않게 개선되었다.

IPL도 pulse duration이 길어서 purpura가 없이 혈관확장이 치료된다. 다이레이저에 비해서는 스프레이냉각이 되지 않아서 콧방울 부분같은 숨어있는 부위는 냉각이 어려운 단점이 있다. 피부색이 검은 경우 다이 레이저에 비해서 표피화상의 위험성이 있으므로 조심할 필요가 있다.

4. 여드름 붉은 자국(그림 12-27)

염증성여드름이 자연소실 혹은 치료된 후 그 자리에 갈색 혹은 붉은 색 자국이 남는다. 일반적으로 자국은 치료를 권하지는 않는다. 그냥 두면 6개월에서 1년 정도면 저절로 대부분 좋아진다. 그런데 여드름이 잘 치료된 후에도 자국이 남아서 고민하는 경우는 치료를 통해 자국을 빨리 없앨 수 있다.

여드름이 발생하면 주변에 염증이 생겨서 갈색자국이나 붉은 자국이 생긴다. 갈색자국은 표피의 멜라닌세포가 활동하여 색소침착이 된 상태이다. 붉은 자국은 진피내의 모세혈관이 자극받아 확장된 상태이다. 즉, 눈에 가시적으로 보이지는 않을 정도의 미세한 혈관확장이 바로 여드름후의 붉은 자국이다. 이래서 IPL이나 브이빔을 해서 확장된 혈관이 사라지거나 가늘어진다면 붉은 색이 없어진다.

5. 화염상모반

IPL이 여러 종류의 혈관병변의 치료에 이용된다는 보고가 많이 있는데 그중에 화염상모반의 치료에도 IPL을 이용한 보고가 많이 있다. 보고를 종합하면 브이빔 등 다이 레이저에 비해 IPL이 더 좋다는 주장은 아니고, 다이 레이저로 잘 치료되지 않는 화염상모반이 IPL로 치료 후 좋은 결과를 보일 수 있다는 것이다.

화염상모반의 치료시 IPL은 통상의 레이저치료가 잘되지 않거나, 병변이 깊거나, 혈관이 굵은 경우나, 자주색을 보이거나, 튀어나온 형태인 경우 등에 좋은 효과가 있다. 신생아의 옅은 화염상모반은 다이 레이저보다 효과가 떨어진다고 본다.

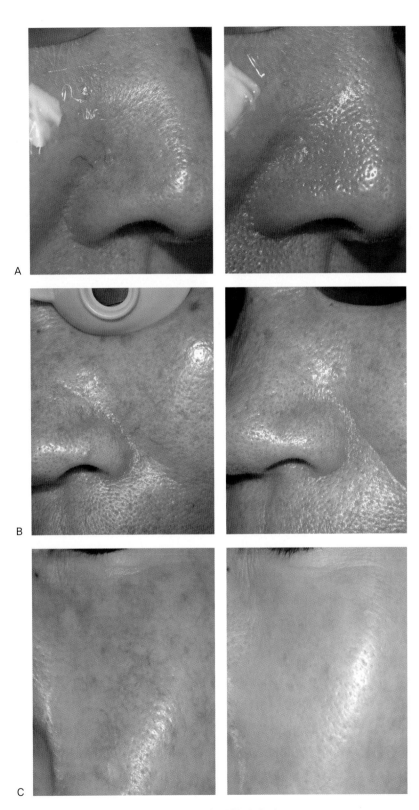

그림 12-26. 혈관확장의 치료

A, B) 코옆의 혈관확장(필자의 사례), C) 뺨의 혈관확장(에스앤유피부과 김방순 원장제공)

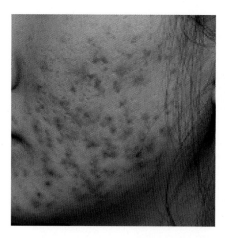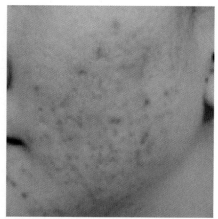

그림 12-27. 여드름붉은자국의 치료
IPL 시술 전과 3차 시술 후 9주 뒤의 모습

일반적으로는 화염상모반의 치료에는 혈관치료에 최적화된 냉각방식을 보유한 브이빔 등의 다이레이저가 IPL에 비해 효과가 우수하다.

결론적으로는 화염상모반의 치료에 브이빔 등 다이레이저를 기본으로 하여 IPL이 보조적인 방법으로 이용될 수 있다면 금상첨화이겠다.

IV. IPL을 이용한 리주버네이션

리주버네이션이란 무엇일까? 주버나일(juvenile)은 청소년기라는 뜻이다. 설마 그렇게 될까마는 리주버네이션은 청소년기로 되돌린다(re)는 뜻이다. 즉, 젊어지게 한다는 뜻이다. 필자가 리주버네이션을 회소술로 번역한다. 리주버네이션을 사전에서 보면 회춘이라고 되어있지만 너무 성적인 의미가 강해서 젊을 소(少)라고 해서 회소술이라고 햇는데, 별로 호응이 없어서, 그냥 리주버네이션이라고 하면, 빛으로 하는 것이 바로 photorejuvenation이다. IPL로 하면 IPL photorejuvenation이라고 할 수 있다. 처음에는 주름제거 탄력증대만 리주버네이션이라고 생각하다가 노화가 비단 주름, 탄력의 문제만 아니라 색소침착, 혈관확장도 노화의 뚜렷한 변화인 만큼 이런 모든 현상을 치료하는 것을 리주버네이션이라고 하게 되었다.

제1형 리주버네이션은 혈관변화, 색소변화를 치료하는 경우이다. 기미, 주근깨, 잡티, 혈관확장 등이 여기에 해당되며 이런 문제의 치료가 바로 IPL의 전공이다.

제2형 리주버네이션은 주름, 탄력, 넓은 모공 등을 치료하는 것이다. 이런 용도로는 NAR이라고 하는 주름제거 레이저가 많이 있다. 주름제거레이저는 주름이나, 탄력만의 문제라면 IPL보다 더 전문가라고 할 수 있다. NAR이라고 하면, 1064nm, 1320nm, 1450nm, 1540nm를 이용한 레이저나, 모노폴라, 바이폴라 고주파를 이용한 치료 등이 대표적이었다. 1064nm를 이용하는 것은 Xeo, G-beam, Gemini, G-Max, Excel-V 등이 있다.

1064보다는 1320에서 1540사이의 파장이 더 유용한데 이에는 상품명으로는 쿨터치, 스무드빔, 아라미스가 있다.

NAR 레이저시술 후 조직에서 관찰되는 변화를 연구에 의하면, 처음 레이저직후 며칠간 염증이 생긴다. 이때 HSP(heat shock protein)의 증가가 관여한다. 이후 일시적인 증식단계를 거쳐서 장기적인 리모델링 단계가 있다. 이 기간은 꽤 오래 지속되는데 서서히 콜라겐 형성이 증가하게 된다. 수 개월 후에 NAR 레이저 이후 좋아지는 것을 관찰하게 되는 이유가 여기에 있다.

IPL을 이용한 리주버네이션을 IPL photoreju-venation이라고 한다. 이의 장점은 피부노화 현상 중에서 주름만 아니라, 혈관병변, 색소병변을 한 꺼번에 치료함으로서 전반적인 피부노화의 개선이 된다는 점이다. 각각의 주름제거 레이저, 색소치료 레이저, 혈관치료 레이저를 하는 것보다 훨씬 효율적으로 피부노화를 개선시킨다. 이른 치료는 IPL을 한달 간격으로 5회 정도 시술하면 완성할 수 있다. 또 이 방법의 장점은 일상생활에 거의 지장 없이 모든 치료가 진행되는 점이다.

V. IPL 치료 파라미터

IPL 치료의 파라미터는 IPL의 종류가 달라지면 같은 cut off 필터를 사용하더라도 똑같은 파라미터를 이용할 수가 없다. 같은 cut off 필터를 이용하더라도 실제 표시된 것과 달리 cut off range가 다를 수 있고, cut off 되지 않은 장파장부분의 spectral distribution이 IPL 기기마다 다르므로, 즉 통합하여 각 IPL 마다 spectral distribution이 달라서, 같은 파라미터를 적용할 수 없다.

IPL 램프에 따라 spectral distribution이 달라질 수 있고, 이 램프에 공급되는 파워의 성능에 따라서 램프에서 발진되는 빛의 성격이 달라질 수 있으며, 전술하였듯이 파워의 강도에 의해 spectral shift 까지 발생하므로 표시되는 파라미터가 같다 하더라도 기기마다 실제 방출하는 빛은 많은 차이가 있을 수 있다. 이런 이유로 같은 IPL은 같은 기종을 사용하는 사용자 끼리 파라미터를 공유하는 것이 바람직하며, 서로 다른 IPL 기기로 파라미터를 공유하기는 곤란하다.

실제로 IPL은 파라미터의 설정은, 목표물의 크기에 따라 pulse mode를 정하고 에너지레벨을 정하고 pulse duration을 정한 후 타겟의 깊이에 따라 필터를 정하고 환자의 피부색에 따라 필터를 조절하고 pulse delay를 결정하게 된다. 이런 과정을 거쳐서 치료 파라미터를 결정하고 치료한다.

필자가 사용하는 Cellec을 이용할 때의 파라미터에 대해서 정리하였고(표 12-1), 다른 IPL 사용자는 참조로 할 수 있겠다. 다른 IPL을 사용하는 경우, 필자와 같은 파라미터를 이용하지는 않지만, 피부 상태가 바뀜에 따라 파라미터를 어떤 방향으로 조절하는 지는 같은 원리가 작동하므로 참조할 수 있다.

Photofacial은 초창기 Bitter에 의해 고안된 명칭인데 IPL을 이용하여 안면의 전반적인 리주버네이션을 목표로 하는 시술을 지칭한다. Photo-facial시술을 위하여 Photofacial-I 을 한 패스 실시한 후 2번째 패스는 Photofacial-II로 마무리하게 된다.

표 12-2에서는 cellec의 각 cut off 필터별 용도를 기술하고 있다. 그림 12-28에서 각 cut off 필터 별 spectral distribution을 볼 수 있다. 이외에 Cellec에 있는 독특한 필터를 소개하자면,

표 12-1. Cellec parameter for various conditions

P-Facial I	I ～ II	III ～ V
Filter	560	590
Pulse Duration	2.4/4.0	2.4/4.0
Pulse Delay	20	20
Fluence (J/cm²)	27	23～27

Melasma	I ～ III	IV	V
Filter	560	590	640
Pulse Duration	3.0/5.0	3.0/5.0	3.0/5.0
Pulse Delay	20	20	20
Fluence (J/cm²)	14～18	16～20	17～19

P-Facial II	I ～ II	III ～ V
Filter	560	590
Pulse Duration	3.0/3.5/4.0	3.0/3.5/4.0
Pulse Delay	60/60	60/60
Fluence (J/cm²)	35	31～35

Acne	I ～ V
Filter	420(s)
Pulse Duration	2.4/5.0
Pulse Delay	20
Fluence (J/cm²)	9～14

Rosacea/ Diffuse Erythema	I ～ III	IV	V
Filter	530(s)	560	560
Pulse Duration	2.8/2.8/2.8	2.8/2.8/2.8	2.8/2.8/2.8
Pulse Delay	20/20	20/20	30/30
Fluence (J/cm2)	14～29	30～32	28

Hair Removal	I ～ II	III ～ IV	V
Filter	700	700	700
Pulse Duration	20	30	40
Pulse Delay	–	–	–
Fluence (J/cm²)	27～29	22～26	18～21

• 털의 굵기, 밀도에 따라 에너지를 조절하여 사용합니다.

Facial Telangiectasia	I ～ II	III ～ IV	V
Filter	530(s)	560	590
Pulse Duration	2.4/4.4	2.4/4.4	2.4/4.4
Pulse Delay	20	20	20
Fluence (J/cm2)	12～17	25～27	27

Cell Toning	For Melasma
Filter	560
Pulse Duration	0.3
Pulse Delay	0.7
Total Pulse Time	10
Fluence (J/cm²)	12～16

Lentigo	I ～ II	III ～ IV	V
Filter	530	560	590
Pulse Duration	3.6	4.0	3.0/3.0
Pulse Delay	–	–	30
Fluence (J/cm2)	20	18～20	26

Photo shower	
Filter	800
Fluence (J/cm²)	4
Frequency	4Hz

표 12-2. 필터별 치료대상

	Cut-off filter	Activation mode
①	420nm～600nm TIP (420S)	Acne
②	530nm～600nm TIP (530S)	Facial Telangiectasia , Rosacea , Diffuse Erythema
③	530nm TIP	Lentigo, Facial Telangiectasia
④	560nm TIP	P-Facial, Melasma, Lentigo, Rosacea, Facial Telangiectasia,
⑤	590nm TIP	P-Facial, Lentigo, Melasma, Facial Telangiectasia,
⑥	640nm TIP	Melasma
⑦	700nm TIP	Hair Removal
⑧	800nm TIP	Hair Removal, shower mode

Mode	Shower	Available for all filters
	Toning	Available for all filters

Procedures

- **Skin Rejuvenation**
  - · Photo-facial
  - · Acne Photodynamic Therapy
- **Vascular Lesions**
  - · Rosacea
  - · Facial Telangiectasia
  - · Diffuse Erythema
- **Pigmented Lesions**
  - · Melasma
  - · Lentigo
- **Photo Shower**
  - · Skin Tightening
- **Cell-toning**
  - · Melasma
- **Hair Removal**

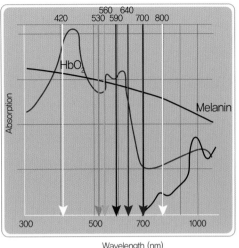

그림 12-28a. indications for varous cut-off filters and spectral distribution for each filter

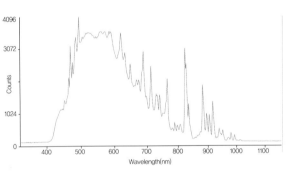

그림 12-28b. 420nm

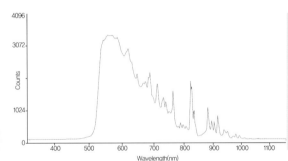

그림 12-28c. 530nm

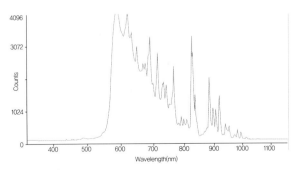

그림 12-28d. 560nm

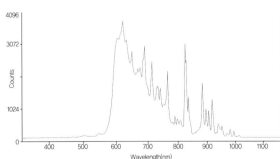

그림 12-28e. 590nm

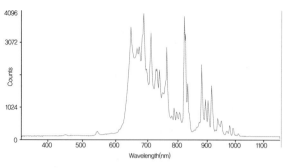

그림 12-28f. 640nm

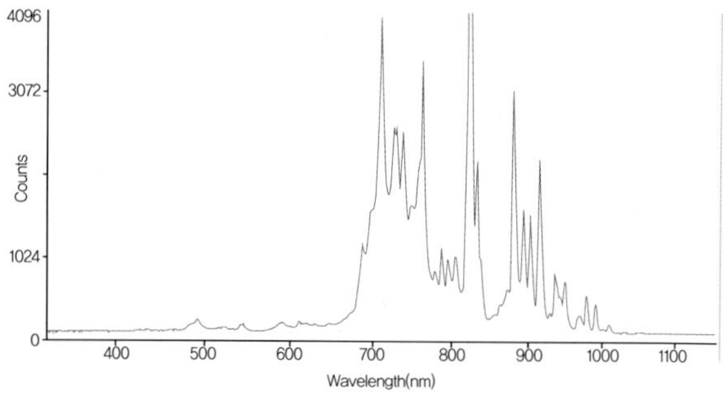

그림 12-28g. 700nm

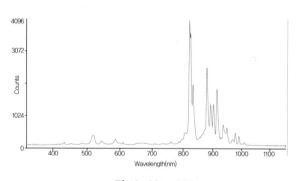

그림 12-28h. 800nm

1. 420S 필터(그림 12-29, 그림 12-30)

여드름 유발균인 Propionibacterium acne는 porphoryn을 함유하여 420nm 파장영역의 blue light에 높은 흡수율을 보이므로, 420nm 부근의 빛을 발사하면 흡수하여 single oxygen을 형성하고 이것은 박테리아를 파괴시키므로 여드름에 좋은 효과를 가지게 된다. 이것은 endogenous PDT라고 한다. 즉, 외부에서 ALA등이 도포없이 여드름균의 살균이 가능하다. Cellec의 420s 필터는 특별히 Propionibacterium acne에 흡수율이 높은 420에서 600nm의 파장만을 선택적으로 사용하여 여드름치료에 사용한다.

2. 530S (그림 12-31, 그림 12-32, 그림 12-33)

530S 필터는 530에서 600nm의 파장을 이용하여 혈관치료에 특화된 필터이다. 이 필터로는 헤모글로빈과 반응이 떨어지는 600nm 이상의 파장을 제거하여 헤모글로빈과의 반응을 극대화하고 불필요한 에너지를 전달하지 않아서 표피화상을 줄이고, 좀 더 안전하게 혈관치료를 하는 것을 목표로 하였다.

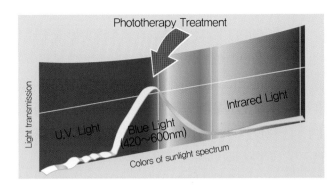
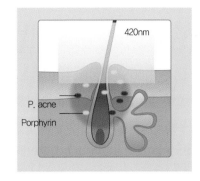

그림 12-29a. Acne treatment by 420(s) filter

여드름 유발 박테리아 Propionibacterium acne는 420nm 파장영역의 blue light에 높은 흡수율을 가지므로 광자극 반응을 통해서 single oxygen을 형성한다. 이것은 박테리아를 파괴시키므로 여드름에 좋은 효과가 있다. Cellec의 420s는 특별히 P.acne 박테리아에 흡수율이 높은 420에서 600nm의 파장만을 선택적으로 사용한다.

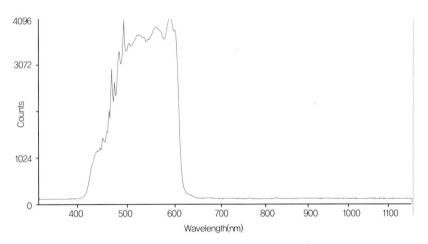

그림 12-29b. 420nm~600nm (420s)

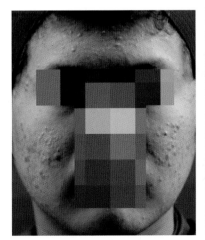
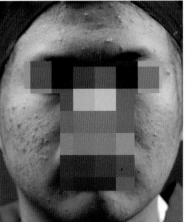
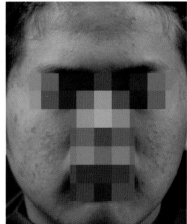

| Before Treatment | Before 2nd Treatment | Before 3rd Treatment |

그림 12-30. 420S필터를 이용한 여드름 치료

1차 치료 : 420(S) 2.4/20/5.0 14J/cm² 3pass, 2차 치료 : 420(S) 2.4/20/5.0 14J/cm² 3pass

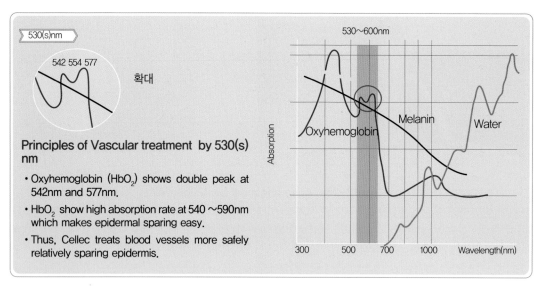

그림 12-31a. Vascular treatment by 530(s)filter

530S 필터는 530에서 600nm의 파장을 이용하여 혈관치료에 특화된 필터이다.

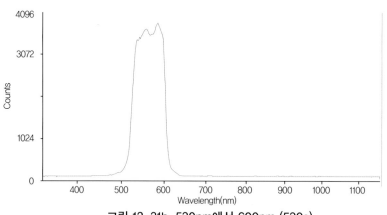

그림 12-31b. 530nm에서 600nm (530s)

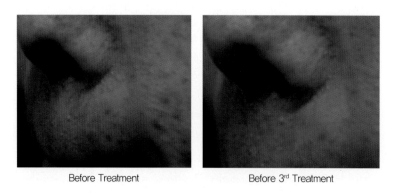

Before Treatment   Before 3ʳᵈ Treatment

그림 12-32a. 530(s)filter를 이용한 혈관치료

1차 : 590nm 2.4/20/5.0 30J/cm² 2pass, 2차 : 530(S) 2.4/20/4.4 16J/cm² 3pass

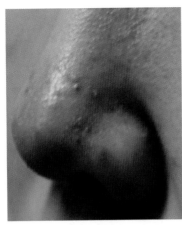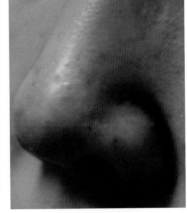

Before Treatment   Before 3rd Treatment

그림 12-32b. 560nm, 590nm filter를 이용한 혈관치료

1차 : 590nm 2.4/20/4.0 29J/cm² 3pass, 2차 : 560nm 2.4/20/4.0 28J/cm² 3pass

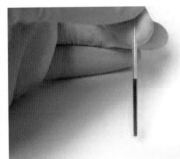

그림 12-33a. Capillary Tube 테스트

좀 더 정확한 실험을 위하여 캐필러리튜브(모세관튜브) 테스트가 진행이 되었다. 모세관 튜브에 채취한 피를 넣은 후 광선을 조사 해보는 테스트이다. 참고로, 모세관의 내경은 인체의 혈관 확장의 굵기인 0.1mm와 동일한 것으로 혈관을 대신하여 실험에 사용되었다.

모세관 튜브에 금방 채취한 피를 넣은 후 530s, 530, 560 필터를 사용하여 핸드피스를 모세관이 깨지지 않을 정도로 contact 한 후 에너지를 인가하였다.

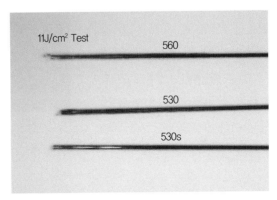

그림 12-33b.

사진에서 확인 할 수 있듯이 530s에서 가장 강한 반응을 확인 할 수 있었다. 파라미터는 실제 셀렉의 혈관병변에서 사용하는 파라미터이다. 세 파장에서 파라미터는 동일하게 2.4(20) 4.4ms 11J/cm² 였다.

Manufacture	Photo shower Jeisys, South Korea	Skin Tyte SCITON, USA
Product	Cellec	BBLs (Skintyte is a separate module to the BBLs system)
Filter (nm)	800 nm	800nm (ST Filter)
Wavelength	Near infrared – infrared	Near infrared – infrared
Surface Size (mm)	34mm X 8 mm	45mm X 15 mm
Pulse (Hz)	Up to 4 pulse–per–second	–
Cooling Method	Continuous thermoelectric cooling–quarts	Continuous thermoelectric cooling–sapphire
User interface	Emitting maximum of 102J for 8.5sec 3 pulses within 1sec, emitting maximum 12J	100J within 8.5sec / 11.8J within 1sec

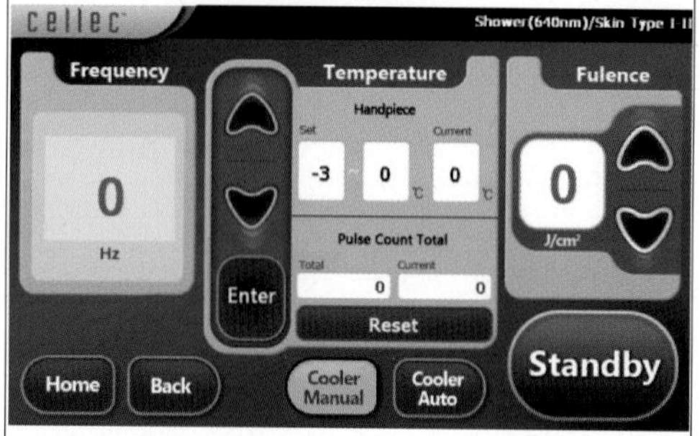

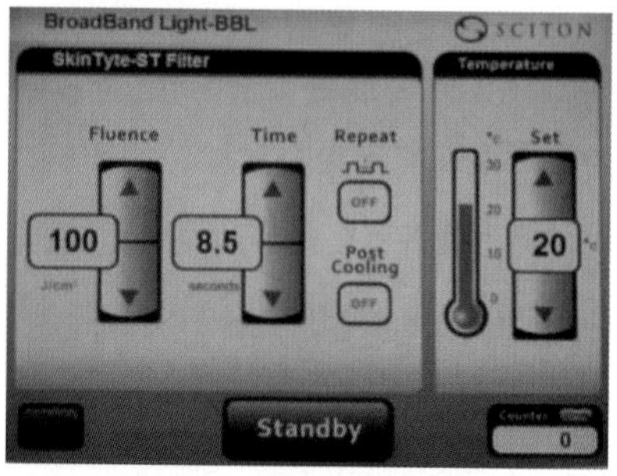

그림 12-34. Photo-Shower Mode

셀렉의 포토샤워모드는 BBL의 SkinTyte와 시술방식이 동일하므로 이 둘을 비교해 보았다. 포토샤워와 스킨타이트 모드 800nm 이상의 근적외선 파장대를 사용한다. 두 장비 모두 contact cooling을 통해 표피를 보호하면서 분당 최고 수백개의 펄스를 연속적으로 진피 내에 조사한다. 표의 interface를 비교해 보면 동일한 8.5초의 시간 동안 셀렉은 최고 102J로 1초당 12J의 에너지를 인가 할수 있음을 확인할 수 있다.

3. photo-shower mode

(그림 12-34, 그림 12-35)

800nm 필터를 이용하여 1초에 4회에 이를 정도로 빠른 속도로 연속발사하면서 핸드피스를 자연스럽게 옮겨가면서 넓은 범위를 치료하게 된다. 표피는 핸드피스의 냉각기능으로 보호하면서 진피온도가 40도 이상 상승하여 콜라겐합성을 유도하게 된다.

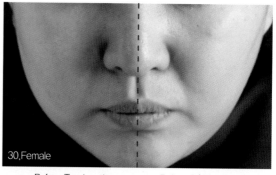

Before Treatment   Before 3rd Treatment

그림 12-35. Photo-Shower Mode 치료의 임상 사례
오른쪽 얼굴은 시술하지 않고 왼쪽 얼굴만 포토샤워로 시술을 진행한 모습이다. 1회 시술 만으로 왼쪽 얼굴의 턱선이 달라짐을 볼 수 있었다.

VI. IPL 부작용의 예방

부작용의 발생을 IPL의 측면, 의사 측면, 환자 측면에서 살펴보면,

• IPL side

There are various causes of complication from IPL treatment. When you have that trouble, it is usually very serious one. It is because the spot size is very big and the shape is very artificial, so the patients complain the complication until complete disappearance of the sequele. And as you know the complete recovery takes several months even though it might not be related to scar or more serious complications. IPL should be used for gentle treatment. For specific lesions which need high fluence, you should consider laser treatment. Laser treatment is safer mostly because of smaller spot size.

• Doctor side

One of the most important reality is that the complication is made by untrained doctors who most probably don't have knowledge about laser tissue interaction. Thus they don't know how to modify the parameter when the lesions are not easily treated. IPL treatment is very sophisticated skill and needs a lot of learning time. And of course what is important in laser or IPL treatment is not only treatment itself but also after care to avoid the side effect.

• Patient side

For the patient side, they are accustomed to over expectation of IPL treatment. All of the mass media is saying that IPL is all mighty and cures everything on the skin by only IPL treatment. so the patient believe that vascular lesions, pigmentary lesions and wrinkles can be removed by IPL alone. Very often the expectation is unrealistic. The situation becomes the worst, when the unexperienced doctor try to accomplish the unrealistic request of patients.

1. 부작용의 원인

왜 부작용이 생기나?

큰 스팟 사이즈
짧은 파장대를 이용하는 경우
Fluence too high
불충분한 냉각
부위별 차이
Skin type V
Inconspicuous melasma

IPL 부작용이 전혀 없는 것은 아니다. 모든 레이저와 IPL은 선택적으로 목표로 하는 병변을 파괴하지만 필연적으로 주변부에 열이 발생하고 다른 표현을 하면 가벼운 화상을 입게 된다. 그래서 레이저나 IPL 후에 일시적으로 붉거나 자극받은 모습을 보인다. 그러나 이런 현상은 짧게는 30분 길게는 2일 정도면 사라진다.

즉, 치료를 위해서 회복이 가능한 열손상이 주변 조직에 가볍게 일어난다. 그런데 지나치게 강하게

461

치료한다면 이런 열손상이 물집이나 딱지 등으로 이어진다. 이런 경우 IPL은 스팟의 크기가 크므로 이런 일시적인 현상이 매우 인공적인 모양으로 보이게 되어 환자의 불만이 심하게 된다. IPL이 큰 스팟을 이용하는 한 언제나 화상이 일어나지 않도록 조심하여야 한다.

그림 12-36에서는 높은 fluence를 이용한 결과 부작용으로 물집과 과도한 딱지가 발생한 경우이다. 다행히 수개월 후 아무런 후유증 없이 회복되었고, 원래 상태인 홍조도 많이 좋아진 경우이다. 그러나, 인공적인 막대기 모양의 자국이 수개월간 보이게 되므로 매우 불편한 경과를 겪게 된다. 부작용 발생에는 환자의 피부성질도 관계한다. 이런 정도의 화상을 가볍게 극복하는 피부가 있고, 심하지 않은 화상인데 완전히 회복되지 않는 피부도 있다. 즉, 개인차이가 있으므로 한 환자에게 안전

한 파라미터가 다른 환자에서도 항상 안전하다는 것을 보장해 주지 못한다.

IPL은 다양한 cut off filter를 이용하여 파장대를 선택할 수 있는데, 짧은 파장대의 빛은 멜라닌과 반응이 강하므로 짧은 파장대의 빛을 이용하는 경우, 표피의 화상에 대해서 항상 조심하여야 한다.

시술 후에 홍반이 심하고 통증을 호소한다면 냉각을 충분히 해주는 것이 좋다. 치료 후 피부에 잔존하는 열은 더 깊은 조직으로 퍼져가든지 표피로 이동하여 발산되어야 하는데 공기중으로 열이 발산되는 것보다는 차가운 냉각거즈를 접촉하거나 냉각롤러를 이용하거나 냉각팩을 이용하는 것이 표피의 열을 뺏아가는데 훨씬 효율적이다.

피부아래에 뼈가 있는 부위는 시술 후 열이 뼈가 있는 아래로 퍼지지 못하고 표피를 통해서 주로 발산되므로 표피에 열이 많이 발생한다. 같은 fluence로 치료하면 이마, 턱선, 광대뼈위, 귀앞 이런 부위에 화상을 잘 입는데, 그 이유는 그 아래에 뼈가 있기 때문이다.

피부타입 V는 처음에 IPL 제조회사로부터 금기사항으로 언급되었으나 실제 한국에서는 skin type V에서도 치료를 하고 있다. 물론 부작용이 발생할 가능성은 높아진다. 이외에 야외활동이 많은 남자의 경우도 부작용의 가능성이 매우 높다.

기미가 뚜렷한 경우 이에 맞춘 파라미터로 치료하게 되고, 조심스럽게 접근하게 된다. 그런데 주근깨, 잡티, 후천성 오타모반 등 여러 색소질환이 많이 있는 환자의 경우, 그 아래에 있는 기미가 눈에 띄지 않는 경우가 있다. 이런 경우 다른 색소병변의 치료를 위한 파라미터가 기미에는 너무 강한 파라미터가 되어서 치료 후 기미가 악화되는 경우가 있다. 이외에 약한 기미를 강하게 치료한 후 더 악화되는 경우도 흔히 있다.

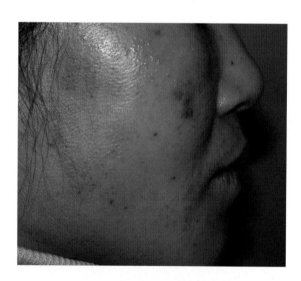

그림 12-36. IPL부작용 사례

시술 후 네모난 모양의 딱지가 보이고 홍반과 부종이 눈에 띄는 부분이 있다. 딱지만 두드러진 부분은 딱지가 떨어질 때에 후유증 없이 회복되거나, 딱지가 떨어진 후에도 홍반과 색소침착의 등이 문제가 발생할 수도 있다. 아직 확실히 딱지로 진행하지도 않은 홍반과 부종을 보이는 부위는 좀 더 심각한 경과를 보일 수도 있다.

2. 부작용을 예방하는 방법

가) Understand differences of various IPLs

There are various kinds of IPL with different spectral distribution, spot size et cetera. Actually the parameter shown on the computer screen may not be the real IPL beam parameter.

IPL에는 어떤 파장의 빛이 얼마나 포함되어 있을까? 이것은 IPL마다 다르다. 파장에 따른 빛의 세기를 표시한 그래프가 바로 spectral distribution이라고 하며 Vasculihgt(Lumenis)의 spectral distribution은 그림 12-1과 같다. 이 그래프와 앞선 파장별 발색단에 대한 흡수곡선을 겹쳐보면 바로 내가 사용하는 IPL이 어떤 물질에 얼마나

반응하는지 알 수 있다(그림 12-37). 이렇게 IPL마다 spectral distribution이 다르므로 특성이 다르다고 할 수 있다. 어느 파장대가 많이 나오는지 알아야 한다.

또 한 가지는 IPL이 발사되는 전체 pulse duration 시간동안 파장대가 변할 수 있다는 사실을 기억하여야 한다. square pulse를 보이고 pulse duration 동안 일정한 spectrum이 나오는 IPL과 pulse duration의 처음과 중간 끝에서 서로 다른 파장대가 나오는 IPL은 성능면에서 많이 다르다고 할 수 있다(그림 12-10, 12-11).

나) Use various treatment's end point

치료의 종결점을 결정할 때 한 가지 요소만 고려하지 말고 여러 요소를 고려하여야 한다. 홍반뿐 아니라 치료시 통증, 붓기, 색소가 치료직후 검게 변하는 현상 등 여러 가지를 고려하여 치료 종결점

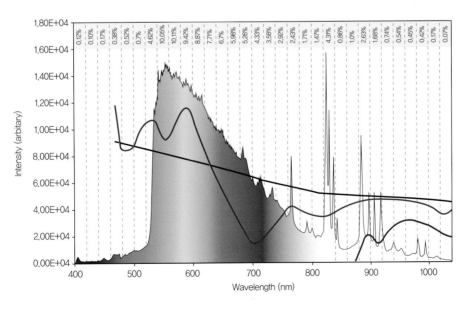

그림 12-37. IPL의 spectral distribution과 발색단의 흡수곡선
두 그래프를 조합하면 사용하는 IPL이 조직에서 어떤 반응을 할지 예상된다.

을 정하는 것이 좋다.

환자에 따라서는 유별나게 홍반이 잘 생기는 경우도 있다. 그런데 이에 비해서 회복은 잘 되는 수가 있다. 그런데 어떤 환자는 그 정도의 홍반이면 바로 부작용으로 연결될 수도 있다. 어떤 경우는 홍반도 별로 발생하지 않는데 유난히 통증을 호소하는 경우도 있다. 이런 경고를 무시하고 치료한 후 부작용이 발생하는 수도 있다. 여러 가지 치료 시 나타나는 환자와 환자의 피부의 반응에 항상 주목하고 있어야 한다.

다) Be cautious about skin type V

제5 피부형에서는 조심스럽게 치료하여야 한다. 특히 혈관치료시에는 표피의 멜라닌색소가 혈관치료에 방해가 되므로 제 5피부형의 혈관치료는 혈관치료레이저로 하는 것이 좋다. 혈관치료레이저에서는 혈관치료동안 표피의 냉각이 확실히 보장되는 것이 좋다. 특히 혈관병변을 치료하기 위한 fluence는 색소병변의 치료를 위한 fluence보다 높은 경우가 많고 표피화상의 위험도 커지게 된다. 제5 피부형의 경우 다른 피부형보다 치료 후 되도록 홍반이 발생하지 않게 하는 것이 좋다. 다른 피부형에서 약간의 홍반이 부작용과 연결되지 않았더라도 skin type V에서는 미미한 홍반이 발생한 후에도 부작용으로 연결될 수가 있다.

라) Adjust the parameter according to skin sites

안면부 시술에서 시술부위에 따라 fluence를 달리 하여야 한다. 이마부위는 뺨부위보다 같은 강도로 시술시 현저하게 부작용의 가능성이 높다. 시술

직후 홍반도 심하고, 통증도 호소한다. 이마 이외에도 피부아래에 뼈가 가까이 있는 턱선, 귀앞 부분도 fluence를 낮게 하는 것이 좋다. 일반적으로 이마는 뺨보다 $2J/cm^2$ 이상 낮게 한다.

마) Keep the thickness of gel constant

냉각젤을 이용하면 IPL의 끝단과 피부사이에 공기층이 생기지 않게 하는데 도움이 된다. 공기층이 존재하면 빛의 반사가 많이 일어나 IPL의 fluence가 충분히 전달되지 않을 수 있다. 또 차가운 젤을 사용하면 피부냉각에도 도움이 많이 된다. IPL 자체가 크리스탈을 충분히 냉각하지 못하는 경우에도 크리스탈이 과도하게 뜨거워지지 않게 하는데 도움이 된다. 크리스탈이 잘 냉각되어있는 경우에도 피부과 크리스탈이 틈이 생겨 떨어져있다면 성능을 발휘할 수 없는데 그 사이를 젤이 메꿔줌으로서 냉각효과를 전달할 수 있다.

젤의 두께에 따라 light attenuation이 달라진다. 젤의 두께에 따른 attenuation 정도에 대해서는 정확한 발표가 없으나, 10% 이상의 감소가 가능할 것으로 생각된다. 그러므로, IPL의 파라미터를 교환할 때는 항상 젤의 두께도 같이 전달되어야 한다.

젤의 두께를 얇게 하는 치료와 젤을 두껍게 사용하는 치료가 있다. 사용하는 젤두께는 의사마다 다르고, 자기 방법을 정하여 항상 일정한 젤두께를 사용하는 것이 좋다. 이마나 코같이 조직이 상대적으로 단단하여 눌러도 펴지기 어렵고, 굴곡이 있는 부위는 젤을 두껍게 하는 것이 도움이 된다.

젤을 두껍게 하면 냉각에 유리하고 안전한 경향이 있으나, 이 상태에서 실수로 젤을 얇게 하는 경우 즉, 피부 가까이 크리스탈을 접근시키는 경우

부작용의 가능성이 높아진다.

젤을 얇게 사용하여 치료하는 경우 충분한 냉각에 도움을 받지 못하는 단점이 있을 수 있다. 피부의 표면이 커브가 있는 경우 살짝 압력을 가해서 눌러주면 커브가 조금 펴질 수 있는 장점이 있다. 즉, 굴곡이 있는 피부가 평편해지면서 스팟사이즈 내에 포함된 피부에 균일한 fluence를 전달하는데 유리하다. 또 평소에 얇은 젤을 이용한 치료를 하는 경우 실수로 더 눌러서 피부에 가깝게 되고 fluence가 갑자기 증가하여 부작용이 나는 이런 일은 일어나기 어렵다.

바) Be very cautious when you treat melasma

기미의 치료에서는 장파장을 주로 이용하는 것이 안전하다. 단파장은 멜라닌과 강하게 반응하고 기미치료에서는 과도한 치료가 되기 쉽다. 좀 더 약한 fluence로 여러 패스하는 것이 강한 fluence로 한번 패스하는 것보다 안전하다. IPL로 기미를 치료하여 좋은 경과를 보이다가도 fluence를 높이거나, 단파장으로 변경한 이후에 악화되는 경우가 많이 있으므로 항상 조심스럽게 치료하여야한다. 필자는 좀 더 효과를 높이기 위하여 파라미터를 변경하고자 하는 경우 치료시 기존파라미터로 대부분의 병변을 치료하고 눈에 가장 덜 띄는 작은 부위에 다름치료에 이용해보고자 하는 파라미터를 조심스럽게 시험해본다. 잡티가 얼굴 가득이고 background에 기미가 있다고 의심이 되면 전체를 기미라고 생각하고 파라미터를 결정하면 비교적 안전한 치료가 가능하다.

사) Be cautious when you change the parameter

When you increase the fluence, in case of 515nm cut-off filter, due to spectral jitter, emission of shorter wavelength becomes greater. So there will be more epidermal damage than expected.

When you increase the fluence, in case of 640nm cut-off filter, due to spectral jitter, emission of shorter wavelength from the lamp becomes greater, but most of short wavelength is cut off by the filter. So there will be less increment of energy than expected.

515nm 필터를 이용할 때 fluence를 올리는 경우, spectral shift 현상 때문에 짧은 파장의 빛의 발생이 많아진다. 그러면 예상보다 표피에 대한 손상이 커질 수 있다. 반대로 640nm 필터를 사용중일 때 fluence를 올린다면 spectral shift 현상 때문에, fluence를 증가하였기 때문에 짧은 파장의 빛이 많이 생성되었으나 640nm 필터에 의해서 차단되므로, 실제 증가하는 fluence는 예상보다 적을 수 있다.

3. To get good result

Proper patient selection
Be cautious in risky area
Appropriate parameter
Never overtreat

좋은 결과를 얻기 위해서는 적절한 환자를 선택하

고, 즉, IPL로 효과를 볼 수 있는 환자를 선택하고, 위험스런 부위는 조심하면서, 파라미터를 잘 선정하여, 너무 과도한 치료를 하지 않고 신중하게 치료하면서 반복 치료하면 부작용은 잘 생기지 않고 좋은 결과를 얻을 수 있다.

VII. 환자를 위한 시술안내

– IPL 치료는 얼굴이 쉽게 붉어지는 안면홍조, 혈관확장, 기미나 주근깨 등의 잡티, 늘어난 모공, 잔주름, 또는 얕은 여드름 흉터 등에 효과적입니다. 이 중에서 안면홍조, 잡티 등은 한 번의 치료로 호전되는 경우도 있지만 반복해서 치료를 하면서 서서히 좋아지는 것이 보통입니다.

– 혹시 지속적으로 복용하는 약이 있다면 반드시 IPL 치료 전에 말씀해 주십시오. 빛에 대한 반응이 예민하게 나타나도록 하는 약이 있을 수 있기 때문입니다. 피부과 약 중에서 홍조(주사) 때문에 약을 복용하고 있다면 치료하기 3일 전에는 복용을 중지하십시오. 여드름 치료제나 미백제 혹은 주름 제거 목적으로 사용하는 레틴 A 연고나 레티놀 성분이 들어있는 화장품은 치료 하루 전에는 바르지 않도록 하십시오.

– 치료 전에 과다하게 선탠을 하지 않도록 하십시오. 과도하게 선탠을 한 경우에는 미백제를 사용하여 멜라닌 색소를 어느 정도 줄인 후에 치료하는 것이 바람직합니다.

– 치료를 하고 나면 약간의 붉은 기가 나타나서 서너 시간 지속되는 것이 보통입니다. 하지만 때로 2-3일 정도 지속되기도 하며 약간 붓는 증세가 하루정도 나타날 수 있습니다. 너무 오래 이런 증세가 지속되는 경우에는 병원으로 문의해 주십시오.

– 치료 전에 스테로이드 연고를 많이 발라서 피부가 얇아진 경우나 색소가 너무 진한 경우에는 부분적으로 물집이 잡히거나 딱지가 생길 수 있습니다. 딱지만 생긴 경우라면 가볍게 세수나 화장을 하셔도 됩니다. 딱지가 너무 일찍 떨어지는 것은 좋지 않으므로 과도하게 문지르지 않도록 주의해 주십시오. 딱지에는 바셀린 연고처럼 기름기가 있는 연고나 크림을 발라서 너무 마르지 않도록 하는 것이 좋습니다.

– 물집이 생긴 경우에는 병원으로 연락해주십시오. 가능하면 병원에 오셔서 치료를 받는 것이 좋습니다. 부득이하게 병원에 오시지 못하는 경우에는 약국에서 생리 식염수와 거즈를 구입하신 후에 찜질을 하도록 하십시오. 거즈를 생리식염수에 푹 적신 후에 물집이 생긴 부위에 약 15분 정도 얹어놓으시면 되는데 하루에 3-4회 정도 시행하십시오.

– 주근깨나 기미 등 색소가 있던 부위는 치료 후에 일시적으로(약 1주정도) 색깔이 더 진해집니다. 하지만 1주일 정도 지나면서 점점 원래 색깔보다 더 옅어지게 됩니다.

– 남자 분들의 경우, 수염이 있는 부위를 치료하게 되면 전체적으로 혹은 부분적으로 털이 빠질 수 있습니다. 그러므로 이런 것을 원하지 않는 경우에는 미리 시술하기 전에 말씀해 주십시오.

– 치료한 후에는 세수나 가벼운 샤워, 그리고 가벼운 화장을 하셔도 됩니다. 하지만 뜨거운 욕탕에 들어가시거나 심하게 운동을 해서 땀을 내는 것, 또는 마사지를 하는 것은 약 5일 정도 피하도록 하십시오.

– 햇볕에 노출되는 것은 좋지 않습니다. 치료 전이나 후에 자외선 A까지 차단할 수 있는 자외선 차단제를 계속해서 사용하도록 하십시오.

– 치료 후에는 시술 전에 발랐던 미백 연고를 바로 바르지 마시고 2-3일 정도 경과를 보면서 붉은기가 가신 후에 사용하도록 하십시오.

– 재치료는 대개 4주 간격으로 하게 됩니다. 이 기간보다 더 늦어질 수도 있지만 너무 치료 간격이 길어지면 치료 효과가 떨어지게 되므로 가능한 3-4주 사이에 치료를 하는 것이 좋습니다.

– 이외에 궁금한 점이 있으면 언제든지 병원으로 전화를 해 주십시오.

◀ 참고문헌 ▶

1. Angermeier MC. Treatment of facial vascular lesions with intense pulsed light. J Cutan Laser Ther. 1999 Apr;1(2):95–100.
2. Ash C, Town G, Bjerring P. Relevance of the structure of time-resolved spectral output to light-tissue interaction using intense pulsed light (IPL). Lasers Surg Med. 2008 Feb;40(2):83–92.
3. Bitter PH. Noninvasive rejuvenation of photodamaged skin using serial, full-face intense pulsed light treatments. Dermatol Surg. 2000 Sep;26(9):835–42; discussion 843.
4. Bjerring P, Christiansen K. Intense pulsed light source for treatment of small melanocytic nevi and solar lentigines. J Cutan Laser Ther. 2000 Dec;2(4):177–181.
5. Bjerring P, Cramers M, Egekvist H, Christiansen K, Troilius A. Hair reduction using a new intense pulsed light irradiator and a normal mode ruby laser. J Cutan Laser Ther. 2000 Jun;2(2):63–71.
6. Cliff S, Misch K. Treatment of mature port wine stains with the PhotoDerm VL. J Cutan Laser Ther. 1999 Apr;1(2):101–4.
7. Dierickx CC, Casparian JM, Venugopalan V, Farinelli WA, Anderson RR. Thermal relaxation of port-wine stain vessels probed in vivo: the need for 1–10-millisecond laser pulse treatment. J Invest Dermatol. 1995 Nov;105(5):709–14.
8. Dierickx CC. Hair removal by lasers and intense pulsed light sources. Semin Cutan Med Surg. 2000 Dec;19(4):267–75. Review.
9. Fournier N, Brisot D, Mordon S. Treatment of leg telangiectases with a 532nm KTP laser in multi-pulse mode. Dermatol Surg. 2002 Jul;28(7):564–71.
10. Gold MH, Bell MW, Foster TD, Street S. One-year follow-up using an intense pulsed light source for long-term hair removal. J Cutan Laser Ther. 1999 Sep;1(3):167–71.
11. Goldberg DJ, Samady JA. Intense pulsed light and Nd:YAG laser non-ablative treatment of facial rhytids. Lasers Surg Med. 2001;28(2):141–4.
12. Goldberg DJ. New collagen formation after dermal remodeling with an intense pulsed light source. J Cutan Laser Ther. 2000 Jun;2(2):59–61.
13. Goldman MP, Eckhouse S. Photothermal sclerosis of leg veins. ESC Medical Systems, LTD Photoderm VL Cooperative Study Group. Dermatol Surg. 1996 Apr;22(4):323–30.
14. Goldman MP, Weiss aR. Treatment of Poikiloderma of Civatte on the Neck with an Intense Pulsed Light Source. Plast Reconstr Surg. 2001 May;107(6):1376–81.
15. Hohenleutner U, Hilbert M, Wlotzke U, Landthaler M. Epidermal damage and limited coagulation depth with the flashlamp-pumped pulsed dye laser: a histochemical study. J Invest Dermatol. 1995 May;104(5):798–802.
16. Jay H, Borek C. Treatment of a venous-lake an-

gioma with intense pulsed light. Lancet. 1998 Jan 10;351(9096):112.

17. Johnson F, Dovale M. Intense pulsed light treatment of hirsutism: case reports of skin phototypes V and VI. J Cutan Laser Ther. 1999 Dec;1(4):233-7.

18. Kimel S, Svaasand LO, Cao D, Hammer-Wilson MJ, Nelson JS. Vascular response to laser photothermolysis as a function of pulse duration, vessel type, and diameter: implications for port wine stain laser therapy. Lasers Surg Med. 2002;30(2):160-9.

19. Lask G, Eckhouse S, Slatkine M, Waldman A, Kreindel M, Gottfried V. The role of laser and intense light sources in photo-epilation: a comparative evaluation. J Cutan Laser Ther. 1999 Jan;1(1):3-13.

20. Levy JL. Intense pulsed light treatment for chronic facial erythema of systemic lupus erythematosus: a case report. J Cutan Laser Ther. 2000 Dec;2(4):195-198.

21. McDaniel DH, Ash K, Lord J, Newman J, Adrian RM, Zukowski M. Laser therapy of spider leg veins: clinical evaluation of a new long pulsed alexandrite laser. Dermatol Surg. 1999 Jan;25(1):52-8.

22. Mordon S, Brisot D, Fournier N. Using a "non uniform pulse sequence" can improve selective coagulation with a Nd:YAG laser (1.06 microm) thanks to Met-hemoglobin absorption: a clinical study on blue leg veins. Lasers Surg Med. 2003;32(2):160-70.

23. Moreno Arias GA, Ferrando J. Intense pulsed light for melanocytic lesions. Dermatol Surg. 2001 Apr;27(4):397-400.

24. Raulin C, Goldman MP, Weiss MA, Weiss RA. Treatment of adult port-wine stains using intense pulsed light therapy (PhotoDerm VL): brief initial clinical report. Dermatol Surg. 1997 Jul;23(7):594-7.

25. Raulin C, Hellwig S, Schonermark MP. Treatment of a nonresponding port-wine stain with a new pulsed light source (PhotoDerm VL). Lasers Surg Med. 1997;21(2):203-8.

26. Raulin C, Schroeter CA, Weiss RA, Keiner M, Werner S. Treatment of port-wine stains with a noncoherent pulsed light source: a retrospective study. Arch Dermatol. 1999 Jun;135(6):679-83.

27. Raulin C, Weiss RA, Schonermark MP. Treatment of essential telangiectasias with an intense pulsed light source (PhotoDerm VL) Dermatol Surg. 1997 Oct;23(10):941-5

28. Raulin C, Werner S. Treatment of venous malformations with an intense pulsed light source (IPLS) technology: A retrospective study. Lasers Surg Med. 1999;25(2):170-7.

29. Ross EV. Laser versus intense pulsed light: Competing technologies in dermatology. Lasers Surg Med. 2006 Apr;38(4):261-72.

30. Sadick NS, Prieto VG, Shea CR, Nicholson J, McCaffrey T. Clinical and Pathophysiologic Correlates of 1064-nm Nd:YAG Laser Treatment of Reticular Veins and Venulectasias. Arch Dermatol. 2001 May;137(5):613-617.

31. Sadick NS, Weiss RA, Shea CR, Nagel H, Nicholson J, Prieto VG. Long-term photoepilation using a broad-spectrum intense pulsed light source. Arch Dermatol. 2000 Nov;136(11):1336-40.

32. Schroeter CA, Neumann HA. An intense light source. The photoderm VL-flashlamp as a new treatment possibility for vascular skin lesions. Dermatol Surg. 1998 Jul;24(7):743-8.

33. Tanghetti E, Sierra RA, Sherr EA, Mirkov M. Evaluation of pulse-duration on purpuric threshold using extended pulse pulsed dye laser (cynosure V-star). Lasers Surg Med. 2002;31(5):363-6.

34. Troilius A, Troilius C. Hair removal with a second generation broad spectrum intense pulsed light source--a long-term follow-up. J Cutan Laser Ther. 1999 Sep;1(3):173-8.

35. Tse Y. Hair removal using a pulsed-intense light source. Dermatol Clin. 1999 Apr;17(2):373-85, 27: Gold MH, Foster TD, Bell MW. Nevus spilus successfully treated with an intense pulsed light source. Dermatol Surg. 1999 Mar;25(3):254-5.

36. Weiss RA, Goldman MP, Weiss MA. Treatment of poikiloderma of Civatte with an intense pulsed light source. Dermatol Surg. 2000 Sep;26(9):823-7 22: Goldberg DJ, Cutler KB. Nonablative treatment of rhytids with intense pulsed light. Lasers Surg Med. 2000;26(2):196-200.

37. Weiss RA, Sadick NS. Epidermal cooling crystal collar device for improved results and reduced side effects on leg telangiectasias using intense pulsed light. Dermatol Surg. 2000 Nov;26(11):1015-8.

38. Weiss RA, Weiss MA, Marwaha S, Harrington AC. Hair removal with a non-coherent filtered flash-lamp intense pulsed light source. Lasers Surg Med. 1999;24(2):128-32.

39. Weiss RA, Weiss MA. Intense pulsed light: newer perspective. Dermatol Surg. 1997 Dec;23(12):1221.

40. Yamashita T, Negishi K, Hariya T, Kunizawa N, Ikuta K, Yanai M, Wakamatsu S. Intense pulsed light therapy for superficial pigmented lesions evaluated by reflectance-mode confocal microscopy and optical coherence tomography. J Invest Dermatol. 2006 Oct;126(10):2281-6.

CHAPTER 13

프랙셔널 레이저

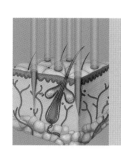

프랙셔널 레이저
Fractional Laser

박 승하

I. 프랙셔널 레이저의 종류

1. 프랙셔널 레이저의 특성

레이저 박피(laser resurfacing)는 레이저로 피부 표면을 제거하고 피부를 재생시키는 방법으로 1990년대 중반부터 널리 사용되고 있다. 레이저박피는 단지 피부 표면을 제거할 뿐만 아니라 열 효과를 이용하여 피부 재생을 유도하고 피부 탄력을 증가시키는 효과가 있다. 레이저박피는 깊이 조절이 쉬워 안전하며 박피효과가 우수하여 피부 병변의 제거, 노화된 피부의 재생, 흉터의 치료, 피부 탄력증가, 피부의 젊음 회복(rejuvenation) 등 다양한 목적으로 사용하고 있다.

레이저 박피가 특출한 효과를 나타내지만 반면 피부의 창상 치유기간이 필요하고, 감염과 비후성 반흔, 탈색 등 합병증의 가능성이 있으며, 레이저 박피 후에도 홍반과 색소침착 등으로 환자들이 불편해하고 사회활동에 지장을 초래하는 단점이 있다.

이산화탄소 레이저보다 어븀야그 레이저가 열손상이 적어 치유가 빠르고 홍반이 일찍 없어지고 색소침착이 적게 오는 장점이 있지만 깊은 박피를 하면 이러한 불편은 공통사항으로 나타나게 된다.

일상생활에 지장이 없으면서 피부 탄력을 증가시키고 피부 진피를 재생시키는 방법으로 저출력의 적외선 레이저인 비박피성 리주버네이션 레이저(NAR; non ablative rejuvenation)가 개발되었다.

적외선 파장이라 진피까지 깊게 투과되며 박피 레이저의 단점을 피하기 위하여 표피는 냉각장치로 보존하면서 진피만을 열 효과로 재생시키는 방법이다. 저출력 엔디야그 레이저를 사용하며 (Cooltouch®) 박피를 하지 않고 진피의 탄력을 증가시키기 때문에 비박피성 리주버네이션 레이저라 부르게 되었다.

이것은 이론적으로는 상당히 이상적이지만 실제는 효과가 약하여 의사나 환자가 실망하고 사용이 줄어들게 되었다.

비박피성 리주버네이션 레이저보다 강한 효과를 원하게 되었고, 개선방안으로 높은 출력을 미세한 빔으로 좁게 조사하여 표피의 대부분을 보존하며 진피에 깊게 레이저를 투과하게 되었다. 2004년 Manstein이 프랙셔널 광열효과(fractional photothermolysis) 개념을 발표하였고 이에 따른 프락셀(Fraxel®) 레이저가 개발되었다. 프락셀은 레이저 기기 상품명이지만 통상 프락셀이라 부르고 있으며, 원래는 프랙셔널 레이저(fractional) 또는 부분 박피 레이저라고 부르는 것이 맞는 것이겠다. 처음 프랙셔널 레이저는 1,550nm 파장의 Erbium Glass 레이저로 직경이 매우 작은 마이크로 빔(직경 100μm이내) 으로 조사하여 표피와 진피에 열을 전달하는 것이다. 프랙셔널 레이저 빔의 열 효과로 표피가 재생되고 진피는 탄력이 증가하며 치료 후에는 수 시간 동안 홍반이 있다가 없어지기 때문에 사회생활에 지장이 거의 없고 편리한 장점이 있다.

프랙셔널 레이저가 비박피성 리주버네이션 레이저보다 효과는 좋지만 박피 레이저와 같은 좀 더 강한 효과를 보기 위해서 박피 기능을 가진 프랙셔널 레이저가 개발되었다. 이를 박피성 프랙셔널 레이저(AFL; ablative fractional laser)라 부르며 이전의 프랙셔널 레이저는 비박피성 프랙셔널 레이저(NAFL; non ablative fractional laser)로 구분하게 되었다.

박피성 프랙셔널은 미세한 기둥모양으로 피부를 기화시키고 주변은 열효과로 수축을 일으켜 비박피성 프랙셔널보다 강한 효과를 나타낸다.

박피레이저인 이산화탄소 레이저와 어븀야그 레이저가 프랙셔널 기능을 가진 이산화탄소 프랙셔널과 어븀 프랙셔널 레이저로 개발되어 사용하고 있다.

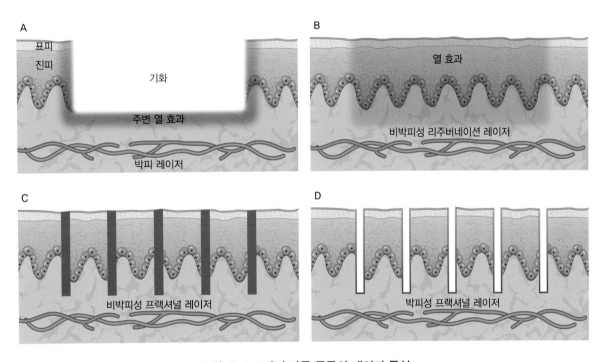

그림 13-1. 4가지 다른 종류의 레이저 특성
A) 박피 레이저(resurfacing laser); 표피와 진피 상부를 기화시키고 잔류 열효과로 피부를 재생시킨다.
B) 비박피성 리주버네이션 레이저(NAR; non ablative rejuvenation); 피부의 탈락 없이 저출력으로 진피의 탄력증가를 유도한다.
C) 비박피성 프랙셔널 레이저(NAFL; non ablative fractional laser); 피부 깊이 진피까지 좁고 깊게 열효과를 전달한다.
D) 박피성 프랙셔널 레이저(AFL; ablative fractional laser); 좁고 깊게 피부를 기화시키고 주변의 열효과도 얻는다.

피부 표면을 유지하면서 진피만을 재생하는 방법을 박피하 피부재생(subablative regeneration)이라 부르고 있다.

표피를 보존하기 때문에 환자의 불편함이 없고 후유증발생 가능성이 적은 리주버네이션 방법이 되겠다. 고주파(RF : radiofrequency)도 진피의 재생을 유도하는 데 사용될 수 있는데에 프랙셔널 기능을 가진 프랙셔널 고주파도 사용되고 있으며, 고주파와 레이저의 복합기능을 가진 기기도 개발되고 있다.

2. 비박피성 프랙셔널 레이저 (NAFL: non ablative fractional laser)

프랙셔널은 표면 전체가 아닌 표면의 일부분(fractional)이란 뜻으로 박피는 피부 전체 표면을 치료하지만 프랙셔널은 피부 대부분을 보존한 체 일부만 부분적으로 치료하는 의미에서 이름이 지어졌다. 프랙셔널은 박피 레이저의 단점을 피하고 부분적으로 좁고 깊게 레이저를 투과하여 안전하게 치료효과를 나타내게 된다.

2004년 프랙셔널 광열반응(fractional photothermolysis) 개념이 도입되고, 프랙셔널 레이저로는 처음으로 프락셀 레이저가 개발되었다. 이 프락셀 레이저는 미세한 빔으로 직경이 50-100μm이며 1cm²에 400개 이하가 조사되어 한번 패스에 표면의 5-10%만 레이저를 받게 된다. 같은 부위를 반복 패스하면 1cm²에 4,000개까지 빔이 증가하며 피부 표면의 20-30% 이하로 치료가 된다.

프락셀은 핸드피스를 피부 표면에 접착하여 조사하는 방식이며 처음에는 레이저 투과를 증가하기 위하여 청색 색소를 바르고 젤을 묻힌 다음 치료를 하였지만 요즘 프랙셔널 레이저들은 젤만 바르고 치료를 하고 있다.

프랙셔널 레이저 투과 깊이는 에너지 세기에 따라 달라지며 펄스 에너지(mJ/beam)가 낮으면 투과 깊이가 얕으며 펄스 에너지가 셀수록 깊이 투과되어 표피 두께를 지나 상부 진피까지 레이저 열이 전달이 된다.

프랙셔널 레이저는 파장이 적외선 영역의 Erbium Glass 레이저(1,550nm)로 진피까지 깊이 투과가 된다.

프랙셔널 레이저 빔의 열을 받은 미세한 조직을 MTZ (microscopic treatment zone)이라 하며 이중 중앙부위는 온도가 높아 비가역적인 반응으로 괴사된 후 주변 조직으로부터 신속하게 재생하게 된다. 프랙셔널 레이저 빔의 주변 부위는 열이 확산되어 온도가 낮아져 가역적인 열 반응을 얻게 된다.

프랙셔널 레이저 빔은 좁고 깊게 조사되며 표피는 괴사되지만 신속하게 재생되며 상피화과정(re-epithelization)은 24시간이면 완전히 이루어지게 된다. 괴사된 표피는 며칠 동안 남아있어 외부로부터 균 침투를 막는 방어벽 역할을 하게 된다.

프랙셔널 레이저빔을 받은 진피는 괴사되어 일부는 흡수되며 일부는 표면으로 올라와 탈락하게 되는데 이를 MEND (microscopic epidermal necrotic debris)라 하며 각질처럼 벗겨지기 때문에 치료받은 사람들은 느끼지 못하고 없어진다.

프랙셔널 레이저 치료부위는 신속하게 창상치유가 이루어지며 각종 cytokine이 분비되고 TGF beta와 fibroblast, 콜라겐 type I 등이 증가하며, keratinocyte cyte는 표피 저층에서 상층으로 이동한다. 표피 기저층의 멜라닌세포는 파괴되지만

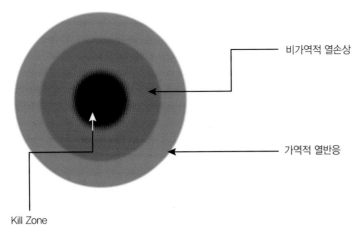

그림 13-2. 프랙셔널 레이저의 미세치료 빔(MTZ; microscopic treatment zone)
미세한 레이저 빔 중심부는 고열로 인한 비가역적인 열손상으로 괴사되며 주변은 열이 확산되어 가역적인 열반응으로 조직 수축이 일어난다.

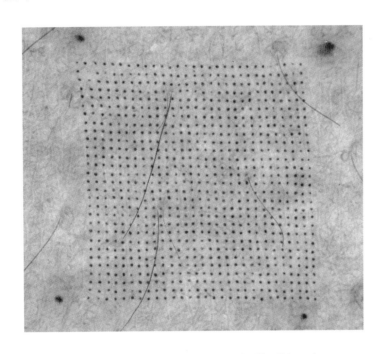

그림 13-3. 프랙셔널 레이저로 치료한 피부 표면
미세한 레이저 빔 중심부는 고열로 인한 비가역적인 열손상으로 괴사되며 주변은 열이 확산되어 가역적인 열반응으로 조직 수축이 일어난다.(Reliant 사 제공)

곧 주변으로부터 재생되어 정상적인 멜라닌 색소를 형성하게 된다. 진피의 파괴된 조직은 1-2주내에 정상조직으로 재생되며 진피층의 콜라겐섬유도 증가하여 된다.

프랙셔널 레이저 치료 시에는 피부를 깨끗이 닦고 통증완화를 위해 마취연고(4%-9% Lidocain

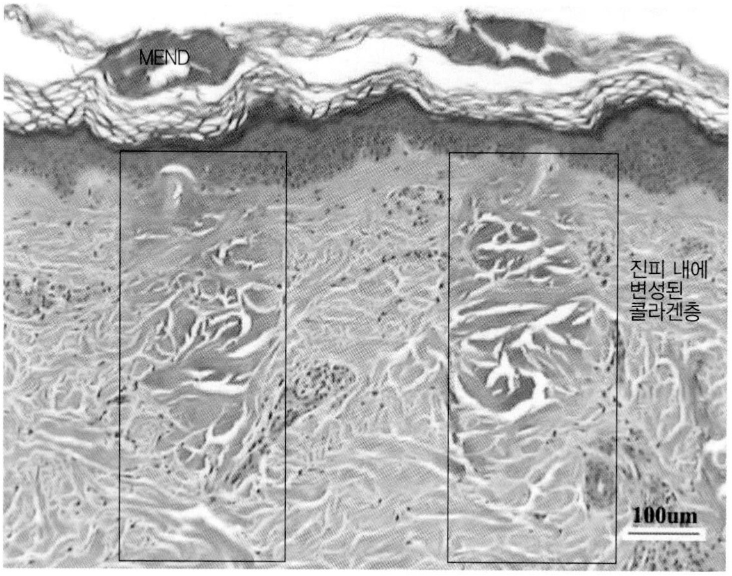

그림 13-4. 프랙셔널 레이저 (비박피성) 치료 후 조직소견(2주 후)
표피는 상피화가 이루어지고 진피의 변성된 콜라겐 기둥은 재생이 된다. 표피와 진피의 괴사된 조직은 일부 흡수되고 일부는 표면으로 이동하여 탈락하며, 괴사된 조직 잔유물이 표면으로 이동하는 것이 보인다(MEND ; microscopic epidermal necrotic debris).(그림 13-2, 3, 4 Reliant 사 제공)

cream)를 30분 이상 바르고 치료하며, 치료 부위가 좁을 경우 얼음을 5분 정도 얹은 후 치료를 하면 통증을 줄일 수 있다. 비박피성 프랙셔널은 기화가 일어나지 않기 때문에 연기를 제거할 흡입기는 필요가 없다.

비박피성 프랙셔널은 처음에는 같은 부위를 6회에서 10회 반복 패스를 권하였다. 패스는 직각으로 교대로 방향을 바꾸는 것이 고르게 치료하여 효과가 좋다고 하였다. 프랙셔널은 반복 패스할수록 통증이 심해지며 통증완화를 위해 찬바람을 쐬이면 통증을 다소 완화시킬 수 있다. 프랙셔널 레이저는 움직이면서 치료하는 이동형(dynamic mode)과 일정한 모양의 면적을 조사하는 고정형(stamp mode)으로 사용할 수 있다.

프랙셔널 레이저는 단위 면적에 초당 수천 개의 빔이 랜덤하게 고르게 조사되기 때문에 고정형이나 이동형이나 결과에는 차이가 없으며 시술자가 편한 데로 사용하면 되겠다.

프랙셔널 레이저 치료 후에는 즉시 붉어지고 부었다가 수 시간 내에는 없어지게 된다. 특별한 창상 치료는 필요가 없고 치료 직후에는 찬바람을 쐬거나 차가운 거즈를 잠시 도포해주면 편해진다. 치료한 다음 날 바로 화장을 할 수 있으며 사회생활에 지장이 거의 없는 것이 비박피성 프랙셔널의 장점이다. 색소침착은 거의 없으며 동양인에서 기미 등 소인이 있는 사람에서 나타나지만 박피레이저보다는 훨씬 적고 강도도 약하게 나타난다.

비박피성 프랙셔널 치료 직후에는 피부수축현상을 볼 수 없으나 진피층의 콜라겐섬유가 재생하는 1-2주일에 피부탄력이 증가하다가 다시 조금 이완하게 된다. 한 번의 프랙셔널로 치료효과를 기대하기 어려워 3-4주 간격으로 3회에서 5회 이상 반복 치료를 권하고 있다.

프랙셔널 레이저는 처음에 노화된 안면, 광노화된 피부, 과색소질환의 치료목적으로 허가되었지만 점차 치료 범위가 확대되어 피부탄력의 증가, 비후성 반흔의 치료, 여드름 치료와 흉터의 개선, 위축성 흉터의 치료, 탈색소 피부의 치료 등으로 널리 사용되고 있다.

프랙셔널 레이저는 피부를 미세하게 부분적으로 파괴하여 멜라닌 색소가 감소하기 때문에 흑자, 광선각화증, 기미 등 멜라닌 색소가 많은 부위는 색소가 적어진다. 프랙셔널 레이저로 멜라닌세포가 파괴되지만 곧 주변으로부터 이동하여 멜라닌 색소를 다시 형성하기 때문이다. 또한 의외로 탈색된 피부나 얼룩진 화상흉터에도 효과를 보이는데 이는 '멜라닌 이동' 현상이 나타나기 때문이다.

치료가 힘든 탈색부위에도 반복치료하면 피부 색소가 회복되기도 하며, 피부색이 얼룩진 피부도 짙은 부분은 옅어지고 옅은 부분은 짙어져서 좀 더 균일한 색상으로 바뀌게 된다.

비박피성 프랙셔널는 매우 안전하여 좀처럼 후유증을 볼 수 없으나 항상 안전에 주의하고 권장하는 파라미터를 따르는게 좋다. 백인에서는 기미가 감소한다고 하지만 동양인에서는 레이저치료 후 과색소 침착이 발생할 수 있으므로 기미가 있는 경우 전 처치를 하고 과색소 침착 가능성을 주지시켜야 하며, 기미 치료만의 목적이라면 기미나 색소 치료용 레이저가 많아서 굳이 프랙셔널 레이저를 쓸 필요는 없다.

3. 박피성 프랙셔널 레이저 (AFL; ablative fractional laser)

비박피성 프랙셔널 레이저가 저출력 적외선 레이저보다 피부 탄력증가 효과가 좋지만 박피 레이저보다는 약하기 때문에 박피 레이저의 단점인 사회생활의 불편함과 후유증 가능성을 줄이면서 프랙셔널 레이저처럼 치유가 빠르며 박피 레이저처럼 효과가 강한 박피성 프랙셔널 레이저를 개발하게 되었다. 2007년부터 박피 레이저인 이산화탄소 레이저에 프랙셔널 기능을 가진 이산화탄소 프랙셔널 레이저가 사용되고 있으며 또한 어븀야그 레이저도 프랙셔널 기능을 가진 어븀야그 프랙셔널 레이저도 개발되었다.

박피성 프랙셔널 레이저(AFL: ablative fractional laser)는 박피 레이저와 프랙셔널 레이저의 장점을 가지고 있으며 또한 두 가지 레이저의 중간 특성을 갖고 있다. 박피성 프랙셔널은 레이저 빔이 좁고 깊게 박피를 하고 주변의 정상 조직이 남아 있어 창상치유가 빨리 이루어진다. 레이저빔은 미세하여 직경이 50μm에서 100μm 이내이고 1cm² 면적에 50에서 200개 펄스로 조사한다.

펄스당 에너지(mJ)가 높을수록 깊이 투과하여 최대 2,000μm(2mm)까지 깊이 들어간다. 이는 진피 하부까지 레이저 빔이 도달하기 때문에 피부 전층에 영향을 미칠 수 있는 깊이이다.

박피성 프랙셔널을 시술하기 직전에 나무 설압자에 레이저 조사를 테스트하여 보면 자국 난 모양에 따라 깊이를 알 수 있으며, 펄스에너지를 높일 경우 첨차 깊어져 두께 2mm의 설압자도 레이저빔이 투과하는 것을 볼 수 있다.

비박피성이나 박피성 프랙셔널 레이저는 많은 레이저회사에서 개발하여 그 기종이 상당히 많은

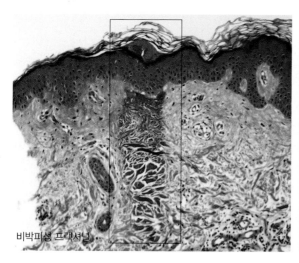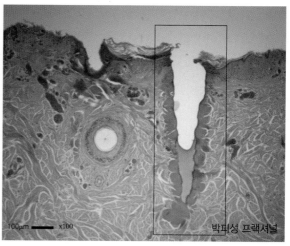

비박피성 프랙셔널

박피성 프랙셔널

그림 13-5. 비박피성 프랙셔널과 박피성 프랙셔널 레이저 치료의 피부 단면 (그림 13-5, 6, 7 루트로닉 사 제공)

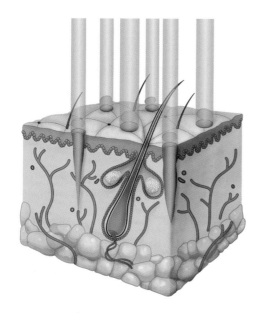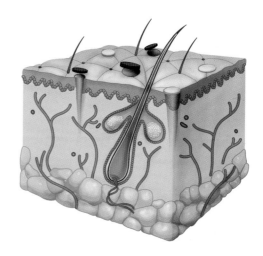

그림 13-6. 박피성 프랙셔널 레이저로 기화된 미세 기둥(MAC; micro ablative column)

박피성 프랙셔널 레이저로 기화된 미세 기둥(MAC; micro ablative column)의 표피는 탈락하고 상피화되며 진피의 콜라겐 층은 재생된다.

데 성능을 테스트하기 위해서는 비박피성 프랙셔널은 검은 종이에 테스트하여 선명하게 미세한 구멍이 많이 뚫리고 옆으로 번지지 않는 것이 좋은 프랙셔널 레이저이다.

박피성 프랙셔널 레이저는 나무 설압자에 레이

저빔이 선명하게 찍히고 펄스에너지를 높일 수록 깊어지며 또한 옆으로 빔이 번지지 않아야 좋은 박피성 프랙셔널 레이저가 되겠다.

피부에 박피성 프랙셔널이 조사되면 빔이 투과된 표피는 기화되며 같은 폭으로 깊이 진피내로

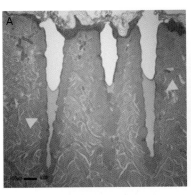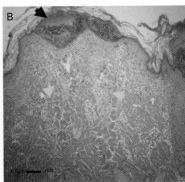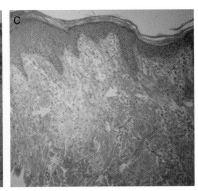

그림 13-7. 박피성 프랙셔널 레이저 치료 후 경과

A) 직후 모습으로 기화된 미세한 기둥과 주위 열 손상부위를 보임
B) 2일 후 모습으로 상피화가 완전히 이루어지고 괴사된 조직이 탈락하는 것을 보임
C) 2주 후 모습으로 진피 내에 변성된 콜라겐 층이 리모델링을 나타냄.

투과되어 마치 미세한 기둥처럼 기화된다. 이를 MAC(micro ablative column)이라 표현한다.

박피 레이저처럼 레이저빔으로 온도가 높은 중심부는 미세한 기둥처럼 기화되고 주변부위는 열이 확산되어 기화되지 않고 열반응을 일으킨다. 기화된 면과 인접한 얇은 부분은 비가역적인 반응으로 괴사층을 만들고 더 거리가 먼 쪽은 가역적인 반응으로 피부 수축을 나타낸다.

박피성 프랙셔널로 기화된 표피는 수 시간 내에 메워지게 되면 약 2일 정도면 상피화과정이 완전히 이루어진다. 또한 기화되고 괴사된 진피는 새로운 진피 조직으로 바뀌어 2-4주내에 리모델링되며 콜라겐섬유는 2-3개월까지 증가하게 된다.

박피성 프랙셔널 치료 직후 미세한 출혈이 있을 수 있으며 하루정도 진물(oozing)이 조금 나오며 세안은 다음날부터 바로 할 수 있고 2일 후에는 화장하고 활동을 할 수 있어 사회생활에 지장이 적으며 주말 시술로 적합하다.

박피성 프랙셔널은 비박피성 프랙셔널보다 홍반이 좀 더 지속되지만 박피레이저보다는 빨리 없어

진다. 펄스에너지를 세게 할수록 깊어지고 홍반이 오래 지속되는데 보통 2주에서 2개월 정도 지속된다.

박피성 프랙셔널은 비박피성 프랙셔널보다 치료시 통증이 더 심한 편이며 좁은 치료부위는 마취연고 도포 후 시술하지만 넓은 부위를 치료할 경우 통증 조절을 위해 국소마취 블록이나 진정/수면마취가 추가로 필요하기도 하다.

색소침착도 박피레이저보다는 적게 발생하고 강도도 약하지만 얼굴이 검은 편이거나 기미 등 소인이 있는 환자는 미리 미백크림을 4-8주 동안 사용하여 색소침착을 예방하는 것이 좋다.

박피성 프랙셔널 치료 후 홍반과 색소침착외의 후유증은 별로 없으며 피부 감염이 간혹 보고되지만 박피 레이저보다는 훨씬 적다.

박피성 프랙셔널 치료 후에 기화된 미세 기둥에 멜라닌 세포가 제거되지만 신속하게 주변으로부터 이동하여 멜라닌 색소가 재생되며, 치료 후 탈색이나 저색소증이 없는 것은 박피성 프랙셔널 레이저의 특성이자 장점이다.

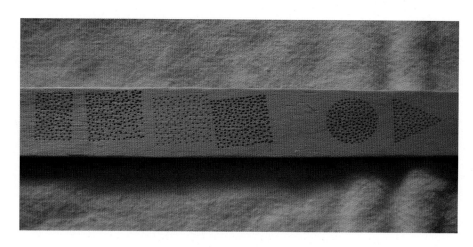

그림 13-8. 박피성 프랙셔널 레이저의 테스트

치료하기 전에 나무 설압자에 테스트를 하여보면 펄스에너지 세기에 따라 투과되는 깊이가 다른 것을 알 수 있다. 치료시 펄스에너지 세기와 밀도(펄스 수)와 크기와 모양을 선택하여 병변에 맞게 치료한다.

박피성 프랙셔널은 비박피성 프랙셔널과 달리 치료 중 피부가 수축하는 것이 눈으로 보이며, 피부탄력도 훨씬 더 증가하게 된다. 박피성 프랙셔널은 피부수축 효과, 후유증, 사회생활의 불편기간 등 모든 면에서 비박피성 프랙셔널과 박피 레이저의 중간 특성을 지니게 된다.

박피성 프랙셔널은 반복 치료를 원할 경우 2-3개월 간격으로 가능하며, 노화된 안면의 피부수축과 탄력증가 등 리주버네이션 효과를 위해서 3회 이상 반복 치료하면 박피레이저 한번 치료한 것과 같은 훌륭한 결과를 얻을 수 있다.

이산화탄소 프랙셔널 외에도 어븀야그 프랙셔널 레이저(2,940nm)가 있으며 어븀야그 레이저가 이산화탄소 레이저보다 수분의 친화력이 높아 투과가 낮듯이 어븀야그 프랙셔널이 이산화탄소 프랙셔널 레이저보다 투과와 기화가 얕은 특성을 나타낸다.

박피성 프랙셔널으로 Er:YSGG 프랙셔널 레이저(2,790nm)도 있으며 이는 어븀야그 프랙셔널 레이저와 특성이 거의 비슷하며 약간 CO2 프랙셔

널의 특성을 갖고 있다.

박피성 프랙셔널 레이저가 투과되는 깊이에 따라 750μm 이상의 깊은 박피성 프랙셔널과 750μm 이내의 얕은 박피성 프랙셔널로 나누기도 하지만 펄스에너지를 높이면 깊은 투과를 보이기 때문에 별다른 의미는 없겠다.

4. 프랙셔널 레이저의 종류와 파라미터

가) 레이저 파장

비박피성 프랙셔널은 Er:Glass 1,550nm 파장이 주이며 1,440nm 엔디야그 레이저, 1,927nm 툴리움 레이저도 사용하고 있다. 이 파장은 적외선이며 가시광선에 가깝다고 하여 근적외선(near infrared)이라고도 한다. 비박피성은 수분에 친화력이 없어 피부에 깊이 투과된다.

박피성 프랙셔널 레이저는 박피레이저와 같이 수분에 친화력이 있는 10,600nm의 이산화탄소

레이저와 수분에 친화력이 매우 높은 2,940nm의 어븀야그 레이저를 사용하고 있다.

나) 레이저 빔의 직경

프랙셔널 레이저는 빔의 직경이 작을수록 프랙셔널 효과를 높일 수 있지만 너무 작을 경우 투과

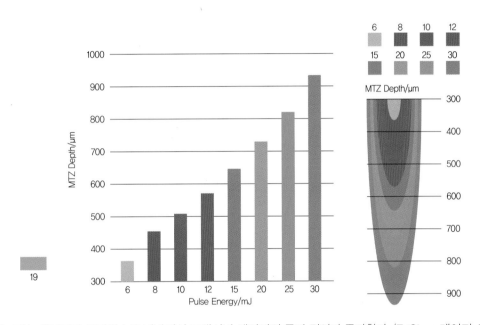

그림 13-9. 펄스 에너지가 증가할수록 비박피성 프랙셔널 레이저의 투과 깊이가 증가한다. (Er:Glass 레이저, Reliant 사)

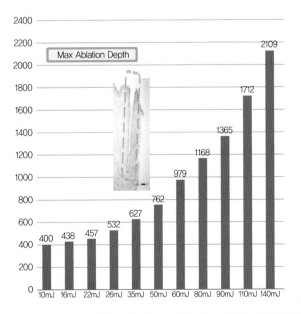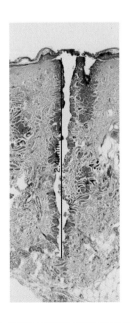

그림 13-10. 박피성 프랙셔널 레이저도 펄스에너지가 높을수록 투과가 증가하여 기화된 미세 기둥이 깊게 된다.
출력을 높게 할 경우 2.4mm까지 깊어져 피부 진피하부에까지 이를 수 있다. (CO_2 프랙셔널레이저, 루트로닉 사 제공)

가 작고 레이저 기기 제작의 한계가 있으며, 빔의 크기가 크면 프랙셔널 기능이 떨어지고 치유 기간이 늘어나게 된다.

보통 프랙셔널 레이저 빔의 직경은 100μm 내외를 많이 사용하고 있다.

프랙셔널 레이저 빔의 직경이 작을수록 창상치유가 빨리 일어나 100μm이면 24시간 내에 상피화가 이루어지지만, 직경이 200μm이상이면 상피화가 2-3일 이상 걸려 직경이 크면 창상치유가 늦게 이루어진다.

다) 밀도

프랙셔널 레이저 치료 밀도는 1cm²당 레이저 빔의 숫자로 표시하며(pulse/cm²), 단위면적당 100개의 프랙셔널 레이저 빔이 가해지면 밀도는 100/cm²라 표시한다. 프랙셔널 레이저 빔의 수가 증가할수록 치료 밀도는 증가하게 된다. 보통 프랙셔널 레이저의 치료 밀도는 10%-20%로 나머지 80%-90%는 정상 조직(reserver)으로 신속하게 창상치유가 이루어진다.

비박피성 프랙셔널 레이저는 패스를 반복할수록 레이저 밀도는 증가하게 되며 박피성 프랙셔널 레이저는 치료 세팅 때 미리 밀도를 정하고 치료하게 된다.

라) 펄스 에너지

레이저 에너지는 출력과 조사시간에 비례하여 J = W × Sec 이며 프랙셔널의 레이저의 펄스 에너지는 mJ = W × ms 가 된다. 펄스 에너지가 같더라도 출력을 높이고 조사시간을 줄이면 기화효과가 극대화되어 박피성 프랙셔널 빔이 더 깊이 기화

하고 투과할 수 있게 된다. 이는 박피 레이저가 조사시간을 연속파에서 극초단파(ultrapulse)로 하면서 기화가 최대로 하고 열손상을 줄여 박피 레이저를 이용하는 것과 같은 원리이다.

마) 투과 깊이

일반적으로 비박피성 프랙셔널은 적외선영역의 파장이며 수분에 흡수가 적어 박피성 프랙셔널보다 깊이 투과되는 편이다. 박피성 프랙셔널은 비박피성 프랙셔널보다 투과 깊이가 낮지만 레이저 빔의 직경을 작게 하고 레이저 출력을 높임으로써 더 깊게 투과할 수 있게 되었다.

Er:Glass 프랙셔널은 펄스에너지가 10mJ에서는 500μm투과 깊이를 보이며 30mJ로 펄스에너지를 높이면 950μm의 투과깊이를 보인다.

이산화탄소 프랙셔널은 펄스에너지가 10mJ에서는 400μm의 투과 깊이를 보이지만 140mJ로 펄스에너지를 높이면 투과 깊이가 2,100μm로 진피 하부까지 깊은 투과를 나타낸다.

이산화탄소 레이저보다 어븀야그 레이저는 수분에 친화력이 높아 조직에 열 흡수가 많아 깊게 침투가 안 되고 얕은 박피효과를 보이고 있다. Er:YSGG(2,790nm) 레이저는 어븀야그보다는 약간 더 깊이 침투 및 기화되는 편이지만 이산화탄소 레이저만큼 깊이 투과는 되지 못한다.

프랙셔널 레이저를 투과 깊이에 따라 750μm 이하의 얕은 레이저와 750μm 이상의 깊은 레이저로 분류하기도 하지만 펄스에너지를 높이면 자동적으로 투과 깊이를 증가하기 때문에 별 의미는 없으며, 펄스에너지를 조절하여 투과 깊이를 조정할 수 있겠다.

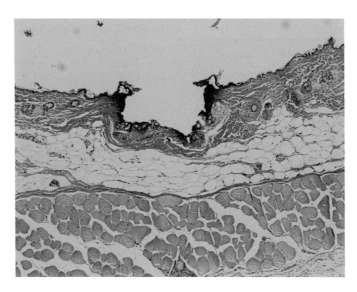

그림 13-11. 어븀 프랙셔널 레이저의 치료 직후 단면

어븀야그 프랙셔널 레이저(Action) 빔이 들어간 부위가 직각으로 샤프하게 기화되고 주변 열손상이 적은 것을 알 수 있다.(박승하, 김덕우, 정태원 실험; 15mJ/pulse, 8 pass, 기화직경 321μm, 기화깊이 136μm, 주변 열손상 27μm)

• 고정형(stamp mode)와 이동형(dynamic mode)

프랙셔널은 고정형(stamp type)으로 우표 모양으로 일정한 모양과 크기로 조사하는 방법이 있으며 이동형(dynamic type)은 핸드피스가 움직임에 따라 빔이 따라 이동하게 된다.

고정형은 일정 패턴으로 랜덤하게 고르게 빔이 나와서 박피성 프랙셔널이나 일정한 부위 흉터 등에 많이 쓰이며 이동형은 넓은 부위의 리쥬베네이션에서 반복치료할 때 많이 쓴다.

사용자의 편리에 따라 고정형과 이동형을 선택하여 쓸 수 있다.

고정형으로 프랙셔널 박피할 때 조사한 부위 자국이 선명하게 보일 수 있어서 가장 자리를 이동형으로 치료하면 옅어지게(fade-out) 보이는 효과가 있다. 이동형은 이동하는 속도에 따라 조사속도가 자동적으로 조절되는 기능이 있는 지능형 프랙셔널 레이저도 있다.

• 비박피성과 박피성 프랙셔널 레이저의 종류

많은 레이저 회사에서 프랙셔널 레이저를 개발하여 판매하고 있으며 레이저의 파장과 비박피성인지 박피성 프랙셔널 레이저인지 그 종류를 알고 특성을 파악하고 난 후 레이저 기종을 선택하여 시술하여야 하겠다.

비박피성 프랙셔널로는 Fraxel, Mosaic, Affirm, Sellas, StarLux, Lavieen(Thulium) 등이 있고 박피성 프랙셔널로는 CO_2 프랙셔널이 eCO2, Fraxel re:pair, Active FX, SmartXide, Pixel CO2, Beladona 등이 있으며 어븀 프랙셔널로는 Pixel Er, Pearl Fractional, ProFractional, Action, AVVIO, Contour TRL(YSGG) 등이 있다.

표 13-1. Rejuvenation과 레이저 종류

박피레이저 (ablative laser, resurfacing laser)

　이산화탄소 레이저 (10,600nm)
　어븀야그 레이저 (2,940nm)

비박피성 리주버네이션 레이저
(NAR; non ablative rejuvenation)

　엔디야그 레이저 (1,320nm, 1,064nm)
　IPL (500~1,200nm)

비박피성 프랙셔널 레이저
(NAFL; non ablative fractional laser)

　Erbium Glass 레이저 (1,550nm)
　Nd:YAG 레이저 (1,440nm)
　Thulium 레이저 (1,927nm)

박피성 프랙셔널 레이저 (AFL: ablative fractional laser)

　이산화탄소 프랙셔널 레이저 (10,600nm)
　어븀야그 프랙셔널 레이저 (2,940nm)
　Er:YSGG 프랙셔널 레이저 (2,790nm)

5. 프랙셔널 레이저의 효과

가) 피부의 젊음회복 효과(리주버네이션) : 피부수축 및 탄력증대

　프랙셔널 레이저의 젊음회복 효과(Rejuvenation)는 노화된 안면피부가 수축하고 탄력이 증가하여 피부가 팽팽해지고 주름이 개선되며 또한 노인성 반점인 검버섯, 흑자 같은 피부 색소가 감소하여 피부의 얼룩이 감소하고 깨끗해져서 젊어보이게 된다.

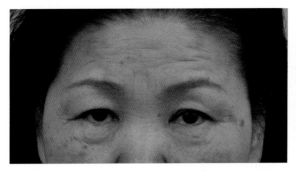 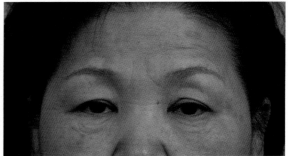

그림 13-12. 비박피성 프랙셔널 레이저 (NAFL) 치료 전후(Er:Glass 프랙셔널 5회 치료)
이마와 눈가 잔주름이 개선되고 노인성 반점이 희미해졌다.

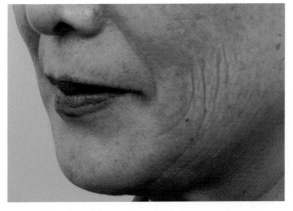 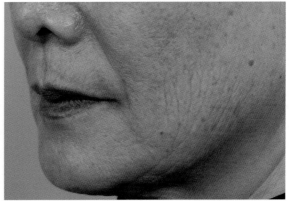

그림 13-13. 박피성 프랙셔널 레이저 치료 전후 모습
CO2 프랙셔널 2회 치료. 박피성 프랙셔널이 비박피성 프랙셔널 레이저 보다 적은 횟수로 주름 개선에 좋은 결과를 나타내었다.

일반적으로 젊음회복 효과는 박피레이저가 가장 크며 다음으로 박피성 프랙셔널, 비박피성 프랙셔널, 비박피성 리주버네이션 레이저 순으로 알려져 있다.

(rejuvenation effect : laser resurfacing >ablative fractional laser>non ablative fractional laser>non ablative rejuvenation)

레이저의 리주버네이션 효과에 대한 보고는 많지만 개선 정도가 제각각 다르며 객관적으로 비교한 논문이 없어 저자는 프랙셔널 레이저의 효과를 객관적으로 비교 입증하기 위하여 동물실험을 하였다.

흰쥐의 복부에 20mm × 20mm 면적을 문신하고 비박피성 프랙셔널과 박피성 프랙셔널을 조사하여 정상 대조군과 비교하였다. 비박피성 프랙셔널은 Er:Glass 프랙셔널(1,550nm, Mosaic®, 루

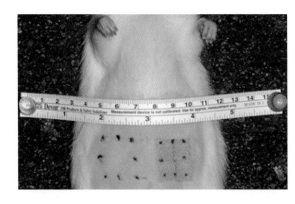

그림 13-14. 흰쥐에서 프랙셔널 레이저의 피부 수축 실험
비박피성 프랙셔널은 즉시 피부 수축효과는 없으나 박피성 프랙셔널 레어저는 즉시 수축현상을 보인다(그림 13-14~19 박승하, 김덕우, 정태원 실험).

트로닉 회사)은 40mJ, 100 pulse/cm²으로 3회 패스하여 총 에너지는 12,000mJ로 치료하였고 박피성레이저는 CO_2 프랙셔널(10,600nm, eCO_2®, 루트로닉 회사)을 사용하여 80mJ, 150pulse/cm²

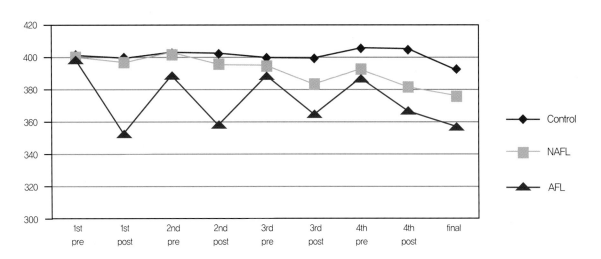

	Pre	Immediate	Long term (6 Mo)
NAFL	400 mm²	397 ±5 (−0.7%)	376 ±6 (−6%)
AFL	400 mm²	354 ±14 (−11.5%)	358 ±27 (−10.5%)

그림 13-15. 비박피성과 박피성 프랙셔널 레이저의 피부 면적 감소
비박피성 프랙셔널은 즉시 수축은 없으나 장기적으로 면적이 6% 감소하며, 박피성 프랙셔널은 즉시 11.5% 감소하고 장기적으로 10.5% 로 면적 감소가 유지된다.

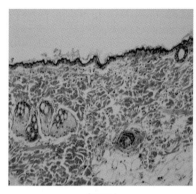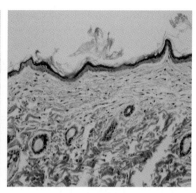

Control

NAFL
Mosaic 40mJ, 3pass total 100MTZ/cm²
; 12,000mJ/cm²

AFL
eCO2 80mJ, 1pass 150MTZ/cm²
; 12,000mJ/cm²

그림 13-16. 비박피성 프랙셔널과 박피성 프랙셔널 치료후 조직 소견

비박피성프랙셔널(Mosaic®, 40mJ, 3pass, 100MTZ/cm²)과 박피성 프랙셔널 (eCO2 R, 80mJ 1pass, 150MTZ/cm²) 레이저를 같은 에너지(12,000mJ/cm²)로 치료 후 모두 진피 내 콜라겐 재생이 잘 되었으며 박피성 프랙셔널에서 콜라겐 층이 더 두꺼워 박피레이저 치료 후와 비슷한 소견을 보임

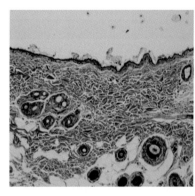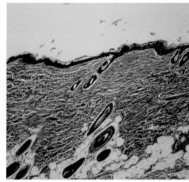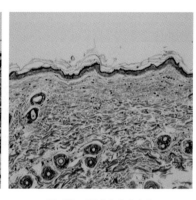

대조군

비박피성 프렉셔널 레이저 후

박피성 프랙셔널 레이저 후

그림 13-17. 콜라겐 특수염색(MT stain)에서 비박피성 프랙셔널과 박피성 프랙셔널 모두 콜라겐 층이 잘 재생된 것을 보인다.

로 한번 패스하여 총에너지는 12,000mJ로 같게 하였다.

3주 간격으로 4회 반복치료하고 마지막 치료 4개월 후에 피부 면적의 변화와 피부 조직학적 변화를 관찰하였다(J Plast Reconst Aesth Surg, 2012; 65, 1305-1311. Skin-tightening effect of fractional lasers: comparison of non-ablative and ablative fractional lasers in animal model).

관찰 결과로 피부 면적은 비박피성 프랙셔널은 즉시 감소효과는 없으나 6개월 이후 4.3% 피부면적이 감소하였고 박피성 프랙셔널은 즉시 11.5%가 감소하였다가 이완되고 다시 수축을 반복하다가 6개월 이후에는 9% 피부 면적이 감소한 것이 유지되었다.

프랙셔널 레이저 후 조직 변화 소견은 표피는 치

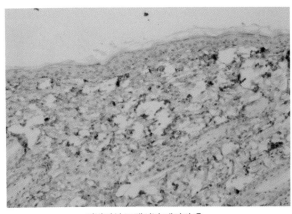
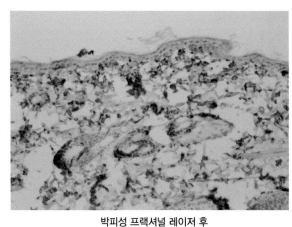

비박피성 프랙셔널 레이저 후
NAFL
Mosaic ; 12,000mJ/cm^2

박피성 프랙셔널 레이저 후
AFL
eCO2 ; 12,000mJ/cm^2

그림 13-18. 면역특수 염색에서 콜라겐 타입 III가 잘 재생된 것을 보인다.

밀크커피색 반점과 혼동될 수 있다. 밀크커피색 반점과 달리 병변 내 색조가 일정하지 않다. 이렇게 연하게 발견되는 경우 점차 진행하여 검어진다.

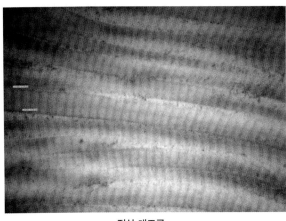

정상 대조군

CO$_2$ 프랙셔널 레이저 치료 후

그림 13-19. 박피성 프랙셔널 레이저 치료 후 전자현미경소견

콜라겐 섬유소의 직경과 길이가 감소하여 더 촘촘한 밀도를 보인다(Park SH, Kim DW, Jeong TW ;J Plast Reconst Aesth Surg, 65;1305, 2012).

료 전과 같이 정상으로 회복되었고, 진피에서는 프랙셔널 레이저 치료 부위의 콜라겐 섬유층이 두꺼워지고 피부면에 평행으로 배열되어 있어 피부 탄력이 증가한 것으로 보이며, 비박피성 프랙셔널보다 박피성 프랙셔널 치료 후가 박피레이저 치료 후와 더 비슷한 소견을 보였다.

콜라겐섬유의 서브 타입은 프랙셔널 치료 후 감소하다가 증가하였으며 타입 I과 III의 구성비는 변화가 없었다.

콜라겐 섬유소(collagen fibril)에 대한 전자현미경 소견은 비박피성 프랙셔널 레이저 치료 후에는 직경이 4.6% 감소, 길이는 0.8% 감소하였으며 박피성 프랙셔널 레이저 치료 후에는 직경이 14.8% 감소하고 길이는 5.2%가 감소하여 박피성 프랙셔널 치료 후가 비박피성 프랙셔널 치료 후 보다 콜라겐 섬유가 더 촘촘히 있는 것으로 관찰되었다. 이는 박피성 프랙셔널이 비박피성 프랙셔널 레이저보다 피부 탄력이 더 증가한 것을 의미하겠다.

나) 색소성 질환에 대한 효과; 노인성 반점 제거 효과

프랙셔널 레이저 치료 후에는 피부의 색소 질환이 옅어지며 이는 박피레이저보다 즉시효과는 약하지만 반복 치료 할수록 점차 줄어들게 된다. 프랙셔널 레이저는 부분 박피 개념이므로 치료면적의 10%-20%만 효과를 보기에 박피 레이저보다는 약하게 나타난다.

노인 피부에서 흔히 볼 수 있는 검버섯; 지루성 각화증, 일광 각화증, 흑자 같은 표피성 색소 질환은 표피가 벗겨지면서 제거된다.

깊은 진피성 색소 병변도 프랙셔널 레이저가 진피까지 깊이 도달하여 미세한 기둥처럼 파괴되고

괴사한 미세조직이 흡수되거나 표면으로 이동하여 탈락하게 된다.(MEND; microscopic epidermal necrotic debris)

멜라닌 색소는 주로 표피나 진피와의 경계부에 있으므로 프랙셔널 레이저로 옅어지는 효과를 보이며, 깊은 진피성 기미나 오타모반도 프랙셔널 레이저로 옅어지는 효과를 나타낸다.

그러나 색소질환 치료만을 위해서는 프랙셔널 레이저보다는 색소, 기미, 문신 등을 치료하는 전용 Q-스위치 레이저들이 더 좋은 효과를 보인다. 프랙셔널 레이저는 리주버네이션 효과로 노화된 피부의 주름 개선이나 노인성 반점이 감소하지만 기미나 민감한 피부에서는 피부 자극으로 인한 색소침착(PIH)이 올 수 있으므로 레이저 선택을 신중하게 하여야 하며, 스킨케어도 같이 하여야 하겠다.

프랙셔널 레이저 후에는 멜라닌이 빠르게 이동하고 새로 생성되어 피부색이 원상태로 회복하여 안전하며 박피 레이저와 같은 심각한 탈색이나 저색소증은 일으키지 않는다.

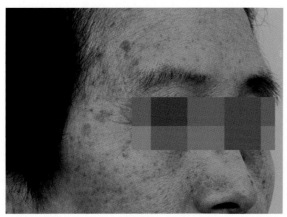

치료 전

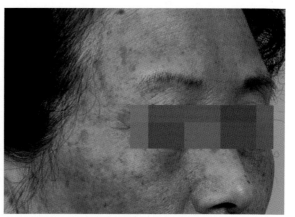

CO2 프랙셔널 레이저 치료 후

그림 13-20. 프랙셔널 레이저 치료 후 노인성 반점이 개선된 것을 보임.(비박피성 프랙셔널 3회 치료)

다) 여드름에 대한 효과

여드름이 급성기로 피지 분비가 많고 염증이 있을 때는 비박피성 프랙셔널 치료로 효과를 볼 수 있다.

박피성 프랙셔널은 위축된 함몰성 여드름 흉터에는 효과적이지만 급성기에는 염증을 더 악화시키거나 자극으로 피지 분비가 더 증가하여 오히려 역효과를 볼 수 있다.

비박피성 프랙셔널을 급성기 여드름에 치료하면 피지분비를 억제하고 염증을 완화시키는 효과를 나타내며, 이는 저출력 레이저로 급성기 여드름을 치료하는 것과 같은 원리이다.

특히 프랙셔널 레이저는 파장이 길어 진피 깊이까지 투과하므로 피지선 억제 효과를 나타내게 된다. 또한 비박피성 프랙셔널은 모세혈관에 열효과로 혈류를 감소시켜 여드름 억제 효과를 보인다.

라) 위축성 반흔 및 함몰성 반흔

여드름이나 수두, 천연두 마마로 피부에 염증이 있으면 급성기에는 빨갛게 붓지만 만성기가 되면 염증이 가라앉으면서 진피 깊이 흉터를 남기고 피부 표면은 달 분화구처럼 동그랗게 함몰하게 된다. 이런 경우 박피레이저로 효과를 많이 보지만 진피

까지 흉 조직이 깊게 있어 치료가 쉽지 않고 환자가 만족할 만큼 결과를 얻기가 어렵다.

박피 레이저가 가장 효과적이지만 너무 깊게 박피 할 경우 비후성 반흔 형성이나 탈색의 후유증을 남길 수 있으며 또한 박피 후 수개월 동안 홍반으로 사회생활에 지장을 초래하는 단점이 있다.

함몰성 반흔에는 비박피성 프랙셔널은 효과가 약하여 여러 번 치료하여도 환자들이 만족하기가 어려우며, 박피성 프랙셔널은 비박피성 프랙셔널보다 강하여 반복 치료하면 박피레이저 못지않게 좋은 결과를 얻을 수 있다.

또한 박피성 프랙셔널은 박피레이저보다 안전하며 회복이 빨라 사회생활에 지장이 적어 주말 시술로 할 수 있겠다.

저자는 여드름 흉터에 대한 프랙셔널 레이저의 효과를 알아보기 위하여 임상시험을 한 바 있다. 비박피성과 박피성 프랙셔널을 여드름 흉터 자원자에게 반복 치료하여 사진 상으로 비교하였는데 비박피성 프랙셔널(Er:Glass)은 평균 4.4회 치료하여 10점 만점에 2.16점 개선을 보였으며 박피성 프랙셔널(이산화탄소 프랙셔널)은 평균 3.4회 치료하여 5.19점 개선효과를 보였다. 박피성 프랙셔널이 비박피성 프랙셔널보다 적은 회수에 비해 더 좋은 결과를 보였다.

여드름 흉터나 마마 자국이 심한 경우는 처음에 박피 레이저를 권하며 박피 레이저 시술 후에도 환

표 13-2. 여드름 흉터에 대한 레이저 치료 효과의 비교

Lasers	Number of patients	Times of treatment	Depth Improvement Score; (0-10)
CO2(Ultrapulse)	17	1.5	6.03
Er:YAG(Sciton)	7	1.3	5.80
Fractional(Fraxel)	11	4.4	2.16
CO2 fractional(eCO2)	12	3.4	5.19

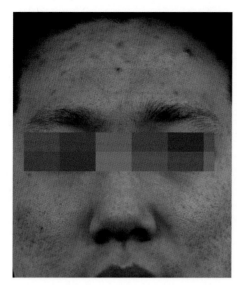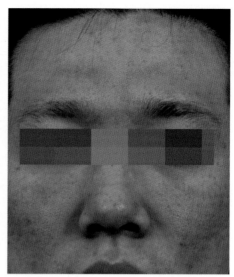

그림 13-21. 여드름 환자의 프랙셔널 치료 후 급성 여드름 증상이 완화됨.
비박피성 프랙셔널로 피지 분비 억제 효과를 나타냄. 여드름 흉터의 개선 효과는 미약함. 비박피성 프랙셔널 4회 치료.

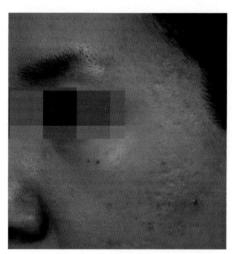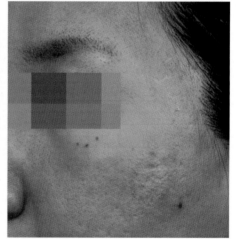

그림 13-22. 여드름 흉터의 비박피성 프랙셔널 치료
Fraxel , 30mJ, level 6, 10 pass, 4회 반복 치료 6개월 후 모습

자가 흉터의 개선을 더 원하면 붉은 색이 가라앉은 다음에 박피성 프랙셔널 레이저를 권하게 된다.

깊은 박피 레이저는 한 번 시술 후 6개월에서 1년 후에 재차 치료를 할 수 있으며 박피레이저는 깊은 박피로 2-3회 이상 치료하기가 어렵다.

그러나 박피성 프랙셔널은 안전하고 회복이 빠르다. 따라서 2-3개월 간격으로 5-6회 이상도 치료할 수 있다.

마) 외상성 반흔과 수술 흉터에 대한 효과

이전에는 흉터가 생기면 6개월에서 1년 이상 지

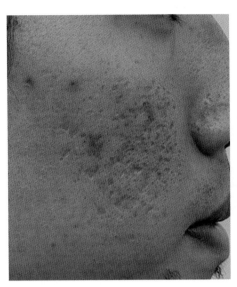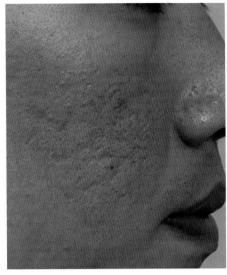

그림 13-23. 여드름 흉터의 비박피성 프랙셔널 치료
Fraxel, 30mJ, 480MTZ/cm², 10pass, 5회 치료 10개월 후 모습

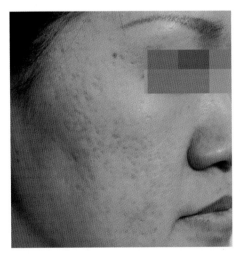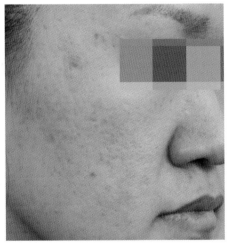

그림 13-24. 여드름 흉터의 박피성 프랙셔널 치료
eCO2, 50mJ, 150 pulse/cm², 3회 치료, 6개월 후 모습

난 후에 흉터가 부드러워진 성숙시기가 되어야 흉터에 대한 성형수술을 하는 것이 정석이었다. 그러나 흉터를 레이저로 치료하면서 이 개념은 완전히 바뀌게 되었다.

상처가 생기면 창상치유는 시기적으로 염증시기(inflammation)와 증식시기(proliferation) 그리고 수개월 지나 성숙시기(maturation, remodeling)로 진행이 된다.

염증반응시기에는 백혈구, 혈소판 등 세포가 증가하고 cytokine 등 염증에 관여하는 물질이 분비하게 된다. 증식시기에는 모세혈관이 증식하고 혈류가 증가하며 콜라겐 섬유가 축적되게 된다. 흉터

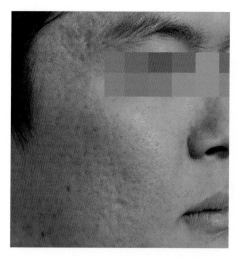 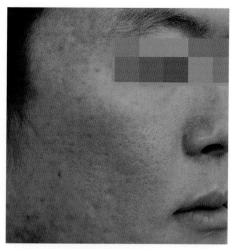

그림 13-25. 여드름 흉터의 박피성 프랙셔널 치료
eCO2, 50mJ, 150 pulse/cm², 2회 치료, 7개월 후 모습

의 성숙시기에는 증식된 콜라겐 층이 감소하고 불규칙적인 콜라겐 섬유가 규칙적으로 배열하여 딱딱한 흉터에서 부드럽게 변하고 튀어나온 흉도 감소하게 된다.

흉터의 증식시기에 혈관치료 레이저인 585nm-595nm의 색소 레이저나 롱 펄스 레이저를 사용하면 레이저의 열 효과로 모세혈관이 줄어들고 혈류가 감소하며 콜라겐섬유 축적이 줄어들어 치료 효과를 나타내게 된다.

비박피성 프랙셔널은 색소레이저보다 파장이 길어 더 깊이 진피에 이르게 되며 혈류감소와 콜라겐 증식 억제 효과가 더 뛰어나며, 또한 증식된 콜라겐 섬유층의 리모델링을 유도하게 된다.

그러므로 프랙셔널 레이저는 흉터의 증식시기를 억제하며 성숙시기를 앞당기게 된다.

흉터가 생기고 나면 붉은 색을 띠게 되는데 이때 비박피성 프랙셔널 레이저를 하면 효과적이고 붉은 색이 없어진 만성 흉터에는 박피성 레이저로 치료하는 것이 효과적이다.

박피성 프랙셔널 레이저로 치료하면 미세한 기

둥처럼 조직을 제거하고 새로운 피부로 재생된다. 레이저 치료로 피부수축과 탄력증가로 피부의 요철 현상이 개선되며 또한 피부색이 주변 조직과 좀 더 비슷해지기 때문에 치료 효과를 나타낸다.

흉터 치료는 전에는 기다려서 치료하였지만 특히 프랙셔널 레이저가 도입된 후에는 일찍 치료할수록 흉터가 적게 남아서 레이저로 일찍 치료할수록 더 좋은 결과를 얻게 된다.

수술 후 흉터도 홍반과 융기를 보이는 비후성 반흔에는 프랙셔널 레이저로 치료를 일찍 하는 것이 훨씬 효과적이다. 갑상선 수술 후 목의 흉터도 프랙셔널 레이저 치료로 좋은 결과를 보인다.

보통 비박피성 프랙셔널은 수술 후 2주 후부터 가능하며 3-4주 간격으로 반복 치료한다. 흉터의 홍반이 어느 정도 줄어들거나 만성이 된 흉터는 박피성 프랙셔널로 치료하여야 효과적이며 2-3개월 간격으로 반복 치료하여 좋은 결과를 얻을 수 있다.

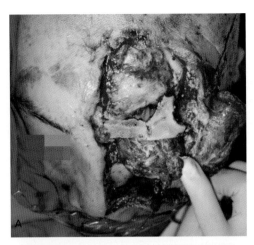

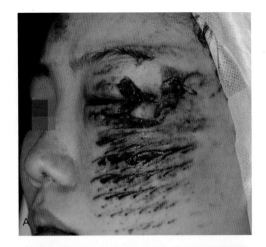

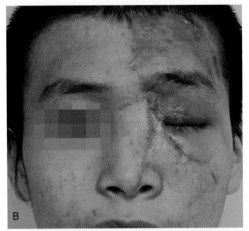

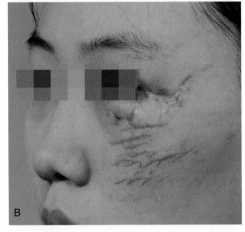

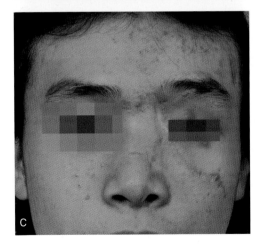

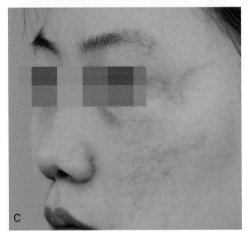

그림 13-26. 외상성 반흔의 프랙셔널 레이저치료

외상 후 2-4주 후부터 비박피성 프랙셔널 레이저를 치료하며 붉은 색이 가라앉는 2-3개월후부터는 박피성 프랙셔널 레이저로 치료한다. 일찍 레이저 치료를 할수록 흉터가 개선되며 반흔교정성형술(scar revision)의 필요성이 줄어든다. A) 외상 직후, B) 1개월 후. C) 15개월 후 모습

그림 13-27. 안면 외상 후 프랙셔널 레이저 치료 후 모습

이전에 외상 후 흉터가 생기면 흉터가 리모델링되어 부드러워진 6개월-12개월 후에 흉터를 치료하였으나 개념이 바뀌어 레이저로 흉터를 일찍 치료할수록 결과가 좋다. A) 외상 직후, B) 2주 후, C) 1년 후 모습

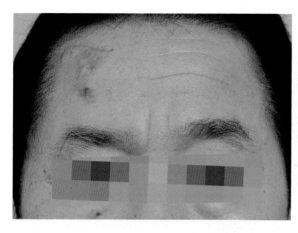
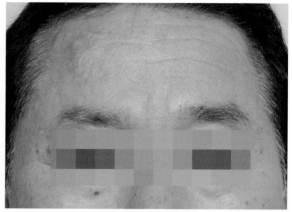

그림 13-28. 외상 후 만성 흉터로 박피성 CO2 프랙셔널 레이저로 개선됨.
흉터가 딱딱하고 돌출되어 Kenalog 주사와 병행하였으며 치료 후 흉터가 편평해지고 색상이 좋아짐.

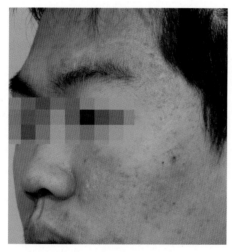
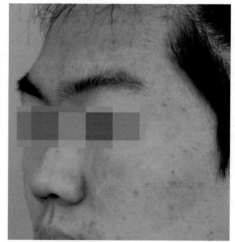

그림 13-29. 안면 외상 후 흉터로 박피성 프랙셔널 레이저 치료 후 피부 질감이 좋아지고 색상이 좋아짐.

바) 비후성 반흔과 켈로이드

비후성 반흔은 흉터의 증식시기가 연장되어 모세혈관이 많아지고 콜라겐 섬유층이 두꺼워져서 흉터가 붉고 튀어나온 형태를 띠게 된다. 이런 비후성 반흔의 생성시기에 비박피성 프랙셔널 레이저 치료를 하면 흉터의 혈류를 줄이고 콜라겐 섬유 증식억제와 감소로 치료효과를 나타낸다.

비후성 반흔 형성 시기에 치료방법은 스테로이드 연고, 테이프, 실리콘 겔, 압박, 흉터 연고 등 많이 있지만 프랙셔널 레이저보다 치료 효과가 적어 요즈음은 프랙셔널 레이저 치료를 적극 권하고 있다.

만성흉터가 되면 박피성 프랙셔널로 치료하는 것이 효과적이다.

켈로이드는 창상치유 과정이 비정상적으로 콜라

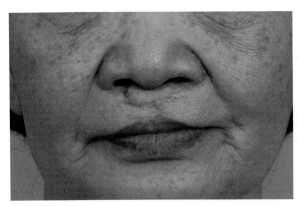
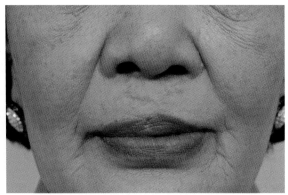

그림 13-30. 구순구개열 수술 후 흉터로 박피성 프랙셔널 레이저로 개선됨.

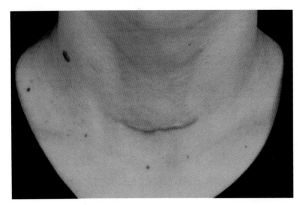
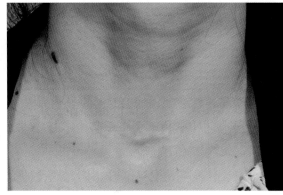

그림 13-31. 갑상선 수술 후 비후성 반흔으로 비박피성 프랙셔널로 붉은 색이 줄고 튀어나온 것이 들어감.

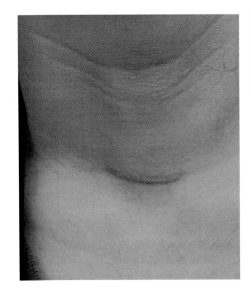
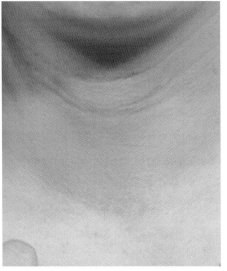

그림 13-32. 갑상선 수술 흉터; 박피성 프랙셔널로 개선됨.

겐 증식이 계속되어 나타나며 개인적인 소인이 있거나 심한 화상흉터처럼 창상치유가 오래 걸려 체질이 바뀌거나 염증반응이 계속될 때 발생할 수 있다. 켈로이드 발생 초기에는 비박피성 프랙셔널이 효과를 보지만 만성으로 오래된 켈로이드에는 비박피성 프랙셔널이나 박피성 프랙셔널 모두 효과를 기대하기 어렵다.

사) 튼 살 (striae distance)

튼 살에 대한 효과적인 치료를 보이는 방법이 지금까지 거의 없다시피 하였다.

박피레이저를 시도해 보았지만 튼 살은 표피보다 진피에 흉이 많아 효과를 기대하기 어려우며 오히려 박피의 부작용이 발생할 수 있다.

튼 살은 복부, 대퇴부, 상완부 등에 생기며 안면

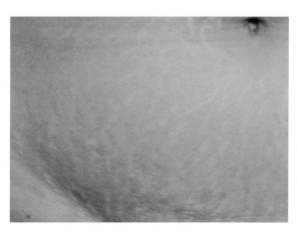 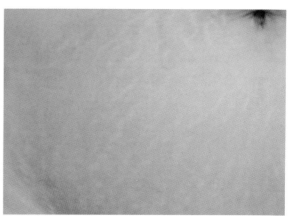

그림 13-33. 하복부의 튼살(striae distance)로 비박피성 프랙셔널 치료 후 개선된 모습(3회 치료)
튼살의 폭이 줄어들고 요철 현상이 완화됨.

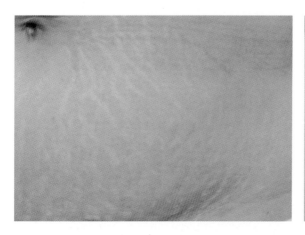 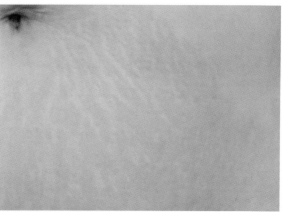

그림 13-34. 튼살의 박피성 프랙셔널 치료후 모습
3회 치료. 그림 34와 같은 환자에서 좌, 우 레이저 기종을 달리 치료함. 피부 요철현상의 개선과 튼살 흉터의 폭이 줄어드는 효과는 비박피성 프랙셔널보다 좋으나 레이저 자국이 오래 지속되는 단점이 있다.

과 달리 피부부속기관이 적어 박피를 깊게 할 수 없으므로 별다른 효과를 보이지 않았다. 튼 살은 피부가 갑자기 늘어날 때 발생하며 임신이나 갑작스런 체중증가 그리고 조직확장제를 쓸 경우 나타나며, 튼 살이 생길 때는 급성기 반응으로 비후성 반흔처럼 빨간 색을 나타내게 된다.

튼 살이 생길 때는 비후성 반흔처럼 붉게 보이며 모세혈관이 증식하고 콜라겐 층이 축적되기 때문에 허혈(hypoxia)을 유도하는 혈관치료용 레이저로 치료한다. 색소 레이저(pulse dye), 롱 펄스 레이저, IPL, 비박피성 프랙셔널 사용이 모두 효과적이다.

일단 만성기로 되어 붉은 색이 없어지면 흉터에 대한 레이저 치료를 하게 된다. 이때는 IPL이나 색소 레이저는 효과가 없으며 진피까지 깊이 투과되고 피부수축을 유도하는 파워가 강한 프랙셔널 레이저가 효과적이다.

튼 살에 대한 프랙셔널 레이저치료는 비박피성 프랙셔널과 박피성 프랙셔널 모두 효과가 있다. 프랙셔널 레이저는 튼 살 흉터에 좁고 깊게 열효과를 전달하여 주변의 조직으로 재생되며 수축효과로 흉터가 좋아진다.

흉터에 대한 비박피성 프랙셔널과 박피성 프랙셔널 효과를 비교하면 흉터가 편평해지는 것이나 흉터의 폭을 줄이는 데는 박피성 프랙셔널이 더 효과적이다. 하지만 박피성 프랙셔널은 시술 후 색소 침착과 홍반이 오래가기 때문에 반드시 환자에게 주지시켜야 하며, 환자에게 불평이 적고 안전한 비박피성 프랙셔널을 사용하는 것도 좋겠다.

아) 화상 흉터

피부에 깊은 화상을 입게 되면 정상적인 피부 재생이 이루어지지 않아 흉터로 덮히게 된다. 화상이 깊은 2도 화상이나 피부 전층 화상인 3도 화상을 입으면 피부를 재생시킬 피부 부속기관이 없어 흉으로 아물게 된다. 화상흉터는 깊고 넓기 때문에 수술적 제거나 박피 레이저로 효과를 보기 어려웠으며, 화상 흉터를 박피 레이저 할 경우 창상치유가 늦고 오히려 비후성 반흔 형성으로 더 큰 흉터

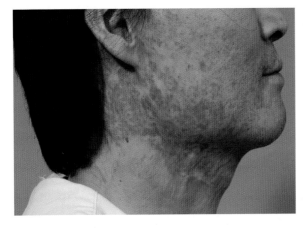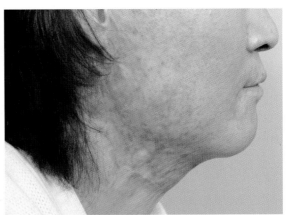

그림 13-35. 화상 후 흉터
치료가 힘든 화상 흉터도 프랙셔널 레이저로 피부 질감과 색상이 좋아짐. 짙은 색소는 감소하고 옅은 색소는 진해져서 비슷해짐. 프랙셔널 레이저치료로 멜라닌이 이동하여 효과를 나타냄. (CO_2 프랙셔널 레이저 1회 치료 후 1년 후 모습, 20mJ, 150pulse/cm²))

나 탈색 흉터를 남기기 쉽다.

화상 흉터에 박피성 프랙셔널 레이저 치료를 하면 미세하게 흉터를 제거하고 주변 조직으로 치유되어 피부 요철현상이 편편해진다. 화상 흉터는 피부색의 얼룩이 많은데 프랙셔널 레이저 치료로 과색소는 옅어지고 탈색부위는 조금 진해져 색상이 좀 더 비슷해진다. 이는 프랙셔널 레이저 치료로 주변 멜라닌 이동으로 개선 효과를 나타낸다.

화상 흉터는 정상조직이 아닌 흉터 조직으로 프랙셔널 레이저 치료시에는 출력을 보통보다 훨씬 낮추어 펄스 당 10-20mJ 정도로 약하게 치료하며 치료 간격도 보통보다 늦추어 하는 것이 안전하다.

자) 기타

피부가 불규칙하거나 탄력이 없는 피부에 프랙셔널 레이저 치료를 하면 피부가 편평해지고 피부 탄력이 증가한다.

피부의 혈관종이 자연 퇴화되고 난 후 후유증으로 피부가 얼룩지고 쭈글쭈글한 위축된 피부에 프랙셔널 레이저를 사용하면 좋은 결과를 얻을 수 있다.

6. 프랙셔널 레이저의 합병증

프랙셔널 레이저의 합병증은 박피 레이저에서 볼 수 있는 합병증이 나타날 수 있다. 그러나 프랙셔널 레이저는 창상치유가 빠르기 때문에 훨씬 빈도가 적고 증상도 약하게 나타난다.

• 홍반

보통 비박피성 프랙셔널은 수 시간 후에 홍반이 없어지지만 피부가 민감하며 소인이 있는 경우에

는 더 지속되어 4일 이상 지속되는 것이 1% 미만에서 볼 수 있다.

박피성 프랙셔널은 홍반이 2주에서 4주정도 지속되며 출력을 높게 한 경우에 좀 더 오래 지속되며 1개월 이상 지속되는 것이 10% 정도이며 3개월 이내에는 대부분 소실된다.

박피레이저보다는 홍반이 약하게 나타나며 이로 인하여 지장이 있으면 LED나 색소레이저로 치료하면 빨리 완화된다.

• 염증

프랙셔널 레이저 치료 후 헤르페스나 세균, 진균 감염 등이 발생할 수 있으나 전체적으로 1% 미만에서 나타난다. 미리 예방적 치료를 시행할 필요는 없고 증상이 나타나면 균에 맞는 치료제를 사용하여 쉽게 가라앉힐 수 있다.

• 여드름악화와 비립종(milia)

프랙셔널 레이저 치료 후 피지나 땀샘 분비물이 쌓여 여드름이 악화되거나 좁쌀 같은 비립종이 나타날 수 있다. 대부분 시간이 지나면 가라앉으나 심할 경우 여드름 치료약을 사용하거나 여드름 큐렛이나 가는 주사바늘로 빼주면 된다.

• 과색소침착(PIH)

과색소침착은 백인보다 동양인에서 많이 나타나며, 박피성 프랙셔널은 박피레이저보다 적게 나타나고 비박피성 프랙셔널은 더 적게 나타난다. 보통 10%-30%에서 보이며 색소침착의 정도가 박피레이저보다 훨씬 옅게 나타난다. 프랙셔널 레이저 치료후 썬 블록 크림은 한 달 이상 사용을 권하며, 과색소침착이 나타나면 일반적인 스킨케어로 스테로이드 진정크림, 미백크림, 약한 박피크림을

소실될 때까지 바르게 한다. 기미나 민감한 피부는 프랙셔널 레이저 치료를 피하거나 미리 전처치를 한다. 미백크림이 포함된 스킨케어를 6-8주 동안 사용한 후 시술하는 것이 색소침착을 예방하는 데 도움이 된다.

프랙셔널 레이저는 주변 정상조직은 많이 보존하기 때문에 박피레이저와 같은 탈색이나 저색소증은 나타나지 않는다.

• 비후성 반흔(hypertrophic scar)

프랙셔널 레이저는 주변의 정상조직이 많이 남아있어 치유가 빠르고 좀처럼 흉터를 만들지는 않는다. 그러나 출력과 밀도를 높게 하거나 치료 후 감염이 있거나 시술자가 경험이 적어 미숙할 때는 흉터를 만들 수도 있겠다. 비후성 반흔이 올라올 기미가 보이면 스테로이드 연고나 주사, 실리콘 겔, 펄스 dye 레이저 등 일반적인 흉터에 사용하는 방법으로 치료한다.

• 기타 합병증

드문 합병증으로 안구 각막 손상, 안검외반증, 화재 발생 등이 사고로 발생할 수 있으므로 레이저 치료의 일반적인 안전 수칙을 따라야 하겠다.

7. 비박피성 프랙셔널과 박피성 프랙셔널의 비교

레이저 파장은 비박피성 프랙셔널이 Er:Glass와 엔디야그 레이저로 1,550nm-1,440nm의 적외선 영역의 파장을 지니며 박피성 프랙셔널은 이산화탄소 프랙셔널과 어븀 프랙셔널로 10,600nm-2,940nm의 더 긴 파장을 지닌다. 비박피성 프랙셔널이 투과 깊이가 깊으나 박피성 프랙셔널도 출력을 높이면 진피까지 깊게 이르게 된다.

창상치유는 비박피성 프랙셔널은 24시간 내에 상피화가 이루어지고 박피성 프랙셔널은 2일 정도 소요된다.

표 13-3. 비박피성 프랙셔널, 박피성 프랙셔널, 박피 레이저의 특성 비교

	Resurfacing laser	Ablative fractional	Non-ablative fractional
Laser	CO_2(10,600nm), Er:YAG(2,940nm)	CO_2 fractional, Er:YAG fractional	Er:Glass(1,550nm)
epithelization	5-7 days	2-3 days	1 day
oozing	++	+	-
pain control	+++ G/A, L/A, IV	+ EMLA	++ EMLA
vaporization	++	+	-
erythema	1-3 months	2-4 weeks	2-3 days
PIH	++	+	±
social down time	2-4 weeks	3-4 days	1-2 days
skin contraction	+++	++	+
Immediate shrinkage	+++	+	+
aging spot removal	+++	+	-

비박피성은 삼출액이 없으나 박피성 프랙셔널은 치료부위에 1-2일 동안 미세출혈과 삼출이 있다.

통증은 같은 출력이면 박피성이 비박피성 프랙셔널보다 심한 편이며 비박피성 프랙셔널도 반복 패스하면 통증이 증가한다.

비박피성은 기화가 없으나 박피성 프랙셔널은 기화 현상이 있고 스모크가 발생한다.

홍반은 비박피성이 1-2일이내 감소하며 박피성 프랙셔널은 2-4주 지속된다.

과색소침착(PIH)은 비박피성은 10% 이내 발생하며 박피성 프랙셔널은 20% 정도에서 나타나며 비박피성이 박피성 프랙셔널보다 색소침착이 생겨도 옅게 나타난다.

비박피성은 바로 세안과 화장이 가능하며 사회생활에 지장이 없으나 박피성 프랙셔널은 2-3일 후에 화장이 가능하며 주말 시술로 적합하다.

피부수축은 비박피성은 즉시 볼 수 없으나 박피성 프랙셔널은 레이저 치료 시 피부수축이 되는 것이 보인다.

노화된 안면에서의 치료 효과는 박피성이 비박피성 프랙셔널보다 피부탄력이 더 증가하고 노인성반점 완화 효과가 커서 더 좋다.

종합적으로 박피성 프랙셔널은 비박피성 프랙셔널과 박피레이저의 중간 성격으로 효과는 박피성 프랙셔널이 비박피성 프랙셔널보다 피부수축이나 탄력증가는 좋지만 환자의 불편함이 더 크기 때문에 환자의 상태와 욕구에 따라 박피 레이저, 박피성 프랙셔널, 비박피성 프랙셔널 레이저를 선택하여 시술하여야 하겠다.

참고문헌

1. Adrian RM. Pulsed carbon dioxide and long pulse 10-ms erbium-YAG laser resurfacing: a comparative clinical and histologic study. J Cutan Laser Ther. 1999;1 197-202.
2. Alexiades-Armenakas MR, Dover JS, Arndt KA: The spectrum of laser skin resurfacing: nonablative, fractional, and ablative laser resurfacing. J Am Acad Dermatol 2008; 58(5):719-37
3. Alster TS, Lupton JR. Erbium:YAG cutaneous laser resurfacing. Dermatol Clin. 2001;19: 453-66.
4. Alster TS, Tanzi EL, Laxarus M: The use of fractional laser photothermolysis for the treatment of atrophic scars. Dermatol Surg 2007;33:295-9
5. Avram MM, Tope WD, Yu T, Szachowicz E, Nelson JS. Hypertrophic scarring of the neck following ablative fractional carbon dioxide laser resurfacing. Lasers Surg Med 2009;41:185-188.
6. Berlin AL, Hussain M, Phelps R, Goldberg DJ: A prospective study of fractional scanned nonsequential carbon dioxide laser resurfacing; A clinal and histopathologic evaluastion. Dermtol Surg 2009; 35:222-228
7. Blankenship TM, Alster TS: Fractional photoehrmolysys of residual hemangioma. Dermatol Surg 2008; 34, 1112-4
8. Bodendorf MO, Grunewald S, Wetzig T, Paasch SU: Fractional laser skin therapy. JDDG (J German Soc Dermatol) 2009;7 301-308
9. Chapas AM, Birghtman L, Sukal S, Hale E, Daniel D, Bernstein L, Geronemus RG: Successful treatment of aceiform scarrring with CO2 ablative fractional resurfacing. Lasers Surg Med 2008; 40: 381-386
10. Ciocon D H, Hussain M, Goldberg D J: High-fluence and high -density treatment of perioral rhytides using a new, fractionaed 2,790-nm ablative Erbium-doped Yttrium scandium Gallium garnet laser. Dermatol Surg 2011; 37, 776-781
11. Cohen SR, Henssler C, Hohnstom J: Fractional photothermolsys for skin rejuvenation. Plast Reconstr Surg 2009;124, 281-290
12. Dang YY, Ren QS, Liu HX, Ma JB, Zhang JS. Comparison of histologic, biochemical, and mechanical properties of murine skin treated with the

1064−nm and 1320−nm Nd:YAG lasers. Exp Dermatol. 2005;14: 876−82.

13. Domayati M, Raheem T, Wahab H, Medhat W, Hosam W, Fakahanny H, Anser M A: Fractional versus ablative Erbium:yttrium−aluminum−garnet laser resurfacing for facial rejuvenation: an ogjective evaluation. J Am Acad Dermatol 2013, 68;1, 103−112

14. Fitzpatrick RE, Rostan EF, Marchell N: Collagen tightening induced by carbon dioxide laser versus erbium: YAG laser. Lasers Surg Med 2000;27(5):395−403

15. Fulton JE, Jr. Complications of laser resurfacing. Methods of prevention and management. Dermatol Surg. 1998;24: 91−9.

16. Geromenus R: Fractional photothermolysis: current and future applications. Lasers Surg Med 2006; 38 169−76

17. Goldberg DJ, Berlin AK, Phelps R: Histologic and ultrastructural analysis of melasma after fractional resurfacing. Lasers Surg Med 2008; 40, 134−8

18. Graber EM, Tanzi EL, Alster TS. Side effects and complications of fractional laser photothermolysis: experience with 961 treatments. Dermatol Surg. 2008;34: 301−305;

19. Groff WF, Fitzpatrick RE, Uebelhoer NS: Fractional carbon dioxide laser and plasmakinetic skin resurfacing. Semin Cutan Med Surg 2008;27 239−251

20. Hantash BM, Bedi VP, Kapadia B, Rahman Z, Jiang K, Tanner H, Chan KF, Zachary CB: In vivo histological evaluation of a novel ablative fractional resurfacing device. Lasers Surg Med 2007;39(2):96−107

21. Hantash BM, Mahmood MB: Fractional photothermolysis: a novel aestheric laser surgery modality. Dermtol Surg 2007;33 525−534

22. Helbig D, Paasch U: Molecular changes during skin aging and wound healing after fractional ablative photothermolysis. Skin Research Tech 2011; 17 119−128

23. Jih MH, Kimyai−Asadi A: Fractional photothermolysis: a review and update. Semin Cutan Med Surg 2008;27(1):63−71

24. Jun JH, Harris JL, Humphrey JD, Rastegar S: Effect of thermal damage and biaxial loading on the optical properties of a collagenous tissue. J Biomech Eng 2003;125(4):540−8

25. Karsai SK, Czarnecka A, Juenger M, Raulin C: Ablative fractinal lasers(CO2 and Er:YAG): A randomized controlled boulbe−blind split−face trial of the treatment of peri−orbital thytides. Lasers Surg Med 2010;42 160−167

26. Kaufman J, Allemann I B: Fractional photothermolysis− an update. Lasers Med Sci 2010;25: 137−144

27. Kirsch KM, Zelickson BD, Zachary CB, Tope WD: Ultrastructure of collagen thermally denatured by microsecond domain pulsed carbon dioxide laser. Arch Dermatol 1998;134(10):1255−9

28. Kist DA, Elm CM, Eleftheriou LI, Studer JA, Wallander ID, Walgrave SE, Zelickson BD: Histologic analysis of a 2,940nm fractional device. Lasers Surg Med 2011; 43 79−91

29. Laubach HJ, Tannous Z, Anderson R, Manstein D: Skin responsed to fractional photothermolysis. Lasers Surg Med 2006; 38, 142−249

30. Lee SH, Zheng Z, Roh MR: Early postoperative treatment of surgical scars using a fractional carbon dioxide laser: A splip−scar, evaluator−blinded study. Dermatol Surg 2013; 39: 1190−1196

31. Manstein D, Herron GS, Sink RK, Tanner H, Anderson RR. Fractional photothermolysis: a new concept for cutaneous remodeling using microscopic patterns of thermal injury. Lasers Surg Med 2004; 34:426−438.

32. Metelista A I, Alster T S: Fractionated laser skin resurfacing treatment complications: A review. Dermatolo Surg 2010: 36, 299−306

33. Munaballi GS, Turley A, Silapunt S, Biesman B: Combining confluent and fractional ablative modalities of a novel 2790nm YSGG for facial resurfacing. Lasers Surg Med 2011; 43, 273−282

34. Nanni CA, Alster TS. Complications of carbon dioxide laser resurfacing. An evaluation of 500 patients. Dermatol Surg. 1998;24: 315−20.

35. Park SH, Kim DW, Jeong TW: Skin tightening effect of fractional lasers: comparison of non−ablative and ablative fractional lasers in animal models. J Plast Reconstr Aesth Surg 2012; 65 1305−1311

36. Rahman Z, MacFalls H, Jiang K, Chan KF, Kelly K, Tournas J, Stumpp OF, Bedi V, Zachary

C: Fractional deep dermal ablation indecs tissue tightening. Lasers Surg Med 2009; 41, 78−86

37. Ramshaw JA, Werkmeister JA. Electrophoresis and electroblotting of native collagens. AnalBiochem.1988;168:82−7.

38. Rosenberg GJ, Brito MA Jr, Aportella R, Kapoor S: Long−term histologic effects of the CO2 laser. Plast Reconstr Surg 104(7):2239−44; discussion 2245−6, 1999

39. Saedi N, Petelin A, Zachary C: Fractionation: a new era in laser resurfacing. Clin Plast Surg 2011 (38) 449−461

40. Seckel BR, Younai S, Wang KK. Skin tightening effects of the ultrapulse CO2 laser. Plast Reconstr Surg. 1998;102: 872−7.

41. Shumaker PR, Kwan JM, Landers JT, Uebelhoer NS: Functional improvements in traumatic scars and scar contractures using an ablative fractional laser protocol. J Trauma Acute Care Surg 73:2, 116−121 116−2012

42. Sobanko J F, Alster T S: Management of acne scarring, part I. A comparative review of laser surgical approaches. Am J Clin Dermtol 2012; 13(5), 319−330

43. Tan KL, Kurniawati C, Gold MH. Low risk of postinflammatory hyperpigmentation in skin types 4 and 5 after treatment with fractional CO2 laser device. J Drugs Dermatol. 2008;7: 774−7.

44. Tierney E, Mahmoud B H, Srivastava D, Ozog D, Kouba D J: Treatment of surgical scars with non−ablative fractional laser versus pulsed dye lase: A randomized controlled trial. Dermatol Surg 2009; 35, 1172−1180

45. Tierney EP, Hanke C W: Fractionated carbon dioxide laser treatment of photoaging: Prospective study in 45 patients and review of the literature. Dermatol Surg 2011; 37, 1279−1290

46. Tierney EP, Hanke W: Review of the literature: Treatment of dyspigmentation with fractionated resurfacing. Dermtol Surg 2010;36, 1499−1508

47. Tierney EP, Kouba DJ, Hanke W: Review of fractional photothermolysis; Treatment indication and efficacy. Dermtol Surg 2009; 35: 1445−1461

48. Tzaphlidou M. The role of collagen and elastin in aged skin: an image processing approach. Micron 2004;35: 173−7.

49. Walgrave S, Ortiz AE, MacFalls H, Elkeeb L, Truitt A, Tournas JA, Zelickson B, Zachary CB: Evaluastion of a novel fractional resurfacing device for treatment of acne scarring. Lasers Surg Med 2009;41 122−127

50. Yang YJ, Lee GY: Treatment of striae distensae with nonablative fractional laser versus ablative CO2 fractional laser: a randomized controlled trial. Ann Dermatol 2011; 23:4 4810489

51. Zelickson BD, Kist D, Bernstein E, Brown DB, Ksenzenko S, Burns J, Kilmer S, Mehregan D, Pope K: Histological and ultrastructural evaluation of the effects of a radiofrequency−based nonablative dermal remodeling device: a pilot study. Arch Dermatol 2004;140(2):204−9

CHAPTER

14

흉터의 레이저 치료

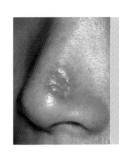

흉터의 레이저 치료
Laser Treatment of Scars

박 승하

I. 레이저와 흉터

흉터(반흔)에 대한 성형이라면 이전에는 반흔교정성형술(scar revison)로 흉터를 제거하고 봉합하는 수술만 생각하였다. 그러나 레이저가 개발되면서 레이저의 특성을 이용하여 흉터를 획기적으로 개선하게 되었다. 수술로 호전되기 어려운 것을 레이저치료로 효과를 볼 수 있으며 여드름흉터, 천연두흉터 같은 경우는 수술이 불가하고 레이저만 효과를 볼 수 있다. 흉터가 눈에 띄는 이유는 피부 표면이 요철현상으로 편평하지 않거나 홍반, 착색, 탈색으로 피부색상이 변하여 흉터가 보이므로

피부를 편평하게하고 피부 색상을 개선하는 레이저로 흉터에 대한 치료 효과를 보게 되었다. 레이저박피는 피부를 수축시키고 탄력을 증가시켜 흉터의 요철현상을 개선하며, 홍반을 동반한 비후성반흔에는 혈관치료 레이저로 효과를 보이며, 색소침착이 있는 흉터는 색소치료레이저로 치료효과를 보게된다. 프랙셔널레이저는 흉터를 일찍 치료함으로써 좋은 결과를 나타낸다.

흉터의 치료는 이전에는 흉터가 리모델링되는 충분한 시기를 두고 시작하였지만 레이저가 적용되면서 흉터치료는 일찍 할수록 결과가 좋기 때문에 흉터치료에 대한 개념이 바뀌었다.

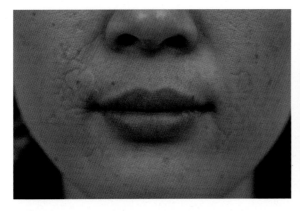
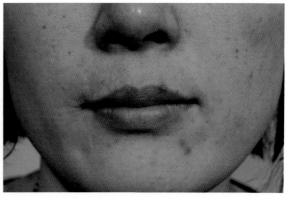

그림 14-1. 입주위의 다발성 흉터로 반흔교정성형술을 할 수 없으며, 레이저 박피 후 피부 요철이 평편해졌다.

여기에서는 흉터의 원인과 종류, 흉터의 레이저 치료 기전, 그리고 각종 흉터 별로 효과적인 레이저 박피 방법과 결과에 대하여 기술한다.

1. 흉터의 원인과 종류

흉터(반흔;瘢痕, scar)는 다양한 원인으로 생기며, 나타나는 흉터의 형태도 다르고, 개인적으로나 부위별로 상당히 다르게 나타난다.

흉터는 외상이나 수술 후 봉합부위가 흉이 되며, 피부의 염증으로 피부의 농양, 여드름, 수두, 천연두 등 감염으로도 흉이 생길 수 있다. 또한 화상 후에도 흉터가 생기며, 피부가 민감한 경우 피부의 자극으로도 흉이 남을 수 있다.

열상이나 수술절개 봉합부위는 처음에는 붉은빛을 보이거나 약간 융기할 수도 있고 정상 피부보다 딱딱할 수 있으나 수개월이 지나 흉터가 성숙기(maturation)에 이르면 붉은색이 없어지고 부드러워진다. 그러나 일부 흉터는 딱딱하고 튀어오르기도 하여 비후성 반흔(肥厚性 瘢痕, hypertrophic scar)을 형성하기도 한다. 흉터부위가 가렵기도 하며, 화상이나 외상으로 인한 흉터에서는 밴드를 형성하여(band formation) 당기기도 한다(반흔구축, scar contracture).

한번 흉터가 발생하면 없어지지는 않는다. 흉터를 가진 모든 환자는 다른 사람에게 흉터가 안보이게 되길 원하지만 이는 쉽지 않고 대부분 흉터가 눈에 띄게 된다. 흉터가 눈에 띄는 이유는 흉터가 주변 피부와 층을 지어 편평하지 않고 튀어 오르거나 들어간 함몰반흔을 나타내기도 하며, 흉터가 주변 피부와 색이 달라 눈에 띄게 된다.

2. 흉터의 레이저 치료 기전

레이저가 흉터에 효과를 보이는 것은 편평하지 않고 울퉁불퉁한 흉터를 레이저로 어느 정도 편평하게 할 수 있으며, 또한 흉터의 변색을 치료하여 흉터를 개선시키게 된다.

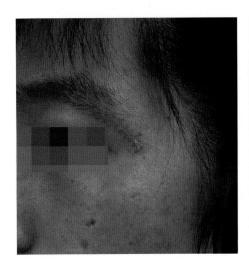
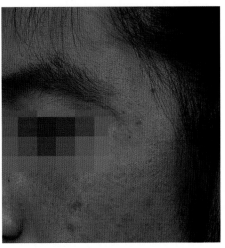

그림 14-2. 눈썹부위 열상 후 생긴 흉터가 레이저 박피를 통해 빠르게 개선됐다.

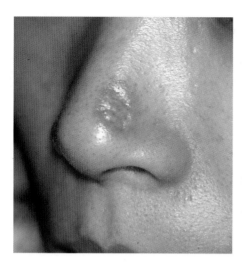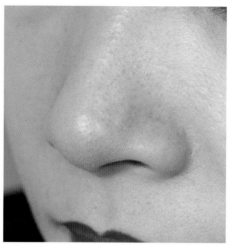

그림 14-3. 코에 염증 후 발생한 함몰 반흔으로 레이저 박피 2회 시술 후 개선됐다.

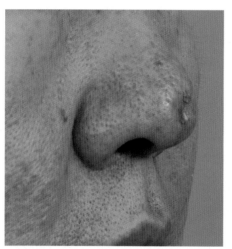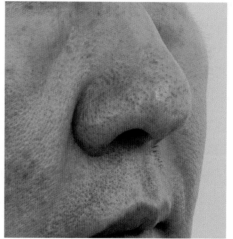

그림 14-4. 코의 외상으로 인한 함몰 반흔을 피부하 박리(subcision)를 하고 지방이식과 레이저 박피를 동시에 하여 평편하게 함.

흉터에 대한 레이저 박피는 특히 얕은 흉터에 효과가 좋으며 얕은 흉터는 표피(epidermis)와 상부 진피(upper dermis, 유두상 진피;papillary dermis)에 국한된 흉터이며, 손톱에 긁힌 흉터가 대표적이겠다. 얕은 흉터는 레이저 박피로 피부가 재생되면서 편평해지기 때문에 좋은 효과를 보이게 된다.

흉터가 깊어서 흉터가 피부 아래층인 하부 진피(lower dermis, 망상진피;reticular dermis)까지 있거나 흉터가 밴드를 형성하거나 구축현상이 있는 경우는 레이저 박피로 개선의 한계를 보이게 된다. 이런 깊은 흉터는 흉터의 수술적 방법을 필요로 하게 된다.

흉터에 대한 레이저 치료는 반흔교정성형술의

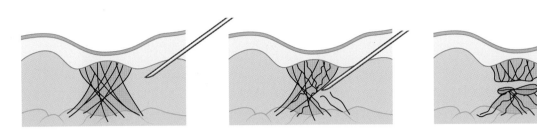

그림 14-5. 함몰 반흔의 피하에 있는 반흔 유착을 subcision으로 분리함. 필요에 따라 레이저 박피나 지방이식을 병행하면 좋은 결과를 얻을 수 있음.

적응증이 안 되는 경우나 반흔교정성형술 후에도 해결되지 않은 문제점이나 더 개선을 요할 때 레이저 치료가 도움이 된다.

흉터에 대한 레이저 박피를 할 경우 박피 후에 피부의 창상 치유가 일찍 이루어져야 하며, 깊은 흉터이거나 주변에 재생할 정상 피부가 없어서 창상 치유가 늦어질 경우는 흉터의 개선 효과를 기대하기 어려우며 오히려 비후성 반흔 형성 등 부작용 및 후유증을 초래할 수 있다.

여드름 흉터나 천연두(天然痘, 마마) 감염 후 흉터는 작은 함몰된 흉터가 많이 있으며 이는 반흔교정성형술의 적응증이 되지 않겠다. 레이저 박피를 하면 흉터의 물리적인 박피 외에도 피부의 탄력을 증가시키기 때문에 이런 다발성 함몰 반흔에 레이저 박피가 매우 유용하게 사용된다.

Ⅱ. 흉터의 종류와 치료방법

1. 외상성 반흔의 레이저 치료

흉터에 대한 성형수술은 일반적으로 반흔교정성형술을 하여 흉터의 폭을 좁히는 수술을 한다. 반흔교정성형술 시에 Z-plasty를 병행하면 흉터의

방향을 바꾸고 구축현상을 해소하여 흉터가 눈에 덜 띄게 된다. 반흔교정성형술에서 가급적이면 피부와 그 밑의 근육이나 골 등 다른 조직과 맞닿지 않게 하고 중간에 피하 지방을 옆의 조직을 끌어다가 복원해주는 것이 함몰반흔이나 반흔구축(scar contracture)을 피할 수 있어 좋은 결과를 볼 수 있다.

반흔 구축으로 피부가 함몰되고 피부가 아래 조직과 유착된 경우는 유착된 흉터가 있는 피부 밑으로 주사바늘을 넣어 좌우로 움직여 흉을 끊어 피부와 피부 밑 흉터를 분리시키는 피부하 박리(subcision)를 하고 지방이식을 함으로써 유착으로 인한 구축 재발을 막을 수 있다. 피하박리와 레이저를 병행함으로써 반흔제거성형술로 호전이 어려운 구축된 반흔을 편평하게 만들 수 있다.

화상으로 반흔의 밴드(burn scar band)가 있으면 이를 제거하기도 하며, 화상성 반흔구축(burn scar contracture)이 있거나 반흔이 두껍고 불규칙하게 융기된 경우는 반흔제거 후 피부이식수술을 하기도 한다.

흉터가 눈에 띄는 경우는 흉터가 주변 피부보다 융기된 비후성반흔이나 함몰된 반흔이 대표적인 예이며 이렇게 주위와 층이 지는 경우는 화장으로도 가려지지 않기 때문에 치료를 요하게 된다. 외상성 반흔에서 흉터의 폭이 넓은 경우는 반

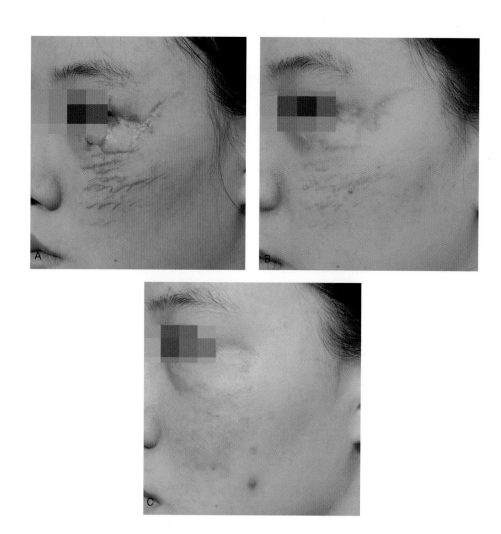

그림 14-6. 안면부 심부 다발성 열상으로 초기에 비박피성 프랙셔널 레이저(NAFL)로 치료 후 홍반이 어느 정도 가라 앉은 다음 박피성 프랙셔널 레이저(AFL)로 치료한다.

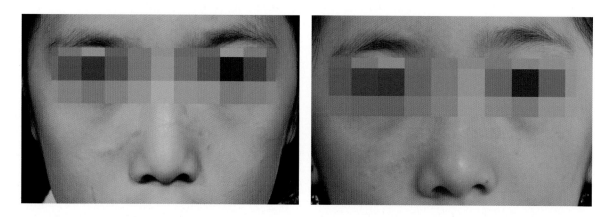

그림 14-7. 코주위의 다발성 흉터로 반흔교정성형술을 할 수 없으며, 레이저 박피 후 피부 요철이 평편해졌다.

흔제거성형술로 반흔의 폭을 좁인 후 레이저 박피로 반흔을 희미하게 만들며, 반흔제거성형술과 레이저 박피술을 병행함으로써 더 좋은 결과를 얻을 수 있다.

열상으로 인하여 봉합한 경우 수개월이 지나면 함몰되기가 쉬우며, 이런 선상의 함몰반흔이 있는 경우 레이저 박피만 시행하면 반흔 부위의 밑에 유착이 있어 함몰 반흔이 좋아 지기 어렵다. 이런 경우는 함몰된 피하부위의 반흔 유착을 18G 바늘을 사용하여 피부하 박리(subcision)하고 그 부위에 지방 주사로 채워주고 레이저 박피를 병행하면 좋은 결과를 얻을 수 있다.

2. 비후성 반흔과 켈로이드

외상이나 수술 후 비후성 반흔으로 붉은 빛(홍반, erythema)이 있는 경우는 모세혈관이 증식한 상태이다. 이에 대한 치료는 실리콘 젤을 부착시키거나 바르는 연고(켈로코트, 콘트라투벡스 등)로 코팅하여 흉터에 저산소를 유도하여 반흔의 증식을 억제하고 반흔을 성숙(maturation)시켜 융기되고 딱딱한 비후성 반흔에 효과를 보이게 된다. 젤이나 흉터연고와 함께 압박 요법을 병행하면 더 좋은 효과를 나타낸다.

반흔에 홍반이 있는 경우에 레이저 치료를 하면 모세혈관을 파괴하거나 위축시켜 반흔에 혈관순환을 감소시키고 콜라겐 합성을 억제하여 레이저가 흉터에 효과를 보이게 된다. 레이저 치료는 홍반이 있는 비후성 반흔에 젤 부착이나 흉터 코팅 연고보다 훨씬 더 좋은 효과를 보이게 된다. 홍반이 있는 반흔에 레이저 치료는 일반적인 표재성 혈관질환에 사용하는 레이저는 모두 효과가 있으며, 특히 585nm의 PPDL(pumped pulse dye laser) 레이저나 532nm의 FD-Nd:YAG 레이저 등이 좋은 효과를 보이고 있다.

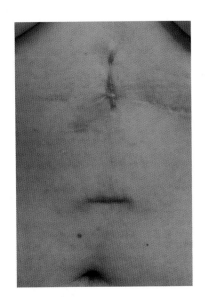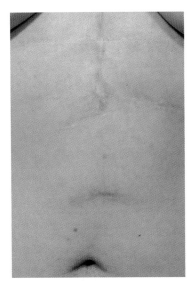

그림 14-8. 비후성 반흔으로 홍반과 융기가 있으면 혈관치료레이저 (PDL, FD-Nd:YAG, Long pulse dye)나 프랙셔널 레이저로 치료함. 복부의 비후성 반흔으로 비박피성 프랙셔널 레이저(NAFL) 치료로 가라앉음. 비후성 반흔은 레이저 치료를 일찍 할수록 결과가 좋음.

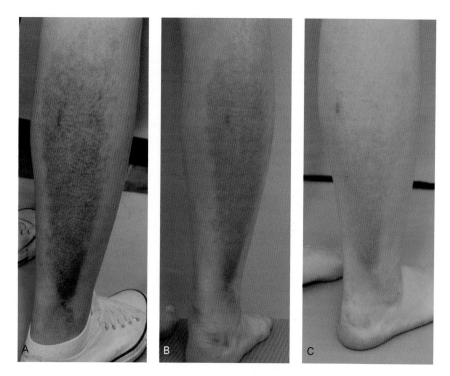

그림 14-9. A)피부의 깊은 찰과상으로 수상 1개월 후에도 홍반과 불안정한 비후성 반흔을 보인다. B)비박피성 프랙셔널 레이저(NAFL) 치료 2개월 홍반과 융기가 진정되고 흉터가 안정화 됐다. C) 박피성 프랙셔널 레이저(AFL) 치료 1년 후 반흔이 상당히 개선됐다.

비후성 반흔의 생성시기에는 혈류가 증가하고 모세혈관이 증가하며 콜라겐섬유의 축적이 이루어지는데 프랙셔널 레이저로 치료하면 모세혈관을 위축시키고 혈류를 감소시키며 콜라겐섬유축적이 감소하여 치료효과를 보이게 된다. 또한 프랙셔널 레이저는 혈관치료 레이저보다 파장이 길어 진피에 까지 깊이 도달하며, 열 효과로 피부 수축을 일으킨다.

비후성 반흔에 대한 치료방법은 연고, 실리콘 젤, 압박요법 등 많이 있지만 가장 효과적인 방법은 레이저 치료이며 레이저 중에서도 프랙셔널 레이저가 가장 안전하고 효과적이다.

비후성 반흔에서 붉은 색이 없어지면 레이저 박피를 시도할 수 있다. 비후성 반흔이 붉은 색이 없어진 성숙된 상태에서 레이저 박피를 하면 일단 튀어나온 부위는 들어 갈 수 있다. 그러나 모든 비후성 반흔에 레이저 박피가 효과를 보이지는 않으며 창상 치유 후 재발될 수 있다. 레이저 박피 후 비후성 반흔의 재발 여부는 창상 치유가 얼마나 빨리 이루어 질 수 있는 지에 따라 판이하게 달라지게 된다. 흉터의 깊이가 얕고 주변에 정상 조직이 있으면 창상 치유가 빨리 이루어져 비후성 반흔 재발이 적으며, 반면 흉터가 깊고 폭이 넓은 경우는 창상치유가 늦게 이루어져 비후성 반흔이 반드시 재발하게 된다. 외상성 흉터나 비후성 반흔도 폭이 비교적 적은 5mm 이내는 레이저 박피 효과로 흉터가 수축되고 비후성 반흔도 편평해질 수 있다. 흉터가 깊고 폭이 넓은 경우에 레이저 박피는 창상 치유가 늦고 비후성 반흔이 재발하여 효과를 보지 못하고 오히려 더 큰 비후성 반흔이 남을 수

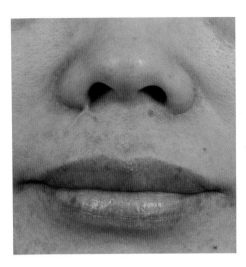
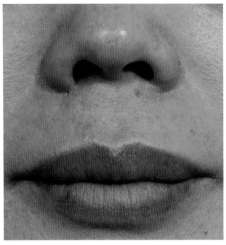

그림 14-10. 코 밑의 비후성 반흔으로 레이저 박피로 개선됨. 흉의 폭이 적은 경우 박피하여도 주변으로부터 상피화가 잘 이루어진다.

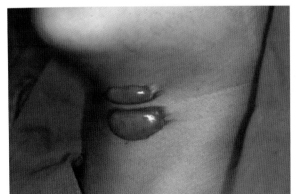
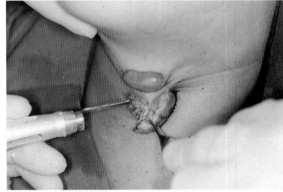
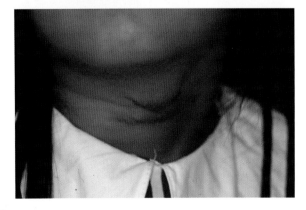

그림 14-11. 목에 생긴 켈로이드로 레이저를 이용한 절제와 봉합을 시행하여 켈로이드 형태가 개선되었지만 흔한 재발 양상을 보임.

있기 때문에 반흔에 대한 레이저 박피 적응을 잘 판단하여야 한다.

흉터에 대한 레이저 박피를 할 경우에 박피 후 창상 처치는 개방성 치료(open dressing) 보다는 창상 치유를 촉진하는 드레싱 재료로 도포성 치료(occlusive dressing)를 사용하는 것이 좋다.

상피화를 촉진시키기 위해서 EGF(epidermal growth factor) 등을 사용하기도 하지만 창상 치유에 결정적인 역활을 하지는 못한다.

레이저 박피 후 비후성 반흔이 생긴 경우는 흉터가 성숙되는 6개월 이상 기다리는 것보다는 비후성 반흔이 생기면 바로 스테로이드 주사를 흉터에 바로 하는 것이 효과적이다. 이는 이미 생성된 흉터의 콜라겐섬유보다는 새로 생기는 흉터의 미성숙한 콜라겐섬유에 스테로이드 효과가 좋기 때문에 비후성 반흔이 성숙되기까지 기다릴 것이 아니라 바로 스테로이드 주사를 하여야 한다. 레이저 박피 후 비후성 반흔의 기미가 보이면 스테로이드 연고(1% hydrocortisone cream)를 바르게 하며, 비후성 반흔이 올라오기 시작하면 스테로이드 주사를 하여, 비후성 반흔이 가라앉을 때까지 1-2개월 간격으로 하는 것이 좋다.

비후성 반흔에 대하여 콜라겐 수축을 시켜서 효과를 보기위한 비박피성(non-ablative)레이저로 비교적 긴 파장의 레이저인 1,064nm 엔디야그 레이저나 810nm 다이오드 레이저 등이 시도되고 있으나 눈에 띌 정도의 개선 효과는 기대하기 어렵다.

켈로이드에 대한 레이저 치료는 아직 효과적인 방법이 보고되어있지 않다.

켈로이드는 비후성 반흔과 달리 개인적인 특이성을 동반하게 된다. 보통 창상 치유는 염증기(inflammation), 증식기(proliferation), 성숙기(maturation)를 거쳐 안정이 되는데 켈로이드에서는 이러한 창상치유 중 특히 콜라겐의 대사가 비정상적으로 이루어져 콜라겐 증식이 비정상적으로 멈추지 않고 많이 이루어져 특징적인 켈로이드 형태를 나타낸다.

켈로이드 성향이 있는 사람은 보통사람보다 적은 상처에도 켈로이드가 나타날 수 있으며, 모든 외상이나 수술부위에도 켈로이드가 나타날 수 있다. 개인적인 성향이 없어도 깊고 넓은 화상에서는 켈로이드가 발생할 수 있다. 이에 대한 원인은 아직 명확하게 밝혀지지는 않았지만 상처 치유가 늦어지면서 상처에 자극이 계속 가해지거나 상처 치유 과정이 변질되어 켈로이드가 발생한다고 추정하고 있다. 피부 결손부위가 크거나 염증이 있거나 이물반응이 있을 때도 켈로이드가 발생하고 화상 상처가 수개월 이상 지속 지면 창상치유 기전이 바뀌어 화상성 켈로이드가 생긴다.

켈로이드에 대한 병리 조직학적 소견은 비후성 반흔과 유사하게 콜라겐이 불규칙적으로 많이 증식된 소견으로 조직학적으로는 감별이 안 되는 경우가 많으며, 임상적 진단이 더 유용할 수 있다. 켈로이드는 흉터가 원래 범위를 넘어 더 큰 흉터를 만드는 것으로 흉터의 단면이 특징적인 오메가(Ω) 형태를 띄게 된다. 켈로이드 흉터는 저절로 위축되지 않고 6개월 이상 계속 증식할 수 있으며 어떠한 치료에도 잘 반응을 나타내지 않는다. 수술적 제거 후에는 반드시 재발 경향이 나타난다.

켈로이드에 대한 치료로 수술적 제거, 부분적 제거(core excision) 및 봉합 등은 높은 재발을 나타내며, 수술적 제거 후 압박치료(compression)와 스테로이드 주사를 병행하기도 한다. 현재까지 켈로이드 치료 방법 중에는 수술적 제거와 방사선치료가 가장 효과적인 것을 되어있으며, 방사선치료는 보통 수술 직후 500Rad씩 3일간 치료를 하게 된다.

켈로이드에 대하여 레이저 박피나 절개형 레이저로 제거 후 봉합한 경우도 수술적 제거와 비슷하게 재발을 하여 효과를 보지 못하며, 레이저로 부분적 구멍(pore)를 만들어 재생을 유도하는 것을 시도하지만 만족할 만한 결과를 얻지 못하고 있다. 현재 켈로이드에 대하여는 레이저 박피가 금기로 되어있다.

3. 화상 흉터의 레이저 치료

화상은 깊이에 따라 1도에서 3도 화상으로 나누며, 1도 화상은 표피에 한정된 화상으로 햇빛에 노출되어 홍반을 일으키며 1-2일 내로 피부가 진정되면 홍반이 없어지며 수일 내로 표피나 각질층이 벗겨지게 되며 흉터를 남기지 않는다. 2도 화상은 표피를 지나 진피까지 열 손상을 입은 경우로 진피 상부와 하부에 따라 표재성 2도 화상과 심부 2도 화상으로 나눈다. 표재성 2도 화상은 상부 진피인 유두상 진피(papillary dermis)에 한정된 경우이며 심부 2도 화상은 하부 진피인 망상 진피(reticular dermis)까지 이른 화상을 말한다. 표재성 2도 화상은 물집이 잡히고 부종이 있으며 통증을 나타낸다. 보통 표재성 2도 화상은 치유에 5일에서 7일정도 소요되며 화상이 아물고 나면 흉터를 남기지 않으나 가끔 색소침착을 동반하기도 한다. 심부 2도 화상은 망상진피까지 이르러 창상치유가 10일에서 2주 정도 소요된다. 망상 진피에는 피지선, 모낭, 땀샘 등 피부 부속기관이 적기 때문에 심부 2도 화상은 상처 치유 후에 피부의 질감과 색소 변화를 초래하여 비후성 반흔은 아니지만 눈에 띄는 피부 변화나 얕은 흉터를 남길 수 있다.

3도 화상은 피부의 전층 화상으로 표피와 진피 전체에 열 손상으로 피부 전체가 괴사되며 자체로 치유될 능력을 갖고 있지 않다. 창상 치유는 2주 이상 오랜 기간이 필요하게 된다. 3도 화상의 창상 치유는 주변 피부로부터 상피세포가 이동하여 가피를 형성하고 피부 표면은 불안정한 상태로 아물게 된다. 3도 화상은 크기가 작으면 비교적 일찍 아물고 크기가 클수록 아무는 시기가 늦어지고 비후성 반흔을 형성하거나 더 늦어지게 되면 만성 창상으로 창상 치유 대사가 변화하여 화상성 켈로이드를 형성하기도 한다. 심부 2도 화상이나 3도 화상으로 화상 상처가 2주 이상 아물지 않으면 피부 이식을 시행하는 것이 좋으며, 이는 상처 치유기간을 줄이고 비후성 반흔이나 화상 켈로이드형성, 그리고 반흔 구축을 예방할 수 있기 때문에 2주 이상 화상이 아물지 않는 경우는 반드시 피부 이식을 고려해 보아야 한다.

표재성 2도 화상으로 아물고 난 후에는 피부가 깨끗해 진 것을 볼 수 있다. 순간적인 화상으로 화염화상을 안면에 입은 경우에는 표피나 가피가 수일 내에 제거되고 그 후에는 안면 피부가 박피한 것처럼 깨끗하고 잡티가 없어지며 윤기가 나는 것을 볼 수 있다.

레이저 박피는 피부를 얇게 벗기기 위하여 피부에 열을 가하는 것으로 피부에 조절된 화상을 입히는 것으로 비유할 수 있다.

피부에 열이 가해지면 온도에 따라 조직 반응이 달리 나타나며, 피부에 레이저를 조사하여 순간적으로 300℃가 넘으면 그 부위가 기화(vaporization)되어 날아가거나 찌꺼기가 일부 남을 수 있으며, 레이저로 피부 조직이 70℃에서 100℃에 이르면 비가역성(irreversible) 변화로 피부 괴사를

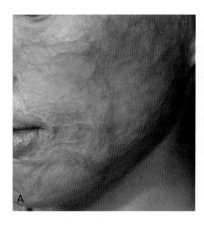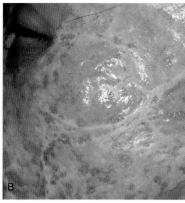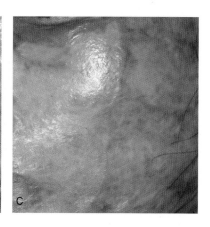

그림 14-12. 화상 흉터는 일반적으로 레이저 박피의 금기로 되어 있으며, 피부 재생이 될 만한 경우에만 조심스럽게 얕은 레이저 박피를 해야 함. 화상 흉터는 레이저 박피보다는 프랙셔널 레이저가 안전하고 효과적이다.

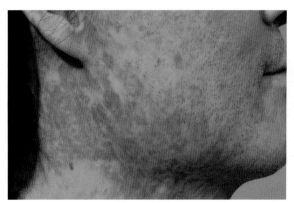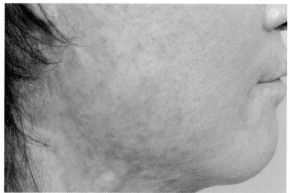

그림 14-13. 박피레이저로 개선이 힘든 화상성 반흔도 프랙셔널 레이저로 색상이 호전된다.

일으키게 된다. 피부 온도가 60℃ 전후에 이르면 가역성(reversible) 변화로 피부 괴사는 일으키지 않으며 오히려 피부의 탄력이 증가하게 된다. 이는 가역성 열이 피부 조직에 가해지면 콜라겐 섬유가 수축하고 밀도가 증가하여 피부의 탄력을 유도하게 된다.

정상 피부에서는 레이저로 열을 가하면 피부 재생으로 박피효과를 보지만 화상 피부는 정상적인 피부가 아니라 피부 재생을 담당하는 피부 부속기관이 없어졌기 때문에 피부 창상 치유에 절대적으로 필요한 상피세포의 공급원이 없어 더 큰 비후성

반흔이 형성될 수 있다.

일반적으로 화상 흉터는 레이저 박피의 금기증으로 되어있으며, 화상 흉터에서 레이저박피의 효과로 불규칙적인 표면이 약간 편평해 질 수는 있으나, 상처 치유가 늦어 오히려 비후성 반흔 형성이나 탈색 및 색소침착으로 인한 얼룩 현상이 올 수 있으므로 넓은 화상 흉터는 레이저 박피를 피해야 하겠다. 비교적 얇은 화상흉터인 경우 부분적으로 얕게 레이저 박피를 시도해 볼 수는 있으나 표피를 벗기는 정도의 얕은 박피나 선상의 밴드가 있는 경우 추가적인 박피 정도만 시도해 볼 수 있다.

화상이 아물고 난 후 초기에는 저출력레이저 치료(Low Level Laser Therapy)를 할 수 있으며, 이는 박피와 같은 고출력레이저의 위험성이 없으며, 화상 후 비후성 반흔 형성 억제와 홍반, 소양증의 감소 효과를 나타낸다.

화상 흉터를 레이저 박피로 전체 표피나 상피세포를 벗겨내는 것은 위험하기 때문에 최근에는 박피 레이저보다는 프랙셔널 레이저로 좋은 결과를 얻고 있다. 프랙셔널 레이저는 직경이 100μm로 미세하며 1cm²에 200-400개의 작고 많은 미세한 열 기둥을 조사하며 피부를 재생시키게 된다. 피부 면적의 80-90%를 보존하기 때문에 상피화도 1-2일 이루어져 안전하며 부작용의 우려가 없다. 화상 흉터 초기에는 비박피성 프랙셔널 레이저(NAFL)로 비후성 반흔을 예방하고 흉터를 조기에 안정화시키며 만성 화상 흉터에서는 박피성 프랙셔널 레이저(AFL)을 사용하면 화상흉터가 편평해지고 얼룩진 색상이 좀 더 균일해 진다.

화상흉터의 프랙셔널 레이저의 치료 파라미터는 여드름 흉터나 안면의 치료시 보다 훨씬 약하게 하여야 한다.

4. 색소성 반흔의 레이저 치료

흉터는 일반적으로 피부 열상이나 수술 절개선처럼 피부색이 탈색되어 하얀색을 보이지만 흉터로 인하여 피부의 색이 정상 피부보다 더 짙은 색으로 변할 수 있다. 찰과상이나 얕은 화상, 피부이식부위, 외상 등에서 짙은 갈색을 보이는 경우가 많다. 피부 상처가 회복될 때 피부에 자극으로 인하여 멜라닌 색소가 증가하여 짙은 피부색을 나타내게 되며, 부분적으로 색이 다른 얼룩진 피부색을 보이기도 한다. 흉터로 인하여 멜라닌 세포가 줄어들거나 멜라닌 세포가 균일하게 분포하지 않으며, 또한 멜라닌 세포에서 생성하는 멜라닌 색소의 양이 변하게 되어 피부색이 달라지게 된다. 피부에 자극이 되어 색소침착이 된 경우 염증성 색소침착(PIH; Post Inflammatory Hyperpigmentation)이라하며, 이런 PIH는 일시적인 현상으로 수개월 후에 자연 소실되기도 하지만, 흉터가 생긴 경우에는 색소침착이 계속 남아있을 수 있다.

색소침착이 동반된 흉터의 치료는 기미나 피부의 색소성 병변에서와 같이 스킨케어나 레이저 치료로 효과를 볼 수 있다. 스킨케어는 일반적으로 시행하는 미백제(bleaching agent; hydroquinone 4% 등), 탈피제(exfoliant; retionic acid 0.05% 등)와 진정제(soother;스테로이드, hydrocortisone 1% 등)을 혼합 사용함으로써 효과를 나타낸다. 일시적인 색소침착으로 PIH 같은 경우 스킨케어만으로도 효과를 보지만 반흔을 동반한 색소침착에서는 스킨케어만으로 해결이 안 되는 경우가 많으며, 또한 스킨케어 사용을 중지하면 다시 나타나는 경우도 있다.

반흔을 동반한 색소침착의 레이저 치료는 멜라닌색소에 선택적인 파장의 Q-스위치 레이저가 효과를 보인다. 일반적인 색소질환 치료처럼 Q-스위치 루비(694nm), 알렉산드라이트(755nm), 엔디야그 (532nm, 1064nm)레이저 등으로 치료하며, 한 달에서 두 달 간격을 두고 호전될 때까지 반복 치료를 한다.

외상이나 화상으로 인하여 피부의 멜라닌 세포가 제거되면 멜라닌 색소를 만들지 못하여 피부탈색(depimentation)이나 색소저하(hypopigmentation)를 나타내고 하얀 색의 흉터가 남게 된다. 색소저하나 탈색이 색소침착보다 치료하기 힘들며 좀처럼 좋아지지 않아 해결해야할 과제가 되겠다. 탈색된 반흔에 박피를 할 경우는 탈색이 좋아지는 것이 아니라 더 심해질 가능성이 있어 탈색된 반흔에서 박피는 피해야 하겠다. 화상 흉터처럼 넓고 깊은 흉터에서 레이저 박피는 시술 후 오히려 흉이 튀어 오르고 탈색되며 번질거리는 경향이 있어 박피의 금기사항이 되겠다.

탈색 및 색소저하가 불규칙하게 있는 경우 탈피제(exfoliant)를 얕은 농도로(0.025% retinoic acid, 또는 AHA) 꾸준히 바르면 얼룩진 피부색이 좋아질 수 있다. 이는 탈피제를 사용하여 표피의 재생을 촉진시키므로 표피 기저층의 멜라닌 세포가 근처 피부로 이동하여 색소저하가 좋아 질 수 있다. 그러나 흉이 넓어 근처 피부에 멜라닌 세포가 전혀 없는 경우는 탈피제를 사용하여도 개선될 수 없겠다.

비교적 넓은 부위에 탈색이 된 경우는 멜라닌 세포를 이식하기 위하여 피부이식을 시행할 수 있다. 부분층 피부이식(STSG; split thickness skin graft)은 흉터 및 탈색부위 피부를 대치하게 되는데, 부분층 피부이식을 얇게 하여도 공여부에 흉터가 남기 때문에 단지 탈색으로 인하여 부분층 피부이식을 할 필요는 없겠다.

색소만을 위한 피부이식은 표피이식(epidermal graft)을 시도할 수 있으며, 표피이식은 진피를 포함하지 않는 얇은 피부로 공여부의 흔적을 남기지 않는다. 표피이식은 표재성 2도 화상에서처럼 물집(vesicle)위의 막처럼 벗겨지는 것이 표피이며, 이는 표피와 진피가 분리되면서 자연스럽게 표피만을 포함하게 된다. 이 표피에 멜라닌 세포가 있기 때문에 표피이식으로 멜라닌 세포가 생착하여 색소가 복원될 수 있다. 표피이식을 하는 방법은 주사기나 지방이식 기구를 피부에 대고 음압을 걸면 30분에서 한 시간 정도에 물집이 생기고 물집위의 막을 떼어 내면 이식할 표피를 얻을 수 있다. 탈색된 흉터를 기계박피(dermabrasion)나 열손상이 적은 레이저(어븀야그 등)로 얇게 벗겨낸 후 채취한 표피를 고정하여(봉합이나 steristrip 테이프 사용) 이식을 하게 된다. 표피이식의 단점은 색소를 복원할 수 있으나 결과가 일정하지 않고 생착

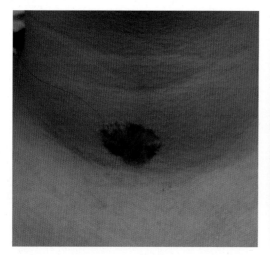 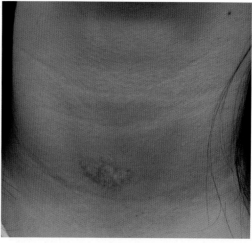

그림 14-14. 선천성 모반 제거 후 남은 반흔을 박피성 프랙셔널 레이저(AFL)과 알렉산드라이트 레이저로 치료함.

이 않 되는 경우도 있으며, 표피이식이 생착되어도 균일한 피부색이 아니라 부분적으로 색소가 재생되어 얼룩진 양상을 보이기도 한다.

일단 탈색된 피부는 치료가 힘들기 때문에 레이저 박피 시에 너무 무리하게 깊이 하여 색소저하나 탈색된 반흔을 피해야 하겠다. 노화된 안면을 너무 깊게 박피할 경우 창상 치유가 늦고 비후성 반흔이나 피부탈색을 초래할 수 있다. 안면 레이저 박피로 비후성 반흔을 비교적 넓게 만든 경우는 두피에서 부분층 피부이식을 하고 압박 마스크를 수개월 간 착용하면 안면의 비후성 반흔에 효과를 볼 수 있다.

프랙셔널 레이저는 피부를 미세하게 재생시키며 상피화 과정에서 주변의 상피세포가 이동하므로 함께 멜라닌 이동도 이루어져 피부 저색소증이나 탈색 흉터도 개선효과를 보이게 된다. 흉터중에 탈색이나 저색소증이 치료가 어려운데 레이저는 프랙셔널 레이저가 효과적이며, 또한 프랙셔널 레이저는 부분적으로 과색소와 저색소가 같이 있는 얼룩진 흉터에도 색상이 균일해지는 효과를 보이고 있다.

5. 여드름 흉터의 레이저 박피

여드름은 호르몬 분비가 왕성한 사춘기에 많이 나타나며 피지 분비가 많고 세균(*Propionibacterium acnes*)이 증식하여 여드름의 특징적인 증상인 염증과 농포(pustule)를 형성하게 된다. 여드름이 염증기에는 빨갛거나 노랗게 부어있지만 점차 염증이 가라앉으면 까만 comedon이 된다. 여드름의 염증성 피지는 주위 조직과 응결되어 수축되며 주변조직을 끌어당기게 되어 피부가 함몰된

반흔을 나타낸다.

여드름 반흔은 형태에 따라 달 분화구처럼 원형으로 함몰되기도 하며(crater scar), 얼음 송곳처럼 피지선 입구가 날카롭게 파여 들어가기도 하며(ice picked scar), 염증으로 인하여 피부가 귤껍질처럼 두꺼워 지고 피부가 구불구불하며(rolling depressed scar), 함몰된 반흔이 뭉쳐 불규칙한 반흔(conglomerated, combined scar)을 형성하기도 한다.

여드름 반흔의 피부는 육안적으로 볼 때는 함몰된 반흔 형태를 보이며, 병리 조직학적 소견은 표피의 두께는 일정하게 보인다. 그러나 진피에서는 함몰된 반흔 부위에서 반흔의 특징적인 콜라겐섬유소가 불규칙하게 두껍게 위치하는 것을 알 수 있다.

여드름 반흔에 대한 레이저 박피 방법은 주변과 같은 깊이로 레이저 박피를 할 수 있으며, 추가적으로 함몰된 반흔부위를 깊이 박피하면 더욱 효과적인 박피 방법이 되겠다. 여드름 흉터는 염증성 피지가 반흔 구축 형성으로 표피가 함몰되고 진피 하부까지 반흔이 깊이 있기 때문에 일반적인 박피 방법으로는 효과를 보기 어렵다. 레이저 박피를 하면 주위 정상피부는 원래 상태대로 회복되지만 여드름 반흔 부위는 반흔이 깊게 있어 주변 정상 조직과 똑같이 올라오기가 힘들다. 레이저 박피는 유두상 진피(papillary dermis)까지 하여야 안전하며, 망상 진피(reticular dermis)까지 하면 창상치유가 늦고 반흔형성이나 피부 변성의 위험성이 있어 여드름 반흔이 있는 진피 깊이까지 할 수는 없겠다. 그러므로 레이저 박피시에 깊은 흉터가 있는 부위를 더 깊이 박피하는 레이저 펀치(laser punch-out)개념으로 박피하면 깊은 여드름흉터를 더 깊이 파 낼 수 있겠다.

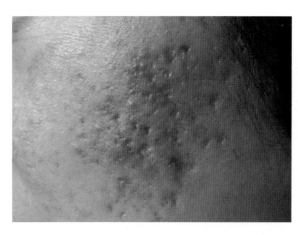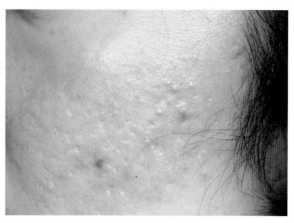

그림 14-15. 뺨의 여드름 흉터가 송곳자국처럼(ice picked scar)가 깊고 심하게 남아있음. 레이저 박피 2회 시술로 개선됐다.

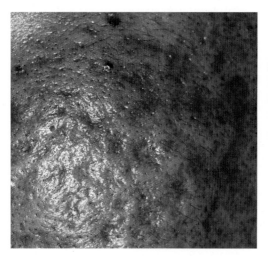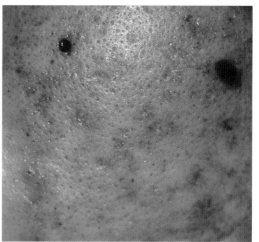

그림 14-16. 뺨의 여드름 흉터를 박피하여 벗겨보면 흉터가 깊이 있는 것을 알 수 있다.

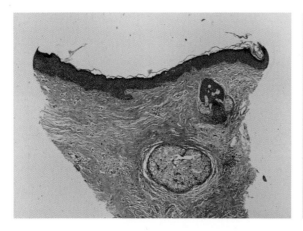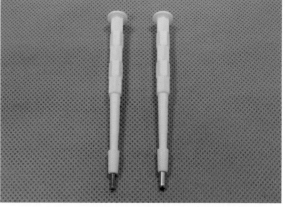

그림 14-17. 그림 14-16 환자에서 3mm 펀치로 조직 생검을 하여보면 진피 내에 깊이 여드름 흉터가 있는 것을 알 수 있다.

여드름 반흔 피부에 대한 레이저 박피는 일단 레이저 출력을 표피를 벗길 정도로 조사하여 일단 표피를 제거하고 기화되고 남은 것을 닦아 낸 후 진피에 추가적인 레이저 조사를 하면 피부가 수축하는 것을 눈으로 볼 수 있다. 고출력 CO_2 레이저(Ultrapulse)를 사용할 경우 피부가 두꺼운 곳은 펄스 에너지를 500mJ로 하고 피부가 얇은 눈꺼풀이나 목 경계부위는 250mJ로 하여 표피를 제거하고 닦아 낸 후 추가적인 조사도 250-500mJ로 하여 피부가 수축하는 것을 보면서 약 2-3회 반복 레이저 조사한다. 어븀야그 레이저를 사용할 경우 표피를 제거하기 위하여 기화모드(ablation) 50-100으로 출력을 정하여 1회 조사로 표피를 제거하고 난후 추가적인 레이저는 수축모드(coagulation)로 25에서 50으로 피부의 수축 현상을 보면서 2-5회 반복하여 레이저 조사를 한다. 표피를 제거하면 여드름 흉터가 더 뚜렷하게 보이는데 정상피부보다는 흉터가 있는 부위를 직경 3mm 내외의 레이저로 5회에서 10회 연속으로 조사하여 레이저 펀치(laser punch-out) 개념으로 추가적인 레이저 조사를 함으로써 좋은 결과를 얻을 수 있다.

여드름 흉터에서 함몰된 부위만 조직검사를 위한 3mm 직경의 펀치로 생검(punch biopsy)을 한 경우 약 10일 후면 상처가 아물고 함몰된 부위가 올라와 편평해지며, 1-2개월 후면 어느 곳이 펀치 생검을 한 곳인지 알 수 없을 정도로 구분이 안 되며 함몰 반흔이 좋아 진다.

여드름 흉터는 대부분 뺨에 많기 때문에 마취는 흉터가 있는 부위에 리도카인 국소마취를 하여 시행한다. 안면 피부에 국소마취(dental lidocaine, 에피네프린 혼합)는 통증이 심하기 때문에 보조로 진정제인 미다졸람(Midazolam 3-5mg, IV)을 주사하기도 한다. 미다졸람은 통증 제거보다 진정효과와 기억상실(amnestic) 효과가 좋으며 수술 후 아픈 것을 기억하지 못하는 장점이 있다. 미다졸람 주사 시에는 일부 환자에서 무의식상태에서 긴장(irritable)하여 협조가 안 되어 움직이는 환자도 있다. 프로포풀(Propoful) 정맥 주사는 통증 제거 효과가 뛰어나고 마취 후 구역질, 구토 등 불편함이 없으나 간혹 깊이 마취되어 사고를 일으킬 수 있으므로 환자의 상태를 주의 깊게 모니터하여야 하겠다.

안면의 비교적 넓은 부위(손바닥 크기 이상)를 레이저 박피를 할 경우는 마취의사의 도움으로 전신마취를 하는 편하고 안전하겠다.

기계적 박피를 화학적 박피와 비교하면 기계적 박피는 주변의 정상 피부를 박피를 많이 하며 함몰된 여드름 흉터부위는 얕게 박피된다. 화학적 박피는 화학 약물이 닿으므로 여드름 반흔과 주변 피부와 같은 깊이로 박피하게 된다. 레이저 박피를 하는 경우는 여드름 반흔과 주변 피부를 같은 두께로 박피하고 추가적으로 레이저 펀치 개념으로 함몰된 부위만 추가적으로 깊이 박피하면 균일한 두께로 박피한 것보다 좋은 효과를 얻을 수 있다.

레이저 박피가 다른 기계적 박피나 화학적 박피보다 좋은 이유는 레이저 박피는 깊이 조절이 용이하여 원하는 깊이로 안전하게 박피할 수 있으며, 함몰된 부위를 더 깊게 하여 효과적이며, 레이저 열(피부의 가역적 변화)로 인한 피부 수축과 탄력 증대로 피부가 더 편평해지며, 시술 후 출혈이 없고 진물(삼출액)과 통증이 적고 창상 치유가 빠르며, 상처 치료가 단순하여 환자가 편하게 느끼며, 시술이 안전하고 효과적인 박피라는 점이 되겠다.

레이저가 없으면 가는 probe 나 이쑤시개 같이 작은 것으로 화학적 박피 용액 (50% TCA 등)을 함

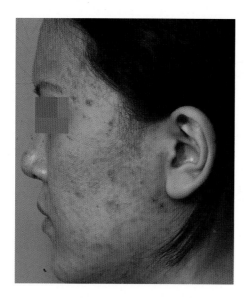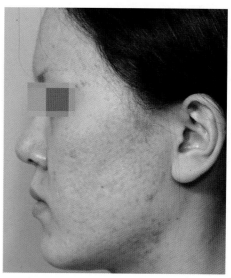

그림 14-18. 여드름 흉터의 레이저 박피 후 치유된 형태로 피부가 얇아지고 편평해졌다.

몰된 여드름 반흔에 발라 부분적으로 깊게 박피하면 단순히 얇게 화학박피하는 것보다는 좋은 효과를 볼 수 있다.

여드름 함몰부위를 펀치 생검하는 기구로 제거한 후 귀 뒤 피부에서 펀치로 피부를 제취하여 펀치 피부 이식하는 방법을 시도하였었다. 이는 단순한 박피보다 좋은 결과를 얻었다고 하며, 이 펀치 피부 이식 후에는 이식한 피부가 원형으로 올라오기 때문에 추가적인 박피를 필요로 하게 된다. 이와 비슷한 개념으로 함몰된 여드름 흉터를 펀치로 제거하지 않고 펀치만하여 주변으로부터 상부만 분리하고 하부를 붙은 채 놔두면 함몰된 부위가 올라온다. 그 후에 레이저박피를 하면 더 편평해지겠다.

여드름 흉터는 깊이 있기 때문에 펀치 방법이나 레이저 펀치를 해야만 함몰부위가 올라오게 된다.

여드름 흉터의 박피에 대한 효과를 객관적으로 표현하기는 어려우나 효과를 보는 것은 피부의 요철이 좀 더 편평해지며, 분화구 같은 둔 턱이

(creator, shoulder)이 옅어지고, 두꺼워진 피부가 얇아지는 효과를 보인다.

함몰된 여드름 반흔 깊이가 1회 레이저 박피로 약 50%-70% 정도 얇아지는 것으로 보이며, 절대로 1회 시술로 100% 완벽할 수는 없겠다. 환자에게는 여드름 반흔의 특성, 레이저 박피의 원리와 장, 단점, 효과, 한계를 설명하여 환자가 이해하고 시술받아야 하며, 여드름 반흔 깊이가 10%-20%만 남아도 눈에는 보일 수 있기 때문에 환자는 이해하고 시술에 따라야 하며, 더 좋은 효과를 원할 경우 2차 시술을 생각해 보아야 한다.

저자는 여드름 흉터로 레이저 박피한 환자 71명의 결과를 볼 때 탁월(excellent, 75%이상 개선)한 경우가 51예(72%), 우수(good, 50%-75%)한 경우가 19예(27%), 보통(fair, 25%-50%)이 1예, 저조(poor, 25%이하 개선)한 경우는 없어 대부분 만족할 만한 효과를 보였다. 71명중 6명에서 2차 시술을 원하여 6개월에서 12개월 후에 추가시술을 하였다.

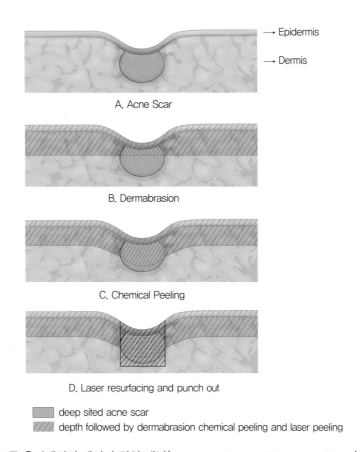

→ Epidermis
→ Dermis

A. Acne Scar

B. Dermabrasion

C. Chemical Peeling

D. Laser resurfacing and punch out

deep sited acne scar
depth followed by dermabrasion chemical peeling and laser peeling

그림 14-19. 여드름 흉터에서의 레이저 펀치 개념(laser punch out of depressed scar)

A) 진피 깊게 위치한 흉터, B) 기계적 박피시에 함몰 반흔보다 주변 정상 피부를 많이 깎아내게 됨, C) 화학박피는 흉터와 주변 피부를 같은 두께로 박피하게 됨, D) 레이저 박피로 흉터와 주변 피부를 박피하고 추가적으로 함몰된 반흔을 더 깊이 박피한다.

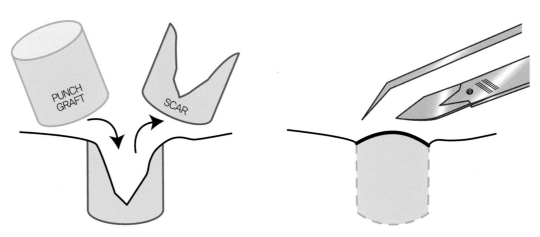

PUNCH GRAFT

SCAR

그림 14-20. 여드름 흉터에 펀치를 이용한 피부이식으로 피부 이식후 표면이 오돌오돌하게(cobble stone) 되어 추가적인 박피를 요하게 되지만 레이저 박피시 레이저 punch out 방법을 사용하면 피부 이식이 필요 없다.

안면 여드름 흉터 중에서 뺨이 가장 좋은 효과를 보이며, 코는 피부가 두껍고 여드름 흉터가 깊이 있기 때문에 레이저 박피 효과가 떨어진다. 관자부위(temple, 눈썹의 외측 부위)는 피부가 얇고 피하지방층이 얇아 박피 후에도 피부가 얇아 보이고 반흔이 비쳐 보이기도 하여 효과가 다른 부위보다 떨어지는데, 필요에 따라서는 추가적인 필러(filler)나 지방이식으로 보충하는 것이 효과를 보이기도 한다.

일반적으로 박피는 피부를 얇게 제거하고 피부의 재생 원리를 이용한 것으로 병변에 따라 깊이를 달리 조절을 하게 된다. 여드름 반흔은 깊은 진피까지 있기 때문에 상처가 치유될 만큼 깊은 박피를 해야 좋은 효과를 볼 수 있다. 깊은 박피를 할 경우 창상치유가 7일에서 10일 정도 소요되며, 2주 이상 창상치유가 되지 않으면 비후성 반흔, 탈색 등 후유증을 남기게 되므로 깊이 조절에 신중히 해야 된다.

여드름 반흔의 박피를 한 경우 홍반은 1개월에서 6개월 이상 지속될 수 있으며, 홍반이 있는 시기는 피부 조직반응으로 새로운 콜라겐이 형성되는 시기로 피부 탄력은 더욱 증가하게 된다. 여드름의 레이저 박피는 깊은 박피이기 때문에 2차 시술은 창상치유가 되고 홍반이 없어진 다음 수개월의 휴식 시간을 갖고 하는 것이 안전하며, 깊은 박피의 경우 2차 박피는 대략 6개월에서 1년 후에 하는 것이 바람직하다.

여드름 반흔에 가장 효과적인 레이저는 이산화탄소 레이저이며, 박피의 효과가 가장 탁월하다. 그러나 이산화탄소 레이저는 홍반이 3개월에서 6개월까지 오래 지속되어 사회생활에 지장을 초래할 수 있다는 단점이 있다. 이산화탄소 레이저 후에 개발된 어븀야그 레이저는 이산화탄소 레이저보다 조직에 열손상이 적어 홍반이 빨리 없어지는 장점이 있다. 어븀야그 레이저는 열손상이 적어 박피시에 출혈이 있고 박피를 깊이 들어갈 수 없다는 단점이 있는데 이를 보완한 비교적 긴 펄스파의 어븀야그 레이저를 사용함으로써 이산화탄소 레이저 못지않게 깊게 박피하여 좋은 효과를 볼 수 있다.

비박피성 레이저(non-ablative rejuvenation laser)는 비교적 긴 파장의 가시광선이나 적외선 영역의 레이저로 진피의 콜라겐 수축을 목적으로 사용하고 있다. 1,320nm(Cooltouch®) 레이저, 1,450nm(Diode) 레이저, 1,064nm(엔디야그) 레이저를 비박피성 진피 수축 목적으로 사용하며 비박피성 레이저는 박피로 인한 창상치유기간의 불편함이나 색조 변화로 인하 생활의 불편함이 없는

표 14-1. 여드름 흉터의 박피 효과

Result	Improvement	Patient	Percentage
excellent	75%-	51	72
good	50%-	19	27
fair	25%-	1	1
poor	-25%	0	0
total		71	100 (%)

(Park SH, Aesthetic Plastic Surgery, 25:46, 2001)

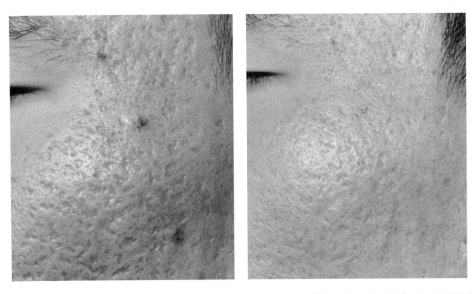

그림 14-21. 심한 형태의 여드름 흉터. 이산화탄소 레이저로 깊은 박피 2회 시술을 하여 호전됨.

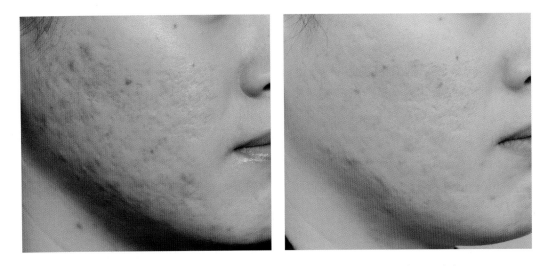

그림 14-22. 뺨의 굴곡진 여드름 흉터. 어븀야그 레이저 박피 1회로 호전됨.

것이 장점이다. 여드름 흉터에도 환자에 따라 이런 비박피성 레이저를 시행할 수 있다. 그러나 비박피성 레이저는 박피 레이저보다 효과가 훨씬 떨어지는 지는 것으로 보인다. 비박피성 레이저도 레이저 조사 후 조직 검사를 하면 진피 내에 콜라겐 층이 증가하고 변성된 탄력섬유(elastosis)도 개선된 것을 알 수 있으나 육안적으로 볼 때나 사진상으로 비교하여도 개선 효과를 뚜렷하게 알 수 없다.

여드름 흉터에 비박피성 프랙셔널 레이저(NAFL)은 환자가 불편하거나 사회생활에 지장은 없지만 환자의 만족도가 떨어진다. 박피성 프랙셔널 레이저(AFL)는 박피레이저만큼 한번 치료로 효과는 적지만 반복 치료할 경우 박피 레이저 못지 않게 환자의 높은 만족도를 얻을 수 있다.

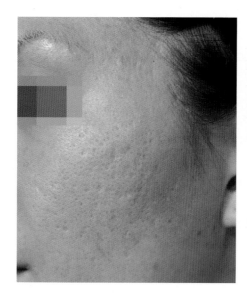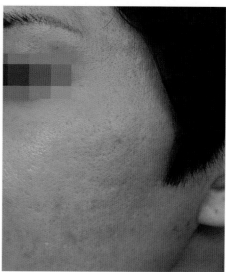

그림 14-23. 뺨과 관자놀이의 여드름 흉터. 어븀야그 레이저 박피 1회 시술함.

저자는 여드름 흉터에서 이산화탄소 레이저 박피, 어븀야그 레이저 박피, 비박피성 프랙셔널, 박피성 프랙셔널 치료를 비교하였다. 여드름 흉터를 사진상으로 개선 정도를 측정하였으며 아래 표 14-2와 같이 이산화탄소 레이저와 어븀야그 레이저는 결과가 비슷하였는데 이는 박피의 깊이를 일정하게 하면 비슷한 결과를 나타내는 것으로 보인다.

비박피성 프랙셔널은 많은 치료회수에도 불구하고 가장 개선 정도가 약하며 만족도도 낮게 나타난다.

박피성 프랙셔널은 1회 치료로는 박피 레이저보다 효과는 낮지만 반복 치료하면 박피 레이저 못지않은 좋은 결과를 얻을 수 있다.

여드름 흉터의 함몰 정도의 개선은 1회 치료로 레이저 박피가 50%-70% 개선되며, 비박피성 프랙셔널은 5%, 그리고 박피성 프랙셔널은 20% 정도 좋아지는 것으로 보인다.

저자는 환자가 여드름 흉터 치료를 원할 때 2주 이상 시간여유가 있고 한번 치료로 많은 개선을 원하면 박피 레이저를 권한다. 한편 직장이나 사회생활로 휴가를 내지 못할 경우 박피성 프랙셔널 레이저 치료를 권하며 이는 주말 시술로 가능하고 2개월 간격으로 3회 치료시 박피 레이저와 비슷한 결과를 얻는 다고 설명하고 있다.

여드름 흉터로 레이저 박피를 1-2회 하고 난 다음 더 개선을 원할 때 깊은 레이저 박피를 계속하는 것은 부작용의 우려가 있어 레이저 박피보다는 안전한 박피성 프랙셔널 레이저를 권하고 있다.

레이저 박피 후 일시적인 후유증으로 홍반, 색소침착, 여드름의 악화, 피지의 고임이 생길 수 있으며, 깊게 반복할 경우 색소 저하, 위축성 반흔(atrophic scar)을 형성할 수 있다.

여드름이 급성기로 피지분비가 많고 염증으로 농포(pustule)을 형성하기 때문에 여드름의 급성기에는 레이저 박피를 피해야 하겠다. 여드름의 급성기에는 여드름에 대한 치료를 해야하며, 여드름 치료인 항생제 사용이나 농포를 형성한 경우 배농을 하는 등 일반적인 여드름 치료가 필요하겠다.

표 14-2. 여드름 흉터의 레이저 치료 효과 비교; 박승하, 김덕우

Lasers	Number of patients	Times of treatment	Depth Improvement Score; (0–10)
CO2(Ultrapulse)	17	1.5	6.03
Er:YAG(Sciton)	7	1.3	5.80
Fractional(Fraxel)	11	4.4	2.16
CO2 fractional(eCO2)	12	3.4	5.19

피지 분비가 많고 염증 조절이 안 되는 경우는 여드름 피지 분비를 억제하는 비타민 A(Accutane, 10mg)을 경구 투여하며, 장기간 사용하는 것이 아니라 어느 정도 완화될 때까지 단기간 사용하는 것이 좋겠다.

비타민 A 투여는 피지선등 피부 부속기관(skin appendage)을 억제하여 위축시킨다. 임신 중인 여자에 사용할 경우 기형을 유발하여, 특히 구순열 및 구개열(cleft lip & palate)의 빈도가 높게 나타나기 때문에 가임기 여성에게 비타민 A를 투여할 시에는 반드시 주지시키고 임신을 피해야 한다. 비타민 A는 동물실험에서 구순열 및 구개열

을 인공적으로 만들 때 사용하는 강력한 기형유발제이어서 비타민 A를 경구 투여한 경우는 수개월간 중지한 후 임신을 하는 것이 바람직하다. 피부 연고제로 비타민 A를 바르는 경우 기형을 유발한다는 문헌은 없으나 임신 직전이나 임신초기는 피하는 것이 좋다.

여드름 때문에 비타민 A를 경구 복용한 경우 피지선이 위축되어 박피 후 창상 치유가 늦어져서 반흔을 형성할 수 있기 때문에 비타민 A를 경구 투여한 경우 최소 6개월 이상 비타민 A 경구 투여를 중단한 다음 박피를 고려해 보아야 한다.

여드름 흉터로 레이저 박피를 한 경우 여드름이

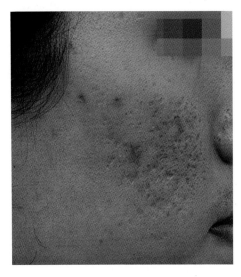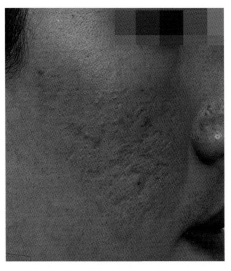

그림 14-24. 여드름 흉터에 비박피성 프랙셔널 레이저(NAFL) 치료를 5회 실시했다. 사회생활에 지장은 적으나 만족도가 떨어졌다.

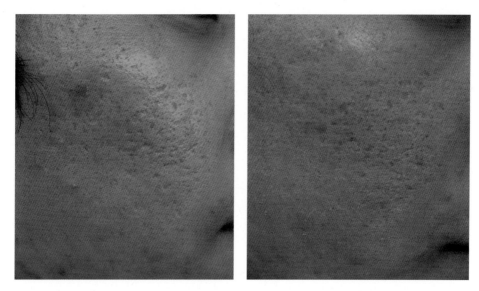

그림 14-25. 박피성 프랙셔널 레이저(CO₂ AFL, 3회) 치료로 여드름 흉터가 개선됨.

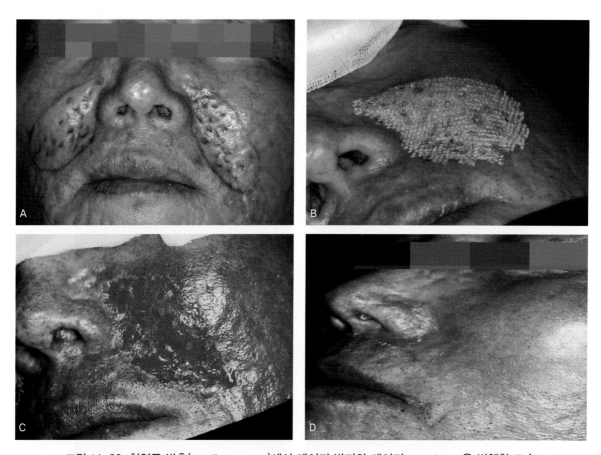

그림 14-26. 천연두 반흔(small pox scar)에서 레이저 박피와 레이저 punch out을 병행한 모습

A) 박피할 부위와 함몰 부위를 표시함. B) 고출력 이산화탄소 레이저로 1회 조사하고 함몰부위는 추가적으로 깊게 레이저 펀치 조사한 모습. C) 박피 직후 모습. D) 창상 치유되어 함몰 반흔이 올라온 모양을 보인다.

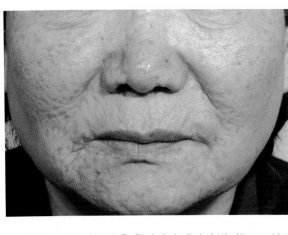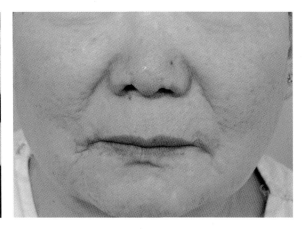

그림 14-27. 천연두 반흔 환자에서 레이저 박피(Er:YAG)로 함몰반흔이 올라오고 피부가 탄력이 생겨 편평해짐. 피부재생으로 피부가 젊어지는 효과도 부가적으로 얻을 수 있다.

악화되는 경우도 있으며, 레이저 박피로 인하여 피지 분비가 안 되어 여드름이 염증성 반응을 나타내는 경우도 있겠다. 이런 여드름이 악화된 경우는 일반적인 여드름 치료를 하며, 심한 경우 경구용 비타민 A를 며칠간 사용하여 여드름이 악화된 것을 조절할 수 있다.

여드름으로 피지 분비가 많은 경우는 저출력레이저를 사용하거나 비박피성 프랙셔널레이저를 사용하면 피지분비가 억제되고 여드름 증상이 호전이 된다.

여드름 흉터를 가진 안면 피부는 대부분 염증을 동반하였기 때문에 피부가 두꺼워진 경우가 많으며 외형상으로는 굴껍질처럼 보이고 만져보아도 보통 피부보다 두껍게 만져진다. 두꺼운 피부는 레이저 박피 시 조사회수를 늘려 깊게 박피하여야 효과를 보는데, 너무 깊게 할 경우 색소저하(hypopigmentation)를 나타낼 수 있기 때문에 주의를 요한다. 여드름 안면 피부에 레이저 박피 후 일반적으로 두꺼운 피부가 얇아지며 부드러워지는데, 박피를 수차례 한 경우 피지선이 위축되어 피부의 위축성 변화(atrophic skin, atrophic scar)

를 초래 할 수 있다.

6. 천연두 반흔의 레이저 박피

천연두(small pox, variolar)는 이미 없어진 바이러스 전염성 질환으로 한국에는 6.25전쟁 전후까지 있었으며 그러므로 천연두 반흔 환자는 나이가 50대 후반 이후 주로 60대 환자에서 천연두 반흔을 보이고 있다. 천연두 반흔 즉 마마 자국은 안면에 특징적인 다발성 원형 함몰 반흔으로 한 번 보면 누구나 마마자국으로 알아볼 정도로 개인에게는 외모로 인한 정신적인 스트레스나 콤플렉스가 될 수 있으며, 대인 기피 경향을 보이기도 한다.

천연두 반흔을 개선하려고 예전에 기계박피를 받은 환자도 있으며 만족하지 못하고 살아오다가 새로운 레이저 치료법이 가능하다고 하여 내원하는 경우가 많다.

천연두 반흔은 주로 소아기에 variolar 바이러스 감염으로 안면에 수포와 농포를 만든 후 후유증으로 안면에 함몰된 흉터를 남기며 코와 입 주위, 뺨,

이마 등 얼굴 전체에 나타난다. 개인에 따라 천연두 반흔의 부위나 정도가 다르게 나타난다. 반흔의 깊이는 피부 전체에 있어 하부 진피까지 있으며 여드름 반흔과 같이 깊은 반흔으로 박피로 쉽게 좋아지지 않는 특성을 갖고 있다.

과거에는 천연두 반흔에 대한 치료 방법으로 기계적 박피만이 가능하였으며, 많은 환자들이 기계적 박피로 어느 정도 개선이 되었지만 치료 후에도 상당한 반흔을 남기고 있다. 기계적 박피로 치료가 비교적 잘 된 경우도 함몰 부위는 편평해져도 피부가 변하여 허옇고 번들거리는 경우가 많으며 코와 입 주위는 별로 좋아지지 않았으며, 눈가와 눈꺼풀은 기계적 박피를 할 수 없어 전혀 치료가 되지 않는 것으로 보인다. 눈꺼풀은 피부가 얇고 지탱하는 힘이 없어 기계박피를 할 경우 눈꺼풀이 회전하는 기계에 말려들어가 눈꺼풀과 눈이 치명적인 손상을 입을 수 있어 눈 주위는 기계적 박피의 절대 금기사항이 되겠다.

일부 경험 있는 의사들이 화학적 박피를 시도하였으며, 기계박피보다는 박피효과가 좋지만 천연두 반흔이 깊게 위치하기 때문에 깊은 박피를 해야만 효과를 볼 수 있겠다. 화학박피는 안면에 박피성 화학 약품을 바르는 회수, 양, 시간 등에 따라 박피깊이가 다르게 되며, 시술 시에는 화학약품으로 인하여 피부가 하얗게 서리처럼 변하는 피부 서리현상(frosting)발생과 서리현상이 없어지고 정상 피부색으로 돌아오는 시간에 따라 깊이를 추정하게 된다. 화학박피 후에는 괴사된 피부가 가피(crust)를 형성하기 때문에 창상 치유가 되기 전에는 박피 깊이를 알 수 없으며, 창상 치유가 완전히 되는 시일에 따라 깊이를 추정하게 된다. 박피에서 가장 중요한 박피깊이를 화학 박피 시행시에 알 수 없는 것이 가장 큰 단점이며, 박피의 깊이를 경험에 의존할 수 밖에 없다. 화학 박피는 피부가 얇은 눈꺼풀이나 목과의 이행 부위에는 깊이 할 수 없으며, 이 부위가 비후성 반흔 등 후유증이 잘 일어나는 부위이기도 하다. 천연두 반흔의 화학박피는 이마, 코, 입주위, 뺨 등 비교적 피부가 두꺼운 부위는 50% TCA 나 페놀 박피를 하며, 피부가 얇은 눈주위는 25-30%의 TCA로 얕은 박피를 해야 한다. 잘 조절된 화학박피는 레이저 박피와 비슷한 효과를 볼 수는 있지만 초기 수개월간 부종이 심하여 좋아 보이나 수개월 이후 부종이 빠지면 효과가 떨어진 것을 볼 수 있으며, 피부가 두꺼운 남성에서는 박피 효과가 미비하여 거센 항의를 받을 수 있다.

레이저 박피가 개발되면서 위험한 화학박피를 대신하게 되었다. 레이저 박피로 기계적 박피나 화학박피보다 편하고 안전하며 더 효과적인 박피를 할 수 있게 되었다.

표 14-3. 천연두 반흔의 박피 효과

Result	Improvement	Patient	Percentage
excellent	80%–	25	32.9
good	60%–	29	38.2
fair	40%–	17	22.4
poor	–40%	5	6.6
unchanged	–20	0	0
total		76	100 (%)

(Park SH, Plast & Reconstructive Surgery, 116: 259, 2005)

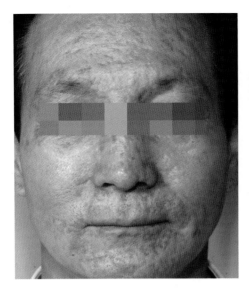
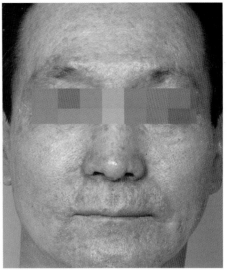

그림 14-28. 레이저박피로 천연두 반흔이 상당히 개선되었으며, 안면 중앙부의 남은 흉터는 추가적인 레이저 박피나 프랙셔널 레이저 치료를 요하게 된다.

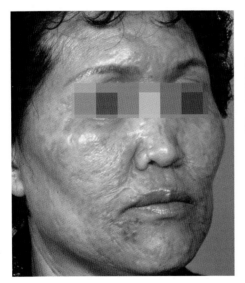
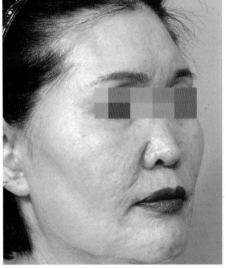

그림 14-29. 심한 천연두 반흔으로 함몰 반흔이 뭉쳐진 (conglomerated scars) 양상으로 박피 후 비후성 반흔이 잘 생김. 부분적인 비후성 반흔은 스테로이드 병변내 주사로 조절함. 안면 전체 레이저 박피를 2회 시술하여 반흔의 상당한 개선 효과를 보이며, 또한 리주버네이션 효과도 보이고 있음.

천연두 반흔에 대한 레이저 박피 방법은 여드름 반흔의 레이저 박피 방법과 비슷하며, 일반적으로 흉터와 주변을 균일한 깊이로 박피하고 추가적으로 함몰된 반흔 자국에 더 깊이 박피하여 반흔을 파내는 개념의 레이저 펀치 방법(laser punch-out)을 병행하여 사용한다.

천연두 반흔의 함몰된 부위에 콜라겐섬유소의 덩어리인 흉이 깊게 위치하기 때문에 함몰부위가 올라와 편평해지기 위해서 함몰된 부위를 더 깊게 박피하는 것이 효과적이다.

레이저 박피에 의한 천연두 반흔의 치료 효과는 대부분 우수 내지 양호를 보이며, 특히 이마와 뺨 부위에서는 1회 시술로 만족하는 환자도 많다. 코와 입 주위가 가장 치료 효과가 떨어지는 부위이며, 환자에게 수술 전 박피의 원리와 효과 및 한계에 대하여 설명하고 필요할 경우 2차, 3차 레이저 박피 시술로 더 좋은 효과를 보인다는 것에 대한 환자의 이해가 있어야 하겠다.

저자의 경우 천연두 반흔을 가진 76명의 환자에서 고출력 이산화탄소 레이저 박피를 시행하여 효과가 탁월한 경우(excellent; 80%이상 개선)가 33%, 우수한 경우(good; 60-80%개선)가 38%, 양호(Fair; 40-60%개선)가 22%이었고 미미한 경우(poor; 20-40%)가 7%이었다. 천연두 반흔환자의 약 93%에서 효과에 대한 만족도를 보였다.

레이저 박피의 합병증은 대부분 일시적인 것으로 비후성반흔이 7예, 홍반이 6개월 이상 지속이 6예, 색소침착이 15예, 색소저하(hypopigmentation)가 3예, 헤르페스감염이 2예 있었다. 비후성 반흔이나 색소저하는 원래 천연두 흉터부위에 발생한 것으로 비후성 반흔은 스테로이드 주사로 조절이 되었고, 색소저하는 부분적으로 남았다.

천연두 반흔이 여러 반흔이 뭉쳐져 흉이 진 경우는 주위의 정상 피부가 적어 박피 후 창상 치유가 늦고 비후성 반흔이 발생할 경우가 많으며 치료 효과를 기대하기 어렵다. 박피후 비후성 반흔이 발생할 경우 6개월 이상 기다리지 말고 비후성 반흔 기미가 보이면 바로 병변내 스테로이드 주사(intralesional Kenalog injection)를 하며 1개월 간격으로 비후성 반흔이 편평해질 때까지 반복 주사하는 것이 가장 좋은 치료방법이 되겠다.

요즘은 천연두 염증 발생은 없지만 비슷한 양상의 수두(chickenpox, varicella) 염증은 꽤 있으며, 수두로 인한 흉터는 천연두같이 심하거나 많지는 않지만 분화구처럼 원형의 함몰 반흔이 안면에 몇 개 남게 된다. 수두로 인한 반흔은 크기가 직경 약 5-7mm이며, 레이저 박피는 함몰 반흔과 주위 피부를 박피하며, 특히 경계 부위의 턱진 부분(shoulder)을 집중적으로 박피하여야 좋은 효과를 보이게 된다. 박피 시에 처음 조사로 표피를 제거하고 두 번째나 세 번째 조사로 상부 진피를 레이저 조사할 때 피부가 수축하는 것이 잘 보이게 된다.

레이저 박피 후 재차 시술은 필요에 따라 안면 전체를 할 수도 있으며, 부분적으로 치료 효과가 적은 코나 입 주위 등 안면 중앙부 위주로 할 수 있다. 안면 전체는 전신마취를 요하며, 안면의 부분적인 레이저 박피는 국소마취나 진정제 보조 주사의 수면 마취로 시술할 수도 있다.

7. 튼 살 (Striae Distensae) 및 기타 흉터

튼살은 흉터가 진피까지 깊이 있어 치료가 쉽지 않으며 박피레이저는 효과가 적고 부작용 가능성이 높아 거의 사용하지 않고 있다.

최근 개발된 프랙셔널 레이저는 흉터를 수축시키고 피부 색상을 개선하여 좋은 결과를 얻고 있다. 효과는 박피성 프랙셔널이 좋지만 레이저 자국이 오래 지속되어 비박피성 프랙셔널이 환자의 불편함이 적다. 비박피성 프랙셔널은 3-4주 간격으로 반복 치료를 요한다.

염증성 흉터와 같은 기타 흉터도 흉터의 원인과

형태에 따라 치료방법을 정해야 한다.

피부에만 흉터가 있는 것이 아니라 피부 밑의 조직과 유착이나 구축현상이 있는지를 파악하고 이럴 경우 우선 이것을 해결하여야 하겠다. 수술적 방법으로는 반흔교정성형술, 반흔구축성형술(release of scar contracture), 피부이식술, 표피이식술, 지방이식술 등을 고려한다. 피부에 국한된 흉터로 레이저 치료를 할 때는 피부의 재생 가능성 여부를 생각하여 레이저박피를 할 지 결정한다. 또한 흉터의 형태와 색상을 고려하여 색소치료레이저, 혈관치료레이저, 프랙셔널 레이저 등의 적응증이 되는 가를 보고 레이저 기종을 선택하여 시술한다(Chapter 13. 프랙셔널 레이저 참조).

◀ 참고문헌

1. Abergel RP, Lyons RF, Castel J, et al. Biostimulation of wound healing by lasers: experimental approaches in animal models and in fibroblasts cultures. J Dermatol Surg Oncol 13:127, 1987

2. Alster T, Zaulyanov-Scanlon L. Laser Scar Revision: A review. Dermatol Surg 33: 131, 2007

3. Alster TS, Lupton JR. Prevention and treatment of side effects and complication of cutaneous laser resurfacing. Plast Reconstr Surg 109: 308, 2002

4. Alster TS, Nanmi CA. Pulsed dye laser treatment of hypertrophic burn scars. Plast Reconstr Surg, 102: 2190, 1998

5. Alster TS, Nanni CA. Pulsed dye laser treatment of hypertrophic burn scars. Plast Reconstr Surg 102: 2105, 1998

6. Alster TS, Tanzi EL. Hypertrophic scars and keloids: etiology and management. Am J Clin Dermatol 4: 235, 2003

7. Alster TS, West TB. Resurfacing of atrophic facial acne cars with a high-energy, pulsed carbon dioxide laser. Dermatol Surg 22:151, 1996

8. Alster TS, West TB. Treatment of scars: a review. Ann Plast Surg 39: 418, 1997

9. Alster TS. Improvement of erythematous and hypertrophic scars by the 585-nm flashlamp-pumped pulsed dye laser. Ann Plast Surg 32: 186, 1994

10. Apfelberg DB, Masser MR, White DN, Lash H. Failure of carbon dioxide laser excision of keloids. Lasers Surg Med 9: 382, 1989

11. Apfelberg DB. A critical appraisal of high energy scars. Ann Plast Surg 38: 95, 1997

12. Apfelberg DB. Ultrapulsed for full face carbon dioxide laser with CPG scanner for full-face resurfacing for rhytids photoaging and acne cars. Plast Reconstr Surg 99: 1817, 1977

13. Breman JG, Henderson DA. Diagnosis and management of smallpox. N Engl J Med 346: 1300, 2002

14. Cohen IK, Diegelman RF. The biology of keloid and hypertrophic scar and the influence of corticosteroids. Clin Plast Surg 4: 297, 1977

15. Cunliffe WJ, Shuster S. Pathogenesis of acne. Lancet 1: 685, 1969

16. Dierickx C, Goldman MP, Fitzpatric RE. Laser treatment of erythematous/hypertrophic and pigmented scars in 26 patient. Plast Reconstr Surg 95: 84, 1995

17. Eberlein A, Scepler H, Spilker G, et al. Erbium:YAG laser treatment of post-burn scar: potentials and limitations. Burns 31: 15, 2005

18. Emerson GW, Strauss JS. Acne and acne care-A trend survey. Arch Dermatol 105: 407, 1972

19. Fisher GH, Kim KH, Bangesh S. Berstein LJ, Skover G, Geronemus RG. Treatment of surgical scars with fractional photothermolysis. Lasers Surg Med 36: 81, 2005

20. Gaida K, Koller R, Isler C, Aytekin O, et al. Low Level Laser Therapy- a conservative approach to the burn scar? Burns 30: 362, 2004

21. Giban NS, Heimbach DM. Current status of burn wound pathophysiology. Clin Plast Surg 27: 11, 2000

22. Goldman MP, Fitzpatrick RE. Laser treatment of scars. Dermatol Surg 21: 685, 1995

23. Grossman PH, Grosmann RG. Treatment of thermal injury from CO2 laser resurfacing. Plast Reconstr Surg 109: 1435, 2002

24. Herascu N, Velciu B, Calin M, Savastru D, Talianu

C. Low-level laser theraphy(LLLT) efficacy in post-operative wounds. Photomed Laser Surg 23: 70, 2005

25. Jezek, Z, Hardjotanojo W, Rangaraj AG. Facial scarring after varicella: A comparison with variola major and minor. Am J Epidemiol 114: 798, 1981

26. Johnson WC. Treatment of pitted scar: Punch transplant technique. J Dermatol Surg Oncol 12: 395, 1996

27. Kang DH, Park SH, Koo SH. Laser resurfacing of smallpox scars. Plast Reconstr Surg 116: 259, 2005

28. Kaufman J, Allemann I B: Fractional photothermolysis- an update. Lasers Med Sci 25: 137-144, 2010

29. Kligman AM, Willis I. A new formaula for depigmenting human skin. Arch Dermatol 111: 40, 1975

30. Koo SH, Yoon ES, Ahn DS, Park SH. Laser punch-out for acne scars. Aesthetic Plast Surg 25: 46, 2001

31. Laubach HJ, Tannous Z, Anderson RR, Manstrein D. A histological evaluation of the dermal effects after fractional photothermolysis treatment. Lasers Surg Med 36: 86, 2005

32. Lawrence WT. Physiology of the acute wound. Clin Plast Surg 25: 321, 1998

33. Lee SH, Zheng Z, Roh MR: Early postoperative treatment of surgical scars using a fractional carbon dioxide laser; A split-scar, evaluator-blinded study. Dermatol Surg 2013; 39: 1190-1196

34. Lipper GM, Perea M. Nonablative acne scar reduction after a series of treatments with a short-pulsed 1,064nm Neodymium: TAG laser. Dermatol Surg 32: 998, 2006

35. Lupton JR, Alster TS. Laser scar revision. Dermatol Clin 20: 55, 2002

36. Mackee GM, Karp F. The treatment of postacne scars with phenol. Br J Dermatol 64: 456, 1952

37. Manchanda RL, Singh R, Keswani RK, Kaur G, Soni SK. Dermabrasion in smallpox cars of the face. Br J Plast Surg 103: 207, 1999

38. Manstein D, Herron GS, Sink RK, Tanner H, Anderson RR. Fractional photothermolysis: a new concept for cutaneous remodeling using microscopic patterns of thermal injury. Laser Surg Med 34: 426, 2004

39. Park SH, Kim DW, Jeong TW: Skin tightening effect of fractional lasers; comparison of non-ablative and ablative fractional lasers in animal models. J Plast Reconstr Aesth Surg 2012; 65 1305-1311

40. Rasmussen JE, Smith SB. Patient concepts and microconceptions about acne. Arch Dermatol 119: 570, 1983

41. Reiken SR, Wolfort SF, Berthiamume F, et al. Control of hypertrophic scar growth using selective photothermolysis. Lasers Surg Med 21: 7, 1997

42. Rokhsar CK, Tse Y, Fitzpatric R. Fractional photothermolysis on the treatment of scars. Lasers Surg Med 36: 30, 2005

43. Shumaker PR, Kwan JM, Landers JT, Uebelhoer NS: Functional improvements in traumatic scars and scar contractures using an ablative fractional laser protocol. J Trauma Acute Care Surg 73:2, 116-121 116-2012

44. Solotoff SA. Treatment for pitted acne scarring: Postauricular punch graft followed by dermabrasion. J Dermatol Surg Oncol 12: 1079, 1986

45. Stern RS. The prevalence of acne on the basis of physical examination. J Am Acad Dermatol 26: 931, 1992

46. Tierney EP, Hanke W: Review of the literature; Treatment of dyspigmentation with fractionated resurfacing. Dermtol Surg 2010;36, 1499-1508

47. West TB. Laser resurfacing of atrophic scars. Clin Dermatol 15: 449, 1997

48. Yang YJ, Lee GY: Treatment of striae distensae with nonablative fractional laser versus ablative CO2 fractional laser: a randomized controlled trial. Ann Dermatol 23:4 481-489, 2011

CHAPTER 15

레이저 안검성형

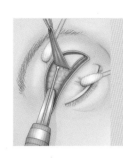

레이저 안검성형
Laser Blepharoplasty

박 승하

Ⅰ. 박피성 레이저 안검성형

전통적인 안검성형술(blepharoplasty)에서는 수술용 메스로 수술을 하지만, 레이저가 개발되면서 안검 성형에서도 레이저를 이용하게 되었다. 다른 부위에서는 레이저가 수술에 보조 역할을 하지만, 피부에서는 레이저만으로도 수술을 하는 대표적인 부위가 되었다. 레이저를 이용하여 피부의 병변을 제거하고 피부를 박피하여 피부의 탄력을 증가시켜 주름을 펴서 젊어 보이는 효과를 얻고 있다. 또한 메스로만 가능하였던 절개도 레이저로 할 수 있게 되었고 지혈도 레이저를 이용하여 할 수 있어 수술용 메스와 가위를 대신하여 레이저를 안검성형에 이용하게 되었다. 레이저를 이용한 수술은 수술 부위에 출혈이 적어 수술시야가 깨끗하며 수술 후 부종이 적고 수술 부위에 통증이 적은 장점이 있다.

안검성형술에 레이저를 이용하면 안와부 레이저 박피, 레이저를 이용한 쌍꺼풀성형, 노인성 상안검성형술, 레이저를 이용하여 결막을 통한 하안검 지방제거 등에 사용할 수 있으며, 환자의 상태에 따라 여러 가지 방법을 복합하여 다양하게 시술할 수 있다.

1. 레이저 안검 성형의 특성

레이저는 1970년대에 개발되어 의료용으로 사용하게 되었으며, 초기 의료용 레이저인 이산화탄소 레이저와 아르곤 레이저는 조직이나 병변에 열을 가하여 파괴하고 제거하는 목적으로 사용하게 되었다. 피부에는 레이저로 인한 열 손상으로 창상치유가 늦어지거나 피부가 괴사되어 반흔 형성을 하기 때문에 피부 병변의 치료에 적합하지 않은 경우가 많았다. 특히 안검부의 피부는 얇기 때문에 레이저 치료를 적용할 수 없었다. 열을 받은 안검부는 피부 전층의 화상으로 피부 괴사를 일으키기 때문이었다.

레이저는 레이저 광원의 따라 레이저 파장이 다르며 각기 다른 특성을 갖고 있다. 레이저 파장에 따라 조직에 선택적으로 반응하여 효과를 달리하므로 이 원리를 이용한 선택적 광열반응(SPTL: selective phothothermolysis) 개념이 도입되면서 레이저가 치료 목적에 맞게 개발되었다. 또한 레이저 조사 시간을 짧게 한 펄스파가 개발되어 연속파로 인한 피부의 열손상을 줄이므로 피부의 박피에 이용하게 되었다.

박피용 레이저는 점차 고출력 레이저(high power laser)가 개발되어 출력을 높이고 조사시간을 극초단파(ultrapulse)로 짧게 하여 피부의 기화는 최대화하면서 남게 되는 열손상은 최소로 하게 됨에 따라 박피를 신속하고 효과적으로 하며 또한 박피 깊이를 정확하게 하게 되어 레이저로 인한 부작용을 피할 수 있게 되었다.

박피 레이저는 피부의 수분을 목표로 레이저가 열을 가하고 레이저를 받은 피부는 열을 받은 온도에 따라 다른 반응을 나타내게 된다.

피부에 레이저 빛이 도달하면 빛은 반사, 투과, 흡수, 분산의 반응을 보이며, 또한 피부의 온도에 따라 피부 표면 온도가 순간적으로 100℃에서 300℃ 이상이면 수분이 증발하며 동시에 조직이 기화되어 증발하고 일부 얇은 막이 남게 된다. 피부나 조직온도가 100℃ 이하 70℃ 이상이면 조직의 불가역적인 열 손상(irreversible thermal damage)으로 조직이 괴사하게 된다. 70℃ 이하 60℃ 정도이면 조직이 가역적인 열 반응(reversible thermal effect)으로 조직이 수축하여 피부의 탄력이 증가하게 된다.

레이저 박피의 깊이는 기화된 층과 불가역적인 열 손상을 받은 층의 두께를 합한 것으로 정의할 수 있다. 안와부에서 레이저 박피를 시행 할 경우 표피와 진피 상부에 있는 피부 병변을 효과적으로 제거할 수 있으며, 노인성 안검에서는 레이저로 노화된 피부의 탄력을 증가시키며 주름이 펴지는 효과를 얻을 수 있고, 안검부 리주버네이션 효과를 얻을 수 있다.

가) 레이저 박피의 장점

안검부 피부 즉, 눈꺼풀은 다른 부위보다 얇아서 안면부 피부의 두께가 1.5mm에서 2.0mm 인데 비하여 안검부 피부는 0.6mm로 훨씬 얇다. 일반적으로 피부의 두께 중에서 표피의 두께는 0.13mm에서 0.15mm로 별 차이가 없으나 진피의 두께에 따라 피부 두께가 달라지게 된다. 안검부 피부는 다른 부위 피부보다 진피가 얇기 때문에 전체적인 피부의 두께가 얇으며, 안검 피부는 또한 땀샘과 피지선과 모낭 등 피부부속기관(pilosebaceous unit)이 적기 때문에 박피를 깊게 할 경우 다른 부위보다 더 위험성이 크겠다.

박피는 피부를 얇게 벗긴다는 것이며 벗겨진 피부에서 피부가 재생하면서 치료 효과를 보이게 된다. 박피는 처음에 기계 박피로 회전하는 기구 팁에 사포를 부착하여 피부를 깎았으며 안면 피부의 박피에 많이 이용하였다. 그러나 눈꺼풀에서는 피부가 얇고 회전하는 박피 기계에 안검 피부가 딸려 들어가 안검과 안구에 매우 위험하므로 안검부의 기계 박피는 절대 금기 사항으로 되어있다.

기계 박피를 대용할 화학 박피가 개발되어 다양한 박피 약제를 안면 박피에 사용하게 되었다. 페놀박피와 같은 깊은 박피부터 스킨케어 정도의 얕은 박피가 이용된다. 안검부는 피부가 얇기 때문에 효과적인 박피를 위해서는 박피할 때 깊이 조절이 가장 중요한데 화학박피 시에는 깊이 조절의 어려움이 있으며 안검부는 피부괴사나 안검외반증의 위험성이 있어서 경험 있는 의사만 농도가 약한 화학 박피제로 매우 조심스럽게 시행할 수 있다.

레이저 박피는 기계적 박피나 화학박피보다 깊이 조절이 쉬워 안전하며 다양한 목적으로 박피를 효과적으로 할 수 있으며 레이저 박피 후 피부 수축과 탄력을 얻을 수 있다. 레이저 박피 후에는 박피 부위에 출혈이 없고 가피형성이 없으며, 통증과 부기가 적고, 창상처치가 용이하여 환자나 시술하는 의사도 편리하다는 장점이 있다.

나) 레이저 안검성형의 장점

안검부의 레이저 성형술에서 레이저를 박피 목적 외에도 절개 목적으로 사용할 수 있다. 레이저를 사용하면 피부나 조직의 절개와 지혈 그리고 절제를 레이저만 가지고 동시에 할 수 있다. 레이저를 절개 목적으로 사용하면 쌍꺼풀 성형, 노인성 상안검 및 하안검 성형술, 결막을 통한 지방 제거 등을 할 수 있겠다.

레이저 안검성형술은 새로운 방법이 아니며 안검성형술시에 레이저를 수술 기구로 사용하는 것이 되겠다. 안검성형술 시에는 수술용 메스와 가위, 그리고 전기소작기가 필요하지만 레이저 성형술에서는 레이저 한 가지만 사용하여도 수술을 할 수 있으며 기구를 바꾸면서 수술할 필요가 없겠다. 처음에는 레이저가 익숙하지 않아 불편할 수 있지만 숙달이 되면 더욱 편하고 빠르게 수술하며 수술 후 부기나 출혈, 통증이 적은 장점이 있겠다.

안검성형술에서 레이저를 이용하면 레이저 박피 외에도 쌍꺼풀성형, 노인성 안검성형술, 결막을 통한 지방 제거 등을 할 수 있으며, 환자의 상태에 따라 레이저 안검 성형수술 방법들을 복합하여 동시에 시행할 수 있겠다.

안검성형술에 레이저를 사용하면 수술부위에 출혈이 없어 수술시야가 깨끗하다. 레이저로 조직을 절개하면서 모세혈관을 지혈하기 때문에 출혈이 없으며, 좀 더 큰 혈관으로 직경 0.5mm 이하의 혈관은 레이저로 지혈을 할 수 있다. 절개 시 출혈이 되면 절개용 레이저 팁을 절개 부위로부터 몇 cm 띄어서 올리고 레이저 초점을 흐리게 하면(defocusing) 레이저 열로 조직을 응고시켜 지혈을 할 수 있다. 레이저는 또한 림프관을 차단하여 림프 부종이 없기 때문에 수술 후 부기가 적으며, 반상출혈이 없어 회복이 빠른 장점을 갖고 있다. 또한 레이저는 신경 말단부를 차단하기 때문에 수술 후 통증이 적다. 눈꺼풀을 메스로 절개할 경우 피부가 연하여 밀리기 때문에 절개선이 예상과 달라질 수 있는데 반하여 레이저로 절개하면 안검 피부 절개를 더 정확히 할 수 있겠다. 레이저 안검성형을 위하여 시술자가 레이저 기기 사용에 익숙해야 하며 박피와 절개, 그리고 지혈하는 방법을 연습하여 숙달하여야 하겠다(표 15-1).

레이저 안검성형술을 위해서는 박피와 절개를 할 수 있는 레이저가 필요한데 레이저 기기가 비싼 것이 단점이 되겠다. 절개를 할 수 있는 레이저가 있으면 안검성형술에 이용하지만 안검성형술

표 15-1. 레이저 안검 성형의 장점과 단점

장 점	단 점
출혈, 혈종, 부기가 적다.	기계가 비싸다.
수술 시야가 깨끗하다.	기술적 숙달이 필요하다.
통증이 적다.	안전에 유의해야 한다.
피부 병변(황색종, 한선종)을 제거한다.	
피부 탄력이 증가하고 수축하여 주름을 펴는 효과를 나타낸다.	
절개와 지혈을 레이저로 하여 기구를 바꾸면서 수술할 필요가 없다.	
박피와 절개 시술을 병행할 수 있다.	

만을 위하여 별도로 레이저를 구입하는 것은 고려를 해봐야 하겠다.

레이저로 절개를 할 경우 조직의 열 손상으로 창상 치유 및 봉합이 늦어진다고 생각되었다. 그러나 레이저 안검성형술 후 창상치유는 메스를 사용한 절개와 별 차이가 없으며 봉합사의 발사도 보통과 같이 수술 후 5일 경에 하고 있기 때문에 레이저로 인하여 창상치유와 봉합이 늦어진다고 보이지는 않는다.

2. 안검부의 레이저 박피

가) 박피용 레이저

안검부에 사용할 수 있는 박피용 레이저 기기로는 보통 박피에 사용하는 이산화탄소 레이저와 어븀야그 레이저를 이용할 수 있다. 이산화탄소 레이저와 어븀야그 레이저 모두 피부의 수분을 목표로 레이저 빔이 흡수하여 피부표면이 기화되고 기화된 바로 밑의 층이 수축을 하여 효과를 나타낸다. 이산화탄소 레이저는 피부의 열 손상이 남기 때문에 연속파(CW)는 위험하여 사용할 수 없으며, 펄스파나 극초단파(ultrapulse) 이산화탄소를 사용하면 열손상을 줄이고 박피를 효과적으로 할 수 있다.

어븀야그 레이저는 수분의 친화력이 이산화탄소보다 훨씬 강하여 기화가 효과적이지만 조직에 남는 열 효과가 적어 지혈이 안 되고 박피 부위에 출혈이 되며 재차 레이저 조사 시에 출혈이 레이저 에너지를 흡수하여 더 깊이 박피할 수 없으며, 피부의 수축효과가 적은 단점이 있다. 어븀야그 레

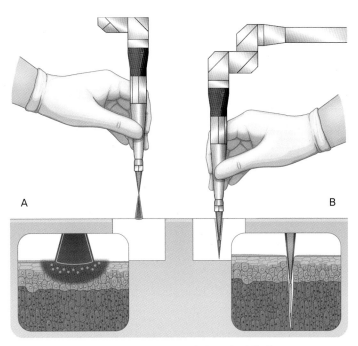

그림 15-1 레이저의 절개 용도와 지혈 용도
A) 초점이 분산된 경우(defocusing) 출력이 낮아지며 조직의 열손상이 증가하여 지혈용으로 사용할 수 있다.
B) 초점이 맞은 경우(focusing) 고출력으로 조직의 열손상이 적으며 절개용으로 사용할 수 있다.

537

이저의 이런 단점을 보완하여 레이저 조사 시간이 긴 어븀야그 레이저를 사용하면 이산화탄소 레이저와 비슷한 피부 수축효과를 얻을 수 있다.

어븀야그 레이저는 열 손상이 적어 창상치유가 빠르며 홍반 지속시간이 적다. 또한 레이저 박피 후 가장 많은 불편함을 호소하는 색소침착은 깊은 박피에서 정도가 더 심한데 일반적으로 어븀야그 레이저가 이산화탄소 레이저보다 색소 침착이 적게 나타난다.

나) 안검부의 박피 과정

레이저 박피 전에 우선 박피할 부위를 깨끗이 세안하고 물기를 말린다. 박피할 부위의 소독은 알코올 같은 휘발성 소독약은 화재 위험성 때문에 사용하면 안 되며, 또한 눈에 자극이 없어야 하겠다. 레이저 자체가 멸균효과가 있어 단지 생리식염수로 닦아도 되겠다. 레이저 박피할 부위 이외의 부위에는 젖은 타월로 덮어 화상이나 화재를 예방해야 하겠다. 박피할 부위를 수술용 펜으로 표시하는데 눈꺼풀은 다른 안면부와는 피부 두께가 다르기 때문에 표시하여 레이저 출력을 달리 한다. 안구와 각막을 보호하기 위하여 국소마취 안약(Pontocaine, Alcaine 등)을 점안하고 몇 분 후에 안구 보호구(eye shield)를 삽입한다. 안구 보호구는 레이저 빛에 뚫리거나 변성되지 않는 표면이 매끄럽지 않아 난반사 될 수 있는 스테인리스 안구보호구가 가장 안전하다. 안와부 박피시 마취는 바르는 마취약(lidocaine cream, EMLA)으로는 부족하여 환자가 통증으로 움직일 수 있으므로 국소마취제(dental lidocaine)를 피하주사하거나 하안와신경(infraorbital nerve)을 차단할 수 있다. 하안와신경은 눈동자의 수직 하방 연장선에서 안와골

1cm 밑에 주사하여 차단한다. 박피 시에 배출되는 기체를 흡인하기 위해 배기가스 흡입기를 작동시켜 환자나 시술하는 의사가 피부가 기화되어 발생하는 유해한 가스를 마시지 않도록 한다.

레이저 박피는 우선 표피를 벗길 정도의 출력으로 박피 레이저를 한 번 조사하여 피부 표면이 기화되고 남은 하얀 꺼풀이 남게 된다. 이는 기화되고 남은 조직의 찌꺼기가 되겠다. 이 하얀 꺼풀을 제거하지 않고 반복하여 레이저 조사 시 회색이나 까만색으로 변하게 되는데 이는 피부의 열손상이 증가하는 것을 뜻하게 된다. 하얀 꺼풀을 생리식염수로 적시고 난 후 거즈로 닦으면 꺼풀이 쉽게 벗겨지는데 이는 표피가 진피에서 분리되는 것을 알 수 있다.

레이저 박피시 한 번 조사하면 피부는 핑크색이며 약간 진물이 나는데 마른 거즈로 물기를 닦고 난 후 필요시 1-2회 더 레이저를 조사한다. 물기나 진물이 있으면 이것이 레이저 에너지를 흡수하여 더 깊이 박피를 진행할 수 없게 된다. 두 번째나 세 번째의 추가적인 레이저 조사 시 피부 수축이 눈으로 보이는데 이는 박피 깊이가 상부 진피까지 이른 것을 의미한다. 레이저 조사를 처음 할 때보다 두 번째 조사할 때 피부 수축이 가장 잘 일어나는 것을 볼 수 있는데 이는 진피의 상부인 유두 진피(papillary dermis)에서 콜라겐 섬유가 수축되기 때문이다. 추가로 2-3회 레이저 조사를 할 경우 진피의 하부인 망상 진피(reticular dermis)까지 박피가 깊어지는데 이렇게 깊게 할 경우 창상 치유가 늦고 치유 후에도 피부질감이 변하거나 반흔을 형성할 수 있으므로 망상진피까지의 깊이 박피는 피해야 하겠다. 레이저 조사를 추가할수록 피부색은 핑크 색에서 점차 허연색으로 변하게 된다. 허연색은 일시적이었다가 바로 핑크

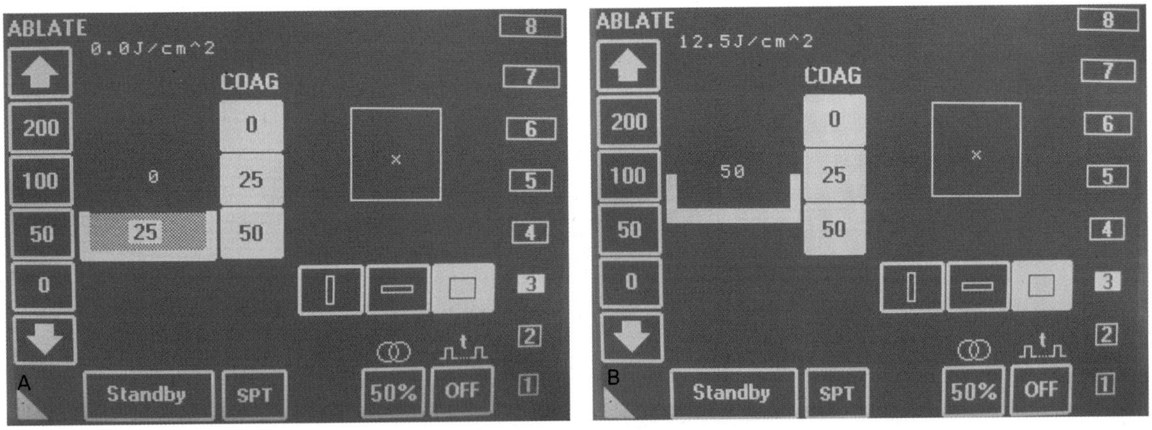

그림 15-2. 어븀야그 레이저의 파워세팅
A) 기화(vaporization)를 위한 세팅, B) 수축(contraction)을 위한 세팅

색으로 변하지만 수분 경과 후에도 허연색으로 남아 있거나 누런색을 보이면 박피가 너무 깊이 된 것을 의미하겠다.

Ultrapulse CO_2 레이저를 사용할 경우 레이저 출력은 첫 번 조사 시에는 젊은 환자는 250mJ로 하고 중년 이후는 300mJ로 하여 표피를 벗겨낸 다음, 추가적인 레이저 조사는 피부 두께에 따라 250mJ에서 300mJ로 피부의 수축과 색상을 보면서 2회에서 3회 추가할 수 있다.

어븀야그 레이저를 안검부 박피에 사용할 경우 첫 번 조사 출력은 기화(vaporization mode) 50(12.5 J/cm²)에 응고(coagulation mode) 25(6.3 J/cm²)로 보통 사용하여 표피를 벗겨낸다. 응고모드 없이 기화모드만으로도 사용할 수는 있으나 어븀야그 레이저는 지혈이 되지 않고 출혈이 되기 때문에 응고모드를 병행하여 사용하는 것이 좋다. 추가적인 어븀야그 레이저는 기화모드는 없이 응고모드만 출력 25에서 50으로 2회에서 3회 추가 조사하여 피부 수축을 유도한다.

박피할 경우 깊이를 고르게 하기 위하여 스캐너가 부착된 핸드피스를 사용하는데 피부 병변에 대

한 치료로 점, 황색종, 한선종 등을 레이저 박피할 때는 레이저를 스캐너를 사용할 필요 없이 직경 1mm-3mm 레이저 빔을 연속 조사하여 피부병변을 파괴하고 제거한다.

안검부 피부는 얇기 때문에 레이저 박피할 때 특별한 주의를 요하며 깊이 조절에 신경을 써야하겠다. 레이저 박피를 효과적이고 안전하게 하기 위해서는 표피를 벗길 정도의 레이저 조사를 하고 필요에 따라 가급적 낮은 펄스에너지로 1-2회 더 추가하는 것이 바람직하다. 안검부는 피부가 얇아 한 번의 높은 출력의 레이저 조사에도 피부괴사가 일어나거나 반흔 형성이 될 수 있으며, 피부 수축을 위해서는 같은 박피 깊이라도 낮은 출력의 여러번 조사가 높은 출력의 1회 조사보다도 안전하고 효과적이다.

의학잡지나 교과서에 기술된 박피 레이저의 출력을 그대로 사용하는 것보다는 처음에는 낮은 출력으로 박피하여 창상 치유되는 과정을 수차례 본 후에 점차 시술자의 판단이 선 다음 적당한 깊이 박피하는 방법이 좋다. 박피용 레이저가 종류가 많으며, 또한 레이저 기기의 처음 출력 세팅이

안정될 때까지 또한 시술자의 학습효과(learning curve)를 생각하여 처음에는 적극적인 박피보다는 안정적인 박피를 시행하는 것이 좋겠다.

다) 안검부 박피의 창상 처치

안검부에 박피가 끝난 후 안구보호구를 제거하고 박피 부위를 차가운 생리식염수로 적신 거즈로 10분 정도 덮어 준다. 이는 부기를 줄이고 진물을 흡수하게 된다. 젖은 거즈를 제거하고 피부의 물기를 말리고 난 후 상안검에는 항생제를 포함하는 안연고를 발라 개방성 치료(open dressing)을 하며 하안검에는 도포성 치료(occlusive dressing)를 하는 것이 환자가 편리하다. 상안검은 환자가 눈을 뜨고 감기 때문에 도포성 치료를 할 수 없다.

도포성 치료의 재료로는 colloid 성분이나 bi-omembrane 등을 사용하며 이런 도포성 치료는 창상치유를 촉진하고 환자의 통증과 불편함을 줄일 수 있어 편리한데 처음 2-3일간은 진물이 나오기 때문에 갈아주어야 하며(thin thickness Douderm, Flexzan 등), 일부 치료물질은(Lasersite, Askina)는 스펀지 층이 있어 분비물을 흡수하고 창상치유가 되어 떨어질 때까지 갈아 줄 필요는 없지만 흡수된 분비물이 딱딱해지면서 피부가 눌려 줄이 가는 경우가 있으며 창상을 볼 수 없기 때문에 조심을 요한다. 도포성 치료는 편리한 점은 있지만 간혹 감염이 늦게 발견될 수 있으므로 주의를 요한다.

개방성 치료 시에는 세안을 할 수 있으며 또한 세안 후 바람으로 건조시킨 후에 안연고를 얇게 바르게 한다. 레이저 박피 시에는 화학 박피처럼 피부에 가피가 앉는 경우가 거의 없으나 세안을 잘 못하는 경우 가피가 있을 수 있으며 이런 경우 이를 무리하게 제거할 경우 상피화되는 과정의 피부가 제거되기 때문에 창상치유가 더 늦고 피부에 흔적이 남을 수 있어 가피를 무리하게 제거하면 안 되며, 안연고를 면봉으로 발라주면서 조금씩 눌러주어 가피가 저절로 분리될 때까지 기다리는 것이 좋다.

라) 안검 피부 병변의 레이저 박피

안검 피부에 있는 병변을 레이저로 제거 할 수 있는데 표피에 있는 얕은 병변은 쉽게 제거되지만 진피에 깊게 있는 병변은 레이저로 완전히 제거할 수 없겠다. 표피에 있는 병변으로 노인성 검버섯(senile keratosis), 지루성 각화증(seborrheic keratosis), 광선각화증(actinic keratosis), 주근깨(freckle) 등이 레이저 박피로 잘 제거되며, 레이저 조사 시 표피가 진피와 분리되면서 쉽게 제거되는 것을 알 수 있다(epidermal sliding, epi-dermo-dermal separation).

안검부에 잘 발생하는 진피성 병변으로는 한선종(땀샘종, syringoma)와 황색판종(황색종, xan-thelasma)이 있으며, 한선종은 중년 여성의 하안검에 잘 생기고 희고 오돌오돌하게 나타나는데 1mm 크기의 레이저 빔으로 수 회 연속 조사하면 쉽게 없앨 수 있다. 황색판종은 상안검 내측에 잘 생기며 초기에 작은 것은 잘 없어지지만 발생한지 오래된 것은 진피까지 깊게 있기 때문에 한 번에 제거하기가 쉽지 않으며, 깊고 넓게 박피할 경우 눈꺼풀이 땅기는 구축현상과 변형이 초래될 수 있다.

기미(melasma)나 흑자(lentigene)는 색소성 병변으로 레이저 박피 후에 재발을 잘 한다. 멜라닌 색소가 표피와 진피 경계부에 얇게 있는 기미는 박피로 쉽게 제거되지만 피부가 아물고 난 후 다시 나타나거나 오히려 더 심하게 나타날 수 있다. 얇은 색소성 병변은 재발과 색소침착이 흔하기 때문에 미백제를 두 달 이상 사용하여 새로운 멜라닌 색소 생성을 억제하고 난 후 박피 레이저나 색소 치료용 레이저(Q-스위치 루비, 알렉산드라이트, 엔디야그 레이저)로 치료할 수 있으며, 레이저 시술 후 철저하게 자외선 차단제와 미백제를 사용하게 한다. 깊은 진피성 기미나 오타모반은 색소 치료용 레이저로 여러 번 치료해야 효과를 보이며, 일단 치료가 되면 재발하는 경향은 표재성 색소 병변보다는 적게 나타난다.

마) 안검부 레이저 성형시 안전과 주의 사항

레이저는 증폭된 에너지를 가진 빛으로서 방사

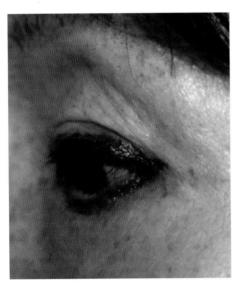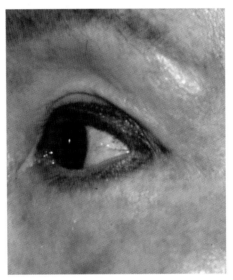

그림 15-3. 안검부 레이저 박피 전후 모습: 안검의 잔주름과 잡티가 없어짐.

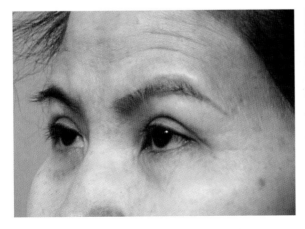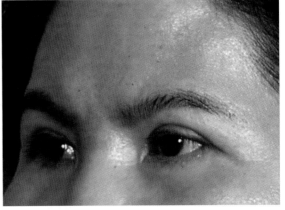

그림 15-4. 안면 전체의 레이저 박피 전후 모습: 이마 부위의 박피 효과로 눈썹과 안검의 리프팅 효과를 보임.

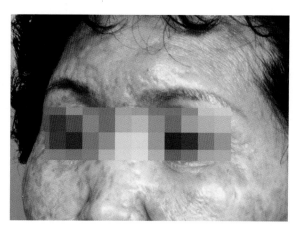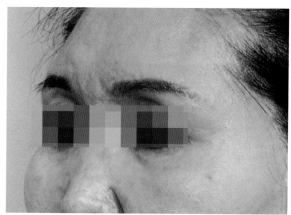

그림 15-5. 천연두 반흔 환자의 레이저 박피 전과 레이저 박피 2회 시술 후 모습으로 반흔의 개선뿐만 아니라 젊어진 효과(rejuvenation)을 볼 수 있다.

선과는 달리 피부 깊이 투과하지 않으며 이온화되지 않아 발암성이 없고 인체에 유해한 영향은 없으며 인체에 축적되지도 않는다. 그러나 레이저는 높은 에너지를 발생하기 때문에 주의를 요하며 특히 안검부에 시행할 때는 각별한 주의를 해야 한다. 안구의 각막이나 망막에 레이저가 닿을 경우 백내장이 되거나 실명할 수 있기 때문에 환자나 의료진은 반드시 눈에 대한 보호를 해야 한다.

박피용 레이저인 이산화탄소 레이저나 어븀야그 레이저는 각막에 닿아 각막의 화상과 괴사를 일으킬 수 있으며, 가시광선 파장의 레이저는 각막을 통과하여 망막에 집중되어 망막의 파괴를 일으켜 실명할 수 있다.

안구 보호구(eye shield)는 플라스틱보다는 스테인리스 재질이 천공될 염려가 없으며 스테인리스도 매끈한 것보다는 광택이 없는 것이 레이저 빛을 난반사시키기 때문에 안전하다. 박피용 레이저 시술자도 자신을 보호하기 위하여 레이저 보호 안경을 사용하며, 가시광선 영역 레이저는 이에 맞는 고글을 착용하여야 한다.

레이저는 높은 에너지를 갖고 있기 때문에 실수로 피부에 닿을 경우 화상을 입으며, 종이나 마른 물질에 닿을 경우 화재를 일으킬 수 있다. 화재 발생에 대한 주의를 하며, 레이저 시술 부위가 아닌 곳은 젖은 타월로 덮어 보호해야 하며 소화기를 근처에 배치하고 하여 만일의 경우 화재에 대비하여야 한다.

레이저 박피 중에는 기화된 가스가 배출되는데 이 가스 안에는 각종 유해한 발암물질이 포함되어 있으며 바이러스 입자 등이 포함될 수 있기 때문에 가스 흡입기(smoke evacuator)를 이용하여 배출시키고 시술자는 마스크를 사용하여야 하겠다.

레이저 수술실에는 입구에 "레이저 사용중" 표시를 하여 외부인 출입을 제한하여야 하겠다. 레이저 안검성형술에서는 레이저에 대한 유의 사항만 철저히 지킨다면 레이저로 인한 사고를 피할 수 있겠다.

바) 안검부 레이저 박피의 피부 관리

백인에서는 박피 후 색소침착이 거의 없지만 동양인에서는 레이저 박피 후 색소침착(hyperpigmentation) 또는 PIH(post-inflammatory hyperpigmentation)이 많이 나타난다. 저자의 경우 박피 후 환자 개인별 정도 차이는 있으나 약 80% 환자에서 나타나며 얼굴색이 흰 경우 적게 나타나거나 약하게 나타나고, 얼굴색이 짙거나 기미가 있는 경우 또한 과민한 피부에서 색소 침착이 심하게 나타난다. 색소침착이 오면 이로 인하여 환자가 불편하고 사회생활에 지장을 줄 수 있으며, 의사에게 심하게 항의하는 경우도 있다. 백인(Fitzpatrick type I & II)에서는 색소침착이 거의 발생하지 않거나 미미한 정도로 나타나기 때문에 특별히 관심을 두지 않으며, 색소침착의 예방을 위하여 레이저 전-처치를 필요로 하지 않는다. 동양인 (Fitzpatrick type III & IV)에서는 박피 후 색소침착이 흔하며 특히 피부색이 짙거나 기미가 있는 환자들에서 색소침착이 심하게 발생한다. 따라서 이를 예방하기 위하여 레이저 박피 전에 전-처치를 필요로 하게 된다. 레이저 박피 전-처치는 미백제와 자외선차단제 사용이 기본이며 탈피제나 진정 크림을 같이 사용하기도 한다. 전-처치는 보통 한 달 사용하며 기미가 있는 경우 두 달 사용을 권하고 있다. 기미가 있는 환자는 하안검과 관골부(광대뼈)에 특히 기미가 많기 때문에 안검 박피 시 기미 유무를 조심스럽게 보아야 한다.

레이저 전-처치나 후-처치는 일반적인 레이저 박피 시 시행하는 스킨케어와 동일하며 스킨케어 프로그램의 주된 성분은 미백제, 탈피제, 자극완화제, 자외선차단제로 구성되어 있다.

레이저 박피 후-처치는 창상치유 직후 자극완화제(1% hydrocortisone)와 자외선 차단제(SPF 25-50 정도)를 사용하며 환자의 적응에 따라 미백제(4% hydroquinone)은 2주 후에, 탈피제 (Retinoic acid 0.025-0.05%)는 3주 후에 바르기 시작한다. 색소침착은 박피 후 3-4주경에 가장 심하게 얼룩지어 나타나며, 후-처치를 하면 박피 4-8주 내에 서서히 없어지게 된다.

사) 안검 레이저 박피의 합병증

안검부의 레이저 박피의 합병증은 박피 후 홍반과 색소침착이 가장 흔하다. 홍반은 일시적인 현상으로 시간이 경과하면서 점차 없어지며 대부분 1개월 이내에 소실된다. 홍반은 박피를 깊이 할수록, 열손상이 많을수록 짙고 오래 지속되며 이산화탄소 레이저보다 어븀야그 레이저가 적게 나타나며 빨리 없어진다. 색소침착은 아무런 처치를 안 할 경우 6개월 이상 지속될 수 있어 불편할 수 있는데 박피 전후 스킨케어를 하여 예방할 수 있으며 발생한 경우에도 좀 더 일찍 없어지게 할 수 있다. 색소침착이 오면 환자들로부터 심한 항의도 받을 수 있으므로 박피 전에 설명하여 충분히 이해하고 동의한 상태에서 박피를 시행해야 하겠다. 안검부는 피부가 얇기 때문에 박피를 깊이 할 경우 피부의 화상이나 괴사로 비후성 반흔, 안검외반증(ectropion), 탈색 현상이 올 수 있다. 안검부에 레이저 박피를 할 경우에는 안륜근 손상이 없기 때문에 보통 하안검성형술(lower blepharoplasty)에서 보이는 안검외반증은 좀처럼 나타나지 않는다. 그러나 고령의 환자에서 안륜근 근력이 떨어지는 경우는 노인성 안검외반증(senile ectropion)을 조심해야 하겠다.

아) 안검부의 레이저 박피 효과

안검부 피부에 레이저 박피를 하면 피부가 젊어지는 효과를 뚜렷하게 보게 된다. 노화된 안검 피부가 레이저 박피 후 젊은 사람의 피부처럼 보이게 되는데 이는 표피의 각화증 등 잡티나 색소침착이 없어져서 피부색이 밝아지며 또한 레이저 박피 후 피부가 수축하고 탄력을 갖게 되어 주름의 개선 효과를 얻게 된다.

레이저 박피를 하면 콜라겐 섬유 길이의 약 1/3이 줄어들어 안검 피부의 수축현상을 보이며, 진피 내의 변성된 탄력섬유(elastosis)가 없어지고 콜라겐 섬유로 대치되며, 콜라겐 섬유 층이 레이저 박피 전보다 3배에서 6배 증가하게 된다. 저자의 동물 실험에서는 레이저 박피 후 반흔 형성없이 정상적인 치유 후 피부 수축이 30%까지 나타나는 것을 관찰하였다.

레이저 안검 박피 시에 안검외반증은 박피를 매우 깊게 하여 반흔을 형성할 정도가 아니면 거의 발생하지 않으며 발생하여도 일시적인 현상으로 대부분 회복된다. 안검외반증이 있을 경우 아래 눈꺼풀에 테이프를 외상방으로 붙이는 것이 도움이 되며, 안검 박피와 안검성형술을 동시에 하여 하안검 외반증이 있을 경우 이에 대한 처치로는 눈꺼풀에 테이프를 붙일 수 없기 때문에 외안각에 임시로 검판봉합술(tarsorrhaphy)을 하면 효과적인 치료가 되겠다.

안검부에 레이저 박피 후 주름은 상당히 펴지지만 안와부 주름은 안륜근에 의한 표정선이기 때문에 레이저 박피로 완전히 없어지지 않고 레이저 박피 수개월 후부터 웃을 때 눈가의 주름이 나타나게 된다. 이런 경우 보툴리눔 독소 주사를 병행할 경우 더욱 효과적으로 안와부 주름을 펼 수 있겠다.

안와부 주름에 대한 레이저 박피 효과는 안와부에만 레이저 박피를 하는 것보다는 안면 전체에 박피를 할 경우 더욱 효과적으로 주름이 개선된

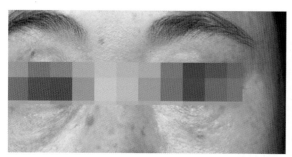 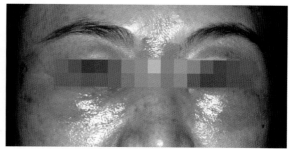

그림 15-6. 레이저 박피 후의 안검부 홍반 모습

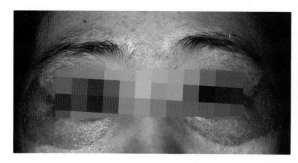 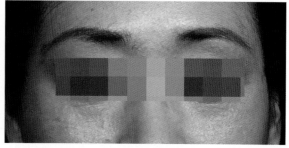

그림 15-7. 레이저 박피 후 색소침착(PIH)과 스킨케어로 소실된 모습

다. 노화 현상으로 눈썹이 내려 온 경우(eyebrow ptosis)가 많으며, 안와부 레이저 박피를 안면거상술이나 이마내시경수술과 병행할 경우 더욱 젊어 보이게 하는 효과를 얻을 수 있겠다.

II. 절개형 레이저 안검성형

1. 레이저 쌍꺼풀 성형술(이중검성형술)

가) 레이저 쌍꺼풀 성형술 준비와 수술 전 평가

레이저 안검성형술을 위하여 절개를 할 수 있는 레이저가 필요하며. 이산화탄소 레이저로 빔 크기(spot size)가 0.05-0.1mm를 레이저 절개용으로 사용한다. 정확한 절개를 위하여 종이의 선을 따라 움직이는 연습을 하여 레이저 절개를 숙달한다. 일정한 속도로 움직이는 연습이 필요한데 너무 빨리 움직이면 절개가 안 되며 너무 느리게 움직이면 한 곳에만 집중되어 열손상이 증가하거나 깊이 천공될 우려가 있다. 절개용 레이저는 종이에 절개를 할 때 절개가 깨끗이 되고 절개 주위가 까맣게 타지 않아야 절개용으로 사용할 수 있다. 각막을 보호하기 위하여 안구 보호기(eye shield)가 필요하며, 레이저 전용 견인기로 Jaeger bone plate, David-Baker clamp, DeMaris retractor 등을 사용하며 재질은 표면이 매끄럽지 않은 스테인리스 스틸을 사용한다. 레이저 절개 시 발생하는 가스는 흡입기를 가까이 대어 흡수한다.

쌍꺼풀 성형수술을 하기 전 환자 평가는 보통 쌍꺼풀 수술과 같다. 환자의 나이와 성별, 안과적인 병적 사항을 기록하고 안검의 상태로 내안각 췌피(epicanthal fold)의 유무, 내안각 간의 거리(ICD; intercanthal distance), 안검 거근(levator)의 기능, 안검 및 지방의 두께, 안구 돌출 상태, 안면 전체에 대한 안검의 조화 등을 관찰하며 환자의 불편 사항과 요구 사항도 함께 기록한다.

환자가 앉은 자세에서 예상되는 쌍꺼풀 선에 클립을 대고 눈을 뜨게 하여 수술 후 쌍꺼풀 선을

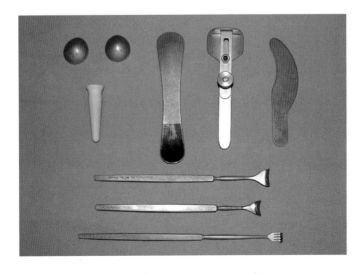

그림 15-8. 레이저 안검 성형술에 필요한 기구: 좌측으로부터 eyeshield와 holder, Jaeger bone plate, David-Baker clamp

545

예상하여 자연스런 쌍꺼풀 선의 높이를 정하며, 환자가 거울을 보게 하여 선의 높이와 모양을 환자와 충분히 상담하여 정해야 하겠다.

안검하수증(blepharoptosis) 환자에서 수술 전 안검거근의 평가가 누락되는 경우가 있는데 특히 클립으로 쌍꺼풀이 잘 안 만들어지거나 습관적으로 눈썹을 올리는 사람, 젊은 나이에도 이마에 주름이 잡히는 사람은 주의를 요한다. 이런 경우 반드시 눈썹을 올리는 전두근을 작용하지 못하게 눈썹을 손가락으로 누른 상태에서 안검거근의 기능을 평가하여야 한다. 절개 부위의 디자인은 환자가 누운 상태에서 하지만 다시 환자가 앉은 자세에서 확인하고 평가한다. 보통 절개선은 속눈썹에서 5-8mm 위에 표시하고 그 위로 절제한 피부를 3-6mm 정도 표시한다. 환자가 긴장한 경우 진정제를 경구 투여하거나 midazolam 2mg-5mg을 천천히 정맥주사하면 환자가 심리적으로 안정된 상태에서 수술할 수 있다. 눈을 보호하기 위하여 국소마취 안약(tetracaine, alcaine 등 eye drop) 한두 방울을 점안하고 안구보호구를 삽입한다. 눈꺼풀 수술부위에 에피네프린이 희석된 국소마취제(2% lidocaine mixed epinephrine)를 가는 주사바늘(26G-30G)로 피부 바로 밑에 주사하여 마취한다. 안면부를 소독하고 레이저를 준비하며 손으로 잡는 부위는 소독된 비닐로 감싸서 소독 상태를 유지한다.

나) 레이저 쌍꺼풀 성형술 과정

레이저로 절개를 할 경우 출력의 세팅은 각 시술자가 사용하는 방법에 따라 달리 할 수 있다. 보통 펄스 에너지는 10mJ-20mJ로 하고 출력은 5W 정도를 사용하게 된다. Watt는 펄스의 조사속도를 나타내는 것으로 처음 사용 시에는 조심하여 3W로 천천히 나오게 하다가 숙달이 되면 출력을 높여 빨리 절개할 수 있다. 레이저 절개는 펄스파로 하여야 열손상이 적으며 연속파로 지혈을 목적으로 사용한다.

레이저로 절개하기 전에 종이나 설압자에 레이저로 선을 두세 번 그어 레이저 출력을 점검하고 절개선을 똑바로 긋는 것을 연습한다. 가이드 레이저 빔이 원하는 절개부위에 일치하게 하고 레이저 팁을 피부에 닿게 하여 준비가 되면 발판 스위치를 눌러 절개를 시작한다. 안검 피부를 조수와 같이 팽팽하게 유지하면서 절개를 진행하는데, 피부가 절개되면 벌어지게 되는데 적당한 속도로 옆으로 옮기며 절개를 한다. 레이저 빔이 한 곳에 머물 경우 그 곳에만 깊게 되어 안검이 천공이 될 수 있으므로 절개가 되면 레이저 빔을 옆으로 옮겨 선을 긋는 것처럼 절개를 한다.

피부 절개를 한 후 일부 안륜근을 포함하여 피부와 피하지방, 안륜근을 한 조각으로 절제할 수 있다. 레이저 절개로 출혈이 되면 레이저 팁을 몇 cm 띄어 defocusing을 하면 지혈을 할 수 있으며 좀 더 큰 혈관(arteriole) 출혈이 있는 경우는 전기소작기로 지혈을 한다. 특히 안검의 내측과 외측에서 안륜근 절제시 출혈이 잘 되는데 레이저를 사용하면 출혈 없이 효과적으로 절개할 수 있다. 안륜근을 절제하고 노출된 안검 격막(septum)의 일부를 열어 안와 지방을 노출시키고, 보이는 혈관을 미리 레이저로 지혈할 후 적당한 양의 안와 지방을 제거한다. 안와 지방이 많아 눈꺼풀이 퉁퉁하게 보이는 경우(baggy eyelid)는 안검 격막의 앞부분을 전부 절개하여 안와 지방이 내려오게 한 후 필요한 만큼의 안와 지방을 제거한다. 안와 지방을 과도하게 제거할 경우 눈이 들어가 보이거나(sunken eye-

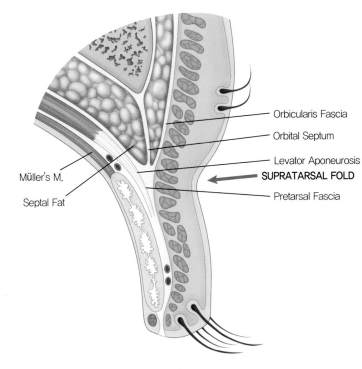

그림 15-9. 상안검의 구조

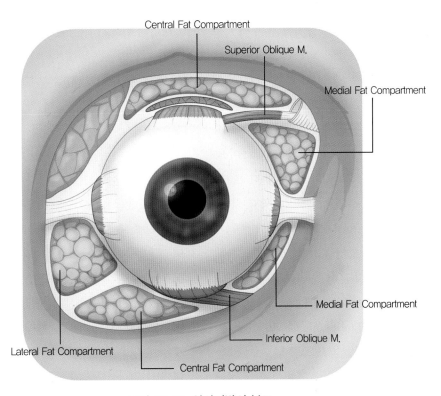

그림 15-10. 안와지방의 분포

lid) 쌍꺼풀의 선이 예상과 달리 높아지거나 여러 선이 생길 수 있으며 또한 이차 교정 수술이 매우 어렵게 된다. 과도한 안와 지방 제거를 피하기 위하여 지방을 당겨 내리지 말고 저절로 내려오는 정도의 안와 지방만 절제를 해야 한다. 레이저로 조직을 절제할 때는 반드시 뒤편에 레이저 보호기구(Jaeger bone plate 등)를 위치시켜 뒤편에 예상하지 못한 화상이나 레이저 피해를 피해야하겠다.

쌍꺼풀을 만들기 위해서 보통 하는 것처럼 안검 거근막(levator aponeurosis)이나 검판(tarsal plate)과 안검 피부를 봉합하여 고정한다. 안검거근막과 피부의 봉합(levator aponeurosis-dermis suture)은 눈을 뜰 때 쌍꺼풀 선이 말려 올라가는 효과가 좋으나 시간이 지나면서 안검거근막이 느슨해지면서 쌍꺼풀 선이 얕아 지거나 풀리는 경우가 있다. 안검 검판과 피부를 봉합하는 경우(tarsal plate – dermis suture)에는 쌍꺼풀 선이 말려 올라가는 효과는 적지만 쌍꺼풀 선이 풀어지는 것이 적다. 또한 눈꺼풀이 두껍고 지방이 많은 경우 쌍꺼풀이 풀어지는 경우가 많다. 쌍꺼풀 선은 밑의 고정부위와 피판의 진피 사이에 6-0 정도의 가는 비흡수성 또는 흡수성 봉합사로 3곳에서 5곳 봉합하여 고정한다. 환자를 눈을 뜨게 하여 양측의 대칭과 속눈썹의 외반 정도를 살핀다. 너무 높이 고정하거나 봉합 시 긴장을 너무 세게 한 경우에는 속눈썹 외반(eyelash ectropion)이 심해져 수술 후 예상보다 쌍꺼풀이 높게 되거나 퉁퉁하게 부어보이게 되므로 다시 풀어 봉합을 조정한다. 대칭을 확인하고 피부를 6-0의 가는 비흡수성 봉합사로 연속 봉합한다. 안구 보호구를 제거하고 안연고를 바른 후 차가운 얼음 거즈로 덮어준다. 특별한 드레싱 없이 상처를 개방하며 하루 정도 얼음찜질을 하게 한다. 얼음찜질은 부기와 출혈, 통증

을 줄여 환자가 편하게 느끼게 된다. 봉합사의 제거는 수술 후 5일경 한다.

안검하수증(blepharoptosis)의 안검성형술도 레이저로 할 수 있다. 안검거근막을 단축(shortening of levator)시킬 경우 레이저를 사용할 수는 있지만 안검거근과 뮬러근(müller)을 결막으로부터 박리할 때는 레이저만으로 박리하는 것은 위험하므로 안검거근과 뮬러근의 내측과 외측에 공간을 만든 후 가위로 결막과 박리한다. 결막을 젖은 면봉이나 견인기로 보호한 후 안검거근과 뮬러근을 레이저로 절개하면 출혈 없이 깨끗이 절단하며 안검거근과 뮬러근을 단축시켜 검판의 상연에 비흡수성 봉합사로 고정시킨다.

다) Y-W형 내안각췌피 성형술 (epicanthoplasty)

내안각췌피(epicanthal fold)가 있는 경우는 저자의 방법인 "Y-W형 내안각췌피 성형술"을 시행하고 있다. 내안각췌피는 어린아이들 눈꺼풀에 흔히 있으며 나이가 들면서 없어지는 경우가 많다. 성인에서 내안각췌피가 있으면 눈이 답답해 보이고 짧아 보이며(short horizontal palpebral fissure) 눈과 눈 사이가 멀어져 보인다(ICD; intercanthal distance의 증가). 내안각췌피가 있는 경우 쌍꺼풀 수술을 하면 내측에 쌍꺼풀선이 덮혀 보이지 않으며 쌍꺼풀 선이 가운데서 내측으로는 급격한 경사로 내려와 부자연스럽게 된다. 내안각췌피성형의 저자 방법은 그림 15-16과 같이 내안각췌피선 내측으로 "Y"자 형태로 절개하고 안쪽으로는 수평으로 절개한다. 각 변은 2-3mm로 하며 레이저나 11번 메스로 피부절개를 한다. 내안각췌피가 있는 경우 안륜근이 내안각에서 몰려 딱

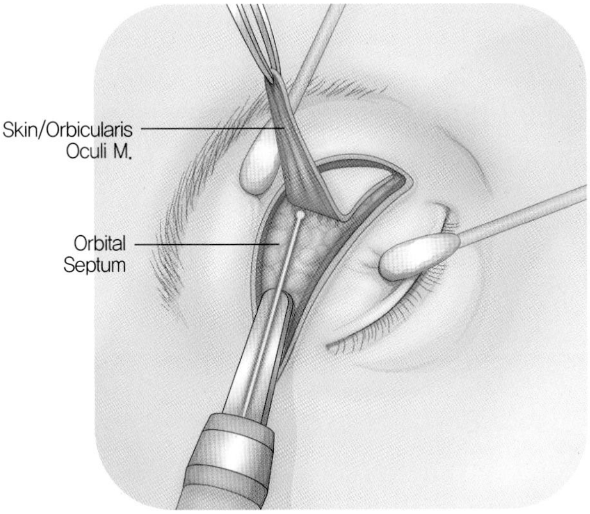

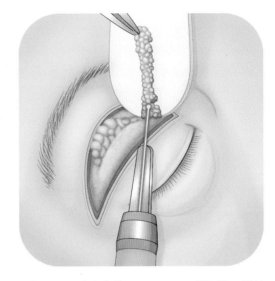

Skin/Orbicularis Oculi M.

Orbital Septum

그림 15-11. 레이저로 피부 절개를 하고 안검피부와 안륜근을 함께 절제하는 모습

그림 15-12. 안와격막(orbital septum)을 열고 안와 지방을 제거하는 모습

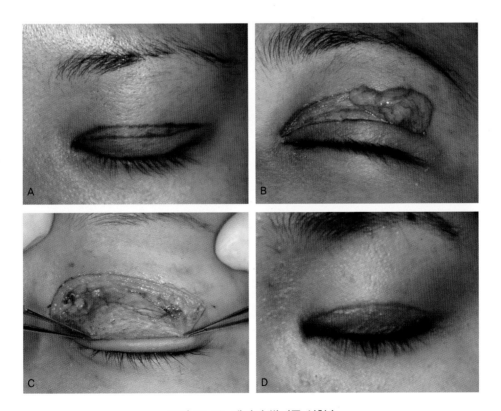

그림 15-13. 레이저 쌍꺼풀 성형술

A) 쌍꺼풀 수술 디자인, B) 피부, 안륜근, 안검 격막 절개 후 모습, C) 안와 지방 제거 후 안검거근이 노출된 모습, D) 일시적인 붉은색의 수술 자국.

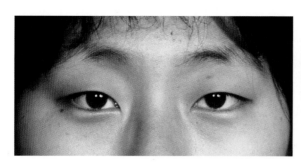
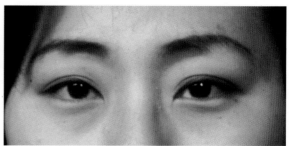

그림 15-14. 레이저 쌍꺼풀 수술 전후 모습

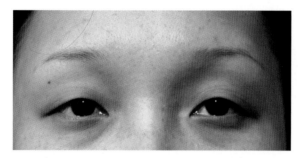
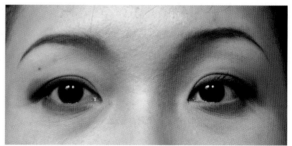

그림 15-15. 레이저 쌍꺼풀 수술 전후 모습

그림 15-16. 저자의 Y-W형 내안각췌피성형술(Y-W epicanthoplasty) 도안 방법

딱한 섬유성 조직을 형성하는데 레이저로 이 부위를 레이저로 절개하면 출혈 없이 효과적으로 분리되고 안륜근이 내안각 부위에서의 당기는 긴장도를 없애 내안각췌피 변형을 교정하게 된다. 절개부위의 "Y"자 피판 첨부를 깊게 골막이나 내안각건(medial canthal tendon)에 봉합하여 고정하면 봉합부에 긴장도를 없애고 봉합후 흉이 벌어지는

것을 예방하여 내안각췌피 성형을 유지하게 된다. 내안각에서 절개부를 봉합하면 결과적으로는 "W"자 형태로 봉합하게 된다. 봉합시 "W"자 하부에 삼각형 형태의 피부 여유는 제거하는 것이 좋으나 상부의 피부 여유는 창상 치유 후 당길 수 있으므로 제거를 거의 하지 않고 그대로 두는 것이 좋다.

Y-W 내안각췌피술은 Z-plasty 효과로 수평적

으로 여유가 있는 조직을 줄이고 수직적으로 부족한 조직을 늘려주는 결과를 나타내기 때문에 안검성형술후 긴장으로 인한 비후성 반흔과 구축현상을 해소하고 쌍꺼풀 선이 자연스럽게 된다.

내안각췌피 성형을 하면 눈의 가로 폭(horizontal palpebral fissure)이 1.5-2mm 넓어지고 눈 사이 거리(ICD)가 3-4mm 좁아져 눈이 커 보이고 시원하게 보이게 된다. 내안각췌피 수술부위

반흔은 긴장도 없이 봉합하면 1-2개월에 희미하게 되어 눈에 띄지 않게 된다(그림 15-17, 15-18, 15-19).

라) 레이저 쌍꺼풀 성형 수술의 효과

레이저로 쌍꺼풀 성형술을 할 경우 결과는 메스로 한 것과 별 차이가 없지만 수술시 출혈이 없어

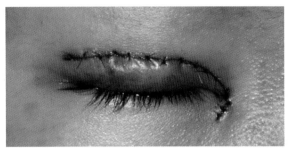

그림 15-17. Y-W형 내안각췌피성형술 디자인과 봉합 직후의 모습

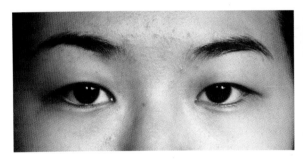

그림 15-18. Y-W형 내안각췌피성형술 전후 모습

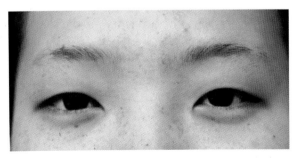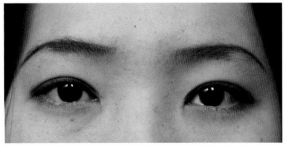

그림 15-19. Y-W형 내안각췌피성형술 전후 모습

시야가 깨끗하며, 수술 후 부기와 통증이 적어 회복이 다소 빠른 장점이 있다. 수술시간도 처음에는 레이저 세팅에 시간이 걸리지만 숙달되면 기구를 바꿀 필요가 없기 때문에 수술시간도 약간 단축된다. 레이저로 절개한 피부는 처음에는 붉은 색을 띄지만 점차 희미해져 3-4주 내에는 없어지게 되며 수개월 후 수술 반흔은 메스와 구분하지 못할 정도로 반흔은 희미하게 남게 된다. 저자의 경험에서 쌍꺼풀이 풀리는 경우는 메스로 수술한 경우보다 적은 편이었다.

III. 노인성 안검 성형술

1. 레이저를 이용한 노인성 상안검성형술(aging upper blepharoplasty)

레이저 노인성 상안검성형술의 준비와 수술 과정은 레이저 쌍꺼풀 수술과 비슷하겠다. 노인성 안검은 안검과 눈썹의 처짐과 주름을 동반하기 때문에 이를 고려한 피부 및 근육 절개를 해야 하겠다. 환자가 앉은 자세에서 늘어진 정도를 가는 핀이나 겸자로 살짝 잡아보아 절제할 부위를 측정하고 절개할 선을 마킹한다. 노인성 안검에서는 눈꺼풀이 늘어지는 것이 내측보다는 외측이 많으며 이는 눈썹이 늘어진 영향을 받기 때문이다. 젊은 사람의 눈썹은 일정하게 내측과 외측이 같은 높이가 아니라 눈동자 외측(lateral limbus)부위가 가장 높으며 내측과 외측이 내려오는 곡선을 그리게 된다. 그러나 중년 이후에는 눈썹의 외측이 내측보다 많이 내려오게 된다. 그러므로 상안검의 절제할 부위도 내측보다는 외측을 많이 절제하게 된

다. 고령인 경우 눈꺼풀이 많이 늘어져 특히 외측인 외안각(lateral canthus)부위가 많이 덥히며 그로인하여 이 부위에 염증이 잘 생겨 불편을 많이 호소한다. 노인에서 눈꺼풀이 덮혀 앞이 잘 안 보이는 경우 눈썹을 손으로 올리면 시원하게 잘 보인다고 느낀다.

상안검의 피부 절제 선을 표시할 때 내측은 절제 폭을 적게 하고 외측을 좀 더 넓게 디자인을 한다. 환자가 노령일수록, 늘어진 정도가 심할수록 절제 폭을 넓히고 절개선도 좀 더 외측으로 연장하는데 절개선의 가장 외측이 눈썹의 외측보다 넘지 않도록 디자인한다. 내측 안검 피부를 많이 절제할 경우 수술 후 내측 피부의 긴장도가 있어 피부가 울고 당기는 현상(dog ear, tenting)과 주름이 많아지고 비후성 반흔이 생길 수도 있다. 또한 쌍꺼풀 선이 예상과 다르거나 높아 보여 부자연스럽게 되므로 안검의 내측 피부를 많이 절제하지 않도록 한다. 레이저로 절개할 경우 피부와 그 밑의 안륜근까지 한꺼번에 같이 눈으로 보면서 절개를 하고 피부, 피하지방, 안륜근을 한 조각으로 절제할 수 있다. 절제부위의 출혈은 레이저 팁을 거리를 띄워 defocusing하여 지혈을 한다. 절개부의 외측 안륜근을 삼각형 형태로 추가로 절제하는 것이 노화의 특징적인 까마귀 발 형태의 눈가주름을 해결할 수 있어 좋다. 안륜근을 절제할 때 출혈이 많기 때문에 레이저로 절제하는 것이 출혈이 적어 깨끗하고 수술 후 부기와 반상출혈이 적다. 안륜근 절제 후 안검막 밑의 안와지방을 추가로 제거할 수가 있는데 일반적으로 나이가 들면 안와 지방이 줄어들어 눈꺼풀이 꺼지고 들어가 보이며(sunken eyelid) 이런 형태로 안와 골격이 보일 때 더 늙어 보이게 된다. 노인성 안검에서 눈이 들어가 보이면 지방이식을 할 필요가 있기 때문에 노인성 상안검성형

술에서 안와지방을 제거하는 경우는 별로 없다. 나이가 들수록 눈이 더 들어가 보이게 되므로 눈꺼풀이 아주 두꺼운 baggy eyelid 외에는 안와지방을 제거할 필요가 없겠다.

노인성 안검은 외측이 내려온 정도가 많고 수술 후에도 외측이 덮히며 쌍꺼풀이 있는 경우도 외측에서 쌍꺼풀이 묻혀 끊기어 부자연스럽게 보이므로 외측안검을 더 올려 줄 필요가 있다. 봉합시에 이를 해소하기 위하여 외안각부의 안륜근을 안와피막에 봉합하여 올려서 고정하면 안검 외측이 떨어지는 것을 교정하고 자연스러운 눈꺼풀 모양을 만들 수 있다.

노인성 상안검 성형술에서는 가급적 쌍꺼풀을 새로 만들지 않는 것이 좋으며, 전에 쌍꺼풀 선이 있는 경우는 그 선에 맞추어 늘어진 안검 조직만을 제거하는 것이 자연스러운 모양이 되겠다. 노인성 안검에서 새로 쌍꺼풀을 만들 경우 젊은 사람과 달리 쌍꺼풀 아래 피부가 퉁퉁한 모양이 되어 매우 부자연스럽기 때문에 가급적 쌍꺼풀을 만들지 않는 것이 좋겠다. 그러나 노인성 안검에서 눈썹이 말려들어 찔리는 안검내반증(entropion)이 있는 경우는 쌍꺼풀을 만드는 것이 좋으며 이때에도 가급적 쌍꺼풀 선을 낮게 하는 것이 모양이 자연스럽고 수술 후 인상이 변하지 않아 바람직하다.

노인성 상안검 성형술에서 절개선 위의 피부를 동시에 레이저 박피를 할 수 있으며 이런 경우 절개선 위의 잔주름도 동시에 개선하는 효과를 얻을 수 있다. 상안검 성형술을 메스로 하고 난 후에도 절개선 위나 내측에 주름을 호소한다면 레이저 박피를 하여 개선을 할 수 있다. 노인성 안검에서 눈썹이 내려와 눈꺼풀 처짐이 심한 경우는 상안검 성형술 만으로 해결이 안 되기 때문에 눈썹을 올리는 이마성형수술을 할 필요가 있다. 상안검 성형술 후

에 미간과 콧등의 주름이 많아졌다고 환자가 호소하는 경우가 있는데 이는 수술 전에는 눈꺼풀이 처지기 때문에 눈썹을 습관적으로 올렸으나 수술 후에는 눈꺼풀 처짐이 없어져 눈썹을 일부러 올리지 않기 때문이며, 이를 환자에게 설명하여 이해시켜야 하겠다. 또한 노인성 상안검성형술 후 가끔 눈 뜨는 것이 불편하다고 호소하는 경우가 있는데 이는 수술로 처진 눈꺼풀을 올려주어 각막과 결막의 노출이 많아지고 중년이후 흔히 있는 안구건조증이 심해지며 눈이 부셔서 이런 자극 때문에 눈을 잘 못 뜨고 찡그리는 경우가 있다. 환자를 잘 이해시키고 인공눈물을 자주 넣게 하며 필요시 안과 의사에게 의뢰하여 도움을 받을 수 있다.

레이저 상안검 성형술의 결과는 메스로 한 것과 별 차이는 없지만 출혈과 부기가 적은 장점이 있고 상안검의 레이저 박피를 동시에 할 수 있는 장점이 있다.

2. 레이저를 이용한 노인성 하안검성형술(lower blepharoplasty)

하안검의 노화현상에 의해 눈꺼풀의 주름이 늘어나고 잔주름 뿐 아니라 주름이 웃을 때 더 심해지고 눈가 주름도 더 뚜렷해진다. 젊어서는 편편하던 아래 눈꺼풀이 불룩 쳐지게 되어 뺨과 하안검 사이 골이 형성되며(infraorbital groove 또는 nasojugal fold), 환자들은 다클 서클이 생겼다고도 하며 심술보처럼 보인다고 하여 수술을 원하게 된다. 이런 하안검의 노화현상은 안륜근이 피부와 유착되어 주름이 생기며, 팽팽하던 안륜근이 긴장도가 떨어지고 또한 안와지방을 싸고 있는 안와격막이 느슨해지면서 안와지방이 아래로 내려와 불

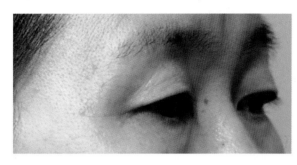
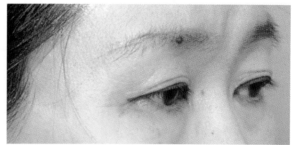

그림 15-20. 레이저 상안검 성형술과 레이저 박피를 병행한 경우의 수술 전-후 모습

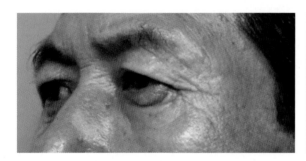

그림 15-21. 레이저를 이용한 노인성 상안검 성형술과 레이저 박피 전-후 모습

룩하게 튀어나와 보이게 된다. 일부 노인에서는 안륜근이 약해져 노인성 안검외반증(senile ectropion)을 초래한다. 안륜근 긴장도가 약한 경우에 수술 후 안검외반증을 잘 초래하며, 수술전에 반드시 하안검 탄력을 검사하는데 손가락으로 안검을 잡았다 놓아 안구에 부착하는 정도(snap back test)를 관찰하여야 한다.

노인성 하안검에서 치료는 주름지고 늘어진 피부, 탄력 없는 안륜근, 밀려나온 안와지방, 안와주름의 개선에 목표를 두어 수술하게 된다. 주름지고 늘어진 피부는 아래 속눈썹 2-3mm밑에서 절개하여 피부 피판을 거상하여 여분의 피부를 절제하고 봉합하면 된다. 다른 방법으로는 레이저 박피를 하여 피부의 잔주름을 치료하고 피부 탄력을 증가시킨다. 안륜근이 탄력없어 늘어진 경우 안륜근을 외안각(lateral canthus)의 2mm 상방 안와 골막에

고정하여 외상방으로 올려준다. 안와지방이 나온 경우 피부절개나 결막 절개를 통하여 안와지방의 여분을 제거할 수 있다. 안와주름은 안와지방을 제거하거나 일부 안와지방을 골진 안와부에 넣어 주어 아래 눈꺼풀을 편편하게 할 수 있다. 비교적 젊은 나이에 안와 지방이 나와 보이는 경우는 결막을 통한 안와 지방을 제거함으로써 편편하게 하지만 중년이후 피부와 안륜근 탄력이 없는 경우는 피부절제와 안륜근 외안각성형술(lateral canthoplasty)를 병행하여야 하안검을 편편하게 할 수 있다.

레이저를 사용하면 결막을 통한 안와지방제거를 쉽게 할 수 있으며, 또한 피부 잔주름이 있는 경우 레이저 박피를 병행하여 하안검을 편평하게 할 수 있다.

노인성 하안검성형술에서 레이저로 피부-근 피판을 레이저로 거상할 수 있지만 안검 피부는 얇

기 때문에 피부만의 피판을 거상 할 수는 없겠다. 레이저로 피부-근 피판의 하안검성형술을 하는 것은 메스로 하는 것과 마찬가지로 속눈썹 아래 2-3mm 아래 절개를 하고 검판 앞의 안륜근을 5mm 정도는 보존해야 하겠다. 하안검 가장자리를 봉합사로 걸어 위로 견인한 상태에서 조수가 하안검을 아래로 팽팽하게 당긴 상태에서 레이저로 절개하여 안륜근 과 밑의 안와 결막사이를 박리한다. 피판을 거상하고 안와막을 절개한 후 보이는 혈관은 레이저로 지혈한 후 안와지방을 절제한다. 이때, 안와지방을 당겨서 과도하게 안와지방을 제거하지 않도록 한다. 안와주름이 뚜렷한 경우 절제한 안와지방을 골진 부위에 넣어줄 수도 있으며, 안와지방을 제거하지 않고 안와격막을 열어 늘어지는 안와지방을 골진 부위에 고정하여 편평하게 할 수 있다. 노출된 안륜근을 레이저로 조사하면 근육이 수축하므로 레이저로 안륜근을 좀 더 팽팽한 상태로 만들 수 있겠다. 하안검 피부를 적당하게 절제하고 긴장 없이 봉합한다. 환자가 눈을 크게 뜨거나 입을 벌리게 하여 안검이 긴장을 받아 외반되는지를 확인한다. 안륜근이 느슨한 경우 안륜근을 안와 외상방 측에 고정을 한다.

수술 결과는 메스로 한 경우와 비슷하지만 레이저로 할 경우 안륜근을 좀 더 팽팽하게 하는 효과가 있겠다. 노인성 하안검에서 레이저는 피부-근 피판으로 하안검성형술에 사용할 수 있으며, 하안검에 레이저 박피를 하면 피부를 수축시키고 잔주름을 개선할 수 있다. 또한 결막을 통한 안와지방 제거를 쉽게 할 수 있다. 하안검 피부 절제 대신에 하안검의 레이저 박피와 레이저를 사용한 결막을 통한 안와지방제거가 대표적인 병행방법이 되겠다.

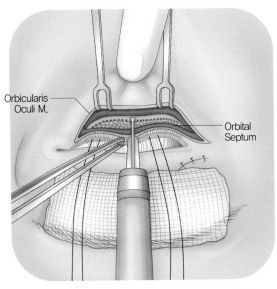

그림 15-22. 하안검성형술에서 피부-안륜근 피판 (skin-muscle flap)의 거상 모습

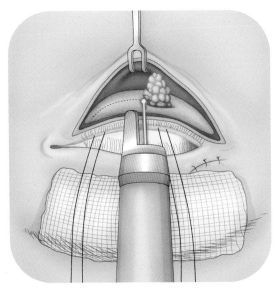

그림 15-23. 레이저로 하안검 안와격막(orbital septum)을 절개하고 안와지방(orbital fat)을 제거하는 모습

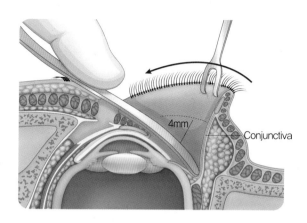

그림 15-24. 결막(conjunctiva)을 통한 안와 지방의 절개 부위

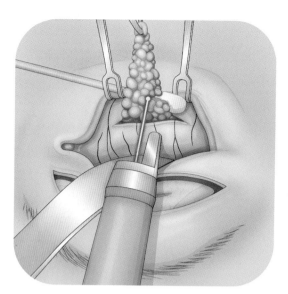

그림 15-25. 레이저로 하안검 안와 지방을 지혈하면서 절제하는 모습

3. 다크서클에서 결막을 통한 하안검 안와지방제거 (transconjunctival fat removal)

눈 밑이 그늘져 보인다는 다크서클은 환자마다 다른 증상을 보일 수 있으며 나이에 따라 다른 현상을 보일 수 있다. 젊은 사람에서는 피부나 근육, 지방의 처짐 없이 검게 보일 수 있으며 이런 경우 색소치료용 레이저나 하안검 성형술보다 우선 미백제를 포함하는 스킨케어를 권하는 것이 좋다. 젊은 사람에서는 안와주름이 아니라 피부색이 검은 경우가 많으며 안와지방의 노출이 없기 때문에 하안검 성형술이 필요하지 않고 또한 기미 등을 치료하는 색소치료용 레이저도 시술 후 과민 반응으로 색소침착이 과하게 나타나 오히려 더 검게 보일 수 있기 때문이다.

30세 전후에 피부의 잔주름은 없이 안와지방이 약간 나와 보이는 경우는 결막을 통한 안와지방 제거는 거의 좋은 적응증이며 레이저를 이용하면 쉽고 편리하게 할 수 있다. 안와지방의 돌출 정도는 환자의 눈을 감게 하고 손가락으로 안구를 살짝 눌러보면 안와지방이 밀려나오는 것으로 알 수 있으며, 또한 눈을 뜬 상태에서 손가락으로 하안검 피부를 아래로 당겨보면 눈꺼풀 속으로 결막에 불룩 나오는 지방을 보아 안와지방 양을 알 수 있다.

레이저로 안와지방을 제거할 때 마취 안약을 넣고 안구보호구를 삽입한 다음 결막을 통하여 국소마취를 한다. 하안검 안쪽에 Jaeger bone retractor를 넣어 안구를 보호하고 조수가 하안검 피부를 아래로 약간 당긴 상태에서 안검 변연부에서 4-5mm 아래 부위 또는 검판 하단의 2mm 아래에 레이저로 절개를 한다. 더 아래부위로 들어가면 수평으로 지나는 비교적 큰 혈관들을 만나 출혈이 심하며, 또한 inferior oblique muscle의 손상을 초래할 수 있으므로 더 아래로 들어가지 않도록 조심해야 한다. 결막을 절개한 후에 capsu-

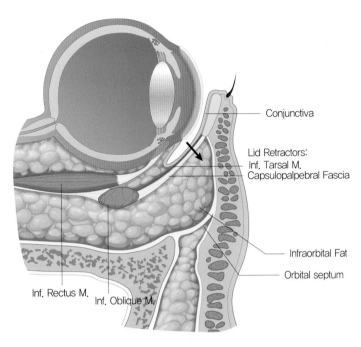

그림 15-26. 하안검의 구조와 결막을 통한 지방 제거 경로(화살표)

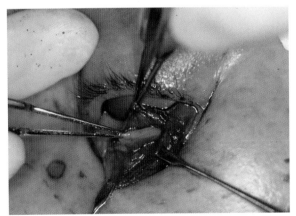 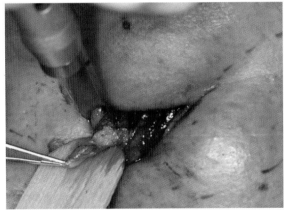

그림 15-27. 레이저를 이용하여 결막을 통한 안와 지방 제거 방법

loplapebral fascia와 lid retractor를 열어야 안와 지방에 도달할 수 있겠다.

안와 지방을 너무 심하게 당길 경우 안와 지방을 과대하게 절제하게 되므로 하안검을 약간 누른 상태에서 나오는 지방만을 제거하도록 한다. 보이는 혈관을 레이저로 미리 지혈하고 안와 지방을 절제

하며 반대편에 보호기로 조직을 보호하여 예상치 못한 조직 손상을 피해야 하겠다. 하안검의 지방 은 세 곳으로 가장 내측 지방이 뽑기 어렵고 간혹 큰 혈관 때문에 출혈이 심한 경우도 있어 조심을 요하게 된다. 내측 지방은 다른 지방보다 약간 흰 색을 띄게 된다. 출혈이 없는지 확인하고 안검을

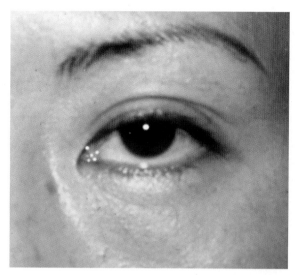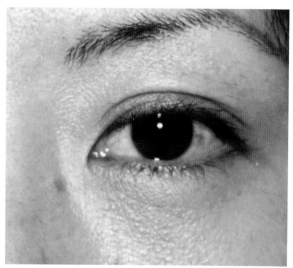

그림 15-28. 레이저를 이용하여 결막을 통한 안와 지방 제거 전후 모습

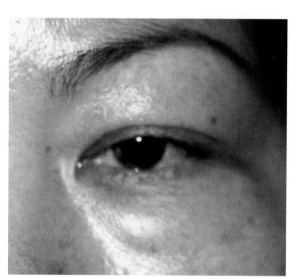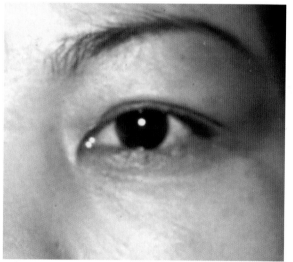

그림 15-29. 레이저를 이용하여 결막을 통한 안와 지방 제거 전후 모습

제 위치로 돌린 다음 하안검 형태를 확인하는데 이때 눈이 부분적으로 너무 들어간 경우는 지방제거가 과한 상태로 떼어낸 지방 일부를 다시 넣어 주어 편평하게 만든다. 결막의 절개부는 흡수성 봉합사(6-0 chromic)로 연속 봉합하기도 하지만 봉합하지 않아도 창상치유에 문제는 없어 봉합하지 않는 의사도 많다. 수술 후 약 1-2 주일 동안 항생

제를 포함하는 안약(Tarivid 등)을 하루에 수회 점안하도록 한다.

피부가 늘어지지 않고 하안검에 안와지방이 불룩한 비교적 나이가 많지 않은 경우에는 결막을 통한 지방제거만으로 만족할 만한 결과를 얻을 수 있으나 피부에 탄력이 없거나 잔주름이 꽤 있는 경우는 레이저 박피를 동시에 병행하여야 효과적인

결과를 얻을 수 있다.

노인성 안검에서 레이저 박피술, 레이저 상안검 성형술, 레이저 하안검성형술, 결막을 통한 지방 제거를 병행하여 할 수 있다. 그러나 레이저로 하 안검성형술(피부-근 피판술)을 한 경우에 레이저 박피를 동시에 시행하면 안검 피부의 혈액 순환장 애로 안검피부괴사나 안검 외반증을 초래할 수 있 으므로 동시에 시행하는 것은 위험하고 2-3개월 의 간격을 두고 하는 것이 안전하다.

◆ 참고문헌

1. Park SH: CO2 laser resurfacing and skin care for Asians. Perspectives in Plast Surg, 13:37, 1999

2. Kang DH, Koo SH, Choi JH, Park SH; Laser blepharoplasty for making double eyelids in Asians. Plast Reconstr Surg, 107: 1884, 2001

3. Kang DH, Choi JH, Koo SH, Park SH; Laser blepharoplasty in Asians. Ann Plast Surg, 48: 246, 2002

4. Seckel BR: Laser blepharoplasty with transconjuctival orbicularis muscle/septum tightening and perioocular skin resurfacing: A safe and advantageous technique. Plast Reconst Surg, 106; 1127, 2000

5. Jelks GW, Jelks EB: Preoperative evaluation of the blepharoplasty patient. Bypassing the pitfall. Clin Plast Surg 20: 213, 1993

6. Morrow DM, Morrow LB; CO2 laser blepharoplasty: A comparison with cold-steel surgery. J Dermatol Surg Oncol, 18: 307, 1992

7. Trelles MA, Baker SS, Tin J, Toregard BM; Carbon dioxide laser transconjunctival lower lid blepharoplasty complications. Ann Plast Surg, 37: 465, 1996

8. Mele JA III, Kukick MI, Lee D: Laser blepharoplasty: Is it safe? Aesthetic Plast Surg, 22: 9, 1998

9. Weinstein C: Ultrapulse carbon dioxide laser removal of periocular wrinkles in association with laser blepharoplasty. J Clin Laser Med Surg, 12: 205, 1994

10. Fitzpatrick RE, Rostan EF, Marchell N: Collagen tightening induced by carbon dioxide laser versus erbium:YAG laser. Lasers in Surg and Med, 27:395, 2000

11. Roberts BM III: The emerging role of laser resurfacing in combination with traditional aesthetic facial plastic surgery. Aesthetic Plast Surg, 22: 75, 1998

12. Stuzin JM, Baker TJ, Baker TM, Kligman AM; Histologic effects of the high pulsed CO2 laser on photodamaged facial skin. Plast Reconst Surg, 99: 2036, 1997

13. Ramirez OM, Pozner JN; Laser resurfacing as an adjunct to endoforehead lift, endoface lift, and biplanar facelift. Ann Plast Surg, 38: 315, 1997

14. Rosenberg GJ, Brito MA Jr, Aportella R, Kapoor S; Long-term histologic effects of the CO2 laser. Plast Reconstr Surg, 43: 2239, 1999

15. Kligman AM, Willis I; A new formaula for depigmenting human skin. Arch Dermatol, 111: 40, 1975

16. Weinstein C; Carbon dioxide laser resurfacing: long-term follow-up in 2123 patients. Clin Plast Surg, 25: 109, 1998

CHAPTER 16

레이저 지방성형술

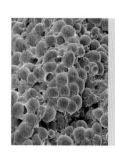

레이저 지방성형술
Laser Liposuction and Lipoplasty

CHAPTER 16

박 재우

I. 서론

1. 레이저 지방성형(Laser lipoplasty) 이란?

지방흡입술은 지난 수십 년간 꾸준한 관심과 발전을 거듭하여 이제 성형외과의 큰 부분이 되었다. 이러한 지방흡입의 증가는 식습관의 변화와 생활습관의 서구화로 인하여 동양인 등에게 있어서 비만이 증가한 것이 하나의 원인이 될 수가 있으며 사회문화적인 변천과 더불어 비만에 대한 인식의 차이가 그 원인 중 큰 부분을 차지하고 있다. 요즘은 더욱 날씬한 몸매를 원하여 여러 가지 체형관리 시술과 더불어 지방흡입으로 이어지는 경우가 많다. 이러한 지방흡입술의 증가와 발전은 이에 사용되어지는 기구들의 발전에 의하여 더욱더 빨라졌으며 회복기간도 짧아져 과거에 비해 수술 기법과 결과의 상당한 발전을 이루어왔다. 즉, 과거의 고식적인 지방흡입기뿐만 아니라 초음파를 이용하거나, 물을 이용하거나, 진동을 이용하거나 레이저를 이용한 많은 기구들이 소개되고 발달되어 왔다. 이러한 노력은 지방흡입에 필요한 시간과 노력을 줄일 뿐 아니라 지방성형술로 초래될 수

있는 많은 부작용을 줄이고 회복을 촉진시켰다. 이 외에 일반적인 지방흡입으로도 개선되지 않는 늘어진 피부의 탄력도 회복시킬 목적으로 발전되어 왔다. 여러 가지 기구들이 소개되었지만 최근에는 레이저를 이용한 지방성형술이 점차 증가하고 있는데 이는 일반적인 지방흡입에 사용함에 있어서 빠른 회복과 좋은 결과를 보일 뿐 아니라 과거에 흡입하기 힘들었던 얼굴과 목 주변부의 지방과 병적인 상황에서 부피의 감소나 치료에도 응용될 수 있어서 그 사용이 점차 늘어나고 있다. 이는 특수한 파장대의 레이저를 이용하여 직접 지방을 녹여 내고 흡입을 함으로서 쉽고 안전하게 지방을 흡입할 수 있게 되었고 또한 출혈을 줄이고 피부 굴곡을 피할 뿐 아니라 피부의 탄력도 회복시켜주며 얼굴이나 목 같은 부분에서도 섬세한 지방 성형을 할 수 있게 되었다.

지방성형 분야에 있어서 레이저의 이용은 그 역사가 짧고 또한 초기에는 보조적인 도구로 사용되어 왔다. 이러한 레이저 지방성형술은 1994년 펄스파 엔디야그 레이저를 이용한 지방성형술이 처음 소개된 이후 먼저 유럽과 중남미 지역에서 주로 체부의 대용량지방흡입 수술 시 사용되어 왔다. 2006년 미국에서 FDA 승인을 받은 후 보다 많은

지역에서 사용되었고 최근 급속한 발전을 이루었다. 최근 지방성형술에 사용되는 레이저로는 다양한 파장대의 다이오드와 엔디야그 레이저가 있다.

초기 지방성형 목적의 1064 nm 엔디야그 레이저는 낮은 효율과 저출력으로 인해 임상적인 효과가 미미하였으며, 이후 좀 더 높은 에너지 출력과 효율을 낼 수 있는 다이오드 레이저가 소개되어 사용되었다. 하지만 이는 지방세포에 대한 선택성이 낮아 안전성의 문제로 널리 사용되지는 못하였으며 더욱 에너지 효용성이 뛰어나고 지방세포에 선택적인 레이저가 필요하게 되었다.

2. 레이저 지방흡입술의 기전

레이저를 이용한 지방성형술은 국소 부위에 마취제를 침윤하고 작은 바늘 구멍으로 광섬유를 삽입하여 펄스파 레이저를 조사해 지방을 녹인 후 주사기나 일반 지방흡입기를 이용하여 녹아있는 지방세포와 여분의 남아있는 지방조직을 흡입해 내는 것이다. 이때 피부 탄력을 증가시키기 위하여 피부 아래 진피층에 레이저를 직접 조사함으로써 진피층의 콜라겐섬유를 수축시키고 재생시켜 피부의 탄력을 회복시키기도 한다. 이러한 레이저 시술은 그 안전성과 그 효용에 대하여 미국 FDA의 승인을 획득했으며 이에 대한 이용이 더욱 많아지고 있는 추세이다.

레이저를 지방세포에 조사하면 지방세포가 에너지를 흡수해서 부피가 팽창한 후 지방세포가 터지게 된다. 이러한 레이저를 실험적으로 한 곳에 지속적으로 주사했을 때 지방세포파괴로 인해 중심부는 비가역적 조직변성(조직괴사분해) 부분이 발생하고, 그 주변으로 가역적인 조직변성이 일어난다. 특히 레이저의 파장이 길어질수록 많은 변성이 일어나게 된다고 한다. 이러한 변화가 일어나는 기전은 명확하지 않다. 하지만 최근 연구에 의하면 광역학적인 파괴 작용(photomechanical or photoacoustic)과 선택적 광열분해 작용(selective photothermolysis)이 주된 기전으로 여겨지고 있으며, 두 가지 작용의 독자적인 작용보다는 둘 다 같이 작용하는 것이 아닌가 추정된다. 하지만 레이저의 특성상 파장의 폭이나 연속파인지 단절파인지에 따라 그 작용 중 한 가지가 우선하며 다른 작용은 부수적인 작용을 가진다고 하겠다.

펄스파 레이저를 사용할 때 두 가지의 파라미터를 고려해야 한다. 첫째는 파장의 길이(wavelength)이며 다른 하나는 에너지의 크기(peak power)이다. 각 조직의 특성에 따라 작용하는 파장의 길이가 다른데 이는 레이저의 특성상 레이저가 작용할 수 있는 발색단(chromophore)를 가지고 있는지 아닌지에 따라 작용이 달라지는 것이다. 레이저 파장에 따라 작용하는 발색단이 달라지기 때문이다. 예를 들어 펄스파 1,064nm 엔디야그 레이저는 물과 지방에 대해 선택적인 흡수 파장을 가지지만 flash-lamp pump 방식에 의한 에너지의 생성은 최대 6 W 정도의 에너지만을 생산할 수 있는 한계로 인해 효율이 수 % 이내로 아주 낮으며 임상적인 효과가 적어 널리 사용되지 못했다. 반면에 연속파(CW) 980nm 다이오드 레이저는 25W 이상의 에너지를 생산할 수 있고 효율이 30% 이상 되며 1,064nm 엔디야그 레이저와 비슷한 파장대의 특성을 가지고 있어 레이저를 이용한 지방흡입술에 보다 빈번하게 사용되어 왔다. 하지만 연속파 980nm 다이오드 레이저는 지방이나 물에 선택적으로 흡수되는 것이 아니라 주변에 있는 전반적인 조직에 전부 영향을 주기 때문에 어떤 선택된 조직에 작용하는 것이 아니라 조직 전반적으로 열 변성을 초래한다. 따라서 지방만을 선택적으로 제거해낼 수 없고 화상의 위험과 다른 조직 손상의 위험이 크기 때문에 술자가 없애고자 원하는 부위에 조심스럽게 사용해야 한다. 하지만 1,444nm 엔디야그 레이저는 기존의 1,064nm 엔디야그 레이저보다 물과 지방에 대한 선택성이 1,000배 정도 높기 때문에 마취제에 침윤된 지방만을 선택적으로 녹여내고 없앨 수 있는 장점이 있다.

다른 한 가지의 요소는 사용되는 레이저의 에너지 크기이다. 저준위 연속파 레이저를 사용할 때는 낮은 열이 발생하기 때문에 매우 한정된 부분에 열작용에 의한 가역적 변성이 일어나고 비가역적인 변화는 잘 보이지 않는다. 이 경우에는 주된 작용이 열작용에 의한 변성 작용이며 열에 의한 물리적인 작용은 거의 없다고 하겠다. 하지만 고준위 레이저를 조사할 경우는 지방조직 내의 작은 혈관들의 응고뿐만 아니라 지방세포 내에 축적된 열과 광역학적 작용에 의한 지방세포막의 파열을 관찰할 수 있으며, 이러한 부분은 단순한 광열 분해 작용뿐 아니라 광역학 작용이 함께 작용한 것으로 보여 진다. 이러한 변화는 지방조직에 주사된 레이저의 에너지양에 따라 비례하는 변화를 가지게 되며 에너지가 높으면 높을수록 많은 양의 지방이 줄어들게 되는 에너지 의존적 변화를 보이게 된다.

사람의 지방세포는 일반적으로 원형 형태로 직경이 35~75μm 정도이나 tumescent 용액을 주입해서 침윤시키면 직경이 110μm 정도로 커지게 된다. 레이저를 조사하지 않고 고식적인 지방흡입기로 흡입만 시행한 경우는 흡입된 조직 사이에 캐뉼라에 의해 만들어진 비어진 공간 이외에 지방세포막의 파열은 관찰할 수가 없다. 이러한 결과로 고식적인 지방흡입은 지방흡입한 양에 따라 결과가 나타나고 시간이 지나 수술 부위의 부종이 사라지

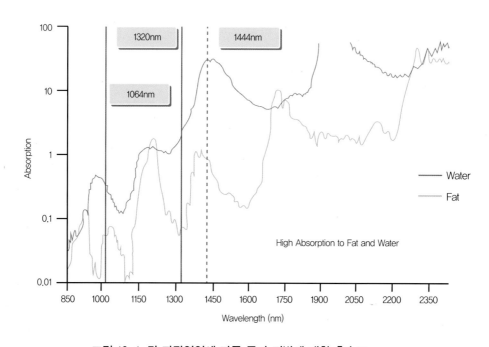

그림 16-1. 각 파장영역에 따른 물과 지방에 대한 흡수도

고 나면 더 이상의 부피나 모양의 변화가 없다. 뿐만 아니라 조직 사이사이에 비어진 공간에 대한 창상치유 효과에 의한 수축 이외에는 더 이상의 조직 수축으로 인한 탄력의 회복을 기대할 수 없다.

6W의 에너지로 펄스파 1,064nm 엔디야그 레이저(pulse 100mm, 150mJ per pulse, 40Hz, peak power 1.5Kw)와 연속파 980nm 다이오드 레이저를 조사한 경우 모두에서 세포막의 변성, 세포막 파열, 세포의 수축과 작은 혈관의 응고와 주변 콜라겐 섬유의 열 변성을 초래할 수 있다. 다이오드 레이저가 10W나 15W로 에너지 파워가 높은 경우에는 대부분의 지방세포막이 파괴되고 콜라겐 섬유와 작은 혈관들의 변성이 초래되고 45J 정도의 아주 높은 에너지에서는 조직의 탄화 반응이 초래된다. 이러한 결과들로 볼 때 최대 6W의 에너지를 낼 수 있는 펄스파 1,064nm 엔디야그 레이저는 지방조직의 변성을 초래할 수는 있지만 파괴 효과가 미미하여 실제 임상에서 사용하기 미흡하고,

비선택적인 연속파 980nm 다이오드 레이저를 사용한 경우는 지방세포뿐만 아니라 혈관이나 신경 등의 조직을 손상시킬 수 있고 또 높은 에너지에서는 회복될 수 없는 정도의 손상을 초래할 수 있기 때문에 실제 사용의 위험성이 크다.

이에 비하여 펄스파 1,444nm 엔디야그 레이저는 지방과 물에 대한 선택성이 크기 때문에 같은 에너지에서도 보다 많은 양의 지방조직을 효율적으로 파괴할 수 있어 보다 안전하게 지방을 녹여낼 수가 있다.

같은 6W의 에너지양에서 펄스파 1,064nm, 1,320nm, 1,444nm 엔디야그 레이저를 돼지의 피하 지방에 비교 실험한 결과 지방세포를 파괴한 직경이 0.5mm, 2.5mm, 5mm 정도로 차이가 나며 이를 부피로 환산할 경우 레이저 파장대에 따라 1,064nm에 비하여 1,320nm, 1,444nm를 주사했을 때 약 125배에서 약 1000배 정도의 파괴 효과가 있다. 총 에너지 양을 높이지 않아도 안전한 에

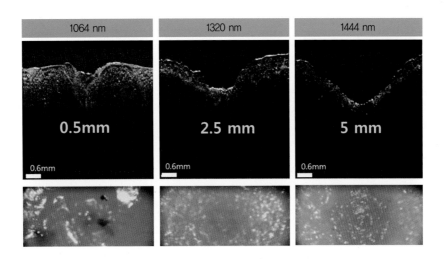

그림 16-2. 같은 파라미터 같은 열량의 에너지를 준 후 각자의 파장에 따른 파괴도의 비교
좌측 1,064nm 시술 후 화구 직경이 약 0.5mm인데 비해 우측 1,444nm 시술 후 화구 직경은 약 5mm 정도이다. 이를 부피로 환산하면 약 1,000배의 차이가 난다.(출처: Courtesy of Jong-In.Youn. Ph.D Biomedical Optics Laboratory. Catholic University of Daegu, Korea 루트로닉 제공)

너지 레벨에서 지방을 충분히 녹여낼 수 있다고 하겠다. 하지만 이때 발생하는 열의 양은 많지 않기 때문에 주변 조직의 파괴가 적어 섬유화 반응이 1,064nm 보다 1,444nm를 사용한 경우가 적게 일어나며 회복 속도도 빠르다.

또한 1,064nm를 사용한 경우보다 1,444nm를 사용한 경우 지방조직의 파괴와 함께 주변 지방조직들의 간질 조직의 수축현상을 볼 수 있는데, 이는 1,444nm를 사용할 때 일차적인 지방간질 조직의 수축 현상을 초래함으로 말미암아 수술 시야에서 바로 볼 수 있는 일차적인 피부와 조직 수축을 초래한다.

지방 세포막의 파괴 현상은 1,064 nm에서는 아주 제한된 영역에서 지방응고 파괴가 일어나고 주변의 지방 세포막의 파괴가 미미한 것에 비하여 1,444nm를 사용한 경우 보다 광범위한 지방조직 파괴뿐만 아니라 주변의 지방세포막의 파괴를 관찰할 수 있다. 이러한 광범위한 지방세포막의 파열과 지방간질 조직의 수축은 일차적인 피부의 수축뿐만 아니라 시간이 지날수록 피부가 더 수축하는 이차적인 수축 현상도 기대할 수 있으며, 지방조직의 부피의 변화에 있어서도 부종의 변화로 인한 부피 감소가 아니라 파괴된 지방세포의 지속적인 소실로 인하여 이차적인 부피 감소를 기대할 수 있다.

에너지 효용성에 있어서도 1,064nm에 비하여 1,444nm가 월등하기 때문에 제거하고자 원하는 지방세포를 빨리 녹여낼 수 있고 그에 비하여 열변성 작용으로 인한 조직의 변성은 적기 때문에 화상의 위험이 적고 부종이 적어 빠른 회복을 기대할 수 있다. 또한 지방세포에 대한 선택성이 좋기 때문에 주요 신경이나 혈관들이 분포하는 지역의 지

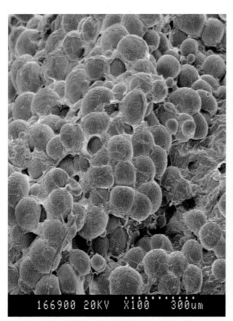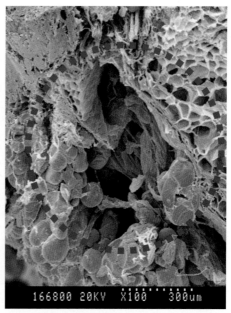

그림 16-3. 좌측 1,064nm 시술 후 미약한 지방융해 효과를 보이며 주변 간질조직(interstitial tissue)의 수축이 보이지 않는다. 반면에 우측 1,444nm 시술 후 광범위한 지방융해와 주변의 효과적인 간질 조직의 수축이 관찰된다.(출처: Courtesy of S.Y.Song, MD, K.C.Tark, MD, Ph.D, FACS, FNAHQ, Korea 루트로닉 제공)

방도 안전하게 녹여낼 수 있으며 이로 인해 얼굴이나 목 종아리 등과 같이 혈관이나 신경이 있어 염려되는 부분에서도 지방을 녹여 내거나 피부 재생의 목적으로 사용할 수 있다.

980nm 다이오드 레이저의 경우 신경분지나 작은 혈관에 닿으면 바로 절단되거나 손상을 입게 되지만 1,444nm 경우에는 신경이나 혈관에 붙어서 약 3초 이상 머물러야 손상이 일어날 수 있다. 하지만 임상적으로 국소마취제나 투메슨트 용액이 주입된 상태에서 계속 움직이면서 시술하는 경우에는 이와 같은 신경이나 혈관 손상의 위험이 거의 없다. 많은 시술자들이 안면부나 경부의 시술에 있어서 신경 손상의 위험성을 걱정하지만 레이저 지방성형술이 행하여지는 부위는 피하 지방층이며 이 부위에는 안면신경이 존재하지 않기 때문에 직접적인 손상의 위험이 없다. 또한 투메슨트 용액으로 지방조직을 부풀려서 사용하기 때문에 더욱 거리가 멀어지게 되며 용액으로 인한 냉각 효과로 주변부의 동반 손상은 거의 없다.

II. 안면부 지방성형

1. 수술 효과와 적응증

레이저 지방 성형술은 많은 지방을 좀 더 쉽게 녹여내기 위하여 고안되어 사용되기 시작하였지만 많은 양의 지방을 녹여내는 것보다 국소적인 지방이 모여 있으나 일반적인 지방흡입으로 교정하기 어려운 부분에 더 효과가 높을 것으로 기대되어 이러한 부분에 이용되기 시작했다. 안면부의 지방흡입 시 피부굴곡 없이 정확한 볼륨을 줄이기 힘들고 피부탄력 저하가 염려되는 경우 레이저를 이용한 경우 많은 도움이 된다.

안면부에서는 국소적 지방축적으로 안면윤곽의 변형이 있는 경우에 주로 사용된다. 광대 측면 부분의 돌출이 안면부 지방이 많아서 생긴 경우, 과다한 지방으로 인하여 턱 선이 보이지 않거나 입가주름(marriotte line) 주변으로 볼 살이 늘어진 경우, 팔자의 지방이 많아 팔자의 골이 깊고 늘어진 경우, 목 부분의 지방이 많아 피부가 늘어진 경

표 16-1. 지방흡입과 레이저 지방성형의 비교

	Liposuction	Laser Lipoplasty
effect	fat removal	fat removal + skin tightening
mechanism	mechanical action by aspiration fat sucking out	thermal action by laser energy fat destruction, melting
preferred area	deep localized fat	superficial to deep localized fat
	moderate to large fat	moderate to small fat
effective area	low abdomen, hip saddlebags	face, neck, back, knee, leg, arm
incision	4–5mm	1–2mm
return to work	1 week	1 day
post–op compression	3 week to 1 month	2 weeks
complication	thrombo–embolization contour irregularity	localized burn
liposuction devices	SAL (suction assisted) UAL (ultrasound assisted) PAL (power assisted)	LAL (laser assisted liposuction) Diode 980nm Nd:YAG 1440, 1064, 1320, 1540nm

우 등과 같이 지방조직이 국소적으로 모여 있고 피부 탄력이 경도나 중등도로 약간 처져있는 경우에 좋다.

레이저 지방성형은 안면의 과다한 지방들을 녹여내면서 동시에 피부 진피를 자극하여 피부 탄력을 회복시킴으로 안면 리프팅을 시행하지 않고 리프팅 효과를 얻을 수가 있다. 뿐만 아니라 안면 중앙부가 처져 있어 리프팅 필요한 경우 귀 앞의 작은 절개를 가하여 흉터를 최소화시키면서 리프팅을 시행할 수 있고 안면 하부와 경부는 레이저 지방 성형술을 이용한 리프팅으로 수술 시간과 회복 시간을 동시에 단축시키면서 흉터도 줄여 더 좋은 결과를 얻을 수도 있다.

이러한 레이저 지방 성형술을 이용한 안면성형술은 나이가 어린 사람에게는 국소적으로 과다한 지방을 줄이면서 얼굴형을 개선시키는 것이 목적이며 중년 이상의 나이에서 국소적인 과다지방 축적뿐 만 아니라 경도나 중등도의 처진 피부를 가진 경우 좋은 결과를 가진다.

사람에 따라서 한 번의 시술로 좋은 결과를 얻을 수가 있지만 중년이거나 피부 탄력이 떨어진 사람의 경우 2~3번의 반복 시술을 시행하면 더 좋은 결과를 얻을 수가 있다.

2. 수술 전 준비사항 및 디자인

수술 전 검사는 병력검사와 기초 임상검사를 통하여 전신 질환이 있는지를 확인하고 아스피린 같은 약이나 다른 약물 복용 여부를 검사하고 고혈압과 당뇨 치료약을 제외한 약물은 수술 전 2주부터 중단하도록 한다.

수술 당일 상담 후에 수술할 부위와 시술 범위를 상의하고 세안을 철저히 한 후 수술 환자의 수술 전 모습을 정면, 사면, 측면으로 사진을 찍고 기록한다. 수술 전후의 변화가 큰 경우도 있지만 미세한 경우도 있기 때문에 사진 상의 비교가 중요하다.

수술 전 디자인이 중요하다. 많은 수술자들이 앉힌 상태에서 시술하는데, 이러한 경우 시간도 많이 걸리고 환자가 정맥 마취된 상태에서 자세를 유지하거나 기도를 유지하기 힘들어 앉혀서 하더라도 좌우를 정확히 맞추는 것이 불가능하다. 그렇기 때문에 환자를 반듯하게 눕혀서 시술하는 것이 좋으며, 이를 위해서는 수술 전 세밀한 디자인과 디자인 된 모습에 대한 사진 촬영이 중요하다.

수술을 시행하면서 사진이나 화면으로 디자인된 모습을 보면서 시술하면 좀 더 정확한 시술을 기대할 수 있고 마지막에 앉혀서 점검을 하면서 교정하는 것이 좋다.

수술 디자인을 위해서는 수술자 자신만의 기준이 필요하다. 이를 위해서 피부 표면의 기준점을 설정하고 이에 대한 디자인을 시행한다면 항상 정확한 디자인을 할 수 있다. 수술 전 디자인은 일정한 시술과 더불어 일정한 결과를 얻을 수 있기 때문에 매우 중요하다. 안면부와 목 부분의 레이저 성형술을 위해서는 안면부와 목을 구분 짓는 경계선이 중요한데, 필자는 귓불 직하부와 턱 끝을 연결하는 선을 긋고 이를 안면부와 경부를 구분하는 경계선으로 정한다.

입가주름(Marriotte line)을 표시를 하고 이 두 선이 만나 형성되는 점을 기준으로 면적을 구분하는데 위 볼쪽(upper mesial)을 1번으로 하고 윗 입꼬리쪽(upper distal)을 2번 아래 입꼬리쪽(lower distal)을 3번 아래 볼쪽(lower mesial)을 4번으로 할 때 아래 입꼬리쪽 3번 위치에 레이저 관을 삽입하기 위한 절개 포인트를 잡는 것이 시술하기 좋다.

안면동맥이 하악골 하면을 가로질러 지나는 부위를 표시를 하고 함몰되어 있지 않은지 관찰한다. 만일 이 부위가 많이 함몰되어있거나 안면동맥이 지나는 부위의 피부가 과도하게 얇은 경우는 이 부위의 지방흡입을 가능한 한 피해야 하며 과도한 지방흡입을 할 경우 이 부위가 많이 함몰되어 보이는 변형이 일어나기 때문에 수술 전 디자인을 할 때 반드시 표시해 두어야 한다. 입가주름과 안면동맥이 지나는 부위 사이가 주로 불룩하고 늘어져 있는데 가장 많이 융기된 부위를 중심으로 등고선 동심원으로 고저를 표시한다. 가끔 귓볼 직하부의 이하선이 위치한 부위에 지방이 과다하게 축적된 부분이 있는 경우 이 부위를 표시해두어야 한다. 이때 뺨의 함몰과 처진 부위(lateral cheek과 tear trough depression)를 표시해서 이 부분이 흡입되어 함몰되는 것을 방지해야 한다.

지방에 의하여 늘어진 목주름을 치료하거나 지방으로 인하여 두꺼워진 목의 레이저 지방 성형술을 위해서는 목에 구획을 나누어 시술하는 것이 편하다. 하악골 경계선과 위쪽 목주름을 표시한 뒤 이 두 선 사이에 추후 레이저 지방흡입 수술 후 들어갈 경부 각(neck angle)의 위치를 예측해서 표시해 둔다.

턱 선과 평행하게 1cm 정도 위치에 아래쪽으로 선을 하나 그어 이 두 선 사이에 흡입이 너무 되지 않게 한다. 피하지방이 그리 많지 않은 경우 이 부분의 지방을 너무 많이 녹여내면 턱 선이 너무 뚜렷하게 보여 환자들이 싫어하는 경우가 있기 때문에 정도를 보면서 적당하게 시술한다. 대개 목의 큰 주름은 3개 정도 있는데, 이들을 표시하고 지방분포를 고려해서 어디까지 지방을 녹여 낼 것인지 디자인한다. 고도의 비만이 있는 경우는 아래 목주름에서 쇄골상방까지 시술하는 경우도 있기 때문에 필요하면 목과 체부가 만나는 부위도 디자인하고 SCM 근육의 앞과 뒤 경계를 표시해 두어 근육 위까지만 시술할 지 근육 앞까지 시술할 지를 정한다. 대개 SCM 근육 상부의 피부는 근막에 단단히 붙어있기 때문에 이 부위를 시술할 때 피멍이 보다 많이 들 수 있다. 기도의 양측 경계 부위를 표

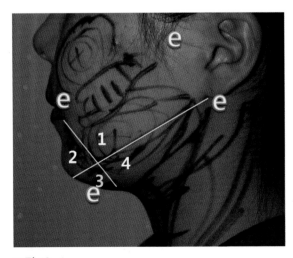

그림 16-4

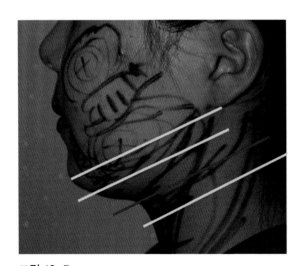

그림 16-5

시하고 이를 목 아래, 위까지 연장하여 경부의 각 부분들을 구획을 정하면 수술 전에 경부에 얼마만큼의 레이저 양을 조사할 것인지 정할 수 있게 된다. 여러 가지 선들에 의해서 구획된 면적은 비순주름(nasolabial fold)의 면적과 유사하며 비순 주름에 조사하는 레이저의 양과 구획된 면적의 개수를 곱하여 수술 시 주사하게 될 레이저의 총량을 정할 수 있어서 편리하게 사용할 수 있다.

광대 돌출부에 과도한 지방에 의하여 돌출된 경우 관골궁 위에 안면신경의 측두분지가 지나는 부위를 표시하고 눈의 외안각(lateral canthus)에서 수직선을 내려 이 두 선 사이에 위치한 융기된 부위를 동심원상으로 표시해 둔다.

비순골(nasolabial crease)와 비순 주름 사이의 경계선을 긋고 tear trough의 함몰 부위를 표시한 후 늘어진 비순 주름 부위를 표시를 한 후 융기한 최고점부터 가장자리까지를 등고선 형태로 표시를 한다. 그리고 표시된 비순 주름의 돌출부 중심축을 그려 레이저 시술 후 지방흡입 시 이 중심축 아래로만 흡입하도록 표시해 둔다.

이렇게 그려진 비순주름(nasolabial fold)의 면적을 unit로 설정하고 전체 면적에서 이러한 unit이 몇 개 정도가 되는지 계산하여 전체 레이저 주사량을 수술 전에 계산한다. 대개 $3 \times 5cm^2$ 정도의 면적에 2cm 정도의 두께를 가진 비순 주름이라면 40Hz, 150mJ, 6W의 계기판 설정을 한 후 약 200J 정도의 에너지를 주사하는데, 안면부 다른 부위를 비순주름 면적으로 나누어 전체 개수와 단위 면적을 곱한 후 200J을 곱하면 주사할 총 에너지의 양이 수술 전에 결정된다. 레이저 지방 성형술은 눈으로 보고 하는 것이 아니라 에너지를 준 후 흡입으로 모양을 보면서 시술하는 것이기 때문에 에너지의 양을 어느 정도 주어야 하고, 어느 정도에서 마쳐야 하는지 결정하기 힘들다. 또한 지방이 녹여 나오는 시점, 레이저 팁에 걸리는 저항이 없어지는 시점 등 주관적인 기준으로 말할 때 어느 시점인지 정확히 정하기 힘들다. 따라서 환자에 따라서 술자의 상태에 따라서 항상 변할 수밖에 없고 그에 따라 수술 결과도 항상 달라질 수밖에 없다. 에너지양의 기준을 정해 시술하면 수술 시간도 짧아질 뿐만 아니라 시술자가 항상 자기의 시술을 정량화 할 수 있고 결과도 항상 일정하게 예측할 수 있어 더 좋은 결과를 얻을 수가 있어서 도움된다.

마지막으로 양측 입가에 융기된 modiolus 부분을 표시하여 추후 레이저로 녹여낸다.

얼굴 전체를 시술하는 것이 아니라 볼 살이 늘어진 경우와 같이 얼굴 한 부분을 시술하고자 해도 없애고자 하는 부분만을 표시하기 보다는 주변의 보다 넓은 부위를 포함시켜 디자인하여 레이저를 시술하고 지방흡입은 융기된 부위만을 흡입한다면 interstitial tightening 효과가 더 많아 더 좋은 리프팅 효과를 얻을 수가 있다.

상태에 따라 안면 함몰이 같이 있는 경우 지방이식을 병행하기 위하여 수술 전에 이식할 부위를 표시하여 둔다. 지방을 같이 이식할 경우 얼굴에 대한 레이저 지방성형 시술 전에 이식할 지방을 뽑아 준비해두고 시술 후 바로 이식하는 것이 좋다.

3. 수술 방법

수술을 위해 IV line을 확보한 후 수술 침대에 눕히고 얼굴 전체와 목 부분의 디자인된 부위를 소독한 위 수술포로 덮어 draping한다. 이때 귀 뒷부분을 접근할 수 있게 하고 양쪽으로 목을 돌릴 수 있게 한다.

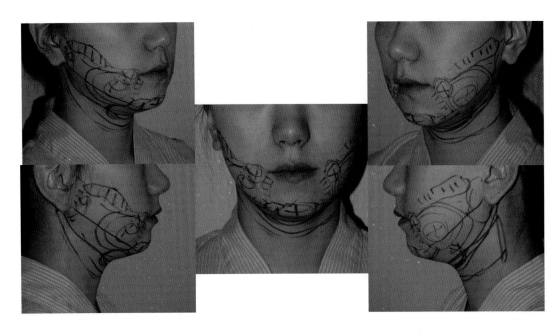

그림 16-6. 술 전 디자인한 모습. 없애고자 하는 부위, 혹은 리프팅하고자 하는 부위보다 가능한 넓게 시술하는 것이 리프팅 효과가 크다.

• 마취

국소마취 전에 확보된 정맥주사를 통해 정맥마취를 실시하게 되는데, 먼저 Precedex (Dexmedetomidine, 100mg/ml, Hospira,Inc. USA) 2ml를 0.9 N/S 48ml와 섞어 50cc를 만든 뒤 처음에 1mcg/kg을 10min 투여한 뒤, 유지 용량은 0.2~0.7mcg/kg/hr 속도로 투여한다. Midazolam 5mg, Ketamin1cc를 0.9% N/S 18ml와 섞어 24cc의 혼합 용액을 만들어 매 15분마다 2cc 정도 투여하고 Propopol 20cc를 0.9 N/S 100cc에 넣어 희석한 용액 15cc를 주입하여 마취를 유지한다. 이때 마취제에 의하여 호흡이 억제될 수 있기 때문에 이러한 증상이 발생하면 가벼운 자극을 주어 호흡이 이루어지게 유도하고 그래도 반응이 없으면 턱을 들어 기도가 유지되게 하면 대부분의 경우 호전된다. 이때 산소포화도(oxygen saturation; PO2)를 측정하여 항상 90% 이상 유지되게 해주며 산소포화도를 측정하여 실질적인 호흡이 이루어지는 지를 감시하면서 사용해야 한다.

수면마취된 상태에서 국소마취제를 주입하게 되는데, 비순 주름은 디자인된 부분 아래쪽의 뺨에, 뺨의 돌출부는 옆머리선, 안면하부와 목은 area 4(marriotte line과 턱선이 만나서 이루어진 부분의 안쪽 아래 부분)에 소독된 부직포 반창고를 붙이고 에피네프린(1:1,000,000)이 함유된 1% 리도카인 국소마취제를 피하에 주입한다.

• 비구순부 및 협부(Nasolabial fold와 Malar eminence)

국소마취된 부위에 18G hyperneedle을 이용하여 구멍을 뚫고 18G single hole blunt needle을 이용해 10cc 주사기로 투메슨트 용액을 피하에 주입한다. 이때 피부 표면이 팽창하여 올라올 정도로 넣게 되는데 비순 주름과 뺨 부위에는

571

각각 5~10cc 정도 주입하고 안면 하부에는 한쪽에 30~40cc 정도, 목에는 정도에 따라 한쪽에 30~50cc 주입하게 된다.

용액을 주입하고 난 후 10~15분 정도 기다려 지방조직 사이에 용액들이 충분히 침윤될 수 있도록 기다린다. 지방조직 사이에 용액들이 침윤하여 균질한 상태가 되면 1,444nm 엔디야그 레이저의 작용이 극대화될 수 있다.

수술자의 개개인에 따라 수술 방법의 선택이 달라질 수 있기 때문에 투메슨트 없이(dry technique) 하거나 투메슨트 주입을 두 배로 하여 사용할 수도 있다.

지방조직 사이로 용액의 충분한 침윤이 일어난 후 1,444nm 엔디야그 레이저(Accusculpt, Lutronic, Inc. Korea)를 이용하여 지방조직을 녹이게 된다. 600mm glass optic fiber를 facial hand piece에 연결하여 시술한다. 이때 40Hz, 150~200mJ, 6~8W의 파라미터로 비순 주름에 150~200J 정도의 에너지를 주사하여 지방조직을 녹이게 된다. 같은 파라미터로 뺨 돌출부에는 100~200J, 안면 하부는 300~500J, 목의 측면은 500~1000J, 턱 밑은 500~1,000J 정도로 주사하게 된다. 이때 부채살 모양으로 여러 방향으로 고르게, 반복적으로 시술이 시술이 반복적으로 이루어지도록 한다. 이때 비순 주름 밑을 피부와 근육 사이를 통과하면서 레이저로 약간 분리시켜주면 팔자주름이 보다 완화된다.

레이저를 시술할 때 팁이 움직이는 속도를 초당 0.5-1cm 정도로 하라고 권장하지만 술자는 초당 5cm 정도로 빨리 움직이는데, 이는 40 Hz의 펄스이기 때문에 1cm당 약 8회의 레이저가 조사되며 펄스 사이의 간격은 1.25mm 정도가 된다. 레이저 팁에서 레이저 빔이 작용하는 범위가 1-2mm 정

도로 작용하기 때문에 이 속도로 시술하면 움직이는 경로에 위치한 모든 지방조직에 대해 레이저 빔이 작용하게 된다. 또한 이렇게 빨리 움직임으로서 같은 열량을 제한된 범위의 지방조직에 골고루 주사할 수 있어 일관된 결과를 얻을 수가 있다. 이는 또한 한 곳에 열 중첩 현상이 일어나지 않기 때문에 레이저 시술 시 발생하는 열로 인한 콜라겐 손상을 최소화할 수 있다.

Accusculpt® 는 12W까지 출력을 높일 수가 있는데, 처음 시작하는 사람은 어느 정도의 출력으로 시술할까 고민을 하게 된다. 처음부터 높은 출력으로 시작하게 되면 시술 방법이 익숙하지 않아 화상이나 피부 천공, 과다한 흡입, 피부 함몰 등의 부작용을 만들 수 있기 때문에 낮은 파워에서 시작하는 것이 좋다. 4-6W 정도면 지방을 충분히 녹일 수가 있다. 높은 출력으로 쏘는 것보다 적당한 출력으로 시술하는 것이 보다 골고루 시술할 수 있기 때문에 필자는 약 6~8W 출력으로 시술한다. 너무 높은 출력은 같은 에너지 총량으로 골고루 녹여낼 수가 없고 피가 날 경우 팁 끝에 혈구가 타면서 탄화 현상이 잘생기기 때문에 좋지 않다.

뺨 쪽의 삽입 포인트를 통하여 팔자주름 늘어진 부위를 흡입할 때에 비순주름 돌출 중앙선보다 아래쪽을 위주로 흡입해야 한다. 이보다 위쪽으로 흡입하게 되면 술 전에 보이지 않던 층이 나타나거나 더 심해질 수 있다.

• **하안검부 지방 돌출**
  (Lower orbital fat bulging)

눈 밑의 지방 돌출은 4~5W 정도의 출력으로 시술하며 이 정도 출력으로 레이저 팁 쪽의 탄화 현상 없이 눈 밑 지방을 충분히 녹여낼 수가 있다. 안와골 가장 자리를 표시한 후 외안각(lateral cantus) 부분에 18G 주사바늘로 레이저 화이버를 끼워 삽입한다. 이때 피부 저항보다 약한 저항이 바늘 끝에 느껴지는데 이것이 안와 격막(orbital septum)이다. 안와 격막을 뚫은 후 레이저 팁을 진행시켜 안와골에 닿게 한 후 약간 뒤로 뽑으면서 안와 격막 내의 안와 격막 지방(septal fat)을 녹여낸다. 한쪽 눈에 150~200J 정도의 에너지를 가한 후 레이저 팁을 빼내고 hyperneedle은 그냥 두며 그곳을 통하여 씻어낸다.

• 안면 하부(Lower face)

수술 전에 디자인한 비순 주름을 기준으로 삼아 그 정도 면적에 150~200J 정도의 에너지를 주사한다. 나머지는 부위만큼씩 나누어 같은 에너지를 주사하면 훨씬 쉽게 시술할 수 있다. 비순주름과 같은 파라미터로 안면 하부는 300~500J, 목의 측면은 500~1,000J, 턱 밑은 500~1,000J 정도로 주사하게 된다. 이때 부채살 모양으로 여러 방향으로 골고루 시술이 반복적으로 이루어지도록 한다.

레이저를 시술할 때 처음에는 피부 표면을 옆으로 펴서 피하 진피층에 직접 자극하듯이 시술을 한 후 피부긴장을 주지 않은 상태에서 피하지방 상층을 녹여낸다. 그 다음 엄지와 검지 인지를 이용하여 피부 밑 지방을 움켜잡으면서 레이저를 시술하면 더 깊은 층을 녹일 수가 있다. 또한 잡는 정도에 따라 깊이를 조절할 수 있기 때문에 같은 부위를 여러 층으로 나누어 시술할 수 있다. 투메슨트 용액을 주입한 경우 피하 지방층을 더 두텁게 만들기 때문에 이런 다면 층 레이저 지방 분해가 가능할 수 있게 된다.

레이저 주사가 끝나면 각각의 삽입 포인트를 통해 흡입하게 되는데 비순주름이나 뺨은 날카롭지 않은 19G 주사바늘로 먼저 흡입한 후 18G 바늘로 흡입해 낸다. 이때 녹아있는 지방을 다 흡입하는 것이 아니라 약 0.5~2cc 가량을 흡입해 낸다. 대부분은 1cc 미만의 지방을 흡입해 낸다. Area 4에 위치한 삽입 포인트는 부채살 모양으로 레이저를 주사한 후 이 곳을 통해 흡입하지 않고 귀 뒤의 삽입 포인트를 통하여 흡입해 낸다.

삽입 포인트와 흡입하는 부위의 거리가 너무 짧은 경우 골고루 흡입하지 못할 가능성이 있으며 어느 한 곳이 과도하게 흡입되거나 진피 하부와 근막이 손상될 수 있다. 이러한 경우 시간이 경과할수록 함몰 변형이 나타나고 피부와 아래 근육의 유착 현상으로 입을 움직일 때 이상 변형이 나타날 수 있다. 이러한 부작용을 막기 위하여 흡입은 가능한 먼 곳에서 시행하는 것이 좋다.

귀 뒤쪽 삽입구를 통해 안면 하부를 흡입을 하는 것이 좋은데, 이때 술 전에 디자인한 동심원상의 등고선을 생각하면서 시행하는 것이 좋고 가급적 골고루 흡입해 주어야 한다. 이때 피부를 잡고 흡입하기 보다는 피부를 펴면서 시행하고 가급적 케뉼라 구멍이 위쪽보다는 옆쪽이나 아래쪽을 향하는 것이 피부의 직접적인 손상을 막으면서 피하 지방을 흡입하기 좋다. 10cc 주사기로 흡입을 하게 되는데, 흡입 시 걸리는 음압은 10cc 이상으로 locking해서 사용하지 않고 손가락으로 피스톤을 약간 뒤로 당기면서 약 1cc 정도 음압이 걸리게 한다. 이때 추후 만들어질 턱 선을 중심으로 많이 흡입을 하고 구분된 구획을 생각하면서 좌우 동일하게 흡입을 한다. 원래 대부분의 사람이 좌우 비대칭이 있기 때문에 이를 고려하여 많이 처지거나 많은 지방이 있는 부위를 상태에 따라 더 흡입하여 낸다. 목 아래의 체부와 연결되는 부위의 레이저 시술이나 지방흡입이 필요한 경우는 supraclavicular notch 부분의 한쪽에 18G hyperneedle로 작은 구멍을 뚫고 레이저로 녹이고 흡입하면 목 아래 부분까지 시술이 가능해 진다. 목의 측면에 두터워 SCM 근육 위에도 지방이 많은 경우가 있는데 이러한 경우 근육 위 부분에도 레이저로 녹이고 흡입해 낸다. 이때 근육의 앞뒤 경계 부위는 위쪽의 피부와 단단히 붙어있어 출혈이 잘 생길 수 있기 때문에 조심해서 시술해야 하고 만일 시술 시 저항이 있으면 무리하게 진행하지 말고 반복적으로 시술해야 한다.

귓불 아래쪽에 이하선 상방에 지방조직이 뭉쳐져 불룩한 경우 area 4 삽입구를 통하여 레이저를 시술하고 흡입을 해 낸다. 이때 귓불 아래쪽과 뒤쪽까지도 레이저 시술과 흡입을 해주어야 좋은 결과를 얻을 수가 있다. 안면 하부가 리프팅이 많이 되게 하기 위해서는 보다 넓은 부위를 시술해 주어야 하는데 귀 뒤쪽 SCM 근육 뒤쪽 경계부까지와 더불어 관골궁과 귀 앞까지 시술해 주어야 탄력 증가와 리프팅 효과가 좋다.

레이저는 얼굴 전체를 시술함에 있어서 융기된 부분을 주로 시술하고 꺼진 부위는 피부 표면이 자극될 정도로만 시술한다. 예를 들어 뺨이나 안면 동맥이 지나는 부위의 함몰부위는 약 50~100J 정도의 에너지로 자극만주고 흡입은 하면 안 된다. 흡입 시 피부가 얇은 부위를 흡입하면 시간이 갈수록 점차 얇아지고 함몰 변형이 일어난다. 이와 같이 함몰 변형이나 피부와 근육의 유착이 일어난 경우는 수술 후 1개월 이내에 빨리 필러(hyaluronic acid)로 채워 더 이상의 변형이 일어나는 것을 방지해 주어야 한다.

목주름이 깊고 지방이 많지 않으면서 피부 탄력이 떨어지는 경우에도 지방을 많이 흡입하지 말고 레이저 시술을 주로 해야 하는데, 이러한 경우 지방을 많이 흡입하게 되면 목을 돌릴 때에 피부 표면에 잔주름이 많아져 곤란을 겪게 된다. 이러한 경우에는 지방흡입은 상부 목주름 위쪽에서만 레이저 시술을 시행하고 추후 생길 목 선 부위만 어느 정도 집중해서 흡입하는 것이 좋다.

누운 자세에서 흡입이 다 끝나고 나면 앉혀서 전체적인 모양을 확인하고 부족한 부위를 앉힌 상태에서 좀 더 흡입해 낸다.

4. 지방흡입 후 처치

흡입이 완전히 이루어지고 나면 수술 부위를 씻어내는 것이 중요한데, 아무리 흡입해 내더라도 레이저로 인하여 녹여낸 지방조직에서 유리된 기름(free oil)이 남아있게 되고 이러한 기름은 몸속으로 흡수되어 간에서 대사되어 소변으로 배출된다고 하지만 수술 부위에서 흡수되어 대사되는 시간이 오래 걸린다. 또한 남아 있으면서 염증 반응을 일으키고 또한 탐식세포에 탐식된다.

이러한 유리된 기름에 의해 얼굴의 부종이 심하고 오래가게 된다. 많은 술자들이 레이저 지방성형술을 시행하고 난 뒤 얼굴의 부종이 심하고 경우에 따라서 한 달 이상 지속된다고도 한다. 이러한 것들의 원인은 드라이 테크닉을 이용할 때 생긴 열로 인한 일차적인 염증 반응과 유리된 기름에 의한 이차적인 염증반응이 복합된 결과라고 생각한다. 만일 투메슨트 방법으로 시술하면 조직 주변의 용액들이 생긴 열을 흡수해서 열 손상을 최소할 수 있으며 모든 시술 후 깨끗한 용액으로 씻어 낸다면 남아있는 기름을 최소화하여 염증 반응을 줄일 수가 있다.

이때 0.9% N/S 5cc에 hyaluronidase 1,500U(H-lase®)과 triamcinolone acetonide 10mg을

섞어 흔든 혼합 용액을 0.9% N/S에 희석하여 총 100cc용액으로 만들어 시술 부위를 씻어내면 된다.

Hyaluronidase는 히알루론산(hyaluronic acid)의 결합을 분해하고 유리상태의 기름과 체액, 남아 있는 용액의 흡수를 촉진시켜 부종을 최소화한다. Triamcinolone은 국소혈류를 증진시키고 면역세포들의 활동을 억제시켜 항염증 작용이 있으며 지속적이 효과를 지닌다.

이 두 가지 약을 섞어서 세척해 내면 hyaluronidase는 조직의 흡수를 촉진시켜 체액이나 남아 있는 용액의 흡수를 돕고 Triamcinolone은 단기적으로는 염증 반응을 줄여 회복을 촉진시키고 장기적으로는 흉터를 줄이는 역할을 하여 훨씬 좋은 결과를 얻을 수 있게 한다. 수술 당일에는 수술 후 세척한 뒤 남아있는 용액에 의해 많이 부은 것 같이 보이지만 수술 다음 날은 부기가 거의 없이 일상생활이 가능할 정도의 모습을 얻게 된다.

5. 지방성형술 후 관리

지방성형 레이저 시술 직후 시행한 가벼운 드레싱은 다음 날 제거하고 오픈시키거나 작은 메디폼이나 하이드로겔이나 종이 반창고 등을 하루이틀 더 붙여둔다. 이후 수술부위는 개방하여 둔다. 항생제는 약 3~5일 정도 처방한다. 개방한 후 손을 대거나 옷깃이 스치는 이차인 자극이 되지 않게 조심시킨다.

수술 후 레이저를 시술한 부위가 조여지면서 당기는 느낌이 생기는데 이는 약 2~3개월 정도 지속하며 시간이 갈수록 점차 좋아지게 된다. 많은 경우 피부 표면에 통증이나 압통이 발생할 수 있는데, 이는 레이저로 인한 감각신경 말단부가 손상받은 후 재생되면서 생기는 증상이다. 이런 증상은 레이저 에너지 강도나 양이 많아지면 좀 더 심해지기는 하지만 사람에 따라 그 정도가 다르다. 대부분은 아무런 치료나 처치 없이 잘 견디며 대개 3개월 정도 되면 그 증상이 사라지지만 사람에 따라 5~6개월까지 지속되는 사람도 있다. 예민한

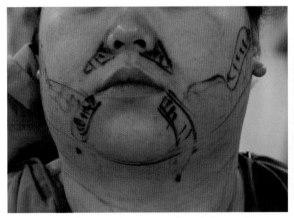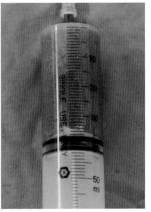

그림 16-7. 레이저 조사 후 지방흡입한 모습
레이저를 시술하고 나더라도 전반적으로 지방흡입을 잘해주어야 한다. 흡입으로 회복을 빨리 결과를 좋게 한다. 이때 굴곡이 생기지 않게 경계 부위가 잘 드러나게 시술한다.

사람은 타이레놀이나 아주 약한 소염진통제 정도를 일주일 이내로 처방하면 좋아지며 약간의 온습포가 도움되기도 한다. 통증과 당김 현상은 고주파, 광선치료, 마사지를 시행하면 빠른 회복을 얻을 수가 있다.

지방 성형 레이저 시술 직후부터 많은 사람들이 당기는 느낌이 있으며 피부가 조여지는 것 같다고 호소하는 경우가 많다. 이는 레이저의 리프팅 작용으로 인한 조직의 일차적인 수축 작용의 결과로 생기며 이차적인 수축 작용이 일어나면서 점차 더 심해질 수가 있다. 이러한 경우 턱 아래쪽에 뭉치거나 당김 현상이 일어날 수 있는데 목을 구부리는 것보다 스트레칭하는 것이 이러한 증상을 없애는데 도움 되며, 또한 스트레칭으로 피부가 목의 심부조직에 타이트하게 밀착하여 좋은 모양이 생기게 만들기 때문에 수시로 스트레칭하게 환자에게 지도한다.

수술 후 2~3주경부터 턱 아래에 딱딱한 종괴가 만들어 질 수 있는데 이것은 완전한 흉터조직이 아니라 조직의 수축으로 인한 것과 초기 흉터와 부종이 합쳐진 것이다. 이러한 때에 트리암시놀론-하이알유로니다제 혼합 용액을 주입하면 혈관을 통

한 흡수를 촉진시키고 새로운 흉터를 방지함으로써 종괴를 줄이거나 없앨 수 있다. 한차례의 시술로 없어지지 않으면 1주 간격으로 2~3회 정도 시술하면 대부분 없어진다. 용액주사 사이사이에 집에서 손으로 가볍게 마사지하게 하고 목을 뒤로 젖히는 스트레칭을 실시하는 것이 좋으며 고주파를 병행함으로서 더 좋은 결과를 얻을 수가 있다. 레이저로 인한 수축작용은 지속적으로 일어나며 수술 후 6개월 이상 지속한다. 이 기간 동안 꾸준한 관리가 필요하다.

6. 합병증의 치료

가) 함몰 변형

가끔 과한 교정으로 함몰 변형이 초래되는 경우가 있다(그림 16-8). 이러한 경우는 레이저 에너지의 양이 많아서 생기는 것보다 국소적인 흡입양이 많아서 생기는 경우가 많다. 국소 부위의 지방이 과다하게 축적되어 있는 경우 이를 쉽게 많이 없애기 위해 손가락으로 움켜쥔 채로 흡입을 하는 경우

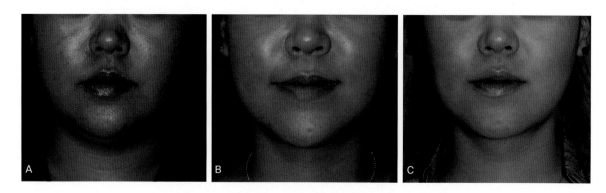

그림 16-8. A) 수술 전, B) 수술 후 3개월, C) 수술 후 8개월.
일반적인 지방흡입과 달리 시간이 지날수록 볼륨 감소와 리프팅이 더 기대된다. 최소 6개월 이상 지난 후 재수술하는 것이 좋다.

가 생기는 경우가 있는데, 이러한 경우 골고루 흡입되지 못하고 특정 부위만 반복적으로 흡입되어 불규칙적인 함몰 변형이 남을 수 있다. 이러한 경우는 시간이 지날수록 호전되지 않고 점점 심해질 수 있기 때문에 빨리 교정해 주는 것이 좋다. 더욱이 피부 진피층의 손상과 근막층의 손실이 동반되어 있는 경우 진피층과 근육이 바로 유착되어 근육이 움직일 때 마다 함몰 변형이 더욱 심해 질 수가 있다. 이러한 경우는 가급적 빨리 이를 교정해 주어야 하는데, 하이알린 필러를 주입하면 진피층과 근육층 사이의 유착을 막을 수가 있고 또한 함몰된 부위를 손쉽게 교정할 수 있다.

나) 재수술

피부가 딱딱하거나 여드름 흉터가 많은 사람에서 지방이 많은 경우 지방성형 레이저를 시행할 때 레이저 양을 보통의 1.5배 많이 조사하면 지방을 많이 제거하고 좋은 결과를 얻을 수가 있다. 지방이 충분히 제거되지 못했다면 첫 수술 후 1주일 이내에 다시 한 번 시술하는 것도 좋은 방법이다. 수술 후 1주경에는 첫 수술로 인한 큰 부종이 대부분 없어졌기 때문에 윤곽을 보기가 좋고 이전 수술로 피하조직이 박리가 되어있는 상태라 좀 더 쉽게 수술을 시행할 수 있다. 이 경우 처음 주사한 에너지양의 절반 정도를 주사하고 지방을 가볍게 흡입하면 좋은 결과를 쉽게 얻을 수가 있다.

하지만 많은 에너지양을 주사하고 많은 지방을 뽑았다고 한 경우에도 수술 후 별로 효과가 없어 보일 때가 있다. 이러한 경우는 조직의 흉터로 인하여 수축이 잘 일어나지 않거나 흡입이 충분히 이루어지지지 않아 얼굴이 작아 보이는 효과가 없어 보이며 이러한 경우 부종도 많아 붓기가 오래가서

효과가 없어 보일 수가 있다.

이런 경우 회복하는 기간 동안 환자들의 불평이 많고 의사의 입장에서도 언제 좋아질지 답답한 경우가 많다. 만일 충분한 에너지를 주사하고 충분한 흡입이 이루어졌다면 기다리는 것이 좋다. 대부분 3개월 정도 지나면 좋아진다. 한 환자의 경우 수술 후 2개월 이상 지속되는 부기로 불평이 많았지만 3개월 이상 지나면서 붓기도 완전히 빠지고 모양도 좋아졌다. 지속적인 지방의 감소와 리프팅 효과는 일반적인 지방흡입과 달리 6개월 이상 지속되기 때문에 충분한 시간을 가지고 지켜보는 것이 좋다.

하지만 환자에 따라 충분한 시간을 기다리기 힘든 경우 재수술을 고려할 수 있는데 불만족한 결과로 재수술을 요구하는 경우는 최소 3개월 정도 지나서 하는 것이 좋다. 대부분의 환자들에서 3개월 정도 지나면 어느 정도 최소한의 효과라도 가지기 때문에 환자와의 관계 회복도 쉽고 과교정에 의한 부작용도 방지할 수가 있다.

피하지방이 어느 정도 있는 경우에 환자가 원한다면 6개월 이상 지난 후 시행하는 것이 좋으며 만일 피하지방이 거의 없다면 프랙셔널 고주파(RF)를 이용하여 리프팅을 하는 것이 보다 더 바람직하다.

피부의 탄력이 떨어진 고령의 환자에 있어서는 약 6개월 내지 1년이 경과한 후 재수술을 시행하면 더욱 좋은 효과를 얻을 수 있다.

다) 화상

지방성형 레이저는 시술 시 한 곳에 오래 머물게 되면 이론적으로 화상을 입을 수가 있는데, 시술 시 한곳에 머물지 않고 계속 움직이면서 시술하며

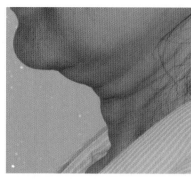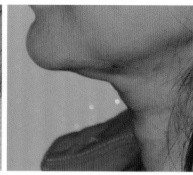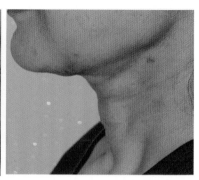

그림 16-9. 나이가 많고 피부 탄력이 떨어지는 환자는 두 번 정도의 레이저 지방성형술을 시행하면 좋은 결과를 얻을 수가 있다(왼쪽부터 술 전, 1차 수술 2주 후, 2차 수술 2주 후).

투메슨트 용액을 주입한 후 시술하기 때문에 실질적으로 화상은 아주 드물다. 하지만 피부의 탄력을 얻을 목적으로 피부진피 직하부에 아주 천천히 시술하여 수축시키고자 하는 경우 화상을 입을 수가 있고 화상은 아니더라도 진피의 변형과 지방층의 괴사로 수술 후 장기간에 걸쳐 수술 부위가 뭉쳐져 판상으로 딱딱하게 만져지거나 피부 표면의 굴곡이나 괴사를 관찰할 수가 있다.

대부분의 경우 레이저 지방성형 후 생기는 화상은 레이저 광섬유가 피부를 뚫고 나오면서 생기는 점상 화상이 많고 그 크기가 1~2mm 미만이고 작기 때문에 흔적을 남기지 않고 자연 치유가 된다. 하지만 피부괴사가 직경 5mm 이상이 된다면 완치 후에도 추형을 남길 수가 있기 때문에 적극적인 치료가 요구된다.

라) 신경 및 혈관 손상

간혹 피하 지방이 거의 없고 경우 피부의 탄력을 주는 목적으로 레이저를 시술할 경우라도 레이저 팁의 방향이 피부에 평행하고 조직의 심부로 향하지만 않는다면 신경이나 혈관의 손상은 일어나지 않는다. 이러한 경우 안면동맥과 하악골 경계부가 만나는 부위의 안면신경 하악분지가 가장 손상을 받기 쉽긴 하지만 이 또한 활경근(platysma)에 의해 덮여있기 때문에 큰 염려하지 않아도 된다. 관골궁을 지나는 안면신경 측두분지도 쉽게 손상을 받을 수 있는 부위이긴 하지만 레이저 팁이 피하지방이나 진피 바로 밑에 위치하기만 한다면 신경 손상은 큰 걱정하지 않아도 된다. 운동신경인 안면신경보다 실질적으로 임상에 있어서 간혹 이마의 이물질을 제거할 때 상안와신경이나 활차신경의 손상이 염려된다. 그 외에 삼차신경의 분지인 하안와신경이나 관골신경분지 등의 손상을 조심해야 한다. 이들은 운동신경과 달리 감각신경이며 또한 운동신경보다 좀 더 표재성으로 위치하기 때문에 신경이 완전히 끊기진 않더라도 약간의 신경막 손상으로도 감각이상이나 통증을 초래할 수 있기 때문에 이러한 부위를 시술할 때는 조심해야 한다. 레이저로 지방성형술을 시행한 경우 이러한 주된 신경분지 손상 이외에 신경의 감각기가 손상을 받을 수 있다. 대부분의 경우 일반적인 지방흡입술과 달리 레이저 지방성형술을 시행한 경우 피부의 과다한 통증을 호소하는 경우가 많은데, 이

는 신경 말단부의 손상을 입어서 발생한다고 추정
된다. 이러한 통증이나 감각의 이상은 수술 후 약
2~3개월간 지속되다가 자연적 소실된다. 이러한
감각신경의 손상은 레이저 에너지의 세기가 커지
면 좀 더 심해지지만 이 또한 자연적으로 없어지기
때문에 걱정할 사항은 아니다.

레이저 지방성형 시술 시 안면신경의 마비와 혈
관 손상을 염려하는 경우가 많은데, 이 시술은 피
하지방층에서 이루어지기 때문에 이론적으로 주
된 신경과 혈관의 손상이 일어날 수 없다. 안면신
경손상을 막기 위해서는 레이저 지방성형 시술 시
투메슨트 용액을 주입하여 피부의 두께를 늘이고
캐뉼라를 피부표면에 평행하게 하면서 시술한다
면 안전하게 시술할 수가 있다.

하지만 깊은 부위를 제거하기 위하여 캐뉼라를
심부를 향하여 시술하는 경우 이러한 신경 손상의
위험성이 증대될 수 있다. 만일 깊은 부위를 제거
하기 원한다면 캐뉼라의 방향을 심부로 향하게 하
지 말고 피부표면과 평행을 유지한 채 피부조직을
집어 올리면서 깊이를 조절하여 시술한다면 안전

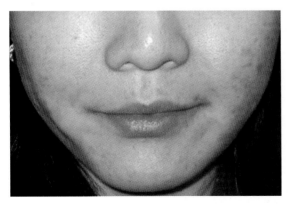

그림 16-10. 과한 흡입으로 함몰변형이 생길 수 있다.
이런 경우 가급적 빨리 필러로 함몰 부위를 교정하면
피부 진피와 근육 사이 유착으로 인한 영구변형을 막
을 수 있다.

하게 시술할 수가 있다.

레이저 지방성형 시술시 투메슨트 용액을 주입
함으로서 혈관을 수축시킴으로서 혈관 손상을 줄
일 수가 있으며 직접적인 혈관 손상은 거의 없으
며 이로 인한 과다출혈은 걱정하지 않아도 된다.

마) 복합적인 시술법

얼굴을 회생시키기 위해서는 한 가지 방법으로
하는 것보다 여러 가지 방법으로 치료를 하는 것
이 서로의 결과를 더욱 상승시키고 최종 결과도 더
욱 좋아 환자의 만족도가 높아진다. 지방성형레이
저는 지방과 물에 흡수되어 순간적으로 작용하기
때문에 지방세포를 녹이고 콜라겐 조직을 수축시
켜 조직을 좀 더 타이트하게 만들며 리프팅 효과
를 나타낸다. 또한 피부 자체의 수축을 얻고자 진
피 아래층에서 자극을 주어 진피층의 콜라겐 섬유
를 재생시킨다.

지방의 국소 축적으로 인한 얼굴 변형이 있는 경
우에는 좋은 결과를 얻을 수 있지만 피부가 얇고
지방이 별로 없는 경우에는 일정한 결과를 얻을 수
없는 이유가 이 때문이다. 피하 지방을 녹이고 조
직을 탄력을 증가시켜도 피부의 탄력을 좀 더 회
복시켜 줬으면 하는 요구를 느낄 때가 있다. 이러
한 경우 고주파나 지방이식, 봉합사를 이용한 리
프팅, 안면리프팅 성형술 등을 복합하여 사용하면
더 좋은 결과를 얻을 수 있다.

• 프랙셔널 고주파(Fractional RF)

프랙셔널 고주파는 레이저 박피의 불편을 줄이
고 피부탄력을 증가시키며 회복이 빠른 장점이 있
다. 피부 표면을 보존하며 진피층과 피하지방층을
자극하여 리프팅 효과를 얻기도 한다. 지방성형 레

이저(1,444nm Nd:YAG, Accusculpt®) 후 프랙
셔널 고주파(Interstitial Fractional RF, Infini®)
를 이용해 2~3개월에 한 번씩 3~4차례 반복해주
면 좋은 결과를 얻을 수가 있다.

• 초음파(HIFU)

초음파를 이용하여 피부의 손상 없이 초음파 에
너지를 심부 조직에 직접 자극하여 피하 지방을
녹이고 피부탄력을 증가시켜 리프팅 효과를 볼 수
있다. 초음파 기기로는 Ulthera® 등이 있으며 초
음파기기는 고가이며 유지비가 들며 통증의 불편
함이 있다.

• 지방이식술

노화된 얼굴의 균형을 맞추기 위해서는 국소적
으로 늘어지고 축적된 부위를 제거하기도 하고 부
분적으로는 볼륨이 부족하여 이런 부분을 채워줘
야 할 필요성이 있다. 필러를 사용할 수도 있으나
대개 많은 볼륨이 필요하기 때문에 자가지방 이식
이 안전하고 효과적이다.

지방성형 레이저와 지방이식을 병행하면 늘어진
부위의 지방은 제거하고 함몰된 부위는 지방을 보
충하여 더 좋은 효과를 얻을 수 있다.

• 봉합사를 이용한 리프팅(Thread lifting)

레이저 지방성형술 후 추가적인 리프팅이 필요
한 경우 봉합사를 이용한 리프팅을 할 수 있다. 안

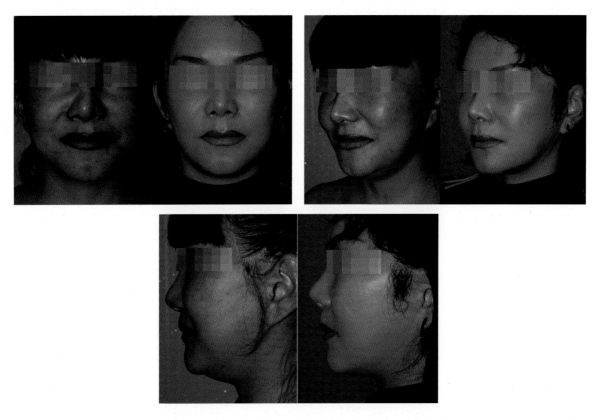

그림 16-11. 나이가 많고 피부 탄력이 떨어지는 환자는 프랙셔널 고주파 시술을 병행하면 좋은 결과를 얻을 수가 있다.

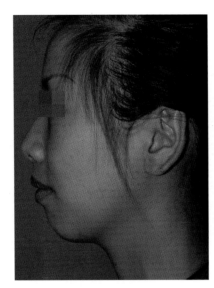
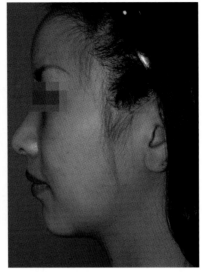

그림 16-12. 코가 낮고 턱이 작으며 입이 튀어나와 보이며 이마가 편편한 경우 코성형과 이마와 턱선의 지방성형(지방이식과 레이저지방흡입)으로 안면 프로필을 양악수술없이 교정할 수 있다.(술 전 및 술 후 2주)

면에 격자 형태로 봉합사를 삽입하면 조직을 당겨 올려 리프팅 효과를 볼 수 있다. 봉합사는 흡수성 PDO(polydioxanon)를 많이 사용하며 흡수되는데 6개월 정도 걸리기 때문에 그 동안 지방성형 레이저 후 조직을 잡아주며 지방성형 레이저의 효과를 더욱 높일 수 있다.

• 안면리프팅

노화로 처진 안면을 리프팅하여도 효과적으로 전체적인 리프팅이 되지 않고 다시 처질 수 있다. 리프팅을 하여도 귀 주변은 당겨지지만 입주위는 리프팅 효과가 미미하고 부분적으로는 조직이 처지고 몰려있어 레이저 지방성형술을 같이 시행하면 더욱 효과적이다.

얼굴과 목을 리프팅 수술을 할 때 지방성형 레이저를 시행하면 입주위와 턱밑의 지방을 녹여내고 동시에 피하층 박리를 쉽게 하며 입가주름(marriotte line), 비순주름(nasolabial fold), 턱선까지

박리하여 효과적인 결과를 얻을 수 있다. 추가로 SMAS층 리프팅을 할 수 있으며 여분의 피부를 긴장 없이 제거하고 봉합한다.

Ⅲ. 질환으로 인한 변형의 치료

지방성형 레이저는 지방과 물에 선택적 흡수도가 높아 짧은 시간 내에 지방에 많은 에너지를 집중시켜 전달해 지방을 효과적으로 녹이면서 이와 동시에 발생하는 열로 지방세포를 둘러싸고 있는 주변의 간질 조직을 수축시키는 작용이 있다. 이러한 작용을 이용하여 다양한 질병이나 조직 비대증, 혈관 병변 등에 이용할 수 있다.

1. 지방종, 지방 이형성증

가) 지방종의 치료(lipoma)

지방종은 지방조직의 비정상적 비후로 인해 지방세포들이 커진 것이기 때문에 지방성형 레이저를 이용하여 쉽게 치료할 수 있다. 하지만 국소마취를 시행한 후 외부에서 만져서는 정상적인 지방조직과의 구분이 어렵기 때문에 초음파를 이용하면 병변의 정확한 위치와 깊이를 파악하고 레이저 팁을 위치시키는 것이 좋다. 10cm³ 정도 되는 크기에 약 500J의 에너지를 주사하는 것이 좋다. 지방종의 크기가 큰 경우는 레이저를 주사한 후 케뉼라를 이용하여 녹여진 지방을 흡입해낼 수 있지만 지방종의 크기가 1cm 이하로 작은 경우는 정확히 녹여진 지방을 흡입해 내기 힘들다. 이런 경우는 레이저를 주사하고 난 후 1:100으로 희석된 hyaluronidase와 triamcinolone을 병변 내에 주사한 후 주기적인 관찰을 하면서 6개월이 지나도 완전히 없어지지 않는 경우는 다시 한 번 시술하는 것이 좋다.

나) 지방 이형성증(Lipodystrophy)

안면외상 후 조직이 붓고 난후 지방조직이 과도하게 발달되어 비후성 변형을 일으킨 경우 시간이 지나도 변형은 없어지지 않고 지속하는 경우가 있다. 이러한 경우 절개로 부피를 감축하는 것은 흉터를 남기며 변형을 초래할 수 있다. 지방성형레이저를 이용하여 비후된 지방조직을 녹여내고 간질조직의 리프팅을 유도하면 좋은 결과를 얻을 수 있다. 또한 흉터가 없기 때문에 여러 번 반복하여 시술할 수가 있다.

2. 지방이식 후유증의 치료

최근 지방이식의 기법이 발달됨에 따라 지방이식이 증가하고 그 후유증도 많아지게 되었다. 과다한 지방이식으로 인한 지나친 볼륨감 이외에 시간이 지남에 따라 지방 덩어리가 뭉쳐진 종괴가 생기거나, 피부 굴곡, 비감염성 육아종, 석회화 등의 증상이 나타나게 된다. 트리암시놀론 희석액을 여

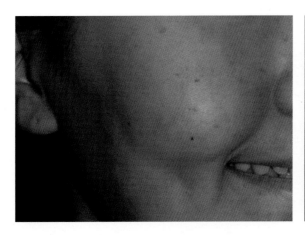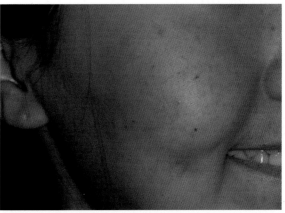

그림 16-13. 외상 후 발생한 지방이형성증을 지방성형레이저로 1회 치료한 모습
(수술 전, 수술 4개월 후, 1,444nm 엔디야그 레이저, 40Hz, 150mj, 6W, 400J)

러 차례 주사하여 종괴가 없어지는 좋은 결과가 나타날 수 있지만 많은 경우 재발하게 된다. 또한 피부가 얇아진다든지, 피하지방이 위축되고 모세혈관이 늘어나 서 종괴가 남아있어도 더 이상의 주사를 할 수 없눈 경우도 있다.

또한 깊이가 깊고 주사 요법에도 반응하지 않고 간헐적인 붓기를 호소하는 비감염성 육아종은 절개를 가하고 완전히 제거해 내야 완치되는 경우가 많다. 석회화로 딱딱해진 것도 절제해야 한다. 하지만 피부나 근육 아래 중요 구조물들과 근접한 경우 손상의 위험 때문에 수술적 절제가 환자나 의사 입장에서 꺼려하게 된다.

지방성형 레이저는 지방에 대해 선택적 친화도가 높기 때문에 이와 같은 지방이식 후 후유증이 있는 환자에게 사용한다면 생각보다 좋은 결과를 얻을 수 있다.

먼저 지방이식으로 인해 얼굴 전체의 볼륨감이 과다할 때는 이를 줄일 목적으로 사용할 수가 있다. 환자에 따라서는 지방이식 직후에 이식된 지방을 제거하길 원하는 환자도 있는데 지방성형 레이저는 지방이식 직후에 사용해도 별다른 문제가 없이 좋은 결과를 얻을 수가 있다.

지방이식 후에는 시간이 지나면서 이식된 지방들이 볼륨이 줄어들면서 더욱 단단히 되는 경향이 있기 때문에 지방이식 후 3개월 이전이라도 볼륨을 줄이기를 원하면 수술하는 것이 좋다고 생각한다. 그 이유는 이식된 지방세포들이 아직까지 부드러우며 원래 있던 조직에 비해 잘 제거될 수 있다.

시간이 오래 경과하면 많은 양의 이식된 지방이 줄어들지만 간혹 시간이 지나더라도 줄어드는 양이 적고 많은 양의 지방이 남아 있어 환자가 과다한 볼륨에 대한 불만이 있고, 지방을 줄이길 원한다면 빨리 줄여주는 것도 좋겠다.

지방성형 레이저는 시술 후 3~6개월까지 약간 줄어드는 효과가 있기 때문에 이식된 지방의 볼륨을 줄일 때는 줄어드는 부분을 생각해 약간 부족한 정도로 제거를 해야 한다.

시술 방법은 볼륨을 줄이고자 하는 부위를 디자인하고 최소한의 마취로 국소마취나 블록을 하고 40Hz, 150mj, 6W 정도의 세기로 지방을 녹여내고 녹인 지방을 흡입해 내면서 모양을 보고 시술을 넓혀가는 것이 바람직하다. 이 경우 튜메슨트 방법을 사용하지 않는 것이 병변을 관찰하기에 좋다. 재 시술은 6개월 정도 지난 후 여부를 결정하는 것이 좋다.

비감염성 육아종의 경우 초음파상 낭포 형성이나 지방종괴 형성 등은 없지만 hyperechoic한 흉조직 같은 부분이 국소적으로 뭉쳐져 있고 간헐적인 부종과 통증, 압통 등이 있다. 하지만 열감이나 발적 등이 없을 때가 많고 이를 제거해 균주검사를 해보면 음성으로 나올 때가 많다. 이러한 경우는 지방의 괴사에 의한 이물반응으로 의심되고 있으며 지방성형레이저로 남아 있는 지방조직을 녹여 흡수를 도와주고 흉터 조직 사이에 혈관이 자라 들어 갈 통로를 만들어 줌으로서 육아종 덩어리가 좀 더 부드럽게 변화되기를 기대할 수 있다. 1-2 회의 지방성형 레이저 치료로 별다른 반응이 없거나 더 심해진다면 절개를 가하고 병변 부위를 완전히 제거하는 것이 좋다.

지방이식을 여러 번 했거나 특히 냉동지방을 여러 번 이식한 환자는 지방들이 뭉쳐져 덩어리가 만져질 때가 많다. 이러한 경우 지방은 유리된 기름 낭종(cyst)이 형성되었거나 지방 괴사나 비정상적인 지방 덩어리를 형성할 수 있다. 이런 경우 지방성형레이저를 이용하면 예상 외로 좋은 결과를 얻을 수가 있다. 지방 덩어리가 녹아 어느 정도 부드

583

러워질 때까지 시술해도 시간이 지나면서 점차 부피가 줄어들고 딱딱함도 풀어지게 된다. 경과를 봐서 3~6개월 이후 재 시술 여부를 결정한다.

눈 주변부에 지방이식을 시행한 경우는 다른 부위와 다르게 눈주변 근육의 움직임으로 인하여 지방들이 뭉쳐져 덩어리를 형성하는 경향이 많다. 트리암시놀론 주사하거나 반응이 없는 경우는 절개하여 제거한다. 상안검은 쌍꺼풀 절개선을 통해 제거해 내고, 하안검은 결막 절개로 이식된 지방덩어리들을 제거해내게 된다.

하지만 상안검에 이식된 지방은 눈을 뜨게 하는 상안검 거근과 유착이 되어 있을 때가 많고 유착된 지방을 제거한 후 상안검거근의 기능이 저하되어 안검하수가 생기는 경우가 있어 수술적 치료가 꺼려진다. 또한 이식된 지방을 제거하더라도 다시 함몰 변형이 생겨 재이식을 고려해야 할 정도로 곤란한 일이 생기기도 한다. 이런 경우 지방성형레이저로 이식된 지방을 녹여주면 절개창 없이 좋은 결과를 얻을 수 있어 수술자와 환자 모두 만족할 만한 결과를 얻을 수가 있다.

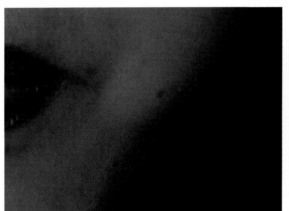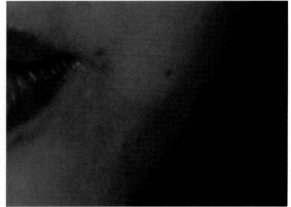

그림 16-14. 반복된 냉동지방이식 후 좌측 뺨에 덩어리 형성. 지방성형 레이저 술전 및 술후 3개월.

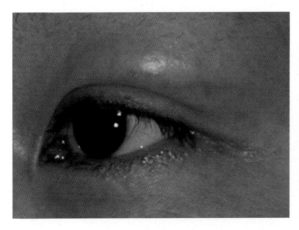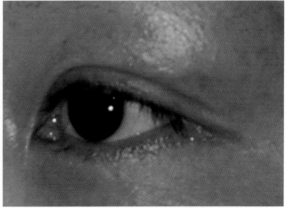

그림 16-15. 상안검 지방이식 후 덩어리 만져짐. 지방성형 레이저 술전 및 술후 3개월.

3. 이물질의 주입 후 병변

요즘은 흔하지 않지만 과거에 얼굴이나 신체 부위에 볼륨을 채워 넣으려고 불법으로 파라핀성분을 인체 내에 주입해 시술한 후 그 후유증으로 형태의 변형이나 염증 피부 괴사 등을 호소하는 경우가 많았다. 이를 제거하기 위하여 절개를 가하고 잘라내도 주입된 파라핀이 정상적인 조직 사이에 존재하기 때문에 제대로 잘라낼 수도 없고 또한 신경이나 혈관 손상들의 손상이 염려되어 치료가 불가능한 경우가 많았다. 실험적으로 1,444nm 엔디야그 레이저를 파라핀 덩어리에 주사했을 때 레이저 불꽃에 닿는 부위의 파라핀은 녹는 것을 알 수가 있었다(파라핀은 대개 섭씨 170~180℃ 정도에서 녹는다). 이 레이저를 몸 속에 조사할 때 레이저 팁 주변부의 온도는 순간적으로 이를 넘고 이에 따라 파라핀이 녹아 나오게 된다. 이때 녹은 파라핀이 절개창을 통하여 흘러내릴 경우 피부에 화상을 입을 수가 있기 때문에 조금씩 녹이고 흘러내리기 전에 케뉼라를 주입하여 제거하는 것이 안전하다. 파라핀이 스며 있는 조직 전체를 녹여내는 것은 힘들며, 또 감염이 없는 한 완전히 다 제거할 필요가 없기 때문에 여러 번에 나누어 제거하는 것이 좋으며 외적인 변형이 문제가 없는 선에서 마치는 것이 좋다.

4. 혈관-림프 기형(Vasculo-lymphatic Malformation)

포도주색 반점(portwine stain) 같은 모세혈관의 기형과 증식이 있는 경우 피부 혈관 병변을 혈관 전용 레이저(pulse dye)로 일부 개선시킬 수는 있어도 비후된 조직을 줄여주지는 못하기 때문에 만족할 만한 좋은 결과를 얻지 못한다. 지방성형 레이저는 모세혈관을 파괴하여 혈류량을 줄일 수가 있고, 이로 인해 이차적인 부피 감소를 기대할 수가 있다. 또한 시술 도중 출혈도 거의 없어 안심하고 사용할 수가 있다.

림프 기형이 있는 경우 조직이 비후된 변형을 보이며 수술은 혈관과 신경의 손상 위험성 때문에 효과적인 절제가 어렵다. 혈관경화술, 혈관폐색술, 방사선 치료 등을 시도해 보지만 효과가 미미하고 재발이 흔하다. 혈관림프 기형으로 조직이 비후된 경우 병변내로 지방성형레이저를 이용하여 간질 조직의 미세혈관림프관 기형을 파괴하여 줄이

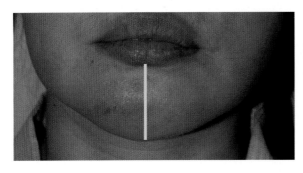
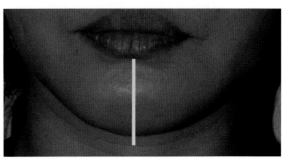

그림 16-16. 파라핀 주입 후 만성적인 염증과 부종 통증을 주소로 내원한 환자의 지방성형 레이저(1,444nm 엔디야그) 수술 전, 수술 후 6개월 된 사진(40Hz, 150mj, 6W, 턱 400J, 양쪽 볼 각각 300J).

게 되면 비후성 병변의 크기가 줄어들 뿐만 아니라 피부를 침범한 병변도 줄어들게 된다. 동맥이나 큰 혈관에는 적용할 수 없으며 작은 혈관, 모세혈관, 가는 정맥, 림프에는 적용할 수 있다.

수술이나 다른 방법으로 치료가 되지 않는 혈관 림프 기형인 경우 효과를 볼 수 있어 한번 시도해 볼만하다.

Ⅳ. 레이저 지방흡입과 지방이식을 이용한 안면교정술

요즘 많은 사람들이 안면 성형에 관심이 많고 윤곽을 고치기 위해 턱이나 광대축소술은 물론이고 양악수술까지 하고 있다. 하지만 안면은 안면골 뿐만 아니라 그 위의 혈관과 신경, 근육과 피하지방 등이 안면부의 볼륨을 형성하고 있다. 요즘 많은

환자들이 안면골 성형술 후 더욱 심해진 안면부 비대칭이나 안면부 연부조직이 처지는 등의 얼굴 모양 때문에 고생하는 경우도 많다.

안면윤곽 성형술은 안면골을 일반인의 평균치에 맞게 교정하지만 환자 개개인의 근육과 연부 조직의 양에 차이가 있고 특히 근육의 움직임에 따라 변하여 얼굴을 대칭적이고 정상적인 비율로 유지할 수 없는 결과를 나타내기도 한다. 또한 안면골 수술후 많은 환자들은 안면부의 연부조직이 아래로 처지게 된다. 이런 처짐을 막기 위해 안면골을 축소할 경우 안면 리프팅을 같이 하기도 한다.

안면부의 비대칭이나 부조화가 있을 때 반드시 안면골 성형술이 필요한 것일까? 안면 비대칭이 있어도 교합면의 기울기가 심하지 않은 경우 보톡스를 이용하여 교근의 비대칭을 완화한 후에 늘어진 턱밑살과 볼살을 지방성형레이저로 일부 지방을 제거하면서 늘어진 피부를 수축시켜 올려준 후 필요한 부분에 지방이식을 이용하여 교정하면 큰

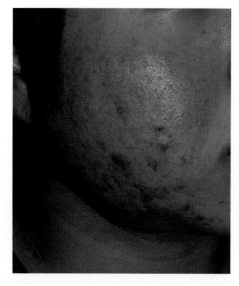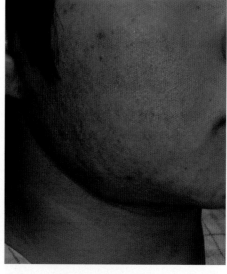

그림 16-17. 혈관림프 기형으로 수차례 수술 후에도 남은 비후된 조직을 지방성형레이저로 시술함. (1,444nm 엔디야그 레이저로 2회 시술. 40Hz, 150mj, 6W, 500J) (수술 ; 박승하, 지방성형레이저 ; 박재우)

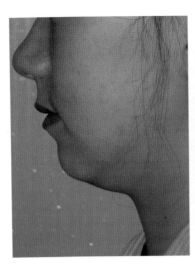
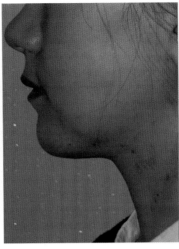
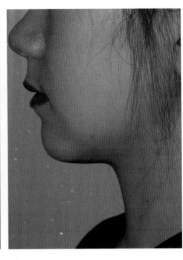

그림 16-18. 턱밑 처진 살로 인해 짧아 보이는 턱을 지방성형레이저로 지방을 제거하고 턱 끝에 지방 이식을 시행함. 턱 선과 입 돌출이 개선되고 턱 앞 근육(mentalis)도 정상 모양을 모임. (pulsed 1,444nm Nd:YAG 레이저 사용, 좌측: 술 전, 중간: 수술 직후, 우측: 수술 후 6개월).

수술 없이 안면비대칭을 교정할 수 있다.

턱 아래 살들이 많아 목이 늘어지게 되면 외형적으로 볼 때 목과 턱이 짧아 보이게 된다. 이런 환자는 상대적으로 입이 튀어나와 보이게 된다.

이 경우 턱살과 목살을 지방성형레이저로 제거하고 탄력을 증가시켜 올려주면 무거운 지방에 의해 아래로 처져있던 목이 자유롭게 올라가고 목선이 제대로 보이게 된다. 또한 턱이 앞으로 나온 것처럼 보여 짧은 턱 변형이 개선되는 것을 볼 수가 있다.

목에서 뽑은 지방을 여러 번 생리식염수에 세척하면 터진 지방세포에서 유리된 유리지방은 제거가 되고 세포들이 남게 되는데, 이를 짧은 턱 끝에 이식하면 좋은 보충 재료가 된다.

지방성형 레이저로 터트린 지방세포는 세포막이 터져 있어 지방세포로서의 기능을 하기가 어렵다. 하지만 터진 후에도 세포의 핵과 이를 둘러싸고 있는 세포질의 일부가 있기 때문에 이식했을 때 이식된 부위에 오랫동안 잘 생존하여 볼륨의 변화가 크지 않다.

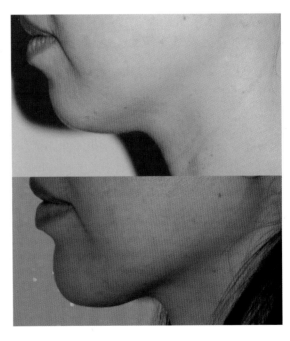

그림 16-19. 짧은 턱 의 지방성형레이저 교정 전과 시술 후 2년. 턱선이 오랜 시간 경과 시에도 교정된 모습이 잘 유지되는 것을 보인다.

V. 체간 및 사지 부위의 레이저 지방성형

1. 안면 이외 레이저 지방성형의 적응증

지방세포를 파괴하여 지방을 녹이고 지방세포 사이의 간질조직을 수축시키기 때문에 지방이 있는 어떤 부위에나 적용이 가능하고 특히 피부가 늘어진 경우 사용할 때 부수적인 효과를 얻을 수가 있어, 이러한 경우에 사용하면 이론적으로 좋은 결과를 얻을 수가 있다. 피부의 탄력이 많이 떨어진 미혼의 여성의 경우나 복부성형술을 할 정도는 아니지만 출산 후 중년여성인 경우 레이저를 이용한 지방성형술이 기대한 것보다 좋은 결과를 얻을 수가 있다. 또한 섬유질이 아주 단단하여 일반적인 지방흡입 수술 시 섬유질 사이의 지방흡입이 어렵고 피만 나는 경우가 많다. 이러한 경우 사용하면 섬유질을 분해하면서 사이사이의 지방을 녹여내고 레이저 시술 후 조직이 부드러워져 흡입관을 움직이고 흡입해 내는데 아주 손 쉬워진다. 출혈도 고식적인 방법보다 더 적으며 효과적인 지방흡입이 가능하다. 특히 목 바로 아래 등에 지방조직이 과다하게 모여 있는 물소 혹 변형 같은 경우나 후경부의 뭉쳐진 지방, 대퇴부외측의 단단한 지방조직 등의 교정에 아주 좋은 결과를 가질 수가 있다.

여성의 고민거리 중 브래지어를 착용했을 때 끈 아래 위로 튀어나온 지방들에 대한 것이 있고, 특히 광배근 말단부에 축적된 지방이 허리 위에 또 하나의 볼륨을 만들어 이로 고민하는 여성들이 많은데, 이러한 경우도 효과적이다.

이전에 지방흡입술을 시행한 경우 가끔 재수술하다 보면 예상 외로 피하지방층의 흉터조직이 많아 가는 흡입관을 사용하더라도 흉터조직을 뚫고 시술할 수 없을 경우가 많다. 이때 레이저를 이용하면 흉터조직을 이완시키면서 지방을 녹이게 되고 이로 인하여 출혈이 적으면서도 지방흡입이 더 손쉬워져 효과적이다. 또한 피부의 굴곡이 있을 때도 레이저 지방성형술을 시행하면 좀 더 개선된 피부 표면을 얻을 수가 있다.

지방종이나 지방이식 후 국소적인 지방을 제거하는 데도 경우에 따라 효과적일 수가 있다.

지방흡입 후 생긴 피부의 굴곡이나 처짐이 있는 경우 지방이 뭉쳐진 부위의 지방을 녹여내고 늘어진 피부의 탄력을 높이면서 함몰된 부위에 지방이식을 같이 하면 좋은 결과를 얻을 수 있다.

2. 부위별 수술 방법

체부의 지방은 안면부에 비하여 양이 많고 피부가 두꺼워 좀 더 강력하고 많은 에너지가 필요하다. $10 \times 10 \text{cm}^2$ 정도의 면적에 있어서 피부를 엄지와 검지로 잡았을 때 두께가 2cm 정도라면 이 부위에 약 2,000J 정도의 에너지를 조사한다. 만일 그 두께가 더 두껍다면 1cm 더 두꺼울 때마다 1,000J 정도를 더 저사하게 된다. 처음에 피부직하부 단단한 표층지방에 약 1,000J을 조사하고 난 후 아래로 내려가면서 조사를 한다. 얼굴과 마찬가지로 심층부를 녹이려고 할 때 캐뉼라의 방향을 심부로 향하게 하여 시술하는 것이 아니라 피부를 조금씩 더 잡으면서 올리면 조금씩 더 깊은 층을 시술할 수가 있기 때문에 시술이 용이하다.

일반적으로는 레이저로 먼저 지방층을 녹이고 일반적인 지방흡입기나 PAL, WAL 등의 기구를 사용하여 녹은 지방을 포함한 지방층을 흡입해 내게 된다. 하지만 지방층을 레이저로 녹일 때 녹은 지방들이 흘러나와 수술 부위를 더럽게 할 수 있어 최근에는 레이저를 주사함과 동시에 녹은 지방 일부를 흡입해 내는 캐뉼라를 사용하여 깨끗한 수술 부위를 유지하면서 흡입하는 시간을 단축시키고 있다. 레이저로 녹인 후 지방흡입은 일반적인 지방흡입 시와 같이 피부의 두께를 파악하면서 골고루 흡입되었는지, 충분히 흡입되었는지 살피면서 지방흡입술을 시행한다.

모든 흡입술이 시행되고 난 후 얼굴 시술 후와 마찬가지로 하이알루로니다제와 트리암시놀론이 포함된 투메슨트 용액으로 약간 세척해 낸 후 부위에 따라 오픈드레싱을 하던지, 석션드레싱을 시행한다.

수술 부위는 가볍게 압박드레싱을 하거나 압박복을 과도한 압력 없이 입혀 드레싱을 한다. 수술 다음날 LED 광원으로 광선 치료를 시행하면 통증이나 부종, 피멍이 빨리 줄어들 수 있고 회복이 빠르다. 고주파 마사지는 일주일이 경과한 후 가볍게 시행하며 일주일에 1회, 4주 정도 시행한다.

• 목과 등 뒤의 지방

간혹 환자들이 목 뒷부분이 살이 많아 접힌다고 호소하는 경우나 등에 불룩 튀어나온 경우(buffalo hump)는 고식적인 지방흡입을 하면 피가 많이 나고 흡입되는 지방도 별로 없고 시술하기도 어려워 의사 입장에서 포기하기 쉽다. 하지만 지방성형레이저를 이용하면 지방을 녹여 가는 관으로 흡입해 낼 수 있어 예상보다 좋은 결과를 얻을 수 있다.

목 뒤 지방을 녹여내기 위해서는 환자를 수술대에 돌려 앉힌 후 앞 배에 베개를 고이고 앞으로 약간 숙여 수술하는 것이 좋다. 이 자세를 취하면 환자와 시술자 모두 편안한 상태에서 수술을 할 수

가 있다.

등을 시술할 때는 환자를 엎드려 눕게 하며 레이저 삽입은 대개 양측 날개 아래 끝(scapular lower tip)의 내측에 하거나 어깨부위에 하게 된다.

수술 과정 중에 목 뒤의 신경이나 다른 구조물들의 손상이 염려될 수 있는데, 모든 시술은 원칙적으로 피하지방층에 국한되어 시술되고 또한 중요 구조물들은 단단한 막에 의해 보호되기 때문에 손상될 위험이 거의 없다. 하지만 이러한 구조물들의 손상을 막기 위해서는 캐뉼라를 피부에 수평 방향을 유지하며, 만일 시술 도중 지방층과 다른 저항이 느껴진다면 시술 방향을 즉시 바꾸어 안전하게 시술해야 한다. 모든 수술 후 절개창은 봉합하지 않고 연고를 묻힌 거즈로 가볍게 드레싱해 주고 붕대나 neck bandage 같은 것은 하지 않는다.

• 흉부(브래지어 위와 아래)

여성들 중에 브래지어를 착용하고 난 후 아래, 위로 튀어나온 살을 혐오스러울 정도로 싫어하는 사람들이 많다. 하지만 이 부위에 일반적인 지방흡입을 해보면 피부가 두껍고 섬유질이 많아 수술 도중에도 지방을 흡입하기가 쉽지 않다. 또한 충분한 양의 지방을 흡입했다고 하지만 수술 직후에는 좋아 보이다가 시간이 지날수록 별다른 효과가 없는 경우가 많다. 이 부위는 국소적인 지방 축적뿐만 아니라 이로 인한 국소 피부가 늘어지는 것 때문에 피부가 처져 탄력을 잃은 경우가 많고 단순히 지방만을 흡입해내고 나면 피부 처짐이 더욱 심해지는 경우가 많아 불만족스럽다. 또한 국소지방의 축적으로 인해 피부가 늘어지면서 아래의 근육이나 근막들이 늘어져 있어 이들로 인해 만족할 만한 결과를 얻기 힘들다.

이러한 경우 Pulsed 1444nm Nd:YAG Laser를

이용하여 단단한 섬유질 사이의 지방을 쉽게 녹여 낼 뿐만 아니라 피부와 지방간질, 근막 등을 자극하여 수축해 피부와 연부조직 탄력을 회복해 줌으로써 좋은 결과를 얻을 수가 있다. 절개창은 대개 양쪽 늘어진 등살과 허리살이 만나는 부위에 약 2~3mm 정도로 두는 것이 좋다. 간혹 브래지어 라인에 절개창을 두는 경우가 있는데, 피부가 두터워 흉터가 좀 더 크게 남고 잘 보이는 경우가 있어 좋지 않다.

흉부와 복부의 충분한 양의 지방을 흡입해 내고 수술 후 피나 용액이 잘 나오게 절개창은 봉합하지 않고 거즈로 가볍게 드레싱해 주고 패드를 댄 후 압박붕대나 보정옷을 입혀 압박해 준다.

• 상완부(arm)

팔을 흡입할 때에 젊은 사람이나 피부 탄력이 좋은 사람은 단순한 지방흡입을 하더라도 모양이 좋지만 피부 탄력이 떨어지는 나이든 사람에게는 팔 굵기가 가늘어지더라도 피부가 늘어져 효과가 떨어지는 경우가 많다. 또한 보다 좋은 효과를 얻기 위해서는 팔의 후면만 흡입하는 게 아니라 360° 전체를 둘러가면서 흡입하거나 자극을 주어 탄력을 주어야 한다. 하지만 간혹 지방이 뒤쪽에만 국한되어 있고 앞쪽은 지방이 별로 없지만 피부가 얇고 늘어진 경우가 있는데, 이 때 지방흡입해서 피부 탄력을 높이기란 쉽지 않다. 이러한 경우 Pulsed 1444nm Nd:YAG Laser를 이용하여 지방을 녹여내면서 피부와 지방간질, 근막 등을 자극하여 연부조직을 수축시켜 탄력을 회복해줌으로써 좋은 결과를 얻을 수가 있다.

지방이 많은 뒤쪽은 지방을 녹여내고 흡입을 하고 지방이 많이 없는 앞쪽은 바늘구멍 크기의 절개창을 통하여 레이저만 주사하여 360° 둘러가며 연부조직을 수축시켜주면 좀더 좋은 결과를 얻을 수가 있다. 환자를 엎드려 눕힌 상태에서 절개창은 약 2~3mm 정도로 대개 양쪽 팔꿈치 주름 안쪽에 일치시켜 넣은 후 절개창을 통하여 지방성형 레이저로 녹여낸다.

• 전박부(forearm)

전박부를 지방흡입하는 경우는 드물지만 과도한 비만 환자에 있어서 원하는 경우가 종종 있다. 전박부를 360°로 레이저 지방흡입하면서 과도한 에너지를 조사하거나 손상을 주었을 때 근막 내의 압력이 높아지고 혈관들이 압박되어 이른바 구획증후군(compartment syndrome)이 생기면 수부기능에 막대한 손상을 주게 된다. 전박부를 흡입할 때 대부분의 표재성 혈관이나 신경들은 손상을 받을 염려가 없지만 요골신경(radial nerve)의 감각 분지가 손상될 염려가 있고 이때 감각 이상이나 통증을 유발할 가능성이 있다. 전박부를 수술 전 디자인할 때 엄지와 외측팔꿈치를 연결하는 선을 중심으로 팔 둘레의 1/3 정도는 그냥 두고 척골측(ulnar side)만 흡입하는 것이 좋다. 척골측 손목 주름 부위에 절개를 가하고 근막이 손상되지 않게 가는 관을 넣어 압력이 높지 않게 튜메슨트용액을 손으로 주입하며 피부긴장이 너무 과하지 않게 주입 한다. 적당한 양의 지방을 흡입해 내고 수술 후 회복 시 환자에게 베개에 팔을 올린 상태로 누워있게 하는 것이 좋다.

• 복부 및 허리

나이가 들어 뱃살이 늘어지거나 심한 비만으로 인하여 복부 피부가 늘어진 경우 복부성형술이 바람직하지만 아랫배에 긴 흉터를 남기기 싫어하거나 배꼽을 옮기는 것을 싫어하는 사람에게는 시행할 수 없다. 또한 장차 임신을 계획한 사람에게 복부성형술을 시행하고 복직근을 가운데로 묶는 것을 권할 수가 없다. 이러한 경우 지방흡입을 시행하게 되는데 늘어진 피부 때문에 흡입 후 피부 굴곡이 생기거나 늘어지는 경우가 많다. 이 부분을 완전히 해결할 수는 없지만 레이저를 조사해 간질 조직을 수축시켜 줌으로써 좀 더 좋은 결과를 가질 가능성이 있어 복합적으로 시술하는 경우가 점차 늘어나고 있다. 절개창은 가려지는 부분에 가하고 일반적인 지방흡입과 비슷하게 튜메슨트 용액을 주입한 후 레이저 캐뉼라를 삽입해 시술하게 되는데, 이때는 주사해야 할 레이저의 양이 많기 때문에 시간이 오래 걸린다. 또한 지방이 녹으면서 절개창을 따라 흘러내릴 뿐만 아니라 캐뉼라 손잡이를 통하여 흘러내리기 때문에 수술 부위가 지저분해질 수 있다.

레이저를 주사함과 동시에 녹은 지방을 흡입하면 수술 시간을 줄일 수 있고 수술실을 깨끗한 상태로 유지 할 수 있기 때문에 요즘 양방향(two way) 핸드피스를 많이 사용한다. 일반적인 지방흡입에 비해 레이저를 시술하면서 흡입을 하게 되면 출혈도 적고 저항도 적어 손쉽게 지방을 흡입해 낼 수 있다. 양방향 핸드피스를 쓰면 일반적인 지방흡입과 비교했을 때 시간적인 부분에 있어서 큰 차이가 나지 않는다. 레이저를 이용하여 지방흡입을 하는 것은 지방을 녹여 흡입이 잘 되게 할 뿐 아니라 먼저 터널링해 다음 단계의 흡입을 용이하게 하고 일정하게 녹여 울퉁불퉁한 것을 방지한다. 또한 조직을 타이트하게 해 늘어지는 것을 방지하기 때문에 더 좋은 결과를 얻을 수가 있다. 하지만 시행 후 너무 과도한 수축으로 인하여 배꼽 주변으로 피부가 수축되어 몰려 어떤 경우는 아랫배가 약간 뭉친 것 같이 돌출되는 경우가 있다. 이러

한 뭉침 현상은 약 3개월 정도 지속하기 때문에 사전에 환자에게 조직의 수축 작용으로 뭉침 현상이 일어날 수 있으며 이는 레이저의 치료 작용이라는 것을 설명하면 환자들이 잘 이해한다.

수술 후 용액이나 피가 잘 배액될 수 있게 절개창은 봉합하지 않고 거즈로 가볍게 드레싱해 주고 패드를 댄 후 스폰지를 댄 위에 압박붕대나 보정 옷을 입혀 압박해 준다.

- ### 허벅지(Thigh와 Saddle Bag)

젊은 사람이나 피부탄력이 좋은 사람들은 허벅지 지방흡입을 해내더라도 원래 탄력이 좋기 때문에 수술 후 굴곡이 잘 생기지 않는다. 하지만 나이가 들거나 피부 탄력이 많이 떨어진 사람은 수술 후 울퉁불퉁하고 늘어져 보기 흉할 수가 있다. 이러한 경우 레이저를 이용하면 피부 탄력을 높여 결과를 좋게 할 수가 있다. 하지만 너무 과하게 레이저를 주사하거나 레이저 후 일반적인 지방흡입 같이 많이 뽑아내면 레이저의 효과가 좀 더 오래 있다가 나타나기 때문에 레이저 에너지에 의한 함몰 효과가 나타날 수 있다. 따라서 레이저는 복부에서 사용하는 것보다 절반 정도의 양을 사용하는 것이 바람직하며 전 부위에 걸쳐 골고루 주사해 주는 것이 좋은 결과를 얻을 수가 있다.

- ### 무릎 주변

무릎 주변의 지방이 뭉쳐있는 경우 이 부위의 지방은 일반적인 지방흡입으로 해결하기 곤란한 경우가 많다. 무릎 내측은 일반적인 지방흡입으로 그나마 흡입이 잘되지만 무릎 바로 위에 지방이 뭉쳐있는 경우는 흡입하면 그 부위는 흡입되지 않고 바로 윗부분의 조직이 연한 곳의 지방이 흡입되어 수술 후 더 두드러져 보이는 경우가 많다. 무릎 바

로 위의 지방은 많은 섬유질 사이에 지방이 존재하기 때문에 일반적인 지방흡입으로는 효과적으로 흡입이 잘 되지 않는다. 이 경우는 지방이 튀어나온 부위를 어느 정도 뽑을 것인지 디자인하고 난 후 약 1~2cm 떨어진 곳에 18G로 구멍을 뚫고 안면부에 사용하는 캐뉼라를 이용해 지방을 녹여내고 흡입해 내면 흉터도 없이 잘 해결할 수가 있다. 이때 주변의 함몰된 부위는 가급적 건드리지 말고 수술하는 것이 좋다.

절개창은 봉합하지 않고 거즈로 가볍게 드레싱해 주고 패드를 댄 후 압박붕대나 보정 옷을 입혀 압박해 준다.

• 종아리(Calf area)

종아리도 무릎 주변부와 마찬가지로 지방이 몰려 있는 부분 부분을 직접 공략해 녹여내는 것이 좋으며 흡입은 가급적 과하지 않고 적당하게 하는 것이 좋다. 특히 종아리 외측을 시술할 때는 비골 주변 표재신경이 손상될 경우 감각 이상이나 통증을 호소하는 경우가 많기 때문에 이 부위는 가급적 시술하지 않는 것이 바람직하다. 또한 아킬레스건이 있는 후배부 중앙은 말단혈관에 의해 피부 혈류가 공급되기 때문에 이 부위가 손상 받으면 피부괴사가 유발될 수 있고 자연적인 치료 또한 아주 힘들어서 이 부위는 피해야 하겠다. 후배부 위쪽도 많은 양의 지방흡입을 시행하면 아래의 혈관 구조물들이 비쳐 보여 오히려 미용적으로 좋지 않기 때문에 이 부위도 적당하게 레이저를 주사하고 흡입해 내야 한다. 이 부위는 전박부와 마찬가지로 많은 손상이 있을 때 구획증후군이 생길 수 있기 때문에 전체를 둘러서 시술하는 것을 금해야 하며 절개창을 봉합하지 않고 배액되게 놓아 둔 채 올려서 회복하게 해야 한다.

◆ 참고문헌

1. Chia CT, Theodorou SJ ; 1,000 consecutive cases of laser-assisted liposuction and suction-assisted lipectomy with local anesthesia. 36, 767-779, 2012
2. Fakhouri TM, Tal AK, Arrou AE, Mehregan DA, Barone F; Laser-assisted lipolysis; A review. Dermatol Surg, 38, 155-169, 2012
3. Goldman A; Submental Nd:YAG laser-assisted liposuction. Lasers Surg Med 38; 181-184, 2006
4. Holcomb JD, Turk J, Baek SJ, Rousso DE; : Laser-assisted facial contouring using a thermally confined 1444-nm Nd-YAG laser; A new paradigm for facial sculpting and rejuvenation. Facial Plast Surg 27, 315-330, 2011
5. Ichkawa K, Miyasaka M, Tanaka R, Ranino R, Mizukami K Wakaki M : Histologic evaluation of the pulsed Nd:YAG laser for laser lipolysis. Lasers Surg Med 36; 43-46, 2005
6. Kim HG, Geronemous RG; Laser lipolysis using a novel 1,064nm Nd:YAG laser. Dermaol Surg 2006, 32, 21-48
7. Kim JH, Min KH, Heo CY, Baek RM, Park HJ, Youn SW, Kim EH; Histologic evaluation of dermal tissue remodeling with the 1,444nm Nd:YAG laser in vivo model. J Dermatolo 40; 706, 2013
8. Licata G, Agostini R, Fanelli G, Frassetti L, Marciano A, Rovatti PP, Pantaloni M, Zhang YX, Lazzeri D ; Lipolysis using a new 154p-nm diode laser; a retrospective analysis of 23o consecutive prodedures. J Cosmet Laser Ther 15; 184-192, 2013
9. McBean JC, Kats BE; A pilot study of the efficacy f a 1,064 and 1,320nm sequentially firing Nd:YAG laser device for lipolysis and skin tightening. Lasers Surg Med 2009, 41, 779-84
10. Mordon S, Plot E; Laser lipolysis versus traditional liposuction for fat removal. Expert Rev Med Devices 6, 677-688, 2009
11. Przylipiak AF, Galicka E, Donejko M, Niczyporuk M, Przylipiak J; A comparative study of internal laser-assisted and conventional liposuction; a look at the influence of drugs and major surgery on laboratory postoperative values. Drug Design Development Therapy, 7; 1195-1200, 2013
12. Reynaud JP, Skibinski M, Wassmer B, Rochon P, Mordon S : Lipolysis using a 980-nm Diode laser;

A retrospective analysis of 534 procedures. Aesth Plast Surg 33; 28-36, 2009

13. Sarnoff DS; Evaluation of the safety and efficacy of a novel 1,440nm Nd:YAG laser for neck contouring and skin tightening without liposuction. J Drugs Dermatol 12, 1382-8, 2013.

14. Tierney EP, Kouba DJ, Hanke CW; Safety of tumescent and laser-assisted liposuction; review of the literature. J Drugs Dermatol 10; 1363-9, 2011

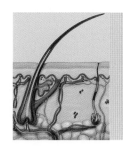

저출력 레이저와 광역동요법
Low level laser & Photodynamic therapy

윤 춘식

CHAPTER 17

Ⅰ. 서론

1. 저출력 레이저의 역사

치료적 목적의 저출력 레이저 사용은 저에너지 ($1J/cm^2$) 루비 레이저가 상처회복을 향상시키는 것을 발견한 Mester 등에 의해 알려졌다. Low level laser therapy(LLLT)치료는 특징적으로 낮거나 인지되지 않는 온도 증가를 가져오기에 "Low intensity" 혹은 "Cold" 레이저라는 명칭을 가지고 있다.

조직에서 저출력 레이저에 의한 빛의 흡수는 특정 파장을 가진 빛이 조직의 특정 부위나 특정 세포에 흡수되어 생물학적 활성을 증진시키지만, 저출력을 사용함으로 인해 조직 손상 없이 생체 자극을 이용해서 소염효과, 진통효과, 항 알러지 작용, 면역교정, 항균효과, 재생 촉진 작용, 항 부종 작용, 국소 혈액순환 개선 작용 등의 효과가 있다. 임상적으로 화상 및 외상에 의한 동통성 질환에 이용되고 있으며, 저출력 레이저 치료의 간편함, 접근의 용이성, 안전성 및 비침습성으로 인하여 점차 임상적 응용이 광범위해지고 있다.

2. 저출력 레이저의 정의

일반적으로 레이저는 3,000-10,000mW의 출력을 가지면서 세포와 조직에 대한 비가역적 열손상이 발생하는데 비해, 저출력 레이저 (low level laser)는 1-500mW의 낮은 출력으로 효과를 내는 레이저를 말하는데, 레이저 조사시간을 포함한 에너지의 개념으로 계산하면 대략 0.05~10J 범위 내에서 세포를 파괴하지 않으면서 적절히 자극하는 효과를 나타낸다.

표 17-1. 저출력 레이저의 특성

파워 : $10^{-3}-10^{-1}$ W
파장 : 300 − 10600nm
Pulse rate : 0 (Continuous) −5000 Hz
Total irradiation time : 10 − 3000초
Intensity (Power/area) : $10^{-2}-10^{0}$W/cm^2
Dose (Power × irradiation time/area irradiated) : 10^{-2} − 10^{2} J/cm^2

II. 저출력 레이저의 효과와 역할

1. 저출력 레이저 매질 및 광원

가) 저출력 레이저에 사용되는 매질

Helium neon (HeNe: 632.8nm)

Ruby (694nm)

Argon (488 – 514nm)

Semiconductor diodes laser:

Gallium arsenide (GaAs:904nm),

Gallium aluminum arsenide

(GaAlAs:820nm–830nm)

나) 저출력 레이저에 사용되는 광원

Laser

LEDS

Polarized broadband light sources

Strong broadband non-polarzied pulses

2. 적절한 파장

LLLT에서도 파장에 따라 흡수되는 대상이 달라질 수 있기 때문에 파장의 선택은 중요하다. 하지만 아직 각 파장에 대한 정확한 효과에 대해서는 실험조건이나 연구에 따라 다른 결과가 나오기에 좀더 잘 조절된 연구실험이 필요하다. 대략적인 파장에 따른 연구논문들을 살펴보면,

1) 배양된 섬유아세포, 혈관내피세포 성장에 있어서 665, 675, 810nm 비교시 665nm에서 가장 높은 증식이 관찰되었으며, 810nm에서는 섬유아세포의 증식이 억제되었다.

2) 830nm 파장대는 모든 종류에서의 상처회복과 통증을 감소시킬 뿐만 아니라 뼈와 신경의 재생에 효과가 있어 스포츠 의학에 있어서도 적용하기 좋은 파장대이다. 매우 광범위한 적응증을 대상으로 하기 때문에 매우 유용한 파장이다.

3) 633nm 파장은 비흑색종 피부암, 여드름, rejuvenation을 위한 PDT 치료등에서 5-ALA를 활성화 시켜주는 역할을 한다. 또한, 탈모치료에 대하여 효과적이다. 뿐만 아니라 830nm와의 복합치료가 skin rejuvenation과 상처치료에 유용하다는 사실이 계속 보고되어 왔다.

4) 415nm는 Propionibacterium acnes(P. acnes)에 의해 만들어진 내인성 포르피린에 가장 많이 흡수되는 파장대이기에 여드름 치료에 효과적으로 사용될 수 있는 파장대이다.

– 415nm는 포르피린 흡수도가 가장 높기에 여드름 치료에 가장 효과적인 파장대이지만, 침투 깊이가 얕은 것이 단점이고, 633nm는 침투 깊이는 높으나 포르피린 흡수도가 415nm에 비해 떨어지는 것이 단점이다. 따라서, 최근 논문들은 여드름 치료에 있어서는 415nm+633nm의 혼합사용이 각각의 파장 단독 치료보다 효과적이라고 보고하고 있다.

5) 피부에 tape stripping한 후 파장별로 광성을 조사했을 때 barrier recovery 효과는 Red에서 현저했으며, Green&Yellow에서는 효과가 없었으며, blue에서는 오히려 barrier recovery를 방해했다고 보고 하였다. 따라서,

skin barrier에 손상이 발생하는 아토피, 민감성 피부 같은 습진이 있거나 레이저 박피 같은 시술 후에는 Red 파장을 사용하는 것이 더 적절하다.

저자의 경우 상처치료, 통증, 항염증 치료, 그리고 피부재생에 있어서는 633nm, 830nm를 사용하고 있으며 염증성 여드름 치료에 있어서는 415nm + 633nm의 혼합사용을 추천하고 있다.

3. LLLT의 작용기전

미토콘드리아가 빛에 의한 초기반응 부위라고 생각이 되며, 세포에 흡수된 빛에너지가 미토콘드리아를 활성화해 ATP 생산을 증가시키고, 반응성 산소기를 조절하며, transcription factor를 induction한다.

이런 작용에 의해 1) 세포증식과 이동(특히, 섬유아세포)이 증가되고, 2) 사이토카인, 성장인자, 염증 매개인자 레벨에서 조절이 일어나게 되고, 3) 조직 산소공급이 증가된다.

또한, 저출력 레이저 조사에 의해 조직 내 혈류량 증가로 미세순환이 향상되고, 이런 생화학적이고 세포적인 변화가 동물과 사람에 있어서 만성 상처에서 회복을 촉진시키고, 스포츠 손상 호전, 관절염 및 신경염에서 통증 완화, 신경 손상 회복 등에 도움이 된다.

• 조사부위와 다른 부위에의 영향

신체의 한 부위를 조사하였을 때 영향을 받지 않았던 부위까지 효과를 유도한다는 LLLT와 연관되는 시스템적 효과는 1969년 난치성 종양 치료에 관한 Mester의 연구에 의해 이미 제안되었다.

LED광 치료가 조사 부위의 모든 세포들뿐만이 아니라 조사부위와 인접하지 않는 면역세포 및 염증 세포에도 영향을 미치는 것으로 추정될 수 있다는 것을 의미한다.

4. 상처치료에 있어서 LLLT의 역할

대부분의 LLLT 연구자들은 비교 및 사용가능성 때문에 HeNe 레이저를 사용해 왔으나, 최근 연구들은 GaAs 레이저를 많이 이용하였다.

가) 세포연구

상처 치유에 있어서 섬유아세포가 중요한 역할을 하기에 대부분의 LLLT연구는 섬유아세포의 성장, 이동, 콜라겐 생성에 관련되어 있다. Abergel 등에 의한 초기 연구에 의하면, HeNe과 GaAs 레이저를 배양한 섬유아세포에 조사했을 때 섬유아세포에 의한 procollagen 이 증가됨을 발견하였다. 최근 연구에서는 다이오드 레이저(670, 692, 780, 786nm) 조사 후 잇몸 섬유아세포가 증가되고, 904nm GaAs 레이저를 인간 섬유아세포에 조사시 섬유아세포가 증가됨을 보고하였다.

나) 동물연구

수술 후 상처 치유, skin-flap survival, 화상 상처 회복, wound tensile strength등에 대한 rodent, porcine 모델 연구에서 효과가 있었다는 연구결과가 나오고 있다. Kana 등은 rat에 개방형 상처를 만들고, HeNe 레이저를 조사 했을 때, HeNe 레이저를 조사한 상처에서 대조군에 비해 상처 회복이 빨라짐을 보고하였다. Lyon 등은

HeNe 레이저를 조사한 hairless mice의 tensile strength가 증가되었음을 보고하였다.

다) 사람연구

Mester는 LLLT의 임상적 사용의 선구자로, 1000 케이스 이상의 다양한 원인의 치료에 반응하지 않는 궤양을 저출력 루비레이저를 이용해서 치유했다고 보고하였다.

이후 여러 연구들에서 인체 시험에서 피부염증을 막고 궤양의 크기를 감소시키는 효과가 있는 것으로 나타났다. 이는 미토콘드리아의 기능강화를 통해 섬유아세포를 자극하고 콜라겐 합성을 증가시킴으로써 일어나게 된다. 또한 항염증 작용으로 인해 레이저 후 발생하는 홍조와 부종 반응을 감소시키는데 효과적이다.

LLLT 치료의 경우 실제적으로 느껴지는 정도 및 임상 호전 정도가 비교하기 어렵기에 치료 영역에 있어서 많은 각광을 받지 못한 것이 사실이다. 하지만, LLLT의 세포, 동물, 사람에 대한 논문들을 살펴보면 대부분 효과가 있다는 연구들이 많으며 출력이 높고, 일정하면서, 일정한 파장이 조사되는 최신 LLLT 장비를 사용한 연구들에서는 더 뚜렷한 임상적 결과를 보고하고 있다. 하지만, 몇몇 연구에서는 비슷한 실험에서 LLLT의 효과가 없었다고 보고하였다. 이는 실험 디자인, 사용되는 레이저 차이, 세포배양기법 및 실험 대상의 차이에 기인할 수 있고 앞으로 이런 부분들을 고려한 체계적인 연구가 지속되어야 할 것이다.

일반적으로는 상처치료에 있어서 LLLT는 초기 창상 치유는 촉진을 시키면서 후기 비후성 상처와 켈로이드 형성을 억제하는 biomodulation action이 있다고 생각된다.

5. 창상 혹은 레이저 치료 직후 발생하는 동통과 부종, 염증 반응에 대한 LLLT의 효과

저출력 레이저가 창상 직후 발생하는 동통, 부종, 염증 반응과 관련된 PGE2 생성의 억제와 COX-1 및 COX-2 효소 발현을 억제시킨다는 여러 보고들이 있다.

Lim 등의 연구에 의하면 아라키돈산으로 처리한 치은 섬유아세포 배양조직에 635nm 파장의 저출력 레이저(LED 장비) 조사 후 PGE2이 합성이 억제됨이 밝혀졌고, 다른 항염증 약물인 indomethacin과 ibuprofen과 PGE2합성 정도를 비교했을 때 억제 정도가 동등하다고 보고하였다.

또한, 레이저 치료 후 발생하는 홍반 및 통증 감소에 대한 Split face study에서도 LLLT치료한 군의 홍반이 더 빨리 사라지고 통증이 더 빨리 감소되는 것으로 보고되고 있다(그림 17-1).

6. 여드름 치료에 있어서 LLLT의 역할

햇빛이 여드름 환자의 70%에서 효과가 있다고 보고된 이후, 광선요법을 여드름에 적용해 보려는 시도들이 꾸준히 진행되었으며 여러 연구들을 통해 실제로 가시광선을 이용한 광치료가 여드름에 효과가 있음이 밝혀졌다. 여러 보고들에서 내인성 PDT(P. acne는 내인성 포르피린(Coproporphyrin III과 protoporphyrinIX)을 만들어 내고, 포르피린을 활성화시키는 광선요법이 P. acne 숫자를 줄이게 된다)에 의한 선택적인 oxidative stress를 통해 P acne를 제거하게 된다.

효과는 singlet oxygen을 생성해서 P. acne를

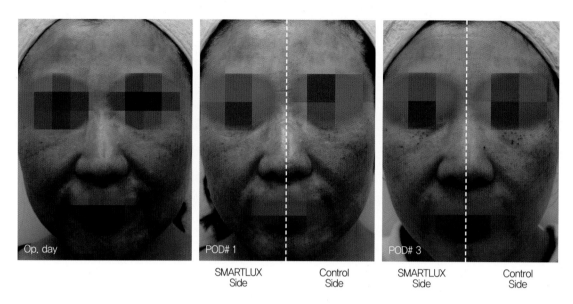

| Op. day | POD# 1 | | POD# 3 | |
| | SMARTLUX Side | Control Side | SMARTLUX Side | Control Side |

그림 17-1. fractional laser치료 후 LLLT의 효과

우측 : SmartluxFX(Red+IR)/20min/ 1회 치료, 좌측 : 대조군
시술 후 비교시 Smartlux 조사를 한 우측 부위에서 1) 홍조가 더 빨리 없어지고, 2)시술 후 딱지 발생이 더 적게 발생한 것을 관찰할 수 있다.(사진 제공: 리더스 피부과 노낙경 원장)

줄이면서 싸이토카인 생성에 영향을 준다. 즉, 415nm blue light는 표피에 있는 각질형성세포에 작용해서 싸이토카인 생성을 증가시키고 이런 과정을 통해 염증이 발생된 여드름 피부의 치유에 중요한 역할을 하게 된다.

가) Blue light 단독

415nm의 blue light가 p. acne에 대한 살균효과가 가장 큰 파장으로 알려져 있으나 투과 깊이에 한계가 있다. (P. acnes가 생산하는 내인성 por-phyrin이 대부분의 corproporphyrin III(CpIII)와 소량의 protoporphyrin IX(PpIX)로 이루어져 있고, CpIII는 청색광을 주로 흡수하며 PpIX은 청색광과 적색광 모두를 흡수한다.)

나) Blue light + Red light

blue light 단독에 비해 red light를 병행하는 복합치료가 염증성 여드름에서는 좀 더 효율적인 것으로 보고되었다. Red light의 경우 조직 투과력이 더 높으며 항균효과 외에 항염증효과를 나타내며, Papageorgiou 등은 415nm의 청색광과 660nm의 적색광의 병합 요법을 시행한 결과, 청색광의 단독요법보다 더 좋은 효과를 나타내었다고 보고하였다.

다) 치료법

· 주 2회(3-4일 간격)
· 15-20분씩
· 4-8주간 시행

7. 탈모치료에 있어서 LLLT의 역할

1) LLLT는 두피 조직에 침투하여 미세순환을 증가시키고, 세포대사를 향상시키고 단백질 생산을 증가시킨다. 몇 몇 연구에 의하면 모근의 혈액순환을 증가시키고 염증을 줄이고 모근세포를 강화시켜 모발을 두꺼워지게 하면서, 모발 탈락도 감소시키는 것으로 되어 있다.

2) 연구자들은 기존 탈모 치료에 LLLT를 병합치료시 기존 치료 단독보다 더 좋은 효과를 보였다고 보고하였다.

3) LLLT는 모발이식 후 이식 부위 상처 회복과 이식 후 주변 모발에 대한 손상으로 인한 휴지기 탈모 및 동반 탈락 현상에 대한 치료 및 예방 목적으로 유용하게 사용할 수 있다.

실제 탈모 치료에 있어 저자의 경험으로는 여러 종류의 탈모 중 휴지기 탈모에 좋은 효과를 보였으며, 유전적인 탈모에는 큰 효과를 관찰할 수 없었다. 이는 LLLT의 효과가 염증 반응을 줄이고, 전체적인 두피 세포의 활성화와 혈액순환을 개선시키기에, 모발의 성장 사이클 중 휴지기를 줄이고 성장기를 촉진시키고 길게 하여 휴지기 탈모가 호전된다고 생각된다.

하지만, 모발 및 탈모에 대해서는 아직까지 경험적인 치료 효과 보고가 대부분이기에 좀 더 체계적인 모발 및 탈모에 있어서의 LLLT의 역할이 연구되어야 할 것이다.

8. 통증치료에 있어서 LLLT의 역할

통증치료에 있어서는 1975년 Plog 등이 He-Ne 레이저를 두통 및 오십견 환자들에 이용하여 72.2%에서 유효한 결과를 보고하였으며, LLLT의 통증 치료에 대한 장점으로 1) 감염이 없고, 2) 조작이 간편하고, 3) 조사부위에 정확한 조사를 할 수 있고, 4) 단시간 내 치료효과를 얻을 수 있고, 5) 무통적 치료가 가능하다고 하였다.

저출력 레이저에 의한 통증에 대한 효과는 크게 신경섬유에 대한 작용과 염증 반응을 억제시키는 작용에 의해 나타난다.

신경섬유에 대한 효과는 그 섬유의 흥분 정도를 촉진하거나 억제하는 작용을 통해서이다. 정중신경을 저출력 레이저로 10초간 조사하면, 신경을 활성화시키지만, 20분간 자극하면 억제 효과를 나타나게 된다. 피부과적으로는 대상포진 후 신경통에 사용할 수 있다.

9. 비만치료에 있어서 LLLT의 역할

Neria 등이 2002년 635nm, 10mW의 다이오드 레이저를 복부 지방 성형술 전 체외에서 조사한 LLLT 치료에 의해 Transmission electron microscopy 사진상 99%의 지방세포에서 지방이 유리되었고 지방세포의 형태 변화가 발생하였다고 보고하면서 주목을 받기 시작했다. 하지만, 2004년 Brown 등은 지방 성형술 전에 Neira 등이 시술 한 방법과 동일하게 복부 지방세포에 같은 레이저 시술 후 조사된 지방세포와 조사하지 않은 지방 세포 간에 사진 비교시, 형태 차이가 없었다고 보고 하였다.

또한, 2009년 Jackson 등은 635nm, 17.5mW 다이오드 레이저를 외부에서 조사한 LLLT 치료가 복부, 힙, 허벅지의 둘레를 줄이는데 효과적이라고 보고하였다. 반면에 2011년 Elm등은 비슷한 방법으로 LLLT치료를 body contouring에 사용 후 둘레를 측정시 효과가 없었다고 보고 하였다.

따라서, 비만 치료에 있어서 LLLT의 사용에 대해서는 아직 논란이 많고, 많은 연구가 되어 있지 않기에 좀 더 체계적인 비교연구가 필요하다.

10. LLLT 장비 선택

최근에 LED를 광원으로 하는 LLLT장비가 주류를 이루고 있다. 실제로 "광원이 레이저이건 LED이거나 상관없이 파장과 dose가 동일하다면 biological effect는 동일할 것이다"라는 평가가 우세해지면서 미국과 유럽을 중심으로 LED 기기의 사용이 보편화되고 있다.

레이저와 비교하였을 때 LED 시스템을 탑재한 LLLT의 이점 중 하나는 광대한 면적을 조사할 수 있다는 것이다. 이는 레이저가 국소부위만을 포인트적으로 조사 하는 것과 비교하였을 때, 인체의 모든 부위를 광범위하게 커버할 수 있으며 조사를 위해 특별히 손을 쓸 필요가 없다는 장점도 있다. 게다가 조사 하고자 하는 부위뿐만 아니라 다양한 세포들이 동시에 영향을 받게 된다.

통상적 저출력 레이저에 비해 LED광 치료 기술은 넓은 표면적의 치료에 더 용이하게 적용할 수 있고 시술 시간이 단축되며 좀 더 다양한 파장의 빛을 낼 수 있다는 장점이 있다.

표 17-2. LED 광원의 장점

· 넓은 면적에 치료 가능하다.
· 다른 광원 대비 파장 선폭(Wavelength bandwidth)이 좁아 특정파장의 광원을 선택적으로 방출하기에 안전하면서 효율적이다.
· LED 광원의 물리적 특성 상 고장이 적고, 수명이 길며 소비전력이 적어 경제적, 환경 친화적이다.
· 장비의 부피가 작아 공간 활용이 용이하다.

다양한 파장과 출력의 LLLT 장비가 나오고 있다. 장비의 선택에 있어서 파장도 중요하지만, 적절한 조사밀도 (W/cm^2) 및 출력 밀도 (J/cm^2)가 나오는 장비를 선택하는 것도 중요하다.

*국내에서 생산하는 LED 장비

가) HEALITE II(Lutronic. Corp., South Korea)

a) 파장
· 3가지 파장대가 나온다.
830nm(근적외선 파장대) / 633nm(붉은 가시광선 파장)/415nm(파란색의 가시광선 파장대)

b) Optical lens array technology
· 특수하게 고안된 렌즈를 제작하여 1800개의 LED들이 각각 조사 밀도를 집중하는 기술을 말하며, 환부에 조사 시 광 에너지의 손실을 최소화할 수 있고, 고출력임에도 불구하고 균일한 광 에너지와 안정화된 광출력을 확보할 수 있다.
· 환자의 시술부위와 위치에 따라서 다각도로 거리 조절이 가능할 수 있다.

나) SmartLux(MEDMIX, South Korea)
a) 파장
· 청색광, 황색광, 녹색광, 적색광, 적외선, 적

색광＋적외선의 총 6가지 다양한 파장의 패널을 장착할 수 있다.

b) 특징

· 고휘도 (800-2400개로 구성된 LED 모듈)의 다양한 파장을 조합한 제품군을 가지고 있으며 조합에 따라 15가지 종류로 확대할 수 있다.

다) Rainbowlux (Dongseo Meditec, South Korea)

a) 파장

· 한 헤드에서 5개의 모든 파장을 이용할 수 있다.
Blue (450-475nm), Green (515-535nm), Yellow (586-594nm), Red (618-635nm), IR (850nm)

b) 특징

· 팬부착으로 Cooling이 동시에 가능하다(그림 17-2).

최근 들어 저출력 레이저의 효과 및 적응증이 더 넓어지고 있으며, 효과에 대한 여러 보고들이 많아지고 있다. 실제 임상에서 저출력 레이저의 효용성이 점점 많아지고 있으며 임상가들에게 도움이 되는 치료로 자리잡고 있다. 하지만, 아직 작용기전 및 비교연구에 대한 정확한 디자인이 없기에 앞으로 이런 부분들이 검증되어야 한다.

III. 광역동요법

1. 광역동요법(photodynamic therapy, PDT)이란?

광역동요법(photodynamic therapy, PDT)은 전신 또는 국소 광감작제를 표적세포에 인위적으로 침투, 축적시킨 후 특정 파장의 광선을 조사하

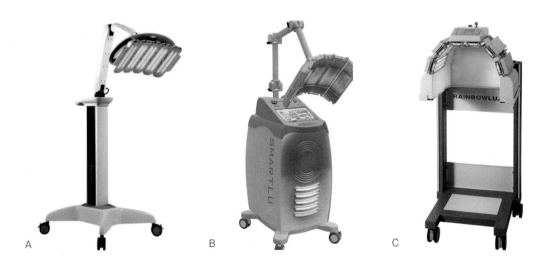

그림 17-2. LLLT에 사용되는 다양한 광원

A) Heallite II (Lutronic. Corp), B) SmartLux (MEDMIX), C) Rainbowlux (Dongseo Meditec)

여 세포막에 유리산소의 생성을 유도함으로써 표적세포를 선택적으로 파괴시키는 반면 다른 중요 구조물의 손상을 최소화시키는 일종의 광화학요법이다.

2. 광역동요법의 역사

광역동요법은 독일의 한 연구실에서 우연히 발견되었다. 1900년대 초 Herman von Tappeiner 교수 연구실에서 의과대학생 Oscar Rabb이 희석된 아크리딘 색소(acridine red)에 60분에서 100분간이나 길게 노출시키면 짚신벌레(paramecium)가 모두 죽는 것을 관찰하였으나, 다음 실험에서는 800분에서 1,000분간이나 길게 노출시켜도 짚신벌레가 죽지 않는 이상한 현상을 발견하였다. 두 실험의 차이는 단지 처음 실험 때 심한 천둥번개가 쳤다는 사실이었으며, 즉 빛 없이 색소만 주거나, 색소 없이 빛에만 노출시킨 경우에는 모두 짚신벌레가 살아있었으나, 색소와 빛을 함께 노출시킨 경우에는 모든 짚신벌레가 죽는 광역학 반응(photodynamicreaction)을 발견하였다. 이들은 빛 자체가 아닌, 빛에 의한 형광작용으로 색소에서 어떤 세포독성을 가진 물질이 생성된다는 것을 알았으며, 광합성작용처럼 빛으로부터 화학물질에 에너지가 전달되어 세포독성효과가 생긴다고 가정하여, von Tappeiner 교수는 이 현상이 장래에 질병 치료에 응용될 수 있으리라고 예측하였다.

1903년 Von Tappeiner와 피부과 의사 Jesionek는 피부 종양에 에오신 (eosin dye)과 빛을 이용해서 피부암을 성공적으로 치료하였고, 빛과 광감작제에 의해 유발되는 산화반응을 광역동반응(photodynamic reaction)이라고 명명하였다.

1904년 von Tappeiner와 Jadlbauer는 광과민반응에 산소의 필요성을 입증하였고, 1907년 이러한 현상을 산소 의존성 광감작(oxygen-dependent photosensitization) 현상으로 설명하면서 광역동요법(photodynamic therapy)이라는 용어를 만들게 되었다.

이후 기관지, 폐, 비뇨 생식기, 눈, 식도, 피부 등 여러 부위에 발생한 암의 치료에 이용되어왔다. 국소 광역동요법은 1990년 Kennedy 등이 처음 보고한 이래 주로 악성흑색종 이외의 피부종양에 대한 효과적인 치료법으로 보고되었으며 종양성 질환외 여러 피부질환 및 광노화 치료로 영역을 넓혀가고 있다.

3. PDT 치료의 피부과적 적응증

특히 피부과적 영역에서는,

- **피부암 전구증**
광선 각화증, Bowen병, 유방외 Paget병

- **종양성 질환**
편평상피암, 기저세포암, 균상식육종, 카포시육종, 악성 흑색종, 각화극세포종

- **염증성 질환**
건선, 사마귀, 전염성 연속종, 여드름 등

다양한 질환의 치료에 이용되고 있다.

4. PDT 치료의 작용기전

PDT 치료는 산소의존성 광화학반응을 이용한 것으로 표적세포, 광감작제, 광감작제에 효과적으로 흡수될 수 있는 광원 및 산소가 필요하다.

표적세포에 축적된 광감작제는 조사된 광원으로부터 에너지를 흡수하여 기저상태(ground state)에서 높은 에너지를 가지는 단일항상태(singlet state)로 활성화되고 낮은 에너지의 삼중항상태(triplet state)로 전환되면서 조직 산소와 반응하여 단일항산소(singlet oxygen)와 유리산소기(free radicals)를 발생하여 표적세포와 세포 내의 미토콘드리아, 소포체의 세포막에 손상을 주어 세포사멸(apoptosis)을 유도하는 것이 핵심적인 기전이며 부가적으로 미세혈관 경색 및 tumor necrosis factor-α, interleukin-1, 6 등의 cytokine 분비를 유도한다(그림 17-3).

5. 기존 치료 대비 PDT 치료의 장점

1) 기존 치료법에 비해 비교적 선택적으로 표적세포를 파괴할 수 있다.

2) 비침습적이며 시술이 간편하다.

3) 동시 또는 반복적으로 시술이 가능하고, 병변의 위치가 수술에 어려움이 있거나 불가능할 경우 접근이 용이하다.

4) 뛰어난 미용 효과와 빠른 치유를 보이며, 부작용이 경미하거나 없다.

6. PDT 치료에 있어서의 파장선택?

PDT 치료에 있어서 파장의 선택은 일차적으로는 광감작제에 가장 효과적으로 흡수되는 파장을 선택해야 하나 실제적으로는 1) 질병의 종류, 2) 표적세포의 종류 및 위치, 3) 광감작제의 선택, 4) 치료의 용이성 및 5) 환자 경과 등에 따라 달라지게 된다.

즉, 청색광 영역에 해당하는 400-410nm 파장은 protoporphyrin IX (PpIX)에 가장 잘 흡수되고 통증이 덜하지만, 적색광에 비해 피부 침투성이 떨어져지고 혈색소의 흡수 영역과 중첩되어 광선 흡수가 방해될 수 있으므로, 광선 각화증과 같은 표층 병변에 사용시 유리하다. 반면, 적색광의 경우 청색광에 비해 protoporphyrin IX에 대한 흡수도는 떨어지나 파장이 길어 깊이 침투하기에 깊이 있는 병변 치료에 효과적이다(그림 17-4).

7. 여드름 치료에서 ALA- PDT의 역할

여드름 치료에 있어서 광선치료의 효과에 대해서는 오래 전부터 보고된 바 있다. 즉, 여드름의 주 원인균으로 알려진 P. acnes는 정상적으로 피지선 내에서 주로 coproporphyrin III로 구성된 내

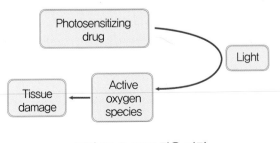

그림 17-3. PDT 작용 기전

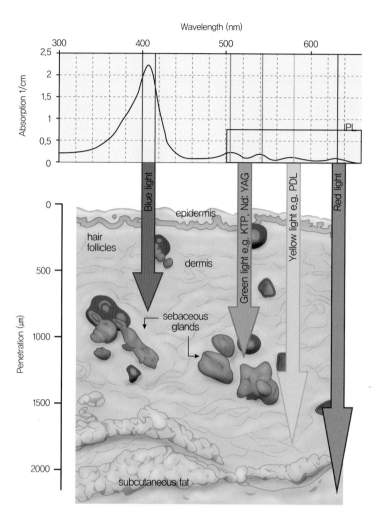

그림 17-4. PDT 에 사용하는 파장 및 침투 깊이

포르피린에 흡수되는 파장은 300-650nm 이고 청색광에 가장 흡수가 잘일어나나 침투 깊이는 적색광 영역에서 가장
깊이 침투된다.

인성 porphyrin을 소량 생산하는데, 이는 광민감
물질로서 외부의 빛을 흡수하여 활성산소종(re-
active oxygen species)을 생성하고, 표적 세포(
피지선과 P. acne)에 손상을 주어 세포 사멸을 유
도하여 여드름이 호전되게 된다.

하지만, 내인성 포르피린의 양이 많지 않아 단독
치료로는 한계가 있다. 따라서, 인위적으로 ALA(
포르피린은 분자량이 커서 피부로 충분한 양이 침
투될 수 없으나, 분자량이 작고 친수성인 ALA는

피부에 쉽게 침투될 수 있다)를 도포해서 빛에 반
응하는 포르피린의 양을(ALA를 도포하면 주로
표피세포 및 모피지선에서 효과적인 광과민제인
PpIX가 형성되어 그 효과를 나타내게 된다) 늘려
효과를 증폭시키는 것이 여드름 PDT 치료이다(그
림 17-5).

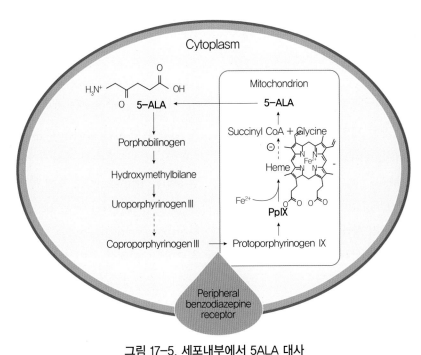

그림 17-5. 세포내부에서 5ALA 대사
외부에서 도포한 ALA는 protoporphyrin IX 과 다른 Porphyrins를 축적시킨다.

8. 여드름 치료에 있어서 ALA-PDT 작용기전

ALA가 피부를 통해 흡수되면 PpIX으로 전환되어 축적이 되는데, 이는 표피나 모낭보다는 피지선에 더 선택적으로 흡수된다. ALA는 heme의 전구물질로서 화학반응을 통해 미토콘드리아에서 PpIX으로 전환된다. 분자량이 커서 피부로 충분한 양이 침투될 수 없는 포르피린에 반해, ALA는 분자량이 작기 때문에 피부에 쉽게 침투될 수 있는 장점이 있다.

도포된 ALA는 모피지단위에 흡수되고 효소반응에 의해 내인적 광감작제인 PpIX로 변환된다. 일정한 파장의 빛은 광감작제와 반응하여 cytotoxic singlet oxygen과 free radicals 를 만들어 내어 1) 피지선의 세포핵, 세포막 파괴 및 apoptosis를 야기하고, 2) P. acne를 제거한다.

하지만, 이런 기전 외에 다른 기전도 고려해 보아야 한다. 즉, 여드름 PDT 치료 후 몇몇 연구들에 따르면 안면부 여드름 치료 후 여드름은 좋아졌지만 P. ances와 피지생성의 감소는 통계적으로 치료 전과 유의한 차이가 없다고 보고하였다. 이는 PDT 여드름 치료가 피지선과 P. acne에 대한 파괴 기전 외에 1) 여드름 병변 주변에 침윤하는 염증세포에 대한 영향이나, 2) toll-like receptor 2의 발현 증가에 의한 영향, 3) keratinocyte의 탈락과 hyperkeratosis의 영향을 주어 모공이 막히는 것을 줄이는 것에도 영향을 줄 수 있다.

9. 광감작제

피부과 영역에서 광역동요법의 광감작제로 He-matoporphyrin derivative, porfimer sodium

등이 사용되었으나 전신투여에 의한 광독성 부작용 등의 단점이 있어 근래에는 국소 도포 광감작제가 선호된다.

• 의약품으로 허가된 제형

– Levulan®Kerastick (Dusa Pharmaceuticals, Wilmington, MA)

20% 5- ALA (Aminolaevulinic acid (ALA)로 친수성 제형으로 파우더 형태로 스틱 안에 들어있다. 1999년 미국 FDA에서 광선각화증 치료제로 허가 받고, 대웅제약에서 수입했으나 현재 수입 중단된 상태이다.

– Metvix®(Photocure ASA, Oslo, Norway)

16% Methyl-ester-ALA로 크림 제형 (MAL (methyl 5-aminolevulinate) 160mg/g)으로 친수성을 띄는 ALA는 표피투과가 제한되는 단점이 있어 표피투과를 증가시키기 위해 ALA의 me-tyl-ester형태의 친지질성 MAL가 개발되었다(그림 17-6, 그림 17-7, 표 17-1).

10. 5-ALA vs Methyl-ester

ALA는 친수성을 띄어 표피 투과가 제한되는 반면, MAL은 표적 병변에 침투가 용이하고, 깊이까지 침투할 수 있는 장점을 갖는다.

또한, ALA는 흡수시 에너지가 필요한 능동적 운반(active transport)을 통해 들어가는 반면 MAL은 흡수시 에너지가 따로 요구되지 않는 수동적 확산(passive diffusion)을 이용하여 쉽게 세포에 침투한다. 이러한 차이로 인해 실제로 한 연구에 따르면 광선각화증의 병변부와 비병변부에 ALA와 MAL을 도포하고 protoporphyrin IX의 발현을 보았을 때 ALA보다 MAL을 도포한 경우 발현이 더 높아 MAL이 ALA보다 조직 선택성이 높다고 하였다. 이외에도 tapestripped normal skin에 MAL을 사용한 경우 ALA 보다 통증이 적다는 보고가 있어 광역동요법에 있어 MAL이 ALA보다 장점이 있다고 하였다.

표적세포 내에서 탈메틸화 된 후 ALA로 전환되어 heme cycle에 이용되는 MAL은 ALA에 비해

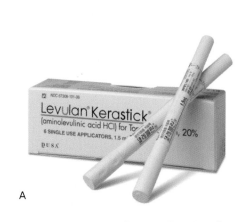
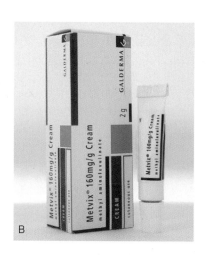

그림 17-6. 광감작제. 1) Levulan® Kerastick , 2) Metvix®

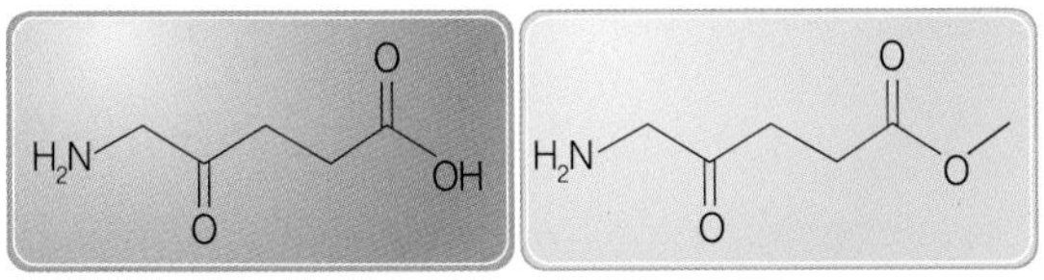

	5-ALA	MAL
Mwt. (Da)	131.13	145.16
Lipophilicity	-2.1	-1.2
Stratum corneum affinity (LogK$_{sc/s}$)	-1.3726	0.2066

그림 17-7. 5ALA와 MAL 화학적 특성 비교

표적세포 선택성이 우수하고 친지질성을 띠어 조직 침투성이 좋은 것으로 알려져 있으며 도포 3시간 후 충분히 표적세포에 흡수되어 ALA에 비해 광선 조사 전 광감작제의 도포 시간이 짧은 장

점도 있다.

하지만, 탈메틸화 과정이 필요한 MAL의 경우 농도의 증가에 따라 PpXI 합성양이 비례해서 증가하지 않는다는 보고가 있다. 즉, 탈메틸화 과정은 에너지를 의존하는 과정으로 산소가 필요하다. 실험의 결과, 실제로 탈메틸화 과정이 필요치 않는 ALA의 경우 10%에서 15%로 농도가 증가 할 때 PpXI의 합성량은 증가한 반면, 에너지와 산소가 요구되는 탈메틸화 과정을 필요로 하는 MAL 경우에는 10%에서 15%로 농도가 올라갈 때 PpXI의 합성양이 반드시 증가하지 않음을 보고하였다.

또한, ALA-PDT의 메커니즘은 ALA가 Heme 대사과정으로 들어가 포피린을 생성시키는 것인데 ALA에 부가 화합물이 결합된 MAL 등의 경우

표 17-3. Levulan® Kerastick vs Metvix®

	Levulan®	Metvix®/metvixia®
주 성분명	Aminolevulinic acid HCl	Aminolevulinic acid methyl ester
Formulation	Alcohol / water solution	Peanut oil base ointment
전문/일반	전문의약품	전문의약품/희귀의약품
Strength	20%	16.8%
Approved Indications	Actinic Keratosis (AK) : 안면과 두피의 광과민성 각화증	1. 타 치료법이 부적절한 안면과 두피의 비과각화성, 비색소침착형 광선각화증 2. 타치료법이 부적절한 표피형 및 또는 결절성 기저세포암 3. 수술로 제거하기 힘든 잠재 편평세포암(Bowen's disease)
AK Lesion Preparation	None	Curetting
광원 파장/조사기간/조사 에너지	Blue light(BLU-U®) / 16분 40초 / 10j/㎠	Red light(LED)7~9분 / 75j/㎠
사용법	병변부위 도포 후(1시간) 광선 조사 직전 물로 씻어내고 닦아 건조한 후 광원조사(청색광)	병변부 0.5~1cm에까지 도포(1mm두께)3시간 이후 크림 닦아낸 후 광선조사(적생광)
치료 후 주의	48시간 자외선 노출 피해야 함	6주간 햇볕 노출 삼가 하는 것이 좋음
Incubation Time	14-18 hours laber1 hour recent articles	3 hours under occlusion
Stability	실온에서 3년한번 사용 가능 / 편함	냉동보관으로 1년크림타임으로 스파튤라 사용하여 바름튜브 개봉 시 일주안에 사용해야 함
국내가격	12만천원	25만원
Price	$104(US)	200~300Euros (2g)

는 Heme 대사과정으로 들어가기 위해서는 먼저 부가 화합물의 분리 과정이 필요하여 포르피린 축적에 시간이 더 소요될 수 있어 포르피린 형성율이 떨어지며, 부가 화합물로 인하여 드물지만 약물 상호작용의 가능성이 있을 수 있다.

제품 사용상에서 보면
1) MAL의 경우는 역가가 안정적이므로 조금만 사용하고 남는 것은 희석하여 보관하다가 다른 용도로 사용하는 부분에서 좋으나, ALA의 경우 시간이 지나면 역가가 떨어지므로 보관 면에서 불리하다.
2) 가격면에서 보면 MAL이 ALA 보다 상대적인 가격이 조금 더 비싸다

따라서, ALA와 MAL 제형의 경우 각각의 장단점 및 특징이 있기에 질환 및 환자 상황에 맞는 광감작제 선택이 필요하다.

11. 여드름 치료에 있어서 제형에 따른 비교효과

국소 20% ALA와 16% MAL을 비교한 연구(randomized, split-face, blindly assessed)에 의하면 1회 시술(3시간 도포 후 red light 조사) 후 12주에 평가시 59%의 염증성 여드름 병변의 감소가 있었으며, 양쪽 모두 통계적으로 유의한 차이는 없었다고 한다.
Wiegell과 Wulf 등은 ALA와 MAL을 이용하여 치료 효과를 비교해 보았을 때, 여드름 병변의 치료효과는 ALA과 MAL이 비슷하지만, MAL이 병변에 더 선택적으로 흡수되어 부작용이 적게 나타

났다고 보고하였으며, 시술 시 느낄 수 있는 통증에 대해서도 MAL이 ALA에 비해 낮은 통증을 유발하는 것으로 되어 있다.

하지만, 피부에 국소적으로 ALA 에스테르를 도포한 경우 친지질성 때문에 이의 많은 부분이 각질층과 결합하여 PpIX를 합성할 수 있는 세포층으로 도달하는데 오히려 ALA보다 더 많은 시간이 소요될 수 있다(MAL을 5% 농도로 도포한 후, 3시간이 경과했을 때는 ALA에스테르가 ALA에 비해서 합성되는 PpIX 양은 많았으나, 도포 후 1시간이 경과했을 때는 오히려 ALA가 ALA 에스테르보다 많은 PpIX를 합성하였다.)

12. 국내에서 제조된 화장품으로 허가 된 제형

가) DW PDT (16% MAL, 대웅제약)

기존 제품 대비 MAL의 피부투과율을 높이는 Enhancer(Gransolve DMI)가 들어 있어 피부투과율이 2배 높다. (Methyl ALA와 Enhancer(Gransolve DMI)를 함께 처리한 실험군에서 Control 대비 약 2배 정도 PpIX의 축적량이 증가)

나) M13 (13% MAL cream, 피코바이오)

Methyl ALA 13%로 Metvix®대비 (1) 농도를 낮추어 미용적인 목적으로 시술시 부작용 및 다운타임을 줄이면서, (2) 가격이 저렴하다.

다) ALA Revolution gel (7.5% ALA gel, 순메디칼)

레블란의 경우 사용시 스틱을 깨뜨려서 사용해야 하며, 남은 ALA는 분해되기에 보관이 불가능하지만, ALA revolution gel의 경우는 비친수성 기제를 사용해서 물에 의한 5-ALA의 degradation이 없어 같은 농도라도 친수성 기제를 사용했을 때 보다 더 높은 활성을 가지고 장기간 보존이 가능하다.

라) Easy ALA mask (13% ALA, 아쿠아엠)

13% ALA로 마스크 타입의 제형을 가지고 있다.

마스크 타입으로 되어 있어 (1) 일정한 농도로 흡수되기에 시술 부위에 일정하게 ALA 가 도포되며, (2) 시트자체에 의한 incubation시 광방어 효과가 있으며, (3) 자체 밀폐효과로 인해 ALA 침투가 쉬워진다.

(그림 17-8)

13. ALA 성분 외의 광감작제

가) Indocyanine green(ICG)

Near-infrared영역에서 좁은 영역의 흡수도를 보인다.

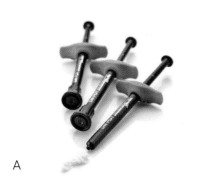
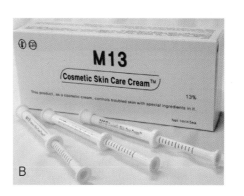
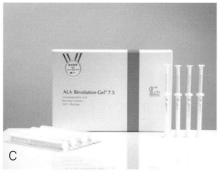

그림 17-8 국내에서 제조된 화장품으로 허가된 제형

A) DW PDT (Daewoong, 16% MAL), B) M13 (Picobio, 13% MAL cream), C) ALA Revolution gel (Soon medical, 7.5% ALA gel), D) Easy ALA mask (Aquam, 13% ALA)

– ICG는 광독성 반응이 적고 간과 심장의 기능을 평가하는 형광 혈관 조영술 등에 흔하게 사용되어지는 광감작제이다. 국소적으로 도포되는 ICG는 모공을 통해 피지선에 축적되고 1mm깊이로 들어가는데 5-15분 정도 소요된다. ICG의 최고로 흡수되는 파장은 800nm로 긴 파장대로 인해 깊이 침투되며, NIR 영역이기에 photoprotection이 필요 없다.

ICG-PDT는 ALA-PDT에 비해 반응이 약하므로 효과가 떨어지는 단점이 있는 반면, 치료 후 햇빛을 차단할 필요가 없는 장점이 있다.

나) Indole-3-acetic acid(IAA)

Indole-3-acetic acid (IAA)는 식물의 성장 호르몬으로 자외선을 조사하면 자유 라디칼을 발생한다고 알려져 있다. IAA에 가시광선을 조사한 결과 자유 라디칼이 생성 되었으며, 일정량의 자유 라디칼을 발생한 후에는 광감작능을 잃는 것이 관찰되었다. IAA는 500-600nm 영역의 붉은 광원에 잘 반응하므로 LED나 IPL을 사용하여 쉽게 사용할 수 있으며, 치료 반응이 약하여 여러 번 반복 치료가 필요하지만 치료 후 햇빛을 피할 필요가 없는 장점은 ICG와 비슷하다.

14. PDT ALA 적정 농도

ALA의 효율적인 농도에 대해서는 여러 가지 의견이 있다. 주로 현재까지는 농도가 높을수록 더 효과적이라고 생각하지만, 몇 몇 논문들에서는 반대되는 의견도 있다.

Lowe등은 20% 농도의 ALA를 이용한 long incubation치료가 부작용이 많고, 예측성이 떨어지고, 효율성이 떨어지며, 5% 농도와 30분 밀폐가 안전하고 예측 가능한 결과를 가져오기에 낮은 농도의 ALA PDT를 1-2주 간격으로 시행하는 것이 더 좋다고 주장하였다. 또한, Kosaka등의 연구에 의하면 상완부에 여러 농도의 ALA(0.25%, 0.5%, 1%, 2.5%, 5%, 10% 20%)를 도포 후 2시간 뒤에 ALA-PpIX 의 형광을 측정시 5%와 20% 에서 같은 형광을 보였다. 이는 ALA-PpLX의 형광만을 기준으로 보았을 때는 5% ALA와 20% ALA가 동등함을 보여준다.

이는 ALA 농도와 시술 효과에 대해서는 비례하지만 어느 선에서는 한계점이 있다는 것을 시사한다. 따라서, 시술 원가 및 부작용을 줄이기 위해 적절한 ALA 농도를 찾는 잘 디자인된 대규모 연구가 필요할 것으로 생각된다.

15. 여드름 PDT 치료에 있어서 적절한 광원(light source)은?

여드름 PDT 치료에 있어서 다양한 광원이 사용되는데, 광원의 선택은 1) 병변의 깊이, 2) 사용되는 광감작제의 종류, 3) 치료의 용이성 및 4) 환자 경과 등에 따라 결정된다.

• 우선 파장대로 보면

ALA 또는 MAL의 도포 후 생성되는 PpIX의 흡수밴드는 Blue light spectrum, the Soret band(405-415nm), Green light spectrum, Red spectrum(628-635nm), the Q-bands(500-700nm)으로 410nm 근처에서 흡수

도가 제일 크지만(blue light), 500- 600nm사이에서도 small peak이 있기 때문에 이런 영역의 파장의 광선을 방출하는 IPL, PDL가 모두 적용이 가능하고, red light도 사용할 수 있다. 파장별로 보면 Blue light가 포르피린에 가장 흡수가 강하게 되나 Blue light는 침투가 깊지 않은 단점이 있고 Red light는 깊이 침투되나 흡수도는 Blue light에 비해 떨어진다(피부 투과 정도: 400nm 파장은 1mm, 514nm 파장은 0.5-2.0mm까지, 630nm는 1-6mm).

일반적으로 Blue light가 다른 파장에 비해 P. acne에 대한 항균효과가 더 큰 것으로 되어 있다. 이에 비해 Red light는 Blue light와 같은 정도의 항균 효과를 나타내기 위해서는 더 높은 광량이 필요하다. 하지만, Red light는 더 깊이 들어가며, 항균 효과 외에 대식세포에 의한 다양한 사이토카인의 생성을 통해 상처 치유 및 항염증효과를 나타내는 장점이 있다.

따라서, light 치료 단독으로는 Red light가 Blue light 보다 항균작용이 떨어지지만, ALA로 전 처치를 하는 PDT 치료의 경우 Red light의 효율을 높여주기에 Red light 또한 적절한 광원이다.

지속적이고 높은 강도의 붉은 빛이 ALA나 MAL을 이용한 여드름 PDT 치료에 있어서 장기간 추적관찰 연구에서 가장 좋은 결과를 보여주었다.

• 광원의 종류로 살펴보면

PDT에 이용되는 광원으로는 비레이저 광원(제논 아크, 금속성 할로겐, 텅스텐 램프), 레이저 광원과 light-emitting diodes (LED)광원 등 다양한 광원이 사용되고 있으며 각각에 따른 특장점이 있다.

– Laser : Pulsed dye laser(PDL: 595nm), IPL(IPL: 515~755nm)

– Incoherent light sources : Incoherent 광원을 사용하는 것도 레이저를 광원으로 이용하는 것보다 간단하고 비용이 적게 들면서 효과는 비슷하기에 효율적이다.

– LED (Light-emitting diodes) systems : 최근 PDT에 있어 LED systems도 효율적이다. LED는 incoherent light sources대비 효과는 비슷하면서 광선 조사시간이 짧고, 내구성이 높고, 가볍고, 컴팩트하기에 사용하기에도 편하다. 다른 광원에 비해 가격이 싸고 광원의 배열과 조사 면적을 다양하게 할 수 있는 장점이 있다.

표 17-4. LED 광원의 장점

(1) 다양한 LED arrays가 여러 광감작제에 사용되는 특이 파장 영역에 따라 조합될 수 있다.

(2) 값이 싸다.

(3) 광원을 크고 평편하게 배열 할 수 있어 넓은 부위의 치료도 가능하다.

(4) LED 방출력은 안정적이며 지속적이어서, 3000시간 동안 첫 강도의 90%를 유지할 수 있다.

(5) 조작법이 간단하다.

(6) 좁은 범위의 파장을 방출하여 다양한 신체부위에 적용 가능하다.

(7) 고전적인 coherent/noncoherent 광원과 유사한 치료효과를 보인다.

16. 광원에 따른 효과

1) PDT에 대해 Pulse dye laser (PDL), IPL과 light-emitting diode (LED)를 비교한 연구에서 가장 좋은 효과는 PDL이고 다음이 IPL과 LED라고 보고한 연구도 있다.

2) Taub 등에 의하면 IPL (600-850nm)와 blue

light (417nm)비교시 IPL에 의한 활성화가 blue light에 의한 활성화에 비해 효과적이었다고 보고하였다.

3) 실제 시술 시 IPL의 경우 시술 시간이 짧으면서 부가적으로 피부재생효과 및 피부톤이 밝아지는 효과가 있으며, PDL의 경우 여드름 치료 효과 외에 여드름 홍반 감소에 조금 더 효과적이며, IPL로 접근하기 어려운 부위에도(입, 코주변) 사용할 수 있는 것이 장점이다.

4) Blue light를 광원으로 사용하는 경우 시술시 통증이 적어 좋지만, 시술 후 태닝이 많이 발생하며, IPL, PDL을 이용한 PDT보다 효과가 떨어지는 것 같다.

17. 적절한 선량(Dosimetry)과 조도(Irradiance)?

이상적인 dosimetry와 irradiance에 대한 의견의 일치는 없다. 하지만, 이론적으로는 low fluencies(pulsed 혹은 blue light광원을 사용)한 경우는 제한적인 PDT가 발생하며, 통증 및 부작용이 적고 일시적이고 중간적인 효과를 가져온다. 반면에 high fluencies(red light 광원)의 경우는 부작용 발생가능성은 높지만 크고 지속적인 결과를 얻을 수 있다.

Horfelt 등의 연구에 따르면 안면 여드름 PDT 치료에 있어서 얼굴한쪽에는 30J/cm2,다른 쪽에는 50J/cm2의 광량을 조사했을 때 광량에 따른 효과 차이가 없다는 것을 보고한바 있다. 이는 즉 여드름 PDT 치료에 있어서 광량에 증가에 따라 효

과가 증가할 수 있지만, 이에는 한계치가 있어 어느 광량 이상에서는 효과는 일정해지면서 착색이나 통증 같은 부작용만 증가할 수 있기에 가장 효율적인 광량을 선택하는 것이 필요하다.

18. Multiple vs Single PDT treatments

장시간 관찰시 multiple treatment가 single treatment에 비해 효과적인 것으로 보고되고 있다. 따라서, 저자도 여드름에 PDT 치료시 1회 단독 치료보다는 2-3회 연속 치료 후 유지 치료를 권해드리고 있다.

19. Incubation time 결정

: Long incubation (>3hr), Middle incubation (60-90 minutes), Short incubation (20-30 minutes)

Incubation 시간에 대해서는 아직까지 의견 일치는 없다. 하지만 몇몇 연구에서 적절한 incubation 시간을 간접적으로 유추 할 수 있는 데이터가 있다

1) Kosaka 등의 연구에 의하면 상완부에 여러 농도의 ALA(0.25%, 0.5%, 1%, 2.5%, 5%, 10% 20%)를 도포 후 2시간 뒤에 ALA-PpIX의 형광을 측정시 5% 와 20% 에서 같은 형광을 보였으며 2시간 후 5% ALA가 0.25% ALA에 비해 비교적 높게 나타나며, 20% ALA와 비교시에도 비슷

하게 형광이 나타나는 것을 볼 수 있다. 하지만 일정 시간 이후에는 형광도가 포화에 이르는 것을 확인할 수 있었고 이는 도포한 시간과 형광도는 대략 5시간 까지는 비례하나 그 이후에는 포화에 이르며 적절한 효율적인 도포시간은 1-3시간 정도임을 알 수 있다.

2) Sakamoto 등에 의한 돼지 귀에 ALA 도포 후 포르피린 분포에 대한 연구를 보면 어느 정도 포르피린의 incubation 시간에 따른 분포를 알 수 있고 이를 통해 사람에 있어서의 치료 목표에 따른 in-cubation time을 정하는데 도움을 받을 수 있다.

논문에서는 여러 동물 모델 중 돼지 귀 부위 피부가 사람의 피부 구조와 가장 유사하다고 하였으며, 돼지 귀 안쪽 피부에 20% ALA를 도포한 후 5, 10, 15분 그리고 이후 15분마다, 총 180분간 포르피린의 축적 정도를 형광 현미경으로 관찰하였다. 관찰시 각 부위와 시간에 따라 포르피린의 축적 정도가 다르게 나타났다(표 17-5).

3) Oh 등은 ALA의 도포 시간에 따른 치료 효과 차이를 비교하고자 3시간 ALA 도포 후 IPL (590nm, 12~15 J/cm2) 시행, 30분 도포 후 IPL 시행, IPL만 단독으로 시행한 군으로 나누어 연구

를 시행하였다. 세 군 모두에서 염증성 여드름 병변은 감소하였으나, ALA를 장시간 도포한 군에서 염증성 여드름 병변의 감소가 더 현저한 소견을 보였고, 이는 다른 두 군에 비해 통계학적 의의를 갖는 효과를 나타냈다.

4) Nestor는 도포시간이 길어지면 그에 따른 부작용이 증가하고, 환자에게 불편함을 초래할 수 있어 30~60분 사이를 추천하였다.

결론적으로는 여드름 PDT 치료에 있어서 incu-bation time을 길게 할수록 여드름 치료에는 효과적이나 이에 비례해서 시술 시 통증, 시술 후 부종, 홍반, 태닝, 일시적인 여드름 악화 등이 발생한다. 따라서, incubation time은 1) 환자의 여드름 중증도, 2) 환자가 받아드릴 수 있는 정도의 불편감, 3) 사용하는 광감작제의 농도 등에 따라 결정해야 한다고 생각한다.

예)
1) 20% ALA 혹은 16% MAL 도포 후 3시간 밀폐
2) 20% ALA 혹은 16% MAL 도포 후 1시간 30분 밀폐
3) 7.5% ALA 혹은 13% MAL 도포 후 1시간 30분 밀폐
4) 7.5% ALA 혹은 13% MAL 도포 후 20-30분 밀폐

대략, 일반적인 여드름 치료에는 ALA 도포시간을 1시간 정도로 시술하고 있으며, photorejuve-nation을 위해서는 2시간, 장기간 피지분비 억제를 위해서는 3-4시간 정도 도포가 필요하다.

저자는 보통 치료 효과 및 환자의 순응도를 고려

표 17-5. 기준치에 비해 통계적으로 유의한 포르피린의 축적이 나타나기 시작한 시간

부위	시간
Epidermis	15분
Eccrine/Apocrine gland	30분
Hair follicle	45분
Sebaceous gland	60-75분

해서 90분 정도를 ALA 도포시간으로 하고 있다.

20. PDT 시술 후 일광차단시간

Lesar 등에 의하면 inner forearm에 4시간 ALA와 MAL을 incubation 후 PpIX 형광도를 측정했을 때,

1) ALA의 경우 0.01ml 도포시에는 7시간 후에, 0.03ml, 0.05ml, 0.07ml, 0.09ml 도포시에는 24시간 최고 형광도를 나타냈고 28시간 후에 25%감소하였다.

2) MAL의 경우 7시간 후에 최고 형광도를 나타냈고 24시간 후에는 75% 형광도가 감소되었다.

PDT 여드름 시술 후 일광차단은 환자들에게 있어서 시술 후 생활의 불편함에 많은 부분을 차지한다. 따라서, 적절한 일광차단 시간을 정하는 것이 중요하다. 하지만, PDT 시술 후 일광차단시간에 있어서 몇몇 논문들에서 ALA의 경우 ALA에 의한 PpIX이 24시간 안에 사라진다는 보고도 있다. 일광차단의 시간은 ALA, MAL의 농도, incubation time, 환자의 전처치 정도, 피부두께 등 여러 변수가 있기에 이런 부분들을 고려해서 일광차단 시간을 결정해야 한다.

저자는 경우는 일반적으로 ALA의 경우 24시간은 철저히 일광차단을 시키고 24시간-48시간까지는 일광차단에 조심하는 정도로 환자에게 이야기 하고, MAL의 경우는 24시간 일광차단을 주문한다.

21. 비염증성 여드름에 대한 효과

이제까지 광역동요법의 비염증성 병변에 대한 치료효과는 논란의 여지가 많다. Hong과 Lee, Hörfelt 등은 광역동요법 후, 비 염증성 병변 수의 감소는 관찰되었지만 이는 대조군과 비교했을 때 통계학적 의의가 없는 수치라고 보고하였고, Wiegell과 Wulf는 비염증성 병변에는 전혀 효과가 없다고 기술하였다. 하지만 Fabbrocini 등은 2주 간격으로 3회 광역동요법(550~700nm, 15J/cm2)을 시행한 결과, 마지막 치료를 마친 4주 후 cyanoacrylate follicular biopsy 상 면포의 밀도와 분포 영역이 감소함을 관찰하였고, 이는 광역동요법이 여드름의 비염증성 병변에 효과가 있다는 것을 의미한다고 보고하였다.

22. PDT 시술 전 피부 준비

ALA 도포 전 피부준비는 ALA의 흡수도에 영향을 준다. ALA를 사용시에는 피지를 제거하는 것이 약물 침투를 높이는데 도움을 줄 수 있다. 반면 친지질성 제형은 피부 클렌징이 필요하지 않을 수도 있지만, 아직 비교 연구가 되어 있지는 않다.

최근 여러 국내외 치료 경험을 토대로 볼 때 전처치로는 아세톤으로 피부를 닦아내고 미세연마술을 하는 것이 보편화되어 있다.

가) 클렌징

70% isopropyl alcohol, 2% salicyclic acid, mild skin cleanser, acetone scrub, alcohol

나) 압출 후 도포

* Intralesion injection of ALA in PDT (ILI-PDT)

ILI-PDT와 기존의 PDT와 비교한 연구에서 ILI-PDT가 기존의 PDT에 비해 효과면에서 더 우수하다는 보고도 있다.

다) 밀폐 (occlusion)

밀폐는 약물 침투를 증가시킨다.

• 온도

포르피린 생성은 20도 밑으로 떨어지면 감소된다. 따라서, ALA도포 후 밀봉시에는 피부온도를 높이는 것이 좋다.

• 국소 마취제 사용

시술 시 통증을 줄이기 위해 국소 도포제와 ALA를 같이 사용하는 것은 마취제와 ALA가 salt로 침전될 수 있기에 국소도포제는 사용하지 않는 것이 좋다.

표 17-6. ALA-PDT시술 과정

전체 과정
− 준비단계, 전처치
− ALA 도포
− Incubation
− 세안
− 레이저 조사
− 세안 및 후처치

a) 준비단계, 전처치

• 클렌징: 세안 & 알코올 스크럽
• 면포제거 및 얕은 화학박피(쿰스, glycolic acid 도포)나 microdermabrasion
  − 각질을 제거하고, 치료 전 면포는 짜낼 수 있는 것은 제거해서 모낭 속의 공간을 비워주도록 한다.
  − ALA의 흡수가 잘 되기 위해 중요
• 아세톤으로 defatting(2회)

b) ALA도포

• 손가락으로 앰플을 깨뜨려 3분간 충분히 흔든다.
• 얼굴에 전체적으로 바른다(레불란을 바를 때 살살 바르는 것 보다 약간의 압력을 가해 쿡쿡 눌러가며 펴 바르는 방식으로 몇 차례 덧칠하는데, 한번 바르고 난 부위가 마르면 덧칠하는 방식으로 2-3회 바른다).
• 점막 부위는 피한다.
• 필요에 따라 ALA-ILI(intra-lesional injection)도 시행한다.

c) Incubation

• 30~90분
• 일광이 없는 장소에서 시행
• 온도를 최소한 25도 이상 유지: 효소 반응의 활성화를 위해
• 경우에 따라 밀봉(occlusion)

d) 세안

• 시술 후 생기는 thin thrust가 과도하게 생기는 것을 방지하기 위해서 시행
• 비누와 물로 깨끗이 시행 (세안할 때 차가운 물을 쓰면 피부 표면 온도가 내려가므로 미지근한 물을 쓰는 것이 좋다)

617

e) 광원을 조사한다.

- IPL: 통상적인 rejuvenation 파라미터(or 80%)를 사용하여 2 pass한다.
- Continuous light을 광원으로 사용하는 경우 대개 10~15분 조사를 시행(기기별 차이를 감안해서 조정)

f) 세안 및 후처치

- 다시 한 번 비누 세안으로 남아있는 ALA를 닦아낸다.
- 필요 시 진통제를 처방한다

23. 치료 회수 및 시기

- 증상에 따라 3~4주마다
- 총 2~5회
- 이후 3~6개월마다 1회씩 유지요법 시행(그림 17-9)

24. PDT 후 주의사항 및 경과

- 24-48시간 동안 태양광선에 직접 노출되지 않도록 한다(ALA-induced PpIX : cleared within in 24 h-48h. MAL의 경우 24시간,

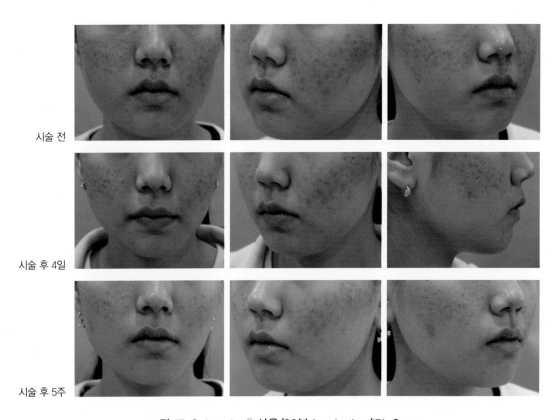

시술 전

시술 후 4일

시술 후 5주

그림 17-9. Levulan® 사용/90분 incubation/IPL 2pass.
시술 후 4일 mild한 Acneiform eruption 발생하였으며, 시술 5주 뒤를 보면 1) 피지의 양이 줄면서 2) 염증성 여드름이 많이 감소되었으며, 부가적으로 3) 피부톤도 밝아짐을 알 수 있다

ALA의 경우 48시간 일광차단한다).

- 실내에서도 창가에 있지 않아야 된다(형광등 불빛은 상관없음).
- 썬블록 제제는 소용없다. 단, Zinc oxide나 티타늄이 들어간 것은 도움이 됨
- 귀가는 해가 저문 후에 또는 모자, 썬글라스, 마스크를 모두 착용한 후에 하도록 한다.
- 정상적으로 1~2일간 경중등의 홍반과 함께 찌르는 듯한 느낌이 있을 수 있고, 1~2주간 각질이 생길 수 있다.
- 2-3일에 염증성 결절등이 올라올 수 있다
  → 자연스러운 경과임
- 얼굴이 전체적으로 그을리는 듯한 thin crust가 생길 수 있으나 3~4주 정도 지나면 대부분 저절로 호전된다.
- 정상적으로 첫 1주까지 여드름이 악화되는 듯하게 보일 수 있으나 2~3주 경부터 호전된다.

25. Light therapy 단독과 PDT 치료와의 효과비교

Pinto 등에 의하면 red light 단독 치료와 me-thyl aminolaevulinate (MAL) PDT치료를 비교했을 때 red light 단독보다 MAL PDT가 시술 효과가 더 빠르고 더 높은 것으로 보고하였다

[실험 세팅]

18명은 red light 단독 치료(noncoherent red light, Waldman PDT 1200 lamp: 평균 파장 635 nm, light dose 37J/cm2, fluence rate 70 mW/cm2, 9분 조사함)

18명은 MAL-PDT (Metvix, Laboratoy Galderma S.A, 160mg, 90분간 밀폐 후 red light 대

조군과 같이 조사함)

26. 다른 기존의 여드름 치료와의 효과 비교

대부분의 연구들이 PDT단독 혹은 PDT와 light therapy만 비교한 것들이어서 국소 도포제, 경구치료제 등 기존의 치료와의 비교연구들이 필요하다.

27. PDT 여드름 치료 대상자

- 가임기 여성
- 기존의 치료에 저항성을 보이거나 부작용으로 인해 치료를 지속할 수 없는 환자
- 장기간 여드름 치료 효과를 원하는 환자(매일, 지속적으로 치료하기 힘든 수험생, 해외거주 환자)
- 손이 잘 닿지 않아 약을 바르기가 어려운 가슴이나 엉덩이 등에 생긴 여드름
- 다른 여드름 치료와 병행함으로써 더 우수한 효과를 기대할 수 있을 것으로 생각되는 환자

28. PDT의 장점

- 약을 계속해서 복용하지 않아도 된다.
- 오랜 기간 동안 여드름이 나지 않는 장기적인 효과가 있다. (6개월~2년)
- Photorejuvenation 효과도 같이 볼 수 있다.
- 동반된 안면 홍조, 모공 등이 같이 치료된다.

29. PDT의 여드름 치료 효과 외의 부가적 효과

가) 안면 홍조 및 여드름 붉은 자국

PDT 시술시 사용하는 레이저를 일반적인 안면 홍조나 여드름 붉은 자국에 대한 치료를 목적으로 하는 레이저(PDT, IPL)를 사용할 경우, 안면홍조와 여드름 붉은 자국이 있는 여드름 환자에게 도움이 된다.

나) 모공

피지량이 줄고 여드름이 개선되면서 이런 부분에 의한 모공 확장을 막아주고, photorejuvenation 효과에 의해 장기적으로 모공에도 도움을 받을 수 있다.

다) 얼굴의 기름기

치료 후에는 피지분비가 줄어 들므로 얼굴의 기름기가 줄어든다.

라) 피부결과 피부톤 개선

PDT 시술시 부가적으로 피부톤이 밝아지고 피부결이 부드러워진다.

30. PDT치료에 있어서 예후 인자 및 병변 적응증

PDT 여드름 치료에 있어 한국을 포함한 동양인

에서의 데이터는 적은 편이고, 현재까지 알려진 바로는 PDT는 화농성 여드름에 효과가 좋은 것으로 알려져 있는 것이 전부이다.

치료 경험을 분석해보면 PDT 여드름 치료에 있어 효과가 좋은 경우는 1) 염증성 여드름, 2) 치료 직후 피부 반응이 잘 나타나는 경우(시술 부위에 부종과 홍반), 3) 성인환자, 4) 뺨과 턱에 주로 분포하는 여드름에서 좋은 효과를 보이는 것으로 나타났다. 반대로 1) 면포성 여드름, 2) 피부가 검거나 피지가 많은 피부 타입, 3)이마 부위의 여드름에서는 치료 효과가 떨어진다.

하지만, 이런 병변에 대한 다른 치료인 Surgery, Curettage, radiotherapy에 대한 비교연구는 부족하다.

31. Non melanoma 피부암과 전구 병변의 있어서 5-ALA PDT와 기존 치료와의 비교

몇몇 연구에서 Non melanoma 피부암과 전구 병변 치료에 있어서 PDT치료의 효과를 보고하였다. PDT치료와, 기존 치료와의 장단점에 대해 비교한 논문들을 찾아보면

1) Non-hyperkeratotic actinic keratosis에 있어서는 국소 PDT치료가 냉동 치료보다는 우수하고 5-fluorouracil과는 동등한 것으로 보고되었다.

- 광선각화증을 광역동요법으로 치료한 연구는 blue light 와 red light가 주로 이용되었다. ALA와 blue light(417±5 nm)로 광선각화증을 치료한 연구들은 치료 횟수와 광선의 조사 강도에 따른 차이가 있지만 75~96%에서 호전되었다.

- Red light를 광원으로 사용한 연구로는 ALA 와 incoherent lamp (600~730 nm)를 사용하여 1회 치료 시 77%, 2회 치료 시 99%의 완전 호전율을 보인 보고가 있으며, MAL과 red light로 치료한 연구들은 570~670nm의 파장을 조사하여 69~91%의 완전 호전을 보였다.
- Moloney와 Collins는 red light (580~740 nm)를 이용하여 MAL과 ALA를 비교한 결과 두 군에서 치료효과의 차이는 없었지만 ALA 를 사용한 군에서 통증의 정도와 치료 후 환자들의 불편감이 더 크다고 하였다

2) Squamous cell carcinoma in situ (Bowen's disease)에 있어서는 국소 PDT치료가 국소 5-fluorouracil 보다는 우수하고 냉동 치료와는 동등한 것으로 보고하였다.

3) Basal cell carcinoma에 있어서는 냉동 치료와 동등한 치료 효과를 보이면서 미용적으로 우수하고 회복 기간면에서도 유리한 것으로 보고되었다.

따라서, 기존의 치료에 의해 미용적으로 혹은 상처회복이 느릴 것으로 예상되는 부위에 병변이 있거나, 다수 혹은 사이즈가 큰 병변의 경우에 국소 PDT치료가 장점을 가질 수 있다.

*치료 프로토콜
가) 치료 횟수

a) 광선각화증의 치료를 위해서는 PDT 1회 치료 후, 3개월 후 평가하여 필요시 2차 치료를 반복한다.

b) 기저세포암과 보웬병의 치료를 위해서는 1주일 간격으로 2차례 치료한다.

나) 시술법

- ALA 도포 전 병소의 인설과 가피를 제거하고 표면을 거칠게 만든다.
- 결절성 기저세포암의 경우 병소가 표피 케라틴층으로 덮여있다면 이 층도 제거한다.
- 종양 물질이 외부로 노출되어 있다면 종양 경계부위 이상은 절개하지 말고 살짝만 제거한다.
- 스파튤라를 이용해 이 약을 약 1mm 두께로 병소 및 주변 정상피부 5~10mm까지 펴 바른 후 약 3시간 동안 밀봉 드레싱을 해 놓는다.
- 드레싱을 제거하고 병소를 식염수로 닦아낸 다음 병소에 적절한 광원을 조사한다
- 병소가 여럿인 경우 함께 한번에 치료할 수 있다.
- 병소의 반응은 3개월 후에 평가할 수 있으며 기저세포암과 보웬병의 경우 조직학적 생검을 통해 반응을 확인하는 것이 권고된다. 만일 이 평가에서 광선각화증, 기저세포암, 보웬병 병소가 완치되지 않았다면 재치료 할 수 있다.

32. 광과민제의 종양선택성

종양조직은 저밀도 지단백 수용체의 증가, 산성 pH가 특징적으로 정상조직과 구별되며 이러한 성질이 광민감제의 종양선택성과 관계한다. 종양조직의 저밀도 지단백 수용체와 결합한 광민감제는 내포작용에 의해 세포안으로 들어가서 다시 세포내 원형질, 미토콘드리아, 골지체, 소포체 등 분포한다.

또한 종양조직내의 혈관성, 투과성, 배수성의 차이로 인하여 광과민물질이 오래 머무르게 된다.

33. PDT를 이용한 사마귀 치료

PDT는 기존의 사마귀에 대한 고식적인 치료 방법들에 비해 1) 비교적 선택적으로 표적세포를 파괴할 수 있고, 2) 비침습적이며, 3) 해부학적 위치가 수술이 어렵거나 불가능한 경우 접근이 용이하다. 또한 다발성 병변의 경우 4) 동시 또는 반복적인 시술이 가능하고, 5) 빠른 치유를 보이며, 6)미용효과가 뛰어나며, 기존의 치료법들에 비해 7) 부작용이 경미하다는 장점이 있다.

급성 부작용으로는 광선 조사시의 동통, 작열감, 소양감과 광선 조사 후 발생하는 홍반, 부종, 수포 형성, 미란, 궤양 등이 있으나 대개의 경우 특별한 치료 없이 자연 치유된다.

바이러스가 광역동요법에 의해 불활성화 되는 것은 1930년대 아데노바이러스와 vaccinia 바이러스등의 동물 바이러스에서 처음 밝혀졌다. PDT에 대한 유두종 바이러스의 반응도 동물모델에서 처음 밝혀졌는데, ALA를 사용한 전신 PDT가 토끼의 전염성 유두종을 퇴행시켰다. 사마귀의 과증식성과 염증성 특징은 사마귀 치료의 PDT를 사용하는 근거가 되며, ALA 도포후 PpIX이 사마귀에 축적되는 것이 관찰되었다. 또한 광과민 분자가 비리온(virion) 표면 당단백에 부착하여 감염주기를 제한할 가능성도 제시되고 있다.

참고문헌

1. Abels C, Karrer S, Baumler W et al. Indocyanine green and laser light for the treatment of AIDS-associated cutaneous Kaposi's sarcoma. Br J Cancer 1998; 77:1021–4.
2. Abergel RP, Lyons RF, Castel JC, et al. Biostimulation of wound healing by lasers: experimental approaches in animal models and in fibroblast cultures. J Dermatol Surg Oncol 1987;13:127–
   Brown SA, Rohrich RJ, Kenkel J, Young VL, Hoopman J, Coimbra M. Effect of low-level laser therapy on abdominal adipocytes before lipoplasty procedures. Plast Reconstr Surg. 2004 May;113(6):1796–804; discussion 1805–6
   Almeida-Lopes L, Rigau J, Zangaro RA, et al. Comparison of the low level laser therapy effects on cultured human gingival fibroblasts proliferation using different irradiance and same fluence. Lasers Surg Med 2001;29:179–84.
3. Camilla HORFELT, Bo STENQUIST, Olle LARKO, Jan KAERGEMANN and Arm-Marie WENNBERG. Photodynamic Therapy for Acne Vulgaris: a Pilot Study of theDose-Response and Mechanism of Action. Ada Derm Venereol 2007; 87: 325–329.
4. Clark C, Bryden A, Dawe R, Moseley H, Ferguson J, Ibbotson SH. Topical 5-aminolaevulinic acid photodynamic therapy for cutaneous lesions: outcome and comparison of light sources. Photodermatol Photoimmunol Photomed 2003; 19: 134–141.
5. Cristian Pinto, Fabiola Schafer, Juan Jose Orellana1, Sergio Gonzalez2, Ariel Hasson3 Indian Journal of Dermatology, Venereology, and Leprology | January–February 2013 | Vol 79 | Issue 1
6. Denda M, Fuziwara S. Visible radiation affects epidermal permeability barrier recovery: selective effects of red and blue light. J Invest Dermatol. 2008 May;128(5):1335–6.
7. Elman M, Lebzelter J. Light therapy in the treatment of acne vulgaris. Dermatol Surg 2004; 30(2 Pt 1): 139–146
8. Elm CM, Wallander ID, Endrizzi B, Zelickson BD. Efficacy of a multiple diode laser system for body contouring. Lasers Surg Med. 2011 Feb;43(2):114–21.
9. Fritsch C, Homey B, Stahl W et al. Preferential relative porphyrin enrichment in solar keratoses upon topical application of 5- aminolevulinic acid methylester. Photochem Photobiol 1998; 65:218–21.
10. Geronemus R, Weiss RA, Weiss MA, McDaniel DH. Non-ablative, LED photomodulation: light activated_broblast stimulation clinical trial. Lasers Surg Med 2003;25:22

11. Graham JH, Helwig EB. Bowen's disease and its relationship to systemic cancer. Arch Dermatol (1961) 83: 76‒96.

12. Harper JC. An update on the pathogenesis and management ofacne vulgaris. J Am Acad Dermatol 2004; 51: 36‒38.

13. Henderson BW, Waldow SM, Mang TS. Tumor destruction and Kinetics of tumor cell death in two experimental mouse tumors follwing photodynamic therapy. Cancer Res 1985;45:572‒576

14. Itoh Y, Ninomiya Y, Tajima S, Ishibashi A. Photodynamic therapy for acne vulgaris with topical 5‒aminolevulinic acid. Arch Dermatol 2000; 136: 1093‒1095.

15. Jackson RF, Dedo DD, Roche GC, Turok DI, Maloney RJ. Low‒level laser therapy as a non‒invasive approach for body contouring: a randomized, controlled study. Lasers Surg Med. 2009 Dec;41(10):799‒809.

16. Joe EK, Anderson RR, Ortel BH. Spatial confinement of 5‒aminolevulinic acid‒based photodynamic therapy by thermal and chemical inhibition. Presented at the Fourth International Investigative Dermatology Meeting, April 30‒May 4, 2003, Miami Beach, FL.

17. Kalka K, Merk H, Mukhtar H. Photodynamic therapy in dermatology. J am Acad Dermatol 2000;42:389‒413

18. Kalka K, Merk H, Mukhtar H. Photodynamic therapy in dermatology. J Am Acad Dermatol 2000;42:389‒413

19. Kana JS, Hutschenreiter G, Haina D, Waidelich W. Effect of lowpower density laser radiation on healing of open skin wounds in rats. Arch Surg 1981;116:293‒6.

20. Kelty C.J., N.J. Brown, M.W. Reed, and R. Ackroyd(2002), The use of 5‒aminolevulinic acid as a photosensitiser in Photodynamic therapy and photodianosis. Photocheme. Photobiol. Sci. 1, 158‒168

21. Kennedy JC, Pottier RH. Endogenous protoporphyrin IX, a clinically useful photosensitizer for photodynamic therapy. J Photochem Photobiol B 1992;14:275‒92.

22. Kurwa HA, Yong‒Gee SA, Seed PT et al, A randomized paired comparison of photodynamic therapy and topical 5‒uorouracil in the treatment of actinic keratoses. J Am Acad Dermatol (1999) 41: 414‒18.

23. Lim WB, Lee SG, Kim IA, et al. The anti‒inflammatory mechanism of 635nm light‒emitting‒diode irradiation compared with existing COX inhibitors. Lasers Surg Med 2007;39:614‒621

24. Lui H, Hobbs L, Tope WD, Lee PK, Elmets C, Provost N, et al. Photodynamic therapy of multiple nonmelanoma skin cancers with verteporfin and red light‒emitting diodes. Arch Dermatol 2004;140:26‒32

25. Lyons RF, Abergel RP, White RA, et al. Biostimulation of wound healing in vivo by a helium‒neon laser. Ann Plast Surg 1987;18:47‒50.

26. Malicka J, Gryczynski I, Geddes CD et al. Metal‒enhanced emission from indocyanine green: a new approach to in vivo imaging. J Biomed Opt 2003; 8:472‒8

27. Mariwalla K, Rohrer TE. Use of lasers and light‒based therapies for treatment of acne vulgaris. Lasers Surg Med 2005; 37(5): 333‒342.

28. Mester E, Korenyi‒Both A, Spiry T, Tisza S. The effect of laser irradiation on the regeneration of muscle fibers (preliminary report).Z Exp Chirurg 1975;8:258‒62.

29. Morton CA, Whitehurst C, Moseley H et al, Comparison of photodynamic therapy with cryotherapy in the treatment of Bowen's disease. Br J Dermatol (1996) 135: 766‒71.

30. Myoung‒Soon CHOI,1 Sook Jung YUN,1 Hee Ju BEOM,2 Hyoung Ryun PARK,3 Jee‒Bum LEE1. Comparative study of the bactericidal effects of 5‒aminolevulinic acid with blue and red light on Propionibacterium acnes. Journal of Dermatology 2011; 38: 661‒666

31. NICHOLAS J. LOWE & PHILIPPA LOWE. Pilot study to determine the efficacy of ALA‒PDT photorejuvenation for the treatment of facial ageing. Journal of Cosmetic and Laser Therapy. 2005; 7: 159‒162

32. Pereira AN, Eduardo Cde P, Matson E, Marques MM. Effect of low‒power laser irradiation on cell growth and procollagen synthesis of cultured fibroblasts. Lasers Surg Med 2002;31:263‒7.

33. Pollock B, Turner D, Stringer MR, Bojar RA, Goulden V, Stables GI. et al. Topical aminolae‒

vulinic acid photodynamic therapy for the treatment ofacne vulgaris: a study of clinical efficacy and mechanism. Br J Dermatol 2004; 51:616–622.

34. Rodrigo Neira, M.D., JoséArroyave, B.S.C.E., T.E.M., S.E.M., Hugo Ramirez, M.V., Clara Lucía Ortiz, M.D., Efrain Solarte, Dr. rer. nat., Federico Sequeda, Ph.D., and Maria Isabel Gutierrez, M.D., M.Sc., Ph.D. Fat Liquefaction: Effect of Low-Level Laser Energy on Adipose Tissue. Plast. Reconstr. Surg. 110: 912, 2002.

35. Ryou JH, Lee SJ, Park YM et al. Acne-photodynamic therapy with intra-lesional injection of 5-aminolevulinic acid. Photodermatol Photoimmunol Photomed 2009; 25(1): 57–8.

36. Sachiko KOSAKA,1 Minako YASUMOTO,1 Oleg E. AKILOV,2,* Tayyaba HASAN,2 Seiji KAWANA1. Comparative split-face study of 5-aminolevulinic acid photodynamic therapy with intense pulsed light for photorejuvenation of Asian skin. Journal of Dermatology 2010; 37: 1005–1010

37. Sakamoto FH, Doukas A, Farinelli WA, Tannous Z, Anderson RR. Skin temperature can control ALA-Photodynamic therapy. Presented at the 27th Annual Meeting of the American Society for Laser Medicine and Surgery, April 11–15, 2007, Grapevine, TX.

38. Sakamoto FH, Tannous Z, Doukas AG, Farinelli WA, Smith NA, Zurakowski D, Anderson RR. Porphyrin distribution after topical aminolevulinic acid in a novel porcine model of sebaceous skin. Lasers Surg Med. 2009 Feb;41(2):154–60.

39. Salim A, Morton CA. Comparison of photodynamic therapy with topical 5-uorouracil in Bowen's disease. Br J Dermatol (2000) 114 (suppl 57): 114.

40. Sami NA, Attia AT, Badawi AM. Phototherapy in the treatment of acne vulgaris. J Drugs Dermatol 2008; 7(7):627–32.

41. Saxena V, Sadoqi M, Shao J. Indocyanine green-loaded biodegradable nanoparticles: preparation, physicochemical characterization and in vitro release. Int J Pharm 2004; 278:293–301.

42. Soler AM, Angell-Petersen E, Warloe T, Tausjo J, Steen HB, Moan J, Giercksky KE. Photodynamic therapy of superficial basal cell carcinoma with 5-aminolevulinic acid with dimethylsulfoxide and ethylendiaminetetraacetic acid: a comparison of two light sources. Photochem Photobiol 2000; 71: 724–729.

43. Song KH, Lee CW, Kim KH. Photodynamic treatment for precancerous disease. Korean J Dermatol 2003;41:609–616

44. Stadler I, Evans R, Kolb B et al. In vitro effects of low-level laser irradiation at 660nm on peripheral blood lymphocytes. Lasers Surg Med 2000; 27(3): 255–261.

45. Stender IM, Na R, Fogh H et al. Photodynamic therapy with 5-aminolaevulinic acid or placebo for recalcitrant foot and hand warts: randomised double-blind rtial. Lancet 2000;355:963–966

46. Szeimies RM, Radakovic S, Calzavara-Pinton PG et al. A prospective, randomized study comparing photodynamic therapy with Metvix, to cryotherapy in actinic keratoses. J Eur Acad Dermatol Venereol (2000) 14 (suppl 1): 235.

47. Taub AF. A comparison of intense pulsed light, combination radiofrequency and intense pulsed light, and blue light in photodynamic therapy for acne vulgaris. J Drugs Dermatol 2007; 6(10): 1010–6

48. Tuchin VV, Genina EA, Bashkatov AN et al. A pilot study of ICG laser therapy of acne vulgaris: photodynamic and photothermolysis treatment. Lasers Surg Med 2003; 33:296–310.

49. Van den Akker JT, Iani V, Star WM, Sterenborg HJ, Moan J. Topical application of 5-aminolevulinic acid hexyl ester and 5-aminolevulinic acid to normal nude mouse skin: differences in protoporphyrin IX fluorescence kinetics and the role of the

50. Wiegell SR, Wulf HC. Photodynamic therapy of acne vulgaris using 5-aminolevulinic acid versus methyl aminolevulinate. J Am Acad Dermatol 2006;54:647–51.

51. Whelan HT, Smits RL Jr, Buchman EV, Whelan NT, Turner SG, Margolis DA et al. Effect of NASA light emitting diode irradiation on wound healing. J Clin Laser Med Surg 2001;19:305–314

52. Whelan HT, Connelly JF, Hodgson BD, Barbeau L, Post AC, Bullard G, et al. NASA light-emitting diodes for the prevention of oral mucositis in pediatric bone marrow transplant patients. J Clin Laser Med Surg 2002;20:319–324

53. Wiegell SR, Wulf HC. Photodynamic therapy of acne vulgaris using 5-aminolevulinic acid versus methyl aminolevulinate. J Am Acad Dermatol. 2006; 54(4):647-651.

54. Young S, Bolton P, Dyson M, Harvey W, Diamantopoulos C. Diamantopoulos C. Macrophage responsiveness to light therapy. Lasers Surg Med 1989; 9(5): 497-505

55. Youn-Seup Kim, Jae-Seuk Park, Young-Koo Jee, and Kye-young Lee, Photodynamic Therapy Induced Cell Death using 5-ALA and 632 nm Diode Laser in A549 Lung cancer Cells, Tuberculosis and Respiratory Diseases 56(2), 178-186.

CHAPTER 18

여드름의 레이저치료

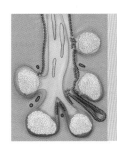

여드름의 레이저치료
Laser treatment of acne

CHAPTER 18

여 운철

I. 여드름의 병인

여드름의 원인은 정확히 알려져 있지 않으나 여러 가지 원인에 의해 나타난다. 여드름을 사춘기 한때 지나가는 청춘의 심벌로만 인식하는 사람이 많지만 50대에서도 나타나는 대표적인 염증성 질환이다. 사춘기 때는 안드로겐의 자극에 의해 피지선이 성숙되면서 여드름이 시작하지만 성인이 된 후 수면 부족 등에 의해 부신피질 호르몬이 증가하면서 피지선을 자극하여 여드름이 발생한다. 그 밖에 유전적 요인, 생리와 임신, 기후 등도 관여하는 것으로 생각된다.

여드름의 발생은 우선 사춘기가 되면서 androgen level이 올라가면서 피지분비가 증가하면서 모공의 입구가 막히게 되면서 시작된다. 이런 환경은 바로 P.acnes의 증식이 될 수 있는 조건을 형성한다. 모피진단위의 infundibulum에서 각질형성세포의 desquamation이 잘 되지 않고 비정상적으로 증식하고 저류하게 되면 지방, 세균, 세포 잔해물과 함께 모낭입구가 막히게 된다. 이런 두 가지 요인에 의해 모공의 입구가 막히고 세균이 증식하게 되면 P.acnes는 그램양성 혐기성균이다. P.acnes는 중성지방을 먹이로 하고, 중성지방을 분해하여 발생하는 유리지방산은 더욱 모낭 입구가 막히게 한다.

모낭에 상주하는 여드름 균(P. acnes)이 분비하는 효소에 의해 피지가 변성되고 각질세포 생성이 증가하면서 모낭이 딱딱해지면 피지배출이 원활하지 못해 여드름의 기본 병변인 면포가 형성된다. P.acnes는 이차적으로 염증반응을 유발하는데, 계속해서 각질과 피지가 분비됨으로 해서 모낭 벽이 얇아지고 P.acnes가 유인한 모낭주위에 모여든 백혈구가 분비하는 효소의 작용에 의해 모낭 벽이 파열되면 모낭 내용물이 진피로 들어가게 되어 염증반응이 시작된다. P.acnes의 여드름병인에 대한 논란이 많이 있으나, 최근에는 P.acnes가 모공이 막힌 이후에 역할을 하는 것이 아니라 이전부터 여드름의 발생에 중요한 역할을 한다는 연구가 많이 보고되었다. 정통적인 견해에서는 P.ances는 여드름초기단계인 면포형성에 무관하고 이후의 염증반응에 기여한다고 알려져 있다. 그런데 최근의 연구에서는 면포형성의 첫 단계부터 미세염증이 관여하는데, 호중구의 침윤이 관찰되지 않는 시기에도 이미 P. acnes의 항원에 반응하는 CD4+T 세포가 모낭주위에 발견되고, 이런 세포들은 여드름환자의 비병변부 피지선에서도 발견되나, 정상인의 피지선에서는 발견되지 않는다. 즉, 이런 관찰은 여드름의 초기 병변형성에 P.acnes에 대한 지연면역반응이 큰 역할을 함을 시사한다. 이런 면역반응의 결과로 TNF-alpha, IL-1beta등이 증가하여 염증반응을 일으킨다.

요약하면 여드름의 병인은 1. 피지분비의 증가 2. 모낭개구부의 이상과 각화 3. P. acnes의 증식 4. 모낭주위 염증반응으로 요약할 수 있다.

여드름 병변은 가장 기본적인 면포를 비롯하여 구진, 농포, 낭포, 결절, 반점 등이 있다. 기본 병변인 면포는 모낭상피의 과각화로 인하여 각질과 피지가 정체된 것으로 점차 염증에 의해서 구진, 농포, 낭포, 결절 등으로 진행한다. 심하지 않은 여드름은 면포가 주된 병변이지만 좀 더 심할 경우에는 농포와 구진이 주된 병변이며 중등도에서는 낭포성 병변이 발생한다. 따라서 자신의 여드름 종류에 맞게 적절한 치료를 받는 것이 중요하다.

1. 악화요인

가) 음식물

특정 음식물 성분이 여드름을 악화시키지는 않는 것으로 되어있다. 특히 지방기 있는 음식이나 단 것을 먹으면 여드름이 악화된다고 과거에는 이런 음식들을 제한하였으나 섭취된 지방이 피부의 피지선으로 가는 것은 아니므로 근거가 없는 것으로 생각되어진다. 그러나 과거에 어떤 음식물을 섭취한 후 나빠진 것이 확실하다면 그 음식물은 피하는 것이 좋다.

나) 술

알코올은 모든 염증을 악화시키므로 기존의 여드름뿐만 아니라 새로운 여드름을 발생시킬 수 있으며 여드름이 심할 때는 단 한 번의 음주로도 갑작스럽게 얼굴이 뒤집어 질 정도로 나빠질 수 있다.

다) 스트레스, 잠

잠을 충분히 자고 과로를 피하는 것이 피부를 쉬게 하는 것이다. 또 스트레스가 쌓이면 부신 피질 호르몬이 과량 분비되어 여드름이 악화된다.

라) 생리

생리 전에는 프로제스테론 호르몬 분비 증가로 피지선이 자극되어 여드름이 심해진다. 생리 전 일주일에서 열흘 전부터 생식선 자극 호르몬과 프로제스테론이라는 성호르몬이 증가하는데 증가된 프로제스테론이 피지선의 크기나 활동을 증가시켜 피지선의 피지 분비량을 증가시킨다. 때문에 생리 전에 피부 트러블이 생기거나 여드름이 더 악화되는 경우가 많다.

마) 화장

화장품에 포함된 지방성분, 특히 파운데이션은 모공을 막는 주요 물질로 작용하므로 될 수 있으면 화장을 피하도록 하고 어쩔 수 없으면 오일이 없는 파운데이션을 사용하도록 한다.

바) 머리카락, 헤어 스타일링 제품

피부, 특히 이마 부위에 닿을 경우 여드름을 악화시키므로 집에서는 반드시 머리를 올리거나 뒤로 묶고 있도록 한다.

사) 세안

여드름이 많이 나는 사람의 얼굴은 대부분 지성이다. 물론 부위에 따라 일부분만 그런 경우도 있다. 하지만 그렇다고 해서 세안을 과도하게 하는 것은 좋지 않다. 따뜻한 물로 부드럽게 세안을 하는 것이 필요하며 하루 2회 정도면 충분하다. 화장을 한 경우에는 클렌징을 하고 자극이 없는 비누를 사용하여 얼굴의 유분을 제거한다.

아) 손을 대는 습관

여드름이 많은 사람은 습관적으로 이마, 뺨 등으로 손이 가고 짜게 되는 경우가 많다. 집에서 여드름을 짜게 되면 압력에 의해서 피부가 찢어지면서 내용물이 나오고 흉터가 발생한다. 특히 고름이 있는 여드름이나 화농성 여드름은 약물치료와 병행하여 여드름 관리를 하여야 흉터가 발생하지 않는다.

자) 피부 마사지, 지성용 화장품

피지 분비가 많이 되는 상황에서 기름기가 많은 화장품으로 피부 마사지를 하면 피지선에서 피지가 배출되는 것을 막게 되어 여드름을 심하게 만든다.

여드름과 소화기질환은 직접적인 관련이 없다. 스트레스, 수면부족으로 부신피질 호르몬이 증가하게 되면 피지선을 성숙시키는 것 외에 장운동을 저하시켜 변비를 유발할 수 있지만 변비가 여드름을 악화시키는 것은 아니다.

2. 여드름에 대한 잘못된 상식

가) 여드름 연고를 바르면 실핏줄이 늘어나고 모공이 커진다.

스테로이드 호르몬 연고를 의사의 처방 없이 바르게 되면 실핏줄이 늘어나거나 모공이 커질 수 있으나 여드름 치료에 호르몬제는 쓰지 않으므로 절대로 그런 일은 없다. 단, 여드름 치료에 사용되는 연고들이 막힌 모공을 뚫어주는 역할을 하기 때문에 일시적으로 모공이 늘어난 것처럼 보일 수 있으나 좀 더 지나면 모공이 줄어든다. 오히려 호르몬제 약품은 복용하거나 발랐을 때 여드름이 발생하거나 악화될 수 있다.

나) 여드름은 결혼하면 없어진다.

여드름은 성생활에 영향을 받지 않는다. 여드름은 초경 1년 전부터 생기며 사춘기에 피비 분비가 증가하면서 많이 발생하지만 결혼 후에도 흔히 계속 될 수 있으며 30대 이후 처음 생기는 경우도 많이 있다. 이런 경우 맞지 않는 화장품의 사용으로 인한 경우도 많으므로 주의하여야 한다.

다) 여드름은 짜면 안 된다.

짜면 안 된다고 하는 이유는 잘못 짜면 기름샘 벽이 터져서 염증이 크게 생기고 흉 질 수 있기 때문인데, 병원에서 제대로 준비해서 짜면 괜찮다.

라) 세수를 안 해서 여드름이 생긴다.

얼굴에 묻은 먼지가 직접적인 원인은 아니다. 얼굴에 먼지가 잔뜩 묻은 꼬마 아이의 얼굴에 여드름이 생긴 것을 본 적이 있는가. 그러므로 지나친 세안은 여드름 얼굴에 지나친 자극을 줄 수 있으므로 조심하여야 한다.

마) 기름진 음식은 여드름에 나쁘다.

초콜릿, 감자칩, 기름진 음식, 낙농식품 등이 악화요인이라는 주장도 있으나 임상연구에서 근거 없다고 밝혀졌다. 요오드가 많이 든 조개, 해조류 등은 여드름을 악화시킬 수도 있다. 우유는 여드름 복용약과 맞지 않는 경우도 있으니 주의하여야 한다. 그러나, 특정 음식이 자기의 여드름을 악화 시키는 것이 분명하다면 그 음식은 삼가는 것이 현명하겠다.

II. 여드름의 레이저 치료

최근 여드름의 치료에 광선을 이용한 치료가 많이 도입되고 있다. 과거부터 자외선 치료가 사용되어 왔지만, 최근에는 Propionibacterium acnes를 겨냥한 415nm 부근의 blue light나 여드름 염증을 완화시킨다는 660nm 부근의 red light도 사용되고 있다. Photodynamic therapy가 이용되고 있고, 다른 laser나 IPL도 이용되고 있다. 이런 치료들은 light therapy라 할 만하다. Radiofrequency 전기를 이용한 치료도 여드름 치료에 이용되므로 이런 치료를 포함하기 위해서는 electomagnetic wave(EMW) based treatment라고 해야 한다. 이런 EMW 치료는 그 치료 원리에 따라서 표 18-1과 같이 구분할 수 있다.

이런 분류는 저자에 따라 차이가 있는데 Mariwalla 등의 보고에서는 표 18-2와 같이 분류하였다.

표 18-1. 여드름 EMW(electromagnetic wave) 치료법의 분류

1. **Pure photochemical**
   UV
   Visible light
2. **Combined : photochemical and photothermal**
   Pulsed dye laser
   IPL
   KTP
3. **Exogenous photosensitizer assisted PDT**
   ALA PDT : Pulsed dye laser, IPL, LED, Blue light
   ICG and 810nm diode laser
4. **Pure photothermal**
   MIR
   RF

표 18-2. Modalities Currently Used for acne treatment May be Separated into Groups Based on Their Target

(Lasers Surg Med. 2005 Dec:37(5):333-42.)

Modality	Intended target
UVA	P. acnes
Blue light	P. acnes
Blue and red light combination	P. acnes
Pulsed light and heat	P. acnes/Sebaceous gland
PDL	P. acnes/Sebaceous gland
KTP laser	P. acnes/Sebaceous gland
ALA and photodynamic therapy	Sebaceous gland
Infrared lasers	Sebaceous gland
Radiofrequency	Sebaceous gland

얼핏보면 상이한 듯 보이는 표 18-1과 표 18-2는 결국 같은 분류법이라고 할 수 있다.

표 18-1의 photochemical 이라는 뜻은 P. acnes가 생산하는 coproporphyrin III를 이용한 endogenous PDT를 한다는 뜻이며, 이는 곧 표 18-2에서 P.acnes를 목표로 한다는 것과 같은 뜻이다. 표 18-1의 photochemical과 photothermal이 동시에 된다는 뜻은 P.acnes와 피지선이 둘 다 목표가 된다는 뜻이며 표 18-2에서도 같은 분류를 따르고 있다. 표 18-1의 exogenous PDT와 photothermal 치료는 표 18-2에서 피지선을 목표로 한다고 설명되어 있다.

요약하면, 여러 치료법에서 그 치료효과는 여드름균을 살상하는 치료효과와 피지선을 파괴시키거나 위축시키는 결과로 치료효과가 있다고 생각하고 있다. 그러나, 이후의 연구에 의하면 여드름 치료법들의 치료기전이 이상에서 설명한 것과 일치하지 않는 점들이 발견되었다.

① red light는 여드름균에 대한 작용뿐 아니라 모낭주위 염증반응을 억제하여 여드름 치료효과가 있음이 밝혀졌다.

② 다이 레이저가 TGF-beta를 증가시켜 여드름 염증을 억제하여 치료효과가 있을 것이라는 연구 보고가 있다. 같은 연구에서 여드름균의 수적 감소는 발견하지 못하였다.

③ 피지선을 파괴할 것으로 생각하던 스무드빔의 경우 침투깊이가 얕아서 피지선이 주로 분포하는 깊이 까지 침투하지 못할 것으로 생각된다.

이상과 같이 여드름 레이저 치료법들의 P.acnes

를 파괴하느냐, 피지선을 파괴하느냐, 라는 2분법의 단순한 기전이 아니라, 여러 요소가 작용하여 치료효과를 나타낼 가능성이 커지고 있다.

· 가장 대표적인 여드름의 열치료

표 18-1의 분류에서 열발생을 이용하여 여드름을 치료하는 4번째 방법을 여드름의 열치료(thermotherapy)라고 한다. 2001년 ISDS(국제 피부외과학회)에서 IPL을 이용한 여드름치료의 효과가 발표되었다. 이런 치료 효과는 dermal heating에 의한 피지선의 약화로 치료가 된다고 생각했다. 그 다음 해에는 ASLMS(미국레이저학회)에서 당연히 Cool touch(1032nm)와 Smooth beam(1450nm)도 같은 원리(진피를 가열하는 원리)로 여드름 병변의 치료에 효과가 있다고 발표되었다. 그 후 2003년 ASLMS와 에딘버러(영국)의 Joint laser meeting에서도 laser를 이용한 여드름 치료가 많이 발표되었고 써마지를 이용한 효과도 발표되었다. 여드름은 진피에 있는 피지선(기름샘)에서 분비된 피지가 모공의 입구가 막혀서 분비되지 않으며 발생하게 된다. 그런데 진피가 레이저나 써마지로 뜨거워지면 피지선이 약화되고 이는 여드름을 개선시킨다. 즉, 어떤 방식으로든 진피에 열변성을 일으키는 치료는 여드름 치료에 효과가 있을 가능성이 있다.

아라미스를 이용한 여드름치료는 미국레이저학회에 주로 발표되었다. 오로라를 이용한 치료도 발표된 바 있고, 쿨터치를 이용한 여드름흉터 치료도 발표되었다. 써마지와 스무드빔을 비교하면 여드름에는 스무드빔이 여드름흉터에는 써마지가 효과적이라는 보고가 있다. 일반적으로 써마지보다는 midinfrared 영역의 레이저가 여드름 치료에는 더 효과적임이 보고되었다. 스무드빔과 아라미스의 여드름치료 효과를 직접 비교한 보고는 없다. 각각에 의한 치료효과 보고를 간접적으로 비교해보면, 아라미스가 스무드빔과 비교해서 비슷하거나 약간 더 좋은 효과를 보인다.

초기에 여드름 열치료의 치료원리가 열에 의한 피지선의 위축이라고 생각하였으나 실제 피지선의 변화에 의한 피지분비 감소 등이 나타나는 시기보다 여드름의 치료효과 지속기간이 더 길게 나타나는 등 일치하지 않는 점이 발견되고, 스무드빔 같은 경우 피지선이 발달한 깊이보다는 더 얕은 곳에서 주로 열이 발생하는 점(주로 infundibulum)이 알려지면서 여드름치료 효과가 나타나는 기전은 여러 가지로 설명되고 있다.

요약하면 1. 피지선의 위축 또는 기능적 변화 2. Infundibulum의 abnormal keratinization의 개선 3. 여드름세균의 억제 4. 여드름 염증의 완화 등이 작용할 것으로 기대되고 있다. 2006년에는 이런 비박피적 피부재생술 치료 후 1.5년 혹은 2년의 장기 추적한 결과 치료의 효과가 장기간 지속됨이 발표되었다.

Kobayashi 등의 보고(그림 18-1)에 따르면 피지선은 피부표면으로부터 0.3mm에서 2.0mm 사이에 분포할 것으로 생각한다. 그림 18-2에서 보면 스무드빔은 대부분의 피지선이 분포하는 깊이까지 레이저 빛이 침투하지 못한다. 써마지의 경우 1mm 깊이 이상의 깊은 부위에서 치료효과가 있을 것으로 기대한다. 몇 가지 치료방법을 조합하여 다양한 깊이의 피지선분포에 맞춘 치료가 가능함을 볼 수 있다. 침투적 프랙셔널 고주파의 경우 침의 길이를 선택하여 0.3mm에서 2.0mm까지의 모든 깊이에 분포한 피지선을 공격할 수 있을 것으로 생각된다.

1. Blue light

피부표면에 ALA를 도포한 후 기다리면 이것이 protoporphyrin IX 으로 변환되는데 protopor-

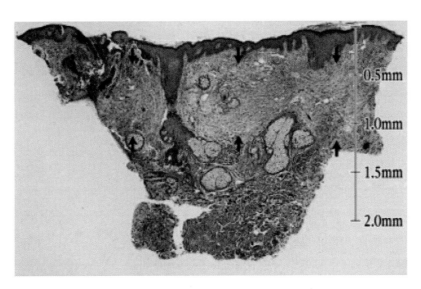

그림 18-1. selective elcetrothermolysis of the sebaceous glands

피지선은 피부표면으로부터 0.3mm에서 2.0mm 사이에 분포할 것으로 생각한다. (Dermatol Surg. 2007 Feb;33(2):169-77.)

phyrin IX 에 잘 흡수되는 빛을 조사하여 PDT 치료를 하게 된다. ALA를 공급하지 않아도 여드름 병변내의 P.acnes는 coproporphyrin III를 생산하는데 이를 이용하여 PDT를 하는 것을 endog-enous PDT라고 한다. P.acnes는 ALA를 외부에서 공급하지 않은 상태에서도 자체적으로 co-proporphyrin III를 생산하는데 P. acnes가 생산하는 coproporphyrin III은 protoporphyrin IX과 같은 흡수곡선(그림 18-3)을 보인다. 이에 잘 흡수되는 파장인 400nm 부근의 blue light를 조사하면 endogenous PDT를 이용하여 P.acnes를 파괴하고 여드름치료효과를 얻을 수 있다. Clear Light, Blue-U, Omnilux-blue등이 광원으로 이용된다. 그러나 blue light는 침투깊이가 얕아서 치료에 제한점으로 작용한다(그림 18-4).

Shnitkind 등은 ClearLight(405nm-420nm, Lumenis)를 이용하여 35명의 여드름 환자를 1주

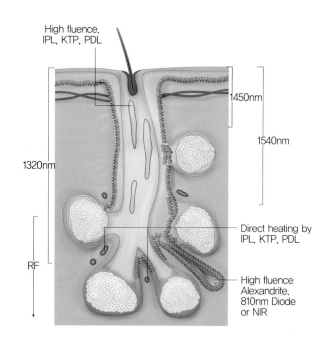

그림 18-2. 피지선의 분포 깊이와 여러 레이저의 치료 범위

스무드빔 0.27mm 에서 0.435mm, 아라미스 0.4mm 에서 0.7mm, 써마지 1.0mm 이상의 깊이

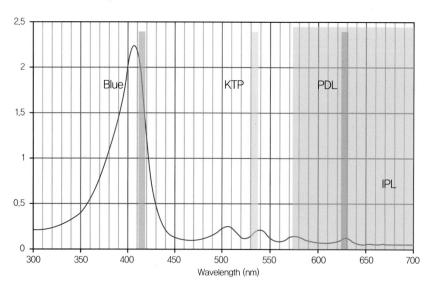

그림 18-3. Protoporphyrin IX의 흡수도

체내에서 활성을 나타내는 성분인 PpIX가 어떤 파장의 빛에서 흡수율이 높은지 보여준다. 이 그래프에서 보다시피 PpIX는 420nm 파장대에서 가장 높은 파장대를 나타낸다. 또한 500nm에서 700nm구간에서도 420nm보다 낮긴 하지만 피크를 보이고 있다. 따라서 광원을 선택할 때 420nm대의 블루라이트를 사용하는 것이 가능하나 IPL 등 다양한 광원의 선택이 가능하다.

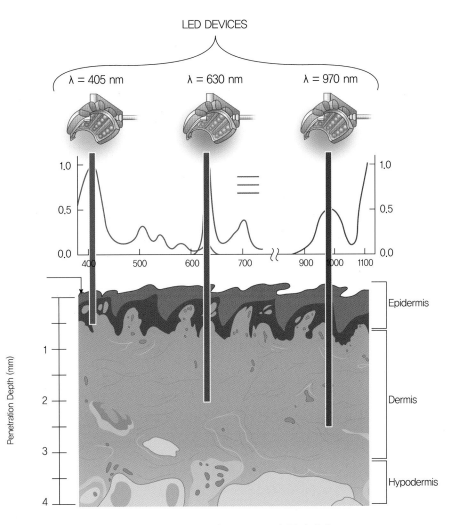

그림 18-4. Blue light와 Red light의 투과깊이

에 2번 4주간 치료하였다. 매 치료마다 얼굴과 등에 8~15분간 조사하였다. 80%의 환자에서 염증성 여드름과 비염증성 여드름이 모두 현저히 완화되었다. 염증성병변의 숫자는 치료 종결 2주 후 판정한 결과 60% 감소되어 있었다.

Gold 등은 blu-U(Dusa)를 이용하여 1% clindamycin 사용군과 대조 연구한 결과 blu-U로 치료한 군에서는 34%, 1% clindamycin으로 치료한 군에서는 14%의 염증성병변 숫자의 감소를 보고하였다.

2. Red light

Red light는 blue light에 비해서 포르리피린에 대한 흡수도는 낮으나 피부 속으로 더 깊이 침투하여 endogenous PDT 효과를 발휘할 것으로 고찰되어왔다. Papageorgiou 등은 red lighty와 blue light를 같이 조사하여 여드름병변의 호전을 보고하였다. Na 등은 blue light 없이 red light를 단독조사하여 연구하였다. 635nm에서 670nm를 조사하는 기기를 이용하여 8주간 6mW로 15분간 하루

635

에 두 번 조사한 후 치료부위가 치료하지 않은 대조부위보다 호전됨을 보고하였다. 저자들은 red light가 일반적으로 염증병변에서 염증을 감소시키는 효과(TNF-alpha를 감소시켜 염증을 감소시킨다)를 언급하며 여드름에도 이런 기전으로 효과가 발생할 것으로 고찰하였다.

3. 다이 레이저

다이 레이저는 진피혈관에 흡수되어 진피에 발열이 일어나고, P.acnes의 포르피린에 작용하여 PDT효과를 보여서 P.ances를 파괴시킨다고 생각하는 치료이다. 그런데, 진피에 발열이 있다고 해서 곧바로 피지선을 타겟으로 한다고 설정하기에는 증거가 빈약해 보인다.

Seaton등의 보고에 의하며 다이 레이저 치료 후 P.acnes 군락의 수적 감소도 발견하지 못하였고, 피지분비의 감소도 관찰하지 못하였다. 기존에 다이레이저의 치료기전으로 생각하던 기전을 설명해줄 증거가 하나도 발견되지 않았다. 대신 여드름발생과 연관된 여러 사이토카인을 관찰하여 다이레이저로 치료한 후 TGF-beta가 급속히 증가함을 발견하였다(표 18-3). TGF-beta의 증가는 콜라겐합성을 유도하여 진피가 빨리 회복되는데 도움이 되고, 전반적인 염증반응을 억제하고 특히 여드름의 발생기전에서 최근에 중요하게 지적되는 CD4+T세포를 억제하여 CD25+regulatory 세포로 전환시켜서 염증반응을 억제한다고 생각된다. Seaton등은 낮은 fluence(585nm, 1.5 혹은 3J/cm^2, 1 pass)로 한 번 치료한 후 조사한 결과 대조군의 9%에서 병변이 줄어든 것에 비해 치료부위에서는 53%에서 병변이 줄어듦을 보고하였다.

표 18-3. Biological effects of transforming growth factor-β (Br J Dermatol. 2006 Oct;155(4):748-55.)

Stimulation of fibroblast proliferation

Stimulation of collagen synthesis

Stimulation of proteoglycan, glycosaminoglycan and fibronectin synthesis

Inhibition of metalloproteinases

Chemotaxis of lymphocytes, neutrophils and monocytes in resting state tissue

Potent inhibition of activated T and B lymphocytes

Inhibition of Th1 and Th2 cytokine production

Conversion of activated CD4 + lymphocytes to CD25 + regulatory cells

Suppression of inflammatory cytokine release during apoptosis and phagocytosis

Very potent inhibition of keratinocyte proliferation

Deactivation of macrophages

Inhibition of antibody synthesis

Suppression of cytotoxic T-cell activity

Orringer 등도 유사한 방법으로 치료하여 split face 연구를 하였으나, 다이 레이저의 효용성을 입증하지 못하였다.

4. IPL (그림 18-5)

Choi 등은 20명의 한국인에서 IPL과 다이 레이저로 얼굴의 한쪽씩을 치료한 결과를 보고하였다. 2주 간격으로 4회를 치료하였다. IPL로 치료한 부위는 일찍 반응을 보이고 다이 레이저로 치료한 부위보다 효과가 더 좋았다. 그러나, 치료 종결 후 8주에 비교하면 다이 레이저로 치료한 쪽이 더 효과가 좋았다. 다이레이저는 효과가 IPL에 비해 서서히 나타나나 더 오래 효과가 지속되었다. IPL과 다이 레이저로 치료한 두 부분 모두에서 TGF-beta가 증가함이 면역염색연구에서 관찰되었다. Chang 등도 한국인을 대상으로 IPL을 이용하

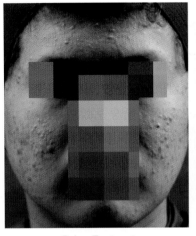
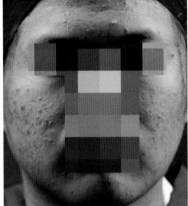
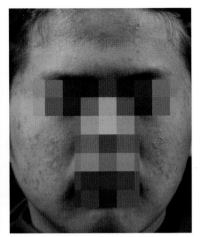

Before Treatment   Before 2nd Treatment   Before 3rd Treatment

그림 18-5. Acne treatment by 420(s) filter of Cellec

환자는 Cellec의 420(s) cut off filter를 이용하여 여드름 치료를 받았다. Cellec의 420(s) cut off filter는 420nm에서 600nm의 여드름에 효과적인 파장만 선택하여 사용한다. 1차 : 420(S) 2.4/20/5.0 14J/cm² 3pass, 2차 : 420(S) 2.4/20/5.0 14J/cm² 3pass

여 여드름을 치료하였고, 여드름의 갈색과 붉은색 자국에는 IPL이 좋은 효과가 있었으나 여드름 자체에는 효과를 인정할 수 없었다고 보고하였다.

5. PDT (photodynamic therapy)

여드름은 5-aminolevulinic acid (ALA)를 주로 이용하여 PDT(광역동요법)을 시행한다. 5-aminolevulinic acid(ALA)은 피부에 도포 후 침투하여 피지선에 선택적으로 흡수되어 ALA성분이 프로토폴피린으로 대사되고, 프로토폴리린은 광에 반응하므로, 광원을 조사하면 이에 반응하고, 여드름 원인인 피지선을 파괴한다(그림 18-6, 18-7, 18-8).

• 광원(light source)

- Quantum : 560 filter; 26J/cm², 2.4/4.0 with 20 msec., delay, one pass

- Aurora : 16-22J/cm². with an RF of 16-22J/cm²., one pass

- Estelux : 19-30J/cm²., at 20 msec.., one pass

- V-beam : 10mm spot; 7.5J/cm²; 6 msec. pulse width; two passes with 50% overlap. Levulan can stay on the skin during treatment.

- V-Star : 10 mm spot; 7.5J/cm²; 40 msec. pulse width; two passes with 50% overlap. Levulan can stay on the skin during treatment.

- Clearlight : 5 minutes under the light. Levulan can stay on the skin during treatment.

- Blu-U Light : 8 minutes under the light. Levulan can stay on the skin during treatment.

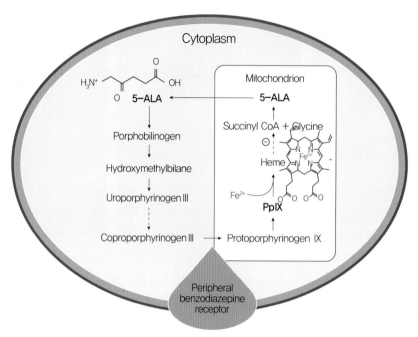

그림 18-6. Heme metabolism

자연상태에서 heme은 ALA로 부터 생산된다. 외부에서 ALA를 공급하면 세포의 마이토콘드리아 내에서 프로토폴피린의 농도가 증가한다. 이때 광원을 이용하여 프로토폴리피린을 조사하여 광역동치료를 하게 된다.

· **장점**
- 경구 여드름 약의 효과를 보지 못한 환자
- 항생제에 의한 내성으로 약 복용에 지친 환자
- 지루성 피부염이 있는 환자
- 가임기 여성
- 반영구적인 효과 (10-12개월)
- 피부 재생 효과 (rejuvenation)

· **부작용과 불편함**
- Hyperpigmentation을 주의해야 함
- 시술 후 반드시 마스크나 모자 착용, 시술 후 2일간 햇볕 노출을 금한다(그림 18-9).
- 첫 일주일은 피지선의 파괴로 오히려 피지가 올라올 수 있고, peeling 등을 경험 할 수 있음. 2주 후에는 깨끗해지므로 시술 전에 설명이 필요하다.

· **레블란(튜브형태의 ALA)을 이용한 시술 방법**
- 환자 얼굴 세안 (비누와 물로 깨끗하게 닦는다)
- Microdermabrasion이나 아세톤 scrub으로 스킨을 닦음으로 준비를 한다.
- 레블란의 양쪽 끝을 손가락으로 break하여 약 3분정도 섞음
- 얼굴 전체에 레블란을 한번 바른 후에 한 번 더 덧발라 줌. 눈 가까이까지 바른다.
- 약 30분에서 1시간 정도 기다림
- Laser 하기 전에 다시 alcohol로 ALA바른 부위를 깨끗하게 잘 닦아냄 (물비누 세안)
- BLUE-U 또는 IPL 혹은 기타 광원으로 시술
- Light 치료 후에 반듯이 비누 세안으로 남은 레블란을 닦아 냄.
- 시술 후 하루 동안은 햇볕을 반드시 피해야 함 (선크림, 모자, 마스크 착용) - 화상 주의

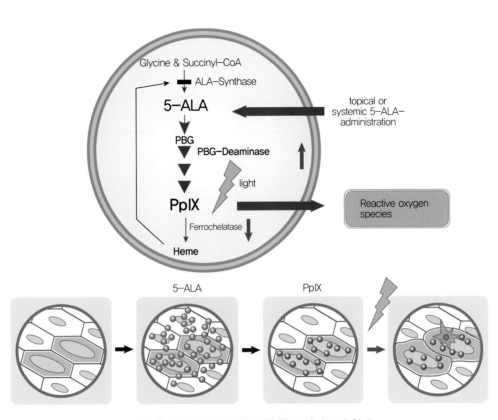

그림 18-7. 광역동요법을 이용한 종양치료의 원리

피부에 ALA를 바르게 되면 ALA가 선택적으로 암세포 같은 비정상세포에 축적되게 된다. 축적된 ALA는 세포내에 이미 존재하는 heme 합성 과정으로 합류하여 광과민성분인 PpIX(프로토폴피린 나인)으로 변환하게 되고 이 변환된 PpIX는 광원을 조사하면 주변 산소에서 활성산소를 생성하게 된다. 이렇게 생성된 활성산소는 세포독성을 나타내어 우리가 타겟으로 하는 종양세포를 파괴시키는 효과를 나타내게 된다.

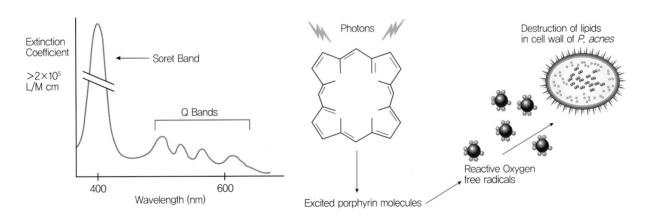

그림 18-8. 광역동요법을 이용한 여드름치료의 원리

프로토폴리피린을 조사하면 여기상태가 되고, 여기상태의 프로토폴피린이 기저 상태로 회귀하면서 주변의 산소에서 reactive oxygen species(ROS)를 생산하여 ROS가 여드름세균을 공격하여 여드름 치료에 효과가 있다.

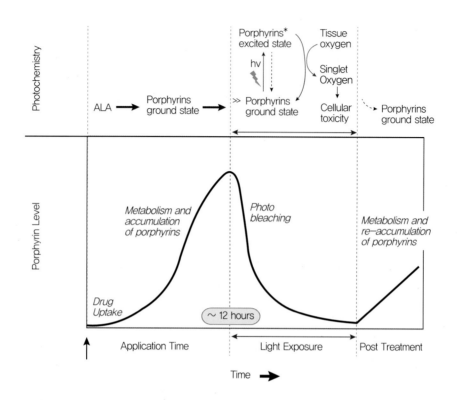

그림 18-9. 프로토폴피린의 농도 변화 과정

ALA도포 후 대사과정을 통하여 프로토폴피린으로 변환되면 프로토폴피린의 농도가 증가한다. 이후 광원을 조사하면 프로토폴피린은 주변에 생성된 활성산소에 의해 파괴되어 농도가 감소한다(photobleaching).
광원의 조사가 중단된 후에는 아직 남아있는 ALA에서 대사에 의해 프로토폴피린이 다시 생성되어 프로토폴피린의 농도가 다시 증가한다. 이런 이유로 PDT 치료를 받고 귀가한 후에도 2일 정도 햇볕에 노출을 피하여야 한다.

6. Midinfrared 레이저를 이용한 여드름 치료

1300nm에서 1800nm 사이의 파장은 물에 의해서 주로 흡수되고, 진피를 광범위하게 heating하는데 적절한 파장으로 알려져 있다. 이런 파장은 진피에 대한 absorption coefficient가 $20cm^{-1}$에서 $80cm^{-1}$이고 이런 파장을 피부에 조사하면, heating의 목표가 되는 진피의 깊이는 0.2mm에서 0.4mm가 되어 NAR에 적절한 진피부위가 가열된다. 이런 파장대 중에서 1320nm, 1450nm, 1540nm 등이 사용되었으며 midinfrared laser

라고 한다. 980nm, 1064nm 등은 near infrared laser 라고 하며 크로모포어가 멜라닌, 헤모글로빈, 그리고 물이다. Midinfrared laser 중에서 1540nm를 이용한 Erbium Glass laser를 소개하면 다른 midinfrared laser인 쿨터치(1320nm), 스무드빔(1450nm)과 다른 특징이 있다.

• Er:Glass Aramis(1540nm, Quantel)

아라미스를 이용한 여드름 치료는 미국레이저학회에 주로 발표되었다. IPL, 스무드빔, 써마지, 오로라를 이용한 치료도 발표된 바 있고, 쿨터치를 이용한 여드름흉터 치료도 발표되었다. 써마지와 스무드빔을 비교하면 여드름에는 스무드빔이 여드름 흉터에는 써마지가 효과적이라는 보고가 있다. 일반적으로 써마지보다는 midinfrared 영역의 레이저가 여드름치료에는 더 효과적임이 보고되었다. 스무드빔과 아라미스의 여드름치료 효과를 직접 비교한 보고는 없다. 각각에 의한 치료효과 보고를 간접적으로 비교해보면, 아라미스가 스무드빔과 비교해서 비슷하거나 약간 더 좋은 효과를 보인다.

가) 아라미스의 특징

a) 1540nm파장은 멜라닌에 흡수가 적게 된다.

1320nm(쿨터치)이나 1450nm(스무드빔) 파장에 비해서 멜라닌 흡수가 더 적다. 이는 한국인에서 시술시 큰 장점으로 작용한다.

b) Contact cooling 방식으로 확실한 표피 보호가 가능하다.

쿨터치나 스무드빔에서는 cryogen spray 방식을 이용하는데 이런 이유로 레이저가 발사되는 시간 동안은 쿨링 스프레이를 하지 않는다. 그러나 아라미스는 레이저가 발사되는 순간에도 냉각을 계속한다.

c) 시술 깊이가 쿨터치보다 얕고 스무드빔보다 깊다.

물에 대한 흡수도가 1450nm에서 가장 높아서 스무드빔은 진피 침투력이 가장 약하다. 쿨터치(1320nm)는 물에 대한 흡수도가 가장 낮아서 가장 깊이 침투한다. 아리미스(1540nm)는 이 중간이어서 치료 깊이가 0.3-0.7mm 정도이며 진피 상층이 주로 치료대상이다. 이 깊이는 주름과 여드름 치료에 유용한 깊이이다.

d) 다른 레이저나 전기고주파 등이 목표부위를 60~70℃ 정도로 가열하나 아라미스는 48~50℃ 정도로 가열한다.

콜라겐은 60℃ 이상에서는 변성이 일어나나, 50℃ 근처에서는 HSP(heat shock protein)의 활성화를 통해 콜라겐 합성이 증가한다는 연구결과가 있다.

e) 시술시 통증이 없다.

목표 온도가 낮은 것이 통증이 적은 이유의 하나이다. 쿨터치나 스무드빔에 비교해서 아라미스는 긴 시간 동안에 에너지를 발사한다. 아라미스에서는 약 500ms 간격(interpulse interval)으로 여러 개의 펄스를 발사하는 pulse train 방식을 이용하여 서서히 진피 속 열을 증가시키므로 시술시 통증이 없다(그림 18-10).

나) 아라미스를 이용한 여드름치료의 문헌보고

- Mordon : Treatment of active acne with an Er:Glass laser ; ASLMS 2004

한 달 간격으로 4회 치료(50-60J/cm2) 후 12주 후에 관찰한 결과 평균적으로 여드름병변이 78% 호전되었다. 모든 환자(25명)에서 피지분비의 감소가 있었다.

- Kassir : Er:Glass laser for the treatment of facial acne vulgaris ; ASLMS, 2004

3-6pulses of 8-12J/cm2(24-72J/cm2) 2주 간격으로 4번 치료 후 1달, 3달 후 관찰하여 평균적으로 70% 이상의 여드름병변 호전이 있었다.

- Arndt : 1540nm Erbium:Glass laser for inflammatory facial acne ; ASLMS, 2005

얼굴전체는 48J/cm2으로 치료하고 여드름부위는 60J/cm2으로 치료했다. 2주 간격으로 4회 치료, 한 달 후 관찰하였다. 여드름 병변은 전체적으로 67% 호전되었다. 피지분비는 26% 감소하였다.

다) 아라미스를 이용한 여드름치료의 필자의 경험(그림 18-11, 18-12)

2주 간격으로 총 3회 내지 5회의 치료로 평균 70% 정도의 병변감소 효과를 보인다. 치료는 여드

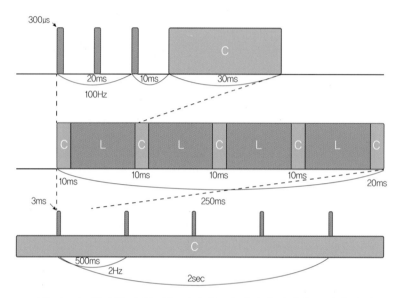

그림 18-10. 쿨터치, 스무드빔, 아라미스의 레이저 발사와 쿨링의 관계
붉은색은 레이저가 나오는 시간, 푸른색은 쿨링이 가해지는 시간이다.

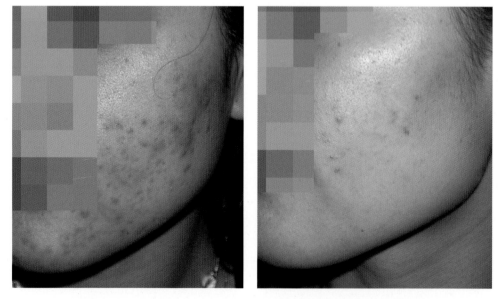

그림 18-11. midinfrared laser의 일종인 아라미스를 이용한 여드름 치료
여드름이 발생하고 있는 부위만 4회 치료 후 여드름이 많이 개선된 상태이다.

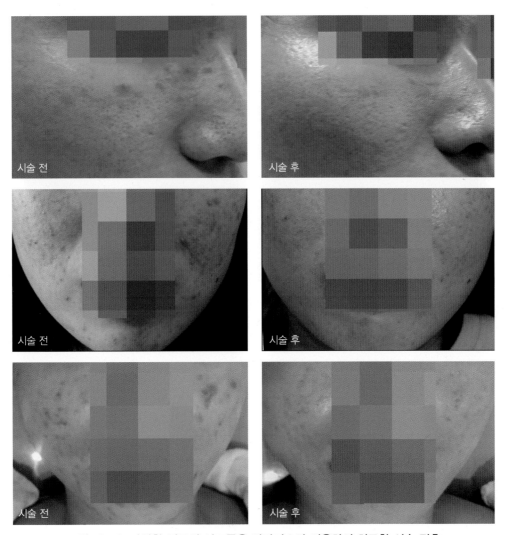

시술 전

시술 후

시술 전

시술 후

시술 전

시술 후

그림 18-12. 다양한 정도의 여드름을 아라미스만 이용하여 치료한 시술 전후

름이 주로 발생하는 부위에 전체적으로 50J/cm² 를 시행하고 부분적으로 염증이 있는 부위에 다시 2-3회 반복 치료한다.

7. 써마지를 이용한 여드름치료

Ruiz-Esparza 등은 총 22명을 써마지로 치료하고 다른 치료는 하지 않고 8개월간 관찰했다(그림 18-13). 이중에서 13명은 한 번 치료받았다. 1

차 시술 후 3개월 정도 기다려서 효과가 나타나지 않으면 2번째 치료를 한다. 이렇게 해서 7명이 두 번 치료를 받았고, 2명이 3번 치료를 받았다. 환자들은 서서히 효과가 나타났다. 전체 여드름이 75% 이상 좋아진 경우를 현저하게 좋아진 경우로 하였는데 1번 내지 3번 치료한 환자의 92%에서 현저한 효과가 있었다.

필자의 경험을 정리하면, 총 8개월 정도 추적 관찰하였으며 반응이 빨리 나타난 경우도 있고, 천천히 나타난 경우도 있다. 면포나 구진 등의 가벼

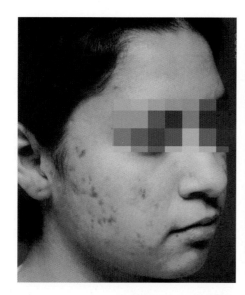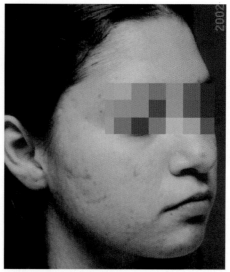

그림 18-13a. 써마지를 이용한 여드름 치료의 보고

시술 후 4개월 지났으며 현저히 여드름이 개선되어 유지되고 있다. 다른 치료는 전혀 하지 않았다. (Dermatol Surg. 2003 Apr:29(4):333–9)

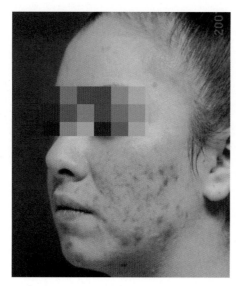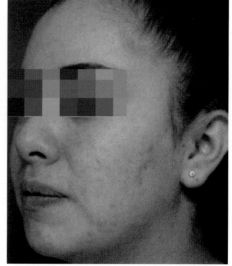

그림 18-13b. 써마지를 이용한 여드름 치료의 보고

시술 후 6개월 지났으며 여드름이 현저히 개선되어 유지되고 있다. 다른 치료는 전혀 하지 않았다. (Dermatol Surg. 2003 Apr:29(4):333–9)

운 여드름이 심한 여드름보다 효과가 더 좋았다.

한 차례의 치료로 현저한 효과를 보인 경우가 50% 이상이었다. 이 결과는 한 차례 시술 후의 결과이므로 외국의 예와 비슷한 치료 결과를 보인다는 것을 알 수 있다(그림 18-14).

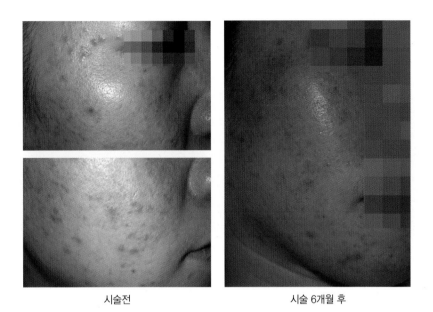

시술전   시술 6개월 후

그림 18-14a. 한국인에서 써마지를 이용한 여드름 치료

왼쪽 사진에서 계속 여드름이 나던 환자가 시술 후 현저히 여드름 발생이 줄었다. 써마지 시술을 하지 못한 입 아래 부위는 아직 여드름이 발생하고 있다.

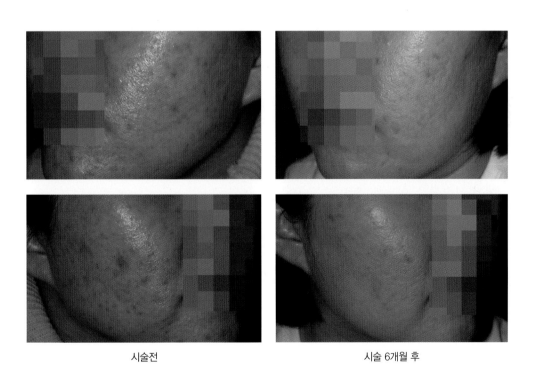

시술전   시술 6개월 후

그림 18-14b. 한국인에서 써마지를 이용한 여드름 치료

이 환자는 처음에는 치료 후에도 계속 여드름이 난다고 하였다. 그런데 수개월 후에는 현저히 개선된 모습을 보였다. 즉, 효과가 천천히 나타났다. 치료 후에도 여드름 발생이 계속되었으나 6개월 후에는 현저히 호전된 모습을 보였던 late responder 사례이다.

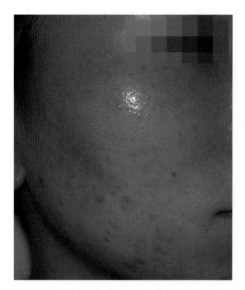

그림 18-14c. 한국인에서 써마지를 이용한 여드름 치료
써마지를 시행한 후 8개월 후의 사진이다. 치료를 받은 뺨부위는 병변이 보이지 않으나, 치료받지 않은 아랫부분은 여드름이 계속 발생하고 있다.

8. 침습적 프랙셔널 고주파

침습적 프랙셔널 고주파의 여드름 치료효과는 그 원리가 정확히 알려져 있지 않으나, 일반적으로 진피에 발열이 되는 치료는 여드름 치료의 효과가 알려져 있어서, 침습적 프랙셔널 고주파도 여드름 치료효과를 기대할 수 있는데, 특히 삽입된 침이 여드름 염증으로 확장된 피지선에 삽입된 경우 주위의 다른 침과 bipolar 전기회로가 형성되는데 이때 피지선 안은 피지로 구성되어 있고, 피지는 전기에 대한 저항이 커서 이런 상태에서 고주파를 인가하면 피지선 안에 발열이 심하고, 피지선이 파괴되는 효과를 볼 수 있을 것으로 기대된다(그림 18-15, 18-16). 임상적인 고찰에서 침습적 고주파로 여드름에 효과를 보인 것은 Shin 등, Lee 등이 문헌에 보고하였다.

III. 여드름 자국 치료

여드름 치료의 일차적인 목적은 당장 깨끗한 얼굴을 원하기 때문이기도 하지만 흉터가 남는 것을 예방하기 위한 것이기도 하다. 그러나 여드름 자국과 여드름 흉터를 구별 못하는 경우가 많다. 여드름 자국은 여드름이 좋아진 부위가 거무스름하게 착색된 것을 말한다. 이 자국은 대부분 1년 이내에 자연히 없어지지만 잡티로 남는 경우도 있다. 예방 및 치료를 위해 자외선 차단제와 탈색소 연고를 사용하는데, 스킨 스케일링, 전기 영동 치료 등을 병행하면 이 기간을 좀 더 단축시킬 수 있다. 여드름 흉터는 여드름이 좋아진 후 주위의 정상 피부와 비교해 파인 흉터를 말하며 화농성 여드름, 낭포성 여드름이 있던 부위에 나타난다. 저절로 치유되지는 않으며 어븀야그 레이저를 사용하여 치료할 수 있다.

1. 갈색자국의 치료

가) 박피, 스킨스케일링

얼룩진 여드름 자국을 맑게 하는 동시에 현재 남아 있는 여드름도 좋아지는 효과를 얻을 수 있다. 칙칙한 피부색, 얼굴 잡티의 개선에 사용되는 치료법이다. 스킨 스케일링 얼룩진 여드름 자국을 맑게 하는 동시에 현재 남아있는 여드름도 좋아지는 효과를 얻을 수 있다. 칙칙한 피부색, 얕은 얼굴 반점 등의 개선에 사용되는 치료법이다(그림 18-17, 18-18).

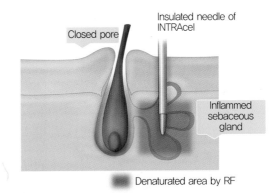

그림 18-15. INTRAcel Mechanism for acne treatment

인트라셀의 치료시 절연 니들은 무작위로 피지선에 삽입될 기회가 있다. 이때 피지선에 삽입된 니들과 인접한 니들 사이에 전기회로가 구성되는데, 피지는 전기저항이 큼으로 피지선에 선택적으로 발열이 일어난다. 인트라셀 절연 니들은 활동성 여드름의 피지선과 염증이 있는 부위를 선택적으로 파괴시켜 활동성 여드름의 재발을 막는 치료가 된다.

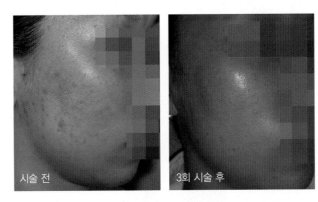

그림 18-16a. 인트라셀로 치료한 활동성 여드름

시술 후 6개월 지났으며 여드름이 현저히 개선되어 유지되고 있다. 다른 치료는 전혀 하지 않았다.

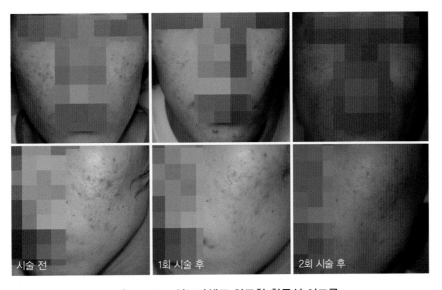

그림 18-16b. 인트라셀로 치료한 활동성 여드름

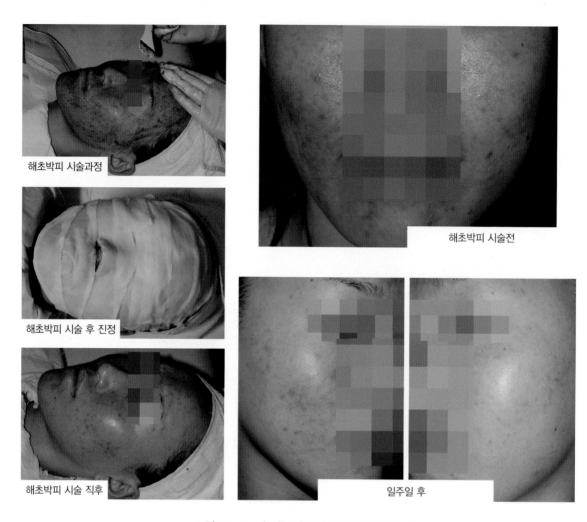

해초박피 시술과정

해초박피 시술 후 진정

해초박피 시술 직후

해초박피 시술전

일주일 후

그림 18-17. 여드름 자국의 해초박피 치료

나) 미백관리, 미백제

비타민 C 등 미백 성분을 전기 영동법을 이용하여 피부에 침투시키고 미백 성분과 박피 성분을 함유한 치료 화장품으로 색소세포가 색소를 형성하는 과정에서 여드름 자국부위의 색소세포의 기능을 저하시키는 역할을 한다. 탈색소 연고 색소세포가 색소를 형성하는 과정에서 여드름 자국 부위의 색소세포 기능을 저하시키는 역할을 한다. 반도체 레이저, 헬륨네온 레이저, 피부 초음파 치료, 전기 영동 치료 여드름 자국 부위에 형성된 색소를 없애기 위한 치료로, 세포의 기능을 활성화시키고 탈색소 연고의 흡수력을 증가시켜 색소 세포가 활동하는 것을 막아준다.

다) IPL

Chang 등은 한국인에서 IPL 치료는 색소침착과 홍반은 호전되나 여드름 자체에는 효과가 없었다고 보고하였다.

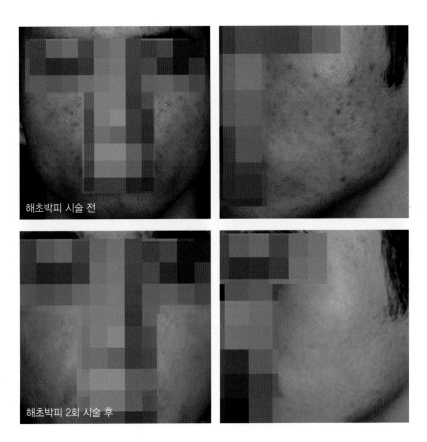

그림 18-18. 여드름 치료와 해초박피를 병행한 경우

2. 붉은 자국의 치료 - IPL 혹은 pulsed dye laser

여드름이 있었던 부위의 붉은 자국은 혈관의 증식에 의해 생긴 것으로 저절로도 서서히 회복되기는 한다. 하지만 빠른 회복을 위해 혈관성 병변의 치료에 사용되는 pulsed dye laser 혹은 IPL(intense pulsed light)을 이용하여 치료한다. pulsed dye laser는 붉은 자국만 있는 경우에 더 효과적이고, IPL은 갈색 자국과 붉은 자국이 혼재한 경우에 유용하게 이용된다(그림 18-19).

3. 비박피성 프랙셔널 레이저

비박피성 프랙셔널 레이저인 프락셀이 처음 소개될 때 진피 리모델링과 더불어 표피색소병변이 치료됨을 강조하였다. 비박피성 프랙셔널 치료 후 표피에 생성된 열변성은 멜라닌을 포함한 표피열기둥이 수일 내로 딱지로 떨어지게 만드는데 이른바 epidermal melanin shuttle이라고 한다. 이를 통해 표피색소병변이 호전된다고 알려져 있으므로 여드름 후의 갈색자국의 치료에 이용될 수 있다.

이런 비박피성 프랙셔널 레이저는 물에 대한 흡수도가 높아서 진피혈관도 열변성을 시킬 수 있는데 이런 기전으로 여드름 후 발생한 붉은 자국

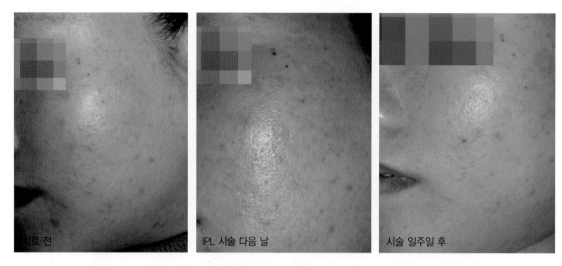

그림 18-19. IPL을 이용한 여드름 붉은 자국의 치료 (에스앤유피부과 김방순 원장 제공)

에 대해서 치료효과가 있음을 Glaich 등이 최초로 보고하였다. 보고에 의하면 프락셀을 이용하여 18mJ 1,250 MTZ/cm² 혹은 6mJ, 2,000MTZ/cm²으로 치료하여 효과를 보았다. 비박피성 프랙셔널 레이저는 흉터의 치료에도 이용되므로 비박피성 프랙셔널 레이저를 이용하면 여드름 후 홍반 자국과 여드름흉터를 동시에 치료할 수 있는 방법이 될 수 있다.

IV. 여드름 흉터 치료

사춘기의 상징이라고 하는 여드름은 나이가 들면 좋아지기 마련이지만 가장 큰 문제점은 흉을 남기는 것이다. 이런 흉터는 나이가 들어도 좋아지지 않고 평생을 가게 된다. 여드름치료의 1차 목표는 흉터의 예방에 있다.

여드름 흉터는 움푹 들어간 '함몰된 흉'과 붉거나 희게 솟아 올라온 '비후성 반흔'이 있다. 붉은 여드름 자국이나 갈색의 색소침착을 여드름 흉이라고 하는 경우가 있는데 이는 엄밀한 의미에서는 흉이 아니라 "여드름 자국'이라고 하여야 한다.

• 비후성 흉

턱이나 가슴, 어깨에 잘 생긴다. 처음에는 붉은색을 띠다가 점차 흰색으로 변한다.

치료 : 트리암시놀론을 병변에 직접 주사하는 방법과 앞에서 언급했던 혈관레이저를 이용한 치료방법이 있다.

• 함몰된 흉

꼬챙이로 찌른 것 같은 흉, 혹은 분화구처럼 둥그렇게 파인 흉이다. 대부분의 여드름 흉이 여기에 속한다.

여드름흉터의 치료는 과거에는 그라인더와 같은 기구를 이용한 기계적 박피를 많이 시행하였으나 최근에는 고출력 이산화탄소 레이저나 어븀야그 레이저를 이용하여 흉터 주위를 직접 깎아내는 치료를 많이 한다. 과거의 박피술 보다 정밀한 시술이 가능하고 박피의 깊이를 쉽게 조절할 수 있으며 피부 진피층의 콜라겐 형성을 유도하여 살이 잘 차오르게 한다. 특히 이산화탄소 레이저는 진피의 콜라겐을 수축시켜 단번에 흉터를 많이 교정하게 된다.

1. 레이저 박피(그림 18-20)

어븀야그 레이저나 이산화탄소 레이저를 이용하여 흉이 있는 피부를 전체적으로 깎아내면서 흉의 가장자리나 불규칙한 부위를 완만하게 만들어 준다. 시술 후 치료부위의 콜라겐 합성이 증가되면서 피부에 탄력이 생기고 재생이 되도록 하는 치료법이다. 시술 후 7일 정도는 인조 피부를 붙이고 있어야 하는 불편이 있다. 따라서 이 기간 중에는 직장생활이나 대인관계에 제약이 따르게 된다. 1주 내지 10일 후부터는 세안 및 화장이 가능하다. 이 시기부터는 자외선 차단제를 철저히 바르고 보습에 신경을 쓰시는 것이 좋다. 색소침착을 최소한으로 하기위해 미백제를 바른다. 시술 깊이에 따라 다르지만 2달 내지 3달까지 붉은 기운이 지속될 수가 있는데 빠른 회복을 위해 정기적으로 재생관리를 하는 경우도 있다.

과거에는 기계 박피술이나 화학 박피술을 많이 시행하였으나 최근에는 어븀야그 레이저나 고출력 이산화탄소 레이저를 이용하여 흉터주위를 직접 깎아내는 치료를 많이 한다. 이 방법은 피부를 한 번에 아주 얇게 깎아내므로 조그만 부위라도 정밀하게 시술하고 박피 깊이를 쉽게 조절할 수 있으며 피부 진피층의 콜라겐 형성을 유도하여 살이 잘 차오르게 한다.

• 여드름 흉터 수술은 수술 후에 거즈를 얼마 동안 붙여야 하나?

여드름 흉터 수술은 같은 레이저를 사용하더라도 시술자에 따라서 전혀 다른 결과가 나올 수도 있으므로 흉터 시술의 경험이 많은 시술자가 하는 것이 좋다. 될 수 있는 한 깊이 흉터 주위를 깎아내야 좋은 결과를 얻을 수 있으며 5-7일 정도는 밀봉요법을 시행하여야 한다.

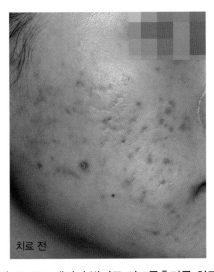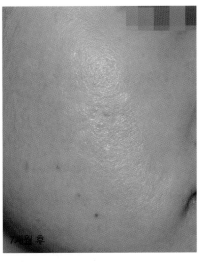

치료 전 / 시술 후

그림 18-20. 레이저 박피로 여드름흉터를 치료한 경우 (에스앤유 피부과 김병수 원장 제공)

- **여드름 흉터 수술은 수술 전에 준비기간이 필요하나?**

수술 전에 약 2~4주 정도 연고를 발라야 한다. 색소세포의 기능을 저하시키고 수술 후에 살이 잘 차오르도록 미리 흉터부위의 피부를 준비시키는 과정인데 이 과정이 길수록 수술 후에 좋은 결과를 얻을 수 있다. 얇은 박피를 원하시는 경우에는 이 과정이 짧아져도 되나 깊은 흉터에서는 이 기간이 필요하다.

- **여드름 흉터 치료과정**

– 전 처치 기간 시술 전 약 2-4주간 병원에서 처방하는 연고를 바른다. 이 기간 동안은 일상생활에 특별한 제한을 두지 않으며 화장, 수영 등이 가능하다.

– 수술당일 마취 크림 바르고 기다리는 시간, 수술시간, 드레싱시간 모두 포함하여 3~4시간 정도 병원에서 머무르게 된다.

– 수술 후 7일째까지 병원에 매일 방문하여 밀봉요법 드레싱을 교체하고 He-Ne 레이저나 Bi-optron치료를 받기 때문에 대인 관계에 제약을 받으나 활동을 제한하지는 않는다.

– 수술 7일 후부터 2달까지 1주일에 1-2차례 병원에서 피부재생 레이저 치료 및 재생관리를 받게 되며 상태에 따라 탈색소 연고, 피부재생크림 등을 처방받는다.

– 수술 2달 이후 살이 차오르는 정도에 따라서 처방연고를 바른다.

2. CROSS (Chemical reconstruction of skin scar)

CROSS이라는 박피는 일종의 화학박피로서 함몰된 여드름 흉터에 주로 사용한다. TCA(Trichloroacetic acid)를 여드름 흉 부위에 도포하며 주위 피부에는 농도가 약한 박피제를 사용해주면 흉 부위의 진피가 재생되어 살이 차올라오고 주위 피부는 탄력을 얻어 흉이나 모공에 대한 개선 효과가 있다.

물론 흉 부위에 딱지가 생겨서 1주내지 10일 정도 후에 떨어지지만 세안이 가능하며, 딱지가 떨어진 후에는 흉 부위가 붉어지는데 이시기에 자외선 차단을 해 주어야 한다. 일반적인 일상생활은 모두 가능하다.

레이저 박피 보다는 여러 번 반복해야 된다는 단점이 있으나 거의 부작용이 없는 편이고 마취가 필요 없다. 시술시간이 30분 이하로 짧으며 값이 저렴하다는 장점이 있다. 좁고 깊은 여드름 흉에 대해서는 레이저 박피 시술 수개월 전에 CROSS을 할 경우에 레이저 박피의 효과를 훨씬 배가 시킬 수 있다. 이 방법의 단점은 딱지가 발생하는 점, 딱지가 떨어진 후에도 지속되는 홍반 그리고 가끔 발생하는 색소침착이다.

3. subcision

흉이 심하여 심부조직과 섬유조직으로 결합된 경우, 외부에서 관찰시 흉 부위가 희게 보이고, 단단하게 만져지면 표면의 치료만으로 부족할 수 있다. 피부 속으로 니들을 삽입하여 섬유조직을 절개해주면 빠른 효과를 기대할 수 있다. 일반적으로 레이저 치료 등과 병행하여 좋은 효과를 볼 수 있다.

4. 프랙셔널 레이저(그림 18-21, 18-22)

최근의 여드름 흉터치료의 대세로 자리 잡았다. 비박피성 프랙셔널 레이저와 박피성 프랙셔널 레이저 모두 흉터 치료에 이용된다. 비박피성은 딱지가 발생하지 않고 치료 후 수일간 홍반만 발생한다. 박피성 치료 후에는 딱지가 발생하거나, 밀봉요법을 수일 실시하면 딱지 발생 없이 상처가 회복될 수 있다. 일반적으로 박피성 프랙셔널 레이저가 효과가 더 좋으나 불편함도 더 많다. 시술을 반복할수록 효과가 증가하며, 한번 치료의 효과는 즉시 나타나지 않고 수개월 경과하면서 진피에서 콜라겐 리모델링이 진행할수록 효과가 증가한다.

5. 침습적 프랙셔널 고주파

침습적 프랙셔널 고주파는 여드름이나 여드름 흉터의 치료에 최근에 많이 이용되고 있다. 박피성 프랙셔널 레이저에 보이는 딱지의 발생이 없이

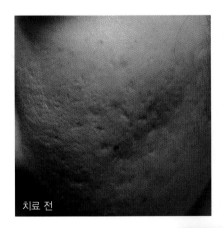
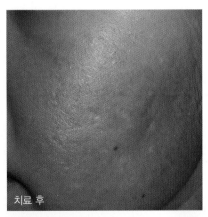
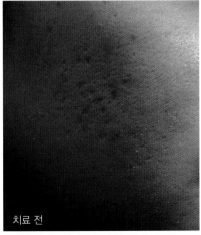
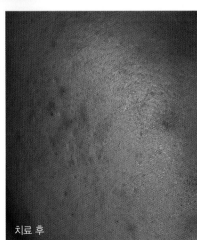

그림 18-21. 비박피성 프랙셔널 레이저로 치료한 여드름 흉터

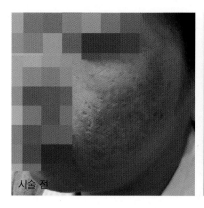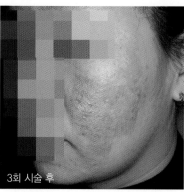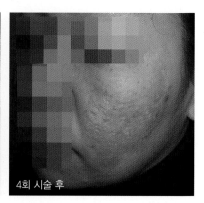

시술 전 | 3회 시술 후 | 4회 시술 후

그림 18-22. 박피성 프랙셔널 레이저로 치료한 여드름 흉터

피부진피 깊은 곳을 자극하여 흉이 차오르는 효과가 있다.

V. 여드름 치료에서 레이저와 약물치료, 스킨케어의 병행

여드름을 중증도에 따라 분류하고 이에 맞는 복용약, 국소제제에 대한 선정은 2009년 Thiboutot 등이 Global Alliance를 구성하여 토의한 바를 J Am Acad Dermatol에 수록하였다(표 18-4). 여드름 치료의 선정에 있어서 다양한 의견이 있을 수 있으나 Thiboutot 등의 보고가 좋은 참조가 될 수 있다. 그런데, 이 보고에는 medical skin care나 레이저 등을 이용한 치료법이 제외되어 있어서 현실적으로 여드름치료를 임상에서 실시할 때 완벽한 지침이 되지 못하는 아쉬움이 있다.

1. 여드름의 약물치료, 스킨케어

가) 복용약

염증성 여드름의 치료에 테트라싸이클린 계열의 항생제가 흔히 사용된다. 여드름 세균의 사멸이 목적이 아니고, 항염증 용도로 사용하는 경우 저용량의 항생제를 장기간 복용하는 방법도 사용한다. 피지분비를 줄이고 모낭입구의 이상과각화를 교정할 수 있는 아이소트레티노인을 복용하는 경우 여드름의 발생이 줄어들게 된다. 이소트레티노인은 기형아 출생의 위험이 있어서 임신시 복용하면 안 되고, 피부와 점막의 건조현상, 입술건조, 코피, 탈모, 피부염, 안구건조 등이 문제가 될 수 있으며, 두통, 우울증, 혈중 간효소의 증가와 고지질혈증 등의 문제가 발생할 수 있다. 미성년자에서 복용시 성장판이 닫히고 성장이 멈출 수가 있다. 부작용 대비 기대하는 효과가 확실히 큰 경우 복용할 수 있다.

표 18-4. New insights into the management of acne: an update from the Global Alliance
(J Am Acad Dermatol. 2009 May;60(5 Suppl):S1-50.)

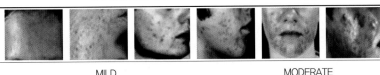

	MILD		MODERATE		SEVERE
	Comedonal	Papular/pustular	Papular/pustular	Nodular[2]	Nodular/Conglobate
1st choice	Topical Retinoid	Topical Retinoid + Topical Antimicrobial	Oral Antibiotic + Topical Retinoid +/- BPO	Oral Antibiotic + Topical Retinoid + BPO	Oral Isotretinoin[3]
Alternatives	Alt. Topical Retinoid or Azelaic acid* or Salicylic acid	Alt. Topical Antimicrobial Agent + Alt. Topical Retinoid or Azelaic Acid*	Alt. Oral Antibiotic + Alt. Topical Retinoid +/- BPO	Oral Isotretinoin or Alt. Oral Antibiotic + Alt. Topical Retinoid +/- BPO/Azelaic Acid*	High Dose Oral Antibiotic + Topical Retinoid + BPO
Alternatives for Females	See 1st Choice	See 1st Choice	Oral Antiandrogen[5] + Topical Retinoid/ Azelaic acid* +/- Topical Antimicrobial	Oral Antiandrogen[5] + Topical Retinoid +/- Oral Antibiotic +/- Alt. Antimicrobial	High Dose Oral Antiandrogen[5] + Topical Retinoid +/- Alt. Topical Antimicrobial
Maintenance therapy	Topical Retinoid		Topical Retinoid +/- BPO		

[1] Consider physical removal of comedones; [2] With small nodules (>0.5-1cm); [3] Second course in case of relapse; [4] For pregnancy, see text; [5] See text * There was not consensus on this alternative recommendation, however, in some countries Azelaic acid prescribing is appropriate practice

나) 바르는 약

Duac(clindamycin+benzoylperoxide, Stiefel), Differin(adapalene, Galderma), Epiduo(adapalene+benzoyl peroxide, Galderma) 등이 대표적인 국소제제이다. Benzoyl peroxide는 항생제와 달리 내성균주가 출현하지 않아서 대표적인 bactericidal 제제이므로, 항생제 내성균주가 증가하는 추세에서 항생제를 대신하여 많이 사용되고 있다. 레틴 A제제는 피부자극이 심하나, adapalene은 이를 줄였고, benzoyl peroxide와 섞어도 레틴 A와 달리 안정화된 상태를 잘 유지하므로 최근에 adapalene, benzoyl peroxide 혼합제제를 많이 사용하고 있다.

다) 여드름 압출 치료

여드름을 무리하게 짜면 치료가 끝난 후 흉터를 남기게 되는 경우가 많다. 염증에 의해 약해진 기름샘 벽을 무리하게 짜서 파괴시키므로 염증이 더 크게 생기기 때문이다. 피부과에서는 모공 입구를 깨끗이 세안한 후 뜨거운 수증기로 모공을 넓히고 extractor로 여드름을 짜게 되므로 기름샘 벽이 터지는 일이 없다. 곪은 여드름은 약제로 가라앉힌 후 짜게 되며 면포, 작은 농포 등은 잘 소독된 바늘로 막혀 있는 여드름을 열어준 후, 면포 압출기를 이용하여 치료하게 된다.

라) 병변 내 주사요법

낭포, 염증성 구진, 농포 등에 주사하여 병변을 빨리 소실되게 하고 흉터 형성의 가능성을 줄여준다. 흔히 triamcinolone 2.5mg/ml의 농도로 병변당 0.05ml 이내로 주사하게 된다.

마) 박피술

여드름이 넓게 퍼져 있는 경우에 화학 박피술을 시술하면 각질이 벗겨지면서 막혀있던 모공이 일시에 열리며 염증이 가라앉게 되고 다른 국소 도포제의 피부 흡수를 증가시켜 약제의 효능을 높여준다. 시술 후 2일경 아주 얇은 딱지가 앉으며 4-5일이면 이 딱지가 마치 때 벗겨지듯이 벗겨지게 된다. 해초 박피를 비롯한 여러 가지의 박피술이 치료에 이용되는데 스킨 스케일링은 세안이나 화장 등의 생활에 특별히 제한을 두지는 않기 때문에 쉽게 치료받을 수 있다.

바) 도트 필링(Dot peeling)

염증성 여드름이 있는 경우에는 항생제나 바르는 약을 사용한다고 해도 치료가 되려면 상당기간 시간이 걸리며 치료 된 후에도 자국을 남기는 경우가 많다. 염증성 여드름을 빨리 치료하기 위하여 염증이 있는 여드름에만 TCA 30%를 국소 도포하는 도트 필링을 해서 흉터나 자국이 남지 않고 빨리 좋아지도록 하는 치료를 하고 있다.

사) 다이오드 레이저 치료

염증이 있는 여드름을 830nm의 적외선 파장과 632.8nm의 레이저광선을 이용하여 치료함으로써 염증을 빨리 가라앉히고 새 살의 형성을 더욱 촉진시켜 치료 기간을 단축시킨다.

2. 여드름치료에서 레이저와 약물치료의 병행

여드름의 복용약의 경우 레이저치료와 상호작용에 대해서 크게 염려하는 바는 없다. 이소트레티노인 복용시 레이저박피를 하면 흉터발생의 위험성이 커진다고 하나, 지금 논의 하는 것은 여드름 흉의 치료가 아니고 여드름의 치료이므로 이소트레티노인 복용이 이런 여드름치료와 병행해서 문제가 되었던 보고는 아직 없다.

흔히 여드름의 치료에 사용되는 국소제제인 에피듀오와 여러 여드름 치료 레이저를 병행할 경우에 주의사항을 한번 살펴보자(표 18-5).

써마지는 피부표면이 평편한 상태에서 치료하여야 피부표면과 서마지 치료팁이 잘 접촉되어 화상을 예방할 수가 있다. 그러므로, 써마지 치료 전에 에피듀오를 사용하여 돌출한 병변을 평편하게 한 후 써마지 치료를 하는 것이 좋다. 써마지 치료 후에는 피부에 상처가 남지 않고 완전히 회복되므로 치료 직후부터 바로 에피듀오 치료를 속개하여도 된다.

침습적 프랙셔널 고주파는 울퉁불퉁한 표면에도 치료하기 좋아서 에피듀오로 먼저 치료할 필요없이 바로 치료를 할 수 있다. 또 침습적 프랙셔널 고주파 치료 후 피부에 작은 구멍이 많이 생기므로 바로 에피듀오를 도포하면 피부자극이 심할 수 있다. 3일 정도 기다려서 피부의 구멍이 완전히 아물고 난 뒤에 에피듀오를 시작하는 것이 좋다.

표 18-5. Combination of Procedure and Epiduo cream

레이저 등 여드름 치료 시술과 연고제제(예를 들어 에피듀오)의 병행치료에 대한 가이드라인

Treatment	Pre-Epiduo	Tx.	Post -Epiduo	
Thermage	recommended	○	immediate	Variable Tx. depth
Fractional RF	No	○	3 days after	0.8mm -1.5mm Acne and scar
Aramis, SB	recommended	○	immediate	
PDT	Recommended ?Variable ?	○	3 days after	

중적외선 레이저는 여러 종류가 있으나 일반적으로 평편한 표면에 치료하는 것이 좋으므로 치료 전에 미리 에피듀오로 활동성 병변을 치료한 후 레이저를 하는 것이 좋다. 치료 후는 피부표면에 상처가 남지 않으므로 바로 에피듀오를 시작할 수 있다. 즉, 써마지와 동일한 과정이 되겠다.

PDT는 ALA를 도포하기 전에 피부표면을 크리스탈 필링 등으로 약한 박피를 하게 되는데 피부표면이 매끈한 것이 유리한 경우가 많다. 이런 전처치를 하지 않는 프로토콜을 이용한다면 ALA 도포에는 피부표면의 요철이 방해가 되지는 않는다. PDT 시술 후에는 피부표면에서의 PDT 반응에 의해 피부가 예민하고, 홍반을 보이므로 3일 정도 회복시킨 후에 에피듀오를 사용하는 것이 좋겠다.

VI. 넓은 모공

여성들이 흔히 '땀구멍'이 넓어졌다고 상담하는 경우가 많다. 그러나 사실은 땀구멍이 늘어난 것이 아니라 솜털(vellus hair)이 자라 나오는 구멍 즉, 모공이 넓어진 것이다. 모공이 넓어지면 각질이나 피지가 모공 속에 정체되기가 쉬워지며, 검은 피지 덩어리가 모공에 끼어서 모공 확장을 악순환 시키게 되며 트러블의 원인이 되기도 한다.

1. 모공이 늘어나는 원인

모공이 왜 늘어나는지 아직 확실하게 밝혀지지는 않았지만 어떤 경우에 모공이 늘어나는지를 분석해보면 크게 두 가지 원인이 작용할 것으로 여겨진다.

첫째는 피지 분비가 많기 때문이다(그림 18-23). 사춘기가 되기 전의 어린아이들 피부는 아주 팽팽하고 탄력 있을 뿐 아니라 모공도 눈에 띄지 않는다. 하지만 사춘기에 접어들어서 호르몬 분비가 많아지면 피지선이 커지면서 피지를 많이 만들게 된다. 피지선에서 만들어진 피지는 모공을 통해 피부 바깥으로 배출되어서 피부가 건조하지 않도록 하는 역할을 한다. 정상적으로 피지가 만들어지고 잘 배출된다면 별 문제가 없지만 과도하게 피지가 만들어진 피지가 배출되기 위해서는 자연히 그 통로가 넓어지게 된다. 따라서 모공이 늘어났다는 것은 겉으로 보이는 부분만 늘어난 것이 아니라 피부의 바깥층에서 피지선이 있는 부위에 이르는, 피지가 배출되는 통로가 다 늘어난 것이다. 모공이 늘어난 대부분의 환자들을 관찰하면 피지가 많이 분비되어 세안 후 몇 시간 되지 않아 얼굴

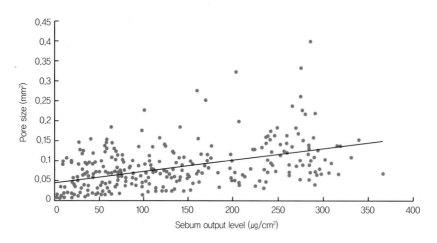

그림 18-23. Relationship between pore size and sebum output level.

Increase in pore size correlated with increase in sebum output level and also with sex and age (r =0.45, P < 0.01). (Br J Dermatol. 2006 Nov;155(5):890-4.)

이 번들번들해지는 특성을 가지고 있다. 또한 지금 현재 또는 얼마 전까지만 해도 여드름이 많이 있었고 그 흔적으로 여드름 자국이나 흉터 또는 모공이 넓어진 귤껍질 같은 피부를 가지고 있다.

두 번째 원인은 피부의 노화에 의한 것이다. 피지분비가 많지 않더라도 나이가 들게 되면 누구나 어느 정도 모공이 늘어나게 된다. 여성들은 30세 전후부터 피부 탄력이 급격히 저하되기 시작하는데, 이에 따라 피부가 늘어지면서 모공도 늘어져서 더 넓어 보이게 된다. 피부의 탄력이 떨어지는 것은 피부의 바깥층인 표피를 구성하는 표피세포들과 피부 깊이 있는 진피를 구성하는 콜라겐의 탄력이 떨어지기 때문이다. 이처럼 피부의 탄력이 떨어지면 피지가 배출되는 통로를 조여 주는 힘이 떨어지기 때문에 모공이 늘어나게 된다. 모공의 크기는 나이보다는 피부탄력과 관계가 있다고 연구되어있다. 나이가 들면서 모공이 커진 경우는 나이가 들면서 피부탄력이 감소하였기 때문이라고 이해한다.

2. 넓은 모공의 치료

늘어난 모공을 치료하는 것은 쉬운 일은 아니다. 오랫동안 피지 분비가 계속 많았기 때문에, 그리고 오랜 기간에 걸쳐서 서서히 피부의 탄력이 떨어져서 모공이 늘어난 것이어서 단기간에 좋아지기는 어렵다. 치료는 원인에 따라 그에 적합한 치료를 하게 된다.

가) 피지조절

피지가 많이 배출되거나 즉, 피지선에서 피지가 많이 만들어지거나 아니면 피지는 적당량이 만들어지는데 모공 입구가 막혀서 배출이 잘 되지 않으면 피지가 자꾸 쌓이게 되므로 모공이 늘어나게 된다. 따라서 피지조절을 위해서는 피지생성을 억제하는 약을 사용하며 또한 막힌 모공을 뚫어줘서 피지가 잘 배출되도록 하는 치료를 하게 된다.

피지분비를 줄여주는 약은 상품명인 로아큐탄으로 잘 알려진 이소트레티노인(isotretinoin)이라는 약이다. 이 약은 비타민 A를 변형시켜서 만든 약으로 피지분비를 줄이는 데에 뛰어난 효과를 나타내기 때문에 피지조절, 나아가서는 여드름의 치료에 아주 효과적이다. 증세에 따라 하루에 한 알(10mg)에서 세 알 정도를 복용하게 되는데 양이 많아지면 피부가 건조해지는 증상이 심해지기 때문에 우리나라 사람들은 대개 하루에 한두 알 정도를 복용하는 것이 보통이다. 이 약을 오래 먹게 되면 그 약효가 축적되어서 약을 끊은 후에도 2-3년 정도 피지 분비가 조절되는 효과를 얻을 수 있다. 하지만 이 정도의 효과를 얻기 위해서는 하루에 한 알씩 복용하는 경우 거의 3년 정도 지속적으로 복용해야 하기 때문에 사실상 어려움이 있다. 따라서 대개는 증세에 따라 약을 적절히 조절하면서 복용하는 것이 보통이다.

이 약의 부작용 중 가장 문제가 되는 것은 임산부가 이 약을 복용하게 되면 기형아가 생길 수 있다는 것이다. 따라서 임신 가능성이 있는 여자들은 절대로 이 약을 복용해서는 안 되며 약을 복용하는 중에는 철저한 피임을 해야 한다. 또 약을 끊은 후에도 최소한 3개월 정도 피임을 해야 한다(제약회사에서는 1개월 정도 피임하면 된다고 함).

태아에 대한 기형이 가장 심각한 부작용이라면 가장 흔히 나타나는 부작용은 피부가 건조해지는 것이다. 피지 분비가 줄어드는 정도에 그치지 않고 더 건조해져서 얼굴이 당기면서 각질이 일어나는 경우는 거의 누구나 경험하게 된다. 또한 입술이 트고 손 발바닥도 각질이 일어나서 얇아질 수 있으며 건조 피부염이 생기기도 한다. 이런 부작용이 나타날 때에는 처방을 받았던 피부과에서 적절한 보습제 또는 스테로이드 연고를 처방 받아서 사용하면 좋아질 수 있다.

바르는 약은 역시 비타민 A를 변형시켜서 만든 트레티노인이나 글리콜릭산 등 박피성분의 연고를 사용한다. 이 연고는 피지 분비를 줄이는 기능은 먹는 약에 비해 떨어지지만 모공을 막고 있는 각질을 제거함으로써 피지 배출이 잘되도록 하는 데 효과적이다. 또한 박피 효과가 있기 때문에 오래 사용하게 되면 피부가 더 좋아지게 된다.

부작용은 자극에 의해서 각질이 일어나거나 따가운 느낌이 들 수 있다는 것이다. 하지만 자꾸 바를수록 적응되어 점차 괜찮아지게 되며, 증세가 심할 경우 2-3일 정도 쉬었다가 다시 바를 수도 있다. 또한 세수한 후에 바로 바르는 것이 아니라 기초화장을 한 후에 바르거나 세수한 후 1-2시간 정도 지나서 바르면 이런 부작용이 나타나는 것을 줄일 수 있다.

나) 박피

전통적인 의미에서 모공축소를 위한 박피는 진피까지 박피가 되는 박피를 지칭하였다. 레이저치료가 없던 시기에 진피까지 들어가는 박피가 모공축소를 위한 유일한 치료법이었다. 그런데, 이런 박피 후 부작용으로 모공이 오히려 확장될 수도 있고, 색소침착, 지속되는 홍반 등의 불편함으로 이런 박피술을 모공축소를 위하여 시행하는 경우가 드물다.

지금도 박피는 모공축소 목적으로 많이 시술되는데 이때의 박피는 표피내의 박피를 말한다. 표피내의 박피인 얕은 박피 중에서도 해초박피 같은 비교적 깊은 박피(표피의 여러 층을 박피), 스킨스케일링이나 크리스탈 필링 같은 얕은 박피(주로 각질층의 박피)가 있다. 박피의 깊이가 깊을수록 효과가 더 좋고 지속기간이 길지만 시술 후에 표시가 난다는 단점이 있다. 표피의 탄력을 증가시키는 방법은 전반적으로 효과가 빨리 나타나는데 반해 지속기간이 아주 길지 않기 때문에 1-2주 간격으로 최소 2-3개월 이상 반복치료를 해야 한다. 전통적인 진피까지 도달하는 박피가 진피의 콜라겐 형성으로 탄력이 증가하여 모공이 축소하는 것에 비해, 표피내의 얕은 박피는 진피 내에 콜라겐이 생산된다는 여러 보고에도 불구하고, 주로 표피가 plump 해져서 한동안 모공이 수축된 모습을 보이는 것으로 생각된다.

해초박피는 천연해초가루를 액티베이터와 섞어 피부에 마사지하여 박피를 유도함으로써 피지배출을 돕고 피부를 맑게 해주며 모공수축효과가 있는 방법이다. 시술 후 2일간은 얼굴이 약간 붉어져 부어있고 그 후 3-4일에 걸쳐 각질이 일어나 5-7일째 되는 날은 다 벗겨지게 되는데, 울긋불긋한 여드름자국도 같이 완화되는 효과가 있다. 물론 한 번의 해초박피로 확연한 모공수축, 자국치료 효과를 기대할 수는 없으므로 해초박피 시술 후 크리스탈 필링, 스킨스케일링을 반복하면서 모공수축 제품 사용과 피지조절을 꾸준히 병행하여야 한다.

크리스탈 필링은 피부를 얇게 벗겨 피지 배출을 도와주는 시술로 피부를 맑고 밝게 해주는 동시에 늘어난 모공이 좁아지는 모공수축 효과도 동시에 가져온다. 그러나 1회의 크리스탈 필링으로 확연한 모공 수축효과를 기대할 수는 없으며 7-10일 간격으로 꾸준히 받으면서 모공수축제품의 사용을 병행하여야 효과를 볼 수 있다. 크리스탈 필링은 통증이 심하지 않고 일시적일 뿐 아니라 얼굴이 붉어지거나 드러나게 벗겨지지 않는 등 일상생활에 거의 지장이 없어 직장인이나 학생들에게 편리한 치료 방법이다. 스킨스케일링은 아주 약한 박피로 모공청소효과는 있으나 모공축소효과까지 기대하기는 어렵다.

모공이 늘어난 상태에서 모공의 입구에 각질이 끼게 되면 끝이 까맣게 되어서 보기에 더 눈에 띌 뿐 아니라 모공을 더 늘리는 원인이 되므로 각질을 벗겨주는 치료를 같이 해 주어야 하는데 크리스탈 필링이나 해초박피가 효과적인 치료가 될 수 있다.

다) 레이저 시술(그림 18-24, 18-25)

IPL이 피부 속 깊이 자극을 주어 콜라겐 생성을 유도하여 살이 차오르게 함으로써 모공을 축소시키는 방법이다. 시술 후 일시적으로 붉은 기운이 있지만 다음날이면 거의 표시 나지 않을 정도로 일상생활에 지장이 없는 것이 장점이다. 한두 번의 시술로는 효과를 보기 어렵고 IPL은 3주 간격으로 5회 이상 치료해야 한다. IPL을 이용하여 치료를 하면 진피에서 콜라겐을 만들어내는 세포가 자극을 받아서 콜라겐을 합성하게 된다. 그런데 이러한 세포들이 금방 콜라겐을 만들어낼 수 있는 것이 아니어서 새로운 콜라겐이 만들어지기까지 두세 달 정도가 걸린다. 따라서 이러한 치료를 한다 하더라도 금방 모공이 줄어드는 효과가 나타나지는 않으며 치료가 끝나고 나서도 2-3개월 정도 지나야 효과가 나타난다. 이것이 초기에 IPL이 소개되던 시기의 IPL의 모공축소 효과에 대한 설명이다. 초기 연구에서 IPL 시술 후 진피에 콜라겐 합성이 증가한 조직소견 등이 보고된 바 있다. 이후 진피콜라겐 신합성을 촉진하는 여러 리주버네이션 방법들이 고안되면서, 최근에는 IPL로 모공을 축소한다는 주장은 많지 않다. 필자의 의견으로는 모공에 털이 두드러진 경우 IPL을 시술하면 털이 파괴되면서 모공이 시각적으로 깨끗해져 보이고 모공이 눈에 잘 띄지 않아서 작아진 듯 보이는 경험을 한다.

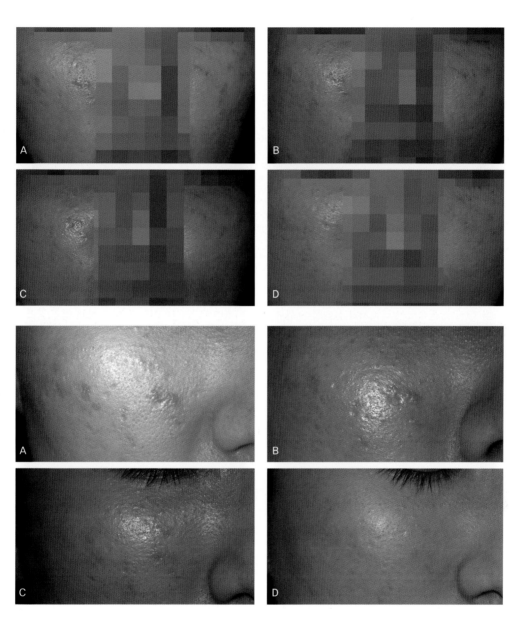

그림 18-24. 모자이크와 인트라셀로 치료한 흉터와 넓은 모공
A) 치료전, B) 3차 치료후, C) 6차 치료후, D) 총 9차 치료후

진피의 콜라겐 신합성을 유도하는 모든 치료는 모두 모공이 작아지는데 효과가 있다. 비박피성 리주버네이션 방법이 먼저 이용되었다. 이에는 써마지 등의 비침습적 고주파치료나, 쿨터치, 스무드빔, 아리미스 등의 중적외선 레이저, Long pulse 1064nm 레이저, 1064nm 레이저를 이용한 gen-esis 테크닉, 폴라리스 등 ELOS 방법들이 있다.

최근에 많이 이용되는 방법은 비박피적 프랙셔널 레이저와 침습적 프랙셔널 고주파 치료이다. 비박피성 프랙셔널 레이저인 프락셀, 모자이크 등이 모공축소에 많이 이용된다. 반면 박피성 프랙셔널 레이저인 탄산가스 프랙셔널 레이저의 경우

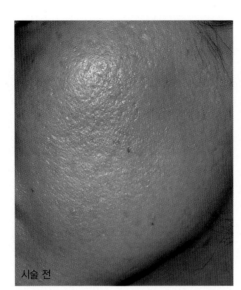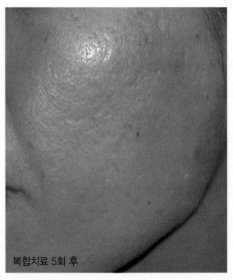

시술 전

복합치료 5회 후

그림 18-25. 중적외선 레이저와 침습적 프랙셔널 고주파(인트라셀)을 이용한 흉터 치료 및 모공축소

비박피성 프랙셔널 방식에 비해 실제 치료 후 피부에 구멍이 발생하고 이것이 아물면서 구멍의 중심으로 피부가 수축되면 상대적으로 모공의 크기가 커질 우려가 있다. 또 탄산가스레이저는 가장 피부수축이 많이 발생하는데 이도 모공이 커지는 데 기여할 우려가 있어서, 박피성 프랙셔널 레이저보다 비박피성 프랙셔널 레이저가 모공축소에 초기부터 많이 사용되었다. 비박피성 프랙셔널 레이저에서는 치료 후에 피부에 새로운 열기둥이 발생하고 새로운 콜라겐생성에 의해서 더 피부가 생성되어 조밀하게 되므로 모공축소에 도움이 된다고 생각된다.

같은 원리로 침습적 프랙셔널 고주파 치료도 모공축소에 이용된다. Cho 등이 침습적 프랙셔널 고주파(Intracel, Jeisys)를 이용하여 22명의 환장에게 1.5mm 길이의 침으로 2패스하는 방식의 치료를 2차례 시술 8주 후에 confocal microscope로 최종 판정한 결과 70%의 환장에서 모공축소의 효과를 발견하여 보고하였다.

전술한 진피의 탄력을 증가시키는 방법과 PDT는 치료방식이 다르다. PDT의 경우는 도포한 ALA가 피지선에 도달한 후 ALA와 반응하는 레이저나 IPL 등을 조사함으로서 피지선을 간접적으로 파괴하는 시술이다. 그러므로, PDT는 다른 리주버네이션 레이저 등과 병행하여 모공축소에 사용하면 좋은 방법이다.

라) CROSS (=모공 스팟필)(그림 18-26, 18-27)

흉터의 복원을 위해 이용하는 CROSS(chemical reconstruction of skin scar)을 모공축소를 위해 이용할 수 있다. 모공에 실시하는 CROSS를 모공 스팟필(spot peel)이라고도 한다. 모공 CROSS는 부분 화학박피로 모공마다 화학약품을 발라 박피를 유도하지만 자기 피부가 남아있기 때문에 시술 후 관리가 쉽다. 이 방법은 작고 깊은 흉터, 넓은 모공 치료에 효과적이며 약 1주일 정도 딱지가 생

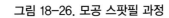

그림 18-26. 모공 스팟필 과정

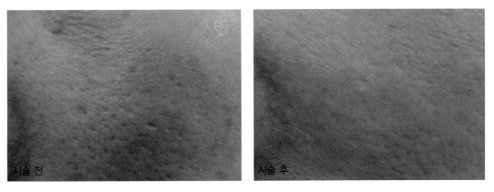

그림 18-27. 뺨의 모공 스팟필 치료 전후 (에스앤유 피부과 조미경 원장 제공)

기고 그 후 1-4주 정도 붉은 기운, 흔히 색소침착이 나타날 수 있지만 세안, 화장 등 일상생활에 큰 지장이 없으며 치료의 합병증이 거의 없어서 안전한 방법이다. 1개월 정도 간격으로 5차례 이상 시술 받으면 효과를 알 수 있는데, 여름에 해도 별 지장이 없다.

◀ 참고문헌 ▶

1. Chang SE, Ahn SJ, Rhee DY, Choi JH, Moon KC, Suh HS, Soyun-Cho. Treatment of facial acne papules and pustules in Korean patients using an intense pulsed light device equipped with a 530- to 750-nm filter. Dermatol Surg. 2007 Jun;33(6):676-9.

2. Cho SI, Chung BY, Choi MG, Baek JH, Cho HJ,

Park CW, Lee CH, Kim HO. Evaluation of the clinical efficacy of fractional radiofrequency microneedle treatment in acne scars and large facial pores. Dermatol Surg. 2012 Jul;38(7 Pt 1):1017-24.

3. Choi YS, Suh HS, Yoon MY, Min SU, Lee DH, Suh DH. Intense pulsed light vs. pulsed-dye laser in the treatment of facial acne: a randomized split-face trial. J Eur Acad Dermatol Venereol. 2010 Jul;24(7):773-80.

4. Glaich AS, Goldberg LH, Friedman RH, Friedman PM. Fractional photothermolysis for the treatment of postinflammatory erythema resulting from acne vulgaris. Dermatol Surg. 2007 Jul;33(7):842-6.

5. Gold MH, Rao J, Goldman MP, Bridges TM, Bradshaw VL, Boring MM, Guider AN. A multicenter clinical evaluation of the treatment of mild to moderate inflammatory acne vulgaris of the face with visible blue light in comparison to topical 1% clindamycin antibiotic solution. J Drugs Dermatol. 2005 Jan-Feb;4(1):64-70.

6. Kobayashi T, Tamada S. Selective electrothermolysis of the sebaceous glands: treatment of facial seborrhea. Dermatol Surg. 2007 Feb;33(2):169-77.

7. Lee KR, Lee EG, Lee HJ, Yoon MS. Assessment of treatment efficacy and sebosuppressive effect of fractional radiofrequency microneedle on acne vulgaris. Lasers Surg Med. 2013 Dec;45(10):639-47.

8. Lee SJ, Goo JW, Shin J, Chung WS, Kang JM, Kim YK, Cho SB. Use of fractionated microneedle radiofrequency for the treatment of inflammatory acne vulgaris in 18 Korean patients. Dermatol Surg. 2012 Mar;38(3):400-5.

9. Mariwalla K, Rohrer TE. Use of lasers and light-based therapies for treatment of acne vulgaris. Lasers Surg Med. 2005 Dec;37(5):333-42.

10. Na JI, Suh DH. Red light phototherapy alone is effective for acne vulgaris: randomized, single-blinded clinical trial. Dermatol Surg. 2007 Oct;33(10):1228-33

11. Orringer JS, Kang S, Hamilton T, Schumacher W, Cho S, Hammerberg C, Fisher GJ, Karimipour DJ, Johnson TM, Voorhees JJ. Treatment of acne vulgaris with a pulsed dye laser: a randomized controlled trial. JAMA. 2004 Jun 16;291(23):2834-9.

12. Papageorgiou P, Katsambas A, Chu A. Phototherapy with blue(415nm) and red(660nm) light in the treatment of acne vulgaris. Br J Dermatol. 2000 May;142(5):973-8.

13. Roh M, Han M, Kim D, Chung K. Sebum output as a factor contributing to the size of facial pores. Br J Dermatol. 2006 Nov;155(5):890-4.

14. Ruiz-Esparza J, Gomez JB. Nonablative radiofrequency for active acne vulgaris: the use of deep dermal heat in the treatment of moderate to severe active acne vulgaris (thermotherapy): a report of 22 patients. Dermatol Surg. 2003 Apr;29(4):333-9

15. Seaton ED, Mouser PE, Charakida A, Alam S, Seldon PM, Chu AC. Investigation of the mechanism of action of nonablative pulsed-dye laser therapy in photorejuvenation and inflammatory acne vulgaris. Br J Dermatol. 2006 Oct;155(4):748-55.

16. Shin JU, Lee SH, Jung JY, Lee JH. A split-face comparison of a fractional microneedle radiofrequency device and fractional carbon dioxide laser therapy in acne patients. J Cosmet Laser Ther. 2012 Oct;14(5):212-7.

17. Shnitkind E, Yaping E, Geen S, Shalita AR, Lee WL. Anti-inflammatory properties of narrowband blue light. J Drugs Dermatol. 2006 Jul-Aug;5(7):605-10.

18. Thiboutot D, Gollnick H, Bettoli V, Dréno B, Kang S, Leyden JJ, Shalita AR, Lozada VT, Berson D, Finlay A, Goh CL, Herane MI, Kaminsky A, Kubba R, Layton A, Miyachi Y, Perez M, Martin JP, Ramos-E-Silva M, See JA, Shear N, Wolf J Jr; Global Alliance to Improve Outcomes in Acne. New insights into the management of acne: an update from the Global Alliance to Improve Outcomes in Acne group. J Am Acad Dermatol. 2009 May;60(5 Suppl):S1-50.

CHAPTER 19

고주파 치료

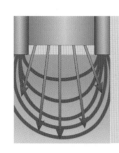

고주파 치료
RF (Radiofrequency)

CHAPTER 19

여 운철

I. 개요

1. 정의 및 분류

전자기파는 주파수에 따라서 저주파부터 방사선까지 여러 종류로 구분이 가능하다(표 19-1). 저주파는 주파수가 1Hz~1000Hz까지의 전류를 말하며 전기자극치료(EST), 기능적전기자극치료(FES), 경피신경전기자극치료(TENS) 등 통증 완화 및 마사지 효과를 위한 기기에 사용 한다. 중주파는 주파수가 1000Hz 이상~10,000Hz 까지의 전류를 말하며 간섭전류치료(ICT), 러시안전류치료(Russian stimulation) 등 저주파보다 깊이 침투하여 국소 혈류량 증대 및 대사 증가, 근력 강화 효과를 목적으로 사용할 수 있다. 일반적으로 외과 영역에서 사용되는 전기 수술 장비는 대게 고주파 영역의 전자기파를 이용하게 된다. 특히, 피부

치료 영역에 주로 사용하는 고주파는 고주파 중에서도 중파 및 단파 영역의 기기가 주로 이용된다.

고주파(Radiofrequency)는 레이저는 아니지만 비박피성 레이저나 프랙셔널 레이저와 비슷한 목적으로 사용되고 있다. 고주파의 사전적 의미로는 라디오 무선 통신에 이용되는 주파수 대역의 전자기파를 일컫는 것으로 '라디오 주파수', '무선 주파수'로 해석될 수 있다. 보통 전기공학에서는 10KHz에서 100GHz에 이르는 광범위한 주파수 대역을 포함하고 있지만 서양의학에서는 300KHz에서 5MHz 사이의 전자기파를 통칭하고 있으며, 우리나라에서는 이 주파수 대역이 비교적 높은 주파수에 해당되므로, 높은 주파수를 일컫는 '고주파'가 그 명칭으로 사용되고 있다.

표 19-1. 전자기파의 분류

| | 저주파 | 중주파 | 고주파 | | | 초단파 | 극초단파 | 광선 방사선 |
			장파	중파	단파			
주파수	1~1KHz	2~6KHz	30~300KHz	300KHz~3MHz	3MHz~30MHz	30MHz~3GHz	3GHz~300GHz	300GHz~
기능	물리치료기		전기수술기, AM Radio			FM, TV	전자레인지	자외선 등

2. 역사

의학 영역에 있어서는 1926년에 아크(arc) 방전시에 발생하는 고주파 에너지를 이용한 전기메스가 신경외과 영역에 도입되어 뇌종양의 무혈 수술이 시행된 이래로 현재까지 지혈, 절개, 응고 등의 술기에 유용한 에너지원이 되고 있다. 1990년대에 이르러 고주파의 응용 범위는 매우 광범위하게 확장되어 간 종양의 응고, 방광 종양의 제거, 확장된 정맥의 퇴축, 심장부정맥의 치료, 편도선 및 아데노이드의 제거 등에 활발히 사용되고 있다. 피부 리주버네이션이나 고주파조직파괴술에 도입된 것은 비교적 최근의 일로서 현재 미용 분야에 응용되어 다양한 시술이 개발되고 있는 상태다.

3. 안정성

신경이나 근육에 세동을 일으키는 전류의 역치(최소 감지 전류)는 1KHz 이상에서는 주파수에 비례한다. 따라서 주파수를 높이면 인체의 신경, 근육 조직 등에 자극을 주지 않고도 충분한 전류를 사용할 수 있게 되므로 비교적 안전하게 의료 시술을 할 수 있다. 현재 의료용 기기가 사용하는 고주파의 영역이 300KHz~5MHz 정도 되므로 안전성은 어느 정도 보장된 것으로 보아도 되나 아직까지 인체에 미치는 영향에 대해서 확실히 밝혀져 있지는 않은 상태다. 대부분의 고주파 기기에서 고에너지의 전자파가 출력되므로 열상이나 감전, 기기의 전자파 장애, 산소 등에 의한 인화 등이 가능할 수 있으리라고 추정되며 발암성이나 생리기능 장애에 대해서는 동물실험 수준에서는 없는 것으로 밝혀져 있다.

4. 고주파와 조직반응

고주파 전류를 저항체(조직)에 흘리면 열에너지가 발생하게 되는데 이는

$$H = I^2Rt \text{ (H: 발생열량, I: 전류, R: 저항,}$$
$$\text{t: 통전시간)}$$

로 나타낼 수 있다. 이때 전류가 흐르는 방향이 전환되면서 분자의 진동이 촉발되고 이로 인해 마찰이 가속화된다. 분자들의 회전운동 및 충돌운동으로 인해 열이 발생하고 이 열에너지가 조직에 가해지면서 조직의 응고 및 변성을 초래하게 된다. 고주파는 교류전류이고 예를 들어 6MHz 고주파인 경우 그림 19-1과 같이 1초에 600만 번 전극이 바뀐다. 전자가 조직 내에서 1초에 600만 번 왔다갔다 하면서 마찰로 인해 열이 발생한다.

이때 열의 발생 범위는 주파수에 반비례하게 되는데 주파수가 높아지면 범위가 좁아지므로 정확성은 높아지게 된다. 따라서 주파수가 높은 기기(1MHz~6MHz)를 이용할 경우에는 범위가 넓은 부위에 적용할 경우 시술 횟수가 증가하게 되고 따라서 붓기와 멍이 보다 광범위하게 오래 지속된다는 단점이 있다. 반면 주파수가 낮으면 열 발생 범위가 넓어지는 대신에 정확성은 떨어지게 된다. 따라서 넓은 부위에 적용할 경우 적은 시술 횟수로도 치료가 가능하다. 하지만 열손상의 가능성은 더 크므로 대게 주파수가 낮은 기기들(수백 KHz)은 피드백시스템을 통해 적정한 시간이나 온도가 지나면 더 이상 기기가 작동하지 않도록 조절하고 있다(그림 19-2).

레이저 치료시에는 레이저가 피부 속으로 투과할수록 원래 피부표면에 발사된 photon이 여러 발색단에 흡수되고 남은 photon의 수가 줄어들게 된다. 피부 속 깊은 곳일수록 일할 수 있는 photon

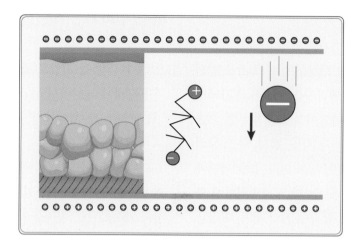

그림 19-1. This is a simple model of how Radiofrequency affects skin molecules.

Electric fields are created between two electrodes which cause molecules to rotate or move. You see at the top of the skin, the charge is changing polarity from positive to negative, alternately attracting and repelling electrons and charged ions. Polar molecules are induced to rotate back and forth, vibrating at 6 million times per second in case of 6Mhz device. It is the resistance to this movement that creates heat in the tissue.

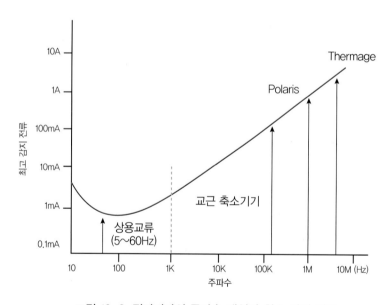

그림 19-2. 전자기파의 주파수 대역과 최소 감지 전류

이 없어지기 때문에 열의 발생도 줄어든다. 그렇기 때문에 레이저 치료시에는 얕은 곳이 깊은 곳보다 더 발열이 된다. 그러나 bipolar 고주파 전기의 치료시에는 피부에 접촉된 두 전극 사이에 전류가 형성되고 이를 따라서 모두 열이 발생한다. 즉, 레이저와 달리 고주파 치료시에는 상대적으로 깊은 곳에서도 열이 많이 발생하게 된다. 또, 피부표면에 냉각을 더 하게 되면 차가운 조직은 전기저항이 크므로 전류의 흐름은 더 깊은 곳 가게 되고 더 깊은 곳까지 열이 발생한다. 이런 현상을 reverse thermal gradient라고 한다(그림 19-3).

Reverse thermal gradient는 피부색이 검은 사람한테도 안전하게 고주파 치료를 할 수 있는 이유가 된다. 또 고주파는 레이저와 달리 멜라닌에 대한 흡수도가 특별히 높은 것이 아니므로 표피의 발열을 줄일 수 있어서 표피가 검은 동양인 피부도 서양인 피부와 차이 없이 치료할 수 있다. 이 사실 하나만으로도 고주파가 레이저와 달리 동양인 피부를 차별하지 않는 획기적인 치료로 이해할 수 있다.

II. 고주파와 저항

임피던스(impedance)는 다른 말로 저항(resistance)이라고 한다. 임피던스는 조직에 따라서 많이 다르다(표 19-2). 임피던스와 전도(conductivity)는 반대 의미이다. 전도(Conductivity)가 높으면 임피던스는 낮고, 임피던스가 높으면 전도(conductivity)가 높다. 피부조직에서 수분이 상대적으로 저항이 적은 부분이므로 건조하면 저항이 높다.

일반적으로 수분이 많은 피부는 저항이 적고 건조한 피부는 저항이 아주 크다. 피부도 혈액에 비

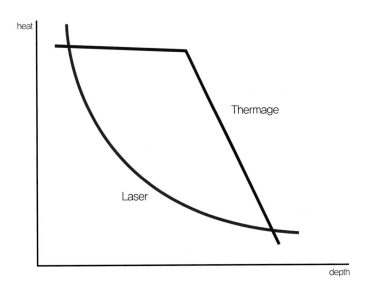

그림 19-3. Reverse thermal gradient
레이저의 빛은 피부 속으로 침투할수록 photo의 양이 감소하므로 조직과의 반응이 감소하여 열발생이 줄어드나, 전기의 경우는 상대적으로 피부 속 깊은 곳도 발열이 많이 된다.

표 19-2. 조직에 따른 전기저항의 차이

Tissue	Conductivity (S m m⁻¹)
Blood	0.7
Bone	0.02
Fat	0.03
Dry skin	0.03
Wet skin	0.25

electrical conductivity of different types of tissue at 1 MHz

해서 저항이 크다. 지방층과 피부를 비교해보면 어떤 부위가 전기 저항이 클까? 일반적인 정상피부는 지방층하고 비교했을 때 지방의 전도율이 0.03이고 피부의 전도율이 0.25이므로, 피부가 10배 가까이 전도율이 높다. 따라서 피부가 지방보다 전기가 잘 통한다. 피부가 지방층보다 전기저항이 적다.

Bipolar 고주파를 피부에 인가하는 경우, 두 전극사이의 전기 흐름은 그림 19-4와 같이 형성된다. 그림 19-4에서 1번 영역이 전류의 밀도가 높고 2번 영역으로 갈수록 전류의 밀도가 낮아진다. 전극과 전극 사이의 거리가 멀어질수록 저항이 커지므로 전압이 일정한 경우 전류가 적게 흐르게 된다. 전류의 밀도를 보면 전극 근처가 가장 높다. Bipolar 고주파 치료시 두 전극의 사이 거리의 반 정도 깊이에서 maximum current가 흐른다는 보고가 있다. 바이폴라 고주파 치료시 피부표면을 냉각한 후 바이폴라 고주파를 가하면 피부표면은 냉각되어 온도가 낮아지는데, 온도가 낮은 조직은 전기저항이 커지므로, 전류는 더 깊은 곳으로 shift 되어서 흐르게 된다(그림 19-5).

최근에 많이 사용하는 피부 속으로 전기침을 삽입하여 고주파를 인가하는 프랙셔널 고주파 치료법 중에서 임피던스를 측정하는 기기(e-Prime과 인트라셀)들이 있다. e-Prime의 경우 삽입한 침에서 온도를 측정하고 또, 온도를 일정하게 하기 위해서 임피던스를 측정하여 전류의 흐름을 보정하였다. 보고에 의하면 다섯 명을 치료하면서 치료하는 6초 동안 임피던스를 계속 추적을 했더니 임피던스가 처음에는 높았는데 그 다음에는 임피던스가 낮아졌다. 바늘은 치료시간 동안 위치변경을 하지 않은 것인데, 치료하는 동안 열이 발생하여 온도가 올라가게 되니까 임피던스가 낮아졌다(온도가 높은 조직이 임피던스가 낮다). 임피던스가 감소하면 같은 전압이면 전류가 높아지면서 더 열이 발생하게 되므로, 전압을 감압하여 전류를 감소시켜서 발열을 줄이는 피드백을 시행하였다. 이런 방식으로 치료하는 6초 동안 조직의 온도를 일정하게 유지할 수 있었다(그림 19-6).

Tissue damage는 온도×시간이다. 5명이 같은 시간 동안 같은 온도에 노출되었다고 한다면 tissue damage가 같다고 봐야 한다. 가장 이상적인

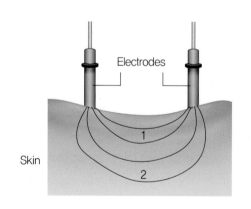 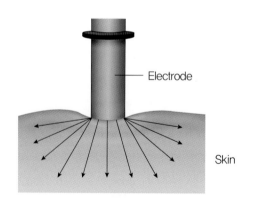

그림 19-4. 바이폴라 타입(좌)과 모노폴라 타입(우)의 고주파
바이폴라 고주파에서 깊은 부분인 2지역보다 표면에서 가까운 1지역으로 전류가 많이 흐른다. 모노폴라에서는 전극에서 전기가 나오는 순간 넓은 영역으로 전류가 분산된다.

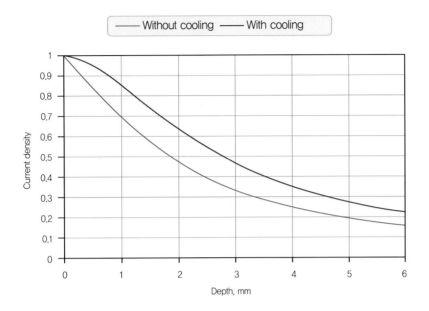

그림 19-5. 바이폴라 고주파의 전기흐름과 표면냉각의 관계

피부표면을 냉각한 후 바이폴라 고주파를 가하면 온도가 낮은 조직은 전기저항이 커지므로, 전류는 더 깊은 곳으로 shift 되어서 흐르게 된다.

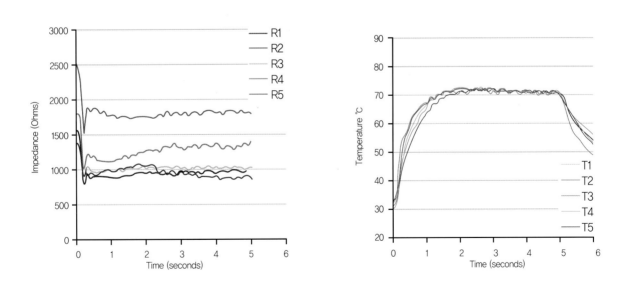

그림 19-6. e-Prime's impedance checking

E-prime measures the impedance of the treating area, and the impedance value is used for fine adjustment of electricity.

In this report of impedance checking in 5 people, the impedance value is very different. By adjustment according to impedance level, e-Prime could keep the temperature of each individual at 70 degree centigrade.(Lasers Surg Med. 2009 Jan;41(1):1-9.)

방법이기도 하다. 이렇게 고주파기기는 임피던스를 측정하고 피드백 함으로써 표준화된 시술을 가능하게 한다. 이 보고에서 보면 5명의 환자에서 안면부 임피던스가 약 2배정도까지 차이가 난다. 이 또한 고주파시술시 임피던스에 대한 보정이 필요한 이유이다. 임피던스는 개인차가 있고, 같은 환자에서도 부위별로 차이가 있다.

1. 전기회로에 대한 기본이해(그림 19-7)

$V = I \times R$ ········· ①

전압(V)은 전류(I) × 저항(Ω), 식을 이용하면, 예를 들어 100V인데 전류가 1A흐르면 저항은 100Ω이 된다.

100V = 1A × ?

? = 100V/1A = 100Ω

이게 제일 기본이다. 다음에 2차적으로 이식을 가지고 만드는 게 $W = I^2 \times R$ 이다.

$V = I \times R$ ········· ①

$W = I \times V$ ········· ②

2번 식의 V 대신 1번식(I × R)을 대입하면,

$W = I \times I \times R = I^2 \times R$

그리고 여기에 전기가 흐른 시간을 곱하면 전달된 에너지를 계산할 수 있다.

E= W × T. 전달된 에너지 E는 바로 발열에 비례하게 되므로

$H = I^2Rt$ (H : 발생열량, I : 전류, R : 저항, t : 통전시간)가 된다.

동일한 방식으로 전압은 고정하고, I = V/R을 대입하면 $W = V^2/R$ 이렇게 된다.

E = W × T니까 W 대신에 $I^2 \times R$ 또는 V^2 / R 대입하면 $E = I^2 \times R \times T$ 또는 $E = V^2 / R \times T$ 이 된다.

그림 19-7에서 이 전기 회로에는 100V의 전압을 인가하고, 10Ω의 저항이 걸려있다. 그러면 전류는 10A가 흐르게 된다.

그럼 이 회로에서 와트는 얼마가 되겠는가?

$W = V^2/R$ 식을 이용하면, $(100)^2/10 = 1000W$

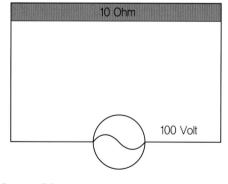

$V = I \times R \cdots 1$

$W = I \times V \cdots 2$

$W = I^2 \times R$

$W = V^2/R$

$E = W \times T$

$E = I^2 \times R \times T$

$E = V^2/R \times T$

10 Ohm 100 Volt
Current : 10 Amphere, then 1000Watt
1 second of electricity ⇨ 1000 Joule

그림 19-7. 전압, 전류, 저항의 관계

1초 동안 전기를 가하면? 1000W × 1T = 1000Joule이 인가 된다.

2. 병렬회로 vs 직렬회로

고주파 관련 논문을 살펴보면 전기저항이 큰 곳에서 온도가 올라간다는 기술이 있고, 전기저항이 적은 곳으로 전기가 흘러가고 그 곳에 열이 발생한다는 얼핏 상반되는 기술이 흔히 발견된다. 이는 정확한 전후 사정을 모르고 읽으면 이해가 불가능한 문구이다.

그림 19-8A와 같은 직렬전기 회로가 있을 때, 3Ω인 푸른 부분과 7Ω인 붉은 부분이 있다. 직렬로 연결되어있으므로 합하여 10Ω의 저항이 이 전기회로에 존재한다. 100V의 전압을 주면 전체회로에는 10A의 전류가 흐르게 된다. 100V의 10Ω이면 10A전류가 흐른다는 말이다.

전체 회로로 봤을 때 흐르는 전류는 10A이나 각 저항에 걸리는 전압은 달라진다.

$V = I \times R$ 을 이용하면,

7Ω에서는 $V = 10A \times 7Ω = 70V$

3Ω에서는 $V = 10A \times 3Ω = 30V$ 의 전압이 걸리게 된다. 전류가 1초 흐르는 동안 7Ω에서는 700J이, 3Ω에서는 300J의 에너지가 발생하는 것이다. **그러므로 직렬회로에서는 저항이 높은 곳에서 열이 많이 나게 된다.** 바이폴라는 두 전극사이에 전기가 흐르게 되는데 두 전극 중 한쪽이 피부에 완전히 접촉되지 않게 되면 이 부분의 전기저항이 커지므로 전극이 접촉이 잘되지 않은 부분의 피부에서 많은 열이 발생하게 되어 피부가 괴사되는 현상이 발생한다. 써마지는 네 개의 팁이 확실히 접촉 되지 않으면 RF가 인가되지 않는다. 직렬회로 내의 임피던스가 높은 구조물의 heating이 더 쉽게 된다. 그래서 wound도 많이 생기고 damage도 많이 받는다.

그림 19-8B같은 병렬전기 회로를 보면, 빨간색이 높은 저항, 파란색이 낮은 저항이라고 하면, 어느 쪽에 열이 더 많이 나는가? 병렬회로는 각 저항마다 동일한 전압이 가해지고, 전류는 저항에 반비례한다. 저항이 높은 쪽의 전류가 낮아지기 때문

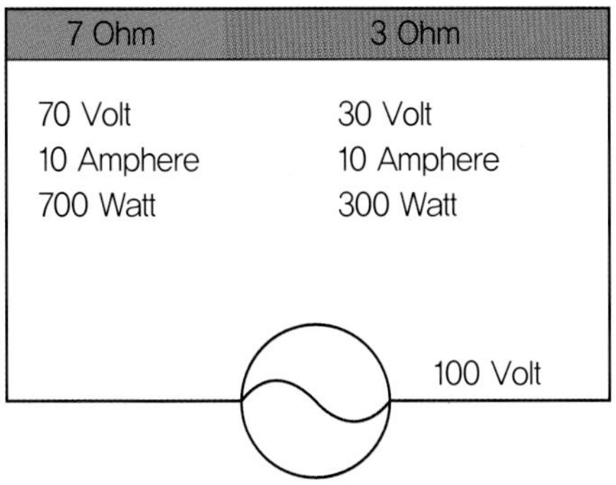

7 Ohm	3 Ohm
70 Volt	30 Volt
10 Amphere	10 Amphere
700 Watt	300 Watt
	100 Volt

$V = I \times R$

$W = I \times V$

$W = I^2 \times R$

$W = V^2/R$

$E = W \times T$

$E = I^2 \times R \times T$

$E = V^2/R \times T$

Serial circuit has the same electric current(Amphere), the total watt in this circuit is 1000 Watt. Structures with higher impedance are more susceptible to heating.

그림 19-8a. 직렬전기회로

673

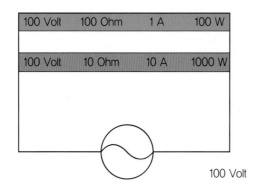

| 100 Volt | 100 Ohm | 1 A | 100 W |
| 100 Volt | 10 Ohm | 10 A | 1000 W |

100 Volt

Parallel circuit has the same voltage
Fat has 10 times more impedance than skin.
The heat generated in fat is 1/10 of that of skin.

$V = I \times R$
$W = I \times V$
$W = I^2 \times R$
$W = V^2/R$
$E = W \times T$
$E = I^2 \times R \times T$
$E = V^2/R \times T$

그림 19-8b. 병렬전기회로

에 Watt(W = V × I)도 떨어져 열이 덜 나게 된다. 또, Watt는 전류의 제곱에 비례하고 저항에는 비례한다.(W = I² × R) 저항이 증가하여 전류의 값이 반이 되면, watt는 전류의 제곱에 비례하니까 1/4이 되어, 전체 회로에서는 저항이 2배가 되면 watt는 반으로 줄어드는 결과가 된다. 결론적으로 병렬회로에서는 저항이 높은 쪽으로 전류가 흐르지 않고 전류가 흐르지 않으면 열이 나지 않는 것이다. **병렬회로에서는 저항이 높은 쪽은 상대적으로 전류가 적게 흘러서 열이 적게난다.** 직렬회로에서는 전류가 저항이 심한 부분도 지나가야하고 저항이 심한 부분에 열이 발생하는 것과는 다른 이치이다. 예를 들어 그림 19-8b에서 저항이 큰 부분이 지방층이고 저항이 적은 부분이 피부라면 전기는 지방층이 아니라 주로 피부를 통하여 전달되고 지방층에는 별로 발열이 되지 않는다. 그림 19-8b에서 저항이 10배인 조직에서 에너지 전달이 1/10이 된 것을 알 수 있다.

전기적 회로의 특성에 따라 병렬회로에서는 전기저항이 적은 곳으로 전류가 흐르고 전기저항이 적은 곳에 발열이 된다. 직렬회로에서는 전기는 전기저항이 큰 부분을 꼭 지나가야하므로, 전기저항이 큰 곳에서 열이 발생한다.

3. bipolar와 monopolar 치료시 유의할 점: Impedance 보정

모노폴라를 하면 바이폴라로 시술 할 때와 전기회로의 저항이 증가할까? 감소할까?

바이폴라는 두 전극 사이 거리가 가장 짧은 부분이 전기저항이 적고, 모노폴라는 치료전극에서 전기가 나와서 return pad가 부착된 먼 곳(흔히 등에 부착)으로 전류가 이동해야 하기 때문에 바이폴라에 비해 전기회로의 길이가 길다. 두 전극 간의 거리가 길수록 저항이 높다.

모노폴라와 바이폴라일 때 어떤 상황이 벌어지는지 살펴보자. 볼트가 고정된 상태에서 거리가 길어질수록 저항값이 증가한다. 100V를 인가하는데 저항이 바이폴라일 때는 10Ω, 모노폴라일 때는

20Ω이라고 가정한다면,

W = V² /R 식을 이용하면,

바이폴라 : (100V)² /10Ω = 1000W

모노폴라 : (100V)² /20Ω = 500W

같은 전압이 회로에 가해졌을 때, 모노폴라를 했을 때 바이폴라보다 반응이 반밖에 안된다. 실제로는 20Ω보다 저항값이 더 크다. 거리에 비례해서 저항이 증가한다. 거리가 짧아지면 저항 값이 많이 줄어든다. 모노폴라의 경우에는 바이폴라에 비해 전기회로가 길어지므로 저항이 커지고 와트가 떨어지므로 전압을 더 올려서 보정하여 watt가 떨어지지 않아야 원하는 만큼의 에너지가 전달이 된다.

그런데 많은 기계들이 스크린에 표시한 것을 보면 [W x T]를 표시하고 있는데, 그 Watt는 실제 측정값이 아니라, 저항값이 일정하다는 가정 하에 가해지는 전압에 따라서 계산된 Watt를 표시하고 있다. 그런데 실제로는 monopolar 치료에서 bipolar 보다 전기회로가 길어져서 저항이 커지고 같은 전압에서는 전류가 감소하고 있어서, 실제 인가되는 watt를 표시하는 기기의 경우는, 같은 전압에서는 임피던스가 두 배가 되면 watt는 1/2가 된다. 따라서 monopolar 고주파 치료시에는 이를 감안하여 bipolar와 동일한 조직변성을 일으키려면 저항이 증가하는 것에 맞추어서 전압을 올리는 보정을 하여야 한다. monopolar 전극을 사용하는 인트라셀의 경우 이런 보정과정을 거쳐서 monopolar 전류가 흐르도록 고안되어 있다. 이런 bipolar, monopolar 치료에서 보면 임피던스 보정이 고주파 치료에 중요하다는 것을 알 수 있다.

이런 보정은 monopolar뿐 아니라 bipolar 치료시에도 조직의 전기저항이 다르다면 당연히 중요한 요소가 된다. 그런데 많은 회사들이 바이폴라

치료시 모든 조직을 동일한 저항으로 가정하고, 몇 volt를 인가하면 몇 Amphere가 되고 몇 watt 인지 확인한 후 이후 스크린에 파라미터 변경시 watt 값을 변경하면 실제 기계가 하는 것은 전압을 변경하는 방식을 취하고 있다(즉, 저항값의 차이에 의해 실제 전류가 변경되고 watt가 달라지는 것을 무시하고 있다). 이렇게 하면 실제 조직의 임피던스가 처음 셋팅시 가정한 값이 아니라 다른 값이라면 실제 watt는 스크린에 표시한 watt가 되지 않는다. 전술한대로 임피던스가 개인차가 많이 있고 부위별로도 다르다면 비단 monopolar 치료뿐 아니라 bipolar 치료에서도 임피던스를 측정하고 이에 맞춰서 보정하는 것이 정확한 조직변성을 일관적으로 생성하는데 중요하다는 것을 알 수 있다.

Watt x T가 Joule이고, 그게 energy, 실제 인가되는 에너지가 된다. 그래서 임피던스 보정의 의미는 부위별로 임피던스가 다른 것을 측정하고, volt를 조절해서 일정한 watt를 유지하고 목적한 일정한 조직변성을 발생하는 것이라 할수있다. 임피던스차이를 무시하고 치료하면 어떤 사람은 level 3으로 치료했는데 탄화가 되고 어떤 사람은 level5를 했는데 아무 표시도 생기지 않는 일이 발생할 수 있다. 이런 일은 임피던스를 보정하는 기기에서는 일어나지 않는다.

임피던스 보정의 가장 큰 장점은 개체별, 부위별 저항값의 차이를 보정해서, 스크린에 표시되는 level 1~7이 약속하는 정해진 정도의 조직변화를 누구에게나 어느 부위에서나 일정하게 발생시키는 것이다. 이는 고주파 치료의 안전성과 치료효과에 직결된다.

4. monopolar 고주파로 지방을 녹일 수 있나?

고주파를 이용한 지방분해술은 대체로 monop-olar 전극을 이용한 보고들이다. 시중에 이런 류의 치료기계들이 이용되고 있고, 피하지방이 분해된다거나 심지어 내장지방이 분해된다고 선전하고 있다. monopolar 치료의 경우 등에 return pad를 붙이고 배에 고주파 치료전극을 가한다면 고주파(전기)가 피부를 통과하여 지방층을 통과할 수도 잇고, 지방으로는 안가고 피부를 따라서 re-turn pad로 갈 수도 잇다. 실제 지방과 피부의 임피던스 차이는 10배에 가까워서 두 전극사이에 병렬회로가 형성된 이런 경우에 전기는 지방이 아니라 피부를 타고 흐르게 된다. 그러므로, 전기저항이 큰 지방층에는 발열에 의한 지방분해의 가능성이 거의 없게 된다.

III. 고주파 리주버네이션

단순한 지혈기기를 제외한 고주파 기기가 피부과, 성형외과 영역에 도입된 지는 10년이 채 안 되었지만 현재 다양한 치료에 사용되고 있으며 다른 분야에 비해서 그 발전 속도가 매우 빠르다. 크게 조직의 파괴를 동반하는 치료와 조직의 재생을 유도하는 치료로 나눌 수 있으며 이 두 분야에서 사용되는 고주파 또한 다르다. 주로 470KHz 대역의 고주파를 이용하는 조직 파괴 시술로는 교근 축소술 또는 종아리 축소술 등이 있으며, 1MHz에서 5MHz대역의 고주파를 이용하는 조직 재생술의 경우에는 '폴라리스', '오로라', '써마지' 등과 최근 각광받는 프랙셔널 고주파 치료가 있다.

고주파를 이용한 조직 재생 시술의 기전은 두 가지로 설명되는데 첫째는 진피 교원 섬유의 가열을 통해서 피부 및 피하 조직 전체의 수축을 유발하고, 둘째는 콜라겐 응고변성을 통한 콜라겐의 재생성을 촉진하는 것이다. 일반적으로 2개의 전극을 가지고 있는 바이폴라 타입과 1개의 전극과 피부 접지판을 가지고 있는 모노폴라 타입의 두 종류로 구분이 가능하다(그림 19-4).

바이폴라 타입의 기기들은 전신적인 영향이 없어 안전하나 가열량 및 침투 깊이가 제한적이다. 일반적으로 투과도는 전극 간격의 50% 정도 된다고 하나 실제적인 콜라겐 변성은 전극 간격의 0~20% 정도 된다. 따라서 충분한 조직 재생의 효과를 얻기 위해서는 고주파를 단독으로 사용하기보다 다른 종류의 광원을 병용하는 경우가 많은데 대표적인 제품으로 고주파와 IPL을 병용하는 '오로라'와 고주파와 Diode laser를 병용하는 '폴라리스'가 있다. 이에 반해 모노폴라 기기는 대형 전극을 이용하여 보다 깊이 충분한 양의 에너지를 사용할 수 있어 고주파 단독으로 치료에 사용하게 되는데 이때 표피의 손상을 막기 위해 냉각가스 등으로 표피를 식히게 된다. 대표적인 기기로 '써마지'가 있으며 이 기기의 경우 1cm^2 (최초의 팁 크기, 현재는 더 큰 크기의 팁을 사용함) 팁에서 나오는 에너지로 2.5~3.0mm 깊이까지 침투가 가능하다고 한다. '오로라'는 주로 기미, 모세혈관 확장, 모공확장, 경도의 주름 등에 효과가 있으며, '폴라리스'는 잔주름, 거친 피부톤 또는 하퇴의 정맥류 치료 등에 효과가 있다고 알려져 있다. '써마지'는 주름과 피부의 처짐을 개선하는데 효과가 있으며 여드름, 모공 확장 등에도 어느 정도 효과가 있는 것으로 밝혀졌다.

1. Monopolar RF (Thermage®)

monopolar RF는 환자의 등이나 배에 return pad를 부착한 후 치료하고자 하는 부위에 치료전극을 접촉하게 된다. 이런 monopolar RF를 임상적으로 피부노화의 치료에 사용하게 된 계기는 2001년 11월에 ThermaCool TC system®이 소개되면서부터이다. 고주파(radiofrequency, RF)를 이용한 ThermaCool TC system® 치료는 피부에 전기를 통하게 하고 이에 따라 발생한 열이 자극이 되어 피부의 교원질 신생합성을 촉진하는 치료기계이다. 치료팁의 편편한 막(membrane)으로 부터 전기에너지가 전달되는 동안 치료팁의 뒤쪽에서 막으로 냉매가 계속 분사되어 피부표면을 냉각시켜서 보호하게 된다(그림 19-9). ThermaCool TC system®은 Thermage회사에서 생산하고 있다. 이 기계의 이름이 너무 길어서 회사이름을 따서 보통 Thermage®라고 명하고, 써마지®를 이용한 시술 방법은 "thermalift"라고 한다.

초창기 써마지 올림술은 눈꺼풀이나 눈썹을 올리기 위하여 이마와 관자놀이 부근을 치료하였다. 지금은 뺨의 피부나 입술 주변의 피부를 탄력 있게 하거나 턱선을 올리는 데도 사용된다. 최근에는 빅팁(1.5cm²)과 수퍼빅팁(3.0 cm²)이 출현하고 패스트팁이 개발되고 샷 수가 많아지면서 얼굴뿐 아니라 배나 팔 등 전신에 써마지®를 사용하는 경우가 늘고 있다. 써마지® 치료는 단독으로 뿐만 아니라 다른 치료와 병행하면 더 좋은 효과를 볼 수도 있다.

써마지의 최신 버전인 CPT는 Comfort Pulse Technology의 약자로 환자가 편안하게 통증 없이 시술을 받을 수 있도록 업그레이드되었다. 써마지의 CPT 기술은 세 가지 특징에 기인한다. 첫째, 진동 핸드피스이다. Melzack and Wall gate

ThermaCool TC™ System Heating/Cooling Schematic

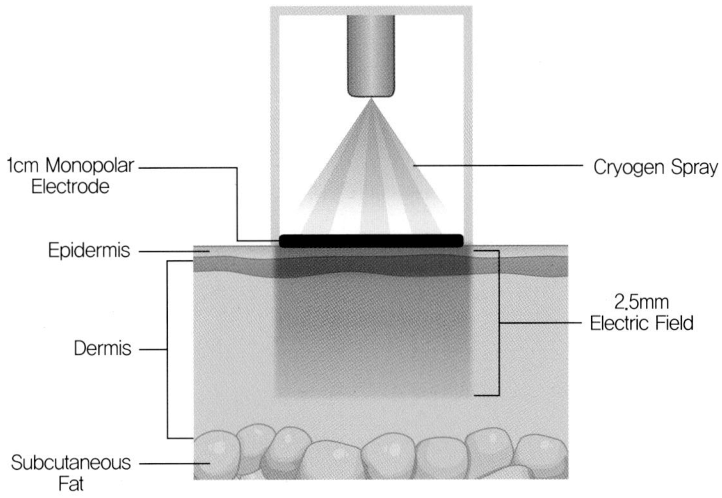

1cm Monopolar Electrode
Cryogen Spray
Epidermis
2.5mm Electric Field
Dermis
Subcutaneous Fat

그림 19-9. 써마지 치료팁의 해부도

가운데 굵게 검은 부분이 팁의 멤브레인이다. 이 부분을 통해서 피부로 전기가 전달된다. 그 동안에도 멤브레인 뒤쪽에서는 냉각스프레이가 뿌려지므로 치료 중에도 표피는 냉각이 된다. 이는 써마지가 피부부작용이 적고 안전한 치료가 가능한 큰 이유가 된다.

control theory에 따라 환자가 통증을 덜 느끼도록 했다. 이는 임상 시험을 통해서도 효과가 증명되었다. 임상 시험에 따르면 바이브레이션과 함께 시술 하였을 시에 환자의 불편함이 현저하게 감소하는 것을 확인 할 수 있었다. 둘째, 에너지 전달 방식을 변화시켰다. 기존 TC3, NXT 모델이 한 샷당 에너지를 처음부터 끝까지 균일하게 전달하는 방식이었다면, CPT는 동일한 양의 에너지를 5번에 나누어 전달하고 중간에 냉각을 번갈아 조사함으로써 환자가 통증을 느끼는 신경을 교란시킨다. TENS-like effect 라고도 불린다. 마지막으로 써마지 CPT 는 프레임 팁으로 시술 효과를 향상시켰다. CPT 시스템 전용 팁은 멤브레인에 프레임이 씌워져 있어 가장자리로 모이려는 고주파를 고르게 퍼지도록 해준다. 더불어 에너지 전달 효율도 25%가량 증가시켜 열이 피부 속으로 더 잘 전달되도록 했다.

광노화된 피부에서 보툴리눔 독소, 필러나 다른 레이저 치료를 병행하면 좋은 경우가 있다. 이 경우 써마지®는 피부의 가장 깊은 곳을 치료하므로 이런 병합치료의 기본 치료로 이용된다. 적절한 치료 대상을 잘 선택하는 것이 좋은 결과를 얻는 데 중요하다. 이상적인 대상자는 가벼운 정도 또는 중등도의 피부처짐이 있으면서 나이가 너무 많지 않은 환자이다.

Thermage는 환자의 피부심부의 콜라겐에 작용하여 피부의 톤과 윤곽, 결 등을 개선하여 피부 당김 효과를 보이며, 그 효과가 안전하고 임상적으로 입증되어 있는 비침습적 치료다. 단 한번의 치료로도 환자의 내재성 콜라겐에 작용하여 신생콜라겐의 합성이 가능하며, 이러한 즉각적인 반응과 지연반응 모두를 유발한다. Thermage 치료는 전문가에 의해서 시술되어야 효과적이나 초보 치료

자 입장에서도 비교적 손쉽게 접근할 수 있고, 개발자 입장에서는 팁을 교체함으로써 기계적 측면에서 쉽게 업그레이드가 가능하다. 레이저 치료와 달리 Thermage는 여러 종류의 피부색과 상태에 모두 시술 가능하며, 표피를 보존한다는 특징이 있다. 주사제나 필러 등과 달리 이마, 비구순주름, 턱주름, 등 전체 안면부에 함께 작용하게 된다.

Thermage 치료는 전문가에 의해, 의학적으로 합당한 적용증에 해당하는 경우에 시술해야 좋은 효과를 보인다. 임상적으로 여성 기준으로 35세에서 60세까지 환자층에서 가장 좋은 효과를 보이며, 피부 늘어짐이 심할 경우 효과가 떨어질 수 있다. 보통 한 번의 시술은 20분에서 수 시간까지 다양하며 이는 환자의 피부 타입과 상태에 따라 다르다. 전신마취는 필요로 하지 않으며 시술자에 따라 수술 전 처치로 통증 처치를 하기도 한다.

가) 써마지®의 치료원리

안면부 피부는 크게 다음 세 가지 층으로 구성된다. 바깥층은 표피(epidermis)이고 표피 밑에는 콜라겐이 풍부하게 있는 진피(dermis)층이 위치하며, 진피하부에는 피하층(subcutaneous layer, fat layer)라고 하는 콜라겐 섬유의 복잡한 네트워크가 존재한다. 피부에 존재하는 콜라겐은 광선노출, 가족력, 정상노화 과정 등에 의해 변성되어 주름이 생기게 된다. 따라서 전술한 각각의 층에만 작용하는 여러 치료 방법들은 콜라겐 자체의 총체적인 생화학적 변화를 일으키지 못하여 임상적으로 바람직한 결과를 보이기 힘들게 된다. 이와 달리 Thermage는 피부의 세 가지 층(특히 심부 진피층)에 모두 작용하여 콜라겐 변성을 통한 환자 피부의 탄력 개선을 가져오는 드문 비침습적

Mechanism of Action

- Excerpts from "Histological and Ultrastructural Evaluation of the Effects of a Radio-Frequency-Based Non-Ablative Dermal Remodeling Device: A Pilot Study"
  - Published in Archives of Dermatology, Feb 2004
- Dual Action Skin Tightening
  - Immediate collagen contraction
  - Collagen remodeling and tightening over time

 HEAT ⇨

Collagen triple helix molecule   Denatured Collagen Fibers

그림 19-10. 써마지에 의한 진피 콜라겐의 즉각반응과 지연반응

그림에서 정상적 구조의 콜라겐은 써마지 치료에 의한 열변성으로 콜라겐길이가 짧아져서 시술직후 콜라겐 shrinkage에 의한 즉각반응을 나타낸다. 콜라겐은 triple-helix 구조이고 이런 여러 분자 결합에 의해 유지된다. 이 구조에 열이 발생하면, 이런 분자 결합이 깨지면서 분자들이 분리되어 함께 수축하면 콜라겐피브릴의 길이가 짧아지게 된다. 이것이 즉각반응이다. 이후에 수개월에 걸쳐서 새로운 콜라겐이 생성되는 것이 피부 타이트닝에 기여한다.

치료 방법이다. 기전은 아래 와 같이 정리할 수 있으며 즉각적인 수축(shrinkage)효과와 콜라겐합성증가의 지연효과가 있다(그림 19-10).

a) 즉각적인 반응

고주파에 의한 발열로 인한 콜라겐단백질의 변성으로 단백질 길이가 짧아져서 피부가 수축하는 반응이다. 시술 중 써마지팁을 통해 전자기파 에너지가 팁으로 전달됨에 따라 순간적인 발열감이 환자의 피부로 전달되며, 이는 콜라겐 변성작용이 진행 중임을 간접적으로 알 수 있는 표지 인자가 된다. 치료 후 1~2일 정도 발적이 생길 수 있으나 환자는 시술 직후 일상생활이 가능하며, 대부분 피부가 부드러워지고, 단단하고 팽팽해진 듯한 느낌이 든다. 경우에 따라서 시술 직후부터 안면부 윤곽의 변화를 느끼기도 한다.

b) 지연반응

고주파 발열로 손상된 조직이 재생되면서 콜라겐 신합성이 증가하는 지연반응이다. 콜라겐신생으로 인해 지속적인 피부 변화를 느끼게 된다. 이는 피부의 결과 감촉 외에 전술한 바와 같은 안면부 윤곽 변화를 포함한다. 이러한 변화는 보통 시술 후 6개월까지 지속된다.

피부의 표층은 차갑게 보호되는 동안 안전하게 피부 깊은 곳의 교원질에 열이 전달된다. 이 결과로 교원질의 수축이 유발되고 궁극적으로 교원질의 생산이 촉진된다. 최근의 보고에 의하면 써마지®에 의해서 객관적으로 측정될 수 있는 피부의 팽팽함이 오는 데는 4~6개월이 소요되며 효과는 서서히 나타난다고 알려져 있다. 그러나 많은 환자들이 치료 직후의 효과를 보고하는 경우가 있는데 이는 교원질 합성이 아니라 수축에 의한 효과로 알려져 있다. 써마지®의 다중 저에너지(multiple low energy)가 단일 고에너지(single high energy)보다 효과가 좋다고 보고되면서, 다중 저에너지(multiple low energy)에 의해서 교원질 섬유들이 수없이 많이 부분 파괴가 되는데 이것이 교원질 합성 촉진에 더 유리할 것이라고 발표되었다. 써마지®의 치료깊이가 지방층까지 도달하는 것으로 잘 알려져 있는데, 지방층의 섬유성 중격(fibrous septum)의 수축(tightening)이 써마지®의 피부조직을 탱탱하게 만드는 것의 주 메커니즘으로 소개되었다. 지방층에서 지방보다는 교원질이 전기전도성이 높아서 교원질이 많이 분포하는 섬유성 중격으로 전기가 많이 흘러서 이런 결과가 나타난다고 설명되었다. 이런 원리는 바로 써마지®의 Z-축 치료의 원리이다.

나) 써마지®의 치료 방법

바르는 마취약으로 약 1시간 마취 후 얼굴전체 치료에 치료샷 수에 따라 약 30~90분이 소요된다. 대부분의 환자는 국소마취만으로 치료에서 오는 통증을 잘 참는다. Zelickson이 낮은 에너지의 다중조사(multiple pass)가 강한 에너지의 단일조사(single pass)보다 효과가 더 좋다고 발표한 이후 낮은 에너지로 다중조사하는 것이 치료의 주를 이루고 있다. 최근에는 1.5cm²에 이어 3.0cm² 크기의 팁이 많이 사용되면서 다중조사 치료가 용이해졌다. 다중조사 치료 방법은 2005년 Geronemus의 방법을 참조하면, 뺨의 가운데를 기준으로 처음에 63.5(1.5cm² 팁의 경우) 혹은 357.0(3.0cm² 팁의 경우) 정도의 강도로 시작하고 2~3 조사한 후 조금씩 약하게 한다. 또 부위에 따라서 조금 약하게 조절한다. 환자의 시술시 통증도 치료의 중요한 가이드라인이 된다.

통증의 정도는 0: 전혀 느낌이 없다, 1: 따뜻한 느낌, 2: 뜨거운 느낌, 3: 뜨겁고 아픈 느낌, 4: 참을 수 없는 통증 이렇게 구분하고 다중조사를 주로 하는 요즘은 2~3 정도의 통증을 목표로 시술하는 경우가 많다. 시술 부위마다 반응이 다르므로 주의를 요한다. 시술 후 약간 붉게 되거나 약간 부은 느낌 이외에 별다른 느낌이 없으며 촉진해 보면 열감을 느낄 수 있다. 다음날은 거의 정상적으로 회복된다. 흔히 약간의 부기가 며칠 지속될 수 있으며 약간의 부종은 치료효과에 긍정적 영향을 미친다고 알려져 있다.

다) Thermage®의 장점

역열경사도(Reverse thermal gradient) 환자 몸에 부착한 접지판과 치료팁 사이에서 1초에 600만 번 전극이 변하는데(6Mhz), 이에 따라 조직 내에서 전자가 앞뒤로 이동하게 되고, 전자의 움직임과 조직의 저항에 의해 열이 발생하는 것이다. 이런 이유로 레이저와 달리 피부 깊은 곳에 열을 발생시키는 것이 유리하다. 이렇게 깊은 곳에서 얕은 곳과 같이 열이 많이 발생하고 표면은 냉각을 하게 되므로 표면보다 깊은 곳이 더 열이 발생하는 열역경사도가 발생한다. 이는 피부표면을 화상의 위험으로부터 보호한다. 레이저는 광열반응(photo-thermal reaction)을 하는데 피부표면부터 발색단과 레이저가 반응하여 열이 발생하고 피부 깊은 부위로 갈수록 흡수되고 남은 광자(photon)가 적으므로 열을 많이 발생시키지 못한다(그림 19-3).

a) 용량성 결합(Capacitive coupling)
써마지®에서는 전기가 흐르는 부위가 작은 부위가 아니고 치료팁의 막 전체(1.5cm² 혹은 3.0cm²)

에 해당되며 이런 용량성 결합에 의해 전기가 고르게 피부로 전달된다. 용량성 결합이 작동하지 않는다면 막의 일부 귀퉁이에서 전기가 전달되는 테두리(edge) 효과가 나타나서 한 부위로 과도한 전기가 흐르고 화상으로 연결된다. 그러므로 용량성 결합이 고주파를 이용하여 피부에 화상을 입히지 않고 비박피적 피부재생술을 구현할 수 있게 했다.

b) 동반냉각

치료팁의 막 뒤쪽으로 냉매를 치료 전, 치료 중, 치료 후에 계속 분사할 수가 있어서 피부 상층부의 보호가 확실하게 된다.

c) 피부색과 무관하다

레이저는 표피의 멜라닌 등과 반응하여 열을 발생하는데, 고주파는 레이저가 아니어서 표피의 멜라닌색소 등에 영향을 받지 않고 피부속에서 열을 발생한다. 즉, 피부색에 관계없는 치료가 가능하여 피부색이 검은 한국인의 치료에 큰 장점으로 작용한다.

라) 써마지 치료대상

전통적인 써마지 치료대상은 다음과 같다
① 입가 팔자 주름, 눈가 주름, 이마 주름
② 입에서 턱으로 가는 주름
③ 얼굴의 처짐, 탄력저하
④ 턱선의 처짐, 불독턱의 치료(그림 19-11)
⑤ 입술 주름
⑥ 이마의 처짐, 눈썹 윗눈꺼풀의 처짐(그림 19-12)
⑦ 눈밑 지방의 완화(그림 19-13)
⑧ 여드름 및 여드름 흉터
⑨ 목주름

써마지 치료대상을 좀 더 넓히면 다음과 같다.
① 넓은 모공
② 처진 가슴
③ 배 처짐, 주름
④ 허벅지 주름

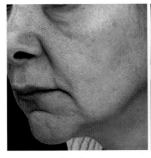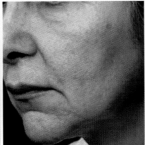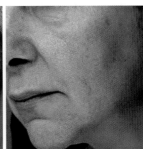

| Baseline | 2 months post treatment | 4 months post treatment | 6 months post treatment |

그림 19-11. lower face lifting with thermage

Single Thermacool TC treatment of mid and lower facial laxity using the 1 cm² tip with 3 passes at an energy of 106 mJ. Note significant improvement over baseline in mid and lower facial laxity continuing to at least 6 months of follow-up. (Clinics in Dermatology (2008) 26, 602-607)

그림 19-12. upper eyelid elevation after thermage

Example of eyebrow lift after RF treatment, A) Pre-treatment; B) 3 months post-treatment photo showing marked improvement (Otolaryngol Head Neck Surg. 2004 Apr;130(4):397-406.)

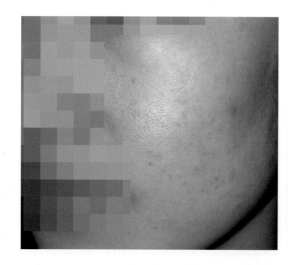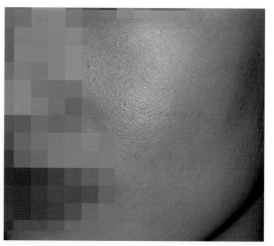

그림 19-13. 돌출된 눈밑지방의 써마지 치료

눈아래 지방주머니가 쳐져서 불거져보이는 경우가 있습니다. 표준적인 치료는 수술로 쳐진 지방을 제거하는 것입니다. 그러나, 상태가 심하지 않거나 수술을 기피하는 경우 써마지 치료가 효과적일 수 있습니다. 쳐진 부분 주변을 광범위하게 치료하면 전반적인 탄력이 증가하면서 약간 눈밑지방처짐이 개선됩니다.

마) Thermage®의 부작용

미국 FDA에서는 써마지를 주름에 작용하는 비침습적인 치료로서 그 효과를 인정하고 있으며 부작용은 홍반, 부종, 수포형성, 표면돌출, 드물게 피부 표면의 불균일성(irregularities) 등이 보고되고 있는데 일반적으로 경미하며, 치료 결과나 부작용의 발생은 임상적으로 환자 피부 상태와 연령 등에 따라 다르게 나타난다.

2. Bipolar RF with light

모노폴라 고주파 치료는 치료전극을 안면에 접촉하고 return pad를 환자의 등이나 배에 부착한 후 치료를 하게 된다. 그러면 고주파가 치료전극과 return pad 사이에 전기회로를 형성한다. 바이폴라 고주파의 경우 치료전극에 두 전극이 일정 간격을 두고 떨어져있다. 치료전극을 환부에 접촉한 후 전기를 가하면 두 전극 사이에 전기회로가 형성되고 전류가 흐르게 된다.

그런데, 바이폴라 고주파의 개발은 처음부터 빛과 같이 병행하여 치료하는 방향으로 소개되었다. 기본적으로는 전기가 가해지는 피부부분과 빛이 피부를 통과하는 부분은 다른데 전기는 두 전극사이에 전류가 흐르고 빛은 피부 속으로 통과하게 되므로 피부표면에서는 다른 부위를 통하여 전달된 두 에너지가 피부 속에서는 한 곳에서 만나게 된다. 이런 장점을 이용하여 바이폴라 고주파가 소개되었다. 이렇게 고주파전기와 빛을 이용한 복합치료를 ELOS라고 한다(그림 19-14). 이를 상용화한 제품은 Polaris, Aurora 등의 외국제품과 이들이 각각 발전한 e-laser, e-light가 있다. 국내 제

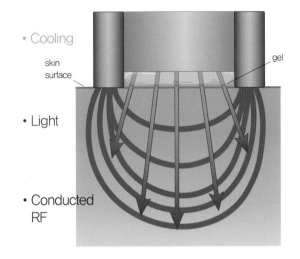

그림 19-14. ELOS의 원리
Optical energy를 이용하여 target을 선택적으로 가열한다. 이후 bipolar RF 에너지를 이용하여 온도가 상승한 target을 더욱 가열한다.

품으로는 Anti-lax, Arneb 등이 있다.

Anti-Lax(국산, 제이시스) :
Bi-polar RF + IR : 1100-1800nm

Arneb(국산, 메드로) :
Bi-polar RF + Diode : 635, 915nm

가) 치료 원리 : ELOS (그림 19-14)

ELOS(electro-optical synergy) 테크닉을 이용한 기계가 Syneron 사의 오로라와 폴라리스가 있다. 빛과 고주파전기를 이용한 시너지가 이루어지는 과정은 아래와 같다.

빛을 이용한 시스템은 optical energy를 전달하는데 이는 피부속의 이 빛을 잘 흡수하는 특별한 크로모포어에 의해서 흡수된다. 이는 곧 선택적 광열용해의 원리에 따라 열로 바뀌게 된다. Bipolar RF는 피부 조직의 electrical conductivity에 따라서 열을 발생하게 된다. RF 시스템은 이온의 흐름에 따라서 열을 발생하는데 이온은 impedance의 원리를 따른다. Impedance의 원리는 가장 전기저항이 적은 길을 따라서 전기가 흐른다는 원리이다. 예를 들면 혈액은 높은 전기 전도성이 있어서 전기저항(impedance)이 낮다. 반면 뼈는 전기전도성이 낮고 따라서 높은 전기저항을 보인다. 전기는 전도성이 가장 높은 부분을 따라서 흐르므로 전기는 뼈를 통과하기보다는 그 주변부를 타고 흐르게 된다. 저항은 조직의 온도와도 관계가 있다. 높은 온도의 조직은 전기저항이 적고 전류를 유도하게 된다.

ELOS 시스템에서는 조직을 빛(IPL 혹은 Laser)으로 먼저 처치하여 열을 발생시키는데 열이 발생한 조직은 전기저항을 떨어져서 전기를 처치하면 전류가 많이 흐르게 되어서, 목표조직에서 선택적으로 전류에 의한 열을 더 발생시키게 된다. 결과적으로 전기에너지와 빛에너지를 각각 분석하면 낮은 에너지로도 치료가 가능하여 부작용의 기회를 줄이게 된다. 부가적으로 피부표면을 냉각시키면 전기저항이 커져서 전류가 더 깊은 곳으로 흐르게 되는 효과가 있다. 이 또한 표피를 보호하고 환자를 편하게 해준다.

이상의 이론에 근거하여 Syneron사의 ELOS 테크닉은 동시에 optical energy와 RF에너지를 발사한다. 이런 과정을 요약하면

a) 표피를 보습하고 냉각시킨다.
b) Optical energy를 이용하여 target을 선택적으로 가열한다. 이후 bipolar RF 에너지를 이용하여 온도가 상승한 target을 더욱 가열한다. 이때 표피의 온도는 target의 온도보다 낮

아야한다.
c) Optical pulse를 중단하고 RF pulse는 지속하여 target에 대하여 추가적인 선택적 가열을 한다.

ELOS 시스템은 사파이어 가이드를 통해 발사되는 flashlamp pulsed light와 시스템에 장착된 두 개의 전극에서 발사되는 bipolar RF로 구성되어 있다. 폴라리스의 경우는 900nm의 high power diode laser를 이용한다. 이런 폴라리스는 주름제거, 탄력증대, 모공축소, 여드름치료 등에 이용되고 있다. 오로라 SR헤드의 경우 580-980nm 파장의 IPL과 bipolar RF가 동시에 발사된 후 IPL은 중지되고 RF가 더 오래 발사되는 방식이며, 색소, 혈관병변 등의 치료에 이용된다.

나) Polaris

고주파 에너지만을 이용하거나, 레이저만을 사용하는 단일 에너지 치료법과 달리 양극성 고주파와 900nm 다이오드레이저를 동시에 사용하여 두 에너지의 장점만을 채택해 보다 진피층 깊이까지 전달해줌으로써 효과적으로 콜라겐을 생성시켜주는 치료 방법이다.

a) 치료 기전

주름 개선을 목적으로 하는 Polaris WR™와 하지정맥류 등의 혈관 병변의 치료를 목적으로 하는 Polaris LV™가 있으며 광학적 에너지(optical energy)가 선택적으로 치료대상에 미리 열을 발생시키고 이에 의해 치료대상의 저항을 낮추어 전자기파 에너지가 더욱 오랫동안 치료대상에 열을 발생시킬 수 있도록 한다. 전자기의 팁은 열전기적

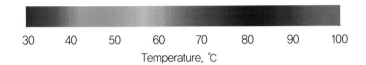

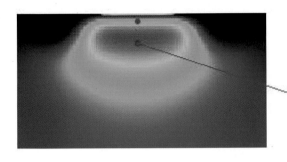

■ 접촉쿨링 방식을 통해 표피를 보호해 줍니다.

■ 고주파(RF)가 깊은 진피층까지 침투하여 히팅시켜줍니다.

그림 19-15. 폴라리스의 온도 프로파일

시술전

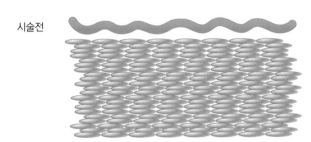 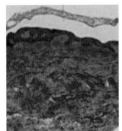

• 피부표면에 평행하게 배열된 콜라겐층.
• 콜라겐 섬유간에 공간이 없는 구조.

시술 직후

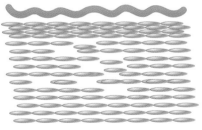 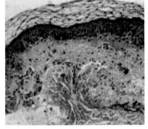

• 피부 표면 손상없이 림프와 혈액의 누출을 유도하여 섬유간 공간 확보.
• 섬유들이 분리되고 불규칙적으로 배열

3주 후

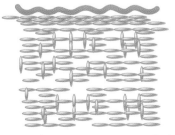 

• edema(부풀어오름)가 사라지면서 콜라겐층 배열의 변화와 함께 섬유간 공간 유지.
• 형성된 공간에 새로운 콜라겐 생성.

그림 19-16. Polaris mechanism of collagen re-modeling

냉각효과(thermoelectric cooling)으로 5℃로 낮추어 표피를 보호한다(그림 19-15). 이렇게 두 가지 형태의 에너지를 이용하면 기존의 방식에서보다 전체적으로 적은 광학적 에너지를 전달하면서도 진피의 탄력 섬유나 엘라스틴 섬유에 열에너지가 집중될 수 있어 피부 색소 또는 반흔 등의 부작용을 줄이면서 주름을 개선시킬 수 있다(그림 19-16). 혈관 병변이 개선되는 원리는 광학적 에너지가 진피를 통과하여 혈관 내 헤모글로빈에 흡수되어 온도를 올리면 고주파 에너지가 혈관 자체가 본질적으로 뼈나 건조한 피부와는 전류에 대한 저항이 다른 점에 더불어 광학적 에너지 에 의해 온도가 높아져 저항이 주변 조직보다 낮아졌기 때문에 전자기파 에너지가 혈관 내로 선택적으로 흡수될 수 있게 된다. 따라서 혈관 외막(adventita)과 혈관 내막(endothelium)에 손상을 주게 되고 혈관의 축소와 소멸을 유도하게 되는 것이다.

b) 치료방법

전자기파는 100J/cm까지 에너지가 나오며 레이저는 900nm diode 레이저 파장을 나타낸다. 에너지 밀도(Fluence)는 50-140J/cm이며 표면 냉각장치를 갖추고 있다.

치료하는 빔의 크기는 5mm-12mm이다.

c) 효과

Sadick에 의하면 객관적 분석을 해본 결과 50% 이상의 환자에게서 50% 이상의 주름개선 효과를 보였으며 표피두께가 증기하고 진피의 교원섬유가 더 콤팩트해졌다고 했다. Doshi 에 의하면 주름 치료에 있어 경한 통증(80%), 중등도 통증(10%) 치료 후 홍반, 부종(80%), 수포(10%) 등을 경험했다고 했으나 다 해소되었으며 색소침착이나 반흔

은 없었고, 6개월 추적관찰에서 81%의 환자가 만족했다고 보고했다.

하지 정맥의 치료에 있어 Sadick은 75~100%의 혈관 제거율을 치료 1회 만에 36%의 환자가 경험했고 전체적으로 72%의 환자가 치료 결과에 만족했다고 했다.

Trelles는 피부색이 짙은 타입과 두꺼운 더 효과가 좋았으며 6개월 추적 관찰에서 82.5%의 환자에서 50% 이상의 소실을 보였다고 보고했다. Lapidoth 등은 고주파 에너지 60-80J/cm3와 광학 다이오드 에너지(optical diode energy) 80-100J/cm²의 범위로 안면 정맥기형에 적용하여 92.8%에서 만족한 결과를 얻었다고 보고했다.

d) 적용 대상

Polaris WR™: 주름제거, 피부 질감 향상(skin texture)

Polaris LV™: 모세혈관확장증(telangiectasis), 정맥확장증(venulectaes), 하지 정맥(larger reticular leg veins), 정맥 기형(venous malformation) 등

다) e-Laser

Polaris로 시작한 ELOS의 진화는 Re-firme으로 진행되고, 최근에는 더 다양한 스펙을 포함하여 e-Laser를 선보이고 있다(표 19-3).

라) Aurora(그림 19-17)

양극성 고주파와 IPL을 혼합시킨 것으로 비침습적 제모에 사용하는 오로라 DS와 피부재생에 사용하는 오로라 SR이 있다.

표 19-3. e-Laser system specifications

Application Heads	DSL Laser Hair Removal	WRA Wrinkle Reduction	LV Vascular	LVA Vascular Advanced	Matrix IR
RF Energy	Up to 50 J/cm^3	Up to 100 J/cm^3	Up to 100 J/cm^3	Up to 100 J/cm^3	Up to 100 J/cm^3
Light Fluence	Up to 50 J/cm^2	Up to 50 J/cm^2	Up to 140 J/cm^2	100 to 350 J/cm^2	Up to 70 J/cm^2
Spectrum	810 nm	900 nm	900 nm	900 nm	915 nm
Cooling	5℃ on skin surface				Intense Contact Cooling
Skin Impedence Control	Online				
Treated Area	15 x 12 mm	12 x 8 mm	8 x 5 mm	8 x 2 mm	8 x 5 mm
Pulse Repetition Rate	Up to 2 Hz	1.0 Hz	1.0 Hz	1.0 Hz	1.0 Hz

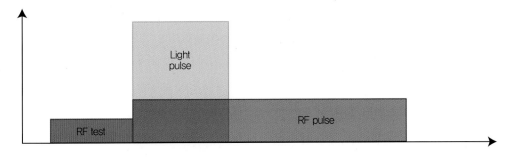

그림 19-17a. 오로라 펄스 시퀀스

a) 작용기전

IPL이 선택적으로 치료 대상에 미리 열을 발생시키고 이에 의해 치료 대상의 저항을 낮추어 고주파 에너지가 더욱 오랫동안 치료 대상에 열을 발생시킬 수 있도록 한다.

전형적인 IPL 빛의 지속 시간은 20msec이며 고주파의 지속 시간은 100msec이다.

고주파의 시험 펄스 후에 빛은 고주파와 동시에 조직에 도달하게 된다.

b) 치료 적응증

• 오로라 SR를 이용한 피부 재생 및 색소 질환, 혈관 질환의 치료

580-980nm 파장의 빛과 고주파 에너지를 이용하여 피부 재생을 유도한다. 보다 짧은 파장의 빛은 멜라닌에 더 잘 흡수되어 표재성 색소 침착 병변을 치료하는데 사용한다. 또한 보다 짧은 파장의 빛은 혈액에도 잘 흡수되어 표재성 혈관성 병변을 치료하는데 좋은 결과를 보인다.

피부 재생을 위해 5회 시술을 실시하며 처음 3회의 시술로 혈관 질환과 색소 질환이 치료되며 마지막 2회 시술이 피부 질감을 향상시키고 주름을 개선시켜준다.

• 오로라 DS를 이용한 제모

680-980nm 파장의 빛과 고주파 에너지를 이용

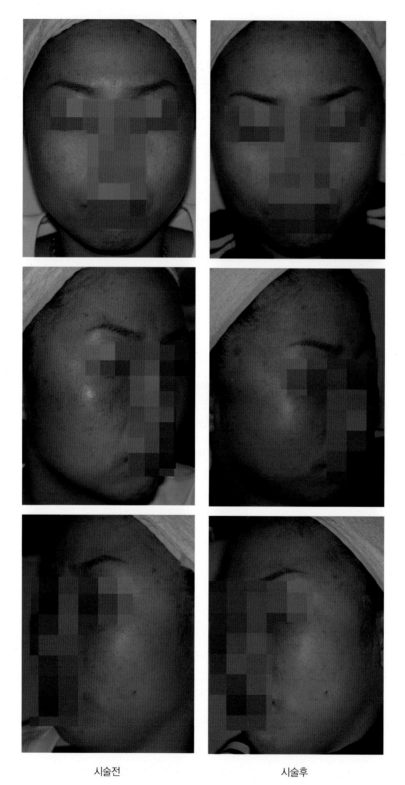

시술전　　　　　　　　　　　시술후

그림 19-17b. Aurora 시술 전후
1회의 시술로 주근깨와 여드름자국이 개선되고 피부톤이 밝아짐을 볼 수 있다.

하여 체모를 제거한다. IPL에서 발생한 열에너지와 고주파 에너지가 혼합되어 모낭에 전달되어 모낭이 파괴된다.

마) e-Light

Aurora로 시작된 고주파와 IPL의 결합은 더욱 다양한 스펙을 포함하는 e-Light로 최근에 이용되고 있다(표 19-4).

3. Infiltrative Fractional RF

레이저가 사용된 이후로 피부 리주버네이션의 역사적 발전단계를 살펴보면 맨 처음 레이저 필링이 대단한 아이디어였다. 당시로서는 레이저는 파괴를 위해 만들어진 장비인데 박피성레이저(탄산가스레이저나 어븀야그 레이저)로 피부를 박피한 후 상처가 치유되면서 재생되면 결과적으로 피부가 더 좋아진다는 것을 발견한 것이다. 그러나, 이런 레이저필링 오랜 down time으로 사용에 제한이 많았다. 이러한 레이저 필링에서 발전하여 표피는 파괴하지 않고 진피만 파괴하기 위해 나온 새로운 개념이 NAR, 즉 non ablative rejuvenation이다. NAR치료는 down time이 거의 없는 큰 장점이 있다. 하지만 NAR의 경우 치료 후 조직생검을 실시하여 관찰하면 레이저에 의한 열변성부위가 전혀 표시가 나지 않는다. 즉 박피성레이저에서 가능했던 coagulation, necrosis를 발생시키고 이것이 재생되면서 리주버네이션되는 효과는 NAR에서는 전혀 없었다는 뜻이다. NAR의 낮은 효과를 극복하고 레이저 필링의 효과를 보기 위해 만든 것이 fractional 레이저 이다. 프랙셔널 레이저에서는 시술 후 진피의 콜라겐변성이 조직검사에서 잘 관찰된다.

그러나 이런 변화를 심부 진피에 유도하기 위해서는 표피와 얕은 진피는 그 이상의 손상을 입게된다. 그러므로 fractional 레이저는 표피를 파괴하기에 NAR에 비해 다운타임이 길어서 치료 후 일주일 정도 불편함이 있다. 이런 상태에서 최근에 침투적 프랙셔널 고주파 치료가 소개되었다. 침투적 프랙셔널 고주파는 절연된 가는 침을 이용하여 피부 속으로 찔러 넣은 후 비절연된 침끝에서만 전기에너지가 나오게 된다. 그러면 fractional 레이저보다 더 강한 에너지를 전달하여 깊은 진피

표 19-4. e-Light system specifications

Application Heads	ST Skin Treatment	SR Skin Rejuvenation	SRA Advanced Skin Rejuvenation	AC Acne Treatment	DS Hair Removal
RF Energy	Up to 120 J/cm3	Up to 25 J/cm3	Up to 25 J/cm3	Up to 20 J/cm3	Up to 25 J/cm3
Light Fluence	Up to 10 J/cm2	Up to 45 J/cm2	Up to 45 J/cm2	Up to 18 J/cm2	Up to 45 J/cm2
Spectrum	700–2000 nm	580–980 nm	470–980 nm	400–980 nm	680–980 nm
Cooling	5℃ on skin surface				
Skin Impedence Control	Online				
Treated Area	12 x 8 mm	12 x 25 mm	12 x 25 mm	12 x 25 mm	12 x 25 mm
Pulse Repetition Rate	1.2 Hz	0.7 Hz	0.7 Hz	0.7 Hz	0.7 Hz

에는 조직손상을 주지만 표피는 파괴하지 않는 새로운 기법이다. 니들을 이용하여 니들 끝에서만 고주파 전기가 나오기 때문에 표피는 microneedling과 같은 효과만 있고(cold penetration)열은 발생하지 않으며, 진피 깊은 곳에만 deep dermal fractional heating을 유발하는 것이다. 일반적으로 침투적 프랙셔널 고주파는 바늘의 밀도가 microneedling 보다 낮아서(인트라셀의 경우 1cm²에 49개의 바늘) 프랙셔널 레이저나 microneedling보다 표피 손상이 적다. 이렇게 발생한 심부진피의 미세 조직괴사 부분은 진피재생과정을 거쳐서 콜라겐과 탄력섬유가 치료 전보다 더 많이 생성되게 된다. 이렇듯 침투적 프랙셔널 고주파는 프랙셔널 레이저에 비해 표피손상이 적어서 회복이 잘되는 장점이 있고, 깊은 진피에는 강한 에너지 전달이 가능하므로 새로운 치료법임은 분명하나, 실제로 임상적용에서 프랙셔널 레이저와 프랙셔널 고주파의 비교는 좀 더 시간을 두고 관찰하여야 하겠다. 프랙셔널 고주파의 needling으로 발생한 피부표면의 구멍은 수일 내로 해결되고, 진피에 남은 미세 괴사부분은 수개월에 걸쳐서 서서히 개선된다.

이런 침습적인 프랙셔널 고주파 치료는 외국에서는 e-Prime이 처음 소개된 기기이다. 국내에서는 최근에 침습적 프랙셔널 기기가 인트라셀을 필두로 많은 기기가 소개되었다. 필자는 인트라셀을 이용한 동물연구, 인체연구, 분자생물학적 연구 및 임상 연구를 소개한다.

가) 인트라셀

Intracel은 침습적 bipolar radiofrequency 치료기기이다. 이전의 고주파전기치료는 피부표면에서 고주파전기를 가하게 되므로 표피의 화상 염려로 인해 강한 에너지를 사용하는데 제한이 있다. 그래서, 예를 들어 써마지의 경우 시술 후 피부조직검사에서 진피의 콜라겐변성이 관찰되지 않을 정도의 상대적으로 약한 강도로 치료하게 된다. 물론 더 강한 치료로 더 많은 변화를 유도하고 싶은 욕구가 있으나 화상의 위험성은 항상 이런 시도를 위태롭게 하고 있었다.

그런데, Intracel은 바로 이런 소망을 실현시켜주는 기계라 할 수 있다. 니들을 이용하고 니들이 피부에 삽입된 후 절연되지 않은 침의 끝 부분에만 전기가 전달되어서 진피에 열을 발생시킨다. 또 Intracel은 전기침을 이용한 fractional RF이다. 치료의 결과는 바로 deep dermal fractional heating by fractional RF이다. 이와 동시에 Intracel 치료에서는 표피와 얕은 진피는 마이크로니들링 치료가 동시에 이루어져서 fractional treatment가 된다. 표피에 대한 손상은 최소화 하고 깊은 진피에 가장 강력한 치료를 시행하는 것이 fractional RF의 특징이라고 할 수 있다.

인트라셀은 모노폴라, 바이폴라, surface resurfacing RF(즉, sublative RF), 인트라젠(써마지와 같은 구동방식), 국소치료를 위한 작은 팁 사이즈, 비절연부위를 넓게 하여 보다 넓게 열손상을 전달하는 방식 등 다양한 치료가 가능하고, 임피던스를 체크하여 다음 치료에 보정하고 있다.

a) 기기의 구성

그림 19-18의 왼쪽 위가 치료팁의 사진이다. 치료팁은 1cm²에 49개의 팁이 설치되어 있다.

피부에 접촉된 49개의 니들이 피부에 삽입되고 니들의 윗부분은 절연이 되어 있고, 니들 끝부분의 비절연부위에서 전기가 통하게 된다.

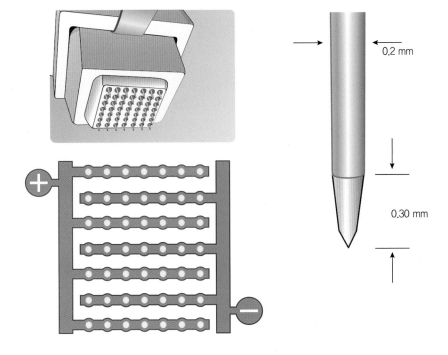

그림 19-18. Intracel 니들의 전기적 특성

피부에 접촉된 49개의 니들이 피부에 삽입되고 니들의 윗부분은 절연이 되어있고, 니들 끝부분에서만 RF가 통하게 됩니다. 치료팁은 49개의 니들로 구성되어있는데, 양극과 음극이 섞여있고, 전동모터에 의해서 49개의 니들이 동시에 피부에 삽입되게 됩니다. 니들 끝부분의 0.3mm 정도가 절연되지 않은 부분인데 절연되지 않은 부분에서 RF가 나가게 됩니다.

치료팁은 49개의 니들로 구성되어 있는데, 양극과 음극이 섞여있고, 전동모터에 의해서 49개의 니들이 동시에 피부에 삽입된다. 니들 끝부분의 0.3mm 정도가 절연되지 않은 부분인데 절연되지 않은 부분에서 RF가 나가게 된다. 2.0mm, 1.5mm, 0.8mm, 0.5mm 중 원하는 니들 길이를 선택하고 인트라셀 치료팁을 피부에 접촉시킨 후 shot을 하면 선택한 깊이만큼 자동모터에 의해서 니들이 피부 속으로 삽입된다. Shot을 하고 니들이 피부 속으로 완전히 삽입된 후에 RF가 인가된다. 치료강도는 필요에 의해서 조절이 가능하다. 치료강도는 waat와 pulse time의 조합으로 정해진 레벨로 치료하는 방식과, 치료자가 watt

와 pulse time을 자유롭게 조절하는 전문가방식 두 가지가 있다.

※ RF 전달이 끝나면 잠시 안전상 시간을 지체한 후 안전하게 니들이 인체로부터 제거 된다. RF는 인접한 전극 사이를 흐르게 되며 이 부분에서 콜라겐은 열변성을 일으킨다. 결과적으로 fractional deep dermal heating이 이루어진다.

b) 조직연구

① deep dermal fractional heating이 가능하다(그림 19-19).

고주파를 조직에 인가한 후 피부변화를 확인하기 위하여 조직검사를 시행하였다. 인체에 시술직

Human EL1

Pig EL2

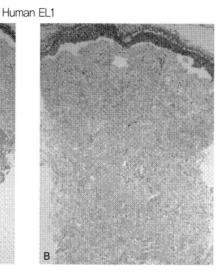
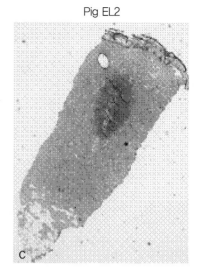

그림 19-19. deep dermal fractional heating by Intracel

A) immediately after treatment by energy level 1 in human skin
B) 14 days after treatment by energy level 1 in human skin
C) immediately after treatment by energy level 2 in pig skin

후와 14일 후, 돼지피부에 시술직후에서 콜라겐이 열변성 부위가 잘 확인되고 있다. 이런 변성부위는 주변의 정상조직과 잘 분리되어 있다. 콜라겐 변성부위는 깊은 진피에 형성되어있고, 그 위쪽의 상부진피와 표피에는 손상이 보이지 않고 있다. 너무 당연한 것 같으나 다른 기기에서 열변성부위가 정확히 보이지 않거나, 심부진파가 아닌 상부진피에 열손상이 있거나, 절연침을 사용한다고 하는데 표피가까이 열손상이 있는 등의 문제 있는 결과를 많이 보면 당연한 이 결과를 달성하는 것이 당연한 것으로 생각되지는 않는다.

② 조직괴사는 시간이 지나면서 재생된다(그림 19-20).

시술 2일 후의 조직사진. 보라색으로 염색된 부분이 coagulation 지역이다. 응고성 변성 주변에 염증세포의 침윤이 아주 경미하게 관찰된다.

시술 14일 후에는 염증세포의 침윤이 관찰되며 matrix metalloproteinase의 작용에 의해서 콜라겐이 약간씩 분해되는 모습이 보인다. 시술 28일 후에는 일부 young fibroblast의 증식이 관찰되며 상당 부분이 새로운 콜라겐으로 대체되었다. 변성 부분이 일부에서 아직 관찰된다. 70일 후에는 전체 treated area가 neocollagenesis에 의해서 완전히 대체되고 있다.

그림에 포함되지 않은 HSP47염색소견을 보면 치료직후에는 별로 발현되지 않으나 14일이 지나면서 조직염색에서 보이기 시작하고 28일 70일에는 열손상 받은 주위 전체 진피에 발현되어있어서 콜라겐재생에 역할을 하는 것을 볼 수 있다.

일반적으로 레이저박피 후에 나타나는 재생과정과 달리 콜라겐의 재생이 수개월에 걸쳐서 일어남을 알 수 있었다. 표피손상이 별로 없이 심부진피에 주로 손상이 발생한 경우 재생에 수개월이 걸림을 알 수 있었다. 임상적으로 치료 후 효과가 수개월에 걸쳐서 서서히 나타나는 것과 관련이 있을 것으로 생각한다.

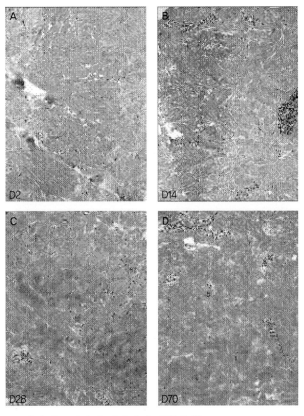

그림 19-20. 조직괴사는 시간이 지나면서 재생된다(energy level 2 in human skin)
시간이 지나면서 시술 부위의 콜라겐이 새로운 콜라겐으로 대체되는 모습을 관찰할 수 있다.
A) 2 days after treatment, B) 14 days after treatment, C) 28 days after treatment, D) 70 days after treatment

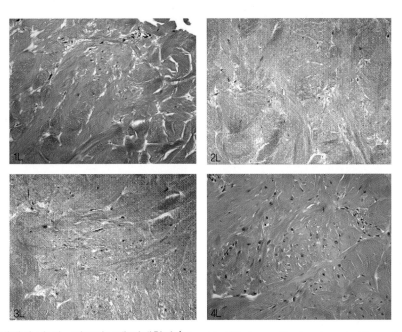

그림 19-21. 조직재생의 강도는 치료강도에 비례한다 (pig skin 70 days after treatment with various energy level)
에너지가 올라가면 fibroblast 숫자가 증가하여 cellularity 숫자도 증가하는 Hyperplastic response를 보다.

③ 조직재생의 강도는 치료강도에 비례한다(그림 19-21)

여러 에너지 레벨로 실험을 해보니 에너지 레벨에 따라서도 repair 양상이 다르게 나타난 것을 알 수 있었다.

관찰 결과 low 에너지 레벨에서는 fibroblast 숫자는 증가하지 않고 콜라겐 fiber들만 두꺼워지는 Hypertrophic response를 보이는 반면에 좀 더 에너지가 올라가면 fibroblast 숫자가 증가하여 cellularity숫자도 증가하는 Hyperplastic response를 보인다.

에너지 레벨에 따른 tissue repair 과정을 면역화학염색인 HSP47로 관찰하였다.

HSP47로 레벨 3과 4를 비교해 보면 컬럼 즉 전극에 의해 컬럼이 생겼던 부분인데, HSP47이 많이 발현이 되고 있고 그 사이 진피에도 플러스 1이 발현된 반면, 4레벨에서는 전극 사이 진피에서 두배 더 많은 HSP가 발현되고 있다.

이는 곧 에너지 레벨이 증가하면 콜라겐의 합성이 치료받은 컬럼 사이에서 증가하는데 에너지 레벨이 높을 때 전반적인 유도가 크다는 것을 의미하고 있다. wound repair에서 cell이 늘어나는 경우에 그 효과가 장기적으로 지속되는 것이 일반적이라고 하므로 부작용이 없고 다운타임이 짧다면 가능한 한 높은 에너지 레벨로 시술하는 것이 좋다는 소견을 보여주고 있다.

④ 치료하지 않은 깊이에서는 콜라겐재생의 변화가 관찰되지 않는다(그림 19-22).

얕은 부분만 치료해도 그 영향으로 깊은 곳까지 neocolagensis이 유도될까하는 의문이 늘 있다. 이는 비단 침습적 프랙셔널 고주파뿐 아니라 여러 종류의 프랙셔널 레이저 치료에도 해당된다. 이를 확인하기 위하여 필자는 치료 후 HSP47의 발현현상을 조사하였다. HSP47은 콜라겐합성의

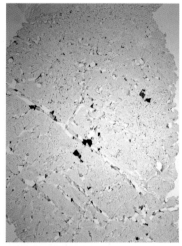

Pig D70 3L HSP47

그림 19-22a. 치료하지 않은 깊이에서는 콜라겐재생의 변화가 관찰되지 않는다

70일 후 3레벨에서의 모습이다. H&E stain에서 Coagulation Column이 만들어진 2부분이 관찰된다. HSP47 염색에서는 같은 부위에 HSP47발현이 잘 관찰되나, 치료한 깊이보다 더 깊은 곳에서의 HSP47의 발현은 보이지 않는다. HSP47은 collagen chaperone으로 procollagen의 amino terminal과 carboxyl terminal을 잘라내고 붙여서 콜라겐의 길이를 길게하는 elongation 역할을 하는 것으로 콜라겐 합성을 증명하기 위해 많이 연구되는 유전자이다.

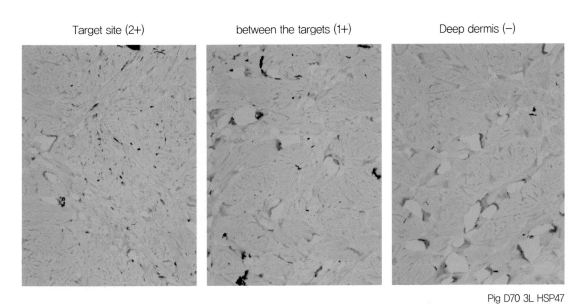

Target site (2+)   between the targets (1+)   Deep dermis (−)

Pig D70 3L HSP47

그림 19-22b. 치료하지 않은 깊이에서는 콜라겐재생의 변화가 관찰되지 않는다

HSP47은 target site(coagulation necrosis 부위)에서는 target 사이보다 2배 더 많이 발현되었으며 시술 부위 보다 깊은 부위에서는 관찰되지 않았다. 이것은 콜라겐 데미지 보다 더 깊은 곳에서는 변화를 유도하지 못할 가능성이 높다는 것을 의미한다.

chaperone 단백질로서 HSP47이 발현된다는 것은 곧 콜라겐합성이 증가되어있다는 것을 시사한다. 그림 19-22A은 EL3으로 치료한 후 70일 후의 HSP47염색 결과이다. 열손상 Column이 만들어진 부분보다 더 깊은 곳에서의 HSP47의 발현은 보이지 않는다. 그림 19-22B에서는 EL3으로 치료한 후 70일 후에 HSP47은 열변성부위에서 가장 많이 발현하고, 그 열변성 사이의 진피에서 발현하나, 그보다 더 깊은 부위에서는 발현하지 않음을 볼 수 있다. 즉, 1.5mm로 시술하면 2.0mm에서의 HSP47의 발현은 관찰되지 않았다는 것을 시사한다. 즉 깊은 병변을 치료하기 위해서는 치료를 깊이 하여 한다. 이런 목적에 맞게 치료하기에는 치료침의 길이를 자유롭게 선택할 수 있는 침습적 프랙셔널 고주파가 좋은 방법임을 알 수 있다.

c) 분자생물학 연구(그림 19-23, 표 19-5)

콜라겐 재생과 관련하여 일어나는 일련의 변화를 관찰하기 위하여 molecular study를 진행하였다. 인트라셀 시술 후 70일 동안의 분자생물학적 변화를 RT-PCR을 통해서 확인해보았다. RT-PCR은 mRNA를 DNA로 변화시켜 PCR을 통해 증폭하여 측정함으로서 mRNA 발현의 양적변화를 간접 측정하는 방법이다. 각각 2level과 3level에서 13개 유전자 발현 양상을 확인 할 수 있다. Procollagen 1과 3, fibrillin, tropoelastin의 발현이 70일 동안 증가하는 것을 통하여 각각 새로운 콜라겐과 엘라스틴이 만들어지고 있음을 증명할 수 있었다. 또한, HSP47의 발현을 통해서도 콜라겐의 생성을 확인할 수 있다. HSP47은 collagen chaperone으로 procollagen의 amino terminal과 carboxyl terminal을 잘라내고 붙여서 콜라겐의 길이를 길게 하는 elongation 역할을 하는 것

House Keeping Gene

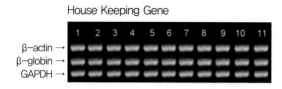

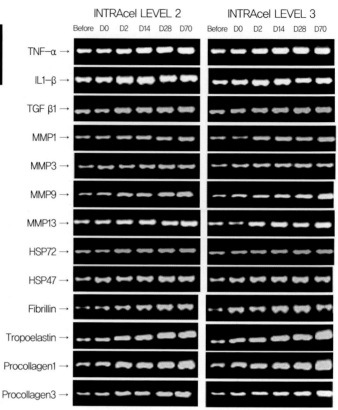

그림 19-23. Intracel 시술 후 분자생물학적 변화 연구

인트라셀 시술 후 70일 동안의 분자생물학적 변화를 RT-PCR을 통해서 확인해보았다. 각각 2 level과 3 level에서 13개 유전자 발현 양상을 확인 할 수 있다. Procollagen 1과 3, fibrillin, tropoelastin의 발현이 3개월 동안 증가하는 것을 통하여 각각 새로운 콜라겐과 엘라스틴이 만들어지고 있음을 증명한다. 또한, HSP47의 발현을 통해서도 콜라겐의 생성을 확인할 수 있다. RT-PCR 연구를 통해서 엘라스틴과 콜라겐이 합성, 증가됨을 분자생물학적으로 보여주고 있다.

표 19-5. Intracel 시술 후 분자생물학적 변화 연구(energy level 2)

RT-PCR을 이용하여 mRNA 발현을 연구하였다.

	2L					
	Baseline	1,5 2L D0	1,5 2L D2	1,5 2L D14	1,5 2L D28	1,5 2L D70
TNF-a	0.32	0.35	0.42	0.4	0.46	0.47
IL-1ß	0.26	0.37	0.32	0.35	0.39	0.38
TGF-ß1	0.39	0.35	0.48	0.42	0.48	0.5
MMP-1	0.26	0.37	0.32	0.36	0.32	0.39
MMP-3	0.31	0.26	0.36	0.39	0.38	0.39
MMP-9	0.43	0.48	0.83	0.87	0.92	0.98
MMP-13	0.41	0.36	0.64	0.67	0.82	0.87
HSP72	0.62	0.72	0.56	0.52	1.28	1.53
HSP47	0.51	0.55	1.18	1.15	1.45	1.64
Fibrillin	0.84	0.94	1.23	1.21	1.38	1.34
Tropoelastin	0.27	0.32	0.85	0.82	1.03	1.14
Procollagen1	0.67	0.92	1.16	1.18	2.15	2.21
Procollagen 3	0.74	0.81	0.98	1.02	1.28	1.2

Relative expression was calculated as the ratio of the expression level of the gene of expression level of house keeping genes(ß-actin, ß-globin, GAPDH) at each particular time point. For each gene, the mean ± stanard error(SEM) for 13 samples is shown as ratio units of relative expression.

으로 콜라겐 합성을 증명하기 위해 많이 연구되는 유전자이다. 이런 콜라겐 재생의 변화가 조직학적 연구와 일치하게 시간이 지나면서 서서히 진행되고 있음을 알 수 있다.

d) 임상

전술한 대로 인트라셀을 이용하면 다양한 니들 길이를 선택함으로써 치료깊이를 다양하게 결정할 수 있다. 치료하고자 하는 목적에 맞게 다양한 깊이의 치료를 할 수가 있다.

① multi-layer 치료(그림 19-24)
타이트닝 치료를 위해서 중간 깊이의 진피는 바이폴라로 강하게 치료하고, 심부진피는 모노포라

를 이용하여 더 광범위하게 열변성을 유도하면 전체적인 neocollagenesis를 유도한다.

리주버네이션을 위해서 조합을 한다면 중간 깊이 진피는 바이폴라로 치료하고, 얕은 진피는 모노폴라로 치료할 수 있다. 이 경우 모노폴라를 이용하는 이유는 타이트닝의 경우와는 달리 약한 열변성을 가하고, 쉽게 회복되어 부작용이 없게 하고 전반적으로 광범위한 재생을 유도하기 위함이므로 이 경우는 상대적으로 약하게 모노폴라 치료를 하게 된다.

이러한 다양한 치료를 이용한 각 치료대상별 파라미터는 표 19-6에 정리하였다. 이 파라미터는 절연침을 사용하는 다른 침습적 프랙셔널 고주파 치료에서 참조할 수가 있겠다.

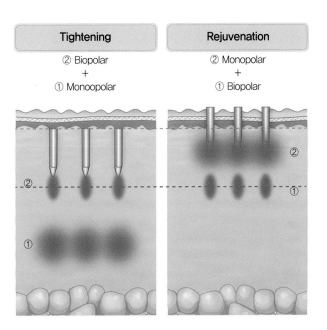

그림 19-24. Multilayer treatment with infiltrative radiofrequency

Here is one example how we can combine various needle depth, monopolar and biopolar. For tightening treatment, we can combine bipolar in mid-dermis and monopolar in deep dermis The monopolar in deep dermis is expected to have widespread stimulation. I mentioned earlier that monopolar tends to spread widely. For superficial rejuvenation, we can combine monopolar in superficial dermis and bipolar in mid-dermis. The monopolar in superficial dermis is adopted to have mild stimulation in this depth with superb safety.

표 19-6. 인트라셀의 다양한 파라미터

condition			option	needle depth/ bi-mono	energy level	Pass	interval
Rejuvenation	Eyes(periorbital)		Option 1	0.5B	4	1	4~6 weeks
				0.5M	6	1	
			Option 2	SRR	5,6	1	
	Forehead			0.5 B	4	1	
				0.8B	4	1	
	Cheek			0.8 B	4	1	
				0.8 M	6	1	
				1.5 B	4	1	
	Neck			0.5 B	4	1	
				0.8B	4	1	
	Lip (Peri-Oral)			0.5B	4	1	
				0.5M	6	1	
	Nose			0.8 B	4	1	
				0.5 B	4	1	
	Specific Zone	Crow's feet		0.5-0.8 B	3,4	2	
				Sublative		1	
		Perioral rhytids		0.5-0.8 B	3,4	2	
				Sublative		1	
		Nasolabial folds		1.5 B	5,6	2	
For intensive rejuvenation for very severe photodamaged cheek				1.5 B	5,6	1	
				0.8 B	3,4	1	
				0.5 B	3,4	1	
				2.0 M	6,7	1	
Pore treatments	Cheek			0.5 B	5	1,2	
				0.8 B	5	1,2	
	nose (Alar part)			1.5 B	6	1	
				0.8 B	4,5	1,2	
	glabella			0.8 B	4	1	
				0.5 B	4	1	
	mentum			0.5 B	4	1	
				0.8 B	4	1	
Active acne				0.8 B	4	1	
				1.5 B	4	1,2	
Acne scarring Cheeks				0.5 B	4	1	
				0.8 B	4,5	1	
				1.5 B	4,5,6	1	
Acne scarring on body areas, backs, arms etc				0.5 B	5	1,2	
				0.8 B	5	1,2	
Stretch marks Red stretch marks better White stretch marks require more treatments				0.8 B	4	1	6 weeks
				1.5 B	4,5	1	
Decolletage (Pass)				1.5 B	4	2~3	
				0.8 M	4	2	
Hand rejuvenation (Pass)				0.8 B	4	1	
				0.5 B	4	1	
Telangiectasia (Pass)				0.5 B	3	1~2	
				0.8 B	4	1	

- 레벨 5이상 일 때는 초보자 일 경우 Auto mode에서 0.6 ~ 0.8초 이상 인터벌 권장
- Peri-Orbital 에서는Stacking(SRR) 시술 도 추천함.
- 초보자들은 권장하는 시술 파라미터에서 한 에너지레벨 낮추어서 시작하기를 권함
- 시술방법은 예를 들어 뺨의 모공을 치료시 bipolar 0.5mm로 L5로 1~2 패스 실행후 bipolar 0.8mm L5로 1~2 패스 실행하면 된다.

② 리주버네이션(그림 19-25)

침습적 고주파 치료는 일반적으로 비박피성 프랙셔널 레이저와 효과와 부작용을 비교할만하다. 왜냐하면 두 치료가 모두 수일 정도의 피부홍반을 동반하며, 딱지는 보통 발생하지 않는 치료이므로 down time이 비슷한 치료이기 때문이다.

박피성 프랙셔널 레이저가 더 효과가 있을 수 있으나, 딱지 발생, 색소침착 등의 위험성이 더 크므로 침습적 고주파 치료와 비교하지 않겠다.

침습적 고주파 치료는 비박피성 프랙셔널 레이저에 비해서 상대적으로 표피와 상부진피의 손상이 적고 깊은 진피의 열변성을 유도한다. 이런 이유로 부작용 측면에서는 비박피성 프랙셔널 레이저에 비해서 장점이 있다. 침습적 고주파는 상대적으로 피부가 잘 붉어지거나, 예민하거나, 현재 피부염이 있는 등의 문제성 피부에 적용하기에 비박피성 프랙셔널 레이저보다 안전한 면이 있다. 침습적 고주파 치료 후 홍반기간이 비박피성 프랙셔널 레이저보다 짧고, 비박피성 프랙셔널 레이저 후 가끔 발견되는 홍반이 아주 오래가는 경우가 별로 없고, 색소침착의 가능성도 적다.

침습적 고주파 치료의 일반적인 단점으로 지적되는 것은 비교대상인 다른 치료에 비해 시술시 통증이 많은 점이다.

③ 흉터(그림 19-26)

흉터의 병변의 깊이는 흉터 종류에 따라 다르나, 깊은 흉터가 있는 경우에 니들 길이를 선택하여 병변이 있는 깊이를 직접 치료할 수 있는 장점이 있다. 여드름 흉터의 경우 특징적인 깊이가 1mm라는 보고도 있는데, 이 경우 0.8mm, 1.5mm 등의 니들길이를 선택하여 병변 깊이에 직접 치료가 가능하다. 이는 침습적 고주파 치료이기에 쉽게 가능한데, 레이저 치료의 경우 깊은 부위를 치료하기

위해서는 fluence를 증가시켜야 하고, 그러면 표피에서는 강한 반응이 일어나서 부작용의 가능성이 높아지나, 침습적 고주파는 심부의 반응이 심해도 표피부분은 차이가 없으므로 안전한 면이 있다.

흉터의 치료에서 침습적 고주파는 깊은 부위를 안전하게 치료하고, 표면의 texture 변화는 얕은 변화를 유도하는 프랙셔널 레이저를 병행치료 하여 더 좋은 효과를 노릴 수 있다.

④ 여드름(그림 19-27)

여드름의 치료시 침습적 고주파의 효과가 알려져 있는데, 그 치료기전에 대해서는 잘 연구된바가 없다. 침습적 고주파도 다른 여드름 치료 레이저들처럼 진피에 열을 발생함으로 이로 인한 변화가 여드름에 치료효과를 보인다고 생각할 수도 있다. 또한 가지는 침습적 고주파의 경우 무작위로 여러 번 니들이 피부에 삽입되는 동안에 여드름 염증으로 커진 피지선에 삽입되는데 이때 피지선의 기름은 전기저항이 커지고, 주변 진피는 전기저항이 적으므로 이런 상태에서 바이폴라고주파 전기회로가 형성되면 피지선부분에서 열이 많이 발생하고, 피지선의 파괴, 위축이 일어나므로 여드름치료에 좋은 효과가 있을 수 있다는 주장이 있다.

⑤ 혈관확장(그림 19-28)

침습적 고주파 니들이 혈관에 삽입된 경우 두 바이폴라 전극사이의 저항은 혈관을 통과하여 전류가 흐를 때 가장 적게 된다. 그렇다면 이런 상태에서 전류는 혈관을 따라서 흐르게 되고, 혈관에 열이 발생하고 응고가 일어나서 혈관확장이 치료된다. 실제 무작위로 여러 번 삽입되는 동안 이렇게 혈관이 응고되어서 혈관치료효과가 있음이 보고되고 있다.

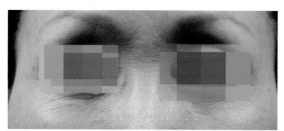

Before Treatment

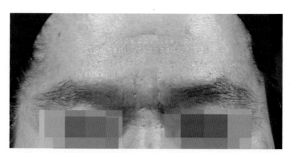

Before Treatment

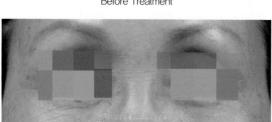

60Days after 1st Treatment

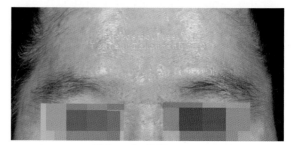

36days after 3rd Treatment

58, Female
1st treatment 01/08/2009
2nd treatment 03/09/2009
Full face : Bipolar Level 2 – 1.5mm, 1pass
Wrinkle : Bipolar Level 2 – 0.8/1.5mm, 2–3pass
Courtesy of Dr. Takashi Takahashi, Japan.

38, Male
1st treatment 02/10/2009
2nd treatment 03/12/2009
3rd treatment 04/28/2009
4th treatment 06/04/2009
Full face : Bipolar Level 3 – 0.8/1.5mm, 1/2 overlap
Courtesy of Dr. Takashi Takahashi, Japan.

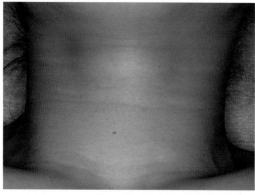

Before Treatment

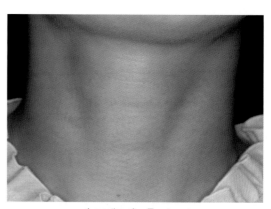

4 months after Treatment

33, Female
1st Tx : Bipolar Level 3 – 0.5mm, 2pass
　　　　　　　　　　　 1.5mm, 2pass
　　　　　　　　　　　 0.8mm, 2pass
(on the thyroid : 0.5mm & 0.8mm only)
Courtesy of Dr. Ayako Ito, Japan.

그림 19-25. Intracel을 이용한 리주버네이션

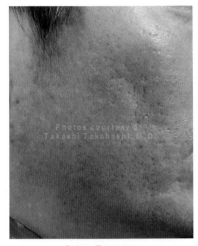

Before Treatment

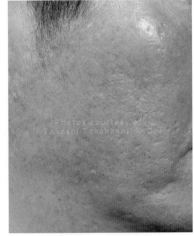

Before 4th Treatment

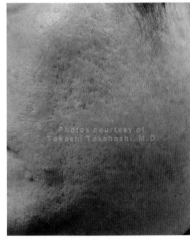

Before Treatment

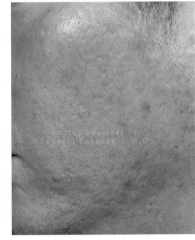

Before 4th Treatment

38, Male
1st treatment 02/10/2009
2nd treatment 03/12/2009
3rd treatment 04/28/2009
4th treatment 06/04/2009
Full face : Bipolar Level 3 – 0.8/1.5mm,
1/2 overlap
Courtesy of Dr. Takashi Takahashi, Japan.

그림 19-26. Intracel을 이용한 흉터치료

나) 여러 프랙셔널 고주파기기의 비교

침습적 프랙셔널 RF를 이용한 치료는 가장 표준적인 것이 절연침을 이용하여 피부 속으로 삽입하고 비절연된 침끝에서 전류가 나와서 심부진피에 열변성을 유도하는 치료이다. 이런 공통분모를 갖는 여러 프랙셔널 고주파 치료기기에 대하여 표 19-7로 정리하였다. 인트라셀뿐 아니라 다른 기기들도 공통적인 방법을 이용하므로 인트라셀의 치료 방법이 참조가 될 수 있으나, 구체적으로는 침의 굵기, 절연방법, 침의 숫자, 삽입 방식 등 차이가 있다.

다) 변형된 치료기법

프랙셔널 고주파 치료는 정통적으로는 절연된

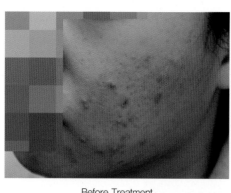

Before Treatment

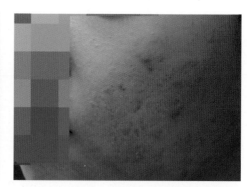

1 month after Treatment

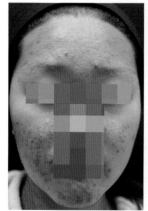

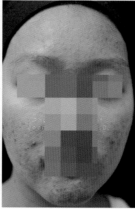

Before Treatment   After 3rd Treatment

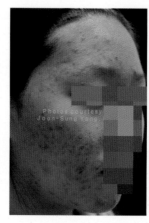

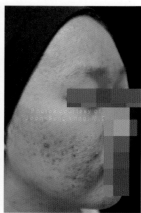

Before Treatment   After 3rd Treatment

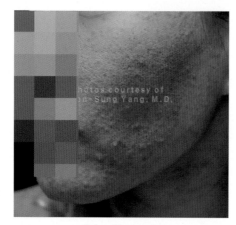

Before Treatment

After 2nd Treatment

그림 19-27. Intracel을 이용한 여드름 치료

According to Korean doctor's experience, Pustular and nodulo-cytic acne respond more readily to intracel treatment. Comedonal acne is less responsive. So patient who has both active acne and acne scar is the best candidate for intracel. (Courtesy of Dr. Joon-sung Yang, Jeju, Korea)

Case 1

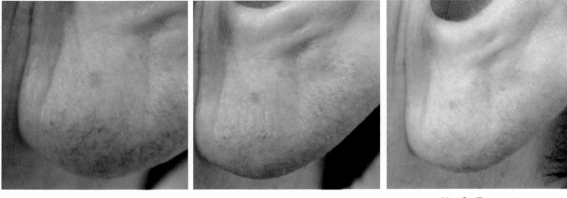

Before Treatment　　　　　After 1st Treatment　　　　　After 2nd Treatment

Microscope Pictures ▶

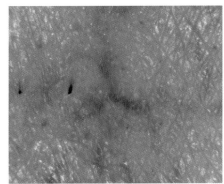

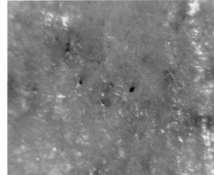

58, Female
1st Earlobe Tx : Bipolar
Level 5 - 0.5/1.5mm,
2pass
2nd Earlobe Tx : Bipolar
Level 5 - 0.8/2.0mm,
2pass

Before Treatment　　　　　Immediate After 1st Treatment

Case 2

55, Male
1st Tx : Bipolar Level 5 -
1.5mm, 2pass
0.5mm, 2pass
2.0mm, 2pass
Total 330shots
2nd Tx : Bipolar Level 5 -
1.5mm, 2pass
0.8mm, 2pass
2.0mm, 2pass
Total 133shots

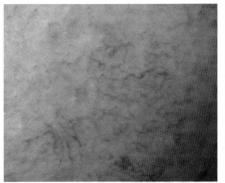

Before Tx　　　　　11weeks after 1st Tx

그림 19-28. Intracel을 이용한 혈관확장의 치료

Can telangiectasia be treated with intracel? When the microneedles are directly in contact with dilated vessels, the vascular channel can connect neighboring electrodes. In that case, the electric current flow mostly through the vascular channel. And the dilated vessels are heated. Actually we can observe the effect of intracel on telangiectasia.(Courtesy of Dr. Ayako Ito, Japan.)

표 19-7. 프랙셔널 고주파 기기의 비교

	e-Prime	DeAge	SCARLET	INFINI	INTRAcel
Product	USA, Syneron	Korea, DSE	Korea, Viol	Korea, Lutronic	Korea, Jeisys medical
Needles	5 pair (10)	36	1~25	49	49(21, 7)
Insulation	Insulated	Insulated (Only not sure)	Non- insulated	Insulated	Insulated
Needle Length	4mm	0.1~4mm	0.5~3.5mm	0~3.5mm	0.5, 0.8, 1.5, 2.0 mm
Hz	1MHz(?)	1MHz	2MHz	1MHz	1MHz
Needle insertion	Automatic	Automatic (motor)	Automatic (motor)	Automatic (motor)	Full Automatic (solenoid)
Insert Angle	20°	90°	90°	90°	90°
RF duration	1~7s	1~4s	0.1~0.8s	0.1~1s	0.04~5s
Impedence checking	O	X	X	X	O
Photo					

침을 삽입하여 피부 표면에는 열손상이 없고 심부 진피에 프랙셔널하게 열손상을 일으키는 것을 목표로 한다. 이런 표준적인 치료법에서 여러 변형된 방법이 개발되었는데, 소개하면 다음과 같다.

a) 한 플레인을 치료

그림 19-19에서 보이는 전형적인 프랙셔널한 열 변성이 아니고 깊은 진피의 한 면(플레인)에서 넓게 조직괴사를 유도하여 더 많은 변화를 일으키려고 하는 방식도 사용할 수가 있다. 이런 방식은 효과가 큰 반면 시술이 힘들고 부작용의 가능성도 커질 수 있다.

b) 비절연침의 사용

또, 비절연된 침을 이용하여 피부표면에도 손상을 주는 방법도 있는데, 일반적으로 프랙셔널 고주파 치료가 표피와 상부진피의 손상을 최소화하고 fractional deep dermal heating을 목적으로 하는 것이므로, 일반적인 목적에는 부합하지 않는 방법으로 보이며, 오히려 프랙셔널 레이저 치료와 유사한 치료방식으로 생각된다.

c) sublative 방식의 치료

여전히 프랙셔널 방식이지만 피부 속으로 침투하지 않고 표면의 변화를 주로 유도하는 방법 등이 피부표면의 더 많은 변화를 유도하기 위해 이용되기도 한다. 이는 곧 별도로 설명하기로 한다.

4. Sublative RF

sublative RF는 박피성 프랙셔널 레이저처럼 피부표면에 프랙셔널한 ablation이 발생한다. 프랙셔널 레이저와 달리 sublative라고 하는 이유는 고주파전기의 특성상 표면보다 상부진피에 ablation의 범위가 조금 더 큰 sublative한 변화를 만들기 때문이다(그림 19-29). 그러므로, sublative RF 시술 후 딱지가 발생하고 눈에 띄게 되므로 다른 침습적 프랙셔널 고주파에서 딱지 발생 없이 홍반만 수일 지속되는 것과 차이가 있다. sblative RF는 이렇게 down time이 길어진 대신 표피와 얕은

진피부분의 더 큰 변화를 유도할 수 있어서 피부표면의 질감 개선, 잔주름 제거, 모공축소 제거 등 일반적 리주버네이션 용도로 이용되고 있다.

외국 기기로는 시네론 사의 e-Max가 대표적이고 국내에서도 sublative mode를 추가하는 침습적 프랙셔널 고주파 기기가 있다(그림 19-30). sublative mode에서는 피부 속으로 바늘이 침투하지 않고, 표면에서 여러 개의 전극사이에서 bi-polar 형식으로 가까운 전극으로 전기가 흐르게 된다. 그림 19-30에서 보면 인가하는 에너지를 증가함에 따라 sublation의 정도가 증가함을 볼 수 있다.

Ablative Fractional Laser

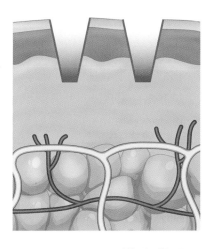

Sublative RF

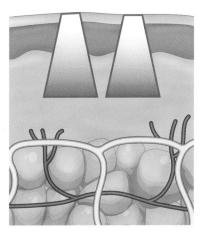

그림 19-29. Sublative radiofrequency

In ablative fractional laser treatment including CO2 and Er:YAG laser, the damage in skin surface is greater than the damage in superficial dermis. In laser treatment photons are absorbed to the tissue as they go through the skin from the surface to the bottom of dermis. So deeper area has less laser tissue reaction. In sublative readiof-requency treatment compared to small size of damage at the surface, relatively larger area can be heated. So it is called sublative treatment.

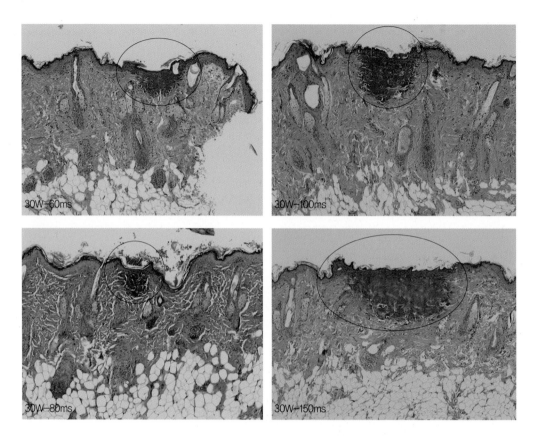

그림 19-30. Intracel의 sbublative 팁을 이용한 동물실험

This slide shows histologic changes induced by SRR(surface resurfacing RF) of Intracel. At the same 30watts, we can get larger area of damage by increasing the pulse duration. In real treatment we can control the intensity of treatment by the energy level.

IV. 고주파 조직파괴술

1. 고주파 교근 축소술

보툴리눔 독소를 이용한 사각턱 축소 치료는 1994년 외국에서 디스포트를 이용한 치료결과가 먼저 발표되었다. 한국인의 미적기준에서 보면 사각턱은 부정적인 미적 요소로 작용하므로, 외국발표 이후 한국에서 사각턱치료에 대한 많은 시술과 국제적 발표가 있었다. 이 분야에서 만큼은 한국 표준이 국제 표준으로 자리 잡은 느낌이다. 최근의

한국 보고에 따르면 보툴리눔 독소로 시술한 후 근육두께는 3개월 후에 평균 31% 정도 감소하였다. 근육의 씹는 힘은 시술 후 1-2주에 약해졌다. 한번 시술로 최대의 효과는 10-12주 후에 관찰되며 3-4개월이 지나면 다시 근육의 힘이 살아난다. 그래서 3 내지 7개월 후에 다시 시술을 받는 것이 권장된다. 이후 2년 경과 후에 40% 정도의 환자들은 결과에 만족하고 있다. 그러나 결과에 만족하지 못하는 환자들의 경우는 좀 더 장기적인 효과가 있는 시술을 원하게 된다.

이러한 점에서 고주파를 이용한 교근 축소술이

관심을 모으고 있는데, 이는 근육세포 파괴를 통하여 근육이라는 조직의 양 자체를 줄이는 시술로서 그 효과가 반영구적으로 지속될 수 있다는 이론적 배경을 가지고 있기 때문이다. 고주파를 이용한 조직의 축소는 현재 코골이, 비갑개비대증(nasal turbinate hypertrophy), 추간판탈출증 치료에도 적용되고 있다. 축소시키고자 하는 조직 속에 국소마취 하에 고주파 침을 삽입하여 조직을 응고시키는데, 고주파 즉 RF energy에 의하여 열이 발생하게 되며 이로 인해 주변조직의 응고가 이루어져 조직이 파괴된다. 이 시술은 이론적으로 볼 때 사각턱 보톡스 시술에 비해 장기적인 효과의 유지

가 예상된다. 간단한 장비만 있으면 개원의가 충분히 시술할 수 있는 실기이고 초기 비용 외에는 시술 원가가 매우 적다는 점이 장점이다. 또한 고주파를 이용한 조직의 축소를 다른 분야에도 응용할 수도 있다.

교근 축소술은 사각턱의 한 원인이 되는 교근 비대에 대해 고주파를 이용해 그 근육세포를 파괴하여 크기를 줄여주는 시술로서 그 효과가 영구적이며 절골술 등에 비해 시술 후 합병증도 적어 최근 각광받고 있다. 일반적으로 교근은 저작 운동을 담당하는 근육으로 4각형 형태이다. 얕은 부위와 깊은 부위 등 두 가지 부위로 구성되어 있으며 얕은

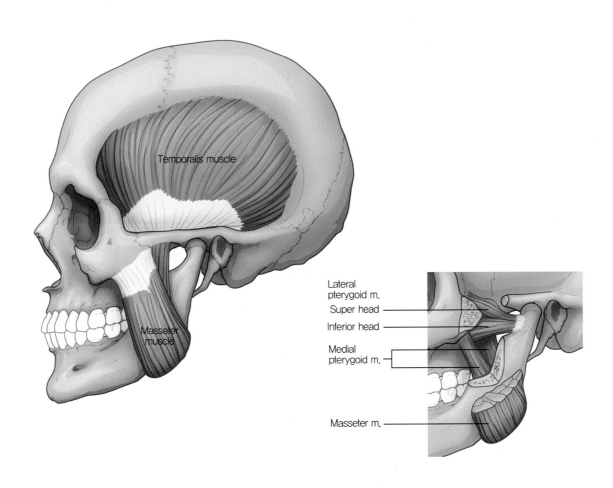

그림 19-31. 교근 축소술과 관련된 해부학적 구조물

부위는 크기가 크고 후하방으로 주행한다. 그 기시부는 상악골의 관골 돌기 및 관골궁 하연의 앞 1/3 부위이며 부착부위는 하악 각부 및 하악지 외측면 하 1/2 부위이다. 깊은 부위는 크기가 보다 작으면서 전하방으로 주행한다. 그 기시부는 관골궁 내면 전부 및 관골궁 하연의 뒤 1/3 부위이고 하악 근육 돌기의 외측면 및 하악지 상 1/2 부위에 부착한다. 신경지배는 삼차 신경중 하악 신경의 교근 가지가 담당한다(그림 19-31).

환자를 관찰할 때는 교근의 비대가 뚜렷한지 꼭 확인해야 하는데, 이는 어금니를 물 때 턱 각부가 단단한 느낌이 드는지를 살펴보면 알 수 있다. 마취는 구강 경로를 이용한 국소마취로 충분하며 시술 시간도 한쪽 부위를 시행하는데 20분 정도로 매우 짧다. 먼저, 환자를 앉힌 상태에서 귓불과 얼굴이 만나는 접점과 입술 모서리를 연결한 선(교근을 상악과 하악으로 나누는 선임)을 긋고 그 하방 부위에 교근의 전방 경계선, 하악골 하연, Parotid line(하악각에서 시작하여 교근의 전방경계선과 평행한 선)을 표시한다. 특히 Partotid line은 이하선과 안면신경의 손상을 피하기 위하여 고안된 선으로 수술중 이 선 후방 부위는 손상시키지 않도록 주의해야 한다. 디자인이 끝나면 환자를 누이고 베타딘으로 구강 내 소독을 시행한 뒤 국소마취제로 시술 부위를 마취한다. 구강을 통해 고주파 기기의 Probe를 삽입한다. 이 Probe는 끝 부분에만 고주파가 전달되도록 절연이 되어 있는 상태로 삽입 시에 안면신경의 손상을 최소화하기 위해 하악골에 최대한 밀착하여 교근의 바닥 쪽에서 열이 가해지도록 한다. 시술은 한 줄에 3~4초 정도씩 응고되도록 여러 방향으로 여러 줄 시행하며 한 줄 응고 후에는 Probe의 끝단 전극 부위의 이물질을 알코올 등으로 깨끗이 닦고 다음 시술을 하는 것이 중요하다. 시술이 끝나면 거즈로 수분 정도 압박을 시행하면 모든 술기가 끝난다(그림 19-32).

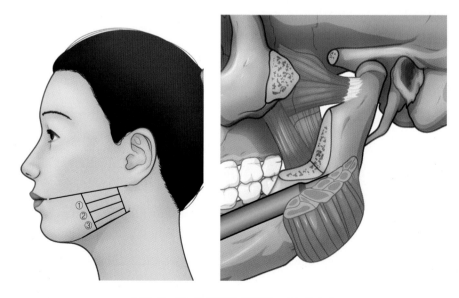

그림 19-32. 고주파를 이용한 교근 축소술
①②③라인에 고주파 probe(녹색고주파 probe가 뼈와 근육 사이에 삽입된 모습. 우측그림)를 삽입하여 고주파를 인가한다.

2. 고주파 종아리 축소술

비대한 종아리 근육이나 그 근육을 지배하는 운동신경을 고주파를 이용해 파괴하는 시술로서 이전의 근육 절제술보다 반흔도 적고 회복 기간도 짧아 침습적인 수술을 대체한 상태다. 일반적으로 종아리 축소술은 지방 축적이 원인인 경우에는 지방 흡입술을 시행하고 근육(비복근)이 비대한 경우에는 근육 파괴 술식이나 신경 파괴 술식을 시행하고 있다. 근육 파괴 술식으로는 절개식 비복근 절제술(완전 또는 부분), 내시경적 비복근 절제술, 고주파를 이용한 근육 파괴술 등이 있으며 신경 파괴 술식으로는 경골신경의 내외측 비복근 가지에 대해 절개식 신경 차단술을 시행하거나 페놀/알코올을 이용한 신경 용해술을 시행해왔다. 하지만 이들 술식이 흉터 및 재발, O형 다리 모양의 생성 등의 문제점을 가지고 있어 최근에는 고주파를 이용한 비절개 종아리 신경응고술이 새롭게 소개되어 시술되고 있다. 비복근은 발의 발바닥 쪽 굽힘에 작용하여 직립 및 보행 기능을 담당하고 있으며 종아리 배부의 근육 중 가장 바깥에 위치하고 있다. 내측 대퇴골의 내측 상과 및 외측 대퇴골의 외측 상과에서 기시하여 가자미근과 함께 아킬레스 인대에 부착하고 있으며 경골 신경의 내외측 비복근 신경 가지에 의해 지배를 받고 있다. 비복근으로 가는 신경 가지 주위에는 내외측 장딴지 피부 신경, 가자미근의 운동신경, 온종아리 신경 등이 있으며 이들 신경 가지의 손상을 피하면서 비복근 신경 가지를 차단하는 것이 중요하다.

구체적인 술기를 살펴보면 먼저, 크기를 측정하고 디자인을 시행한다. 비복근의 경계 및 경골 신경과 그 가지의 경로를 표시한다. 환자가 엎드린 자세에서 국소마취한 후 고주파 기기의 Probe 또는 별도의 신경 자극기의 팁을 비복근 가지의 주행 부위에 삽입하여 신경 자극 검사를 시행한다. 이때 운동신경을 탐지하게 되면 운동신경이 존재하는 대상근육이 수축하게 되어 신경의 위치를 파악할 수 있다. 신경의 존재를 파악하게 되면 고주파 기기를 작동시켜 신경에 열손상을 입혀 파괴한다. 시술이 끝나면 다시 한 번 신경 자극 검사를 시행하여 운동신경의 소실 여부를 확인한다. 압박드레싱하고 수술을 마친다.

◀ 참고문헌 ▶

1. 김영균, Akira Kawada: 광노화 클리닉. 신흥메드 사이언스, 2006.
2. 김인건: 중주파를 이용한 새로운 성형수술법-교근 축소술 및 종아리 근육(비복근) 축소술. 대한성형외과 학회 추계 학술대회 초록집: p376, 2004.
3. 김준형, 권혁준, 백대향, 여현정, 박병주, 손대구, 한기환: 알코올 신경 차단술과 레이저 지방 용해술을 이용한 종아리 성형술-예비보고. 대한성형외과 학회 추계 학술대회 초록집: p267, 2006.
4. 박영진, 이원석, 장효죽: 고주파 발생기를 이용한 깨물근축소술. 대한성형외과 학회 추계 학술대회 초록집: p374, 2004.
5. 위성윤: 비절개 신경 차단술을 이용한 종아리 축소술-예비보고. 대한성형외과 학회 추계 학술대회 초록집:p269, 2006
6. 정승문, 배익현, 김한결, 서영민, 박희석, 김수영, 이원택: 선택적 신경 용해술을 이용한 종아리 축소술. 대한성형외과 학회 추계 학술대회 초록집: p265, 2006.
7. Abraham MT, Mashkevich G. Monopolar radiofrequency skin tightening. Facial Plast Surg Clin North Am. 2007 May;15(2):169-77.
8. Alexiades-Armenakas M, Newman J, Willey A, Kilmer S, Goldberg D, Garden J, Berman D, Stridde B, Renton B, Berube D, Hantash BM. Prospective multicenter clinical trial of a minimally invasive temperature-controlled bipolar fractional radiofrequency system for rhytid and laxity treatment. Dermatol Surg. 2013 Feb;39(2):263-73.
9. Alexiades-Armenakas M, Rosenberg D, Ren-

ton B, Dover J, Arndt K. Blinded, randomized, quantitative grading comparison of minimally invasive, fractional radiofrequency and surgical face-lift to treat skin laxity. Arch Dermatol. 2010 Apr;146(4):396-405.

10. Alster TS, Tanzi E. Improvement of neck and cheek laxity with a nonablative radiofrequency device: a lifting experience. Dermatol Surg. 2004 Apr;30(4 Pt 1):503-7

11. Anolik R, Chapas AM, Brightman LA, Geronemus RG. Radiofrequency devices for body shaping: a review and study of 12 patients. Semin Cutan Med Surg. 2009 Dec;28(4):236-43.

12. Berube D, Renton B, Hantash BM. A predictive model of minimally invasive bipolar fractional radiofrequency skin treatment. Lasers Surg Med. 2009 Sep;41(7):473-8.

13. Burns JA. Thermage: monopolar radiofrequency. Aesthet Surg J. 2005 Nov-Dec;25(6):638-42.

14. Cho SI, Chung BY, Choi MG, Baek JH, Cho HJ, Park CW, Lee CH, Kim HO. Evaluation of the clinical efficacy of fractional radiofrequency microneedle treatment in acne scars and large facial pores. Dermatol Surg. 2012 Jul;38(7 Pt 1):1017-24.

15. Fisher GH, Jacobson LG, Bernstein LJ, Kim KH, Geronemus RG: Nonablative Radifrequency Treatment of Facial Laxity. Dermatol Surg 31:9 part 2, 2005.

16. Fritz M, Counters JT, Zelickson BD. Radiofrequency treatment for middle and lower face laxity. Arch Facial Plast Surg. 2004 Nov-Dec;6(6):370-3.

17. Goldberg DJ: Nonablative Laser Technology - Radiofreqeuncy. Aesthetic surg J 24:180, 2004.

18. Hantash BM, Renton B, Berkowitz RL, Stridde BC, Newman J. Pilot clinical study of a novel minimally invasive bipolar microneedle radiofrequency device. Lasers Surg Med. 2009 Feb;41(2):87-95.

19. Hantash BM, Ubeid AA, Chang H, Kafi R, Renton B. Bipolar fractional radiofrequency treatment induces neoelastogenesis and neocollagenesis. Lasers Surg Med. 2009 Jan;41(1):1-9.

20. Hodgkinson DJ. Clinical applications of radiofrequency: nonsurgical skin tightening (thermage). Clin Plast Surg. 2009 Apr;36(2):261-8.

21. Kushikata N, Negishi K, Tezuka Y, Takeuchi K, Wakamatsu S: Non-Ablative Skin Tightening With Radifrequency in Asian Skin. Laser Surg Med 36:92, 2006.

22. Lee HS, Lee DH, Won CH, Chang HW, Kwon HH, Kim KH, Chung JH. Fractional rejuvenation using a novel bipolar radiofrequency system in Asian skin. Dermatol Surg. 2011 Nov;37(11):1611-9.

23. Lee KR, Lee EG, Lee HJ, Yoon MS. Assessment of treatment efficacy and sebosuppressive effect of fractional radiofrequency microneedle on acne vulgaris. Lasers Surg Med. 2013 Dec;45(10):639-47.

24. Lim SD, Yeo UC, Kim IH, Choi CW, Kim WS. Surgical corner. Evaluation of the wound healing response after deep dermal heating by fractional micro-needle radiofrequency device. J Drugs Dermatol. 2013 Sep;12(9):1044-9.

25. Rhim H, Dodd III GD: Radiofrequency Thermal Ablation of Liver Tumors. J Clin Ultrasound 27:221, 1999.

26. Sadick N, Makino Y: Selective Electro-Thermolysis in Aesthetic Medicine-A Review. Reference Laser Surg Med 34:91, 2004.

27. Seo KY, Yoon MS, Kim DH, Lee HJ. Skin rejuvenation by microneedle fractional radiofrequency treatment in Asian skin; clinical and histological analysis. Lasers Surg Med. 2012 Oct;44(8):631-6.

28. Shin JU, Lee SH, Jung JY, Lee JH. A split-face comparison of a fractional microneedle radiofrequency device and fractional carbon dioxide laser therapy in acne patients. J Cosmet Laser Ther. 2012 Oct;14(5):212-7.

29. Shin MK, Park JM, Lim HK, Choi JH, Baek JH, Kim HJ, Koh JS, Lee MH. Characterization of microthermal zones induced by fractional radiofrequency using reflectance confocal microscopy: a preliminary study. Lasers Surg Med. 2013 Oct;45(8):503-8.

30. Sukal SA, Geronemus RG. Thermage: the nonablative radiofrequency for rejuvenation. Clin Dermatol. 2008 Nov-Dec;26(6):602-7.

Thermage

31. Abraham M, Chiang S, Keller G, Rawnsley J, Blackwell K, Elashoff D .: Clinical evaluation of non-ablative radiofrequency facial rejuvenation. J Cosmet Laser Ther, 6: 136-144, 2004.

32. Fitzpatrick R, Geronemus R, Golberg D, Kaminer M, Kilmer S, Rutz-Esparaza J. : Multicenter study of noninvasive radiofrequency for periorbital tissue tightening. Laser Surg Med, 33:232-242, 2003.

Polaris

33. Chess C. Prospective study on combination diode laser and radiofrequenct energies(ELOS™) for the treatment of leg veins. J Cosmet Laser Ther. 6:86-90, 2004
34. Doshi SN, Alster TS. Combination radiofrequency and diode laser for treatment of facial rhytides and skin laxity. J Cosmet Laser Ther. 7:11-15, 2005
35. Lapidoth M, Yaniv E, Amital DB, Rave E, Kalish E, Waner M, David M. Treatment of facial venous malformations with combined radiofrequen-cy current and 900 nm diode laser. Dermatol Surg. 31:1308-1312, 2005
36. Sadick NS, Trelles MA. A clinical, histological, and computer-based assessment of the Polaris LV, combination diode, and radiofrequency system. for leg vein treatment. Lasers Surg and Med. 36:98-104, 2005
37. Sadick NS, Trelles MA. Nonablative wrinkle wreatment of the face and neck using a combined diode laserand radiofrequency technology. Dermatol Surg. 31:1695-1699, 2005
38. Trelles MA, Vazquez MM, Trelles OR, Mordon SR. Treatment effects of combined radio-frequency current and 900 nm diode laser on leg blood vessels. Lasers Surg Med.

CHAPTER

20 고강도집적초음파를 이용한 피부 회춘술(HIFU)

고강도집적초음파를 이용한 피부 회춘술(HIFU)

HIFU

노 낙경

CHAPTER 20

I. 초음파의 개요

1. 초음파란 무엇인가

초음파는 음파의 일종으로 사람의 귀에 들리는 가청주파수를 넘어선 영역(일반적으로 17,000~20,000Hz를 넘는 영역)의 음향진동을 말한다. 빛이나 고주파 등의 전자파가 물질을 사이에 두지 않고 전기장이나 자기장의 힘으로 진동을 전달하는 것과 달리 초음파를 포함한 모든 음파는 공기와 수분 등의 물질을 매개로 진동을 전달하며 진행방향과 진동방향이 동일한 종파의 성질을 갖는다. 그 전달 속도는 광자로 전달되는 전자파에 비해서 비교할 수 없을 정도로 느리며 전달되는 매질에 의해서도 크게 달라진다. 진동으로 전파되는 성질 상 매질의 분자간 결합이나 분자밀도에 따라 그 전달속도가 결정되며 속도와 수파수는 관계가 없다. 초음파를 위시한 음파는 파장(λ), 주파수(f), 그리고 진폭(A)에 의해 그 성질이 결정된다(그림 20-1).

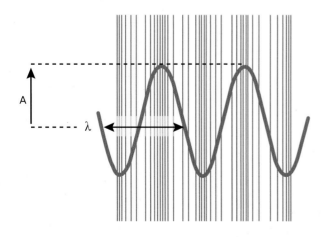
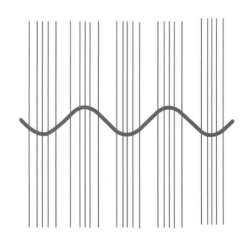

그림 20-1. 초음파의 성질을 결정하는 것은 파장(λ), 주파수(f), 그리고 진폭(A)이다.

초음파는 전술한 바와 같이 사람의 가청영역을 넘어선 음파를 지칭하는 것이므로 기본적인 성질은 음파와 같다. 그러나 음파에 비해 주파수가 높다는 특징이 있으므로 이와 관련된 몇 가지 특성을 갖는다. 가장 큰 특징은 주파수가 높을수록 이른바 "지향성"을 갖는다는 것이다. 즉, 주파수가 높은 초음파일수록 어느 정도 직진성을 보인다. 반면 주파수가 높을수록 진동이 강하기 때문에 매질 내에서 에너지를 쉽게 잃어 버린다. 이를 감쇄(attenuation)라고 하며 인체 조직이라는 동일 조건 하에서는 초음파의 주파수가 높을수록 그 전달 깊이는 얇아진다고 간주할 수 있다.

전자기파와 비교했을 때 초음파는 액체 속에서 전달이 용이하다는 장점이 있다. 전자기파(광이나 고주파)는 기체 속이나 진공 속에서는 전파가 매우 잘되지만, 그것보다 밀도가 높은 액체 속에서는 반사와 산란이 너무 많이 발생하므로 깊이 전파되지 못한다. 게다가 전자기파는 전도성이 있는 액체(인체를 예로 들자면 조직 내의 수분과 전해질)에서는 전하에 붙잡혀 에너지를 빼앗기기 때문에 상당히 얇은 층에서 감쇄되어 버린다. 반면에 초음파는 매질을 통해 전파하는 탄성파이기 때문에 기체 속에서 보다 액체 속에서 전파가 더 잘 되고 액체로 채워진 인체조직 내에서 현격히 빠른 전도속도를 보인다.

2. 초음파와 조직반응

초음파는 조직 내에서 크게 1) 정보반응, 2) 동력반응, 3) 열반응의 세 가지 반응을 일으킨다. 정보적 작용의 대표적인 예는 초음파 진료장치이다. 초음파의 주파수가 높을수록 거리분해능력(longitudinal resolution)이 높다. 즉, 하나의 파장에서 읽을 수 있는 정보가 동일하다면 주파수가 클수록 많은 정보를 얻을 수 있다. 따라서 주파수가 높은 초음파를 사용하는 진단기기는 보다 선명한 이미지를 보여준다. 동력적 작용은 초음파의 진동에 의해 생기는 다양한 생체변화를 의미한다. 조직에 손상을 주지 않으면서 얻을 수 있는 동력적 작용의 대표적인 예는 초음파를 이용한 세척작용이 있고 소밀파에 의해 발생하는 공간압박(compression) 효과는 특정 물질이나 약물을 비침습적으로 조직 내로 전달하는 데에 사용된다. 조직에 손상을 주는 동력적 작용으로는 물리적인 마찰작용, 공동현상(cavitation), 공진현상(resonance) 등이 있다. 치료분야에서 초음파는 전자기파와 같이 물질에 조사하여 열을 발생시키는 용도로 주로 사용되지만 열변성 외에도 다양한 용도로 사용되고 있다. 열반응은 특히 HIFU(high-intensity focused ultrasound) 장비에서 중요한데, 이에 대해서는 아래에서 좀 더 자세히 설명하겠다.

II. HIFU (high-intensity focused ultrasound)

1. HIFU의 특징 및 조직과의 상호작용

HIFU(High Intensity Focused Ultrasound)는 우리말로는 "고강도집적초음파"라고 번역된다. 초음파는 단순히 통과해 가는 경로에서는 생체 조직에 아무런 해를 입히지 않고 전파된다. 그러나 사용하는 초음파가 충분한 에너지를 가지고 있는 상태에서 특정 부위에 집중되어 조사된다면 집중된 에너지는 심지어 조직괴사를 일으키기에 충분한 정도의 국소적 온도 상승을 유발한다(그림 20-2).

HIFU가 기존 초음파 온열치료(thermotherapy)와 다른 점은 초음파 에너지 집중도의 차이에 기인한다. 초음파가 조직을 통해 전파해나갈 때 그 에너지의 일부는 열로 바뀌게 되며 일반적으로는 이때 발생한 열은 즉시 주위로 분산되어 식어 버린다. 그렇지만 열의 발생속도가 냉각속도보다 빠르게 되면 국소 온도가 상승하게 된다. 온도가 섭씨 43℃ 이상으로 60분 이상 지속되면 세포증식이 정지하는데 이것이 온열요법의 원리이다. 즉 조직의 국소 온도를 42℃ 정도로 맞추어 일정 시간 동안 지속하는 것을 목표로 하는 것이다. 이와 달리 HIFU는 짧은 시간 동안 상당한 고온으로 조직 온도를 유지, 열에 의한 응고성 괴사(coagulative necrosis)를 통해 비가역적으로 세포나 조직을 파괴하는 것이 그 원리이다.

HIFU 치료 도중 표적이 되는 조직의 온도는 신속하게 80℃ 이상으로 상승하게 되므로 노출 시간을 매우 짧게 하는 경우에도 효과적으로 조직을 파괴할 수 있고 표적이 되는 조직 부위와 주변 조직과의 온도 차이가 매우 크다. 이는 HIFU 치료 후 시행한 조직 소견 상 열괴사가 발생한 부위와 인접 정상 조직과의 경계가 매우 분명한 것을 통해서도 알 수 있다. 기존의 온열요법에서는 혈액순환에 의한 냉각효과가 치료효과 감소를 유발할 수 있으며 이는 치료하는 동안 열이 표적 부위로부터 주위로 퍼져나갈 수 있는 충분한 시간이 존재하기 때문이다. 그러나 HIFU 치료 시에는 조직이 열에 노출되는 시간이 초단위 이하로 매우 짧기 때문에 냉각효과로 인한 치료효율 저하는 전혀 문제가 되지 않는다.

HIFU는 이처럼 고에너지 초음파의 지향성과 높은 침투도를 이용하여 여러 개의 초음파 파동을 특

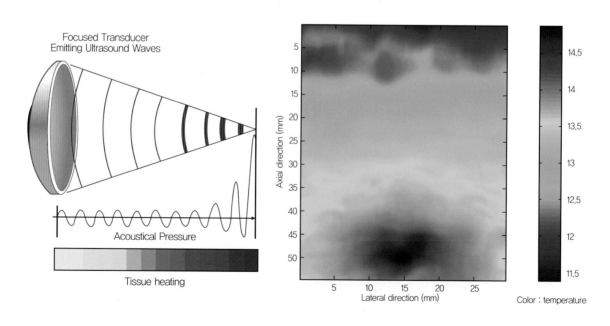

그림 20-2. HIFU(High Intensity Focused Ultrasound)를 이용한 국소적 열응고의 원리

정 부위에 집적(집속)시켜서 초점 부분에서 강한 초음파 마찰열을 유도, 고온을 발생시키는 방식으로 구현된다. 돋보기를 이용하여 태양광선을 검은 종이의 한 초점에 집중시키면 그 초점에 정확히 일치하는 국소 부위에서는 점화가 일어나지만 그 주변은 아무런 영향을 받지 않는 것과 유사한 원리라고 할 수 있다. 따라서 임상적으로 HIFU는 그 초점에 일치하는 병변에 포함되어 있는 세포들만을 파괴할 뿐 초점에서 벗어나 있는 피부나 주위 장기에는 별 손상을 주지 않는 특징이 있다. 인체에서 초음파는 전자기파보다 깊이 전달되므로 피부뿐만 아니라 피하와 근막, 또는 그보다 더 깊은 특정 조직이나 장기에 초점을 맞춰 가열하는 것이 가능하다. 발생하는 열은 최대 80℃에 달한다. 초음파의 주파수를 조정하면 초점 범위나 밀도를 조정할 수 있다. HIFU에 의해 형성되는 병변은 조직학적으로 타원형 또는 실린더 형태로서 그 장축은 초음파 조사 방향에 평행하며 그 크기는 초음파 주파수 및 발생장치의 종류에 좌우된다.

초음파 장비에서는 레이저와 달리 "치료 팁(treatment tip)"이라는 표현 대신 "트랜스듀서(transducer)"라는 명칭을 사용한다. 트랜스듀서는 전기 에너지를 초음파 주파수 범위의 기계적 진동 에너지로 변환시키는 기기를 의미하며 HIFU 장비에서는 좁은 영역에 고강도의 에너지를 집속시키기 위해 초점 변환기를 함께 사용한다.

안면 및 경부 회춘술에 있어서 HIFU 장비의 주된 타겟은 피하조직, 특히 SMAS이다. 그러나 초음파에 의한 조직의 열반응은 조직의 특성에 다소 비(非)특이적인 면이 있으므로 신경과 혈관 등의 손상에 대한 주의가 필요하다. SMAS를 표적으로 얼굴에 사용하는 경우에는 비교적 높은 주파수 (MHz 단위)의 초음파를 사용해서 1mm³ 이하 크기의 초점범위로 원하는 타겟 조직을 집중적으로 열변성시킨다. 반면 국소적 지방분해를 위해 몸의 피하지방 층을 표적으로 할 경우에는 비교적 낮은 주파수(kHz 단위)를 사용해 더 넓은 초점범위를 잡아 비교적 큰 용적을 열변성시키는 것이 유리하다.

2. HIFU가 사용되는 임상 분야

1992년 Chapelon 등이 실험실적으로 유발된 쥐의 종양에 치료효과가 있음을 보고한 이래로 1995년 이후 HIFU는 인체의 전립선암 치료에 처음 사용되었고 이후 직장, 간, 신장, 고환, 췌장, 유방, 자궁, 방광, 연부조직, 뼈 등 다른 조직에 발생한 암 치료에도 시도되고 있다. 전립선암의 근치적 치료를 위한 HIFU 시술은 현재 유럽에서는 이미 인정받는 치료법이 되었다. HIFU를 미용적 목적으로 사용하는 장비들이 개발되어 피부과와 성형외과 영역에서 널리 이용되고 있는 것이 최근의 특기할 만한 사항이라고 할 수 있다.

3. HIFU 시술의 장단점

HIFU 시술은 피부 표면의 창상이나 열손상을 유발하지 않아 완전히 비침습적이며 목표 병변에 대해서만 정확하게 괴사를 일으켜 효과적이다. 첫 시술 후 그 조사 용량에 큰 제한이 없어서 반복시술이 용이하며 시술 후 추가로 다른 레이저나 필링 등 다른 시술을 시행하는 데에 별 제약을 주지 않는다는 것이 장점이다. 그렇지만 HIFU 역시 본질적으로는 초음파이기 때문에 공기가 차 있는 부위에서는 전파되지 못하고 뼈와 같은 장애물을 만나면 흡수 및 반사가 일어나 시술의 효과가 불안정해질 수 있다는 단점도 갖는다. 또한 시술 시간이 길고 시술 중 통증이 꽤 동반되며 스캐닝 방식의 트랜스듀서가 소모품으로 제작되어 있어 장비 구입 후에도 적지 않은 유지비용(running cost)이 필요한 등의 단점도 있다.

III. 시판되고 있는 안면경부 리프팅용 HIFU 장비들

1. 울쎄라®

가) 장비의 개요 및 치료 원리

인체 고형암 치료를 위한 HIFU 장비를 제작하던 미국의 엔지니어들이 2004년 HIFU를 안면경부 회춘술에 미용적으로 이용하는 장비를 처음 제작하였고, 2년 이상의 임상시험을 거쳐 2008년 "eyebrow lifting"을 적응증으로 미국 FDA의 승인을 받아 울쎄라®(Ulthera®, Ulthera Inc., Messa, AZ, U.S.A.)라는 상품명으로 출시하였다 (그림 20-3). 이것이 HIFU의 미용의학적 적용의 효시이며 현재 HIFU를 이용한 비침습적 안면 경부 리프팅 장비의 대명사로 받아들여지고 있다.

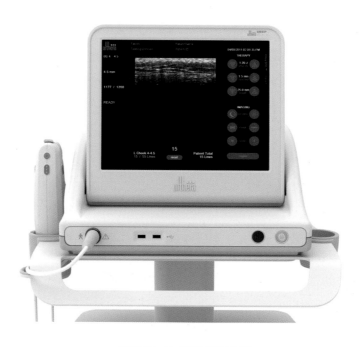

그림 20-3. 울쎄라®시스템

현재 하안면과 목의 리프팅에 대해서도 미국 FDA 및 한국 식품의약품안전처의 허가를 획득한 상태이다.

장비의 치료 원리는 기본적으로 다른 HIFU 장비와 크게 다르지 않다. 그러나 실제 specification은 큰 차이를 보이는 바, 고형암 치료를 위한 HIFU 장비들이 대개 1.5-1.7 MHz의 주파수와 수 cm의 초점거리를 갖는 것과 달리 울쎄라®는 4, 7, 10MHz의 비교적 높은 주파수 영역을 사용하며 초점거리도 4.5, 3.0, 1.5mm로 매우 얕은 것이 특징이다. 이것은 울쎄라®의 경우 복강 내의 장기를 치료하는 기존의 HIFU 장비와 달리 피부 아래에 있는 피하섬유조직이나 근막을 타겟으로 잡고 있기 때문이다.

현재까지 출시된 울쎄라®의 트랜스듀서는 총 5종으로, 사용하는 초음파의 주파수는 4MHz(가장 높은 에너지 레벨), 7MHz(중간 에너지 레벨), 10MHz(낮은 에너지 레벨)의 세 가지가 준비되어 있다(그림 20-4). 각각의 초점깊이(치료깊이)는 4.5mm(4MHz, 7MHz), 3.0mm(7MHz), 1.5mm(10MHz)가 된다. 모든 트랜스듀서는 피부 표면으로부터 8mm 깊이까지 조직을 B-모드 스캔하여 실시간 감시할 수 있는 imaging unit을 포함하고 있어 시술 중 실시간으로 시술할 부위의 단면 구조를 확인할 수 있다. 시술 시 피부 표면에 열이 전달되지 않기 때문에 표면냉각은 필요치 않다.

각 트랜스듀서에 따라 미리 정해진 깊이(4.5mm, 3.0mm, 또는 1.5mm)에 초음파 에너지를 포커싱하여 이곳에 thermal coagulation zone(TCZ)을 생성시킨다(그림 20-5). 이로 인해 이차적으로 유발된 조직의 콜라겐 변성은 이후 새로운 콜라겐의 합성을 유도하게 되므로 결국 조직의 부분적 콜라겐 신생 및 리프팅, 타이트닝 효과를 얻을 수 있는 것이다. 동물실험 및 사체를 이용한 연구

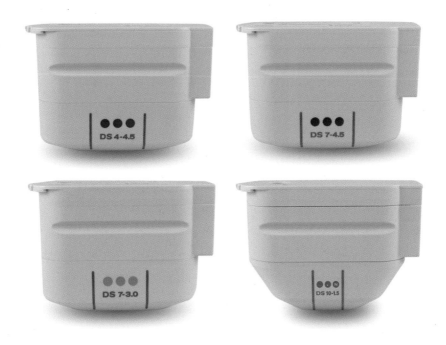

그림 20-4. 울쎄라®에 장착하여 사용하는 다양한 트랜스듀서들

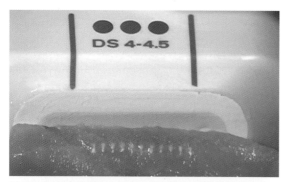

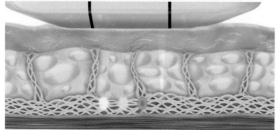

그림 20-5. TCZ (thermal coagulation zone)

상 울쎄라는 진피하부로부터 superficial muscu-loaponeurotic system(SMAS) 층까지 다양한 크기와 깊이의 TCZ가 생성되며 이 TCZ들은 시술 24시간이 되면 조직학적으로 뚜렷하게 관찰되고 12주가 지나면 새로운 조직으로 대체된다는 것이 알려졌다.

이 TCZ의 크기와 깊이를 결정하는 것은 초음파의 주파수와 에너지의 크기이며 그 형태는 "in-verted cone" 또는 cylinder shape이다. 이러한 TCZ는 스캐닝 방식에 의해 fractional하게 순차적으로 선형으로 만들어진다. 이를 "treat-ment line"이라고 부르며 하나의 treatment line은 1.1-1.5mm 간격으로 배열된 17-23개의 TCZ를 포함한다. 각 TCZ는 약 $1mm^3$의 부피를 가지며 가장 넓은 폭은 0.5-0.75mm이고 세로 길이는 0.75-1.5mm이다. 일반적으로 높은 주파수의 트랜스듀서를 사용했을 때 더 넓은 폭의 TCZ를 얻

을 수 있다고 알려져 있다(즉, 4MHz가 7MHz보다 더 호리호리한 실린더 형태의 TCZ를 만든다). TCZ는 에너지가 강해질 수록 그 크기, 특히 세로 길이가 증가하므로 지나치게 높은 에너지를 사용하는 경우 원치 않는 표피 손상을 일으킬 수 있으므로 주의를 요한다.

울쎄라의 트랜스듀서에는 치료용 초음파 모듈과 이미징 모듈이 모두 포함되어 있으므로 시술 중 실시간으로 조직의 깊이와 구조를 확인할 수 있다. 일반적으로 높은 주파수의 트랜스듀서를 사용하면 적은 통증으로 신속하게 시술할 수 있지만 치료 깊이는 얕아진다. 반면, 더 깊은 층에 TCZ를 만들기 위해 주파수가 낮은 트랜스듀서를 사용하면 통증이 커지고 시술 속도도 느려진다. 따라서 각 트랜스듀서 별 특징을 감안하여 부위별로 시술 계획을 수립하는 것이 좋다.

임상적 호전은 시술 후 만들어진 TCZ들이 새로운 콜라겐으로 대체되어야 제대로 나타나므로 시술 후 2-4개월에 걸쳐 점진적으로 개선을 느낄 수 있다. 사람에 따라서는 3-4개월이 아닌 6-7개월 이상의 긴 시간을 두고 매우 천천히 임상적 호전을 보이기도 하므로 너무 조바심을 내지 않고 여유 있게 효과를 지켜 보는 것이 좋다. 조명과 각도가 잘 표준화된 시술 전후 정면과 측면 사진을 잘 촬영해 6개월 간격으로 비교해 보면 시술 효과를 판단하는데 많은 도움이 된다(그림 20-6). 물론 시술 직후 및 1-2주 후의 이른 시기에도 콜라겐섬유들의 즉각적인 수축에 의해 리프팅 및 타이트닝 효과를 느낄 수 있으며 이러한 변화는 특히 눈썹처짐 부위에서 잘 감지된다.

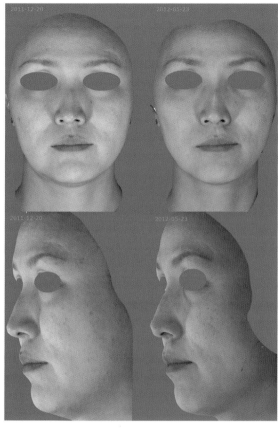

그림 20-6. Vectra3D®Imaging System (Canfield Scientific, Fairfield, NJ, U.S.A)의 표준화된 3차원 영상으로 비교한 울쎄라®시술 6개월 후의 안면윤곽 변화 (사진제공: 조이엠지)

나) 시술 대상

너무 심하지 않은 정도의 피부 처짐(laxity)를 갖는 사람들 중 눈썹의 처짐(eyebrow sagging), 중안면과 하안면 및 경부의 처짐을 비수술적, 비침습적 방법으로 개선하고 싶어 하는 경우가 가장 좋은 적응증이다. 너무 살이 찌거나 지나치게 마른 사람보다는 안면과 턱밑의 피하지방이 적당히 있으면서 노화로 인한 처짐이 발생한 사람이 좋다.

다) 시술 방법

국소마취크림을 1시간 밀봉도포한 후 시술하는 것이 일반적이지만, 시술 깊이가 깊어 마취크림만으로는 충분히 통증 조절이 되지 않기 때문에 부분적으로 신경차단술이나 리도카인 국소주입을 시행하거나 수면마취 하에 시술을 진행하기도 한다. 최근 연구 결과에 따르면 시술 전 acetaminophen과 codeine 복합제를 경구투여하면 시술 시 통증을 유의하게 줄일 수 있다고 한다. 마취크림을 닦아내고 시술 부위를 마킹한 다음 초음파 젤을 치료 부위에 얇게 바른 후 HIFU 조사를 시행한다.

시술 시 고려해야 할 가장 중요한 세 가지 사항은 트랜스듀서의 선택과 에너지 레벨의 조정, 그리고 treatment line 개수의 결정이다. 이마, 관자놀이, 눈주위는 피부와 피하조직이 얇으므로 침투 깊이가 얕은 7MHz나 10MHz 트랜스듀서를 사용하여 시술하되 안와위신경(supraorbital nerve)과 도르레위신경(supratrochlear nerve)의 주행 부위는 가급적 치료하지 않는 것이 환자의 불편을 줄이는 데 도움이 된다. 뺨은 먼저 4MHz 트랜스듀서를 사용해서 깊은 층(SMAS)을 치료하고 이후 7MHz 트랜스듀서로 조금 더 얕은 층을 추가적으로 치료한다. 두 종류의 트랜스듀서 중 어떤 것을 위주로 사용할 지는 얼굴의 형태와 시술자의 경험에 의해 결정되는데, 일반적으로는 너무 마른 사람에게는 4MHz 보다는 7MHz 위주의 시술이 권장된다. 턱밑 지방축적 부위도 같은 요령으로 시술한다. 턱선은 지방조직의 두께를 감안하여 너무 얇다면 7MHz, 비교적 지방층이 많다면 4MHz 트랜스듀서를 위주로 시술한다. 시술 중 트랜스듀서를 피부 표면에 잘 접촉시키는 것이 중요하다. 젤을 바른 피부와 트랜스듀서 사이에 공기방울이 있

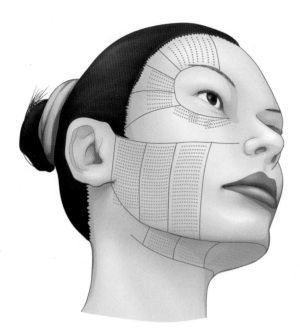

그림 20-7. 울쎄라®시술 디자인의 예시

으면 그 쪽으로 초음파 에너지가 전혀 전달되지 않아 TCZ가 생성되지 않기 때문이다.

Treatment line의 개수는 상부안면에 80-100개, 중안면(볼)에 200-300개, 턱선에 40-60개, 목에 80-100개 정도로, 전체적으로 적게는 400라인, 많게는 600 라인 이상까지 사용하기도 한다 (그림 20-7). 에너지 강도는 환자가 참을 수 있는 한 높게 할수록 치료효과가 높아질 것으로 예상할 수 있지만, 실제로는 최대 에너지에서 2레벨 정도 낮춰서 시행해도 치료효과가 떨어지지 않으면서 시술 중 통증은 상당히 감소한다는 보고가 있다.

라) 장점

안면과 경부의 처짐을 비수술적, 비침습적 방법으로 어느 정도 개선시킬 수 있는 장비로서 "리프팅"에 대해 최초로 미국 FDA의 승인을 받은 장비

이다. HIFU를 미용적 목적으로 사용하기 시작한 효시가 된 장비로서 시술 중에도 실시간으로 치료하는 부위의 구조와 깊이를 확인할 수 있어 시술이 직관적이다. 기본적으로 "inside-out" 방식의 치료 장비이므로 표피의 손상을 걱정할 필요가 없다. 상당히 강한 에너지로 많은 라인을 조사해도 안면의 홍반이나 부종이 거의 없어 시술 직후에도 일상생활이 가능하다. 다양한 트랜스듀서의 조합으로 처짐부터 잔주름까지 여러 적응증을 커버할 수 있다. 최근에는 안면경부를 벗어나 전흉부와 복부의 잔주름, 유방의 처짐, 팔꿈치와 무릎의 주름, 겨드랑이 다한증과 액취증, 심지어 활동성 여드름치료에 이르기까지 다양한 임상적 적용이 시도되고 있다.

마) 단점 및 부작용

시술 중 통증이 심한 편이므로 통증에 대한 자신만의 대비책을 마련해 두는 것이 필요하다. 시술 시간이 30-60분 가량으로 꽤 오래 걸리는 것도 단점이다. 일반적으로 시술 후 특별한 부작용은 없으며 시술 후 발생하는 가벼운 홍반과 부종은 대개 한두 시간 이내에 소실된다. 드물게 TCZ가 림프순환에 장애를 주어 다양한 정도의 안면부종을 유발하기도 한다.

트랜스듀서와 피부 사이의 밀착이 좋지 않거나 특정 부위를 너무 집중적으로 치료한 경우 치료한 곳을 따라 가볍게 융기된 홍반성 구진들이 선상으로 배열되어 마치 손톱을 할퀸 것처럼 보이는 경우가 있다. 이는 TCZ가 너무 얕게(상부진피 레벨에) 생성되었기 때문이며 대개 시술 직후부터 눈에 띈다. 시술 직후 단순한 홍반 부위가 있다면 그대로 두고 경과만 관찰해도 좋지만 만약 앞서 언

급한 "elevated striation"이 관찰된다면 소실될 때까지 국소 스테로이드제를 하루 두세 번 바르도록 교육한다.

너무 마르고 피하지방층이 덜 발달된 사람에게 과도한 에너지로 지나치게 많은 수의 treatment line을 조사하는 경우 피하지방층의 국소적 위축이 발생할 수 있다. 지방위축이 발생하면 자연소실되는 데에 상당한 시간이 필요하므로 가급적 이러한 부작용을 만들지 않는 것이 중요하다. 환자선택을 잘 하고 너무 마른 환자에게는 과도한 조사를 시행하지 않는 것이 좋다.

감각신경에 지나친 열손상을 주는 경우 수주에 걸쳐 해당 감각신경 영역의 저릿저릿한 감각을 호소하기도 하는데, 주로 안와위신경과 도르레위신경 부위에서 흔히 관찰된다. 이러한 부작용은 1-2주에 걸쳐 대개 자연 소실되므로 너무 걱정할 필요는 없지만, 가급적 이를 방지하는 것이 좋으므로 해당 부위의 시술을 피하거나 약한 에너지로 치료하는 것이 좋다. 이마나 관자놀이 부위의 정맥을 건드려 드물게 멍이 발생하기도 한다. 가장 심

각한 합병증은 운동신경 손상으로, 피부 표면으로 비교적 얕게 주행하는 안면신경의 하악변연분지(marginal mandibular branch) 손상이 드물지 않게 발생하므로 턱선을 치료할 때 입꼬리 위치보

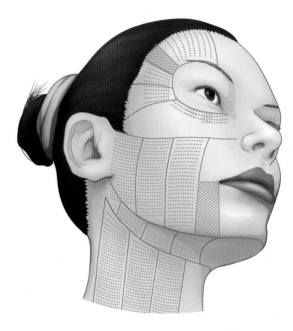

그림 20-8. HIFU를 이용한 안면경부 리프팅 치료 시 주의해야 할 부위(붉은색)

표 20-1. 국내에 시판 중인 안면 리프팅용 HIFU 장비들의 제원 비교(장비의 제원은 향후 변경될 수 있음)

제품명	울쎄라®	더블로®	울트라포머®	울트라스킨®	이클립®	튤립®(출시예정)
제조사	Ulthera Inc. (U.S.A)	하이로닉 (한국)	클래시스 (한국)	원테크놀로지 (한국)	아이티씨 (한국)	단일에스엠씨 (한국)
트랜스듀서 종류 및 제원	4MHz-4.5mm 7MHz-4.5mm 7MHz-3.0mm 10MHz-1.5mm	4MHz-4.5mm 7MHz-4.5mm 7MHz-3.0mm	4MHz-4.5mm 7MHz-3.0mm 7MHz-1.5mm	4MHz-4.5mm 7MHz-3.0mm	3.2MHz-4.5mm 3.2MHz-3.0mm	4.3MHz-4.5mm 4.3MHz-3.0mm 4.3MHz-1.5mm
	2,400	10,000	7,000	15,000	10,000	(unknown)
라인 하나의 길이	25mm 14mm	5-25mm	5-25mm	30mm	30mm	(unknown)
Spacing	1.5mm 1.1mm	0.5-10mm	1-2mm	1.2mm 1.0mm	1.8mm 1.5mm 1.2mm	(unknown)
이미징 모듈	있음(16채널)	있음(128채널)	없음	있음(128채널)	없음	없음

다 내측은 시술하지 않는 것이 권고된다. 이 분지가 손상을 받는 경우 입술 움직임에 장애가 발생하는데, 결국 대부분은 1-2개월 이내에 자연소실되는 경과를 보인다. 마찬가지로 안면신경의 측두분지(temporal branch)가 피부쪽으로 얕게 주행하는 부위는 치료를 피하거나 에너지를 낮추어 시행하는 것이 좋다(그림 20-8).

2. 더블로®, 울트라포머®, 울트라스킨®, 이클립®, 튤립®

울쎄라®의 출시 이후 비슷한 제원과 개념을 가진 다수의 미용 HIFU 장비가 국내에서 개발되어 시판되고 있다. 더블로®, 울트라포머®, 울트라스킨®, 이클립®, 튤립® 등이 그들이며, 기본 작동원리와 시술방법 등은 울쎄라®와 대동소이하므로 개별적으로 기술하지 않고 장비별 제원만 비교하여 정리하였다(표 20-1). 현재까지 울쎄라®를 제외한 다른 장비들은 제품의 설명서 및 사용 의사들의 개인적 경험 외에는 학술지 등 의학 문헌에 언급된 내용을 찾기 어려우므로 각 장비를 사용한 시술의 효과 및 안전성 비교를 객관적으로 시행하기는 어려움이 많다.

참고문헌

1. 서동혜. HIFU를 이용한 face 리프팅. 대한피부과의사회지 2012;15:27-30.
2. 이현무. 고강도초음파집속술. 제7회 가톨릭 비뇨기과 심포지엄 초록집 2005.
3. 宮田成章. イチからはじめる美容医療機器の理論と実践. 全日本病院出版会 2013.
4. Alam M, White LE, Martin N, et al. Ultrasound tightening of facial and neck skin: A rater-blinded prospective cohort study. J Am Acad Dermatol 2010;62:262-9.
5. Brobst RW, Ferguson M, Perkins SW. Ulthera: Initial and six month results. Facial Plast Surg Clin N Am 2012;20:163-76.
6. Chan NP, Shek SY, Yu CS et al. Safety study of transcutaneous focused ultrasound for non-invasive skin tightening in Asians. Lasers Surg Med 2011;43:366-75.
7. Fabi SG, Massaki A, Eimpunth S, Pogoda J, Goldman MP. Evaluation of microfocused ultrasound with visualization for lifting, tightening, and wrinkle reduction of the décolletage. J Am Acad Dermatol 2013;69:965-71.
8. Gliklich RE, White WM, Slayton MH, et al. Clinical pilot study of intense ultrasound therapy to deep dermal facial skin and subcutaneous tissues. Arch Facial Plast Surg 2007;9:88-95.
9. Kennedy JE. High-intensity focused ultrasound in the treatment of solid tumours. Nat Rev Cancer 2005;5:321-7.
10. Laubach HJ, Makin IRS, Barthe PG, et al. Intense focused ultrasound: Evaluation of a new treatment modality for precise microcoagulation within the skin. Dermatol Surg 2008;34:727-34.
11. Lee HS, Jang WS, Cha YJ et al. Multiple pass ultrasound tightening of skin laxity of the lower face and neck. Dermatol Surg 2012;38:20-7.
12. MacGregor JL, Tanzi EL. Microfocused ultrasound for skin tightening. Semin Cutan Med Surg 2013;32:18-25.
13. Rohrich RJ, Pessa JE. The retaining system of the face: Histologic evaluation of the septal boundaries of the subcutaneous fat compartments. Plast Reconstr Surg 2008;121:1804-9.
14. Sasaki GH, Tevez A. Clinical efficacy and safety of focused-image ultrasonography: A 2-year experience. Aesthetic Surg J 2012;32:601-12.
15. Suh DH, Shin MK, Lee SJ, et al. Intense focused ultrasound tightening in Asian skin: Clinical and pathologic results. Dermatol Surg 2011;37:1595-602.
16. White WM, Makin IRS, Barthe PG, et al. Selective creation of thermal injury zones in the superficial musculoaponeurotic system using intense ultra-

sound therapy: A new target for noninvasive facial rejuvenation. Arch Facial Plast Surg 2007;9:22-9.

17. White WM, Makin IRS, Slayton MH, et al. Selec-

tive transcutaneous delivery of energy to porcine soft tissues using intense ultrasound (IUS). Lasers Surg Med 2008;40:67-75.

INDEX

INDEX